LA DAGUE DE CARTIER

DU MÊME AUTEUR

LA VILLE DE GLACE, coll. « Grand Format », Grasset, 2000.
LE LAC DE GLACE, coll. « Grand Format », Grasset, 2002.

JOHN FARROW

LA DAGUE DE CARTIER

roman

Traduit de l'anglais par
JEAN ROSENTHAL

BERNARD GRASSET
PARIS

ISBN 978-2-246-68501-2
ISSN 1263-9559

« La terre dans son abnégation porte le bien et le mal, sans exception. »

Yi King

« Si ce gigantesque demi-continent a un cœur, il est ici. »

Deux solitudes, Hugh McLennan

PROLOGUE

PROLOGUE

Des temps immémoriaux

1971 – 1955 – 1939 – 1535

CARRÉES, ABRUPTES, les falaises opposent leur masse aux assauts de la mer. Leur ombre, à l'aube, jette un large auvent au-dessus du fleuve. Les strates de roche, orientées vers le nord-est, se dressent à la verticale, héritage d'une ère où la pierre s'arrachait à la pierre dans une explosion de feu, d'une ère qui déplaçait les pôles, déchiquetait les continents et faisait glisser leur socle ; un solide plateau émerge du fond déformé de l'océan, comme d'une forge septentrionale.

L'écorce terrestre frémit, entre en éruption. Le sol gronde, tremble et râle puis tout s'apaise quelque temps.

Trois cent cinquante millions d'années avant que le pâle et frêle Jacques Cartier, le visage fouetté par le vent, n'accoste sur la rive de cet immense estuaire, une météorite y était tombée, fissurant l'écorce terrestre. Sous l'impact, s'était creusé un cratère de cinquante-quatre kilomètres de diamètre et, loin de l'épicentre, la surface de la Terre s'était ridée en massifs montagneux.

La planète vacilla pendant une éternité sous le choc.

Plus tard, un nouveau choc, cette fois moins violent, frappa les collines et y laissa en souvenir un grand lac circulaire.

Des glaciers se formèrent sur les plaines situées au sud du grand fleuve, leur flux prodigieux entassant les roches en vagues sauvages avant de les reposer à des endroits précis, stèles choisies comme pour marquer le lent passage du temps. Au nord de la ligne de faille tracée par le fleuve, l'érosion s'attaqua à des roches très anciennes et la plus vieille chaîne montagneuse du continent s'effondra, se rapprochant du

11

niveau de la mer ; affaiblie par les ans, elle ne fut plus, en été, que verdoyantes collines et, en hiver, plis enneigés balayés par le vent.

Une montagne se forma dans l'espace laissé libre. Un cratère volcanique éteint mais encombré de débris se trouva comprimé par d'épaisses couches de glace. Puis disparurent le névé et la croûte de lave, laissant bien en évidence un amoncellement des roches les plus dures : plus tard, ce lieu serait sacré montagne royale.

La fonte des glaciers lors du redoux, les chutes de neige hivernales, les pluies de printemps et les orages d'été s'unirent pour créer un paysage verdoyant. Des rivières sillonnèrent le paysage, les lacs se remplirent. Les cours d'eau accueillirent de nombreux poissons nageant dans l'eau fraîche ou paressant à l'ombre des arbres des berges. Les ours et les élans, les lynx, les loups et les cerfs, de plus en plus nombreux, cohabitaient. Les caribous parcouraient les plaines du Nord. Créature habile et industrieuse, le castor élevait des barrages dans les ruisseaux ou les étangs et bâtissait des huttes qui, dressées au-dessus de l'eau, modifiaient le paysage.

L'âme du pays vivait dans son réseau de rivières. Au printemps arrivaient les huarts, suivis de l'abondant gibier d'eau qui animait les rives ou plongeait dans les lacs aux eaux glaciales. Puis, les premiers habitants apparurent sur les berges il y a onze mille années, lors du recul des glaciers. Ils étaient d'un brun tirant sur le roux. Curieux de tout, ils se déplaçaient, comme les oiseaux, au rythme des saisons et quelques tribus apprirent à affronter la rigueur d'hivers tenaces. Dans le Grand Nord, les gens vivaient sur le rivage d'une immense baie d'eau salée, un océan de glace ; ils profitaient des courts étés pour pêcher et passaient le reste de l'année à chasser dans les forêts. Ils avaient choisi d'habiter dans un environnement impitoyable qui leur permettait pourtant de mener une vie paisible.

Des générations se succédèrent ainsi.

Les tribus se disputaient les terres, au climat moins rude, qui foisonnaient de forêts et de rivières. Ceux qui parlaient la langue des Iroquois prospéraient le long de la grande voie d'eau qui traversait le pays, sur les berges des rivières et des lacs du sud. A l'ouest habitaient les fiers Hurons et les Algonquins ; au nord, les farouches Montagnais. Ils luttaient contre les Iroquois lorsqu'ils usurpaient le territoire d'une tribu, et se disputaient rivières, lacs, rivages ou forêts. Leurs guerres étaient acharnées, ou se bornaient à de simples escarmouches entre jeunes toujours prêts à mesurer leurs forces.

Ainsi, luttant pour l'existence, les générations se suivirent-elles.

Ainsi la vie, depuis la nuit des temps, se perpétuait-elle.

Sous le clair de lune, deux femmes avançaient à travers les broussailles d'une pente abrupte. De jour, le chemin était risqué. De nuit, c'était pire. Elles traînaient des pelles et un petit chien gambadait devant elles. La plus jeune, encombrée d'un gros sac à dos, utilisa sa pelle pour sauter par-dessus une étroite coulée de neige fondue. Elle tendit le manche à son aînée et lui fit franchir le fossé d'un bond. Vint ensuite une petite côte glissante. Parvenues au sommet de la colline, elles s'affaissèrent sur une grosse branche pour reprendre haleine.

Elles attendirent là, jetèrent un coup d'œil alentour puis échangèrent un regard.

Toutes deux étaient vêtues de noir.

— Prête ? demanda l'aînée.

— Prête, répondit la plus jeune.

Grâce à la faible lueur réfléchie par des plaques de neige et de glace que le soleil de midi n'avait pu atteindre, elles cherchèrent à l'aveuglette une trouée à travers un hallier. A quatre pattes, elles avançaient à tâtons sur les bosses formées par de gros rochers grisâtres, exposées à tous les dangers.

Elles s'enfoncèrent dans l'abri silencieux d'une futaie.

Les femmes évitaient les sentiers habituels, dont aucun, de toute façon, ne se serait prêté à un trajet de nuit. Elles choisissaient les endroits où elles risquaient le moins d'être aperçues. Toujours précédées du petit chien, elles descendirent en trébuchant l'autre versant, loin du cimetière, et se dirigèrent vers la voiture américaine qu'elles avaient empruntée, une Dodge... ou une Plymouth bordeaux, garée le long de la grand-route qui traversait la montagne.

Elles s'arrêtèrent pour rincer dans un caniveau l'argile fraîche qui collait au long manche de leurs pelles. Quand, par hasard, les deux fers se heurtaient, l'écho résonnait contre la paroi rocheuse puis dévalait les prés où reposaient les morts.

Epuisées, elles haletaient et leur souffle s'élevait en tourbillonnant dans l'air frais de la nuit. Deux femmes et un chien. Quittant un cimetière dans le noir avec des pelles. Qu'avaient-elles bien pu y faire...

... en 1971 ?

Le soleil se levait plus haut dans le ciel et les premiers vents tièdes de la saison venaient balayer les champs encore enneigés et détrempés par un dégel précipité. On apercevait, de-ci, de-là, le terreau noir. Des mésanges se poursuivaient parmi les cèdres et les érables dénudés et, partout, les animaux, domestiques ou sauvages, narines frémissantes, reniflaient ce fumet mystérieux en clignant les yeux, tandis que courait la rumeur enfin décodée : le *printemps*.

Avec l'odeur de la boue fraîche, le garçon aussi en prit conscience. Comme s'il retrouvait la foi en une divinité négligée, il sentit la possibilité du retour de l'été : du temps libre – *plus d'école!* –, des jeux, des baignades dans la crique derrière le barrage, des promenades à cheval dans les bois – et cette année peut-être même au-delà. La promesse de ce paradis intriguait tous ses sens, mais cela ne dura pas longtemps. Le soir venu, des rafales de vent secouèrent les volets et soufflèrent sur les mansardes de sa maison natale, qui était aussi celle de son père, à Saint-Jacques-le-Majeur-de-Wolfestown, dans la Province de Québec. Pourtant, l'intérêt qu'éveillait en lui l'arrivée d'une nouvelle saison s'était atténué : la radio retransmettait le match. Le match! La coupe était à leur portée! Pas question de perdre une syllabe des commentaires crépitant de parasites. Par contre, c'était le moment d'encourager son équipe locale et de se laisser emporter par sa passion hivernale, la tête emplie de grincements de patins, d'arrêts, de passes, de tirs au but, de points marqués, et aussi bien sûr, de ses héros hockeyeurs.

— Un but? s'enquit son père, sans retirer tout à fait sa pipe de la bouche mais en soutenant le fourneau de sa main gauche pour se faire comprendre.

Le Soleil, qui arrivait de Québec, était plié sur ses genoux; il en digérait maintenant les nouvelles dans le confort de son gros fauteuil, celui qui était un peu effondré et recouvert d'un tissu bordeaux fané décoré d'immenses roses. L'abat-jour d'un lampadaire, orné de roses aussi – cette fois mauve pastel et jaune fané – penchait sur son épaule gauche, jetant sur les pages une douce lumière. La bibliothèque, qu'il avait lui-même construite dans les angles du mur derrière son fauteuil, commençait à la hauteur de ses genoux et montait jusqu'au plafond; un petit escabeau en bois de pommier sauvage permettait d'atteindre les rayons les plus hauts. Le père et le fils auraient pu entendre le tic-tac d'une vieille horloge démodée et imposante, mais ils avaient augmenté le volume de la radio.

Albert Cinq-Mars avait adopté un ton neutre et un pli soucieux barrait son front. Son fils acceptait mal les buts marqués par l'adversaire et savait fort bien quelle équipe avait la faveur du public. La rencontre se déroulait à Boston et les acclamations des supporters des Bruins n'auguraient rien de bon pour *Les Canadiens*, l'équipe de Montréal.

— Ils se battent, Papa. C'est le Rocket !

— Hmm...

Le regard et l'attention du père revinrent à son journal.

Le garçon se laissa aller contre son fauteuil pour mieux suivre les détails de l'empoignade. Serait-il jamais capable de se battre ainsi, le courage lui aurait-il manqué ? Il aimait chahuter, mais il s'imaginait mal dans une vraie bagarre. L'idée de prendre des coups le préoccupait – quel effet ça pouvait faire ? – mais Emile craignait aussi de devenir fou furieux, de recommencer à frapper un adversaire après avoir constaté qu'il lui avait fait mal. Il avait vu des élèves de son école agir ainsi dans la cour mais serait-il capable de rosser quelqu'un jusqu'au sang, jusqu'aux larmes, puis de continuer à cogner ? Plus grand que la plupart des garçons de son âge, peut-être tendrait-il sa main et un Kleenex pour étancher les larmes en prononçant quelques mots compatissants ?

Puis, un cri fusa au-dessus des vociférations et parasites, attirant de nouveau, malgré lui, l'attention de son père.

— ... Regarde !

— Des grands coups sur la tête... Deux fois ! précisa Emile en pivotant sur ses fesses. Il rectifia aussitôt après les dernières paroles du présentateur :

« Trois fois ! Toujours le Rocket ! Il l'a frappé trois fois avec son bâton ! Il l'avait déjà fait, papa ! Il l'a déjà cassé sur le dos de cet autre type. Il doit être sacrément en colère ! »

Son père secoua la tête d'un air consterné. Des adultes qui se battent sur des patins à glace. A coups de bâton. Quelle barbarie ! Il retira sa pipe de ses lèvres et se pencha vers la radio. La bagarre n'était pas banale : le plus grand joueur de hockey – tous les Québécois en convenaient –, le légendaire Maurice Richard, dit « le Rocket », avait, à trois reprises, abattu sa crosse sur le dos d'un adversaire, faisant mouche à chaque fois.

— On ne dit pas « sacrément ».

— Pardon.

— Il va se faire expulser, annonça Albert Cinq-Mars.

Le garçon esquissa un grand geste, comme s'il assenait lui-même les coups.

Puis, le journaliste radio annonça que, dans la mêlée, le Rocket avait frappé un arbitre.

— Une grosse amende, insista le père, voilà ce que ça va lui coûter. Et une suspension pour une ou deux rencontres, tu verras.

Il était captivé mais loin de se douter des conséquences que de tels événements pourraient avoir sur l'avenir politique d'un pays.

15

— Le Rocket ne peut pas manquer une rencontre ! Et le titre de meilleur compteur ? Il y est presque !

— Tu peux oublier ça ! D'ailleurs, cela n'a pas d'importance, ce qui compte, c'est la Coupe.

— Peut-être bien, reconnut le garçon.

Il était atterré à l'idée que le Rocket était peut-être passé à côté du titre de meilleur compteur du Championnat, le seul exploit qui manquait à sa carrière. Incapable de prévoir l'avenir, il ne pouvait pas deviner que la Coupe aussi était perdue et que des événements d'une portée historique majeure se préparaient. Le titre de meilleur compteur n'était rien par rapport au trophée ; et même ce trophée, la glorieuse et mythique coupe Stanley, symbole de la suprématie au hockey, serait éclipsé par les aléas du temps.

Pour le jeune Émile, qui écoutait avec la plus grande attention, le hockey, c'était Le sport, le seul et l'unique – et le sport pur. Le temps lui apprendrait qu'il avait été, sans s'en douter, témoin de l'Histoire en marche, que cette échauffourée sur la glace – comme il s'en produisait n'importe quand et n'importe où, dans n'importe quelle équipe de hockey – enflammerait les passions d'un peuple – de son peuple –, une leçon dont il se souviendrait toute son existence : à travers le hockey, c'était toute l'histoire culturelle de la société canadienne qui se jouait...

... en 1955.

*

Le 1er septembre, le Premier ministre de la Province de Québec, presque nu, discutait de la vertu d'une femme avec l'intéressée dans l'un des confortables fauteuils en cuir du château Frontenac, immense et élégant palace à l'ancienne mode de Québec. La jeune personne, pleine d'entrain mais hésitante, appartenait au pool de secrétaires de l'Assemblée ; elle ne lui présentait que la moitié de son visage, le reste étant dissimulé par des boucles brunes qui, comme des ressorts, reprenaient leur place en bondissant chaque fois qu'il tirait dessus. Lors de leur première rencontre, il lui avait tiré une mèche avant de la saluer, et elle l'avait regardé de son œil découvert en affichant un demi-sourire. Elle n'avait pas encore tout à fait consenti à consommer leur liaison et avait refusé d'ôter tous ses vêtements, déterminée à garder une part d'ombre.

Avant de céder, elle tenait à s'assurer du degré de sincérité de son partenaire et, dans une de ces envolées oratoires qui avaient fait sa réputation, le Premier ministre avait rugi : « Non seulement je ne t'aime *pas*, ma beauté, mais jamais, au grand jamais, je ne t'épouserai !

16

Que souhaites-tu entendre d'autre, ma douce enfant, pour être convaincue de ma fidélité dans ce domaine? Tu es, je suppose, avec tes yeux verts étincelants et ta douce peau rose, une charmante créature. Mais moi, je suis Maurice Duplessis, *le Chef*! L'âme même des Canadiens français! J'ai envie de te mordre, mais pas de te faire saigner, ni de laisser des traces durables. Qu'avez-vous besoin de savoir encore, *mademoiselle*?

— Par exemple, Monsieur, insista la jeune femme, savez-vous qui je suis?

— Oui! Tu t'appelles... Charlotte, non?

— Charlene!

— J'y étais presque! Charlene aux yeux verts!

— Mais, Monsieur, voulez-vous coucher avec moi parce que je vous plais ou bien parce que vous êtes trop ivre pour faire le difficile?

Ah! nous y voilà! pensa le Premier ministre. C'était là une bonne question dont il allait devoir se dépêtrer malgré son état. Jamais encore il ne s'était heurté à une telle question.

Là-dessus, on frappa à la porte.

Mal assuré sur ses jambes et vêtu en tout et pour tout de son caleçon et de ses chaussettes maintenues par des fixe-chaussettes, Duplessis ouvrit en grand l'énorme porte et se trouva nez à nez avec son chef de cabinet.

— Imbécile! Qu'y a-t-il? Je vous avais défendu de me déranger...

— ... Sauf en cas d'urgence, Monsieur.

— Quelle urgence? Allez-y!

— Les Allemands, Monsieur. Hitler. Il a envahi la Pologne.

Le Premier ministre vacilla sur le pas de la porte, tentant d'évaluer l'importance de la nouvelle.

— Jeune homme, déclara-t-il après une demi-minute de réflexion, la Pologne n'est pas une urgence!

Il claqua la porte. Revenu auprès de sa compagne d'un soir, l'homme le plus puissant de la Province observa :

— Ma chère, je couche avec toi ce soir, non parce que je t'aime ni même parce que je te connais, non pas parce que tu es belle, même si tu l'es peut-être – qui pourrait le savoir sous ces délicieuses bouclettes? Je couche avec toi parce que c'est l'Histoire qui l'exige... Il rota, marqua un temps d'arrêt et vacilla un instant avant de reprendre : ... une commémoration. Plus tard, tu te rappelleras ce jour fatidique : quand l'Allemagne a envahi la Pologne, tu étais au lit avec *le Chef*! n'est-ce pas une raison suffisante pour passer la nuit avec moi?

Elle réfléchit un moment à sa façon de présenter les choses, puis reconnut que les circonstances étaient à la hauteur de ses exigences.

Plus tard, fumant une cigarette, les jambes écartées de manière fort inconvenante et ses cheveux dégageant enfin son visage d'albâtre rayonnant sur l'oreiller, elle lui demanda :

— Que va-t-il advenir de nous, Monsieur ? Du monde ?

— Voilà, *mademoiselle*, qui reste à voir, répondit Duplessis en hochant la tête et en tendant le bras pour reprendre son whisky.

— J'ai peur.

— Ma chère, pourquoi t'inquiéter ? Nous sommes plus en danger avec ta cigarette qui risque de mettre le feu au matelas qu'avec Hitler en Pologne. Qui est ton Premier ministre ?

— Vous, bien sûr, Maurice Duplessis.

— Dans les bras de qui es-tu blottie ce soir ?

— Dans les vôtres, Monsieur. Quand même, je m'inquiète. Que deviendrai-je demain, quand vous m'aurez oubliée ?

— Qu'il n'en soit pas ainsi ! Que cette nuit reste inoubliable !

— Oh ! Monsieur ! Qu'est-ce qu'une pauvre fille comme moi vient faire avec vous ?

— Personne ne fait rien *avec* moi, mon enfant. S'il y a quelque chose à faire, c'est moi qui le fais ! Ne te laisse pas désespérer par cette guerre. La semaine dernière, on a cité dans la presse les propos d'un homme politique : il a déclaré qu'au lieu d'aller se battre en Europe, les Canadiens français iraient plutôt se battre dans les rues de Montréal !

— C'est bien ça qui me fait peur, remarqua Charlene, l'agitation.

Il poussa un soupir et ébouriffa ses boucles. Il en tira quelques-unes et sourit en les voyant rebondir.

— Voilà pourquoi tu dois compter sur ton Premier ministre. Maintenant, viens plus près, mon chou. Finissons cette bouteille.

— Et la guerre ? s'exclama la jeune femme en tirant sur sa cigarette.

— La Pologne, ce n'est pas une guerre ! Revenons plutôt à notre bouteille, veux-tu ?

Le lendemain matin, il mesurerait toute l'ampleur de la nouvelle : des pays entraient en guerre, dont le sien. Ce satané Premier ministre, Mackenzie King, qui, après avoir promis qu'il n'y aurait pas de guerre, sautait sur l'occasion de la déclarer. Ah ! les hommes politiques et leurs promesses ! On devrait tous les pendre.

A part lui, bien sûr. Partout, les positions se précisaient...

... en 1939.

*

Poussé par un léger vent de nord-nord-est, tanguant contre un fort courant à la proue, l'*Emérillon* fendait les eaux du fleuve, n'avançant guère plus d'un demi-nœud par heure en direction de l'île montagneuse qui se profilait à l'horizon. Les Indiens de Stadacona lui avaient parlé de cet endroit, et le capitaine français Jacques Cartier savait qu'il atteindrait bientôt les limites de son exploration de l'été. Le froid s'annonçait et les indigènes l'avaient mis en garde contre les dangereux courants qui cernaient l'île.

Les mâts craquaient, les voiles battaient au vent et les vagues léchaient la proue. Au-dessus de leurs têtes, des dizaines de milliers d'oies volaient par vagues, d'un horizon à l'autre, en formant un V. Elles traversaient le ciel en poussant leur cri lancinant, le ventre éclairé par la lueur orange du soleil couchant.

Au sud, avec Verrazano, Cartier avait déjà donné des preuves de son courage et cette seconde exploration qu'il dirigeait vers des latitudes septentrionales était considérée comme un acte d'extrême témérité. Mais lui, à la fois entêté et rusé, était convaincu que les défis auxquels il se trouvait confronté seraient compensés par les richesses qu'il découvrirait derrière cette île.

Le tout était de survivre.

Jacques Cartier se fiait volontiers à son instinct mais il n'était pas stupide. L'année précédente, il avait longé la côte d'une île impressionnante qui se dressait au milieu d'une mer magnifique, et semblait abonder en oiseaux et en poissons. Grâce à son intelligence et à son expérience, ainsi qu'aux récits glanés auprès des Indiens, il en avait déduit que le courant indiquait l'existence d'un grand fleuve en amont qui s'écoulait jusqu'à la mer. Mais l'hiver menaçait et, avec lui, les vents sauvages et glacés de l'Atlantique Nord. Il avait alors dû renoncer à pousser plus avant ses explorations et avait regagné la France. Là, il avait su communiquer son enthousiasme avec une telle ardeur – et deux Indiens pour le corroborer – qu'il avait obtenu le financement d'un deuxième voyage – et un voyage plus ambitieux. Son calcul s'était révélé juste, car, au cours de cette nouvelle expédition, il s'était engagé dans une voie navigable qui allait vers l'intérieur des terres, et à laquelle il n'avait pas voulu donner de nom. (Une anomalie que son équipage avait remarquée. Il avait baptisé une baie insignifiante du nom de Saint-Laurent, car il avait jeté l'ancre le jour de la fête de ce saint, mais ce fleuve imposant – assez pour y engager un vaisseau conçu pour la haute mer – n'avait toujours pas de nom. Cela avait étonné la plupart de ses hommes, mais pas tous.) Après un bref séjour au village indigène de Stadacona où il laissa deux navires, il descendit à plus de cent milles nautiques jusqu'au lieu que les

Iroquois appelaient Hochelaga. A la tombée de la nuit, alors que se dessinait au loin la silhouette de la montagne derrière laquelle le soleil s'était couché, l'équipage de l'*Emérillon* jeta l'ancre.

Descendant du ciel en une pluie brune, une nuée de canards s'abattit sur les larges criques, près du rivage.

Tandis que les hommes apportaient la voilure, Cartier resta sur le pont. Il distingua au loin, sur un plateau, de tout petits points lumineux : des feux à l'intérieur des fortifications iroquoises. Surpris et excité par la présence de ces hommes dans ce vaste domaine, il écouta le profond silence d'un continent qui s'éveillait à sa présence.

— Jacques.

— Gastineau, répondit le capitaine sans s'embarrasser de formalités.

Il s'était gardé en effet d'employer le prénom de l'homme du roi ou de l'appeler *monsieur*. Si ce courtisan le prenait pour un rustre sous prétexte qu'il était marin, peu importe, il se conduirait comme un rustre aussi souvent qu'il lui plairait.

Les deux hommes se tenaient côte à côte dans l'immensité du crépuscule tandis que les matelots s'affairaient dans les vergues et sur le pont. Ils n'étaient pas les seuls habitants de leur planète mais, en ce royaume, on imaginait sans mal qu'ils n'étaient pas nombreux.

— Quand l'aube se lèvera, Jacques, à quoi vous attendez-vous ? Qu'espérez-vous trouver ici ?... Dans ce... Hochelaga ? A la façon dont vous prononcez ce nom... A votre ton respectueux... cet endroit semble avoir de l'importance à vos yeux.

Cartier réfléchit avant de répondre. Comment réussirait-il à expliquer la magie de ce mot ? Oserait-il révéler qu'il avait été séduit par les récits des Indiens décrivant la Terre du Saguenay à laquelle on accède par-delà cette île ? S'il s'était arrêté quelques jours à Stadacona, ce n'était pas seulement à cause du mauvais temps ; il se sentait surtout poussé par le destin, par le besoin de prouver l'existence de l'île et de parler aux Indiens qui y vivaient pour les entendre évoquer en personne les merveilles devant lesquelles leur île montait la garde.

D'emblée, Gastineau avait été sceptique, réticent à admettre qu'il existât une terre au-delà de la mer. Les marins, menteurs effrontés par nature, racontaient avec habileté des histoires à dormir debout ou vantaient sans vergogne l'existence d'improbables richesses pour inciter le roi à investir. Parmi ceux que les revers n'entamaient pas, Cartier se montrait aussi le plus tenace, tant comme explorateur que comme avocat de sa cause – combinaison bien peu fiable aux yeux de Gastineau. Lorsqu'une terre de dimensions stupéfiantes avait surgi devant ses yeux, avec ses grandes collines ondulantes et cette majestueuse voie navigable – il n'existait pas dans toute l'Europe de fleuve aussi large et d'une telle longueur – il avait dû reconnaître que Cartier n'avait pas exagéré les souvenirs que lui avaient laissés ses précédents voyages. On pouvait même dire qu'il n'avait pas réussi à évoquer la majesté et les merveilles de ce continent, et à la réflexion, Gastineau croyait maintenant comprendre pourquoi : aucun discours ne pourrait rendre justice à ses vastes étendues. Quels mots pouvaient transcrire son charme sauvage et rendre hommage à sa gloire ?

Que de merveilles : des centaines de milliers de phoques aboyaient sur leur passage ; des baleines s'ébattaient dans les eaux d'un fleuve, à l'intérieur des terres, loin de la mer ; des oiseaux marins par milliers dont les cris étaient plus retentissants que la clameur d'une armée entière ; des poissons à profusion freinaient parfois la progression d'un vaisseau.

L'image du monde, et pas seulement dans l'esprit des Français, en était à jamais transformée.

Et que dire des sauvages ? Accroupis, l'air grave dans leurs tipis enfumés, vêtus de peaux de bêtes, et le dévisageant froidement, ils puaient. L'odeur était si nauséabonde qu'il en avait les larmes aux yeux et était au bord de l'évanouissement. Devant eux, il n'avait aucun rang, il ne pouvait proclamer le nom du roi pour s'assurer un passage et il avait dû s'asseoir parmi eux en veillant à respecter leur protocole. De ce côté de la mer, avait-il compris, force lui était de confier sa vie aux bons soins et à la perspicacité de Cartier.

— L'été dernier... », commença le capitaine de l'*Emérillon*. Il pesait chacun de ses mots. Gastineau se dit qu'il complotait quelque chose ou bien qu'il tenait dans sa tête un journal détaillé de ses mensonges. « ... à l'approche de l'automne, je me suis arrêté sur l'île en pleine mer. J'ai senti l'eau s'écouler entre mes doigts, j'en ai observé les ondulations malgré la marée. Je voyais là la confirmation de récits que m'avaient faits les sauvages sur l'existence d'un grand fleuve. Nous en avons désormais remonté la partie supérieure. Ce fleuve, mon ami, continue sur des milles et des milles et traverse Dieu sait quelles richesses. Interrogez-vous, en tant que conseiller du roi, sur l'immensité d'une terre capable de donner naissance à une telle voie d'eau. Songez aux affluents, aux lacs... Leurs homologues européens ne sont que des flaques et des criques en comparaison ! Personne n'en a vu la fin, affirment les Indiens. Alors, mon cher Gastineau, il ne s'agit pas de l'étroite barrière nous séparant de l'Orient qu'avait imaginée Verrazano. Il cherchait ce qu'il visualisait dans sa tête sans réussir à appréhender ce que ses yeux voyaient. Ce qui s'étend devant nous, c'est ce dont parlent les Iroquois : une terre sans mesure. Une terre, vous pouvez le dire au roi, où abondent l'or et les diamants.

Gastineau hocha la tête et continua d'observer le fleuve en guettant la moindre petite lueur vacillante d'un feu. Avec la tombée de la nuit, il sentait le continent s'élever dans son esprit, comme pour refléter l'immensité du ciel étoilé au-dessus d'eux, tout aussi mystérieux et inconnu. Mais c'était un homme à l'esprit pratique : il essaya de se maîtriser avant de se laisser submerger par la poésie de cet espace infini.

— Oui, mon cher Jacques, mon esprit a bien saisi l'immensité de cette terre. Mais Dieu n'a pas révélé à mes yeux la présence d'un trésor.

— Tout ce que les indigènes nous ont raconté s'est révélé exact. Pourquoi pas cela ?

L'homme du roi ne mettait plus le même entrain à contester la logique de Cartier. Au cours du voyage, il était sorti vaincu de toutes les discussions qu'il avait entamées et l'exercice manquait maintenant de charme. Que Cartier le conduisît, lui et leur roi, vers l'or et les diamants, tant mieux, et en y mettant le ton juste et en glissant un mot à bon escient, il pourrait se faire passer pour le véritable instigateur de l'entreprise.

Gastineau avait deviné les raisons pour lesquelles Cartier n'avait pas baptisé le fleuve : le marin devait espérer qu'un cartographe habile, voire le roi en personne, lui donnerait son nom : Jacques-Cartier. L'homme du roi ne voulait pas en entendre parler. Il avait examiné la carte dessinée par le capitaine et remarqué la petite baie qui portait maintenant le nom de Saint-Laurent. Dès leur retour en France, il parlerait aux cartographes et les convaincrait que *Saint-Laurent* conviendrait beaucoup mieux à ce fleuve sans fin. Il ne voulait aucun mal à Cartier, mais quel mortel méritait, de son vivant, l'honneur de voir son nom attribué à une voie d'eau d'une telle immensité ? Assurément pas le capitaine d'un vaisseau. Si lui, Gastineau, n'atteignait pas d'autre objectif lors de cette expédition, il aurait au moins veillé à enterrer pareille ambition.

Les voyageurs contemplaient les ténèbres en amont.

A leur insu, un chasseur iroquois avait accosté avec son canoë au petit village enfumé qui échappait encore à leur regard. Il raconta qu'un étrange fort avait été vu quelques jours plus tôt, flottant sur les eaux et remontant le courant. Le village avait déjà eu vent d'un spectacle identique. Des hommes à la peau blanche, barbus et ne comptant aucune femme parmi eux, des créatures de la mer dont on avait maintes fois évoqué, au sein des tribus côtières, l'abominable odeur de phoque et l'haleine de loup puante, qui vivaient dans des canoës hauts comme des arbres et venaient d'un monde au-delà des eaux, d'une autre terre située, prétendaient-ils, par-delà celle-ci – ces hommes avaient découvert la grande rivière et, à bord d'un canoë géant, s'enfonçaient dans les profondeurs de la forêt.

Le moment était venu de les rencontrer.

Il s'agissait des Mohawks, l'une des six nations du peuple iroquois. Cette nuit-là, ils montèrent la garde et ne la relâchèrent pas les jours suivants...

... en 1535.

LIVRE UN

CHAPITRE 1

1955

C LARENCE CAMPBELL (Clarence pour ses sœurs et pour ses amis, Mr Campbell pour le reste du monde), le corpulent président de la Ligue nationale de Hockey – visage sévère et mafflu couronné de mèches grises – s'éveilla sans le moindre pressentiment. Il ôta son pyjama puis le reboutonna avant de le ranger dans le tiroir inférieur de sa commode. Ensuite, il se dirigea vers la salle de bains tout en se grattant la fesse, et entra dans la baignoire qui se remplissait ; comme toujours, il craignait de tomber.

Il éprouvait en effet une véritable hantise des surfaces glissantes et se faisait violence quand, de temps à autre, la remise d'un trophée, la Coupe Stanley par exemple, ou un discours en l'honneur d'un champion prenant sa retraite, l'obligeait à s'aventurer sur la glace. Il était convaincu qu'un jour il se fracasserait le crâne et que si cela ne se produisait pas sur la glace, ce serait dans sa baignoire.

Première hypothèse, la patinoire : le drame se déroulerait alors sous les yeux de quatorze milliers de fans et d'un million de téléspectateurs. Excepté quelques mamies moroses qui s'inquiéteraient sûrement, tout le monde serait mort de rire et se lèverait pour applaudir au spectacle de son crâne brisé ruisselant de sang.

Cette phobie de glisser sur la glace ou sur une peau de banane l'habitait depuis toujours et, dans ses pires cauchemars, une foule assistait à sa mésaventure et la saluait. S'il s'imaginait glissant dans l'intimité de sa salle de bains, c'était encore sous les acclamations d'une cohue ; médecins et ambulanciers, hilares, conviaient les voisins.

Cette obsession n'avait cependant pas dissuadé Mr Campbell, homme déterminé, méticuleux et efficace, d'accepter un poste l'obligeant parfois à marcher sur la glace. De même, il entrait chaque jour dans sa baignoire en redoutant une catastrophe et, chaque jour, il en ressortait indemne.

Il s'enfonça dans l'eau jusqu'au cou ; seuls émergeaient de la mousse l'atoll de son ventre rebondi et les falaises volcaniques de ses genoux. La chaleur du bain rosissait sa peau.

Il avait rendu son verdict : Maurice Richard serait suspendu jusqu'à la fin de la saison, y compris pour le tournoi final, et les fans de hockey devraient se faire à cette décision. Il ne pouvait tolérer qu'un joueur abatte sa crosse à trois reprises sur un adversaire, au risque de le décapiter. Et si, entre eux, ces robustes gaillards manquaient souvent au règlement, il était inadmissible qu'on s'en prenne à un officiel. Ainsi, la première faute du capitaine de Montréal mettait un terme à sa saison, tandis que la seconde l'excluait du tournoi final. Il était inutile d'épiloguer. Les fans comprendraient que la discipline est indispensable. En attendant, il subirait la colère de toute une ville, mais il aurait la conscience tranquille.

Plusieurs fois déjà, il avait eu maille à partir avec Maurice : irritable, agressif, vaniteux et persuadé que Mr Campbell lui en voulait. Il n'avait pas tort, se disait le président de la Ligue, du fond de son bain. En effet, Campbell ne portait pas l'ailier droit dans son cœur. Arrogant et buté, Richard se considérait comme au-dessus du sport et de la Ligue... Dans ces conditions, pourquoi l'aimerait-il ? Et d'ailleurs, pourquoi aimerait-on un hockeyeur, redoutable et plus grand marqueur de tous les temps certes, mais impoli et irrespectueux ? Rien à voir avec ses équipiers Dickie Moore ou le célèbre Jean Beliveau, par exemple. Il aimait bien aussi Red Kelly, un vrai gentleman, et même Gordie Howe, plus rugueux mais correct, et aussi talentueux que Richard. Richard, lui, en voulait à tout le monde ; Clarence ne se sentait pas obligé de tout passer à ce paranoïaque impulsif et amer, pas plus que Richard ne se forçait à respecter son autorité. D'ailleurs, cet homme tournait tout le monde en dérision, dont le président de la Ligue, sa victime la plus récente, ce que Clarence tolérait même s'il dépassait presque les bornes. Toutefois la fougue du Rocket ne le mettait pas au-dessus des lois. En tant que président, Clarence pouvait et devait le suspendre. Cette sanction était sévère mais méritée et comme il n'éprouvait aucune sympathie pour l'individu, cette affaire ne l'empêcherait pas de dormir.

Elle lui gâchait pourtant le plaisir de son bain.

Ces hockeyeurs ! Bah, au fond, il n'aimait guère ces rustres, mal élevés, indisciplinés et souvent édentés ; la plupart buvaient comme des trous et couraient le jupon. Ses rapports avec eux se limitaient à leur infliger des amendes ou des suspensions, moments où il adoptait un ton sévère que le Rocket ne supportait pas.

Le siège de la Ligue se trouvait à Montréal, cité vouant un véritable culte au hockey et ville natale du Rocket, ce qui, à son sens, compliquait un peu la situation. La Ligue « nationale » ne méritait pas son qualificatif car, regroupant deux équipes au Canada et quatre aux États-Unis, elle franchissait en réalité une frontière. Au sein de n'importe laquelle de ces cinq équipes, ce genre d'incident se serait réglé autour de la machine à café. Mais à Montréal, on rencontrait souvent le président de la Ligue, en promenade, faisant des courses, et cela, bien sûr, attisait le feu. Des gens téléphonaient aux radios pour déclarer que les Anglais s'étaient entendus pour se débarrasser du Rocket et permettre ainsi à une autre équipe anglaise, comme celle de Toronto ou de Detroit, de remporter la Coupe Stanley. « Clarence au poteau ! » lançaient-ils, ce qui faisait glousser les animateurs. Les auditeurs disaient que les dirigeants anglais cherchaient à désavantager leurs champions français. « Du goudron, des plumes et on expédie Campbell dans le fleuve ! » Les animateurs semblaient se délecter de ces invectives. Dans son bain, le président de la Ligue se fichait éperdument du vainqueur de la Coupe ; seul le niveau de brutalité atteint par ce sport déjà rude le préoccupait et il tenait à fixer des limites à une violence qu'il jugeait inacceptable.

C'était sa mission, et il se faisait un devoir de la remplir.

Il avait reçu des menaces dont la plupart, supposait-il, émanaient d'individus ayant juste envie de se défouler et ne nécessitaient pas d'engager un garde du corps. Le Rocket aussi l'avait regardé d'un air menaçant : il fallait voir son expression méprisante quand il frappait le palet, mais, dans la salle et sous le coup d'une suspension, Maurice avait ravalé sa colère. Que de rage contenue ! Clarence avait préféré attendre, pour rendre son verdict, que le Rocket fût sorti pour se calmer ; son équipe lui ferait part de l'arrêt plus tard. Certes, Richard n'avait proféré aucune menace lors de son interview télévisée, pourtant les supporters avaient bien vu son air blessé et la rancœur qui bouillait en lui. Peut-être s'apprêtaient-ils à réagir en lui offrant le concours de leurs poings. Les politiques mettaient déjà la population en garde contre une flambée de violence, la police prévoyait des manifestations.

Le président Campbell ne souhaitait qu'une chose, qu'ils la ferment.

En tout cas, il ne se laisserait pas intimider. Avec intelligence, il éviterait la provocation, se rendrait à son bureau en taxi, et non à pied ; en s'abstenant pendant quelques jours de se montrer dans les rues, on oublierait toute hostilité à son égard.

Ensuite, et toujours contrairement à ses habitudes, il choisirait d'arriver plus tard à la rencontre prévue au Forum dans la soirée, mais il s'y rendrait quand même. Le maire et d'autres responsables lui avaient demandé de rester chez lui, mais comment réussirait-il à vivre dans cette ville s'il cédait à l'intimidation ? En rasant les murs jusqu'à la fin de ses jours et en évitant tout contact avec le commun des mortels ?

Il irait. Il ne plierait pas devant le chantage.

Une fois dans son bureau, Clarence Campbell, comme chaque matin, ouvrit son coffre-fort, en sortit la Dague de Cartier et la posa sur sa table. On racontait que cet objet possédait des pouvoirs magiques. Peu enclin à accorder du crédit à de telles sornettes, il admettait pourtant que, sous sa tutelle, la Ligue nationale de Hockey avait prospéré et surtout après l'acquisition – ou le prêt – de la dague. Au fond, l'exposer l'aidait à maintenir ses convictions, en lui fournissant chaque jour sa dose de spiritualité. C'était un honneur de la posséder.

Ce jour-là, il retira la relique de sa belle boîte vitrée pour en frotter amoureusement le manche et la lame.

— Porte-moi chance ce soir, nous en aurons peut-être besoin, dit-il à haute voix. Il ne s'adressait ainsi à l'objet que très rarement. Mais cette journée, lourde de menaces, exigeait plus que de la chance et des prières pour une issue favorable.

Il remit la dague dans son coffret et le referma à clé.

CHAPITRE 2

1535

L'AUBE. Une brise se leva, légère et fraîche, ridant l'eau du fleuve tandis que s'élevaient dans l'air des oiseaux migrateurs, des oies d'une blancheur de neige ou au dos noir, et des canards, dont la taille dépassait l'imagination de ces étrangers. Les entendre cacarder dans une cacophonie aussi bruyante que les canons d'un vaisseau, écouter le battement rythmé de leurs ailes telles les voiles d'une flotte entière fouettées par le vent, contempler l'envol des oiseaux à long cou, leur stupéfiant déploiement en V, une formation après l'autre, s'éloignant vers le sud au-delà de l'horizon, tout cela animait ces matelots d'une terreur respectueuse qu'ils n'avaient encore jamais éprouvée.

Ils étaient mortels, voilà ce que ce royaume inconnu leur inspirait.

Jacques Cartier songeait à la signification de cette migration bruyante.

— Ils volent vers une destination précise.

Les Indiens affirmaient que les grands oiseaux quittaient la contrée en hiver et revenaient avec le printemps, ce qui indiquait qu'ils allaient beaucoup plus au sud vers un climat différent.

Il était rare qu'il figurât parmi les premiers à se réveiller. Cartier n'avait jamais adopté le rituel suivi par ses matelots qui, éparpillés sur le pont, accueillaient les premières lueurs du jour. Ne se souciant guère des corvées, ils préféraient observer le gibier d'eau, écouter son tapage, sentir la chaleur du soleil sur leur nuque, leurs mains, et respirer avec extase l'air pur. Il s'apprêtait à lancer un ordre mais y renonça : du pont arrière où il dominait ses hommes, il se sentit en communion avec eux dans l'étonnement que leur inspirait cette terre mystérieuse, et préféra partager ce privilège avec l'équipage.

Des cascades de couleurs ruisselaient des collines bordant le rivage, d'épaisses forêts d'un rouge flamboyant et d'un orange timide, où les jaunes, du pâle à l'éclatant, se déclinaient par milliers, vibraient dans la brise et la vive lumière du petit matin. Sous l'effet du vent, les feuilles aux couleurs chatoyantes se détachaient des branches, tour-billonnaient jusqu'à la berge puis flottaient au milieu du gibier d'eau qui barbotait. Cette étape allait être déterminante pour Cartier, et il restait songeur. C'était une tribu qu'il ne connaissait pas, plus puis-sante que les autres, et l'on ne pouvait pas prévoir le tour que pren-draient les événements. Il était pourtant résolu à mettre son projet à exécution, à réussir un véritable tour de magie et à obtenir un cadeau pour son roi, un poignard précieux au manche d'or incrusté de diamants. Il lui faudrait pour cela déployer toute sa ruse auprès d'un peuple qui, à n'en pas douter, n'en était lui-même pas dépourvu.

Donnacona, le chef iroquois de Stadacona, le village situé en aval, passa la tête par le gaillard d'avant. Peut-être suffoquait-il, car il inspira de grandes goulées d'air frais pour dissiper la puanteur âcre de l'homme blanc et les affreuses émanations qui montaient du poste d'équipage. La nuit en effet, les hommes déféquaient dans un seau et respiraient, durant leur sommeil, ces relents fétides. Ils dormaient les uns au-dessus des autres, enchevêtrés comme des écureuils dans leur nid, baignant dans leur sueur, leur souffle rauque secoué de sifflements et de gémissements, l'air saturé de leur mauvaise haleine.

Le chef était consterné par son expérience auprès des hommes blancs, par leurs rituels et leurs canoës géants. Il se sentait humilié d'avoir à dormir à bord d'un pareil vaisseau. Au début, il s'était glissé hors de sa couchette pour aller dormir sur le pont à la lueur des étoiles tandis que l'*Emérillon* fendait les eaux du fleuve. Il ne comprenait toujours pas comment une forteresse aussi énorme pouvait flotter sur son ventre sans couler, chevaucher les vagues sans chavirer et, quand elle roulait d'un bord à l'autre, il se voyait déjà mort. Les premiers jours à bord, il avait été incapable de rester dans la cale sans être constamment sur le qui-vive.

Donnacona avait repéré le navire l'année précédente, silhouette fantomatique faisant route vers le nord au large de la côte de Gaspé. Il avait entraîné les siens sur le rivage pour pêcher et ramasser des moules ; tous, hommes et femmes, étaient restés immobiles, fascinés. Paralysés par la peur. Ils regardaient le ciel comme si cet étrange engin, tombant par une déchirure du firmament, avait fini par s'asseoir sans bruit sur le rivage. Donnacona avait l'impression qu'un corbeau, les serres enfoncées dans son dos, le soulevait dans les cieux. Quelques femmes sanglotaient. Les petits enfants dansaient et jetaient de temps en temps des cailloux en direction du canoë géant. Les lèvres d'un ancien tremblaient. Puis surprise ou terreur se trouvèrent éclipsées par une authentique et profonde appréhension : le monde, l'univers entier, avaient soudainement changé. Qui étaient ces dieux de la mer ? De quelle autre région étaient-ils descendus ?

Conscient de ses responsabilités de chef, Donnacona s'était décidé à intervenir, faute de quoi son peuple resterait à tout jamais accroupi sur le rivage. Il fit ramasser du bois mort sur la plage ainsi qu'en lisière de la forêt et, au crépuscule, un grand feu signalait son peuple aux dieux de la mer qui descendirent à terre. Alors que le capitaine se hissait hors de sa chaloupe, le chef descendit seul jusqu'aux galets de la rive. C'est ainsi qu'il rencontra Cartier pour la première fois.

A la lueur des torches des voyageurs, il regarda au fond des yeux le dieu de la mer et constata qu'il ressemblait à un homme, à ceci près qu'il dégageait une fort mauvaise odeur, qu'il avait le teint blafard d'un fantôme et qu'une fourrure noire terrifiante lui couvrait le visage. Que cette créature vêtue d'habits ridicules était étrange malgré son apparence humaine ! étrange aussi son canoë géant chargé d'embarcations plus petites munies d'énormes pagaies qui lui permettaient d'accoster, en compagnie d'autres humains bizarres. Des fantômes, eux aussi, à la peau blanche et dont les vêtements insolites n'avaient pas été coupés dans des peaux de bêtes. Cet homme – qui n'avait rien d'un dieu – expliqua qu'il venait d'un pays de l'autre côté de la mer. Quelle incroyable nouvelle ! Cartier apprit avec non moins de stupéfaction que Donnacona et son peuple étaient également arrivés sur ces rivages après un très long périple.

Les femmes cherchaient du regard celles qui accompagnaient les hommes blancs, en vain. Décidément, qu'ils étaient étranges ! Comment forniquaient-ils ? Avec qui ? Mais quelles femmes auraient pu s'accoupler avec des hommes sentant si mauvais ?

— C'est un groupe de guerriers, en conclut quelqu'un. Voilà pourquoi aucune femme ne les accompagne.

Donnacona concevait difficilement la présence d'autres peuples sur la Terre ainsi que l'existence d'autres terres émergeant des eaux. Mais qui pouvait accepter de si terribles vérités ?

Cartier avait ensuite poursuivi son exploration des rivages et des îles situés plus au nord et, au moment de regagner son pays, de l'autre côté des eaux, avant le retour de l'hiver, il avait emmené avec lui non seulement les cadeaux de Donnacona mais aussi ses deux fils, Doma-gaya et Taignoaguy. Les jeunes gens avaient fort bien supporté la traversée et étaient revenus sans encombre l'année suivante, mais ils avaient raconté des histoires incompréhensibles où il était question de villages grands comme des forêts et d'une maison vaste comme une montagne et construite essentiellement en or dans laquelle vivait le chef blanc. Ils avaient évoqué tant d'étonnantes merveilles que le chef avait menacé de les punir s'ils continuaient à raconter de pareils mensonges. Dans le monde de l'homme blanc, prétendaient-ils, d'énormes créatures à quatre pattes, plus grandes que des élans, tiraient des canoës terrestres transportant un homme, sa femme et ses enfants, ainsi que leurs affaires ! Ces bêtes gigantesques obéissaient aux ordres de l'homme blanc et lui permettaient de monter sur leur dos !

— Je vais vous noyer tous les deux ! s'était écrié Donnacona.

Dans le monde de l'homme blanc, les femmes, le matin, chantaient comme les oiseaux.

— Je vais vous ouvrir le ventre et vous donner en pâture aux cor-beaux !

Dans le monde de l'homme blanc, les arbres donnaient des baies superbes au goût délicieux et grosses comme un poing dont l'homme blanc se nourrissait.

Après tout, peut-être étaient-ils des dieux, ces étrangers fantomati-ques couverts d'une toison noire ?

Ce contact avec l'autre monde avait changé les manières de ses fils, adaptés désormais au vaisseau et à l'odeur huileuse, ressemblant à celle des phoques, de l'homme blanc ; la consternation de leur père les faisait rire. Donnacona mit alors un point d'honneur à manifester son courage, mais il attendit que le navire se balançât à l'ancre avant de descendre dormir dans la cale. La nuit fut très longue pour le chef qui craignait que la puanteur ne le rendît fou : il avait donc très mal dormi mais avait pourtant résisté jusqu'à l'aube à l'envie de courir se réfugier sur le pont découvert où il aurait subi les moqueries de ses fils.

Voilà pourquoi il aspirait maintenant l'air à grandes goulées, s'emplissant les poumons et l'âme, évacuant l'atmosphère empoisonnée du grand canoë. Survivre dans le ventre d'une baleine, Donnacona en était persuadé, était plus agréable.

Il observa les matelots qui, étrangement silencieux au milieu des caquetages agressifs, étaient perdus dans la contemplation des oies en vol, comme s'ils n'en avaient jamais vu avant. N'avaient-ils donc jamais vu non plus de forêts aux couleurs si étincelantes ? Ses fils avaient raison sur un point : les hommes blancs étaient fascinants – c'était le vent qui tirait et poussait leur canoë, les hommes n'avaient pas besoin de pagayer! Mais, malgré leurs indéniables connaissances magiques, ils se comportaient d'une étrange manière et ignoraient bien des choses!

Donnacona poursuivit son ascension et déboucha sur le pont. Les hommes blancs détournèrent leur attention des oiseaux pour la reporter sur lui. Il avait troqué les peaux souillées dans lesquelles il avait dormi contre une peau de daim ornée de perles et nouée par des lacets de caribou colorés, il s'était aussi enduit de peintures de cérémonie. Il s'attendait à rencontrer bientôt une autre tribu de son peuple et s'était vêtu pour l'occasion. Cartier l'aperçut et décida de l'imiter. Mieux valait en effet avoir l'air de s'attendre à être bien accueilli plutôt que d'arborer la tenue d'un soldat prêt au combat. Il héla Petit Gilles, son mousse, et lui ordonna de préparer sa grande tenue. Il voulait que la rencontre avec les Indiens de Hochelaga, détenteurs de la clé des richesses de cette terre, se déroulât dans les formes.

A leur tour, les deux frères – Domagaya, reposé et plein d'ardeur, et Taignoaguy, plus taciturne – déboulèrent sur le pont et, à l'instar de leur père, se trouvèrent un peu déconcertés par le silence guindé des matelots et leur étrange humeur. Ils ne se ressaisirent qu'à l'arrivée en fanfare de Gastineau, l'agent du roi, saluant à grands cris ceux qui se trouvaient déjà sur le pont. Cette irruption rompit le charme. Même les canards, qui barbotaient auprès de l'*Emérillon*, prirent aussitôt leur envol en caquetant furieusement.

Faute de trouver chez les hommes une réaction enthousiaste, Gastineau s'adressa au capitaine du navire :

— Jacques! Je vous souhaite bien le bonjour!

— Gastineau, répondit Cartier en soupirant. Et, secrètement, les hommes apprécièrent la façon dont leur capitaine le remettait à sa place.

— Aujourd'hui, c'est le grand jour!

— Quel jour donc, Gastineau?

— Hochelaga!

— Nous en sommes encore loin, mon ami, précisa Cartier qui ne lui donnait jamais aucun détail sur ses expéditions. Aujourd'hui, nous embarquons dans les chaloupes et je doute que nous arrivions au terme du voyage avant la tombée de la nuit.

— Mais j'ai bien vu les feux hier soir! protesta l'agent du roi.

— Avez-vous pensé à des feux de camp? demanda Cartier en se dirigeant vers le pont inférieur avant de regagner sa cabine à l'arrière. Ils étaient visibles de loin, car il s'agissait sans doute de grands feux. Nous verrons. Aujourd'hui, nous ramons. Demain aussi. Le vent et le courant sont contre nous. Regardez vous-même, le chenal se rétrécit. Il est temps de souquer, et de souquer dur. Nous ne pouvons malheureusement imiter ces oiseaux au-dessus de nous.

Les hommes pouffaient et Gastineau enrageait : Cartier aurait pu lui expliquer tout cela la veille, ce qui lui aurait évité de passer pour un idiot.

— Quand embarquons-nous ? interrogea-t-il.

— Vous êtes-vous rempli l'estomac ? Quand ce sera fait, nous embarquerons. Je ne vous ai jamais vu aussi pressé. Au bout du compte, cette aventure vous séduit.

— Cette aventure, comme vous dites, répliqua Gastineau, nous coûtera la vie si nous passons l'hiver ici. Il nous faudra bientôt repartir, Jacques.

— J'ai décidé d'hiverner ici, annonça Cartier.

— Quoi ! lâcha Gastineau, horrifié et à court de répliques.

— A Stadacona.

Cela dit, le capitaine de l'*Emérillon* disparut, laissant l'agent du roi et l'équipage encaisser le choc. Hiverner ? Les marins chevronnés n'avaient pas oublié le froid de l'automne précédent, et les jeunes Indiens leur avaient parlé de températures glaciales et de montagnes de neige. Ils avaient d'ailleurs constaté eux-mêmes la fuite des oiseaux aquatiques à l'approche de la saison froide. Pourtant, malgré quelques murmures désapprobateurs, certains étaient soulagés et exprimaient une opinion différente : passer l'hiver dans le Nouveau Monde signifiait qu'ils n'auraient pas à braver l'Atlantique Nord à une saison avancée. Octobre débutait le lendemain et, même en mettant immédiatement la voile, ils n'atteindraient pas la France avant le début de la nouvelle année, ce qui impliquait une traversée et un temps exécrables. Aussi se terrer ici pour l'hiver leur paraissait-il un moindre mal.

Gastineau s'apprêtait à poursuivre Cartier jusque dans sa cabine quand Petit Gilles lui barra le passage.

— Monsieur, proclama le jeune homme, le capitaine est en train de se changer.

L'homme du roi l'attrapa alors par un bras et le tira à part pour lui parler.

— Tu ne m'avais pas prévenu ! siffla Gastineau à voix basse en coinçant le mousse contre les plats-bords.

— Je vous demande pardon, Monsieur ? s'étonna le garçon, affolé. Prévenu de quoi, Monsieur ?

— Que nous risquions de passer l'hiver ici !

— Le capitaine ne m'en a jamais parlé, Monsieur ! Pas à moi !

— Alors, débrouille-toi pour découvrir ces choses-là! N'oublie pas, Petit Gilles, tu travailles pour ton roi! Et donc pour moi!

— Monsieur, protesta le mousse, je ne peux pas lire dans les pensées du capitaine!

— Suis mon conseil! Apprends à le faire!

L'agent du roi le repoussa du bras et le mousse fluet dut se retenir aux enfléchures du vaisseau.

Des hommes commençaient à charger les chaloupes tandis que d'autres descendaient dans la cale pour manger afin d'être prêts à ramer toute la journée. Donnacona se dirigea vers la proue où ses fils le rejoignirent. Tous trois contemplaient l'eau. Que peuvent-ils bien comploter? se demanda Gastineau qui les trouvait beaucoup trop proches de Cartier.

Dans l'entrepont, le capitaine s'habillait : chemise à jabot avec une fraise évoquant les rayons d'une ruche, qui lui montait au-dessus des oreilles, gilet brodé et veste à longs pans. Il essaya son chapeau à large bord orné d'un élégant panache de plume et se trouva fière allure. Tout en s'affairant, il s'interrogeait, à l'instar de l'agent du roi, sur ce qui se passait dans l'esprit de Donnacona.

Il avait eu une rencontre historique avec le chef des Indiens de Stadacona : l'été précédent, alors qu'il remontait la côte atlantique, il était entré en contact avec les Micmacs, mais aucune des parties ne sut que faire de l'autre. Puis, en voguant plus au nord, dans la baie de Chaleur, l'*Emérillon* était tombé sur un second groupe d'Indiens, des Iroquois qui, partis d'un territoire enfoncé loin dans les terres, gagnaient la mer en suivant le cours d'un grand fleuve. Cartier s'y intéressa, car le marin qu'il était n'aimait guère effectuer ses explorations sur la terre ferme. Le Français, prenant alors possession du continent au nom de la France, fit ériger, dominant la baie, une croix de trente pieds de haut; Donnacona, intrigué, voulut en connaître la signification et Cartier inventa une histoire : la croix le guiderait quand il reviendrait.

Après cette rencontre, ils se penchèrent sur un problème grave : Cartier souhaitait rentrer en France accompagné par les fils de Donnacona; leurs récits pourraient convaincre le roi. En même temps, Cartier profiterait de leur séjour en France pour apprendre des rudiments de leur langue pendant qu'eux-mêmes s'initieraient au français. La discussion, qui se déroula un soir autour d'un feu dans le village du chef indien, fut difficile. Cartier promit de trouver le grand fleuve et de ramener les garçons à Stadacona l'année suivante. Peut-être n'aurait-il pas convaincu le père sans l'intervention de ses fils, assis avec eux autour des flammes qui faisaient briller leurs yeux sombres. Ils rêvaient de ce voyage et rêvaient de s'embarquer à bord du canoë géant pour franchir l'étendue des eaux qui les séparaient de l'autre monde. Peut-être deviendraient-ils un jour de grands chefs, déclarèrent-ils, grâce au savoir acquis de l'autre côté de l'eau. En fin de compte, l'enthousiasme juvénile de Domagaya et de Taignoaguy emporta la décision : ils feraient ce voyage.

Même s'il avait dissimulé la véritable signification de la croix, et même si le résultat avait semblé parfois précaire, le capitaine parvint à tenir sa promesse : il ramena bel et bien les jeunes hommes à Stada-cona. Les sauvages – autrement dit les « gens qui vivent dans les bois » – avaient fait grande impression à la cour et surtout auprès du roi. Profitant de l'affection que leur portait le souverain, Cartier obtint de François Ier qu'il finançât son prochain voyage qui ramènerait les garçons dans leur pays.

A présent, ils étaient chez eux, mais leur propre père ne les recon-naissait pas.

CHAPITRE 3

1955

L A FOULE qui déferlait dans la rue Sainte-Catherine grossissait sans cesse. Des milliers de manifestants débordaient du Forum : la rencontre entre *Les Canadiens* et les Red Wings de Detroit avait dû être interrompue ; à l'origine, des Français furieux avaient bombardé de tomates Clarence Campbell. L'incident fut bientôt suivi de l'explosion sur la glace de boules puantes. L'odeur insoutenable et la fumée déclenchèrent un mouvement de panique chez une partie des spectateurs et un déchaînement de rage chez les autres. Les plus fanatiques envahirent l'artère principale de Montréal, brisant des vitrines, pillant des magasins, saccageant des bus. Des groupes se faisaient la main sur des voitures de police, les secouant, en renversant quelques-unes avant d'y mettre feu, dans la liesse générale.

Les manifestants renversèrent des cabines téléphoniques, piétinèrent des boîtes aux lettres et crevèrent des pneus sous les acclamations de centaines de personnes qui rejoignaient la cohue.

Rien de tout cela n'était organisé et on n'avait pas encore trouvé de slogans ; pourtant la foule qui s'enflait semblait pressentir qu'elle trouverait en avançant des cibles plus voyantes et, par conséquent, plus intéressantes.

Les deux flics qui patrouillaient au voisinage du Forum ne furent pas les seuls à intervenir ; d'autres policiers en effet expulsaient la foule hors du bâtiment en poussant certains spectateurs sans ménagement ; mais les deux hommes ignoraient ce qui s'était passé et n'étaient donc guère préparés au saccage qui s'annonçait. Le ventre arrondi par la bière, le teint coloré, l'aîné des deux leva la main pour barrer le passage à un groupe d'une quarantaine d'hommes et de jeunes gens vociférant. Il leur ordonna de dégager la chaussée et d'utiliser le trottoir.

— Les piétons sur les trottoirs! leur lança-t-il, comme s'il s'agissait d'une bande de garnements.

Le groupe chargea en poussant des huées, et le policier sentit ses deux genoux se briser avant d'être piétiné.

Son équipier, un jeune, plus souple et moins belliqueux, les évita en sautant par-dessus le capot d'une voiture en stationnement et s'engouffra sous une porte cochère dont il ne sortit pour porter secours à son coéquipier, sonné et ensanglanté, qu'après le passage du cortège hurlant. Le blessé pensait pourtant qu'il devait agir : il leva une main pour arrêter la progression de la vague suivante, plusieurs centaines de fanatiques, et tâtonna à la recherche de son pistolet; mais l'un des émeutiers le lui avait confisqué et tirait en l'air des coups de feu, à l'aveuglette. Le jeune agent entraîna son collègue totalement désemparé à l'abri.

La première intervention délibérée des autorités à l'extérieur du stade connut des résultats tout aussi catastrophiques. Quinze policiers se ruèrent dans une rue adjacente pour bloquer le passage de la foule qui dévalait Sainte-Catherine, persuadés qu'uniformes et matraques dégriseraient les ivrognes qui se trouvaient dans la horde et rappelleraient à la raison les imprudents. En vain. Après avoir pillé une épicerie du coin – ils avaient fait sortir sur le trottoir le propriétaire et son épouse pour vider l'arrière-boutique –, ils manifestèrent leur fureur en lançant sur les policiers des canettes de bière, entamées ou non : la ligne bleue des quinze hommes céda rapidement et décampa.

Leur fuite renforça la conviction des manifestants : ces hommes déchaînés qui couraient dans la rue avaient désormais le sentiment d'être maîtres de la ville.

Mauvaise nouvelle pour le capitaine Armand Touton, de la Patrouille de nuit. Après le coucher du soleil, la sécurité de la ville reposait sur ses épaules; or, il avait estimé que ses inspecteurs n'étaient pas équipés pour ce genre d'opération et n'apporteraient aucun soutien valable, en dehors de la logistique et de l'expérience. Il ne voyait pas l'intérêt d'un combat au corps à corps avec les manifestants.

— Nous avons un choix à faire, déclara-t-il à l'inspecteur chargé d'organiser les rondes des agents de police. Nombre d'entre eux avaient répondu à l'appel lancé sur les ondes. D'autres s'étaient couchés tôt, dès l'annonce de l'émeute et, vaincus par la fatigue, avaient décroché leur téléphone. D'autres encore se hâtaient en direction de la taverne la plus proche pour échapper à l'inévitable convocation d'un responsable de commissariat.

— Vraiment ? De quel choix voulez-vous parler ? se fit préciser le capitaine Réal Leclerc, chargé des opérations de police.

— Soit nous laissons les émeutiers continuer à briser des vitrines soit nous leur opposons nos hommes auxquels ils briseront le nez. A mon avis, il vaut mieux leur abandonner les vitrines...

— Armand, rétorqua Leclerc stupéfait, je ne m'attendais pas à cela de votre part.

Touton, qui avait combattu dans les commandos pendant la guerre avant d'être fait prisonnier, méritait bien sa réputation de dur – il l'avait maintes fois prouvée. Quelques mois plus tôt, alors qu'il rentrait chez lui au petit matin après une nuit épuisante, il était tombé sur le capitaine Leclerc et ses hommes qui cernaient une maison du quartier Est. Les policiers, arme au poing, se tenaient accroupis derrière des voitures de police et des véhicules banalisés. Touton avait rejoint Leclerc en remontant, tête baissée, la file des hommes en uniforme.

— Que se passe-t-il ? avait-il alors demandé.

— Il y a un homme à l'intérieur. Un jeune type armé qui a déjà tiré sur sa propre mère. Vous vous rendez compte ? Il l'a manquée. Son père et elle ont réussi à sortir, mais ils prétendent qu'il est fou à lier.

— S'il est à l'intérieur, qu'est-ce que vous foutez dehors ?

Le capitaine, qui n'avait rien à répondre à cela, se contenta d'un léger haussement d'épaules.

— J'y vais ! annonça alors Touton d'une voix forte. Qui m'accompagne ?

Tous les hommes de Leclerc évitèrent son regard et, cette fois, ce fut lui qui haussa les épaules.

Touton se dirigea alors vers le rez-de-chaussée d'une maison miteuse de deux étages, entourée d'autres habitations semblables, et se baissa au passage pour ramasser quelques cailloux dans le jardin. Il en jeta un devant lui en entrant. Pas de réaction. Il avança et monta les marches d'un petit escalier branlant qui grinça sous ses pas. La première porte était ouverte. Il jeta un caillou à l'intérieur, l'écouta rebondir puis s'arrêter. Toujours rien. Il entra.

Il en lança un autre sur sa gauche et, comme il n'y avait aucun bruit, pénétra dans le séjour avant de se diriger vers la salle à manger attenante, à l'arrière de la maison.

Un nouveau jet de caillou ne lui valut aucune réponse.

41

À l'entrée de chaque pièce il en lança un. Au seuil de la dernière, il repéra l'ombre d'un bras tendu brandissant un revolver avant de voir apparaître le pistolet. Notre ancien commando, rapide et redoutable, porta le premier coup : un poing massif dans la figure du jeune homme. Celui-ci reçut ensuite un uppercut du gauche dans le menton ; sa tête, propulsée en arrière, craqua, et il se mordit la langue, faisant gicler le sang. Devant l'inattendu spectacle d'horreur, Touton eut le vertige mais, d'une main féroce, braqua son arme sur le tireur fou.

Immobile, le corps du jeune homme grouillait de pustules. D'infectes sécrétions puruaient sur son dos et coulaient de son front dans ses yeux. C'étaient – Touton en aurait la confirmation plus tard – les effets de la syphilis. La maladie avait déjà grignoté son esprit. Touton appela Leclerc pour faire place nette et dégager le corps du malade avant qu'il ne se réveille de méchante humeur.

Pourtant, cette fois, alors que l'émeute gagnait en intensité et que la foule, de plus en plus violente, s'enhardissait, Touton lui-même suggérait que les policiers décrochent, laissant la meute continuer sa progression.

— Si un type joue avec des allumettes, arrosez-le avec une lance à incendie. Si un autre donne des coups de pied à un citoyen, tirez-lui une balle dans l'orteil gauche ; vous pourrez toujours prétendre par la suite que le coup est parti accidentellement. Si un ivrogne tire en l'air avec un pistolet, arrangez-vous pour lui frôler l'oreille droite ; si vous visez mal, tant pis.

Leclerc refusa. Les journalistes de la presse écrite et de la radio avaient applaudi au courage de Touton face au tireur syphilitique et avaient raillé Leclerc et ses hommes en les traitant de lâches. A lui maintenant d'humilier son collègue.

— Il faut donner une leçon à cette racaille ! Ces gens-là n'occuperont pas les rues alors que je suis de service.

— C'est votre choix, répondit Touton en hochant la tête après avoir envisagé les diverses options. Si vous vous sentez capable de donner une leçon à la foule, ne vous gênez pas. Je resterai à l'écoute de la radio. Ces canailles s'en donneront à cœur joie ce soir et mes hommes devront se tenir prêts.

Il lui semblait plus utile de disperser ses effectifs de manière à protéger les cibles sensibles telles que les banques se trouvant sur le passage des énergumènes. Des policiers en civil – pardessus, col relevé et chapeau rabattu sur les yeux – que les émeutiers ne soupçonneraient pas d'être des inspecteurs, mais un fusil sous chaque bras et des baudriers chargés de pistolets bien en vue sur leurs épaules, voilà qui devrait suffire à éloigner les pillards des entrées des banques. Il avait également chargé ses subordonnés de sortir les présidents de banque de leur bain pour qu'ils fassent appel à des agences de sécurité qui surveilleraient les lieux en pleine nuit. Touton envoya des hommes sur tous les points chauds à mesure qu'ils se présentaient, car tout le monde avait l'oreille collée à la radio, y compris les criminels. A présent, personne en ville n'ignorait plus les événements et, de chaque quartier, des individus furieux se précipitaient, en voiture ou à pied, pour grossir la mêlée. Ceux qui prenaient un autobus en profitaient pour casser les vitres, rosser les chauffeurs avant de débarquer, et, parfois, pour mettre le feu au véhicule. Comme cela était prévisible, les forces de l'ordre étaient occupées ailleurs ; des voleurs s'attaquèrent aux petits commerces des autres quartiers de la ville. Touton ne viendrait peut-être pas à bout de tous ces gaillards ce soir, mais ses hommes en épingleraient au moins quelques-uns en flagrant délit ; on ferait ensuite le tri pour savoir qui avait fait quoi et à qui et on arrêterait quelques coupables.

Depuis sa voiture, tout en lançant des ordres à mesure qu'il recevait des informations, Armand Touton suivait les efforts de son collègue Réal Leclerc, responsable des policiers en tenue. Malgré l'heure tardive, Leclerc avait réussi à mettre sur pied une petite armée, une mesure bienvenue étant donné que son intervention avait déjà contribué à transformer l'émeute en guerre totale.

*

Plus à l'est, dans la rue Sainte-Catherine, un homme de trente-cinq ans, de taille moyenne, mince, agile et vêtu d'un jean et d'un court blouson de cuir, attendait la foule. Un nez proéminent et acéré, des pommettes saillantes comme des poires, lui donnaient une expression un peu sournoise qui masquait à peine un air de chérubin espiègle. Ce visage si particulier semblait avoir hérité de plusieurs continents ; on y retrouvait des traits des Indiens d'Amérique, des Asiatiques, des Français de Normandie et un soupçon d'aristocratie britannique. Issu d'une famille aisée, il avait fait des études de droit et s'était inscrit au barreau, mais ce genre de carrière conventionnelle ne l'attirait guère. Pierre Elliot Trudeau préférait son travail de directeur d'un petit magazine intellectuel, *Cité libre*, mais il avait récemment occupé un poste de conseiller juridique dans une agence gouvernementale. Ayant entendu à la radio les informations concernant la progression des manifestants, il avait quitté la confortable demeure de sa mère, à laquelle il était allé rendre visite, pour héler un taxi et se faire déposer

43

aussi près du centre que le chauffeur avait osé s'aventurer. La radio avait en effet annoncé que, faute de voitures de police à certains endroits, des taxis avaient été renversés.

— Qu'ils fassent ce qu'ils veulent, déclara le chauffeur, qu'ils brûlent le centre, qu'ils mettent le feu à la ville, qu'ils aillent jusqu'à Westmount, qu'ils s'attaquent à tout ce qui est anglais, d'accord. Mais qu'ils ne touchent surtout pas à mon taxi, hein ?

— C'est là que vous me déposez ? lui demanda Trudeau.

— Terminus. Je ne peux pas aller plus loin.

— Mais si, approchez encore un peu...

— Mon taxi, c'est ma vie !

— Ce n'est pas aussi vrai que vous le pensez. Mais, ne vous inquiétez pas, personne ne brûle de taxi dans les blocs suivants.

— On ne sait jamais !

— Encore un peu.

Trudeau dut descendre de la voiture et franchit à pied les derniers pâtés de maisons. Il parvint jusqu'à une grande place, en apparence paisible malgré le nombre surprenant de gens traînant par là, à attendre. L'atmosphère électrique évoquait l'air lourd qui pèse avant un orage. Il était juché sur le dossier d'un banc quand une voix masculine l'interpella :

— Pierre ? Il me semblait bien que c'était vous.

Peu désireux d'avoir de la compagnie, il se retourna pour identifier celui qui l'avait reconnu. Juste derrière son épaule gauche se tenait un homme à l'air aimable, habillé sans recherche, les mains croisées sur son ventre dans l'attitude d'un enfant attendant l'autorisation d'un aîné pour avancer. Il portait de grosses bottes en caoutchouc dont les languettes dépassaient, un jean, un gros chandail de laine et une veste brun foncé déboutonnée, le tout complété par une casquette de tissu noir. De la même taille que Trudeau, il était beaucoup plus corpulent. Il s'empâtait certainement avec l'âge et, pourtant, il n'avait que vingt-huit ans ; il avait déjà besoin d'une ceinture pour lui sangler le ventre et s'essoufflait quand il faisait un effort. Leur première rencontre datait de quelques années lors d'une grève dans la mine d'Asbestos : l'intellectuel, plutôt frêle, avait dû échanger des coups de poing dans un combat désormais légendaire, soutenu par les encouragements du robuste prêtre ; plus tard, les intellectuels gravitant autour de *Cité libre*, avaient pu constater son opiniâtreté, à défaut d'une véritable originalité. Dans certains milieux, il était devenu le redoutable partisan d'un changement radical de politique, tel que l'envisageait l'extrême gauche. L'homme, dont les opinions politiques étaient incompatibles avec les siennes, inspirait à Trudeau quelques réserves, mais, au

44

premier abord, il devait reconnaître qu'il l'aimait bien. Il avait décelé chez lui un don pour jauger les personnalités et saisir le fond de leurs pensées avec habileté et courage. Quand tous deux, avec quelques amis, avaient évoqué une réunion qui avait mal tourné, l'homme avait désigné ceux qui n'étaient pas sincères. Trudeau baissa sa garde.

— Père François ! le salua Trudeau. Comment allez-vous ?

— Bien, Pierre. On profite de la manifestation en faisant sa petite promenade nocturne ?

Des empreintes de pas dans la neige du banc montraient que d'autres avant lui s'étaient assis sur le dossier.

— Mon père, vous êtes aveugle ! Je suis assis bien tranquille et ne m'occupe de personne.

Le jeune ecclésiastique émit un petit gloussement gêné et s'assit à l'autre extrémité du banc, sur le siège recouvert de givre.

— Je décèle en vous un pyromane en puissance, Pierre. Vous êtes d'humeur à incendier un immeuble. Alors, ne me dites pas que vous êtes là en observateur neutre.

— Les observateurs seraient neutres, et depuis quand ? Nous voyons ce que nous voulons voir sous l'angle qui nous convient. Et vous, mon père ? On dissimule des pierres dans d'innocentes boules de neige ? On démolit des voitures de police ?

— Il y a vingt-cinq minutes, tout comme vous, je ne m'occupais de personne. Je me trouvais près d'une voiture de police quand elle a pris feu.

— Combustion spontanée ?

— Presque.

Le prêtre se pencha en avant. La nuit n'était pas trop froide pour un mois de mars, mais la lueur des lampadaires révélait le souffle de sa respiration.

« Ça a roussi ma veste. Mon premier réflexe a été de me demander ce qui se passerait si le réservoir d'essence explosait. J'ai essayé d'écarter la foule mais un soir pareil, les gens ne se laissent pas facilement convaincre. Ils entouraient la voiture en poussant des cris de joie.

— Vous, incognito ? Sans soutane ? Vous auriez pu dire la messe.

— Je ne m'attendais certes pas à retrouver mes ouailles par une soirée pareille.

— Vraiment ? ironisa Trudeau.

Il enfonça ses mains dans ses poches pour les réchauffer, car il avait oublié ses gants.

« En principe, mon père, vous suivez les rencontres de hockey à la radio.

45

— A cette époque de l'année, bien sûr ! Pas vous ?

— Aujourd'hui, c'était la première fois. Je m'attendais à ce que ce soit différent, autre chose qu'un simple match de hockey.

Ils reportèrent un moment leur attention sur la foule grondante qui approchait.

« Des fanas de sport ! ricana Trudeau, de ce ton sardonique que le père François Legault lui connaissait bien. Leur équipe a marqué un but.

— A moins qu'ils n'aient fait griller une autre voiture de police, supposa le prêtre.

— Ou fracassé une vitrine anglaise !

Le prêtre observa son interlocuteur. Il lui était arrivé, lors de certaines discussions, de le trouver irritant ; mais quelque chose ce soir dans son attitude laissait entendre qu'il appréciait peut-être sa compagnie.

— Vous n'êtes pas curieux, Pierre ? Vous n'allez pas plus près ?

— Ils arriveront bien assez tôt.

Le père François jeta un coup d'œil alentour. Il avait, dans l'ensemble, réussi à précéder la manifestation qui descendait la rue Sainte-Catherine pour repérer les secteurs où la police risquerait d'engager une bataille rangée. A un certain moment, il avait même convaincu les policiers de se retirer, en leur faisant remarquer la grande inégalité des forces en présence. Ailleurs, il avait réconforté les blessés des deux camps attendant les ambulances.

— Français et catholiques se battent contre des catholiques français ! A quoi cela rime-t-il ? s'était-il exclamé.

Comme il s'essoufflait, il avait continué jusqu'à cette place. En se reposant de temps en temps, il parvenait à maintenir un pouls régulier.

Il expliqua tout cela à Trudeau. A ses yeux, son interlocuteur était peut-être le plus brillant des intellectuels de la ville.

— Pierre, pourquoi êtes-vous si sûr de leur destination ? Cette foule qui n'a aucun but est capable de changer de direction à n'importe quel endroit.

De l'autre côté de la place Phillips où ils étaient assis, Morgan, un grand magasin, exposait ses articles dans des vitrines brillamment éclairées. Comme Eaton, à un bloc de là, l'établissement était un emblème du Canada anglais. On y trouvait vêtements, meubles et produits de beauté féminins, mais, pour être servis, les Français devaient s'exprimer en anglais, et correctement, s'ils entendaient être servis poliment.

Une Française achetant un parfum français importé de France devait apprendre à dire *please* et non pas *s'il vous plaît*.

46

— Pourquoi voulez-vous que je me donne la peine de chercher la manifestation, observa Trudeau en désignant Morgan de la tête, quand je peux rester ici au premier rang? Les manifestants me trouveront.

— Vous reconnaissez donc, Pierre, que les événements de ce soir n'ont rien à voir avec le hockey?

— Au contraire. C'est ce qui a mis le feu aux poudres. La suspension de Richard m'énerve autant qu'un autre. Mais il n'y a pas que cela. Cette foule apprendra à choisir ses cibles. Et, ce faisant, elle découvrira sa raison d'être. Des hurlements de sirène déchirèrent la nuit et, au sommet de la rue Sainte-Catherine, ils aperçurent des cars de police, des voitures de pompiers et des ambulances qui passaient en trombe. « Regardez. Nos manifestants apprennent à mesure qu'ils avancent. Sinon ils n'auraient jamais évité les bureaux de la Ligue nationale de hockey.

— Ils ne savent pas où sont les bureaux.

— J'imagine que c'est aussi bien.

— Je suis sérieux, reprit le prêtre. Quelqu'un m'a bel et bien demandé l'adresse. Il tenait une brique d'une main et une canette de bière de l'autre. J'ai failli le renseigner, puis je me suis ravisé et je lui ai offert une cigarette.

— Bonne initiative.

— En fait, j'ai échangé la brique contre une clope.

— Bon réflexe.

— Difficile de se débarrasser d'une brique un soir pareil! Je l'ai fourrée dans une boîte aux lettres.

— Mon père, même s'il ne s'agit pas que de hockey, je ne pense pas que cela ait grand-chose à voir avec la religion, argumenta Trudeau en soufflant sur ses mains pour les réchauffer.

— Voilà maintenant que vous m'insultez! Et avec plaisir, je le vois. Même avec cette faible lumière, je décèle dans votre regard ce pétillement sournois. Alors, dites-moi, qu'est-ce que tout cela a à voir avec le Conseil privé? Vous êtes toujours employé du gouvernement, non?

Le prêtre sentit soudain le froid, comme si cette conversation avait fait baisser son taux d'adrénaline, il se leva, tapa du pied quelques instants, puis finit par fermer sa veste.

— Je vous croyais au courant : je suis au chômage, j'ai démissionné. Mais, mon père, pour vous l'Eglise catholique est plus qu'un simple patron : vous avez une vocation.

— L'Eglise catholique est au service du peuple québécois, Pierre.

— C'est discutable, murmura Trudeau.

47

— Alors, présentons les choses autrement : quand mes ouailles ont des problèmes, quand elles manifestent, puis-je rester au calme chez moi, dans mon lit, à lire *Cité libre* ?

Un fracas de vitres brisées attira soudain leur attention.

— Quelqu'un a trouvé votre brique ! augura Pierre Elliot Trudeau.

— Ils ont peut-être même lancé la boîte aux lettres, renchérit le prêtre, et les deux hommes sourirent. Je vous l'accorde à regret, ils ne tarderont pas.

— La police non plus, observa Trudeau qui venait d'apercevoir des ombres se masser.

Le prêtre, à son tour, repéra les forces qui se rassemblaient. Ce petit malin de Trudeau avait choisi le premier rang pour la bataille la plus acharnée de la soirée. Ce n'était pas la première fois que le père François notait le flair de son compagnon.

Pierre Trudeau se leva et tenta de se réchauffer. La complicité que cette conversation venait de révéler les fit sourire : ils se sentaient en cette soirée si particulière, et bien que cela parût incroyable, plus proches l'un de l'autre – côte à côte pour constater la progression des hurlements des sirènes, de plus en plus forts, de plus en plus proches, de plus en plus plaintifs, ainsi que, dans le même temps, le grondement crescendo de la foule. Dans le froid de cette nuit chaotique de mars, les deux amis attendaient patiemment leur rencontre avec l'émeute – et l'histoire.

*

Les manifestants étaient devenus incontrôlables et ses effectifs déjà dépassés quand le capitaine Armand Touton prit la communication. La moitié des forces de police ne s'employait plus désormais qu'à transporter les blessés et à maintenir le passage pour les véhicules d'urgence. Dans les couloirs de l'hôpital, des civils faisaient la queue auprès des policiers qui les avaient matraqués, et de nombreux pompiers arrivaient, victimes de jets de pierres et de la fumée qu'ils avaient inhalée.

L'appel était transmis à sa voiture par radio, et relayé par une standardiste de la Direction de la police en ligne avec un autre policier. D'après sa voix très jeune, elle devait avoir une vingtaine d'années ; elle semblait terrifiée par la plongée brutale de sa ville dans le désordre. On la sentait affolée d'avoir à transmettre des messages entre deux lions rugissants.

— Je n'ai pas le temps de m'occuper d'un foutu cambriolage ! l'invectiva Touton en hurlant. Dites-lui de régler cela lui-même ! Il est payé pour ça !

Le temps de transmettre la réponse, et la voix douce de la jeune femme crépita de nouveau dans le haut-parleur :

— Capitaine, l'inspecteur Sloan dit que, pour ce cambriolage-là, vous trouverez le temps. Terminé.

— Il y a une émeute ici ! Demandez à ce connard s'il a ouvert ses fenêtres et, si oui, voyez s'il est sourd ou borné !

Nouveau silence.

— Capitaine, l'inspecteur Sloan me charge de vous dire qu'il appelle des bureaux de la Ligue nationale de Hockey dans l'immeuble de la Sun Life. Il insiste pour que je prenne un ton furieux pour vous informer qu'il est au courant de... – je dois vous le dire ainsi, Capitaine – la « foutue »... – c'est ainsi qu'il s'est exprimé, Capitaine, il a bien insisté... – qu'il est au courant pour la... – vous savez... – la... foutue émeute. Ce sont ses propres mots. Terminé.

Touton réfléchit avant de répondre car il avait lui-même pris les mesures nécessaires pour que l'immeuble de la Sun Life et les bureaux de la Ligue nationale de Hockey fussent gardés. Pour prévenir tout incident, il avait fait évacuer le personnel de l'immeuble, les problèmes étant prévisibles même avant la première tomate : les bureaux constituaient une cible évidente, et cette effraction ferait mauvais effet.

— J'avais fait poster des gardiens sur les lieux, murmura-t-il.

Quelques instants plus tard, la jeune femme lui relaya la réaction de son inspecteur :

— Cela ne suffit pas. C'est ce qu'il m'a demandé de vous dire, Capitaine. Vous comprenez, ce n'est pas moi qui dis : « Cela ne suffit pas », c'est l'inspecteur Sloan. Ne quittez pas, je vous prie, Capitaine.

Touton patienta. Une partie du centre de *sa* ville était maintenant en flammes. Malgré la distance, il continuait à entendre les vociférations des émeutiers qui se répercutaient entre les immeubles, des bâtiments de deux ou trois étages collés les uns aux autres. L'odeur de la fumée persistait dans ses narines ; elle lui rappela ce jour, pas si lointain, où, sur la plage de Dieppe, perdant son sang et respirant la fumée et la terrible puanteur des cadavres, il attendait d'être fait prisonnier ou de mourir.

— Capitaine ? L'inspecteur Sloan me demande de vous préciser que c'est plus grave que l'émeute. Mais il ne veut pas donner d'explications par radio, il dit qu'il a ses raisons. Terminé.

Debout sur le marchepied de sa voiture, un coude appuyé sur le toit et l'autre sur la portière ouverte, il actionna son micro.

— Dites-lui qu'il m'est impossible de passer en voiture à cause de la foule et que je viens à pied, ce qui prendra un moment. Ajoutez que s'il me fait venir pour rien, je le réduirai en bouillie. Vous êtes incapable d'adopter un ton furieux. Mais ne vous mettez pas à pleurer, ma chérie. Vous vous en êtes très bien tirée. Terminé.

Touton sortit du véhicule et claqua la portière. Un inspecteur s'approchait, mais il s'arrêta en voyant l'éclat de son regard.

— Trouvez-moi un fusil, ordonna Touton sans la moindre émotion.

Un instant plus tard, on lui remit une arme et des munitions ; il ouvrit la culasse et y glissa deux cartouches. Il garda le fusil ouvert sur son bras gauche et fourra dans la poche de son manteau la boîte de cartouches. Il ne pensait pas avoir besoin de tout ce bazar, mais, avec la foule, on ne savait jamais.

La vue, en descendant la rue Sainte-Catherine, de voitures incendiées, de vitrines brisées, de rouleaux de lance à incendie et de jeunes braillards traînant derrière eux le fruit de leur pillage lui inspira une colère et une tristesse qu'il n'avait pas ressenties de la même façon, à l'abri dans son véhicule. Cet incroyable saccage l'impressionnait, il était stupéfait par la quantité de débris répandus en si peu de temps : à croire que les manifestants avaient tout brisé sur leur passage pour le jeter dans la rue. Il avait été témoin de nombreuses scènes de chaos. Après Dieppe, on l'avait obligé à défiler dans des villes européennes. Des habitants sortaient de chez eux pour lancer au visage des prisonniers des épluchures et des excréments en les accablant d'insultes. Il avait subi la frénésie qui pouvait s'emparer d'une foule et, dans son for intérieur, il se demandait si la prudence qu'il avait recommandée ne lui avait pas été dictée par des raisons autres que professionnelles : cette foule lui faisait peur ; en soi il ne la craignait pas, il redoutait les souvenirs qu'elle remuait.

Armand Touton ne se rendait pas compte de l'impact que provoquait sa présence. Il marchait au beau milieu de la rue Sainte-Catherine, un fusil ouvert sur son bras, coiffé de son chapeau gris, les pans de son grand manteau anthracite flottant à chacune de ses longues enjambées comme un drapeau sous la brise. Cet homme pressé et armé était manifestement un flic, et pas seulement pour ceux qui reconnaissaient en lui le plus célèbre policier de la ville. Il était bien le seul à ne pas trembler, à ne montrer aucune crainte. Touton imposait un respect dont il n'avait pas conscience : les garçons qui houspillaient des adultes imprudents se turent sur son passage ; des hommes qui venaient de lancer des pierres et des boules de neige chargées de cailloux sur un pompier restèrent les bras ballants. Devant eux se dressait un homme investi d'une mission et, pour beaucoup, le héros mythique semblait bien décidé à disperser les manifestants à lui tout seul. Même si cette idée pouvait sembler risible à quiconque se trouvait dans la rue, personne ne tentait de l'en dissuader.

Ceux qui ne le connaissaient que de réputation comprenaient qu'il patrouillait dans *sa* ville et à *son* heure. Montréal était une ville nocturne. La mauvaise réputation de ses bars et de ses boîtes de nuit s'étendait au continent entier. Les Américains venaient pour les spectacles, le jeu et la prostitution qui ne se cachait même pas. Des artistes faisaient le voyage de New York, de France même, et, la semaine précédente, Touton avait repéré Vic Damone, dont il adorait la voix, au El Morocco. Il n'avait pas eu l'occasion, cette semaine, d'aller entendre Milton Berle, mais, en général, les comiques anglophones le laissaient de glace parce qu'ils parlaient trop vite pour lui. Cependant, Edith Piaf chantait au Sans Souci, et il avait bien l'intention, si tous les quartiers de la ville n'avaient pas brûlé cette nuit et si on pouvait à nouveau circuler, d'assister à son spectacle. Un autre comique dont lui avaient parlé certains de ses collègues, Red Skelton, devait passer au Tic Toc, mais il préférait aller voir Dean Martin et Jerry Lewis, qui se produisaient à l'Esquire Show Bar, ou bien Sammy Davis Jr. au Paree. Un an plus tôt, il avait, pour une fois, fait jouer son influence – il avait rendu un grand service à Harry Ship, le propriétaire du Paree, grand joueur professionnel et truand à ses heures, – pour assister à un concert donné par Frank Sinatra.

Il aimait les concerts de vedettes mais les boîtes, l'alcool, la convivialité, ce n'était pas son truc. Il préférait arriver, écouter, regarder, recouper les informations, voir qui discutait avec qui et repartir. Trop de flics venaient claquer leur solde à l'Algiers ou au Samovar, ou encore frayer avec des gens comme Jack Dempsey ou Rocky Marciano chez Slitkin's and Slotkin's ; un soir il s'était fait piéger : Marciano était en ville et un de ses hommes avait parié que Touton avait des poings plus gros que ceux du champion ; il l'avait supplié – ayant parié dix dollars – de passer au club le lendemain soir pour comparer ses poings fermés à ceux du champion poids lourds. Les deux hommes avaient reconnu leur égalité, mais le photographe s'en était donné à cœur joie, mitraillant les énormes poings côte à côte sur une table, puis les deux héros feignant d'échanger des directs. La une d'un journal montrait Touton décochant un crochet du droit à la mâchoire du champion qui en avait souri. Touton serait-il capable de l'emporter sur Marciano ? La presse à sensation se posait la question !

A la grande consternation de l'Eglise et des défenseurs des valeurs traditionnelles, Montréal vivait la nuit. Dans les années 1880, Mark Twain avait dit de Montréal : « On ne peut pas y lancer une brique sans briser le vitrail d'une église. » A présent, cette même brique pulvériserait les vitres des bars.

Le Top Hat, le Copacabana, le Normandie Roof, le Bellevue Casino – où le couvert était à cinquante cents, tout comme la bière –, Chez Maurice Danceland – la boîte des jeunes –, le Black Sheep Room chez Ruby Foo's. Tous ces lieux, avec leurs spectacles, attiraient les truands qui, tout en applaudissant les numéros des artistes, organisaient leurs petites combines.

Le temps passe mais rien ne change, estimait Touton. A Montréal, avaient toujours coexisté le vice et le plaisir, les beuveries et les bagarres d'un côté, les prières et la piété de l'autre. Le flux et le reflux. Il en était de même dans la police.

Un an plus tôt, le jour des élections municipales, les radios de la police avaient signalé toutes les douze secondes des troubles ici ou là. Un net progrès. Dix ans auparavant, ce jour-là, dix-sept personnes avaient trouvé la mort, mais les battes de base-ball et les coups de poing étaient toujours de la fête et les isoloirs restaient des endroits dangereux. Malgré ces incidents, les réformateurs, cette fois, l'emportèrent. Jean Drapeau, le modeste avocat qui n'avait cessé quatre ans durant d'enquêter sur la corruption dans la cité, fut élu maire et l'homme qui, jadis, avait dirigé la Brigade de moralité de la police, le pacifique « Pac » Plante, qui avait fermé les maisons de jeux et les bordels – ce qui lui coûta sa place –, fut rappelé à la direction des Services de police. Ce retour assura à Touton une position plus sûre au sein du service et le liait plus étroitement aux Réformateurs. Désormais les propriétaires de boîtes de nuit devaient appliquer le règlement et fermer leurs établissements à deux heures du matin et en interdire l'accès aux prostituées. Ils criaient au scandale. Même la légendaire strip-teaseuse, Lili Saint-Cyr, qui jouait les femmes fatales avec sa ceinture de chasteté en forme de cœur avant d'en sortir la clé, s'était réfugiée à Las Vegas, cette oasis de perversité qui commençait à se développer tandis que Montréal périclitait. Tous les commerces de nuit allaient mal et la situation ne faisait qu'empirer, aussi Touton soupçonnait-il qu'un grand nombre de leurs clients avaient ce soir investi la rue pour exprimer leurs frustrations et une rage qui n'avait pas grand-chose à voir avec le hockey ou les complexités de la situation politique actuelle. Ils voulaient faire la fête, recommencer à se vautrer dans la débauche et, comme la nouvelle administration les privait de leurs distractions, ils cherchaient tout simplement à démolir tout ce qui leur semblait vaguement officiel.

On fermait les tripots alors que le jeu était, après la confection, l'industrie la plus prospère de la ville. Les nombreux bars clandestins étaient dans le collimateur de la police. Les bordels affichaient les uns après les autres portes closes, et leurs pensionnaires, en prenant le train pour New York à Windsor Station, agitaient leur mouchoir devant un parterre d'admirateurs.

Les mentalités changeaient et Touton en attribuait le mérite à la télévision. En effet, depuis 1952, soit depuis trois ans à peine, les Québécois avaient pris l'habitude de s'agenouiller devant leur poste, et l'impact en était déjà palpable. Touton pressentait que la télé serait plus efficace contre la vie nocturne de la ville que la fermeture des lieux. Mais il y avait plus que ça. Grâce à la télévision, les Québécois francophones découvraient le mode de vie des anglophones du reste de l'Amérique du Nord, et cela leur ouvrait les yeux. Stupéfaits, ils découvraient qu'ils étaient terriblement pauvres et qu'on les pressait comme des citrons. De plus, la télévision française exprimait ouvertement, pour la première fois, des opinions allant à l'encontre des diktats de l'Eglise. Touton y était tout à fait favorable. Il avait fait la guerre. Il avait vécu dans un camp de prisonniers puis, au cœur de l'hiver, avait regagné l'Allemagne à pied, avec une colonne de misérables, nu-pieds et guère protégés du froid. Un hiver horrible et glacial. Pendant toute cette marche, les Allemands ne nourrissaient pas les prisonniers, mais leur laissaient le temps, le soir, de chaparder un peu de nourriture. Il connaissait cette vie de bête sauvage. Il connaissait le sort du prisonnier et savait ce que signifiait pour un moribond qui vivait peut-être son dernier jour la soudaine apparition d'un char américain. Il n'avait nul besoin d'un prêtre pour lui dire ce qu'il fallait penser et comment – la guerre lui avait instillé cette indépendance –, et il était convaincu que si ses compatriotes québécois avaient été plus nombreux à avoir fait la guerre et à en être revenus sains et saufs, ils auraient eux aussi compris. Pourtant, aujourd'hui, grâce à la télévision et aux divertissements plutôt qu'à la guerre, ils pensaient par eux-mêmes et remettaient en question l'autorité. En partie pour cela, songeait Touton, il comprenait les émeutiers. Ils manifestaient en réaction aux contraintes qu'on leur imposait et, après tout, ils avaient bien le droit d'être en colère, ils avaient le droit d'être furieux.

Ils étaient pauvres.

Ils avaient la vie dure.

Ces foutus Anglais leur serinaient toujours ce qu'il fallait faire. Et maintenant ils avaient suspendu le Rocket! Leur héros! Que leur restait-il, une fois privés de la coupe Stanley? Décidément, il n'y avait que ces foutus Anglais pour décapiter leur équipe!

Alors on cassait des vitrines, des éclats de verre volaient partout. On pillait des magasins. On saccageait des véhicules et on allumait des incendies. Le capitaine Armand Touton fendait la mêlée en se demandant comment tout cela se terminerait, cette rage folle attisée par un inspecteur de mauvaise humeur qui prétendait qu'un cambriolage importait davantage que la révolution qui explosait sous leurs yeux.

*

Les policiers firent venir la cavalerie.

La foule s'arrêta puis se regroupa. Des hommes criaient des injures aux policiers, brandissaient le poing, lançaient des boules de neige ou tentaient de nouvelles manœuvres. Son enthousiasme un peu refroidi, un contingent prudent se dirigea vers l'arrière tandis que se plaçaient au premier rang les unionistes qui, des années durant, s'étaient heurtés à la police au cours de confrontations sanglantes. Parmi eux se trouvaient ceux qui se faisaient embaucher en période d'élection pour saccager les isoloirs ou brûler les urnes, ceux que les hommes politiques et la presse appelaient des « gorilles ». On trouvait aussi dans leurs rangs des jeunes intrépides qui puisaient leur courage dans l'excitation du moment et le stock de bières volées, englouties à la hâte.

Les flics du premier rang observaient certains des combattants qu'ils reconnaissaient.

Les deux groupes se dévisageaient.

On attendait.

Des chevaux hennissaient, nerveux.

Les policiers n'avaient reçu aucune formation spéciale pour faire face aux émeutes – on leur avait fourni des matraques en plus de leur équipement habituel –, mais, par le passé, ils avaient remarqué que leurs collègues à cheval parvenaient à disperser n'importe quelle foule.

Quand les policiers chargèrent, les manifestants furent rossés et piétinés. Leurs rangs cédèrent et reculèrent bien qu'ils fussent cette fois plus nombreux et que l'enfer de l'assaut entraînât les plus passifs dans la mêlée. Des cavaliers se trouvèrent encerclés, quelques-uns des plus jeunes, terrifiés, s'affolèrent, transmettant leur panique à leur monture. Les chevaux se cabraient, tournaient sur eux-mêmes avant de ruer comme on le leur avait appris, les manifestants tombaient en protégeant de leurs mains leur tête ensanglantée. Pourtant, quelques-uns réussirent à faire tomber un cavalier ; son cheval rua et partit au grand galop.

D'autres policiers tentèrent de sauver le cavalier au sol : la foule se replia, les manifestants acclamèrent leur exploit et partirent se battre ailleurs. Bien que la plupart des policiers ne fussent pas équipés contre la fumée, ils lancèrent des gaz lacrymogènes qui, le vent aidant, risquaient de les atteindre autant que les manifestants. Les gaz se mirent alors à tourbillonner entre les immeubles, les chevaux avaient le regard fou, la bave à la bouche et s'enfuyaient au galop.

La fumée tournoyait, prise dans un courant ascendant qui la propulsa au-dessus de l'énorme enseigne Pepsi-Cola clignotant sur le toit de l'immeuble.

Un genou à terre, un policier épuisé et couvert de sang attendait des secours. Il ouvrit son baudrier et posa une main sur la crosse de son revolver. Sa photographie servirait de symbole dans tous les quotidiens du lendemain matin.

Les manifestants jetaient des pierres et des briques arrachées aux murs des magasins anglais, lançaient des tessons sur les policiers et sous les sabots des chevaux, et envoyaient aussi des boules de neige inoffensives comme s'il s'agissait d'une bataille de collégiens. Les groupes chargeaient, battaient en retraite et revenaient à l'assaut ; un policier brandit sa matraque pour déloger de leur banc Pierre Elliot Trudeau et son ami le père François Legault.

— Qu'est-ce qui vous prend ? Je ne vous gêne pas ! protesta Trudeau.

— Foutez-moi le camp d'ici ! leur intima le flic en abattant si fort son arme sur le banc qu'il l'endommagea.

Il avait une cinquantaine d'années, de la boue sur le visage et une grande entaille au menton.

— Vous êtes français ! lui cria le père François, comme s'il en était surpris.

— Et alors ? interrogea le policier, déconcerté.

— Oui, et alors ? renchérit Trudeau.

— Pourquoi frappez-vous un autre Français ?

— Parce qu'il est assis sur un banc et que ce soir je ne veux pas de foutus spectateurs ! Etes-vous journalistes, nom de Dieu ?

— Je suis prêtre ! Surveillez votre langage !

— Vous êtes prêtre ? répéta le flic, abasourdi.

— Evidemment ! confirma Trudeau, comme s'il n'était pas question de mettre en doute son opinion. Un dominicain, bien sûr, mais nous pouvons lui pardonner cela, non ?

— Saleté de jésuite élitiste ! riposta le père François en riant.

— Décampez de ce banc ! insista le policier, ne sachant trop quoi faire de ces deux cinglés. Il finit par capituler.

« Vous devriez rentrer chez vous, mon père. Ce soir, c'est nous qui réglons cette affaire et, demain, vous irez visiter les hôpitaux.

— C'est vous qui devriez rentrer, pas moi ! Laissez tomber et, demain, vous irez vous confesser.

55

— De quoi voulez-vous que je me confesse ? De faire mon travail ?

— Confessez que vous matraquiez des têtes catholiques pour vos supérieurs anglais !

— Quels supérieurs anglais ? Qu'est-ce qu'il raconte ? C'est vraiment un prêtre ? s'enquit le policier. Il semblait sur le point de les frapper tous les deux, ne serait-ce que pour les faire taire.

« Il parle comme un communiste !

— C'est un prêtre communiste. Il en existe aujourd'hui, expliqua Trudeau.

— Vous ne pouvez pas être un prêtre communiste, cela n'existe pas ! C'est impossible !

— Pourquoi ? Parce que Duplessis ne le permet pas ?

— Le pape ne le permet pas !

— Il est vrai que le pape a des problèmes avec les Dominicains, intervint Trudeau. Ils sont vraiment casse-pieds, vous savez ? En tout cas, il n'est pas sulpicien, c'est déjà ça !

— Et vous non plus !

— Ni franciscain !

— Qu'est-ce que vous racontez ? s'insurgea le flic, certain qu'ils se moquaient de lui.

— Quoi qu'il en soit, monsieur l'agent, j'ai été ravi de discuter avec vous, mais ne recommencez pas à balancer ce machin au-dessus de ma tête, d'accord ? Nous partons.

— Je vous fendrai le crâne si vous n'obtempérez pas ! Si j'apprends que vous êtes journalistes, je vous casserai le nez !

— Si vous voulez, je vous montrerai les journalistes, proposa le père François, provoquant les gloussements de Trudeau.

— Vous feriez bien de partir vous aussi, monsieur l'agent, suggéra Trudeau. Nous sommes au beau milieu de la prochaine charge. Laissez tomber ce banc... Il ne vaut pas la peine que vous versiez votre sang !

— Vous êtes bien des communistes !

— Pas tout à fait. Lui, oui. Moi, je ne suis qu'un intellectuel jésuite bouddhiste, aux tendances libérales et humanitaires... avec un rien d'hédonisme à mes moments perdus.

— Des homosexuels en plus !

— Je suis prêtre !

— Je suis aussi avocat, avoua Trudeau, et... mais je ne devrais peut-être pas vous tenter... J'aime beaucoup les femmes.

— Fichez le camp d'ici avant que je n'oublie que vous êtes prêtre et que je vous casse la figure ! Quant à vous, je suis prêt à ouvrir en deux votre tête d'avocat !

56

— Monsieur l'agent, insista Trudeau, regardez donc autour de vous, vous êtes seul. Fichez donc le camp tout de suite et vite !

L'officier regarda alentour et réalisa son isolement. Les manifestants l'avaient repéré et l'affrontement suivant se produisit au milieu de la place, autour du banc qu'il avait convoité. Le policier se débattit furieusement contre la horde – communistes, homosexuels, unionistes, intellectuels, journalistes, avocats et, sans doute aussi, professeurs, parents, officiers supérieurs, et même joueurs de hockey qui n'arrivaient pas à marquer au milieu de la mêlée – tandis que ses collègues se précipitaient à son secours et que Trudeau et son nouvel ami battaient en retraite.

— Cela change tout ! cria le père François dans l'oreille de Trudeau à cause du vacarme.

Ils n'étaient pas les seuls à tenter de communiquer : dans chacun des camps on discutait pour essayer de comprendre ce qui se passait et ce qui allait se passer, même si ces discussions se bornaient à des tête-à-tête.

— Je suis d'accord, admit Trudeau.

— C'est le début de la révolution.

— D'une émeute, plus exactement : l'émeute fait partie d'un bouleversement social en cours. En qualifiant ces événements de révolution vous détournez le programme à vos fins. Vous, un prêtre, devriez avoir honte.

— Je suis dominicain. Mon ordre assure la promotion d'idées neuves, contrairement à ces réacs de Jésuites...

— ... qui préconisent un examen plus rigoureux.

— Pour avoir la conscience tranquille de ceux qui n'ont rien accompli.

— Je vous retiens peut-être, mon père ? Vous avez peut-être envie de lancer des œufs pourris ?

— Les pauvres n'ont pas d'œufs à gâcher sur des policiers !

— Je vous demande pardon ?

Une bousculade derrière eux les obligea à se plaquer contre le mur d'un immeuble pour éviter d'être poussés sur le chemin des chevaux qui chargeaient.

— Même pas d'œufs pourris. Les pauvres n'ont pas d'œufs ! répéta le père François.

— Epargnez-moi votre rhétorique, mon père. A qui croyez-vous parler ?

— A un riche jeune jésuite d'Outremont.

— Et moi, à un prêtre qui aime son confort.

— Là, Pierre, vous avez retenu votre pique. Vous vouliez dire « un prêtre gras ».

57

— Je voulais dire ce que j'ai dit.

— Ne dites pas que j'aime mon confort. Je suis ici, n'est-ce pas ? En première ligne...

— Elle se trouve à quinze mètres d'ici.

— C'est assez près. Je ne suis pas d'humeur à me battre.

— Pacifiste ?

— Non, je suis cardiaque, c'est tout.

Ils conclurent cet échange par un énorme éclat de rire, tandis que l'échauffourée se dissipait sous l'avalanche de boules de neige lancées des derniers rangs par de jeunes garçons.

Il avait eu vraiment peur en s'échappant du Forum au milieu de la bousculade où se mêlaient policiers et lanceurs de tomates. Et avant cela, quand les boules puantes et les bombes fumigènes avaient explosé de partout tandis que des cris assourdissants montaient de la foule. Il n'avait pas non plus prévu les tomates et il comprit que ç'avait été une erreur, non pas de venir, mais d'avoir amené trois invitées, sa sœur et deux amies de celle-ci. Il était terrifié à l'idée qu'il leur arrive quelque chose et, lorsqu'il vit une tache rouge s'étaler sur l'épaule de sa sœur, il crut qu'elle avait reçu une balle mais là-dessus, une tomate s'écrasa sur sa poitrine et tacha sa chemise. Le vrai problème, c'était de s'extraire de la cohue, d'échapper à la bousculade. Les policiers vociféraient comme tout le monde, même les deux qui l'escortaient en le tenant par les bras. Deux autres formaient l'avant-garde ainsi qu'une horde d'hommes en bleu qui se frayaient un passage dans la foule déchaînée. L'idée que les dames et lui risquaient les coups d'agresseurs frénétiques ne lui paraissait plus si improbable et il n'était pas du tout convaincu qu'ils allaient pouvoir sortir sains et saufs de l'immeuble.

Ils y parvinrent pourtant. La police, en prévision de la situation, s'était organisée. Entassés dans deux voitures de patrouille, gyrophares allumés, les hommes s'éloignèrent du Forum et de l'émeute naissante.

On le ramena chez lui, les policiers étaient prêts à raccompagner les dames à leur domicile mais dans ces circonstances, elles préférèrent ne pas abandonner Clarence. Il les invita donc à monter et, dans un rare élan de générosité, ouvrit son bar.

Ils organisèrent une petite fête.

Les dames étaient bien décidées à lui tenir compagnie mais au milieu de leur bavardage, Campbell exprima son besoin d'être un peu seul et disparut un moment dans sa chambre avec son verre de whisky. Aucune d'elles, pas même sa sœur, ne songea à le suivre. Il écarta les rideaux pour voir ce qui se passait dehors. L'émeute s'étendait jusqu'à la rue Sainte-Catherine, à deux blocs à peine au sud mais, même derrière la balustrade du balcon, il se rendait compte de l'ampleur du désordre. On entendait les sirènes des camions de pompiers et des voitures de police ; les ambulances déboulaient de partout. D'étranges et inquiétantes lueurs apparaissaient derrière les toits d'autres immeubles.

Il y aurait, semblait-il, des dégâts dans une bonne partie du centre.

Et toute la ville, pouvait-on à juste titre supposer, le méprisait.

Il savait qu'on avait bien des raisons de le détester. Il ne le dirait jamais en public, ni à ses détracteurs mais, bien avant l'incident Richard, on le haïssait pour avoir poursuivi les criminels de guerre nazis. Il recevait assez de lettres le traitant d'« ami des Juifs » pour en être convaincu. On l'aurait mieux toléré à Montréal s'il n'avait pas été nommé président de la Ligue nationale de Hockey – essentiellement en récompense de son rôle au procès de Nuremberg – et si on ne lui avait pas légué la Dague de Cartier.

Il était pourtant persuadé qu'il méritait d'être président et, même s'il ne voulait pas comparer son travail de procureur aux actions des braves jeunes gens qui avaient fait le sacrifice de leur vie ou de tous ceux qui avaient survécu malgré leurs exploits héroïques, il estimait aussi qu'il méritait l'honneur de s'être vu confier la dague. Il avait côtoyé le Mal. Jour après jour, il avait dû subir des témoignages qui en auraient détruit plus d'un. Lui, simple citoyen d'un pays paisible, jeune avocat qui n'avait jamais voulu de mal à quiconque, s'était soudain vu contraint, par sa charge, à écouter des récits de massacres et de tortures, d'atrocités et de souffrances aussi inimaginables qu'insupportables. Il avait regardé ces gens-là dans les yeux et n'y avait vu que raillerie de la procédure, négation d'autrui et de l'humanité, déni des horreurs commises.

Il avait fait son devoir, comme d'autres avaient fait le leur mais, en se voyant confier la responsabilité de la Dague de Cartier, il avait eu le sentiment d'accueillir une relique qu'il respecterait, dans un esprit de justice et de vérité, et moins à titre personnel que pour la charge et la fonction qu'on lui avait accordées. Il n'avait fait dans son travail que compléter l'œuvre des soldats, des marins et des aviateurs, tous unis pour affronter le mal sous ses formes les plus abominables et pour lui infliger un juste châtiment.

D'ordinaire, la mort.

Il avait accompli son devoir et, en acceptant la dague, il l'avait fait en remerciement du sacrifice des autres, en leur nom et au nom de la vérité.

Sa récompense avait été d'être nommé Président de la Ligue nationale de Hockey. Pouvait-on imaginer une occupation plus pacifique

que de laisser des adultes jouer à des jeux d'enfants sous les acclamations du public?

Ou les huées, comme c'était le cas ce soir.

Il ne s'était pas douté qu'une fois l'histoire de la dague révélée dans toutes ses proportions mythiques, le fait qu'on en eût confié la garde à un *Anglais* – un Canadien anglophone habitant Montréal – ne cesserait d'irriter la population et de déprécier son action publique. Quiconque aurait condamné le geste de Richard se serait attiré les injures des spectateurs, mais que l'auteur de cette décision fût l'haïssable Campbell avait piqué au vif les supporters et secoué la ville jusque dans ses fondements.

C'est l'enfer sur Terre, songea-t-il. Mais il savait que ce qui se passait dans les rues n'était rien comparé aux crimes du régime qu'il avait dénoncé devant un tribunal. L'émeute qui se déchaînait sous ses fenêtres n'avait pas de chefs, pas d'ordre du jour précis, pas de cibles sur lesquelles diriger sa colère. Les émeutiers suivaient leur délire et les débordements de leur rage, mais ils n'avaient aucune intention malfaisante. En exprimant leur fureur ils s'en libéraient. Avec le temps, tout cela se calmerait.

Un coup frappé à la porte le tira de sa rêverie. Plutôt que de crier à sa sœur d'entrer, il alla jusqu'à la porte et l'ouvrit, désireux de retrouver la compagnie des femmes.

— Téléphone, dit-elle. C'est la police.

Il s'attendait à un commentaire sur l'émeute ou à ce qu'on lui demande comment il allait. En bas, des policiers protégeaient discrètement son immeuble et l'un d'eux montait la garde devant la porte. Ce qu'il entendit fut terrible et inimaginable : on s'était introduit par effraction dans les bureaux de la LNH.

— Des dégâts? Il s'attendait à du vandalisme, des graffitis, des machines à écrire fracassées, des dossiers éventrés.

— On a forcé votre coffre, monsieur.

— Le coffre! Il s'efforça rapidement d'en estimer le contenu. « On n'a pas...

— Si, monsieur. Cet ancien poignard, monsieur. C'est tout ce qu'on a pris.

En un instant, il se sentit étourdi, au bord de l'évanouissement.

— J'arrive.

— Nous vous le déconseillons, monsieur, dit la voix à l'autre bout du fil. Vous n'arriverez pas à passer.

— J'y tiens, fit-il avec calme. Il le faut.

— Monsieur, c'est inutile pour l'instant. Si vous insistez vraiment, il faudra que nous venions vous chercher avec une voiture de police.

60

— Passez me prendre.

Quand il leur expliqua la situation, ces dames poussèrent des cris. Elles ne voulaient pas abandonner leur Clarence et insistèrent, encore plus énergiquement que lui, pour l'accompagner jusqu'aux bureaux de la LNH.

— Seigneur, lança Campbell – c'était sa façon de jurer devant des femmes – cette soirée se passe mal.

CHAPITRE 4

LE PAYS qu'on appelait la France avait émerveillé Domagaya et Taignoaguy au point que ni l'un ni l'autre n'étaient certains d'y survivre. Encore une promenade dans le parc d'un château, encore un trajet dans un chariot en or attelé de bêtes qu'on nommait chevaux, encore une table capable d'accueillir un village entier et qui proposait assez de nourriture pour un mois de fête, encore un bal du roi, un autre regard d'yeux bleus, verts ou bruns, lancé par une ravissante jeune femme blonde, rousse ou brune, dont le corps jaillissait d'une robe qui la sanglait, et les deux frères risquaient de s'effondrer, incapables de faire un pas de plus. Ils se sentaient immortels – ils ne pouvaient pas mourir, ils étaient déjà morts –, car ils avaient accédé à un nouvel état : ils n'existaient plus dans le monde qui les avait vus grandir, ce monde avait disparu à jamais.

Domagaya raconta à son retour les grandes salles construites en pierre aussi lisse que la peau, dont l'homme blanc ne se servait que pour pisser ou déféquer. Une fois ses besoins satisfaits, ce qu'il avait expulsé de son corps se trouvait expulsé à son tour, emporté par de l'eau jusqu'au centre de la Terre. Domagaya jura qu'une fois chef, il construirait pour son peuple des pièces séparées qui ne serviraient qu'à pisser et à chier.

Lors des festins donnés pour le roi ou pour ses amis, on disposait sur la table tant de bêtes qu'il ne savait pas laquelle choisir et se contentait souvent d'une bouchée de chacune. Un soir, Cartier se

62

trouva assis à côté de Domagaya à une immense table autour de laquelle grignotaient quatre-vingt-dix courtisans et dames de la cour. Au cours du voyage vers la France, profitant de belles journées sur la mer, Cartier avait appris quelques mots d'iroquois avec Domagaya, qui semblait moins timide que son frère, et les deux jeunes gens avaient étudié le français avec Petit Gilles. Domagaya put donc déclarer à Cartier que la chasse avait certainement été bonne.

— Pardon ? répondit Cartier. Quelle chasse ?

— Beaucoup d'animaux, expliqua Domagaya en désignant l'entassement de bêtes mortes.

Cartier se promit alors de montrer aux deux jeunes frères ce qu'était une chasse en France.

Une fois encore, ils n'en crurent pas leurs yeux : les hommes blancs gardaient des animaux et de la volaille – des vaches, des porcs, des chèvres et des poulets, disait Cartier – dans de petits enclos ou même dans de grandes maisons, et, quand l'envie les prenait d'en manger, ils n'allaient pas chasser mais sortaient de chez eux pour choisir dans la grande maison des animaux une bête que l'on sacrifiait. Ils élevaient leurs animaux comme les Iroquois de Hochelaga cultivaient du maïs ! Il y avait d'autres bêtes qui ressemblaient à des loups et à des renards mais qu'on ne mangeait pas : elles couraient dans les bois avec les hommes blancs, traversaient avec eux les pâturages et vivaient dans leurs maisons, blotties au coin du feu. Il leur arrivait parfois de faire des bêtises ; le maître donnait alors une tape à ce qu'il appelait son chien, et celui-ci, qui avait de grandes dents et pouvait pousser des grognements et aboyer de façon terrifiante, se mettait à geindre comme un enfant. Au début, ils avaient peur quand ils en rencontraient dans la maison, mais Taignoaguy apprit à jouer avec un petit chien ; l'animal lui léchait le visage jusqu'à ce que le jeune homme éclate de rire comme une fille blanche pendant que Domagaya s'enfuyait en courant jusqu'à la salle à pisser en se tenant le ventre tant il était terrifié.

On aida Taignoaguy à monter sur un cheval qui se mit à faire le tour de son enclos, Taignoaguy juché sur lui ; Domagaya, quant à lui, tomba à genoux, ne sachant plus si son frère demeurait un frère ou s'il s'était transformé en une bête sauvage à quatre pattes, deux têtes et un énorme pénis. Domagaya claquait des dents sans réussir à se maîtriser, à tel point qu'un domestique avait dû le mettre au lit.

Et encore : les Français recueillaient dans des seaux le lait des tétons de bêtes qu'ils appelaient des vaches et des chèvres – et ils le buvaient ! Et ils le donnaient à leurs enfants ! Taignoaguy – qui réfléchissait toujours – déclara :

— C'est pour ça! Le lait blanc des vaches! C'est pour ça qu'ils ont la peau blanche!

— C'est pour ça! renchérit Domagaya, ils sont élevés au lait de vache et de chèvre! Ce ne sont pas des demi-dieux! Ce sont des demi-bêtes!

Les poules donnaient des œufs dont se nourrissaient les hommes blancs, de jeunes femmes allaient chaque matin les ramasser pour les servir à table et les Indiens en mangeaient en s'émerveillant de cette nourriture fournie sans effort aux hommes par les animaux. Ils avaient en France tant d'animaux merveilleux! Rien à voir avec les ours irritables ou les daims farouches et bondissants. Rien à voir non plus avec les sages et fiers élans. Les oiseaux en France ne ressemblaient pas aux espèces marines qui déposaient leurs œufs dans le creux des falaises, obligeant le jeune Indien qui voulait les ramasser à risquer sa vie. Ces oiseaux-là étaient plus généreux! L'homme blanc avait même des oiseaux qui refusaient de voler! Domagaya était bien décidé, quand il serait rentré dans son pays, à apprendre aux bêtes à bien se comporter. Il parquerait les daims en leur intimant l'ordre de ne pas sauter par-dessus la clôture et d'attendre là le moment où il viendrait les tuer. Il mettrait les ours dans de grandes maisons pour ours et il leur ordonnerait de rester tranquilles et de ne sortir que quand ils seraient disposés à aller pêcher pour lui dans le ruisseau. Il dirait aussi aux canards de ne pas s'envoler, tout comme les poulets qui restaient près des hommes et des femmes de France. Il trairait les élans et deviendrait lui aussi une demi-bête. Il ne lui restait plus qu'à apprendre cette langue que les animaux comprenaient et à laquelle ils obéissaient.

Domagaya étudiait donc le français avec ardeur.

Un jour, les hommes de la cour emmenèrent *les sauvages* à une vraie chasse : la chasse aux cailles. Les garçons parlèrent toute la nuit de l'expérience qu'ils avaient vécue : un homme braquait une longue lance sur un oiseau et, avec un doigt, tirait sur une petite dent. Une flamme et du bruit jaillissaient de la flèche avec une telle violence qu'à la première détonation Taignoaguy et Domagaya s'étaient retrouvés sur les fesses. Une fois que les lances avaient aboyé, les oiseaux tombaient du ciel – des oiseaux qui ne voulaient pas écouter la langue des Français. Contrairement aux chiens qui se précipitaient à la recherche de la caille abattue pour, une fois qu'ils l'avaient découverte, la rapporter entre leurs dents à leur maître! Oh! comme Taignoaguy aimerait posséder de telles bêtes quand il serait rentré dans son pays! Domagaya, lui, voulait une flèche qui parlait d'une voix de feu et faisait atterrir sur le dos les délicieux oiseaux dodus qui volaient.

Par un matin frais et brumeux, on emmena les Indiens chasser le chevreuil sur les terres du roi. Enfin un animal familier : un chevreuil ! En France ! On invita Domagaya à en tuer un. Il se dirigea donc vers l'animal, par bonds rapides et silencieux, tandis que les Français, perchés sur un petit tertre, l'observaient, fascinés par sa manœuvre. Il se faufila parmi les buissons, bien que ce fût une forêt comme il n'en avait jamais vu : sans arbres ni sous-bois et, par-ci par-là, des jets d'eau jaillissaient de pierres circulaires disposées sur le sol. Domagaya se rapprocha du chevreuil en rampant. L'animal l'examina. L'Indien se glissa plus près. Le chevreuil l'observait toujours. Domagaya sentit son cœur se serrer : la bête l'avait repéré, elle avait flairé son odeur. Le chevreuil continua à renifler et à le regarder, puis se remit calmement à brouter. Domagaya sauta sur sa proie et lui trancha la gorge.

De leur observatoire, les courtisans en eurent le souffle coupé puis acclamèrent le chasseur. Ce soir-là, à la table du roi, on ne parla que du sauvage qui s'était servi d'un couteau – un couteau ! – pour tuer le chevreuil qu'ils dégustaient.

Taignoaguy et Domagaya cherchaient à comprendre pourquoi, en France, un chevreuil s'était ainsi laissé faire.

— Il t'a vu, répéta Taignoaguy. Il t'a flairé.

— Il ne connaissait pas l'odeur d'un Iroquois.

— C'est vrai.

— C'est peut-être comme avec les cochons ? Ils attendent que le roi ait envie d'en manger un et puis ils se laissent tuer.

— Les chevreuils ne sont pas des porcs, fit remarquer Taignoaguy. Les porcs sont gras, lents et font des bruits bizarres.

— Le sabot d'un chevreuil ressemble à celui d'un cochon.

— Mais l'esprit d'un chevreuil est différent de celui d'un porc.

— Le chevreuil savait que j'étais venu pour le tuer, Taig. Je l'ai vu dans ses yeux. J'y ai lu ses pensées. Il s'est dit : « Je suis sur la terre du roi. Cet homme rouge est venu me tuer pour qu'il puisse me manger. Je ne bougerai pas parce que j'aime le roi. »

— Il pensait cela, Dom ?

— J'ai vu dans ses yeux ce qu'il pensait.

Si Domagaya était capable de lire dans les pensées d'un chevreuil des Blancs, Taignoaguy, de son côté, estimait qu'il serait capable de comprendre les pensées des femmes de l'homme blanc ; elles le regardaient si souvent droit dans les yeux qu'elles le forçaient à interpréter leurs pensées. Elles dressaient leur étonnante poitrine à demi dénudée en pouffant, faisaient tourbillonner leur robe, puis s'enfuyaient en riant. Comment lui serait-il possible de les comprendre un jour ? Il commençait pourtant, croyait-il, à saisir le fonctionnement de ce monde étrange. Les jardins démontraient qu'arbres, plantes et fleurs de France étaient disposés à vivre pour satisfaire la vue de l'homme blanc, de la même façon que les bêtes vivaient et mouraient pour satisfaire les caprices de son appétit. Les poules ne pondaient que pour offrir un petit déjeuner à l'homme blanc. Dans ces conditions, Taignoaguy s'était donc mis à imaginer que les femmes de la cour du roi acceptaient volontiers de s'offrir pour satisfaire leurs hommes; il n'était cependant pas certain qu'elles y consentiraient pour un *sauvage*, ainsi qu'elles le désignaient. A la façon dont elles le regardaient, Domagaya commençait à soupçonner que l'ardeur de Taignoaguy à étudier le français lui était dictée par des raisons bien différentes des siennes.

Cet hiver-là, pendant qu'on initiait les deux frères à la vie de la cour à Fontainebleau, Jacques Cartier s'embarqua sur la Méditerranée pour gagner la Sicile. Simple passager à bord d'un vaisseau italien, il passa de longues journées monotones à préparer la liste des approvisionnements car le roi avait consenti à lui fournir trois navires pour son prochain voyage – la plus grande expédition de sa carrière – et il avait intérêt à bien calculer ses besoins. Au fond, il songeait déjà à la possibilité d'hiverner dans le Nouveau Monde. Mais il ne toucherait mot de cette idée à quiconque, de peur qu'elle ne revînt aux oreilles du roi. Il imaginait pourtant son retour triomphal un an plus tard que prévu. On les croirait morts, lui et tout l'équipage. Pour commémorer ce spectaculaire retour au pays, se faire pardonner son retard pour apaiser le roi, il devrait lui rapporter un cadeau marquant. Mécène renommé des artistes et homme de la Renaissance, le roi François Ier avait parrainé Raphaël et Titien. Son favori, Léonard de Vinci, était mort dans ses bras. Cette passion pour les arts éclipsait l'intérêt qu'il aurait pu nourrir pour les escapades transocéaniques et il ne s'intéressait guère à l'exploration du Nouveau Monde.

Cartier devait donc trouver un moyen de le surprendre, d'enflammer son imagination comme le faisaient les artistes.

Faute de vent, la plupart du temps, le voyage avait été paisible. Pour l'ambitieux capitaine, le temps se traînait aussi lentement que le soleil levant ou le coucher de la lune. Il avait hâte de se retrouver aux commandes de son propre vaisseau même si dans ses moments les plus sombres, il regrettait de ne pas avoir choisi d'explorer une contrée au climat plus clément, qui lui aurait permis de prolonger ses absences. L'aspect sauvage des rivages lointains, le défi quotidien de la navigation et de la survie, l'euphorie de découvrir une côte encore inexplorée, tout cela lui manquait. Bref, ce voyage en Méditerranée l'assommait.

De plus, certaines personnes en France s'étonnaient de cette escapade. Son Eminence le cardinal de Médicis de Monreale, vieil ami de Cartier, aurait pu le rejoindre alors qu'il préparait son expédition ou ce voyage aurait pu attendre. Le capitaine déclara qu'il avait besoin de parler à son directeur de conscience avant de s'embarquer et s'abstint de toute autre explication.

Taignoaguy trouvait la nouvelle venue à la cour – l'élégante et hautaine Francine Tousignant de Tocqueville – si belle que tout ce qu'il avait appris de français refusait de passer ses lèvres. Elle explosait littéralement dans sa robe, car, ni fragile brindille ni jeune pousse comme les autres courtisanes, elle était solide comme un érable, avait les hanches larges et les bras robustes – autrement dit, elle était capable de porter de l'eau depuis la rivière, un enfant sur sa hanche, ou de tirer un traîneau en hiver ; son sourire faisait l'effet d'une rafale, ses cheveux noirs formaient sur le sommet de sa tête une composition tout en boucles et en torsades, tandis que ses grands yeux au regard un peu flou étaient verts comme une forêt en été. Il lui disait tout cela en iroquois et elle gazouillait derrière ses mains en échangeant avec ses amies de brefs apartés.

Domagaya était sidéré par l'audace de son frère : dire à cette fille qu'elle était belle comme un coucher de soleil, que ses yeux avaient la couleur d'un lac de montagne et ses joues l'éclat de la truite tout juste pêchée ! Il ne l'avait jamais vu aussi sociable et il lui fallut un moment avant de comprendre que la jeune femme ne comprenait pas un mot de ce que lui disait son frère.

Très vite, il entra en scène à son tour : il annonça aux dames présentes qu'il allait mettre leurs robes en lambeaux pour plonger ses doigts entre leurs jambes et couvrir leurs seins de baisers jusqu'à leur arracher des cris. Il leur apporterait le cuissot d'un cerf du roi à dévorer, et les testicules d'un des taureaux du roi à admirer.

Taignoaguy, furieux de la grossière incursion de son frère, l'interpella en élevant la voix, mais l'autre continuait et comme les femmes gloussaient, devint de plus en plus explicite : il serrerait les femmes contre le mur de sa chambre à Fontainebleau, il les lutinerait sur le sol de la porcherie, s'ébattrait avec elles dans la fontaine dont l'eau jaillissait vers le ciel au mépris des lois de la nature et il presserait leur corps contre le sien au fond du carrosse qui les transporterait dans les rues de Paris.

Furibond, Taignoaguy conseilla à son frère de tenir sa langue, s'il ne voulait pas qu'il la lui coupât. Domagaya lui répéta que les femmes ne comprenaient rien et qu'ils pouvaient raconter tout ce qui leur passait par la tête du moment qu'ils le faisaient en iroquois.

Taignoaguy prit alors l'initiative de parler français, le langage compris par les animaux et, peut-être aussi, comme il le pensait depuis quelque temps, par les femmes en manque d'homme. De douces paroles s'échappèrent de ses lèvres haletantes et les femmes trouvèrent cela adorable. Il demanda à la fille aux yeux verts flamboyants et aux grandes boucles brunes si elle accepterait de l'accompagner dans sa chambre.

Cette fois, Domagaya resta bouche bée, les yeux écarquillés. Il parut cesser de respirer et, tout tremblant, se laissa tomber sur le siège qui se trouvait derrière lui.

Les jeunes femmes avaient pâli mais continuaient à pouffer, tout en s'éventant furieusement et en se demandant si elles devaient éclater de rire ou s'enfuir en courant. La plantureuse Francine Tousignant de Tocqueville avait les yeux rivés sur ceux de Taignoaguy. Quand cessèrent les gloussements, devant l'assistance paralysée – à l'exception de Domagaya qui tremblait toujours – elle lui dit : « *Monsieur le sauvage, comme tu veux.* »

Ils prirent tous deux le chemin de l'appartement de Taignoaguy. Domagaya, secoué de soubresauts et de frissons, s'écroula sur le sol. Les autres femmes lui épongèrent le front avec des mouchoirs de soie, réclamèrent du vin et le réchauffèrent avec du vin, des caresses et des paroles apaisantes. Elles conseillèrent aux serviteurs de le ramener jusqu'à sa chambre et recommencèrent à papoter.

*

Cartier fut accueilli à Palerme par trois moines en robe noire, dépêchés par le cardinal pour l'escorter jusqu'au village voisin de Monreale. Le premier, petit et souriant, ne cessait de s'incliner ; le deuxième, grand et renfrogné, restait imperturbable ; le troisième, de taille moyenne, semblait d'humeur égale. Deux carrioles découvertes tirées par des ânes les attendaient pour les conduire dans une large vallée poussiéreuse et fraîche avant de commencer, dans l'après-midi, l'ascension vers Santa Maria la Nuova, l'immense cathédrale de Monreale. Ils s'arrêtèrent devant les extraordinaires portes romanes en bronze constituées de quarante-deux panneaux ornés de bas-reliefs représentant des scènes bibliques. Cartier fit un signe de tête approbateur, espérant que cet arrêt brusque signifiait la fin de la journée touristique. Les moines sautèrent à bas de leur carriole et, à sa grande consternation, l'invitèrent à franchir les portes imposantes.

On le guida jusqu'au centre de la nef d'où les vastes mosaïques offraient au regard leur grandiose extravagance. Ses compagnons reculèrent d'un pas, deux se mirent à prier tandis que le troisième tournait les talons et sortait, sans doute pour abreuver les ânes. Le distingué capitaine se retrouva seul pour savourer l'œuvre d'art dans toute sa splendeur.

Manifestement, on attendait de lui qu'il exprimât son admiration. Déconcerté par ce détour imprévu à l'issue d'un voyage interminable, mais néanmoins obligé d'admettre qu'il restait à la merci de ses hôtes, il secoua la poussière de la route qui recouvrait ses vêtements. Il fit un tour rapide, jetant un coup d'œil ici ou là, puis se mit à contempler les fresques ornant les murs et le plafond. Les mosaïques étaient de couleurs vives et regorgeaient de détails raffinés. A mesure qu'il se détendait, elles instillaient dans son esprit un sentiment de tranquillité, voire de gravité, et il retrouva l'impression réconfortante qu'il éprouvait en mer. Sur un fond de carreaux d'or, elles recouvraient presque toute la surface des murs jusqu'à la voûte. L'édifice mesurait une centaine de mètres de long. Le *Christ Pantocrator* – treize mètres de haut sur quarante de large – dominait les étincelantes mosaïques qui s'étageaient au-dessus du chœur. Le marin, entré contre son gré dans la basilique et agacé par cette halte, était maintenant cloué sur place, envoûté.

Des moines vinrent enfin le chercher et l'entraînèrent en silence à l'extérieur.

L'excursion reprenait.

Cartier supposait qu'ils se dirigeaient vers le Castellaccio, juché sur le mont Caputo, à environ une heure de route plus au nord; mais, à vrai dire, il était trop fatigué pour s'en soucier. Habitué à commander, le capitaine ne poserait pas de question à ces humbles moines. Les carrioles repartirent donc en direction de la forteresse et Cartier n'éprouva aucune inquiétude quand elles la contournèrent : il avait compris que son ami avait choisi pour leur rencontre l'abri sûr et tranquille de San Marino delle Scale, le monastère bénédictin situé non loin.

Ils arrivèrent après la tombée de la nuit. Cartier, fatigué et maussade, fut très chaleureusement accueilli par les moines; ils le conduisirent à sa chambre et lui annoncèrent qu'on lui servirait bientôt un repas.

Après un modeste festin, on le mena dans une petite salle éclairée par quatre torches fixées aux murs. Il s'assit sur le long banc placé devant une table en bois d'olivier; quelques minutes plus tard entrait, seul, son ami, le cardinal de Médicis de Monreale. Cartier s'agenouilla devant lui, baisa le saint anneau; le prélat le releva et les deux hommes s'embrassèrent, heureux de ces retrouvailles. Le cardinal, un corps de paysan au torse puissant et au cou épais, s'assit face à Cartier. Un moine apporta une bouteille de porto et deux verres, servit une rasade à chacun et repartit discrètement.

La mine d'abord souriante du cardinal s'assombrit bientôt. Plongeant la main dans les plis de sa robe, il en tira une petite bourse en cuir dont il répandit le contenu sur la table : une demi-douzaine de diamants et vingt petites pépites d'or.

— Comme vous l'avez demandé, murmura le cardinal.

— Merci, Votre Eminence, répondit Cartier.

Le capitaine, bien qu'il ne fût pas un expert en pierres précieuses, les soupesa les unes après les autres en hochant la tête d'un air approbateur.

— Vous comprenez..., commença le cardinal.

— Bien sûr, lui assura Cartier.

— Ma famille compte de nombreux membres et elle est célèbre.

— Le nom de Médicis est connu de toute la chrétienté depuis longtemps. Je comprends la situation.

— Mon nom, à lui seul...

— Je comprends, répéta Cartier.

— ... pourrait donner lieu à de fausses interprétations...

— Je comprends tout à fait, insista le capitaine.

Médicis hocha la tête et joignit les mains.

— Jacques, avez-vous admiré la cathédrale aujourd'hui ?

— Je n'en ai jamais vu de pareille.

— Sainte-Sophie à Constantinople, prétend-on. Mais j'en doute, même si je suis sûr que chacune offre, à sa façon, sa magnificence à Dieu.

— Sa magnificence, s'étonna Cartier intrigué par le tour que prenait la conversation.

— Ici, et dans la cathédrale, on appréhende, pourrait-on dire, un certain sens de l'Histoire, Jacques. Un sentiment de respect mêlé de crainte, comme si nous nous trouvions devant la majesté de Notre Seigneur. Vos explorations vous confèrent l'immense privilège de créer l'Histoire, n'est-ce pas ? Vous ressentez certainement la gloire de Dieu dans le Nouveau Monde.

Il se pencha en avant et reprit en chuchotant :

« Parlez-moi encore de cette île.

Cartier acquiesça, conscient qu'il s'agissait de renégocier les termes de la transaction.

— Hochelaga – c'est le nom que les Iroquois donnent à leur village – est bâti sur une île au milieu d'un fleuve superbe, à coup sûr le plus grand que l'homme ait découvert à ce jour. Je ne connais pas d'égal à ce fleuve, il n'a pas de Sainte-Sophie. Il est navigable jusqu'au cœur du continent, jusqu'à l'endroit où il atteint une île...

— Une île avec une montagne ! s'écria le cardinal avec un enthousiasme surprenant.

— Une montagne, identique à celle de Monreale, oui ! C'est là que les eaux se rencontrent et les richesses d'un continent y sont protégées par cette île montagneuse.

— Pourtant, vous ne vous y êtes pas encore rendu vous-même. Vous n'avez pas encore découvert ce fleuve.

— Les sauvages disent toujours la vérité : ils n'ont aucune raison de mentir. La montagne située sur l'île au milieu du plus grand fleuve du monde nous attend. Cette fois, je la trouverai.

— Une île montagneuse attend le destin qui lui est promis.

Le cardinal s'agitait sur son banc, le bois craqua. Les torches brûlaient dans un courant d'air et les ombres qu'elles projetaient dansaient sur les murs de cette salle fraîche et humide.

« J'ai eu une vision, annonça le cardinal d'une voix étouffée, comme si, même entre ces murs de pierre, il risquait d'être entendu.

— Votre Grâce ?

— Une grande ville s'élèvera sur cette île.

— Je vous suis.

— Une ville aux nombreuses églises. J'ai vu cela de mes propres yeux.

— Peut-être, un jour, une cathédrale aussi magnifique...

Le cardinal leva les mains pour arrêter Cartier. Imaginer qu'on pût surpasser la cathédrale de Monreale serait presque un sacrilège et pourrait porter malchance à l'expédition.

— Aussi, le nom qu'on donnera à cette ville revêtira une importance capitale, insista le cardinal.

— Un nom honoré de Dieu, confirma Cartier.

— Etant donné les circonstances et votre position... la menace d'autres personnes influentes... plus influentes que ma modeste personne...

Cette fois, ce fut le marin qui l'arrêta d'un geste.

— Je vous suis, Votre Eminence. Il faut régler ces affaires avec discrétion et prudence. Par votre soutien et par la grâce de Notre Seigneur, le pouvoir est maintenant entre mes mains.

— Cela ne va pas sans risques, Jacques, observa le cardinal de Médicis de Monreale.

— Que Dieu soit avec nous dans cette affaire.

— Adieu Jacques et bon voyage ! murmura le cardinal.

Le marin ramassa soigneusement diamants et pépites et examina

71

une nouvelle fois les pierres, comme pour en graver les facettes dans sa mémoire avant de les remettre dans la bourse qu'il glissa dans la poche intérieure de son gilet ; puis il se leva et, comme le cardinal contournait la table, s'agenouilla aussitôt à ses pieds. Il s'inclina et baisa l'anneau de son hôte puis se releva. Les deux amis s'étreignirent et se séparèrent pour la nuit. Un moine muni d'une torche guida Cartier, puis on le laissa dans la pénombre de sa chambre éclairée par la lune et... la lumière de ses rêves.

Dans le courant de la matinée suivante, Jacques Cartier embarquait sur un autre vaisseau et faisait route vers la France, sa mission accomplie au-delà de ses espérances.

Dès son retour à Fontainebleau, il gagna l'appartement de Domagaya, d'où, à sa grande surprise, s'enfuit en courant un essaim de jeunes femmes. Elles étaient tout habillées, ce qui ne lui permit pas d'affirmer qu'elles avaient fauté ; mais le sauvage, assis sur son lit, était lui bien peu vêtu et il avait sans nul doute exhibé ses muscles aux jeunes femmes de la cour de France.

— Les femmes blanches aiment Domagaya, dit le jeune homme en iroquois.

— Et Domagaya aime les femmes blanches, observa Cartier.

Il s'était fait accompagner des Indiens précisément pour créer une sensation, pour attirer l'intérêt sur ses explorations ; ainsi, le roi se sentirait obligé de financer ses voyages. Si cela incluait aussi de susciter l'affection ou piquer la curiosité des dames de la cour, qu'il en fût ainsi.

— Il faut que je te parle, annonça Cartier en français.

— Toi partir longtemps, Jacques.

— Loin, oui. Chez une autre tribu du monde de l'homme blanc.

— Un jour, Domagaya t'accompagnera.

— Pour l'instant, j'ai besoin que tu fasses quelque chose pour moi.

— Pour toi, Domagaya fera ce que tu veux.

— Surtout, ne parle jamais de l'affaire dont nous discutons aujourd'hui à aucun homme blanc ni à aucune femme blanche. Ce doit être un accord entre toi et moi.

Domagaya lui lança un regard interrogateur : il ne comprenait pas le mot « accord ». Passer d'une langue à l'autre, trouver le terme qui serait bien compris pour ce marché qu'ils étaient en train de conclure, prit du temps. Enfin, après une longue pantomime, les deux hommes s'entendirent sur le mot « traité » et se serrèrent la main en la pressant chacun sur leur poitrine pour prêter serment. Chacun prononça le mot dans la langue de l'autre.

Cartier tira alors des profondeurs de ses vêtements le poignard que le père de Domagaya et de Taignoaguy lui avait offert sur le rivage de Gaspé l'été précédent.

— Couteau, mon père, s'étonna Domagaya intrigué.

Cartier prit ensuite dans sa veste un petit sac et en fit tomber des pierres qui étincelaient comme la lueur d'une étoile sur une vague et d'autres dont la surface reflétait la lumière du soleil.

— Des diamants, de l'or, murmura Cartier. Ces mots qu'il lui avait précédemment appris se concrétisaient maintenant sous leurs yeux. Domagaya restait immobile, silencieux, aux aguets.

« Domagaya, je veux que tu fixes ces pierres au poignard de ton père et que tu n'en parles à personne. Pour les incruster, utilise seulement les matériaux et les outils de ton monde. De la peau de daim, de castor, du fil tissé dans la queue d'un élan qui nous restent de notre dernier voyage et ton propre couteau. En m'offrant ce couteau, ton père m'a déclaré avec beaucoup de fierté que son fils aîné, Domagaya, l'avait fabriqué pour lui. Je veux maintenant que tu en fasses un couteau très spécial, aux vertus magiques. Feras-tu cela pour moi ?

Le regard du garçon alla de l'arme aux yeux du capitaine, puis revint au poignard et il demanda :

— Pourquoi ?

— Domagaya, ne pose jamais cette question.

Le jeune Indien pensa aux femmes qui venaient de quitter sa chambre, aux salles dallées de marbre et aux plafonds dorés de Fontainebleau, aux jardins où les eaux dansaient de manière si particulière et où les plantes poussaient en formant d'étranges motifs et il songea aux animaux qui vivaient pour aller mourir dans l'assiette de l'homme blanc, à d'autres qui vivaient pour accroître les biens de l'homme blanc, de sa femme et de ses enfants, et il se rappela les nombreuses merveilles qu'il avait vues.

— Domagaya fera le couteau avec grande magie pour donner à son ami Jacques, déclara-t-il. Je ne parlerai pas de cela.

— J'ai des ennemis, murmura Cartier en se penchant vers lui, qui ne doivent jamais apprendre que je possède un poignard magique. Avec ce couteau, je protégerai les Iroquois de ton monde pour qu'ils gardent l'amitié du grand roi blanc. Mais j'ai des ennemis. Tout homme audacieux en a. Alors, tu ne devras jamais parler de cela, pas même aux jeunes femmes qui partagent ton oreiller la nuit. Je sais que tu aimes ton oreiller...

— Domagaya aime oreiller !

— Il faudra que nous pensions à l'emporter à Stadacona. Pense à

73

toutes les femmes qui, là-bas, voudront coucher dans le lit d'un homme qui possède un tel oreiller !

Ils sourirent tous les deux, puis une expression soucieuse se peignit sur le visage de Domagaya.

— Que se passe-t-il ?

— Pourquoi..., commença le jeune Indien. Il marqua un temps.

« Pourquoi mon frère a des ailes ? Il va devenir un oiseau dans le monde de l'homme blanc ?

— Taignoaguy a des ailes ?

— L'homme qu'ils appellent « l'Italien » dessine l'âme de Taignoaguy sur mur. Un mur mou qui bouge quand il porte le mur dans ses mains.

— Un tableau. Une toile.

— Sur ce mur qui bouge, mon frère a des ailes.

— Tu parles de Michel-Ange, précisa Cartier en retrouvant son sourire. C'est un honneur d'être dessiné par ce grand artiste. Ne t'inquiète pas, Domagaya. Ton frère a des ailes parce que Michel-Ange est visionnaire : il est capable de voir que Dieu aime Taignoaguy. Un jour, quand il mourra, il volera jusqu'au paradis de notre Dieu.

— Domagaya aime ailes aussi.

Cartier comprit.

— Je verrai ce que je peux faire. Mais pas un mot de notre traité. Fais du bon travail sur le couteau et Michel-Ange te dessinera des ailes sur le dos aussi.

Quelle corvée ! Et maintenant il lui faudrait marchander avec un artiste insupportable. Il fallait toujours tout négocier. Il avait hâte de retrouver son navire et la mer.

CHAPITRE 5

ON ACCÉDAIT au building de la Sun Life par de larges marches, flanquées d'imposantes colonnes doriques, que l'on retrouvait à une échelle réduite, sept étages plus haut ; ce décor devait symboliser pérennité, comme si la réussite pouvait se mesurer en termes d'éternité. Il est vrai que la compagnie d'assurances Sun Life avait connu dans la Province de Québec une histoire longue et mouvementée, car elle avait parfois été aussi influente que l'Eglise. Quand il avait compris que les mécontents descendraient dans la rue, Armand Touton avait choisi de défendre cette institution en premier lieu : la Sun Life était une cible toute désignée pour les Français.

—J'ai dit d'empêcher les gens d'entrer ! déclara-t-il au premier planton sur lequel il tomba.

— C'est ce que j'ai fait, monsieur.

— Des voleurs se sont pourtant introduits !

— Pas par ma porte. Elle est restée fermée et elle l'est toujours. Je n'en ai d'ailleurs pas la clé. Il faut passer par la porte du milieu pour entrer.

— Bonne nouvelle pour votre matricule ! lâcha Touton après avoir vérifié que la porte était verrouillée.

— Oui, monsieur.

Devant l'immeuble, quelques véhicules de police stationnaient et de l'autre côté de la rue, un certain nombre d'agents s'étaient rassemblés autour de la statue de Robbie Burns, le poète écossais. Touton se demandait comment ils parvenaient à glander ainsi au milieu d'un tel tapage : dans le ciel nocturne retentissaient les sirènes des ambulances, les cris des pillards en fuite et le klaxon insistant des voitures venant soutenir les manifestants.

La fumée des incendies et des traînées de gaz lacrymogène flottaient sur la place.

Il s'acharna ensuite sur le policier de garde à la porte centrale mais ne parvint pas davantage à lui faire avouer sa culpabilité.

— Ils ne sont pas passés par ici, monsieur.

— Tous vos collègues me donneront la même réponse ?

— Je l'ignore, monsieur. Peut-être.

— Je suppose que les voleurs sont venus en hélicoptère !

Cette remarque, ironique, déclencha pourtant une réaction inattendue :

— Quelque chose comme ça, lâcha le jeune sergent. En tout cas, c'est ce que j'ai entendu dire.

Touton secoua la tête pendant que le policier déverrouillait la porte : les jeunes flics étaient parfois si naïfs.

Un autre policier l'attendait en bas pour le guider dans les étages. La cabine de l'ascenseur en acajou, garnie de cuivres étincelants, démarra avec un ronronnement réconfortant.

— L'inspecteur Sloan est-il là-haut ?

— Je ne pourrais vous dire, répondit le jeune homme.

— Pourquoi donc ?

Soit les jeunes policiers devenaient plus stupides d'année en année soit, ce soir-là, il tombait sur les plus abrutis du service.

— Il va, il vient, je n'arrive pas à suivre. Il peut très bien être là-haut ou ne pas y être.

— Des allées et venues entre où et où ?

— Entre ici et le parc, monsieur.

Le sergent, sans doute intimidé par le grade et la réputation de son interlocuteur, n'était guère bavard.

— Vous voulez dire de l'autre côté de la rue ? Qu'y a-t-il dans le parc ?

— Le mort, monsieur.

— Quel mort ? Bon sang ! Expliquez-moi !

— Celui du parc, monsieur.

— Votre nom, sergent ?

Le garçon prit une profonde inspiration en se demandant ce qu'il avait bien pu faire pour mériter ça.

— Miron, monsieur.

— Eh bien, Miron, pourquoi y a-t-il un mort dans le parc ?

— Je l'ignore, monsieur. Je veux dire, on l'a assassiné, je le sais, mais je ne sais pas pourquoi, monsieur.

L'ascenseur s'arrêta et les deux hommes en sortirent, Touton en tête.

— Essayez-vous de me dire qu'il y a eu un meurtre dans le parc et que l'inspecteur Sloan s'occupe aussi de cette affaire ?

— Je crois qu'il s'agit de la même affaire, monsieur.

— Quoi ?

— C'est ce que j'ai entendu.

— Le cambriolage...

— Et le meurtre dans le parc, monsieur. La même affaire.

Ils étaient arrivés devant la porte des bureaux de la Ligue.

— Très bien, Miron. Ne bougez pas d'ici et surveillez mon arme. En êtes-vous capable ?

— Oui, monsieur.

— Ne vous tirez pas une balle dans le pied.

— Si vous le permettez, je vais retirer les balles du chargeur.

— Voici le reste des munitions. Si les émeutiers arrivent par les ascenseurs, je vous autorise à recharger et à tirer.

— Bien, monsieur, acquiesça le jeune homme.

Touton secoua la tête d'un air consterné.

— Je plaisante ! ajouta-t-il, réalisant qu'il ferait mieux de préciser sa pensée.

— Ah ! fit Miron. Bon ! J'ai compris.

Touton enjamba les débris de verre en s'efforçant de ne pas toucher la porte enfoncée du modeste bureau. Il y avait un pied-de-biche posé par terre. La pièce était étonnamment petite. Les joueurs y étaient convoqués lors des réunions du conseil de discipline et, pas plus tard que la veille, Richard le Rocket s'y était vu infliger sa punition. Touton s'engageait dans le dédale des autres bureaux quand il aperçut l'inspecteur Sloan.

— Que se passe-t-il ? l'interrogea Touton.

— C'est une grosse affaire, répondit Sloan.

— C'est pour cela que vous m'avez fait venir. Une certaine excitation se lisait dans le regard de Sloan et était manifeste au ton de sa voix.

« Il y a eu effraction. Comment se sont-ils introduits dans le bâtiment ? Des hommes gardent chaque entrée.

— Par les fenêtres, l'informa Sloan.

A quarante-sept ans il était plus âgé que Touton mais il n'avait pu faire valoir ni les mêmes faits d'armes pendant la guerre ni la même réussite comme policier ; il avait donc conservé un grade inférieur. Il avait le cheveu clairsemé, le visage marqué par l'adversité et le teint pâle des gens qui ne s'exposent pas au soleil. Malgré l'heure avancée, ses joues étaient aussi lisses que d'habitude ; une barbe aurait été pourtant bien pratique pour dissimuler son menton fuyant.

— Etes-vous en train de m'expliquer qu'ils sont arrivés ici par voie aérienne ? Parce que si c'est ça, je vous colle comme équipier l'abruti que j'ai rencontré en bas... Attendez un peu... C'est vous qui avez lancé cette rumeur d'hélicoptère...

— Arrêtez de me charrier, Armand. Nous manquons encore d'éléments, mais il semble bien qu'ils soient arrivés par le toit, puis à cet étage en utilisant des cordes. Nous savons avec certitude qu'ils sont entrés en cassant les carreaux. Ils ont commis leur cambriolage, pris ce qu'ils voulaient et sont repartis par la fenêtre vers les étages inférieurs jusqu'au sol, toujours avec des cordes, au moment où nos hommes ne regardaient pas. Joli travail ! Ils ont presque réussi leur coup.

— Presque ?

— Laissez-moi vous montrer quelque chose.

Il l'entraîna dans un couloir étroit jusqu'à un bureau où des policiers discutaient entre eux, puis jusqu'à une petite antichambre qui abritait un coffre. La lourde porte d'acier pendait, béante, sur ses gonds, et une explosion avait noirci le mur. On sentait encore l'odeur âcre de la poudre.

— Ils l'ont fait sauter ?

— A la dynamite. Quelques bâtons : juste ce qu'il fallait. Pas un de trop.

— Qui a entendu ? Ne me dites pas : personne.

Il connaissait déjà la réponse. Pour des raisons de sécurité, on avait évacué l'immeuble. Les murs étaient aussi épais que des remparts de forteresse et aucun des bureaux n'avait de fenêtre.

— Personne, répondit Sloan.

— Qu'ont-ils emporté ? lui demanda Touton. Sloan prit une profonde inspiration.

« Le bâton du Rocket ? La coupe Stanley ? Un palet touché par Howie Morenz ? Quoi donc ?

— La Dague de Cartier.

Touton le regarda.

« Clarence Campbell arrive. Il pourra vous en parler mieux que moi. Bizarre.

— Si les manifestants le repèrent, il est mort.

— Je l'ai prévenu, mais il a insisté pour venir quand même. Alors j'ai envoyé une voiture de patrouille.

78

— Bonne idée, fit Touton en secouant la tête. Si c'était moi, je lui aurais aussi mis un sac sur la tête.

— Si c'était moi, je l'abattrais, rétorqua Sloan, mais c'est une autre histoire.

— Hmm... J'espère que vous avez envoyé deux ou trois gars de confiance.

Les deux hommes échangèrent un sourire et Sloan entraîna son cadet – son supérieur malgré tout – dans la chambre forte pour lui expliquer l'histoire. Il lui montra la vitrine brisée dans laquelle on exposait la plupart du temps un poignard ancien d'une valeur inestimable, et que l'on déposait chaque soir dans la chambre forte. La vitrine mesurait soixante centimètres de long, elle était du même acajou que les boiseries de l'ascenseur, avec des coins et des gonds en cuivre bien astiqués. Les débris du verre épais de la vitrine jonchaient le sol.

— Dans la journée, on laisse la vitrine dans le bureau de Campbell, elle est fermée à clé et fixée sur le bureau – un bureau qui pèse une tonne.

Touton examinait la lourde porte que l'explosion avait en partie arrachée de ses gonds, quand une idée lui vint à l'esprit :

— En général, remarqua-t-il, il y a toujours du monde ici, n'est-ce pas ? Du moins à l'étage, dans l'immeuble. Des membres de l'équipe de nuit, des gens qui font le ménage, des avocats qui préparent un dossier, d'autres qui font des heures supplémentaires... Ce genre de choses.

— C'est exact.

— Donc il ne s'agit pas d'un cambriolage quelconque...

— Non.

— ... les voleurs auraient pénétré dans les lieux en profitant de l'émeute... Mais comment savaient-ils qu'il y aurait une émeute ?

— Il y a cette hypothèse aussi..., déclara Sloan.

— Quelle hypothèse ?

— Peut-être que quelqu'un a déclenché les troubles dans l'unique but de voler la Dague de Cartier.

Voilà qui était un élément nouveau. Touton s'était dit que, dans les semaines à venir, on s'escrimerait à expliquer la manifestation : déception des fanatiques du hockey ; fureur des Français, victimes une fois de plus des Anglais ; bouleversement social de toute une nation en proie aux contraintes de l'après-guerre ; colère des pauvres. On discuterait et on débattrait, mais personne, sans doute, ne suggérerait l'idée d'une manœuvre de diversion visant à faire sauter les portes d'une chambre forte.

— Que savez-vous de la Dague de Cartier ? demanda Touton, revenant à la réalité.

— C'est une relique ancienne qui compte beaucoup pour les Français mais qui appartient à la Sun Life. Une pièce d'une valeur inestimable : non seulement elle vaut des millions mais elle est chargée de symboles. Un Indien l'avait offerte à Jacques Cartier lors de sa première exploration. On l'a prêtée à Campbell en récompense de son travail à Nuremberg. C'est un objet unique sous bien des aspects. Il le gardera tant qu'il sera le patron de la LNH.

— Quel intérêt pour lui ?

— Le regarder aussi souvent qu'il en a envie. C'est un très beau poignard.

— Comment le savez-vous ?

— Je l'ai vu.

— Quand ? Où ? insista Touton.

— Ce soir, dans le parc de l'autre côté de la rue. Le poignard est planté dans le cœur de la victime d'un meurtre. Enfoncé jusqu'à la garde dans le sternum. Il y est toujours.

Touton le dévisagea. Il sentait l'excitation le gagner et il tenait à la réprimer.

— Vous ne vous moquez pas de moi ? demanda-t-il.

— Venez constater vous-même.

— Je vous suis, acquiesça Touton.

Ils arrivaient au bout du couloir quand ils virent Clarence Campbell sortir de l'ascenseur, en compagnie des trois femmes ; l'une d'elles avait reçu plus que sa part de sauce tomate. Ces trois-là ne le lâcheraient pas comme ça : elles ne consentiraient pas non plus à rester plantées là. C'étaient des vieilles filles ; lui, un célibataire qui avait besoin qu'on veille sur lui en cette heure sombre.

Le président de la Ligue de Hockey tenait son feutre du côté gauche, la main droite dans la poche de sa veste, une attitude qui se voulait détendue. Seules quelques mèches recouvraient sa calvitie, ses bajoues pendaient un peu et il avait un certain embonpoint ; pas le genre d'homme à être escorté de trois femmes, mais l'une était sa sœur, et toutes trois faisaient un peu mémères, malgré les voilettes qui pendaient de leur chapeau, leurs boucles d'oreilles et leur rouge à lèvres de couleur vive. Leur manteau, froncé à la taille, était coupé dans le même tissu que leurs robe et jupon.

Campbell s'immobilisa ou plutôt s'arrêta si brusquement qu'une de ses trois accompagnatrices – qui fouillait dans son sac – le heurta par inadvertance. Découvrir un policier armé d'un fusil à l'entrée de son bureau l'avait choqué.

— Est-ce vraiment nécessaire ? demanda-t-il à l'agent.

— Ce n'est pas le mien, quelqu'un m'a demandé de le lui garder, c'est tout, répondit Miron un peu gêné, tout en portant la main à son képi pour saluer les dames. Il n'est pas chargé, monsieur. Je n'ai nullement l'intention de tirer sur qui que ce soit.

— Voilà qui est réconfortant, sergent.

Il passa devant le policier et s'avança vers l'inspecteur Sloan et le capitaine Touton.

— Etait-il nécessaire de le suspendre pour la finale ? lui demanda Sloan sans réfléchir. Après tout, il s'agit du Rocket, bon sang !

— Sloan, lâcha Touton.

L'inspecteur se tut avant d'ajouter :

« Monsieur Campbell.

— Capitaine Touton, c'est une bonne chose de savoir que le meilleur inspecteur de Montréal s'occupe de l'affaire. La dague a une valeur inestimable et je ne saurais trop insister sur son importance en tant que souvenir historique.

— Nous l'avons retrouvée, monsieur, annonça Touton.

— Vraiment ? Incroyable ! Voilà une bonne nouvelle ! Où ça ?

— Dans le parc, en face.

— Les voleurs se seraient donné tout ce mal pour la jeter dans le parc ?

— Nous commençons seulement à démêler l'affaire. Avez-vous une idée de ce qui aurait pu pousser quelqu'un à faire cela ?

— Non, je ne vois vraiment pas, répondit Campbell, passant son chapeau d'une main à l'autre en secouant la tête. Les vols, ça arrive. Mais qui irait voler un objet de valeur pour le jeter ? Cela me dépasse.

— Monsieur, fit Touton en hochant la tête, nous nous voyons dans l'obligation de confisquer la dague quelque temps. C'est une pièce à conviction.

Campbell se redressa.

— Je me sentirais beaucoup plus à l'aise, capitaine, si je la récupérais ce soir.

— Impossible, monsieur. D'ailleurs, on a fait sauter votre coffre : vous ne pouvez plus la garder en sécurité.

— Je vois. Puis-je jeter un coup d'œil à l'intérieur pour constater les dégâts ?

En général, les civils étaient gardés à l'écart, mais cet homme, le président de la LNH, avait été procureur à Nuremberg. Dans une certaine mesure, ils avaient l'un comme l'autre combattu les Allemands et œuvré pour faire respecter la loi.

— Allez-y, monsieur, mais, s'il vous plaît, ne touchez à rien. Je sais

81

qu'il s'agit de votre bureau, mais attendez que mes hommes aient terminé. Ils relèvent les empreintes.

— Merci, capitaine, et je vous félicite d'avoir si vite retrouvé la dague.

— C'est la chance qui nous l'a rendue. Notre enquête ne fait que commencer. Maintenant, monsieur, encore une chose : quand vous serez prêt à partir, j'aimerais que vous...

— Mais certainement, capitaine.

— Monsieur ?

— J'accepterai volontiers votre escorte, si c'est ce que vous me proposez, fit-il en souriant. Il me faut tenir compte de la sécurité de celles qui m'accompagnent. Je ne me promènerai pas de sitôt dans les rues de Montréal. Si je le faisais, nous le savons tous les deux, je n'irais pas bien loin.

Comme s'il ruminait cela depuis un moment, Sloan l'interrompit :

— Cinq rencontres, pour l'exemple. Cela aurait été une suspension raisonnable, assez sévère quand même. Cinq rencontres, cela aurait donné une leçon au Rocket. Je pourrais le supporter mais la finale...

— Sloan, murmura Touton.

— Si on vous demandait de faire cesser une bagarre dans une taverne, inspecteur, rétorqua Campbell, et si vous vous trouviez en présence d'un type qui aurait abattu à trois reprises une batte de base-ball sur le dos d'un client, et qui, de plus, serait un récidiviste notoire, quelle peine imagineriez-vous ? Un séjour en prison ou une tape sur les doigts ?

— Ce n'est pas la même chose, protesta Sloan. Il s'agit de hockey, pas d'une taverne.

— Si le Rocket avait manqué son coup et frappé le joueur à la tête, il l'aurait tué. Peut-être d'ailleurs a-t-il en effet manqué son coup, peut-être visait-il réellement la tête. Quel verdict rendriez-vous pour un homme coupable d'un meurtre sur la glace ? Me répondriez-vous aussi que ce n'est que du hockey et qu'il peut s'en tirer comme ça ?

— Ce n'est pas pareil.

— Sloan, murmura de nouveau Touton entre ses dents.

— Et quelle est la différence ? insista Campbell. Qu'on assiste à une rencontre de hockey ou qu'on s'attarde dans une taverne, ce n'est pas pour tenter de réduire quelqu'un en bouillie.

— Mais... il s'agit de la coupe Stanley !

— Sloan ! Sortez ! lança Touton d'un ton peut-être un peu plus brusque qu'il ne l'aurait voulu.

L'inspecteur regarda son supérieur, tourna les talons et sortit, l'air furieux. Touton, avant de passer derrière les trois femmes pour rejoindre son subordonné, se retourna pour faire face à Campbell.

— Désolé. Comme tout le monde...

— Pas de problème, capitaine, je comprends qu'il ne s'agisse pas d'une décision populaire.

— C'est votre boulot, soupira Touton d'un air compatissant. Il secoua la tête et ajouta, en passant la porte à son tour :

« Mais la finale, quand même...

Dans le couloir, Touton lança un bref coup d'œil à Sloan mais s'adressa d'abord à Miron :

« Venez avec nous. Prenez le fusil.

— Ecoutez, Armand, commença Sloan, je suis désolé, mais... ça me fiche le moral dans les chaussettes.

— Si vous enquêtiez sur les lieux d'un crime et que vous connaissiez le propriétaire de l'arme du délit, qui soupçonneriez-vous ?

Sloan n'avait pas l'habitude qu'on le mette à l'épreuve, particulièrement devant un collègue.

— Le type à qui appartient l'arme, bien sûr ! Mais...

— S'il s'agissait de n'importe quel type, d'accord. Alors, qu'y a-t-il de différent dans cette affaire ?

Alors même qu'il pressait le bouton d'appel de l'ascenseur, il n'avait pas encore les idées très claires.

— Attendez... Vous ne pensez pas...

— Je n'ai pas dit cela.

— Clarence Campbell... c'est...

— Un procureur à Nuremberg ? Le président de la Ligue nationale de Hockey ? Donc, au-delà de tout soupçon ? Parfait. Mais c'est quand même son poignard que l'on a retrouvé dans le cœur de la victime.

— Mon Dieu ! murmura Sloan tandis que les portes de l'ascenseur s'ouvraient. Les trois hommes entrèrent dans la cabine.

« Vous ne...

— Pas le moins du monde. Son alibi est en béton : quatorze mille personnes voulaient le lyncher ; cinquante mille autres sont venues les rejoindre. Je ne le vois pas arrivant jusqu'ici assez vite, même si cela reste théoriquement possible. Je ne le vois pas non plus pénétrer dans l'immeuble en cassant la vitre d'une fenêtre d'un étage élevé ni redescendre dans la rue par une corde. A mon avis, le problème n'est pas de savoir si Clarence Campbell s'avère être un suspect ou non.

— Et quel est le problème alors ?

— Vous n'êtes pas concentré. Nous sommes ici devant un cambriolage plutôt audacieux. Un coup bien préparé, parfaitement exécuté d'après ce que j'ai vu jusqu'à maintenant, à l'exception peut-être du type assassiné dans le parc. Secouez-vous ! Cette suspension ne va quand même pas paralyser vos méninges !

Penaud, Sloan fourra ses mains dans ses poches. En arrivant au rez-de-chaussée, il demanda néanmoins :

— Alors, vous êtes d'accord avec moi ?

— Sur quoi ?

— Cette suspension est une connerie...

— Absolument, reconnut Touton en souriant tandis qu'ils sortaient. Sergent Miron ?

— Oui, capitaine ?

— Si l'inspecteur Sloan prononce une fois de plus le nom de Richard le Rocket...

— Oui, capitaine ?

— Mettez deux cartouches dans le fusil, retirez-lui son manteau et criblez-le de balles !

— Je tire sur lui ou sur le manteau, capitaine ?

— Bon Dieu ! Sur le manteau ! Je ne vous demande pas de commettre un meurtre !

— Bien, capitaine, acquiesça Miron.

Ils s'engagèrent dans l'escalier quand Sloan intervint :

— Miron ?

— Oui, inspecteur ? répondit le jeune policier.

— Vous savez qu'il plaisante, n'est-ce pas ?

— Ça ne fait rien, répondit le sergent impassible. Je le ferai quand même.

Touton rit sous cape : il avait peut-être sous-estimé le jeune homme.

Le carré Dominion occupait tout un pâté de maisons et offrait, grâce à l'assortiment habituel d'arbres, d'espaces dégagés et de bancs, l'occasion d'échapper un moment au brouhaha et à l'agitation de la ville. La pelouse apparaissait par endroits et on avait dégagé la neige des allées. Des tas de neige sales et compacts fondaient sur les côtés.

On associait tout particulièrement l'immeuble de la Sun Life à la présence britannique et, dans une certaine mesure, le jardin public en tirait un air anglais. Le Français Laurier, un des premiers Premiers ministres du jeune Etat, y avait bien sa statue, mais elle partageait l'espace avec un monument qui, érigé à la mémoire des héros tombés durant la guerre d'Afrique du Sud, ne présentait pas le moindre intérêt pour les Français, et guère plus d'ailleurs pour les Anglais auxquels il rappelait le régime colonial britannique. Le poète écossais Robbie Burns représenté sur la stèle n'avait jamais mis les pieds dans le pays. Au pied de la statue gisait le corps inerte de la victime.

Les véhicules de police éclairaient tout le secteur de leurs phares. Touton repéra immédiatement le médecin légiste : petit, sec, cinquante-cinq ans environ, la moustache poivre et sel, les tempes grisonnantes, il arborait le blouson des Canadiens de Montréal et, sur le bras, le célèbre numéro 9 de Richard – probablement un subterfuge pour réussir à se frayer un chemin dans la foule. La pagaille dans les rues avait malgré tout retardé son arrivée sur les lieux du crime.

— Claude, lança Touton pour signaler sa présence.

— Armand.

— Que s'est-il passé ?

— Regardez vous-même. Ce n'est pas beau à voir.

Touton allait s'exécuter quand le médecin légiste, pris d'un scrupule, l'arrêta d'un geste.

« Attendez...

Puis, à Sloan :

« Est-il déjà au courant ?

— Au courant de quoi ? demanda Sloan.

— Alors, vous non plus, vous ne savez pas ?

— Que suis-je censé savoir ? s'étonna Sloan, déconcerté par le ton du médecin légiste qui n'augurait rien de bon.

De l'endroit où il se trouvait, Touton ne voyait que les chaussures du mort.

— Préparez-vous, Armand. Ça ne va pas vous plaire. Ce n'est pas votre meilleur ami, mais vous connaissez la victime.

Touton écarta les policiers et s'agenouilla auprès du cadavre. Il avait repoussé son feutre en arrière, et sa tristesse était visible. Le médecin légiste s'accroupit alors auprès de lui. Le mort avait les épaules larges et la mâchoire carrée, le torse solide d'un boxeur et le ventre ballonné d'un gros buveur.

— Je ne me trompe pas ?

— Roger Clement, déclara Touton. Comment se fait-il que vous le connaissiez ?

— Pure coïncidence. Nous avons été deux ou trois fois témoins au même procès.

— Il n'était pas l'accusé ?

— Pas à cette époque. Mais, j'ai bien raison, n'est-ce pas ? Vous étiez amis ?

— Nous nous connaissions, plus ou moins. Je l'ai coffré un certain nombre de fois. Je dirais que nous nous respections. Ce type était un costaud, il cognait, mais je n'ai jamais entendu dire qu'il ait vraiment fait mal à quelqu'un. Il lui arrivait pourtant d'être engagé pour ça... Touton jeta un coup d'œil à Sloan derrière lui.

« Vous le connaissez ?

— Ce n'était pas un joueur de hockey ?

— Exactement. Un brave type. Merde! A moi de prévenir sa famille maintenant.

Touton se releva.

— Envoyons quelqu'un, proposa Sloan. Ce n'est qu'une canaille, non?

Touton leva la tête et observa le faîte des colonnes de la Sun Life.

— Qu'est-ce que je viens de vous expliquer? J'aurais pu être à sa place et lui à la mienne... Même physique, mêmes origines... Ce père de famille n'a jamais été une canaille aux yeux des siens. Faites en sorte que personne ne se présente chez lui avant moi.

Le médecin légiste et l'inspecteur acquiescèrent. « Parfaitement. Un hockeyeur qui a joué pour Chicago et... un autre club de New York, je crois.

Comme Touton regardait en l'air, le médecin légiste, l'inspecteur Sloan et les autres policiers l'imitèrent et observèrent à leur tour l'immeuble de la Sun Life.

« Avec son culot et sa force, il aurait pu le faire, marmonna Touton. Il aurait pu s'introduire dans les étages et redescendre le long d'une corde. Mais je ne le crois pas capable de mettre tout cela au point, ni de me trahir.

— Pourquoi vous? l'interrogea le médecin légiste.

Touton hocha la tête et reprit à voix basse en ne s'adressant qu'à eux trois :

— Je l'avais engagé pour m'aider à assurer la sécurité de l'immeuble de la Sun Life en cas d'émeute.

— Merde, alors..., lâcha Sloan.

— Il est peut-être mort en faisant son devoir... Mais, écoutez-moi bien, je ne veux pas que cela se sache, je ne veux pas que ses amis de la pègre découvrent qu'il travaillait pour moi. Cela ferait du tort à sa femme et à son enfant, il pourrait y avoir des répercussions. Compris, Sloan?

Cette consigne allait à l'encontre des procédures et des usages de la police, mais l'inspecteur comprit.

— J'ai beau retourner cela dans tous les sens, ça ne tient pas debout, fit remarquer Sloan. Pourquoi s'emparer de la dague pour l'abandonner dans la poitrine d'un type?

Le médecin légiste retourna auprès du cadavre après avoir enfilé des gants et tenta d'extraire la lame. L'arme se refusant à glisser, il dut se servir des instruments de sa trousse pour la dégager, non sans difficultés.

— Vraiment, vous méritez la couronne d'Angleterre pour avoir arraché Excalibur du rocher! Il n'est pas en mon pouvoir, hélas, de vous la donner.

— Je me contenterai d'une bonne nuit de sommeil et de cet instant où j'ai tenu l'objet entre mes mains, assura le médecin.

Les hommes contemplaient silencieusement la dague. Miron, suffisamment attiré pour en oublier le protocole, s'approcha.

— Intéressant. Celui qui a planté ça dans le cœur de Clement a peut-être eu autant de difficultés que Claude pour le ressortir. Il a peut-être été obligé de s'enfuir avant d'y parvenir...

— C'est possible. Regardez bien cette arme, déclara le médecin légiste.

Le manche avait été taillé dans l'os d'un ours et la lame de pierre au tranchant dentelé – le fil s'étant usé avec le temps – était ébréchée, son extrémité cassée : Touton l'avait aussitôt remarqué.

— Regardez le tranchant, il n'est pas de la même couleur. Un morceau se trouve peut-être encore dans la plaie.

— Je vérifierai, répondit le médecin légiste. C'est l'usure du fil qui a rendu l'extraction difficile, sans compter qu'il est pris dans le pectoral ou dans une côte. Ce n'est pas de l'acier, juste de la pierre.

Une vieille peau, certainement pas d'origine, recouvrait une partie du manche, lequel frappait surtout par l'or et les diamants qui y étaient incrustés. Les pierres, grossièrement taillées, étaient enchâssées de façon primitive. Le poignard était vieux de plusieurs siècles.

— Vous en prendrez soin ? lui demanda Touton. Ne le laissez pas traîner.

— J'ai un coffre dans mon cabinet.

— Il y sera plus en sûreté qu'au commissariat.

— Absolument.

Touton poussa un grognement.

« Armand, je vais faire mettre le corps en sac. Avez-vous besoin d'autre chose ?

— Oui, de la bonne nuit de sommeil dont vous parliez, mais ça ne sera pas pour tout de suite.

On entendait encore au loin le hurlement des sirènes et la rumeur de l'émeute. Tout près flottaient des nuages de fumée qui se mêlaient au gaz d'échappement des véhicules de police.

— Ça risque de durer, estima le médecin légiste.

— Le Rocket devrait parler, suggéra Miron.

— Quoi ? s'insurgea Sloan.

— Le Rocket devrait intervenir à la radio pour demander aux gens de se calmer.

— Le Rocket ! A la radio ! Pour sauver les fesses de Campbell ?

— Non, intervint Touton, pour sauver la ville.

Les hommes acquiescèrent, conscients de la gravité de la situation, mais Miron les tira vite de leur réflexion :

— Il a prononcé le nom du Rocket, capitaine. Dois-je tirer dans son manteau ?

— P'tit con ! lança Sloan.

— Miron, commença Touton en jetant un coup d'œil au jeune policier, vous l'avez provoqué. Ça ne compte pas.

— Oui, capitaine.

— Mais tendez l'oreille, il pourrait recommencer.

Sloan lança un regard noir au jeune policier avant d'annoncer :

— A propos de radio, capitaine, il en a une sur lui. Dans sa poche. Un transistor.

— Rien d'autre ?

— Une lampe électrique et un canif. Et un peu de mastic. Nous avons ramassé un mouchoir de femme, qui traînait à côté de lui, pour éviter qu'il ne s'envole. Impossible de dire si le mouchoir lui appartenait ou s'il a été apporté par le vent.

Touton secoua la tête puis désigna du menton l'immeuble de la Sun Life.

— Regardez ce bâtiment : je ne sais pas à quoi ressemble Fort Knox, mais j'imagine que c'est quelque chose dans ce genre. Et vous me dites qu'il s'est introduit dans cet immeuble grâce à un transistor et un canif ?

Sloan haussa les épaules avant d'ajouter :

« Il avait aussi une corde et de la dynamite.

— De la dynamite, un mouchoir et du mastic, soupira Touton.

Le médecin légiste glissa la dague dans un sac en plastique qu'il plaça dans la boîte à gants de son fourgon ; il la ferma à clé puis verrouilla la portière. Il revint alors auprès du corps que ses assistants, après l'avoir mis dans un sac, chargeraient sur un chariot ; Touton, quant à lui, interrogeait d'autres policiers qui se trouvaient sur les lieux. Le capitaine voulait savoir s'ils avaient découvert quoi que ce soit et si un témoin s'était manifesté. Après tout, ce jardin public était plutôt fréquenté le soir ; mais la soirée avait été exceptionnelle et les policiers lui confirmèrent que le défilé habituel de noctambules avait été entraîné dans le tourbillon de la manifestation ; un témoin pourtant s'était présenté. Il avait aperçu des adultes de sexe masculin, dont deux au moins semblaient avoir un certain âge, penchés sur le corps de la victime. Le témoin s'était précipité à la recherche d'un policier ; quand ils étaient arrivés sur place, les hommes avaient décampé.

— Il ne les a pas poursuivis ? demanda Touton.

— Si, mais ils s'étaient perdus dans la foule, à ce qu'affirme le témoin.

Touton, de méchante humeur, gagna le fourgon du médecin légiste, claqua la portière du conducteur et fit signe de démarrer. Le fourgon roula lentement sur l'herbe enneigée, jusqu'au trottoir, puis descendit avec précaution sur la chaussée comme pour ne pas déranger le mort, avant de prendre la direction du sud. Le capitaine de la Patrouille de nuit revint alors sur les lieux du crime.

Cette affaire le laissait perplexe. Ses hommes n'y voyaient que ce qu'ils étaient censés voir, à savoir un cambriolage acrobatique suivi d'un meurtre ordinaire mais commis avec une arme précieuse qu'on venait de voler. Le cambriolage avait réussi parce que l'immeuble avait été évacué; or cette évacuation avait été ordonnée à titre préventif en raison de la manifestation. Sloan avait déjà relevé cet élément. Et enfin une autre question : pourquoi avait-on planté dans la poitrine d'un truand, son ami, le précieux objet volé ?

— Capitaine ! Capitaine ! cria Miron, tout excité, en tirant deux cartouches de la poche de son blouson.

— Quoi ? Vous voulez trouer le manteau de Sloan ?

Tout en chargeant le fusil, le jeune policier lui désigna d'un signe de tête la direction prise par le fourgon.

Touton suivit son regard : au carrefour du boulevard Dorchester, une voiture venait de couper la route au fourgon du médecin légiste. Les deux portières avant étaient grandes ouvertes.

— Filez là-bas ! Allez ! Courez !

Touton lui emboîta le pas. Plus léger, le jeune policier qui n'avait pas été blessé à la guerre le devança. Sloan et d'autres policiers, découvrant ce qui se passait, arrivèrent à leur tour en courant. Touton se rendit compte que l'altercation autour des deux véhicules se transformait en mêlée générale; un coup de feu claqua soudain. Des silhouettes s'engouffrèrent dans une Cadillac noire qui démarra en trombe en faisant crisser ses pneus sans attendre la fermeture des portières. Dans sa course, Touton remarqua qu'un assistant du médecin légiste se penchait sur un corps allongé devant le fourgon.

— Tirez sur la Cadillac, Miron ! Tirez ! cria Touton.

Miron épaula son fusil, s'arrêta pour viser et tira coup sur coup les deux cartouches : le feu arrière droit vola en éclats et s'éteignit, mais la Cadillac noire poursuivit sa route et s'enfonça dans la nuit.

L'écho de l'impact rebondit sur l'immeuble de la Sun Life avant de résonner de l'autre côté de la rue sur la Cathédrale Marie-Reine-du-Monde.

Touton se précipita vers le fourgon. Son vieux collègue, le médecin légiste Claude Racine gisait sur la chaussée, mort, une balle dans la tempe. Sa tête avait roulé sur le côté. Une mare de sang se formait dessous. Un assistant lui tenait la main, le souffle court, presque en état de choc. Un autre, tremblant, était assis à l'avant.

— Que s'est-il passé ? lui demanda Touton en même temps qu'il découvrait que la boîte à gants était ouverte.

— Le poignard, murmura l'assistant, encore hébété. Ils le voulaient. Ils l'ont pris. Claude a résisté. Il est... ?

Sloan arriva en courant.

— Allez-y ! cria Touton. Prenez les voitures ! Ils roulent dans une Cadillac noire ! Lancez un appel radio !

— Armand, je n'ai personne sous la main.

Touton lui lança un regard et se rendit compte qu'il disait vrai. Ce soir-là, tous leurs effectifs avaient été réquisitionnés.

— Trouvez-moi quelques voitures, reprit-il plus calmement. Prenez-les en chasse. Faites tout ce que vous pouvez. Et quoi qu'il arrive, lancez un appel à la radio. Ils ont tué Claude.

Tous les policiers qui venaient d'arriver repartirent aussitôt en courant vers leurs véhicules. Miron resta auprès du capitaine, planté devant le cadavre.

— Une autre famille à prévenir. Mais, bon Dieu ! qu'est-ce qui se passe ?

Miron espérait qu'on n'attendait pas de lui une réponse. Il tremblait de tous ses membres et, le cœur battant, prenait de profondes inspirations. C'était la première fois qu'il utilisait une arme en service et il était navré de ne pas avoir fait mouche. Il savait pourtant que, pour tirer avec un fusil sur une cible en mouvement, il fallait viser ; malheureusement, dans le feu de l'action, avec la Cadillac qui accélérait... il avait manqué son coup. Planté près du célèbre capitaine, il se reprochait d'avoir raté sa première grande occasion d'impressionner un supérieur.

— Pendant la guerre, commença Touton en lui touchant le coude, on disait que des tas de gars, les trois quarts peut-être, ne se servaient jamais de leurs armes au combat. Ils avaient trop la trouille. Vous vous en êtes bien tiré, petit ! Vous avez touché la voiture et fait sauter son feu arrière, ce qui nous aidera à la repérer.

A cet instant, sirène hurlante, une ambulance qui transportait des manifestants blessés dévala le boulevard Dorchester. Touton la regarda s'éloigner en se demandant une nouvelle fois ce qui se passait. Peut-être qu'au matin ou dans un jour ou deux sa ville serait en ruine.

En rejoignant le groupe des policiers, il s'interrogeait sur la possibilité que le poignard, la Dague de Cartier, fût la cause de cette explosion de violence. Pour des raisons personnelles et, aussi, à cause de la procédure, il avait feint de ne pas savoir ce qu'il représentait ;

pourtant il en connaissait l'histoire et la légende, ainsi que l'enracinement de ce mythe chez ses compatriotes plutôt superstitieux. Le médecin légiste et Roger Clement avaient péri à cause de ce poignard. Qui allongerait la liste ? Qui s'était emparé de l'arme ? Et dans quel but ? Cette question le tracassait. Même s'il ne croyait pas à la légende, la possession de la Dague de Cartier conférait un pouvoir politique et financier considérable, sans commune mesure avec sa valeur monétaire. Ce n'était sans doute pas vrai, mais les gens le croyaient. Que traduisait donc ce crime ? La soif de pouvoir ou le simple appât du gain ?

CHAPITRE 6

1535-1536

J ACQUES CARTIER, debout sur le pont arrière, surveillait les derniers préparatifs. L'approvisionnement s'était bien déroulé malgré les inévitables retards. Mais un problème de dernière minute l'avait exaspéré : monsieur Claude Gastineau, l'agent du roi, avait insisté pour emporter la moitié de son boudoir, comme s'il s'attendait à participer à un bal d'automne avec les Iroquois. Il avait des cartons, des caisses, des boîtes transbahutés par toute sa suite qui, heureusement, ne l'accompagnait pas – Cartier, au grand soulagement des serviteurs, avait usé de son autorité –, il s'était muni d'un véritable chargement de feuilles de papier et de fusains qui se serait révélé utile à une telle expédition s'il n'avait pas spontanément reconnu sa médiocrité en dessin. Tout ce matériel lui permettrait d'occuper son temps, expliquait-il. « Que ferai-je d'autre, dans un pays où on ne trouve que des arbres et des païens ? » Deux caisses furent donc coincées dans la cale à la place de celles qui contenaient des légumes crus que Cartier avait dû faire arrimer sur le pont. Une bonne tempête et elles tomberaient à la mer, si elles n'avaient pas été auparavant vidées de leur contenu par les équipes du quart de nuit.

Il fit signe à Petit Gilles d'approcher.

Pas encore quatorze ans, et il avait déjà traversé l'Atlantique. Même par les pires nuits de tempête, on pouvait compter sur ce gamin souple et dégingandé pour prendre son tour dans les gréements. Son jeune âge ne l'empêchait pas d'être un robuste matelot.

— Oui, capitaine ?

— Gastineau est-il installé ?

— Oui, capitaine.

— T'a-t-il déjà parlé de certains problèmes ?

— Parlé ? Il m'a dit où ranger ses affaires, capitaine.

— Il ne tardera pas à te parler d'autre chose.

— Capitaine ?

Il demanda au mousse de s'approcher et fit en sorte que la brise couvrît leurs voix.

— Tu es proche de moi, Petit Gilles. Aussi voudra-t-il que tu lui serves d'espion.

— Capitaine ! Je ne ferais jamais cela, capitaine !

— Et ainsi tu trahirais ton roi ! Il te sera impossible de ne pas m'espionner !

— Capitaine !

Ils se tenaient côte à côte et, pourtant, Cartier l'attira encore plus près de lui.

— Espionne-moi, Petit Gilles, je n'ai rien à cacher. Et quand bien même, plus tu lui révéleras mes secrets, plus il te fera confiance. Tu as donc ma bénédiction. Le jour viendra peut-être, mon garçon, où je te demanderai d'agir autrement.

— Comment ça, capitaine ?

— Je ne sais pas encore. Quand ce jour viendra, je te ferai savoir que l'agent du roi ne mérite pas tes confidences. Cela te donnera l'occasion de démontrer ta loyauté envers ton capitaine. Mais, jusque-là, aie confiance, sois loyal à ton roi et obéis à son émissaire. Me comprends-tu, mon garçon ?

— Oui, capitaine, acquiesça-t-il, perplexe.

— Si tu n'obéis pas, tu ne reverras pas Saint-Malo.

— J'obéirai par fidélité envers vous, capitaine, non pas sous la menace !

— Tu parles bien. Je compte sur toi, Petit Gilles. Tu peux maintenant donner l'ordre.

— L'ordre, capitaine ?

Ses yeux brillaient, il n'avait jamais espéré un tel honneur. Là-bas, la ville attendait leur départ ; des êtres chers adressaient encore de grands gestes à ces hommes qui, on ne le savait que trop, pourraient ne jamais revenir. La propre mère de Petit Gilles, les joues ruisselantes de larmes, se tenait sur le quai. Se balançant sur les eaux calmes, les chaloupes manœuvrées par de solides gaillards attendaient le moment de remorquer les trois vaisseaux jusqu'au large, où ils hisseraient alors les voiles. D'un bout à l'autre du quai, des hommes élégants et des femmes enveloppées dans des châles de couleurs vives, entourés d'enfants exubérants, arpentaient la jetée, l'excitation et la crainte, le sentiment tangible d'aventure et l'appréhension se succédant dans leur cœur.

Cartier sourit : Petit Gilles ferait un jour, il en était convaincu, un excellent capitaine.

— Mon garçon, donne l'ordre de lever l'ancre !

*

Cartier mit pied à terre sur un épais tapis de feuilles multicolores qui recouvrait les pierres. Un peu en retrait, au milieu des arbres, les Iroquois l'observaient, tout comme l'équipage des chaloupes, pendant que, glissant son chapeau empanaché sous un bras, il s'agenouillait et embrassait le sol. Il releva la tête, un peu de terre sur ses lèvres. L'île, telle la porte d'un royaume magique, avait hanté son imagination. Il venait d'atteindre cette porte ; sa reconnaissance envers Dieu et la gratitude que lui inspirait sa bonne fortune lui avaient dicté ce geste. Avec l'aide de son mousse, il se redressa et attendit que ses hommes eussent halé les autres chaloupes et débarqué à leur tour.

Les premiers à venir l'accueillir furent Donnacona et ses fils, envoyés en éclaireurs deux heures plus tôt pour avertir le peuple de Hochelaga de son arrivée et s'assurer des intentions pacifiques de l'homme blanc. Ils devaient aussi préparer les Iroquois à ce qui se déroulerait bientôt. Ces hommes qui habitaient de l'autre côté de l'océan, par-delà les nuages, ces hommes à la peau blanche et au poil noir, dont on avait tant parlé, étaient revenus et, cette fois, ils étaient arrivés par le fleuve. Le monde, expliqua Donnacona, ne serait plus le même désormais. En expliquant cela à son ami Kamanesawayga, le chef du peuple hochelaga, il précisa que les hommes blancs étaient d'étranges créatures dotées de grands pouvoirs. Il ajouta que, de son côté, l'homme blanc considérait aussi les Iroquois comme des êtres étranges et dotés de grands pouvoirs.

— Depuis que mes fils sont revenus du monde de l'homme blanc, expliqua Donnacona, ils me racontent beaucoup de mensonges, mais ils connaissent aussi la magie de l'homme blanc. Mon fils parle aux animaux de l'homme blanc et ils lui obéissent.

Le vieux chef hocha la tête.

— Mon fils, dit-il, appelle les canards.

— Ton fils, lui expliqua Donnacona, appelle les canards en caquetant comme un canard. Mon fils, lui, parle aux bêtes de l'homme blanc en employant le langage de l'homme blanc et ces bêtes lui obéissent.

94

— Cela m'inquiète, déclara Kamanesawayga.

— Mon fils va t'amener une bête de l'homme blanc, déclara Donnacona. Prépare-toi et préviens ton peuple, car vous allez avoir peur.

Taignoaguy se dirigea vers un arbre auquel il avait attaché un animal ; celui-ci, tout heureux de se retrouver sur la terre ferme après une journée entière en chaloupe, dormait tranquillement et sursauta en entendant la voix de son maître ; puis il agita la queue et suivit le jeune Indien jusqu'au village iroquois. Leur arrivée dans la clairière provoqua la stupéfaction des Indiens, les femmes se cachèrent et quelques jeunes saisirent leur lance, leur arc et leurs flèches.

— Un loup ! s'écria Kamanesawayga en se levant d'un bond.

— Ce n'est pas un loup, se moqua Donnacona. Un loup mangerait cet animal pour son déjeuner. C'est un loup d'homme blanc et il n'a rien d'un loup.

Taignoaguy s'avança vers le groupe, suivi de l'animal qui, s'il ressemblait à un loup, ne leur prêta guère attention tant il avait le regard fixé sur les yeux de son maître.

— Regardez bien ! s'exclama Donnacona, libéré de l'immense terreur qu'il avait éprouvée lors de la première démonstration, à en oublier son propre nom et la différence entre le ciel et la terre.

« Mon fils va parler la langue de l'homme blanc et l'animal l'écoutera.

Les Iroquois virent avec stupéfaction le jeune homme détacher un cordon fait de pierre – un *cordon de pierre !* – du collier de l'animal et le loup libéré se mit à gambader autour de son maître. Celui-ci s'adressa à l'animal dans une langue étrange et aussitôt la bête se coucha sur le flanc et s'endormit. Les Iroquois murmurèrent entre eux et certains songèrent même que le moment était propice pour égorger cette créature ressemblant à un loup. Taignoaguy reprit la parole et l'animal s'éveilla, écouta l'Indien lui parler et se mit à rouler sur le côté encore et encore, puis il se dressa comme un homme sur ses deux pattes arrière et posa ses pattes avant sur la poitrine de son maître. L'imprudent jeune homme frotta son visage contre la gueule et le cou de l'animal ; la bête avait de grandes dents, pourtant elle ne le mordit pas. Là-dessus, Taignoaguy se pencha et posa sa main sur le mocassin de Kamanesawayga.

— Maintenant, proclama fièrement Donnacona, tu vas voir ce que tu n'as encore jamais vu !

— Je vois aujourd'hui ce que je n'avais encore jamais vu. Un loup qui n'est pas un loup écoute les paroles d'un homme et s'endort quand on lui en donne l'ordre. Aujourd'hui, j'ai vu un homme embrasser un loup et le loup lui lécher le visage.

— Maintenant, tu vas voir quelque chose d'incroyable.

— Cela m'inquiète, avoua Kamanesawayga. Pourquoi ton fils a-t-il posé la main sur mon pied ?

— Il veut ton mocassin.

— Il a le sien.

— Kamanesawayga, si tu es un chef courageux, confie-le-lui.

Ainsi mis au défi, le chef permit à Taignoaguy de lui ôter son mocassin qui, décoré de perles multicolores et d'un morceau de fourrure de caribou, était digne de chausser le pied d'un chef. Le jeune Indien le fit flairer par l'animal puis le lança de toutes ses forces dans les bois. Ensuite, il s'adressa avec fermeté à l'animal, toujours dans cette langue étrange.

— Mon mocassin ! s'exclama Kamanesawayga. Comment vais-je marcher maintenant ?

— Tu voudrais bien qu'on te le rende ! s'esclaffa Donnacona.

— Dis à ton fils de le retrouver, sinon je lui coupe les pieds !

— L'animal va le retrouver, prédit Donnacona en riant toujours.

L'animal n'avait pas bougé mais regardait les bois, dans la direction où Taignoaguy avait lancé le mocassin. Le jeune Indien leva un doigt puis parla. La bête se précipita alors, aussi rapide qu'un lièvre – aussi rapide qu'un vrai loup –, tandis qu'hommes et femmes s'écartaient sur son passage.

Cette pauvre imitation de loup fourragea dans les fourrés, en faisant voler les feuilles mortes et craquer les branchages, puis surgit soudain, le mocassin entre les dents, provoquant l'enthousiasme des Iroquois qui avaient assisté à ce tour de magie. L'animal courut tout droit à Taignoaguy.

Le jeune Indien désigna le chef de la tribu hochelaga et on l'entendit prononcer le nom de Kamanesawayga. Alors l'animal de l'homme blanc se retourna et se dirigea vers le chef qui redressa les épaules et détourna la tête, n'osant regarder en face la bête à quatre pattes. Le faux loup, après avoir lancé un regard à Taignoaguy qui l'encouragea de quelques mots d'homme blanc, vint déposer le mocassin aux pieds de Kamanesawayga puis s'assit sur son arrière-train en levant les yeux vers lui, essoufflé par ses efforts.

Le vieux chef regarda son mocassin puis fixa les yeux de cette bête haletante et il comprit que tout ce qu'il croyait connaître de la terre des vivants avait désormais changé, avant même l'apparition de l'homme blanc. Il enfila son mocassin encore humide de la bave du pauvre loup sans que l'animal aux grandes dents ne morde.

— Frotte-lui le pelage, le cou et la tête, il aime ça ! cria Donnacona, ce qui fit glousser ses deux fils. Ils savaient que leur père n'avait jamais osé le faire.

Kamanesawayga, moins réticent que le chef des Iroquois de Stadacona, baissa lentement la main. Sans cesser de regarder l'animal de l'homme blanc dans les yeux, il lui toucha la tête. Le pelage était long, doux et tiède. Le prétendu loup avait un regard humide et amical, comme celui d'une femme satisfaite. L'Indien contempla le pauvre loup haletant, avec sa grande langue pendante, puis se redressa.

— Cela m'inquiète, dit-il.

— Au pays de l'homme blanc, déclara Domagaya, les animaux vivent dans le camp de l'homme blanc. Ils attendent que quelqu'un ait faim et vienne les tuer. Ils attendent de mourir.

Kamanesawayga poussa un grognement étrange. Toutes ces histoires étaient difficiles à comprendre.

Donnacona, puisant dans les souvenirs que lui avaient rapportés ses fils, choisit celui qu'il croyait être un énorme mensonge :

— Au pays de l'homme blanc, de grands animaux portent l'homme blanc sur leur dos et vont partout où l'homme blanc veut aller.

Kamanesawayga le fixa d'un regard où la peur se mêlait à la fureur, puis se tourna vers les fils de Donnacona.

— Pourquoi les grands animaux font-ils cela ?

— Pour faire plaisir à l'homme blanc, répondit Taignoaguy.

— Pour que l'homme blanc ne se fatigue pas dans de longs voyages, précisa son frère.

— Si mes fils racontent des mensonges, je les noierai dans la rivière ! promit Donnacona. Il était persuadé que ses fils avaient tout inventé, mais il était encore plus certain que Kamanesawayga n'irait jamais vérifier chez l'homme blanc.

Taignoaguy rappela son chien, l'animal obéit et resta tranquille même quand le jeune Indien raccrocha sur son collier le cordon de pierre. Le chef revint s'accroupir en face de Donnacona.

— Je vais te raconter, au sujet des bêtes de l'homme blanc, quelque chose que tu ne croiras pas, intervint Donnacona. Ne me crois pas, Kamanesawayga, sinon cela dérangera tes rêves.

— Dis-le-moi, lança Kamanesawayga qui n'était pas homme à se laisser tenter ainsi. Dis-le-moi pour que je ne te croie pas.

— L'homme blanc possède des sortes d'élans, mais de plus petite taille. La femelle donne du lait, comme une mère à ses enfants, mais, au pays de l'homme blanc, l'homme blanc boit le lait de son élan. Voilà pourquoi sa peau est blanche.

Le chef des Iroquois de Hochelaga baissa la tête et réfléchit à toutes ces étranges affirmations, puis il la redressa et déclara :

— Des hommes qui boivent le lait des animaux ne peuvent pas être des hommes. Ils parlent aux animaux, ils boivent le lait des bêtes : ces hommes-là ne peuvent pas être des hommes. Ils sont moitié homme, moitié animal.

Ceux qui l'entendirent hochèrent la tête avec gravité.

— Les animaux de l'autre côté de la mer vivent dans des maisons à eux...

— Comme le castor, lâcha Kamanesawayga.

— Comme le castor, reconnut Domagaya. Seulement, les maisons des animaux sont bâties par l'homme blanc et elles sont plus grandes que celles que nous bâtissons pour notre peuple. Certains animaux vivent même dans la maison de l'homme blanc.

La nouvelle passa sur l'assemblée comme une brise dans des feuilles mortes, provoquant un frémissement d'émoi. Kamanesawayga secoua la tête.

— Ces hommes blancs ont-ils des femmes blanches ou bien forniquent-ils avec les animaux comme ils les tètent ? interrogea le chef.

— Leurs femmes vivent dans des maisons grandes comme des montagnes avec des murs d'or et des pierres blanches et lisses, expliqua Domagaya. Elles portent des vêtements spéciaux pour forniquer.

Kamanesawayga hocha de nouveau la tête, comme s'il s'attendait à une telle réponse.

— J'ai un cadeau pour toi, annonça Taignoaguy en détachant le faux loup.

— Tu m'offres le loup qui écoute ? demanda Kamanesawayga, horrifié et pourtant étrangement heureux, car le doux regard de l'animal l'avait ému.

— Je ne peux pas. Un jeune animal offert à un homme appartient à cet homme. Il ne peut pas appartenir à un autre. Un homme peut l'accepter, si on le lui donne, mais l'animal jamais. Celui-ci m'a été offert par le grand chef blanc de France, le roi François Ier. Son nom, m'a-t-il dit, est le « roi François II », fit Taignoaguy en riant puis il ajouta : « Mais il faut toujours rire quand on dit cela. Aucun animal n'est capable de comprendre un nom aussi long, alors je l'appelle "Roi" et il répond. Je ne peux pas t'offrir Roi, mais, pour honorer le grand chef des Iroquois hochelaga, je te donne ceci.

Taignoaguy lui tendit le cordon de pierre.

Kamanesawayga le prit entre ses mains, l'examina, puis fixa d'un air songeur le père du jeune Indien.

— Quels grands pouvoirs possédons-nous aux yeux de l'homme blanc ? demanda-t-il.

Son ami connaissait la réponse à lui donner, ayant souvent entendu les hommes blancs en parler. Il hocha la tête avant de prendre la parole, car c'était un grand mystère qu'il avait choisi de lui révéler.

— Ils croient que c'est une grande magie que de vivre ici.

Le chef hocha la tête à son tour et, curieux, accepta de venir en paix à la rencontre des hommes blancs qui avaient descendu le fleuve.

Quand Donnacona accueillit Cartier sur la rive, il déclara :

— Kamanesawayga attend de rencontrer le grand homme blanc qui vient des nuages de l'autre côté de la mer.

Cartier acquiesça. Il était impatient lui aussi. Le village iroquois de Stadacona comptait moins de deux cents âmes. Or, d'après ce qu'il en avait vu depuis le fleuve, il estimait que Hochelaga en abritait plus de deux mille ; il s'était aussi émerveillé de ce que, contrairement au village de Donnacona, la terre avait été défrichée et cultivée. A son avis, l'homme qu'il s'apprêtait à rencontrer était d'une envergure supérieure à celle de son guide. Ensemble, les Iroquois et Cartier, accompagné de l'homme du roi, de son second, de son mousse et d'une poignée de fidèles marins chevronnés, armés d'arquebuses, de couteaux et de lances, entamèrent la montée qui menait de la berge à la communauté occupant le flanc de la montagne.

Les Iroquois les observaient du couvert des arbres.

L'agent du roi marchait près de Cartier.

— Jacques, vous voici arrivés. Comment nommerez-vous cet endroit ?

— Les Iroquois, répondit le capitaine, appellent le village « Hochelaga ».

— Le village, insista Gastineau d'un ton rogue, car il savait que le capitaine comprenait très bien où il voulait en venir.

« Mais pas l'île ni la montagne.

— Nous verrons, lâcha Cartier, évasif.

— Vous n'avez pas baptisé le fleuve, je sais pourquoi, Jacques. Il faut que vous donniez un nom à cette île et à cette montagne. Ne pas le faire serait un scandale ! Nous ne pouvons pas nommer *Cartier* tous les sites importants...

— Mon cher Gastineau, déclara enfin Cartier en s'arrêtant, bien sûr que je donnerai un nom à l'île et à la montagne. Il convient toutefois que vous me permettiez de connaître davantage les lieux pour mieux en apprécier les possibilités et ce qu'ils représentent. Par exemple, si un Iroquois devait vous couper la tête cet après-midi, j'appellerais la montagne « Tête de Gastineau ». En revanche, si nous survivions tous, j'aurais le plaisir de concevoir quelque chose qui corresponde mieux à une rencontre se déroulant sous de si bons auspices.

— Jacques, vous mettez ma patience à l'épreuve.

— Regardez, l'avertit Cartier sans plus se soucier de ses préoccupations, le chef.

Ainsi, par le truchement d'un capitaine déterminé et visionnaire et d'un vieux chef plein d'expérience, deux peuples très différents firent connaissance. L'Iroquois parla le premier :

— Bienvenue !

Cartier, qui l'avait compris, répondit dans la langue de son interlocuteur :

— Merci. Je suis heureux de te rencontrer ici aujourd'hui. Je t'apporte les meilleurs vœux du grand roi blanc de France, François Iᵉʳ, et du peuple de France, la terre qui se trouve par-delà l'océan et les nuages.

— Je te souhaite la bienvenue au nom des habitants de cette terre qui vivent ici depuis le commencement, qui sont arrivés des étoiles avant que celles-ci ne s'allument pour vivre dans la forêt avec l'ours, le daim, le loup et l'élan, pour vivre comme des hommes et des femmes sous le ciel et sous le soleil aussi longtemps qu'il brillera.

Donnacona écouta le discours et regretta de ne pas avoir dit tout cela lors de sa première rencontre avec Cartier sur la plage de Gaspé. « Tu ne portes pas la fourrure des animaux », s'était-il contenté de déclarer.

Cartier, frappé lui aussi par la noblesse de ces propos, regretta son allocution peu éloquente. Il avait perdu l'avantage ; mais son intuition ne l'avait pas trompé : Kamanesawayga était un grand chef. Donnacona, auprès de lui, faisait figure de courtisan.

— Je te remercie de ton chaleureux accueil, déclara Cartier.

Kamanesawayga émit un petit grognement en humant l'air empesté et recula d'un pas.

— Je n'ai pas d'élan pour te donner du lait. Je n'ai pas de loup obéissant qui ramassera tes mocassins ou tes canards. Je n'ai pas de maison de pierre étincelante emplie de jeunes femmes. Pourquoi avoir traversé la mer et les nuages pour venir ici, jusqu'au pays de la forêt ?

L'homme parlait vite et Cartier, qui ne comprit qu'une partie de son discours, dut attendre la traduction guindée de Taignoaguy.

— J'ai entendu parler de la grande île au milieu du grand fleuve, déclara Cartier, car c'est une rivière plus grande que tout ce qu'a découvert l'homme blanc et on m'a vanté la grande nation des Iroquois qui vivent sur cette île et qui gardent le chemin du pays de l'or et des diamants. J'ai entendu parler de toutes ces choses et j'ai souhaité rencontrer le grand chef des Iroquois de Hochelaga.

Domagaya dut expliquer ce qu'étaient l'or et les diamants au chef qui hocha la tête.

— Tu veux des pierres ? interrogea le chef.

Cartier acquiesça.

— Des pierres qui brillent d'un vif éclat, précisa-t-il.

— Je comprends, répondit Kamanesawayga en poussant un petit grognement et après avoir hoché la tête. J'aime les pierres qui brillent au soleil. J'ai entendu parler de ta magie et je veux la voir de mes propres yeux pour savoir si les fils de Donnacona racontent la vérité ou bien s'ils mentent comme les enfants bavards d'un homme qui n'est qu'un sot et qui pète souvent.

— Je noierai mes fils, insista Donnacona, s'ils t'ont menti.

— Ils ont des lances magiques qui font tomber du ciel les oiseaux, affirma Domagaya.

Cartier ôta son chapeau empanaché et le plaça sous son coude.

— Jean-Marc, ordonna-t-il à un matelot fin tireur, feu à volonté !

Pas facile de tirer un oiseau en vol avec un mousquet, mais Jean-Marc s'exécuta : il bourra de poudre le canon de son arme et alluma la mèche avec une étincelle. Les deux mille villageois massés sur le flanc de la colline, ceux qui se trouvaient dans la clairière avec les visiteurs comme ceux qui se tenaient à l'abri dans la forêt, poussèrent des cris de frayeur et de stupéfaction en constatant que la mèche grésillait et que Jean-Marc visait un corbeau juché sur un arbre dénudé, qui croassait en contemplant l'assemblée. Du feu qui grésillait jaillit soudain un grand bruit ; la foule recula en cherchant à voir si le matelot était encore vivant. Quelqu'un poussa un cri et tous les regards se levèrent vers le ciel : le corbeau tombait entre les branches !

L'oiseau heurta le sol et Taignoaguy lança un ordre à son animal qui partit alors en courant vers le bois pour rapporter le corbeau. Roi revint, l'oiseau dans la gueule. Qu'un animal accepte avec empressement de rendre service à un homme était un tour de magie autrement plus impressionnant que la mort du corbeau.

Kamanesawayga fut troublé et impressionné par ce tour de magie.

— Nous allons manger, annonça-t-il à Cartier. Du gibier et du maïs.

— Du maïs ? s'étonna Cartier auprès de Taignoaguy. Que signifie ce mot ?

— C'est un aliment indien, expliqua Domagaya.

— La plante qui pousse dans les champs, précisa Donnacona.

— Allons manger, confirma Cartier. Tu me montreras ton île. J'ai beaucoup de cadeaux à offrir au grand chef des Iroquois de Hochelaga.

Kamanesawayga se demandait quels présents il pourrait bien recevoir de ces hommes blancs aux pouvoirs magiques si étranges. Il s'interrogeait sur le cadeau qu'il pourrait offrir à son tour sans en être abaissé ni déshonorer son peuple. Des peaux de raton laveur et de castor pour aider l'homme blanc à sentir moins mauvais, peut-être ; cela serait probablement un cadeau digne de lui.

Les visiteurs avaient dévoré le maïs et le gibier iroquois de bon appétit et, comme les Français commençaient à renifler l'odeur des pets qu'ils lançaient à tout-va – des pets de bonne compagnie dans l'ensemble, certes –, Kamanesawayga entraîna Cartier dans une longue marche qui les mena au sommet de la montagne, d'où on découvrait un vaste plateau et, au-delà, des collines qui ondulaient à une distance inimaginable. Seul son mousse accompagna Cartier jusqu'au dernier point de vue et Kamanesawayga, ayant remarqué ce choix, n'avait emmené avec lui qu'un petit-fils à peu près du même âge. La nombreuse suite des deux hommes fut priée de rester au village.

L'hiver approchait et en fin de journée, un vent âpre soufflait.

— Kamanesawayga, commença Cartier, je te remercie des fourrures, des peaux d'hermine, de renard, de castor et de raton laveur. Le grand roi blanc de France sera honoré d'accepter ces cadeaux.

— Ils donnent une bonne odeur à l'homme, expliqua le chef. Je te remercie pour les eaux odorantes, l'outil à découper, les couvertures et le manteau.

Une inspiration de dernière minute, cette idée des ciseaux. Ils étaient petits mais lorsque les Iroquois virent à quel point ils coupaient bien les ongles, les hommes furent abasourdis et les femmes, en effervescence, entreprirent aussitôt de s'en servir pour leurs cheveux. Le parfum, en revanche, déconcerta les Indiens et Cartier dut veiller de très près à ce qu'ils ne le boivent pas. Taignoaguy expliqua en quoi consistait ce liquide, faisant rire les Indiens en leur disant que cela les aiderait à supporter la mauvaise odeur des Blancs.

Kamanesawayga et lui s'étaient bien entendus ; ils parlaient très lentement l'iroquois entre eux pour pouvoir se comprendre.

Devant eux, par-delà l'île au milieu du fleuve, par-delà les rapides, s'étendait à l'ouest, vers le soleil couchant, le royaume magique qui attendait que Cartier l'explorât.

—J'ai encore quelque chose à te demander, déclara Cartier. Je voudrais que nous fassions un nouvel échange.

— Moi aussi, je veux faire un échange, renchérit Kamanesawayga.

—Je te donne ma dague avec sa lame d'acier forgée dans un feu ardent et qui tranche à merveille. Et toi, tu me donnes la tienne, taillée dans la pierre.

Kamanesawayga consentit au troc, qui lui semblait à son avantage, et les deux hommes échangèrent leurs couteaux. Cartier regarda le poignard de l'Indien en souriant et le confia à Petit Gilles. Le chef lui présenta alors une nouvelle requête :

— Donne-moi ton chapeau avec la longue plume.

Cartier s'exécuta et demanda en échange le gilet incrusté de perles de Kamanesawayga. Puis, comme le soleil se couchait, ils commencèrent leur descente, non sans avoir une dernière fois contemplé le royaume qui s'étendait au loin.

A leur retour, alors que la nuit tombait, Gastineau rappela le capitaine à ses obligations :

— Ma tête est toujours sur mes épaules !

— J'ai vu la montagne, répliqua Cartier. Je m'apprête à lui donner un nom en l'honneur de notre grand roi.

— Le mont France ? proposa Gastineau. Parfait !

— Non, car il s'agit d'une montagne haute et royale. Elle s'appellera « mont Royal », en l'honneur de la Maison royale de France.

Ce n'était pas ce que Gastineau attendait, mais il ne pouvait refuser ce nom qui servait suffisamment les intérêts du roi.

— Et l'île ? insista-t-il.

— Montréal, déclara Cartier.

Gastineau ne fit aucune distinction entre les deux termes et ce fut en le voyant écrit sur une carte qu'il remarqua la différence orthographique. Il ne se rendit pas compte non plus qu'on avait donné à l'île le nom de la montagne royale de Sicile, Monreale, et qu'il s'agissait d'un hommage au bienfaiteur de Cartier, le cardinal de Médicis de Monreale. Il ne pouvait appeler l'île « Médicis », cela aurait honoré d'autres membres de la famille du cardinal plus célèbres que lui, alors Cartier imposa l'orthographe française au vocable italien et cela donna *Montréal*. Ni Gastineau ni le roi François Ier lui-même ne sauraient que l'île avait été baptisée pour célébrer non le roi mais un pauvre cousin Médicis, un cardinal sans grande importance.

— Voyez le résultat de mon troc, déclara Cartier à l'agent du roi.

Il fit signe à Petit Gilles de montrer le poignard. Au lieu de sortir de son bout d'étoffe celui que Kamanesawayga venait d'échanger, il exhiba le poignard qui avait jadis appartenu à Donnacona et que le fils de celui-ci avait quelque peu amélioré en France. Gastineau examina le magnifique objet. Des diamants et des pépites d'or étaient incrustés dans le manche, solidement fixés par des poils d'élan et des morceaux de peau de daim.

— Regardez ce qu'on m'a encore offert aujourd'hui, dit Cartier.

De la poche du gilet décoré donné par Kamanesawayga en échange de son chapeau, il sortit pour le montrer à l'agent du roi ce qui restait des pépites d'or remises par le cardinal de Médicis de Monreale. Gastineau, enchanté, se rapprocha de la lueur d'une torche pour les admirer tout à loisir.

— Savez-vous ce que cela signifie ? s'exclama-t-il, tout excité.

— De l'or et des diamants, murmura Cartier. C'est le pays de l'or et des diamants. J'offrirai cette dague à notre roi, promit-il en reprenant promptement poignard, pierres et pépites. Il en déduira lui-même le véritable potentiel de cette terre. Il dépense plus pour ses chers peintres que pour les expéditions en Nouvelle France. Tout cela doit changer.

Gastineau acquiesça, désormais lui aussi convaincu que cette terre offrait de belles perspectives. Si de simples fermiers cultivant le maïs et se nourrissant de gibier ou d'écureuils se servaient de couteaux incrustés d'or et de diamants et tiraient de leur poche pour les distribuer à qui mieux mieux des pépites d'or, alors tout ce que Cartier avait promis, et plus encore, se réaliserait à coup sûr. Il s'agissait bien d'un royaume magique et il recommanderait au roi François Ier d'investir un trésor pour financer de futures expéditions.

Cartier baignait dans la félicité : l'île et la montagne avaient été baptisées et même si Gastineau n'avait accepté ses choix qu'avec réticence, même si le roi exprimait un certain désappointement, ces doutes ne pesaient pas grand-chose auprès des richesses qu'annonçait ce poignard enrichi de diamants et d'or.

Les deux hommes se séparèrent un instant pour se libérer de leurs flatulences et respirer les riches relents de gibier et de maïs qui se dissipaient dans l'air, puis ils reprirent leur route.

Cette année-là, l'hiver fut précoce. Dès novembre, les vaisseaux de bois furent pris dans la glace. L'*Emérillon* se trouva incliné sous un angle de vingt-cinq degrés, si bien que Cartier dormait contre la cloison tapissée de givre pour ne pas glisser hors de sa couchette. La chaleur de son corps creusait dans la glace un moule confortable. On rationna les vivres et le scorbut fit son apparition. On perdit des hommes.

Après les premiers décès, Cartier fit procéder par le barbier, et chirurgien du bord, à la première autopsie pratiquée dans le Nouveau Monde : de grandes quantités de sang empoisonné jaillirent du cœur du matelot Phillippe Rougemont, sous le regard attentif du barbier et du capitaine.

— Le cœur, diagnostiqua le barbier.

Cartier acquiesça : l'organe, blanc, manifestement malade, baignait dans plus d'un litre d'eau.

— Les poumons, observa Cartier.

Ils étaient noirs, nécrosés.

— Maintenant, enterrons-le comme il convient et rendons notre ami au Seigneur. Mais que les autres ne le voient pas, Pierre. Contentez-vous de noter les faits dans votre Journal, mais n'en parlez pas à l'équipage qui perdrait le peu d'espoir qui lui reste.

— Que Dieu prenne pitié de nos âmes, ajouta le barbier.

Vingt-cinq hommes moururent cet hiver-là.

A son retour à Stadacona, après la rencontre à Hochelaga, Cartier, consterné, avait constaté la dégradation, en son absence, des rapports entre les Français qu'il avait laissés là et les Iroquois. Ces derniers étaient devenus irritables et, quand l'hiver frappa les visiteurs, ils leur refusèrent une potion qui aurait pu sauver les malades. Cartier, en larmes, porta lui-même sur le fleuve pris par les glaces le corps de son mousse, Petit Gilles. Son chagrin était si visible que des chasseurs iroquois qui se trouvaient sur la rive s'en rendirent compte ; ils avertirent Donnacona qui envoya alors des femmes jusqu'au vaisseau immobilisé avec un extrait de cèdre qu'ils appelaient *anedda*.

Les femmes furent surprises en découvrant que la glace tapissait l'intérieur de la coque des navires, condamnant en fait les Français à vivre dans de gigantesques maisons gelées. La nuit, les hommes blancs ne cessaient de grelotter et, dans la journée, ils subissaient les assauts de la maladie et du désespoir. L'arrivée des Iroquoises, même si au début ils s'étaient méfiés d'elles, se révéla une bénédiction. Ceux qui souffraient du scorbut guérirent et l'*anedda*, que dans leur délire ils appelaient *canada*, leur apporta le salut.

Au printemps, la glace, en se fendant, craquait si violemment que l'équipage était persuadé que le vaisseau serait détruit. Les membrures des navires gémissaient comme prêtes à se rompre. L'eau du dégel inondait les cales. Cartier se laissa convaincre par Gastineau, qui pestait et rageait sans cesse, de la nécessité de rentrer en France. Il lui suffisait de contempler ses hommes pour comprendre qu'il devrait remettre à plus tard le voyage jusqu'au royaume magique par-delà les rapides de Montréal. L'équipage, épuisé, miné par la maladie, squelettique, n'était plus que l'ombre de lui-même.

Un des vaisseaux ayant été endommagé par la glace, Cartier ne repartit qu'avec les deux autres, emmenant contre leur gré dix Indiens dont Donnacona, ses deux fils et une jeune fille.

— Tu rencontreras le grand roi blanc et tu lui raconteras tes histoires ! affirma-t-il au chef iroquois quand ils se retrouvèrent en mer. Tu verras des animaux qui parlent à l'homme blanc. Tu boiras le lait des vaches et tu découvriras un village grand comme une forêt.

— Je veux rentrer chez moi, insista Donnacona.

— Tu aurais dû y penser quand tu nous as refusé l'infusion de *canada*.

— Si homme blanc veut infusion *anedda*, homme blanc pas prendre pour lui femmes de homme rouge.

— Je n'étais pas au courant. Quand j'ai appris ces histoires, je n'ai pas approuvé.

— C'est mieux pas te donner *anedda*, maintenant je sais.

Si la situation restait difficile, tout n'était cependant pas perdu : Cartier possédait maintenant le poignard, que l'équipage avait baptisé « la Dague de Cartier ». Cela les excitait beaucoup. L'or et les diamants du manche impressionneraient le roi et, un autre aspect positif qui réjouissait Cartier, l'île s'appelait Montréal – il avait tenu sa promesse.

Mais, sur un point, Cartier n'avait pas obtenu satisfaction : Gastineau avait insisté pour donner au fleuve le nom de Saint-Laurent. Le capitaine ne verrait donc pas le grand fleuve sur lequel il avait navigué porter son nom et, comme le reste lui importait peu, aucun des sites qu'il avait découverts ne portait son empreinte. Gastineau en fut ravi : ce capitaine, excentrique et irascible, qui lui avait fait risquer la mort en choisissant d'hiverner dans ces contrées inhospitalières et qui avait réussi à ne pas faire figurer sur la carte le nom du roi François Iᵉʳ, pas plus qu'il n'avait songé au nom de Gastineau pour un quelconque promontoire, ne laisserait pas son nom – Cartier – sur ce nouveau territoire.

En entrant dans la rade de Saint-Malo, Jacques Cartier éprouvait une incontestable fierté. Les badauds s'étaient agglutinés pour acclamer son retour triomphal. Sur le pont auprès de lui, les Indiens s'émerveillaient de l'activité du port, de tant de navires, de tant de constructions et de tous ces animaux qui batifolaient au milieu des gens. Donnacona hocha la tête : ses fils n'avaient pas menti. Il était désormais convaincu qu'il avait eu raison de se rendre au pays de l'homme blanc. Debout sur le pont, il observait les vaisseaux, la fumée qui sortait des cheminées des maisons, leurs « chevaux » qui ressemblaient à des élans et leurs « chiens » qui ressemblaient à des loups, et il se félicitait d'être venu jusqu'à la terre au-delà des nuages, car, à son retour parmi son peuple, il pourrait déclarer : « Il y a plus de gens qui vivent sur la terre qu'on ne le croit. Plus de terres qui émergent de la mer qu'on n'en a jamais vu. Nous sommes un peuple qui a vécu dans le temps passé, quand seuls les gens et les animaux marchaient dans la forêt et où aucun homme n'était un demi-animal ou un demi-dieu. Nos enfants vont connaître l'époque nouvelle où d'autres créatures marcheront dans les bois avec eux. » Grâce à Kamanesawayga, il avait appris à s'exprimer avec une grande éloquence, mais contrairement à lui et à ses ancêtres, Donnacona avait rencontré un peuple

106

par-delà les nuages, des hommes qui n'existaient pas et ne pouvaient pas exister. Il voyait ce que ses ancêtres n'avaient jamais vu, il devenait donc un grand chef et son peuple aujourd'hui était béni.

— Montre-moi, demanda-t-il au capitaine de l'*Emérillon*, une maison où je peux chier.

Cartier glissa dans sa ceinture le magnifique poignard et posa une main sur l'épaule de Donnacona. Il recevait les vivats de la foule, mais cherchait parmi les admirateurs la mère de Petit Gilles. Il ne savait pas que cette rencontre marquerait le début d'une série de moments tristes qui émailleraient l'année : des Indiens qui avaient embarqué à bord du vaisseau, seule la jeune fille survivrait et, ayant détesté le voyage, elle ne retraverserait pas la mer et choisirait de vivre en France jusqu'à la fin de ses jours. Donnacona, Domagaya et Taignoaguy, ainsi que ceux qu'on avait capturés pour leur faire traverser la mer et gagner le pays de l'autre côté des nuages resteraient à jamais au-delà des nuages.

Dans ses derniers moments, de ses lèvres desséchées, Taignoaguy, qui avait servi de modèle à Michel-Ange pour l'ange aux ailes déployées peint en haut du *Jugement dernier*, supplia Cartier de lui donner de l'*anedda*, mais, cet hiver-là, il n'y avait rien que le capitaine pût lui apporter, nul endroit où il pût l'emmener.

CHAPITRE 7

1955

L E CAPITAINE Armand Touton roulait vers l'est, s'éloignant du centre de la ville et du cœur de l'émeute. Quand il s'agissait d'apporter de mauvaises nouvelles, il avait pour principe de régler l'affaire rapidement : remettre au lendemain n'était jamais bon, surtout pour un policier, et c'était ignorer la souffrance de la famille. « Les proches, avait-il expliqué à son équipe d'inspecteurs coléreux, ont le droit de savoir la vérité. C'est votre boulot de la leur dire. Personne ne vous demande d'arborer un visage radieux. Mais donnez-leur au moins ça. Annoncez-leur la triste nouvelle, d'accord ? Bon ! Allez-y. Finissez-en et partez discrètement. »

Une politique honnête, mais difficile à appliquer, découvrait soudain Touton. La mort de Roger Clement l'avait affecté, plus qu'il ne l'aurait cru ; il était rongé de regrets et, même s'il ne voulait pas remettre à plus tard sa mission, on ne pouvait pas dire qu'il se précipitait pour l'accomplir.

Il chargea l'inspecteur Sloan d'informer la famille du médecin légiste tandis que lui irait voir celle de Clement. Quelques-uns des policiers s'étonnèrent qu'il eût choisi de parler à l'épouse du voleur abattu et non à celle du médecin légiste, mais il partit en refusant de s'en expliquer.

Il ne connaissait pas la famille de Roger Clement, qui était pourtant le sujet de prédilection de ce dernier à chacune de leurs rencontres. Dès le début, les rapports entre le voleur et le policier avaient été

108

marqués par l'amour que le premier portait à sa femme et à sa fille, ce qui les avait amenés à mieux se connaître et à mieux comprendre leurs vies respectives. Armand Touton avait eu une vie assez exceptionnelle pour un policier, Roger Clement une vie atypique pour une petite canaille ; leurs choix et leurs expériences respectives leur avaient permis de nouer une amitié rare.

Bouleversé. Peut-être pour la première fois de sa carrière, c'était un terme qu'il pouvait employer à propos de l'histoire d'un délinquant. Quelques années auparavant, Touton avait été bouleversé d'apprendre qu'au moment où, dans son camp de concentration, sa vie ne tenait plus qu'à un fil, Roger Clement était lui aussi interné. Pas en tant que prisonnier de guerre, ce qui aurait été surprenant tout au plus, ni dans une prison d'Etat pour on ne sait quelle filouterie, ce à quoi on aurait pu s'attendre. Non, Roger Clement, le père de famille, respectueux des lois et ancien ailier gauche de la Ligue nationale de Hockey, purgeait une peine dans un camp d'internement canadien réservé aux dissidents politiques. Prêter des mobiles politiques à un petit voleur qui faisait le coup de poing dans la rue avait modifié l'idée que Touton avait de lui, d'autant plus que les opinions politiques de Clement contredisaient l'image qu'il se faisait du personnage. Touton avait mis quelque temps à comprendre la cause que défendait ce jeune voyou ; il avait fini par conclure que, comme au début de leur relation, l'homme ne croyait qu'en son amour de la famille.

Touton se trouvait maintenant dans la triste obligation d'annoncer à sa femme et à sa fille la mort d'un mari et d'un père bien-aimés.

Il ne lui avait pas été facile d'entrer dans la police après la guerre, bien que l'on recrutât de façon intensive : Armand Touton ne ressemblait pas, en effet, aux malabars cabochards à cause desquels on avait repoussé sa candidature. Quand il avait une quinzaine d'années, il avait travaillé dans l'ouest du Canada, au sein des équipes supplémentaires du chemin de fer et, dans cet environnement rude, il avait dû se défendre contre tout le monde. Ses poings lui avaient sauvé la vie. Engagé dans l'armée comme volontaire – un choix toujours mal vu au Québec –, il se comporta de manière impressionnante au combat comme au camp. Mais l'homme qui faisait la queue au centre de recrutement de la police n'était pas à la hauteur des coupures de presse qui narraient ses exploits : la famine au stalag et, ensuite, la dysenterie et le froid durant sa longue errance de la Pologne jusqu'à l'Allemagne, lui avaient fait plus d'une fois frôler la mort. Avant d'être démobilisé, il était encore faible et sous-alimenté. Son corps et son esprit non plus n'avaient pas pleinement récupéré.

Là-dessus, il s'était soudain retrouvé à Montréal.

Un grand nombre de soldats avaient trouvé du travail dans le bâtiment, qui se développait à cause de l'afflux des immigrés en provenance d'une Europe ravagée par la guerre tandis que d'autres cherchaient des occasions dans les affaires de jeux, illégales mais protégées par la police. La ville s'étendait et, avec elle, les rangs de la police, si bien qu'on incitait les soldats à y entrer. C'était ce que Touton désirait le plus.

Grâce à ses états de service pendant la guerre, il avait été admis mais il lui avait d'abord fallu se soumettre à un examen médical. Il avait eu l'impression que, malgré sa faiblesse, l'examen lui était favorable jusqu'à ce que, au dernier moment, le médecin lui découvrît des varices.

— Je vous demande pardon ?

Il se savait physiquement atteint par la guerre, mais, pour lui, les varices concernaient de robustes vieilles dames qui portaient alors des bas de contention. Il avait prématurément vieilli, certes, mais il était absolument certain de ne pas avoir changé de sexe.

— Des varices, déclara froidement le médecin sans le moindre accent de compassion. Cela vous interdit l'accès à l'Académie de police.

— Des hommes en ont ?

— Tout le temps.

— Et où sont-elles ? Montrez-m'en une, supplia-t-il.

— Vous avez les jambes poilues, monsieur, mais faites-moi confiance, là-dessous... il y a des varices.

Touton ne lui fit pas confiance et se soumit à l'examen médical d'un autre médecin militaire.

— Est-ce que j'ai des varices ?

Quand on l'avait examiné avant sa démobilisation, personne n'en avait soufflé mot.

Le médecin militaire éclata d'un grand rire, comme s'il venait d'entendre une bonne plaisanterie.

— Renseignez-vous, lui conseilla-t-il, sur le coût du traitement pour s'en débarrasser, puis revenez me voir.

Il se présenta donc une seconde fois au généraliste, lui posa la question et obtint un prix précis.

— Cinquante dollars par an. Ce n'est pas cher, à peine un dollar par semaine.

Cela représentait beaucoup d'argent à cette époque pour un ouvrier.

— Tous les ans ?

— Si vous obtenez de l'avancement, répondit le médecin en haussant les épaules, le traitement pourrait devenir plus coûteux. J'essaie juste de vous donner une chance. Si je signale vos varices, votre carrière de policier est terminée.

— Je regarde mes jambes tous les soirs et je ne vois toujours pas de varices.

— Moi si, affirma-t-il en haussant de nouveau les épaules. C'est moi le médecin.

Touton retourna voir les militaires : une phalange de dix-sept docteurs l'attendait. Chacun examina le héros de guerre et signa un document déclarant que non seulement il n'avait pas de varices mais qu'il jouissait d'une forme exceptionnelle pour un homme qui avait subi des épreuves telles qu'elles auraient tué la plupart de ses congénères. Ils reconnurent que son corps avait souffert au service de son pays mais affirmèrent qu'il recouvrerait la santé très rapidement. En outre, garantirent les dix-sept médecins, ils veilleraient avec la bureaucratie militaire à ce que tout généraliste civil qui affirmerait le contraire fût l'objet d'une plainte, cité devant le Conseil de l'ordre et privé du droit d'exercer, pour incompétence et abus de confiance.

Ce jour-là, Touton devint policier gratuitement. Mais tous ceux qui, cette année-là, avaient rejoint les rangs de la police souffraient apparemment de varices, ce qui les obligeait à verser tous les ans des honoraires à un médecin pour obtenir le renouvellement de leur certificat médical. La nouvelle recrue avait été initiée au régime de corruption contre lequel elle serait chargée de lutter.

Le jeune inspecteur Armand Touton nommé dans un service ouvertement malhonnête prit le risque de lier son sort à celui des réformateurs de l'époque. Pendant la guerre et en captivité, il avait appris à rester fidèle à ses principes : il ne pouvait pas faire moins en tant que policier. A cette époque-là Roger Clement, son aîné d'environ sept ans, louait ses poings en période électorale à quiconque avait besoin de quelqu'un pour démolir un isoloir ou rosser des électeurs et des scrutateurs. Le réformateur Jean Drapeau avait bénéficié d'une protection policière pendant sa campagne pour la mairie, mais le flic qu'on lui avait affecté prenait fort opportunément un café dans une autre rue quand des hommes de main avaient fait irruption pour tabasser ses colleurs d'affiches et saccager les bureaux. Touton inspecta les dégâts puis entraîna le policier défaillant dans une ruelle voisine et le gifla assez vigoureusement avec son képi pour lui faire avouer l'identité des visiteurs.

Il se mit alors en quête de Clement qu'il finit par repérer dans une taverne et s'assit à une petite table ronde devant une collection de verres, certains pleins, d'autres vides. L'époque voulait qu'on tirât les bocks non pas un par un mais par séries, en fonction de la soif du client, et souvent par douzaines.

— Allons faire un tour.

— Non, répondit Clement en regardant sa montre. C'est l'heure de coucher la petite. Je dois rentrer pour la border.

— Dommage que tu n'y aies pas pensé avant de saccager cette permanence électorale.

— Quelle permanence? Vous avez des preuves?

— Je n'en ai pas besoin.

— Comment ça?

— Je te l'ai dit, précisa Touton d'un ton froid, je ne t'arrête pas. Je ne te traîne pas devant les juges. On va juste faire un tour, toi et moi.

— Ah oui? Vous et moi, et avec quelle armée?

Les copains de Clement traînaillaient aux tables voisines.

Touton baissa la voix pour que sa mise en garde restât confidentielle :

— Si, à cet instant, mon pistolet part accidentellement, la balle te fera sauter le petit doigt du pied gauche. J'ai fait la guerre et je sais que cela fait mal : j'ai vu des durs en beugler de douleur.

— Vous me menacez?

Clement était assez enveloppé, notamment au cou et aux bajoues, mais sa tête semblait taillée dans du granit et sa mâchoire soudée à son menton. Il avait entendu parler de la menace favorite de Touton, mais savait aussi qu'il ne l'avait pas encore mise à exécution. D'un autre côté, personne ne l'avait jusqu'à présent pris au mot.

— Non, au cas où le coup partirait accidentellement. Je serais désolé, je tiens à le préciser, de la souffrance que cela pourrait occasionner.

— Vous faites le malin derrière ce pistolet et cet insigne, maugréa Clement.

— On pourrait faire quelques rounds, mais tes amis risqueraient de s'en mêler et je n'ai pas assez de place dans le fourgon pour tout ce monde.

— Ah oui? Vous voudriez essayer?

Touton se cala sur la petite chaise en bois : confortable, conçue pour que le client n'en bouge pas de toute la soirée.

— Je ne voudrais pas te blesser, mais, bien sûr, je serais prêt à essayer.

— Je suis curieux. A qui vous êtes-vous frotté? A Bremen, à Talbot, des types dont j'ai entendu parler...

— Oui, ils ont voulu tenter leur chance, mais je les ai tous les deux mis K.-O.

— Moi aussi.

— Vraiment ? l'interrogea Touton soudain intéressé. Et qui d'autre ?

— Lafarge, Gabriel Blais. D'accord, il ne s'agissait pas de champions, mais je les ai pris quand même, et je les ai massacrés.

— Anton LeBrun ?

— Je l'ai rencontré aussi, se vanta Clement avant de porter son verre de bière à ses lèvres.

— Tu lui as réglé son compte ?

— On s'est battus, grommela Clement en haussant les épaules. Difficile de dire qui a gagné...

Deux de ses copains gloussèrent. Pour eux, la victoire n'avait pas fait de doute.

— J'ai pris aussi LeBrun, déclara Touton.

— Ah oui ?

— D'un seul direct.

— Un coup bas, je parie ! ricana Clement.

— Il m'a expédié deux solides crochets dans les côtes, je suis tombé sur un genou, puis je l'ai envoyé au tapis d'un uppercut du droit. Je l'ai frappé au bon endroit, je dois le reconnaître.

— Il m'a aussi expédié deux crochets dans les côtes, admit Clement. J'en ai eu le souffle coupé. C'est comme ça qu'il m'a eu.

— Tu es fragile, c'est bon à savoir ! Maintenant, que fait-on ici ?

L'autre prit une gorgée de bière et envisagea les solutions qui s'offraient à lui.

— Je suis sérieux, finit-il par dire. C'est l'heure où ma fille va se coucher. Laissez-moi au moins lui passer un coup de fil.

Pour faciliter les choses, Touton le lui accorda puis, l'appel terminé, ils se mirent en route.

Touton roula vers le quartier est, passa devant les chantiers de construction navale, les hangars de locomotives et la brasserie Molson, puis gagna la rue Notre-Dame, dans le centre. Après la guerre, le quartier s'était peuplé d'ouvriers qui trimaient dur. Le soir, ils rentraient dans leurs petites maisons envahies par des enfants brailleurs et bagarreurs. Leurs hurlements retentissaient dans la rue à longueur de week-end, au point que les hommes aspiraient au calme de leur semaine de labeur.

« Où va-t-on ? s'enquit Clement.

— Tu verras bien, répondit Touton.

— Au fait, vous travaillez pour qui ?

Ses « travaux » lui avaient laissé quelques cicatrices. Une grosse zébrure traversait son sourcil gauche et en rejoignait une autre située juste sous l'œil. Cette fois-là, il avait dû se retrouver dans un bel état. Ces marques auraient pu être causées par des palets ou des crosses de hockey, mais sa cicatrice à droite de la mâchoire suggérait plutôt un coup de poinçon, encore que, là aussi, il aurait pu s'agir de la lame d'un patin.

— Je suis flic, riposta Touton. Je travaille pour la police.

— Oui, c'est ça! Vous en avez encore des comme ça?

L'inspecteur l'examina, il avait ses raisons de le laisser s'asseoir à l'avant.

— Si cela ne te gêne pas, c'est moi qui pose les questions, d'accord?

— Pourquoi pas? lâcha l'homme en haussant les épaules. Vous êtes un défenseur de l'ordre.

— Pour qui travailles-tu?

— Ça, je ne peux pas vous le dire.

— Pourquoi pas?

— Ça nous attirerait des ennuis, vous ne croyez pas?

— Essaye toujours...

— Je travaille pour mes patrons et je ne suis pas une balance. C'est comme ça que je fais vivre ma famille. Eh! mais où va-t-on?

— Tu es un dur, déclara Touton.

— Ouais! Et alors?

— Il n'y a qu'une chose à faire avec un dur.

— Ah oui? Quoi donc? L'emmener plonger? demanda Clement.

— T'es au courant?

— Ouais! Je suis au courant. Je ne parlerai pas, parce que... je ne suis pas comme les autres types. Je ne parlerai pas. N'y pensez plus. Je ne balance pas aux flics. C'est comme ça!

Touton prit un virage et se dirigea vers les quais: Roger Clement avait entendu raconter que l'inspecteur se garait au-dessus du fleuve, là où le courant était fort, et qu'il ouvrait la porte côté passager tout en invitant la pauvre andouille de passager à parler ou à sauter du quai.

— Vous ne comprenez pas! s'exclama Clement avec, pour la première fois, de l'inquiétude dans la voix.

— Quoi donc?

— Je ne sais pas nager!

L'inspecteur soupira en secouant la tête avec une compassion feinte.

— Ça limite un peu tes solutions, n'est-il pas vrai? Je n'ai pas de gilets de sauvetage, ici.

— Vous ne comprenez pas! reprit l'autre.

— Quoi donc?

— Je ne parlerai pas, je ne peux pas ! Ça n'est pas dans mon caractère !

— Essaye toujours...

— Vous pisseriez dans votre froc si je vous le disais...

— Dis-moi quand même ! C'est ma voiture, tu n'as pas à t'inquiéter
pour ça.

— Ça n'est pas dans ma nature ! Tout le monde le sait. C'est
comme ça que je fais vivre ma famille. Je ne moucharde pas. Je ne
balance pas. C'est comme ça que je gagne ma vie.

— Tu ne balances pas et tu ne sais pas nager. Seigneur ! nous voilà
dans une impasse. Est-ce que ça t'est déjà arrivé ? Ça pourrait être
intéressant !

— Très drôle !

— Je ne ris pas. Et toi ?

L'homme ne répondit pas : il se cramponnait au tableau de bord et
à la portière parce que la voiture brinquebalait comme un train de
marchandises sur une voie en mauvais état et fonçait à toute allure en
direction de la jetée. Ce flic conduisait comme un malade, ce qui
suffisait déjà à terrifier son passager, persuadé qu'il ne maîtrisait pas
son véhicule ; le fleuve se rapprochait dangereusement.

Soupçonnant Clement d'être capable de sauter de la voiture, Touton maintint sa vitesse téméraire. Ils arrivèrent sur la jetée qui
dominait l'eau tourbillonnante et il fonça le long du bord, protégé par
un madrier. Il savait qu'un gros bateau avait heurté l'ouvrage, faisant
céder la barrière à un endroit, il s'y précipita – quiconque ouvrait la
portière côté passager se retrouvait au-dessus du vide, au-dessus de
l'eau –, et il freina à bloc à la dernière seconde.

Clement avait à peine lâché le tableau de bord que, sans lui laisser
le temps de récupérer, Touton appuyait le canon de son arme contre
son genou.

— Dehors ! ordonna-t-il.

— Il faut me comprendre, insista l'homme.

Il ne paraissait ni terrifié ni intimidé. Il semblait s'être résigné au
pire.

— Non, c'est à *toi* de comprendre. Ouvre la portière.

Comme l'homme ne réagissait pas, Touton lui enfonça le pistolet
dans la jambe en lançant d'un ton violent :

« Ouvre cette foutue portière !

— C'est illégal ! cria Clement,

— Qu'est-ce qui est illégal ? Dans quelle ville crois-tu vivre ? C'est à
cause de gens comme toi que la loi n'est pas respectée. Maintenant,
ouvre cette foutue portière !

Clement obéit.

« Descends Roger ! Si tu réussis à rester à la surface quelques heures, le courant te jettera sur la rive. T'en sens-tu capable ?

— Je cherche mon portefeuille dans ma poche, répliqua Clement.

— Je vais tirer ! Tu descends ou bien tu balances ! Tu as encore le choix.

— Allez-y, tirez ! Mais, d'abord, je veux vous montrer des photos de ma fille Anik. Vous avez des enfants ?

— Je n'ai aucune envie de regarder des photos de ta fille !

— Et moi je n'ai aucune envie que vous me tiriez une balle dans la jambe, maugréa Clement en haussant une nouvelle fois les épaules. Comme ça, nous sommes quittes. Regardez, regardez-la, n'est-ce pas qu'elle est mignonne ?

La photographie montrait en effet une charmante fillette : un sourire radieux, des cheveux noirs coiffés à la Jeanne d'Arc et des yeux sombres qui brillaient joyeusement.

— Je m'en fous ! éructa Touton. Tu parles ou tu descends !

— Si je descends, je meurs. Qu'est-ce que ça peut faire ? Vous vous en foutez... Très bien, je comprends ça. C'est vous le dur, vous m'avez déjà convaincu. Mais ma fille, elle, ne s'en foutra pas !

Il brandissait la photo devant les yeux de Touton.

« Vous avez réfléchi à ça ? Qu'est-ce qu'elle va faire sans moi ? Je voudrais le savoir. Dites-moi, qu'est-ce qu'elle va devenir sans son papa ? Comment va-t-elle vivre ? Et ma femme ? Laissez-moi vous montrer une photo de ma femme.

— Je ne veux pas la voir... Range ces photos !

— Regardez-la, juste.

Ils se penchèrent ensemble sur la photo.

— Si tu veux revoir ta femme et ta fille, persista Touton en durcissant le ton, parle. C'est tout ce que tu as à faire.

Une brise plus fraîche s'engouffrait par sa vitre ouverte et la portière du passager, mais la nuit restait douce.

Clément ne disait toujours rien.

— Avant de plonger, dis-moi une chose, commença calmement Touton.

Pour menacer, il lui fallait se montrer convaincant. Dans cette situation, un flic ne pouvait pas revenir en arrière : cela se saurait et il n'aurait plus jamais le dessus.

« J'ai regardé ton casier. Comment se fait-il que tu aies purgé une peine dans un camp d'internement ? Tu es quoi ? Un fasciste ? Un communiste ? Un espion ? Quoi ?

— J'aime ma femme, assura Clement.

116

— Tu l'as déjà dit.

— J'ai été bouclé pour ça.

— On ne jette pas en taule pour ça !

— Mais si, déclara Clement. Dans mon cas, oui. Ma femme est une syndicaliste. Une agitatrice, une coco, comme ils disent. Alors qu'elle s'occupe juste des travailleurs, en particulier des couturières. J'ai écopé pour des tracts qui venaient de chez moi, à propos d'une grève dans une usine de munitions. On a considéré que ce n'était pas patriote, à la limite de la trahison, mais savez-vous ce qu'ils ont fait faire à ces pauvres filles ? Je vous parle de harcèlement sexuel... pire, de viol. Alors, ces filles se sont mises en grève et ma femme les a soutenues, parce qu'elle est comme ça. Elle s'y connaît en grèves ! Alors j'ai fait de la taule à sa place. J'ai dit que c'était moi qui avais imprimé les tracts. Je l'ai fait volontiers. Pour moi, cela n'avait pas beaucoup d'importance. Je ne sais pas à quoi ressemblait votre camp... mais dans le mien, je jouais au hockey en hiver, et l'été au foot. Le maire, vous savez, Camillien Houde, l'ex-maire, lui aussi il était dans ce camp. Le soir, on parlait politique, lui et moi.

L'ancien maire de Montréal avait déclaré que les Français devraient se battre aux côtés de Mussolini. Il avait également mené la ville à la faillite en soutenant des projets qui donnaient du travail aux pauvres pendant la Grande Dépression. Pour finir, il avait déclaré qu'il n'obéirait pas à la loi et refuserait de faire son service, en invitant tout le monde à l'imiter. Cela lui valut d'être arrêté et expédié dans un camp d'internement pendant quatre ans.

— On n'avait pas l'occasion de jouer au hockey dans mon camp, reconnut Touton. Dois-je comprendre que tu travailles pour Houde ?

— Je ne vous dirai jamais une chose pareille ! Sinon, je mentirais, la plupart du temps. Peut-être pas tout le temps. Si je vous apprenais qui est mon patron aujourd'hui, encore une fois, vous pisseriez dans votre froc ! Faites-moi confiance !

— Tire cette portière, ordonna Touton, mais ne la referme pas tout à fait.

Clement obéit sans comprendre.

— Et maintenant ? demanda-t-il.

— Passe tes mains de l'autre côté de la vitre et cramponne-toi à la portière.

Il regarda la portière, la vitre ouverte, puis l'inspecteur.

— Attendez une minute ! Ma femme, ma fille...

— C'est à elles que je pense... Maintenant, cramponne-toi à cette portière !

Clement obéit.

117

« Serre bien fort ! Maintenant, descends !

— Je ne sais pas nager ! Salaud ! Vous allez me tuer !

— Je ne te demande pas de nager, je te demande de te cramponner à cette portière et de ne pas lâcher prise ! Ne lâche pas, Roger !

Poussé par le canon du pistolet, Clement se cramponna à la portière entrouverte et sortit du véhicule pour se retrouver suspendu en l'air au-dessus de l'eau. Ses pieds se balançaient à une douzaine de mètres au-dessus du fleuve déchaîné et fouettaient l'air comme s'ils cherchaient une surface solide pour s'y appuyer.

— Espèce de salaud ! cria-t-il.

— Roger, n'en faisons pas une affaire personnelle !

Touton se glissa sur la banquette et s'assit à la place du passager, en maintenant la portière ouverte avec son pied droit.

« Je ne t'ai pas demandé de sauter ni de tomber. Je te demande de te cramponner et de penser à ta fille. C'est tout. Cramponne-toi et pense à ta famille, Roger.

— Je ne sais pas nager, je vous l'ai dit ! Je ne mens pas !

— Alors, ne nage pas. Mais, quoi que tu fasses, surtout ne lâche pas cette portière. Pense à ta fille.

Les deux hommes gardèrent un moment le silence, l'un se balançant au-dessus du fleuve, l'autre, penché à l'avant et maintenant la portière ouverte. Au bout d'une dizaine de minutes, Clement déclara :

— Je ne peux pas rester ici indéfiniment...

— Moi non plus, admit Touton. Mais je peux tenir dix, peut-être douze heures. Et toi, combien ?

Clement attendit environ cinq minutes pour admettre :

— Pas tant que ça.

— Pour qui travailles-tu, Roger ?

— Vous êtes un vrai fils de pute, vous le savez ?

— Pour qui travailles-tu, Roger ?

— Duplessis, céda Clement.

A quoi bon discuter sans fin ?

Touton recula son pied et la porte se referma sur Clement qui poussa un hurlement, l'épaule et le haut de la cuisse gauche pris en tenailles. Ce ne fut pas facile de le ramener à l'intérieur du véhicule et c'était risqué, mais finalement les deux hommes étaient solides et ils y parvinrent. Clement se retrouva assis sur le siège avant.

— Ne bouge pas, lui intima Touton.

— Où allez-vous ?

— Pisser.

Armand Touton passa derrière la voiture et se soulagea dans le fleuve. Dans quel monde est-ce que je vis, se demanda-t-il, si même le

Premier ministre de la Province, l'homme en place, utilise des canailles de bas étage pour démolir la permanence des candidats à la mairie? Saccager les bureaux de ses rivaux politiques était une chose, mais envoyer des gorilles perturber les élections municipales qui, en apparence, ne le concernaient en rien... Quel monde !

— Je vous avais prévenu que vous pisseriez dans votre froc, ironisa Clement quand le policier fut remonté dans le véhicule. On peut partir maintenant ?

— Il y a quelque chose que tu dois comprendre, commença Touton.

— Quoi donc ?

— Désormais, tu travailles pour moi. Fais ce que tu as à faire pour les gens qui t'emploient – Houde, Duplessis, la mafia, qui au juste, ça n'a pas d'importance. Mais à partir de maintenant tu travailles pour moi. Je ne peux pas faire le ménage dans cette ville si des gens comme toi ne donnent pas un coup de main à des gens comme moi.

Clement resta un moment sans rien dire : dur d'enfiler la peau d'un indic, pourtant ce flic avait présenté les choses d'une manière différente, comme s'il s'agissait d'une mission spéciale et d'une cause digne de respect. De toute façon, Touton ne démarrerait pas avant qu'il n'ait donné son accord et, étant donné l'alternative – la prison ou le fleuve –, autant accepter.

— Bon, fit-il, nous ferons le ménage et peut-être, un jour, ma femme et ma fille seront-elles fières de moi pour ça.

— Enfin, reprit Touton, tu penses avec ton cerveau !

Ils quittèrent les quais en direction du quartier de Clement.

— Vous avez vraiment mis LeBrun K.-O. ? demanda Clement.

— D'un seul coup, confirma Touton. J'ai eu de la chance, reconnut-il toutefois, je l'ai touché juste sous le menton et il est tombé. Il lui a fallu plus de douze minutes pour reprendre connaissance et, quand il s'est relevé, son orgueil avait disparu, il pleurait. C'était quelque chose à voir, LeBrun qui essuyait des larmes sur ses joues. On ne sait jamais comment les gens vont réagir. Ils se croient invincibles et pouf ! ils ne le sont pas ! LeBrun n'aurait jamais cru se retrouver un jour au tapis, le corps en bouillie et les yeux levés vers son challenger ! Dur, pour une légende vivante, de cesser de l'être, j'imagine.

Touton arriva à l'adresse qu'il avait trouvée dans le portefeuille de Roger Clement. C'était un appartement de plain-pied, coincé entre un duplex et un triplex. La baraque en bois avait connu des jours meilleurs. En d'autres temps, il y avait eu des porcs et des poulets dans la cour, peut-être aussi quelques plants de maïs et des rangées de haricots et de laitues ; un enclos sans soleil, aujourd'hui envahi par les mauvaises herbes, donnait sur un passage qui servait de terrain de jeux aux enfants. Le toit de la maison s'affaissait. Le porche s'inclinait terriblement vers l'avant et s'effondrait sur la gauche. Les visiteurs se rendaient vite compte que les marches, désormais inutiles, s'étaient transformées en pièges pour les imprudents. Une clôture basse en fer forgé noir séparait la petite cour pelée du trottoir et Touton dut se plier en deux pour découvrir le loquet et ouvrir la porte. Il enjamba les marches branlantes de la véranda puis pressa la sonnette.

Aucune lumière, aucun son ne filtraient de la maison.

Un réverbère lui permit de lire le panneau affiché à la vitre de la porte. CADENASSEZ VOTRE CUL. Le panneau s'adressait aux policiers et avait plus d'un sens : il faisait d'abord référence à la Loi du cadenas qui autorisait la police à boucler le domicile des communistes, des syndicalistes et, par extension, des Juifs, en profitant d'une brève absence des occupants ; la seconde évoquait une mesure administrative prise par la police de cadenasser les bordels et les maisons de jeux après une descente. Tout le monde connaissait l'arnaque du placard à balais des bordels qu'on verrouillait. Un célèbre établissement de ce genre avait même fait percer tout exprès une porte dans le mur donnant sur la rue, qui ne menait nulle part. Non sans avoir au préalable alerté la tenancière pour lui permettre de quitter les lieux en y laissant son concierge pour se faire arrêter et payer une amende symbolique, la police procédait au cérémonial du verrouillage de la porte qui ne donnait nulle part ; elle respectait ainsi la lettre de la loi tandis que l'esprit des lieux ne perdait rien de son aplomb et que le tiroir-caisse continuait à fonctionner sans défaillance. Pour la plupart des bordels, le plus grand inconvénient était de constater que leurs seaux et leurs serpillières se trouvaient sous clé, provisoirement en état d'arrestation.

Il sonna de nouveau et, cette fois, une lumière s'alluma.

Touton prit une profonde inspiration.

La véranda s'éclaira et quelqu'un écarta un peu le rideau de la porte vitrée.

Il sortit son insigne et l'exhiba.

Une petite femme séduisante – bien qu'elle ne fût pas à son avantage en peignoir et chemise de nuit – mit la chaîne de sûreté avant d'entrebâiller la porte.

— Madame Clement ?

— Qui la demande ?

— Puis-je entrer ? demanda Touton avec douceur. Je suis le capitaine Armand Touton de la police de Montréal. J'ai des nouvelles de Roger.

De toute évidence, la femme s'attendait à un ton plus agressif de la part d'un policier. Elle retira la chaîne et ouvrit la porte en grand. Elle précéda Touton jusqu'au salon où, croisant les bras, elle se retourna pour fixer sur lui un regard furieux. L'inspecteur nota que, malgré sa colère, elle frissonnait.

— Alors, c'est vous Touton ? lança-t-elle.

— Maman ? dit une petite voix derrière le policier.

— Anik. Viens ici, mon chou.

Frottant ses yeux ensommeillés, une fillette de huit ans en pyjama Bambi rose s'approcha de sa mère, posa sa tête contre sa hanche et l'entoura de ses petits bras en se blottissant contre elle tandis que sa mère lui posait une main sur l'épaule. L'enfant leva vers Touton des yeux sombres.

— Anik devrait peut-être retourner dans sa chambre, suggéra Touton soudain hésitant.

— Elle reste là, rétorqua la femme en le toisant de haut en bas. Que voulez-vous ?

— J'ai de mauvaises nouvelles.

— Non ! gémit-elle.

Brusquement, elle pâlit, recula d'un pas et trouva une chaise derrière elle ; elle se drapa plus étroitement dans son peignoir vert olive puis serra la fillette contre elle.

« Vous l'avez tué ? C'est vous qui l'avez fait ?

— Non, répliqua le policier, un instant abasourdi. Il comprit finalement que la question se justifiait sans doute.

« La police n'y est pour rien. Mais, madame, je suis désolée de vous annoncer...

— Non !...

— ... que votre mari est décédé.

Elle répéta encore « Non ! » à deux reprises, bien que quelque chose dans son attitude indiquât à Touton qu'elle n'était pas femme à nier longtemps la vérité. Elle se mit à trembler et dut reprendre son souffle, son menton et ses lèvres frémirent un moment puis elle serra les dents. La petite fille se blottit contre elle et Touton devina à la façon dont la femme penchait la tête en avant et à la douleur envahissant son regard que ce n'était pas une nouvelle totalement inattendue. Elle avait redouté ce moment. Sachant que son mari gagnait sa vie en prenant de gros risques, elle avait souvent passé de longues nuits éveillée, guettant le bruit de ses pas, de la clé dans la serrure, le cœur serré d'appréhension. Elle ne respirait mieux que lorsque, après s'être déshabillé à tâtons dans le noir, il se laissait tomber de tout son poids auprès d'elle. Cette fois, ce n'étaient pas ses pas qu'elle avait entendu résonner dans la véranda branlante, cette fois, ses craintes s'étaient confirmées.

— Toutes mes condoléances, murmura l'inspecteur.

Mme Clement repoussa lentement son enfant pour se tamponner les yeux avec la manche de son peignoir. Elle regardait sa fille, les yeux de nouveau emplis de larmes, avec une angoisse manifeste. Devant l'immense désarroi de sa mère, la fillette se mit à pleurer à son tour mais sans savoir pourquoi. Elle ne savait pas ce que voulait dire « décédé ».

— Ton papa..., commença la femme, mais elle fut incapable de poursuivre.

Ne comprenant plus rien, à présent désemparée, la petite Anik posa sa tête contre celle de sa mère qu'elle serra fort, comme pour faire disparaître ses larmes et sa douleur.

Touton, ne supportant plus de les dominer de sa taille et incapable de se rapprocher, finit par s'asseoir en face d'elles.

— Qu'est-ce qu'il s'est passé ? l'interrogea-t-elle enfin d'une voix à peine audible.

Le capitaine de la Patrouille de nuit expliqua comme il put que son mari avait été poignardé et que la police allait accorder toute son attention à cette affaire. Il décrivit l'arme du crime mais s'abstint de suggérer que Roger lui-même aurait pu subtiliser la Dague de Cartier dans les locaux de la Sun Life. Il n'en avait aucune preuve et ce n'était pas le moment d'accuser son défunt mari d'activités criminelles.

Il se contenta de lui poser les questions classiques dans une enquête.

— Madame, avez-vous une idée de qui a pu faire ça ?

Elle eut encore quelques difficultés à respirer pendant un moment, mais elle commençait à se reprendre. Elle parlait tout en caressant machinalement les cheveux de sa fille qui, assise sur la chaise auprès d'elle, faisait face à Touton.

— En premier lieu, vous ou n'importe quel flic. Après, les gorilles d'une bande ou d'une autre, à vous de choisir. Ensuite, des politiques à tous les niveaux – municipalité, Province, Fédération. Vous devriez enquêter sur tous les patrons qui en veulent aux syndicalistes, même sur ceux qui, autrefois, auraient pu engager Roger pour briser des grèves. Alors, oui, des flics, des gorilles, des politiques et des patrons... Plus ou moins dans cet ordre-là. Je ne crois pas que l'Eglise ait eu quelque chose contre lui, donc j'éliminerais les prêtres. Quant aux ouvriers, ils étaient de son côté. Tous ses amis seraient prêts à mourir pour lui, ça ne peut être aucun d'entre eux. Cela réduit-il la liste, capitaine ?

Touton savait quelques petites choses à propos de Carole Clement.

Roger lui avait souvent parlé d'elle. Il avait pour elle un amour manifestement passionné et dévoué. Le policier avait aussi recueilli quelques renseignements dans son casier judiciaire. Elle avait fait de la prison pour avoir organisé des grèves parmi les couturières, des immigrantes à qui l'on donnait les boulots les plus mal payés, qu'elles acceptaient parce qu'elles n'avaient pas le choix. Ateliers rudimentaires, travail épuisant, menace permanente de renvoi à la moindre peccadille. Après sa maternité, Carole avait travaillé à la pièce chez elle, pour rester auprès de sa fille bien sûr, avait expliqué Roger, mais aussi parce que les patrons échaudés ne voulaient plus l'embaucher. Des amies s'étaient arrangées pour qu'elle ait du travail sans que les directeurs sachent qui le faisait.

« Ce n'est pas une bonne solution, avait poursuivi Roger, parce qu'on n'est payé que pour les pièces parfaites, pas au temps de travail. Les patrons ? Ils savent bien que les femmes doivent rester à la maison pour s'occuper de leurs enfants. L'avantage, c'est qu'il n'y a pas de patron qui se penche sur votre épaule pour vérifier un point ou vous peloter les seins – si quelqu'un le fait maintenant, c'est moi –, mais en même temps, il faut qu'elles travaillent vite et bien, sinon elles ne gagnent pas un sou. Des droits ? Hmm... Quels droits ? Carole s'occupe maintenant, mais en secret, de syndicaliser celles qui sont à la pièce. Si ça se sait, elle n'aura plus de travail. Un combat dur et de longue haleine. »

— Comme vous le savez, madame, reprit Touton d'une voix douce, le travail de votre mari était délicat. Il s'était fait des ennemis. C'est la question que je vous pose : qui pouvait lui en vouloir ? Voyez-vous quelqu'un ? Y compris parmi ses partenaires en affaires, dirons-nous : qui aurait pu se retourner contre lui ? Semblait-il inquiet à ce sujet ?

— Autrement dit, semblait-il inquiet à l'idée que ses partenaires – comme vous dites – auraient pu découvrir qu'il vous servait d'indic ? Oui, ça l'inquiétait. Qu'est-ce que vous croyez ? Est-ce que quelqu'un l'a découvert ? Comment voulez-vous que je le sache ? Un premier indice dans ce sens ce serait que Roger se retrouve avec un poignard planté dans la poitrine...

Elle avait parlé avec du défi dans la voix mais s'effondra aussitôt, en larmes. Cette fois, la fillette envisagea une terrible possibilité.

— Papa va rentrer à la maison ? demanda-t-elle.

Pour toute réponse, Carole la serra dans ses bras tout en continuant à pleurer ; Armand Touton dut faire un effort pour lutter contre le frisson qui l'envahissait. La présence de la petite fille et le souvenir de tout ce que Roger disait d'elle, la façon dont il en parlait, tout cela lui brisait le cœur.

— Madame, j'admirais votre mari, finit-il par dire.

— Vous l'admiriez..., répéta-t-elle, sarcastique.

— Je trouvais que c'était un homme bien.

— Une belle crapule ! Un gorille ! Une brute ! lâcha Carole. Parlons-nous du même type ?

— Il avait une certaine façon de pratiquer son métier...

— Il ne battait que des trous du cul, pas besoin de me le dire, j'ai déjà entendu cette histoire-là et je pense que c'était de la connerie ! C'était un menteur, mon mari ! Il inventait des histoires. Il cassait le nez d'un pauvre connard et prétendait que ce salaud le méritait. Il a essayé de trouver un vrai travail, pourtant. Mais qui l'aurait laissé faire ? *Vous ?* Vous vouliez qu'il continue à traîner dans les rues, vous ne vouliez pas qu'il ait un boulot honnête. Vous vouliez qu'il reste avec les salauds ! Vous savez, il a essayé de travailler à l'usine. A midi, quelqu'un découvrait qu'il s'agissait de Roger Clement, qui avait autrefois joué un an avec les Rangers, qui avait été trois ans remplaçant avec les BlackHawks...

— Maman, calme-toi, la reprit Anik.

— Je sais, ma chérie. Maman te demande pardon. Roger Clement, reprit-elle à l'adresse du capitaine, a passé le plus clair de sa carrière sur le banc de pénalité, Roger Clement se faisait battre par les types vraiment costauds des autres équipes mais au moins, il continuait à pousser le bâton. D'accord, il n'a jamais été un grand bagarreur sur ses patins, mais quand il se retrouvait en chaussures, personne ne cognait plus fort que lui.

— Sauf moi, peut-être, murmura Touton. Lui et moi, on en discutait souvent. On se demandait lequel de nous deux serait capable de mettre l'autre K.-O. Je cognais peut-être plus fort, mais nous n'avons jamais eu l'occasion de le vérifier. C'est pour ça qu'on était amis. On savait cogner tous les deux.

— Gravez-le sur sa tombe ! « Ci-gît Roger Clement. Il savait cogner. »

La femme s'essuya le nez sur sa manche.

« Chaque fois que Roger trouvait du travail dans une usine, chaque fois – Oh ! je suis calme ma chérie... Dès le premier jour, à l'heure du déjeuner – il essayait pourtant d'éviter ça – quelqu'un le provoquait pour tenter sa chance. Alors, que devait-il faire ? Perdre ? Il se battait avec le gars et puis il se faisait virer, ou bien il se battait et il se faisait arrêter, ou encore il se battait et six autres types s'alignaient pour tenter leur chance. Il a fini par se rendre compte que puisque, de toute façon, il devait se battre, autant se faire payer sans avoir à se coltiner ce travail de merde et à subir les brimades des patrons et des contremaîtres.

Le policier ne cessait de pétrir son chapeau.

— Donc, il n'était pas particulièrement soucieux ces derniers temps ? Pas de nouveaux problèmes avec son travail ?

— Quel hypocrite ! lança Carole.

— Vous croyez que c'est ce que Roger pensait de moi ? Je sais que non.

— Roger se laissait embobiner par un tas de gens. Regardez pour qui il travaillait...

— Roger, déclara Touton, m'a appris que je n'avais pas le droit de le prendre de haut. Il travaillait pour la mafia, pour des arnaqueurs, moi je travaillais pour la police.

— Pleine d'arnaqueurs, elle aussi ! décocha Carole.

— C'est bien ce que sous-entendait votre mari. Il me disait toujours : « Avec les joueurs et les maquereaux, on n'est pas trompé sur la marchandise. Avec un flic, on ne sait jamais à quoi s'attendre. »

— Nous n'avons pas de police dans cette ville, soupira la femme. Le bras de la loi n'est autre que celui de la mafia.

— Certains d'entre nous s'emploient à changer tout cela. Roger nous y aidait.

— Oui, c'est exact. Certains d'entre nous consacrent leur existence à essayer de changer le système...

— Nous progressons.

— Parlez pour vous, lui assena-t-elle, mon mari est mort.

— Maman, intervint la petite fille en levant les yeux vers elle, papa est mort ?

Un long moment, la femme pleura en tenant son enfant dans ses bras tandis que le policier fixait le plancher.

Avant de partir, il tint à s'assurer qu'elle appellerait une voisine, que quelqu'un resterait près d'elle. Il lui promit de poursuivre l'enquête et de traîner les meurtriers de son mari devant la justice.

— Faites attention à ce que vous dites, lui conseilla-t-elle, vous ne savez pas où cela vous mènera.

— Peu importe ! Je vous le promets, ici, ce soir, à vous et à votre fille. Cette promesse, je la tiendrai.

Elle serra fort les lèvres pour les empêcher de trembler.

Du seuil, sa fille blottie contre elle, elle rappela l'inspecteur.

— Oui ? répondit Touton en se retournant.

Il se sentait prisonnier des grands yeux noirs de la fillette.

— Roger et moi, on avait conclu un arrangement : je ne lui parlais pas de son travail et il ne me racontait rien. Mais on parlait toujours de trouver un moyen de s'en sortir.

— Je comprends.

Le capitaine remit son chapeau sur sa tête et releva son col pour se protéger du froid. La femme frissonnait de chagrin.

— Ces derniers temps, il parlait beaucoup, je ne sais pas où ça en était... mais il pensait à un gros coup. Je ne l'en ai pas empêché, je ne l'ai pas découragé. Nous avions tellement besoin de changer d'existence.

— Il ne vous a rien dit à propos de ce gros coup, de qui il voyait dernièrement ?

Elle secoua la tête et Touton savait qu'il pouvait la croire, elle ne lui cachait rien, il en était certain.

— A-t-il jamais mentionné la Dague de Cartier ? Ça vous dit quelque chose ? » Une nouvelle fois, elle secoua la tête. « Je vous remercie, madame. Acceptez toutes mes condoléances. J'aimais beaucoup Roger. Si le destin l'avait voulu, nous aurions pu, lui et moi, échanger nos places.

— Inspecteur.

Cette nouvelle réalité prenait corps et, malgré son chagrin, elle envisageait le côté pratique de la situation.

« J'espère que je ne lirai pas dans les journaux que mon mari était un indic.

Le regard de Touton se fixa sur elle puis sur Anik et revint sur la mère.

— Non, madame, vous ne lirez rien de tel. Mais je ne maîtrise pas la façon dont les journaux le présenteront. Il avait un passé.

— Vous comprenez, n'est-ce pas, que vous ne pourrez pas assister à l'enterrement ?

Elle voulait garder la tête haute encore un petit moment, au moins avec les amis qui s'étaient livrés avec Roger à des activités criminelles. Armand Touton hocha la tête, exprimant avec tristesse qu'il comprenait. Son cœur se serrait, car il venait de réaliser qu'il aurait tenu à présenter ses respects comme il convenait.

La dernière image qu'il garderait de cette soirée le hanterait à jamais : les yeux sombres de la fillette levés vers lui. Touton rentra chez lui, ce regard triste et interrogateur encore présent à l'esprit, sachant qu'il se lèverait de bonne heure pour affronter une ville en plein chaos. Mais ce qui le dérangerait le plus serait le souvenir de ces deux cœurs abandonnés.

CHAPITRE 8

1609-1660

ILS APPELÈRENT leur fort le Fort Périlleux.

Au sud, les Hollandais avaient eux aussi une base – Fort-Orange –, d'où ils incitaient les Iroquois à harceler les Indiens des forêts du nord pour leur confisquer leurs stocks de fourrures.

En échange, les Hollandais leur offraient des fusils. Plus il y avait de fourrures, plus il y avait de fusils.

— Il nous faut des fusils, mes frères ! exigèrent les Hurons assiégés par les Français. Les Algonquins leur tenaient le même discours :

— Nos peaux de castor contre vos *arquebuses*, déclaraient-ils.

Mais, à Fort Périlleux, personne ne s'intéressait aux peaux. C'était une secte religieuse qui vivait de la générosité des fidèles de France ainsi que des récentes activités de la colonie : les cultures, la chasse et la pêche. Un seul but : convertir les sauvages. Ni pour de l'argent ni pour des fourrures.

— Quand les Iroquois nous auront tués, continuerez-vous à sauver les âmes de nos frères ? demanda l'un des chefs hurons. Frères, il nous faut des fusils.

Une crise avait éclaté à Fort Périlleux dès le premier hiver.

Des fortifications avaient été édifiées – en réalité de frêles palissades plantées dans le sol – au confluent du Saint-Laurent et de la fétide rivière Saint-Pierre. Un redoux en décembre fit fondre un barrage de glace, ce qui provoqua une montée des eaux. Les douves au pied des palissades se remplirent et la poudrière se trouva rapidement menacée ; bientôt, ce serait le tour des provisions. Si le déluge continuait, il emporterait les installations et exposerait les survivants au froid impitoyable qui ne manquerait pas de s'abattre de nouveau sur cette poignée d'hommes vulnérables, sans abris, sans provisions, sans armes et sans espoir. Hommes, femmes, enfants mourraient, blottis les uns contre les autres, figés sur une terre glacée. Ceux qui en réchapperaient seraient scalpés au printemps quand les Iroquois les découvriraient.

Le chef des Français, Paul de Chomedey, sieur de Maisonneuve, un soldat chevronné, disposait d'un ultime recours pour sauver Fort Périlleux.

Il s'agenouilla pour prier, les mains crispées sur la Dague de Cartier, sa lame dirigée vers le sol, son manche incrusté d'or et de diamants dressé vers le pâle soleil d'hiver.

Dans la ferveur de sa prière, Maisonneuve sentit ses mains faire corps avec le Poignard et son sang battre au rythme de son histoire. Le roi avait confié l'objet à Samuel de Champlain pour la durée de l'exploration dans les Amériques ; il prétendait avoir vaincu les Iroquois à Ticonderoga grâce au pouvoir secret de l'arme. Mais certains murmuraient – non sans raison –, qu'il avait pris les Indiens par surprise, car les Français vivaient en paix avec eux jusqu'à ce raid de 1609. Les Hurons et les Algonquins, sans cesse harcelés par les Iroquois, avaient choisi de repousser ceux-ci vers le sud pour améliorer les perspectives de commerce avec les tribus du Nord. A Ticonderoga, les Iroquois avaient découvert avec satisfaction que les Français et leurs alliés hurons n'avaient pas, et de loin, l'avantage du nombre ; seulement Champlain, lui, disposait de la Dague de Cartier – ainsi que de quelques bruyantes arquebuses. Les Iroquois, trop éloignés pour que leurs flèches réussissent à couvrir la distance, constatèrent que, entre l'instant où le feu jaillissait des mains de ces étranges Français et celui où un grondement sourd résonnait à leurs oreilles, leurs camarades s'effondraient autour d'eux en répandant leurs entrailles et en se tordant dans les affres de l'agonie. Ceux qui ne furent pas touchés ne demandèrent pas leur reste et s'enfuirent, laissant les Français et les Hurons maîtres du terrain : Champlain brandit alors la Dague de Cartier au-dessus de sa tête pour proclamer son triomphe au nom du roi de France et avait ainsi déclenché la guerre.

Après l'arrivée dans la région des Hollandais puis des Anglais, qui, les uns comme les autres, vendirent des armes aux indigènes, il ne fut plus question de ces victoires inégales ; mais la légende du poignard subsista. Elle fut renforcée plus tard par les aventures d'Etienne Brûlé.

Ce garçon, sans aucune expérience de la morne existence des marins, avait embarqué avec Champlain. Le capitaine n'avait que peu d'estime pour ce jeune homme crasseux et acerbe. Pourtant, Brûlé s'était révélé à son arrivée dans les colonies françaises. Méconnaissable, il exultait dans la forêt, autant qu'il avait désespéré en mer. Au bout de deux ans, il avait obtenu l'autorisation d'explorer les voies navigables à l'ouest et au sud. En lui donnant son accord, Champlain lui avait confié la Dague de Cartier. S'il la trouvait un jour entre les mains d'un Indien, il comprendrait que le jeune homme était mort et il tuerait aussitôt son assassin, lui promit-il.

Brûlé pagaya vers l'ouest où il se lia d'amitié avec les Hurons des Grands Lacs; accompagné de trois d'entre eux, il fit route vers le sud, jusqu'au confluent de l'Allegheny et de la Monongahela, où les deux rivières forment l'Ohio. C'est à cet endroit qu'ils furent surpris par un groupe d'Iroquois voyageant eux aussi hors de leur territoire.

Certain de périr, le jeune homme avait subrepticement jeté son arquebuse dans la rivière : ainsi, elle ne tomberait pas entre des mains ennemies.

Les Iroquois le lardèrent de coups de couteau, lui martelèrent les os de leurs tomahawks et lui brûlèrent la peau avec des pierres chauffées dans le feu de camp; ils ricanaient et menacèrent de lui arracher les yeux, de l'émasculer et de l'écraser sous des rochers. Menaces qu'ils mirent à exécution sur chacun de ses trois amis avant de leur trancher la gorge. Le plus jeune des Hurons succomba le dernier, en hurlant sous le poids des gros rochers qui s'abattaient sur lui; pour finir, les Iroquois enterrèrent le corps du malheureux sous un amoncellement de pierres d'où émergeait seulement sa tête fracassée et, sans se soucier de savoir s'il était mort ou vif, ils le scalpèrent avant de brandir les trois trophées sous les yeux de Brûlé.

Mais quel sort réserver au Français? Comment s'y prendre pour l'achever? C'était un grave dilemme pour les Iroquois. Ils voulaient pour lui une mise à mort exemplaire car leur peuple avait entendu parler de Ticonderoga et de la magie de l'homme blanc qui avait aidé au massacre de leurs frères. Quand le temps serait venu de raconter l'histoire de la mort de ce Français, ils devraient assouvir la rage des leurs.

Les Iroquois découpèrent trois lanières dans la chair au-dessus de chaque téton en utilisant le poignard du Français, un instrument extraordinaire au manche orné de pierreries et à la lame de pierre bien aiguisée. Ensuite, ils lui lièrent les mains, lui brûlèrent les pieds et lui ordonnèrent de courir. Ils lui cognèrent la tête contre des troncs d'arbres, et il saigna; il vacillait sur ses pieds brûlés tandis que les Iroquois discutaient en riant de la manière dont ils l'achèveraient.

Ils lui lancèrent des pierres pour le forcer à se diriger vers la rive rocailleuse ; Brûlé courut comme un fou malgré ses pieds écorchés pour éviter d'être lapidé. Celui qui l'avait écrasé contre les arbres choisit alors de l'orienter vers un petit promontoire pour le faire tomber dans l'eau, provoquant les rires des tortionnaires qui le regardaient se débattre puis couler, songeant aux filets qu'ils avaient tendus en aval. Ils continueraient de l'humilier jusqu'à ce qu'ils se décident sur la meilleure façon de le tuer.

Le Français avait coulé. Aussi, quand sa tête réapparut à la surface ils furent déconcertés : aucun Iroquois n'avait jamais flotté sur l'eau, aucun indigène ne savait cet exploit possible. Leur victime, dont ils avaient ligoté les mains, battait des pieds, dérivait sur le dos comme un arbre, puis se reposait – il semblait vraiment se reposer ! – au beau milieu du confluent, tout en leur parlant en huron.

Ils se précipitèrent tous sur la plage et s'exclamèrent devant le miracle dont ils venaient d'être témoins.

L'un d'eux comprenait le huron mais il était occupé, avec d'autres, à réfléchir à la meilleure mise à mort. Prévenu, il courut jusqu'au rivage où il constata par lui-même que l'homme blanc continuait de flotter et de battre des pieds aussi souvent qu'il en avait envie.

L'homme blanc avait vraiment de grands pouvoirs magiques qui lui permettaient de flotter.

Cela voulait-il dire qu'il ne pouvait pas mourir ? Alors c'était vrai, les hommes blancs n'étaient que des fantômes ?

Autant de questions dont ils entreprirent aussitôt de débattre.

— Que dit-il ? les interrompit le chef iroquois.

L'Iroquois qui connaissait la langue des Hurons demanda le silence et écouta ce que disait le Français.

— L'homme blanc qui parle comme un Huron stupide, déclara le vieil Iroquois, se prétend le seul être humain capable de sauver notre peuple.

Il s'ensuivit une vive discussion entre les aînés et les jeunes qui souhaitaient le tuer sur-le-champ, mais, pour ce faire, il fallait prendre les canoës. Quelques-uns s'embarquèrent à sa poursuite.

L'homme blanc plongea pour les éviter et les Indiens en conclurent qu'il était mort, puisque les hommes ne pouvaient pas vivre dans l'eau, et qu'il avait disparu. Les Indiens, déçus par ce trépas ordinaire qui ne ferait pas une bonne histoire, regagnèrent la rive avec leur canoë. Mais, à leur grande stupéfaction, ils virent réapparaître la tête de Brûlé qui reprenait sa respiration et, abasourdis, les Iroquois reprirent les canoës et leur chasse au Français.

Brûlé avait profité de son immersion pour désentraver ses mains en frottant ses liens contre une pierre acérée. Quand l'embarcation se rapprocha une nouvelle fois, il replongea et disparut de la vue de ses poursuivants qui, du coup, cessèrent de pagayer; le jeune homme se coula en dessous du canoë et le secoua si fort que les Indiens s'affolèrent et que l'un d'eux, en essayant de l'attraper, fit chavirer l'embarcation; les quatre Iroquois s'y cramponnèrent pour éviter la noyade tandis que Brûlé suivait le courant et haranguait ses bourreaux restés sur la berge.

Il avait provoqué une grande consternation parmi les Indiens qui redoutaient sa magie et sa capacité à survivre là où n'importe quel Iroquois aurait péri. Leur chef lança un ordre et ses guerriers s'emparèrent de leur arc; mais, sous leurs volées de flèches, Brûlé disparut à nouveau sous la surface de la rivière.

Cela lui donnait l'occasion de réfléchir. Il pouvait nager vers la rive opposée – mais les Iroquois auraient tôt fait de l'y rejoindre avec leurs canoës. Il pouvait se laisser flotter jusqu'à l'Ohio – où, même s'il réussissait à esquiver ses ennemis, l'attendraient la solitude de la forêt et le dénuement total : ni armes, ni provisions, ni vêtements, ni canoë? Les Iroquois avaient clairement affiché leur désir de le tuer. Son seul espoir résidait dans la négociation d'une trêve avec eux. Il s'apprêtait à regagner la surface quand le destin fit de lui le Français le plus chanceux qu'on eût jamais rencontré au fond d'une rivière.

Quand il réapparut, il brandissait son arquebuse, provoquant une fois de plus la stupéfaction. Deux Indiens apeurés se jetèrent sur le sol et le reste de la tribu eut un mouvement de recul.

— Voyez en quoi j'ai transformé les pierres de cette rivière! lança Brûlé. Son interprète traduisit ses propos qui en impressionnaient certains et en laissaient d'autres sceptiques.

« Que choisissez-vous? La mort pour vous, aujourd'hui, et demain pour vos enfants et votre peuple? Ou bien mon indulgence et la conclusion d'un pacte entre les Français et les Iroquois? Parlez, maintenant!

Quand le traducteur, tout tremblant, eut enfin réussi à transmettre le message – Brûlé avait dû le lui répéter plusieurs fois –, le chef l'écarta pour observer ce jeune Blanc qui avait fabriqué avec les pierres de la rivière une lance qui crachait le feu. Plus que n'importe quel homme blanc, il méritait de vivre encore un peu.

— Dis à l'homme-poisson, ordonna-t-il à l'ancien qui parlait la langue des Hurons, à l'homme qui ne meurt pas dans une rivière, là où n'importe qui mourrait, de venir jusqu'à moi. Nous ne lui ferons aucun mal, ni aujourd'hui ni demain.

Brûlé écouta la réponse puis coinça son arme entre ses genoux et

131

progressa jusqu'au rivage en offrant aux Indiens le spectacle extraordinaire d'une nage fluide et efficace.

Parvenu sur la plage couverte de galets, Etienne Brûlé se dressa sur ses pieds meurtris, la poitrine et le ventre ruisselant de sang, les articulations couvertes d'ecchymoses ; il avait la chair de poule et il claquait des dents.

— Tout Français qui trouvera un homme en possession de mon poignard le tuera, aujourd'hui ou demain, lui ou ses enfants, ou les enfants de ses enfants.

Ce discours eut un effet immédiat : l'homme qui lui avait cogné la tête contre les arbres lui rendit la Dague de Cartier, qui retrouva aussitôt sa place dans son fourreau. Puis Brûlé, qui savait fort bien qu'elle était inutilisable – il n'avait ni mèche sèche ni poudre – serra néanmoins contre lui sa lance magique. « Maintenant, reprit-il, faisons la paix entre l'homme blanc et l'homme rouge.

— Sais-tu voler ? s'enquit d'emblée le chef iroquois.

— Quoi ? s'étonna Brûlé, pensant qu'il avait mal compris la traduction.

— Tu vis dans l'eau comme un poisson. Peux-tu vivre dans le ciel comme un oiseau ?

— Je suis un homme comme toi, répliqua Etienne Brûlé.

Les siècles se succéderaient, selon la marche prodigieuse du temps, et une ville s'élèverait à l'endroit même où, ce jour-là, un Français isolé n'avait trouvé qu'un camp d'Iroquois. A proximité, les cadavres de trois Hurons et un petit feu qui crépitait : les hommes s'assirent autour pour discuter et, dans le vent d'automne, on les entendit s'exprimer avec solennité.

Le lendemain, Brûlé repartit vers le nord dans son propre canoë en compagnie de deux Iroquois dont celui qui lui avait cogné la tête contre les arbres. Il traversa sans encombre leur territoire au cours d'un long voyage hivernal, s'abritant dans leurs villages et découvrant leurs coutumes. Il apprit à ses guides la nage du chien ; les jeunes gens, ravis, s'empressèrent ensuite de montrer aux Iroquois qu'ils croisèrent en chemin comment un homme pouvait nager comme un poisson en faisant semblant d'être un chien.

— Un chien ? interrogeaient les Indiens.

Les voyageurs expliquaient comme ils pouvaient qu'un chien était une espèce moins noble de loup chez les hommes blancs.

En flottant sur les rivières, les jeunes guerriers se représentaient un peu mieux ce qu'on devait ressentir quand on ressemblait à un dieu, à un poisson.

Un matin, peu avant d'arriver à l'île de Montréal que les Iroquois appelaient toujours Hochelaga, Etienne nagea avec ses guides et rit avec eux quand ils refirent surface au pied d'une chute d'eau. Les deux Iroquois en profitèrent pour vider leurs entrailles ; Brûlé passa derrière eux et, en souvenir de ses amis hurons, leur trancha la gorge avec la Dague de Cartier. Pour éviter qu'on accusât un Blanc, et parce qu'il était devenu un homme des bois, un *sauvage*, il prit leur scalp ; puis il rentra sain et sauf, le poignard sacré en sécurité dans son fourreau.

Champlain avait chaleureusement accueilli Brûlé, et la colonie tout entière avait fêté son retour. Il était également ravi de revoir la Dague de Cartier, et pourtant, il vivrait assez longtemps pour la voir une nouvelle fois disparaître. Les frères Kirke, qui, malgré leurs tenues de gentilshommes campagnards, n'étaient que de vulgaires pirates anglais, profitèrent de l'absence de Champlain, parti en aval sur l'île de Montréal, pour lancer un raid contre les installations du Québec et s'en emparer. Personne n'était prêt à combattre les Anglais bien armés, ni à résister au canon de leur navire. Champlain revint en toute hâte et se précipita dans la cabane en rondins qu'il avait fait construire dans l'espoir que sa très jeune épouse restée en France viendrait y habiter, plan d'ailleurs voué à l'échec avant même d'avoir été conçu, car elle ne voulait pas entendre parler de ces terres sauvages. A l'intérieur, trônait, les pieds sur la table, Thomas Kirke ; il se curait les ongles avec la Dague de Cartier.

Kirke déclara que, désormais, la cabane lui appartenait et qu'il en allait de même du poignard.

Champlain avait perdu et le poignard et la colonie.

Les Kirke, en effet, soucieux de gagner les bonnes grâces du roi d'Angleterre, en avaient fait cadeau à Sa Majesté. Champlain, le cœur brisé, dut reprendre la mer pour retrouver la France et son épouse. Tout semblait perdu.

En effet, sans les méandres des relations entre cours royales, tout aurait été perdu : le roi Charles, en guise de dot, rendit au roi de France la Dague de Cartier ainsi que les terres connues sous le nom de Nouvelle-France, et Maisonneuve choisit d'installer sa mission sur l'île de Montréal. Le roi, qui ne s'intéressait guère à ce territoire couvert de neige et de glace qu'on disait sinistre, et qui n'avait pas à investir dans cette colonie à visées spirituelles puisqu'un ordre religieux secret en assurait le financement, souhaita cependant montrer qu'il soutenait l'entreprise – sans risquer grand-chose au cas, fort probable, où l'affaire se solderait par un échec – et confia donc à Maisonneuve la garde de la Dague de Cartier.

Suivant la tradition de Cartier, Brûlé et Champlain, il l'utilisait maintenant pour implorer le ciel d'arrêter la dangereuse montée des eaux.

Maisonneuve sortit de sa cabane et s'adressa aux colons qui attendaient ses paroles.

— Quand les eaux se retireront, promit-il, que Dieu m'en soit témoin, je porterai sur mon dos une croix que je planterai au sommet de la montagne, où elle témoignera à jamais de la passion de Notre Seigneur et de la grâce de Notre Dame. Au nom de Notre Seigneur, je prie maintenant le ciel de faire que les eaux se retirent.

Et, le jour de Noël, la décrue commença ; la colonie était sauvée.

La croix commandée par Maisonneuve avait beau être haute et lourde, il la chargea sur son dos et grimpa à travers la forêt en piétinant jusqu'à épuisement dans la neige épaisse de l'hiver et en franchissant les rochers couverts de glace. Il parvint au point culminant de l'île de Montréal et y dressa la croix. Les colons s'y rendaient sous bonne garde pour prier, ajoutant cette pénible ascension à tous les efforts que leur imposait l'existence, et en dépit des embûches qu'ils pouvaient craindre de la part des Iroquois ; oubliant un moment leurs problèmes matériels, ils venaient y revivifier leur ardeur spirituelle.

L'hiver céda la place au printemps, et le printemps à l'été, donnant aux colons une petite année de répit, une année sans être découverts par leurs ennemis.

Puis quelques guerriers hurons trahirent les colons en indiquant leurs installations aux Iroquois, qui n'avaient pas oublié Ticonderoga : quelques-uns de leurs anciens, qui en avaient réchappé, avaient souvent évoqué devant eux cette funeste journée.

Sous les murs de Fort Périlleux, cinq Français, le dos courbé, disputaient leur pauvre carré de légumes aux mauvaises herbes ; les chants d'oiseaux qui rythmaient leur travail furent soudain dominés par les cris de guerre lancés de part et d'autre de la clairière par des Iroquois invisibles. Les hommes levèrent la tête, se redressèrent, mais ne prirent pas la fuite. Les Indiens se ruèrent sur eux ; sautant dans l'herbe haute, piétinant laitues et carottes, ils brandissaient leur tomahawk et leur couteau étincelait dans le soleil ; ils rattrapèrent sans peine les trois Français qui s'étaient enfin décidés à s'enfuir et, après leur avoir tranché la gorge, les scalpèrent ; le quatrième, que la frayeur avait pétrifié, fut scalpé debout, et il était encore sur ses pieds quand ils l'entraînèrent ; quant au dernier, son élan coupé par un lasso qui l'arracha du sol au moment où il allait s'emparer de son arme, il fut lui aussi scalpé tout vif. Les deux malheureux survivants furent entraînés dans les bois et liés à des pieux, à portée de voix du fort.

Ce même soir, les Iroquois festoyèrent avec leurs frères hurons : ils racontaient des histoires et dansaient, éclairés par une lune pâle et voilée par la fumée des feux qui brûlaient les pieds et noircissaient les jarrets de leurs deux victimes. De temps à autre, ils lançaient des fagots, veillant à ce que les flammes durent le plus longtemps possible. Les Indiens s'endormirent, grisés par leur victoire et nullement gênés par les cris de désespoir et d'agonie que poussaient les Français.

Au cœur de la nuit, tandis que la lune sombrait dans les nuages et que les Français suppliciés gémissaient sur les braises, les guerriers iroquois se réveillèrent et massacrèrent dans leur sommeil les Hurons qui les avaient renseignés, n'épargnant qu'un enfant.

Puis ils écorchèrent les Français, leur tranchèrent le pénis et leur arrachèrent les testicules ; cela fait, ils attisèrent les bûchers et se délectèrent des ultimes hurlements de leurs captifs ; pour finir, ils se vautrèrent dans le sang des Hurons éventrés, en chantant et dansant de joie. Puis, les corps des Blancs s'affaissèrent tandis que leurs têtes roulaient dans les braises, que narines, oreilles et bouches brûlaient, et que les flammes jaillissaient des orbites comme pour contempler les festivités.

Quant au tout jeune Huron épargné, il fut rôti puis dévoré au lever du soleil.

Dans l'enceinte de Fort Périlleux, hommes et femmes tremblaient de peur et serraient leurs enfants contre eux. Maisonneuve s'était de nouveau agenouillé, et sa fidèle assistante, Jeanne Mance, qui tenait la position depuis des heures, ne la quitta que lorsque les hurlements, les danses et les chants qui retentissaient au loin eurent cessé. Elle se releva quand le soleil arriva au zénith pour enterrer ensemble Hurons et Français.

L'affliction était générale.

— Paul, déclara Jeanne Mance, les gens ont raison, à leur façon.

Maisonneuve, malgré ses efforts, n'était pas en mesure de se défendre avec vigueur. Il se remettait à peine d'une blessure à la poitrine. Il avait tué le chef des Iroquois qui l'avait poignardé. Ce qui avait arrêté les Indiens et permis à ses hommes de battre en retraite. Pressant d'une main ses pansements, il murmura d'une voix râpeuse et assourdie :

— Les Iroquois mènent une guerre d'usure en nous abattant les uns après les autres. Mais aujourd'hui, nous venons de perdre quinze pour cent de nos hommes ! Même si cela semble lâche, nous n'avons pas le choix. Nous *devons* absolument rester dans nos murs.

Jeanne Mance avait apporté son tricot, ce qui signifiait qu'elle comptait rester un moment.

— Je suis d'accord. Nous ne pouvons attaquer les Iroquois. En même temps, les hommes ont raison. Nous ne pouvons pas non plus nous terrer derrière nos remparts si c'est pour mourir dès que nous franchissons les portes pour aller chercher une carotte !

Elle avait raison, bien sûr, comme d'habitude.

— Que suggérez-vous, Jeanne ?

— Notre objectif est de convertir les sauvages. Le leur est de nous tuer avant que nous y parvenions, et leurs chances d'y arriver sont meilleures que les nôtres. Il faut donc les faire changer d'objectif et, pour ce faire, changer le nôtre.

L'avis de cette femme, d'une rare piété, le déconcerta.

— Comment ?

— En nous rendant utiles aux yeux des Hurons. Pour ce faire, il faut nous autoriser à commercer avec eux, à troquer leurs fourrures aussi bien que leurs âmes. Cela nous fera bien voir du roi, qui se moque bien de leurs âmes, et cela l'encouragera peut-être à envoyer des soldats à Fort Périlleux.

Ses aiguilles couraient sur son tricot et Maisonneuve avait du mal à deviner si elle était à ce qu'il disait ou s'intéressait surtout à son ouvrage.

— C'est à vous, Paul, de convaincre le gouverneur.

A l'automne 1650, un certain père Ragueneau et une poignée de survivants hurons traversèrent Ville-Marie en canoë, suivant le courant jusqu'à l'abri plus sûr du Québec. Maisonneuve accueillit le prêtre dans sa cabane, où il lui offrit un plat de haricots, de porc et de pain ; ils passèrent la soirée en compagnie de Jeanne Mance. Il leur raconta le martyre des pères Brébeuf et Lalemant, puis en vint à évoquer des nouvelles plus alarmantes.

— Il y a ici environ une soixantaine de Français, une vingtaine de Hurons, quelques Algonquins et deux de nos pères.

— Oui, reconnut Maisonneuve en hochant la tête.

Il savait que le nombre exact était cinquante-neuf.

— Trente mille Hurons ont été massacrés, faits prisonniers et réduits en esclavage. Des cadavres jonchent les champs aussi loin que porte le regard d'un aigle. Des villages ont été rasés. Les feux n'en finissent pas. Les Iroquois ont fait cuire des enfants hurons à la broche et livré leurs parents à un horrible trépas. Paul, nos pères ont été l'objet d'une indicible cruauté. Comment vous, qui n'êtes qu'une soixantaine, tiendriez-vous quand trente mille Hurons en ont été incapables ? Trente mille. Pour l'amour de Dieu, sauvez votre vie ! Car c'est le bon plaisir des Iroquois qui fixera l'heure de votre martyre...

Accablés par de telles nouvelles, ils restèrent silencieux. Enfin, quand le poêle commença à se refroidir, la nuit tombant, Jeanne Mance se drapa dans son châle et prit la parole :

— Pardonnez-moi, mon père, commença-t-elle gravement, mais c'est Dieu qui choisira l'heure de notre mort et non les Iroquois.

Leur hôte ne discuta pas, mais il se demanda si son évocation des horreurs dont il avait été témoin avait été assez claire. Quelques instants plus tard, à la lueur des bougies, Jeanne reprit :

— Qu'avons-nous fait ?

Une question qui ne s'adressait pas à lui, comprit le père Ragueneau, mais à elle-même.

« Nous sommes venus ici pour convertir les sauvages. Or les Hurons ont été massacrés et nous sommes en guerre avec les Iroquois.

Ses paroles tombèrent comme une masse sur les épaules de Maisonneuve.

Ce soir-là, Jeanne Mance rassembla les habitants de Ville-Marie devant l'autel communal et les exhorta à passer la nuit entière en prières pour demander au Père Céleste d'accueillir les âmes de Ses enfants hurons. Elle leur recommanda également d'allumer des cierges pour les âmes des fidèles amis de la communauté, les pères Brébeuf et Lalemant, eux aussi martyrisés.

Les habitants de Ville-Marie se regardèrent et s'étreignirent, ils pleurèrent leurs morts en redoutant les épreuves qui les attendaient ; ils n'avaient jamais connu d'époque si périlleuse.

— Nous tiendrons, déclara simplement Jeanne Mance en se prosternant devant l'autel.

Maisonneuve s'agenouilla près d'elle, brandissant entre ses mains la Dague de Cartier, symbole de leur obstination, de leur résistance, de leurs espoirs.

Les hommes et les femmes de Fort Périlleux se mirent à prier avec ferveur.

Etait-ce grâce au pouvoir du poignard ? Personne ne pouvait l'affirmer, mais la majorité en était persuadée. Les Français étaient incapables de résister à une attaque de l'envergure de celle qu'avaient subie les Hurons. Toujours est-il que, constatant le sort des Hurons, les Mohicans et les Andastes du Sud prévinrent cette fureur et prirent sans tarder l'offensive contre les Iroquois. Cette diversion assura quelques années de paix aux Français qui en profitèrent pour consolider leurs fortifications et faire venir de France un nouveau contingent d'ouvriers, de soldats et de fermiers.

Ainsi, contre toute attente, ils commencèrent à prospérer.

La mystique de la Dague de Cartier s'était renforcée. Maisonneuve s'en resservit en une sombre occasion. Quand on sut que les Iroquois, venus à bout des Mohicans et des Andastes, pointaient de nouveau leurs canoës vers le nord, quelques jeunes soldats de la garnison de Fort Périlleux conçurent le plan suivant : descendre la rivière des Outatouais pour surprendre les Iroquois à l'endroit où ils guettaient les coureurs de bois, autrement dit des vendeurs de fourrures, dans l'espoir de les intercepter.

Ce n'était pas Maisonneuve qui avait imaginé ce plan, dans lequel il ne jouait d'ailleurs aucun rôle.

Furieux, dans un premier temps, qu'une bande de jeunes gens ait mis en doute son autorité, il laissa pourtant cette idée mûrir dans son esprit. Tout le monde savait que des héros comme Des Groseilliers et Radisson s'étaient profondément enfoncés dans les terres des Crees ; n'étant pas revenus avec le printemps précédent, ils avaient peut-être péri. La colonie était convaincue – et priait le ciel que ce fût vrai – qu'ils avaient voyagé si loin et chargé si lourdement leurs canoës que leur retour serait pour l'année prochaine. On était en avril 1657. Ils espéraient que ce printemps les verrait revenir et tout Fort Périlleux vivait dans cette attente. Cela n'empêchait pas les jeunes gens d'être dans le vrai : les Iroquois ne manqueraient pas de traquer les coureurs de bois le long de la rivière des Outatouais. S'attaquer aux Iroquois avant qu'ils n'aient intercepté les trafiquants était la meilleure façon d'acheminer sans encombre les peaux jusqu'au marché.

Maisonneuve convoqua secrètement – à l'insu de Jeanne Mance, qui désapprouverait à coup sûr cette rencontre – le chef du groupe. Ces jeunes manquaient d'expérience mais, courageux et déterminés, ils avaient concocté, autour d'une bouteille de cognac, un plan susceptible de donner des résultats. Le nouveau régime politique instauré par le gouverneur et par le père Lalemant avant sa mort assurait une protection à Maisonneuve mais le privait de son pouvoir ; il ne disposait plus de l'autorité pour épauler une expédition aussi audacieuse. Il lui fallut donc avertir le jeune homme planté nerveuse-ment devant lui, Adam Dollard-Des-Ormeaux, de la stricte confiden-tialité de leur entrevue ; en conséquence, si on lui posait des questions à ce propos, il nierait l'avoir rencontré ou avoir eu connaissance de ses intentions.

— Mes intentions, monsieur ? s'étonna le jeune homme.

— L'Histoire n'entendra jamais parler de cette conversation.

— Monsieur ?

— Ne me faites pas affront, Adam. Nous vivons dans une très petite communauté. J'y appartiens depuis longtemps, bien avant votre

138

naissance. Tout ce qui se passe entre ces murailles parvient à mes oreilles. Vous projetez de tendre une embuscade aux Iroquois.

— Monsieur, balbutia Dollard-Des-Ormeaux.

Il se sentait stupide d'avoir été pris et s'attendait à un châtiment sévère : être cassé de son grade ou condamné aux arrêts avec de maigres rations. Mais Maisonneuve se contenta de se lever pour prendre dans le tiroir d'un secrétaire un coffret en bois qu'il posa sur la table devant le jeune soldat aux cheveux blonds et aux joues couvertes d'un fin duvet.

Il ouvrit le coffret, révélant la Dague de Cartier dans tout son éclat.

— La Dague de Cartier m'a été offerte par le cardinal de Richelieu qui la tenait du roi de France, qui lui-même l'avait reçue du roi d'Angleterre, qui l'avait lui-même reçue des frères Kirke. Eux l'avaient volée à Champlain, auquel elle avait été confiée par son roi, lequel la tenait de François Ier, à qui Jacques Cartier en personne l'avait remise. Cartier avait reçu le poignard en haut de la montagne qui se dresse au-dessus de nous, c'était le cadeau d'un chef iroquois. Cette arme nous a toujours porté bonheur. Quand je me suis rendu en France pour chercher de nouvelles recrues, je l'ai emportée, autant pour sa sûreté que pour m'aider au succès de mon entreprise. Comme vous pouvez le constater, son manche est incrusté de diamants et d'or, mais, le plus important est que, par la grâce de Dieu, ce poignard confère à celui qui le détient la confiance de Dieu et la divine force du peuple français.

— Oui, monsieur, murmura le jeune Adam Dollard-Des-Ormeaux, impressionné.

— Moi, Paul de Chomedey, sieur de Maisonneuve, déclara alors solennellement son chef, je remets la Dague de Cartier à Adam Dollard-Des-Ormeaux, pour le bon accomplissement de sa mission.

— Mais, monsieur, je ne saurais en être digne...

Le garçon était stupéfait. On l'adoubait chevalier en quelque sorte, alors que, l'instant précédent, il s'attendait à des réprimandes.

— Je suis certain, rétorqua Maisonneuve sans se départir de son air sévère et contenu, qu'Etienne Brûlé a éprouvé le même sentiment en se voyant confier le poignard avant sa traversée des terres indiennes ; il l'a rapporté sans dommages à Champlain. Mais si vous ne revenez pas et qu'on retrouve le poignard dans les mains d'un Indien, nous saurons que c'est votre meurtrier. Sachez aussi – et c'est plus important – que vous partez avec ma bénédiction, avec l'âme du peuple français et avec Dieu.

Solennellement, Dollard-Des-Ormeaux accepta l'arme que lui confiait Maisonneuve.

— Maintenant, dissimulez la Dague de Cartier. Votre mission doit rester secrète. Sachez aussi que je ne m'attribuerai pas le mérite de votre succès si vous réussissez et qu'il se pourrait même que je sois contraint de vous réprimander en public. En cas d'échec ou de non-retour, je prétendrai n'avoir rien su de vos intentions. Le reconnaître me déstabiliserait au sein de cette communauté et compromettrait son avenir. Aussi, dans l'intérêt de Ville-Marie, j'ignore tout de cette affaire. Peut-être, quand vous serez vieux, longtemps après ma mort, tiendrez-vous d'autres propos, mais vous seul en déciderez. Me donnez-vous votre parole ?

— Vous l'avez, monsieur.

— Alors, Adam, bon voyage. Venez me rendre le poignard. Puisse Notre Seigneur vous accompagner toujours. Sachez en outre que j'ai pris mes dispositions pour que quarante Hurons vous accompagnent ; vous les retrouverez aux rapides là où l'Ottawa se déverse dans le Saint-Laurent. Ils combattront auprès de vous et de vos courageux amis.

Le jeune Dollard-Des-Ormeaux débordait de reconnaissance : son plan était accepté mais, en plus, on lui fournissait des renforts après l'avoir, de fait, armé chevalier. Il exultait et, en jeune homme impétueux qu'il était, attendait la bataille avec impatience.

Cette nuit-là, seul dans sa cabane, Maisonneuve pria encore avec ferveur en demandant pardon ; il envoyait sciemment quelques jeunes garçons affronter de redoutables guerriers, mais il estimait que la protection des routes commerciales du fleuve l'imposait. Peut-être ce projet insensé réussirait-il, même si, à n'en pas douter, la grâce de Dieu et l'intervention des saints seraient nécessaires.

Ses prières auraient sans doute été plus ferventes encore si on l'avait prévenu que deux cents Iroquois s'étaient rassemblés pour attaquer les canoës descendant la rivière des Outaouais vers Montréal et qu'un second rassemblement, fort de cinq cents Iroquois, quittait à grands coups de pagaies le lac Champlain pour descendre la rivière Richelieu, se joindre au premier groupe et incendier les réserves de grain de Fort Périlleux avant les semailles. Un assaut contre le fort aux défenses désormais consolidées échouerait, mais sans espoir de récoltes la colonie était condamnée. Les Iroquois étaient confiants dans leur plan : d'ici un an, peut-être même moins, il n'y aurait plus un seul Blanc à Fort Périlleux. Ils concentreraient alors leurs attaques sur le Nord, jusqu'au moment où tous les Français seraient morts ou repoussés à la mer.

Si les Iroquois avaient su que seulement seize garçons, entre quatorze et dix-huit ans, pagayaient avec ardeur pour leur barrer la route, ils auraient dansé, chanté et se seraient préparés à un formidable concours de scalps. Mais ils l'ignoraient et le redoutable contingent indien pagayait pour intercepter les coureurs de bois, Des Groseilliers et Radisson qu'ils avaient condamnés à mort pour avoir pénétré en territoire Cree, tout au nord. Des Groseilliers et Radisson, eux, descendaient vers le sud-est, fiers de leurs cent canoës chargés de fourrures, un véritable trésor, mais conscients des dangers qu'ils couraient.

Les trois groupes, Iroquois, jeune garnison escortée de quarante Hurons et coureurs de bois chevronnés, allaient bientôt se rencontrer.

Dès leur arrivée sur les rapides de Long Sault, les jeunes gens, formés à défendre une garnison et non au combat contre les Indiens, décidèrent de construire un fort. Les Hurons travaillaient à leurs côtés, en maugréant cependant, car ils se méfiaient de ce plan. Ils avaient découvert des rochers en demi-cercle qu'ils utilisèrent pour constituer la charpente d'une fortification; ils abattirent des arbres qu'ils entassèrent dans les brèches après les avoir liés les uns aux autres, puis comblèrent les ouvertures avec des pierres et du sable. Dollard-Des-Ormeaux pensait faire du fort un refuge pour la nuit après avoir, dans la journée, fouillé la campagne avec ses compagnons à la recherche des Indiens. De leur côté, les coureurs de bois devraient effectuer un portage sur cette plage, car le courant était trop incertain pour un canoë, chargé qui plus est de précieuses fourrures. L'endroit devait donc être défendu, car les Iroquois devaient eux aussi le courtiser comme idéal... pour attaquer.

Adam Dollard-Des-Ormeaux ne put mettre son plan à exécution : lancer des expéditions le jour puis s'abriter la nuit dans le fort. Edifier leurs défenses avait demandé une journée et demie et il comptait prendre le départ à l'aube, mais les jeunes gens et les Hurons avaient à peine lancé leurs canoës à l'eau qu'ils regagnèrent précipitamment leur abri et les disposèrent de façon à se protéger des flèches iroquoises; les Français avaient repéré cinq canoës ennemis débouchant d'un coude de la rivière en amont.

Les jeunes gens étaient au comble de l'excitation. Tout se passait comme prévu. Une belle bataille s'annonçait, car ils disposaient d'importantes provisions en nourriture et en munitions – Maisonneuve y avait veillé –, ainsi que de fusils supplémentaires, fournis aussi par Maisonneuve. Tapis derrière leurs remparts, les jeunes gens et les Hurons chargèrent leurs armes et attendirent.

Cinq canoës accostèrent sur le sable de la rive; le courant, trop dangereux, obligeait à parcourir le reste du trajet à pied.

— Baissez-vous ! Ne vous montrez pas ! Ils ignorent notre présence. Quand ils seront assez proches pour qu'on ne puisse plus les manquer, abattez-les. Mais laissez-les suffisamment approcher pour que ceux qui échapperont à la première volée tombent à la seconde.

Les Iroquois ne semblaient pas pressés d'avancer et dans la forteresse improvisée, les garçons s'impatientaient.

— Qu'attendent-ils ? maugréa l'un d'eux.

— Nous nous sommes trompés, soupira Adam Dollard-Des-Ormeaux. Ils savent que nous sommes là.

— Et alors, répéta le garçon, qu'est-ce qu'ils attendent ?

— Leurs amis, répondit Adam, qui venait de repérer six autres canoës.

Les jeunes gens regardèrent en direction de l'eau.

— Bon, onze canoës, ça va aller ! Nous avons notre fort.

— Un bon fort !

Huit autres embarcations apparurent. Les garçons ne soufflèrent mot. Puis quatre autres. Ils gardèrent le silence. Puis ce fut un défilé sans fin : Dollard-Des-Ormeaux en compta cinquante-deux. Vingt minutes s'écoulèrent pendant lesquelles personne ne souffla mot.

— Il y en a plus que je ne le pensais, dit le jeune chef.

— Ils ne nous voient peut-être pas, suggéra un autre.

— Nous allons mourir ici, lança son ami.

Des paroles qui n'exprimaient pas tant la crainte qu'une banale constatation.

Adam Dollard-Des-Ormeaux acquiesça.

—Je veux mourir avec mes cheveux sur la tête. Ce qu'ils feront de mon scalp après ma mort, c'est leur affaire, mais personne ne me prendra vivant.

Ils avaient tous entendu les affreux récits qui se colportaient : des histoires de scalps, d'enfants rôtis vivants sur une broche avant d'être dévorés, d'hommes aux membres arrachés et qu'on obligeait à boire leur propre sang. Chaque garçon redoutait le sort qui l'attendait, mais aucun n'envisageait la capitulation ; ils la redoutaient plus que la mort.

— Nous sommes français, rappela Dollard-Des-Ormeaux. Regardez !

Des plis de son manteau, il sortit la Dague de Cartier.

« Armés de ce poignard, nous combattrons, soutenus par l'âme du peuple français et le pouvoir de Dieu.

— Où as-tu trouvé ça ?

Il avait juré de ne jamais le révéler mais il était persuadé qu'aucun de ses compagnons ne lui survivrait.

— Maisonneuve, murmura-t-il.

142

— Maisonneuve sait que nous sommes ici ?

— Selon toi, à qui devons-nous tant de couteaux, d'épées et de fusils et l'aide des Hurons ? Il m'a dit que l'avenir de la Nouvelle-France dépendait de nous.

Il était leur chef à présent, et il devait en assumer le rôle. Un petit parjure ne peut pas faire de mal, songea-t-il, surtout s'il peut apporter un remède à la peur.

— Ce poignard nous tirera de là, conclut un de ses compagnons, le seul à avoir de la barbe. Nous les repousserons.

— Plus longtemps nous tiendrons, déclara Dollard-Des-Ormeaux, car le rôle de chef lui allait bien et il se montrait à la hauteur de sa tâche, plus vite les coureurs de bois arriveront. Tôt ou tard, Radisson et Des Groseilliers nous aideront à mettre en déroute les Iroquois et à remporter la victoire.

Cette perspective semblait plausible et encouragea les garçons.

— Regardez ! intervint l'un d'eux.

Encore des canoës... ? Dollard-Des-Ormeaux arrêta de les compter et inspecta les fusils pour s'assurer qu'ils étaient prêts à tirer. Ses amis suivirent son exemple, de même que les Hurons qui vérifièrent en outre les poils d'élan de leurs arcs.

Puis, lorsqu'ils furent prêts, la plupart des Hurons prirent la fuite, ce qui attira l'attention des Iroquois.

Les garçons restèrent seuls avec quatre Hurons loyaux.

Ce qui faisait désormais vingt contre deux cents.

Les Iroquois s'enfoncèrent dans les bois pour se poster sur les éboulis de rochers derrière lesquels s'étaient postés les jeunes Blancs. Ils leur laissaient l'accès à la rivière ; il serait facile de les abattre s'ils traversaient la plage ; de plus, les rapides n'offraient aucun refuge. Ils lâchèrent une pluie de flèches puis s'arrêtèrent pour tendre l'oreille : aucun gémissement ne leur parvint. Des centaines de flèches recouvraient le cercle de rochers, à croire qu'il possédait un toit ; cela surprit le chef à qui l'on avait confié la responsabilité de l'assaut.

Les jeunes gens levèrent les yeux : leurs canoës avaient été transpercés un nombre incalculable de fois, mais personne n'avait été blessé. Un des garçons poussa des hourras et les Hurons les imitèrent, mais Dollard-Des-Ormeaux les fit taire.

— Pourquoi ne pouvons-nous pas crier ? protestèrent-ils. Les Iroquois crient tout le temps.

— Ils ne savent pas combien nous sommes et vos cris leur permettent de nous compter. Alors, taisez-vous.

Il ne pouvait se prévaloir d'aucune expérience, même s'il s'était

143

battu hors du fort aux côtés de Lambert Clossé, le plus brave des officiers. Il avait tiré à l'aveuglette dans les bois quand les chiens avaient donné l'alerte. Il n'avait jamais livré bataille, n'ayant assisté qu'à des retraites.

Mais ici, pas de retraite possible.

— Il se peut, ajouta Dollard-Des-Ormeaux, qu'un seul d'entre nous reste en vie, mais les Iroquois, ignorant notre nombre, ne pourront pas s'en douter.

Les autres comprirent et hochèrent la tête.

Sous le couvert des arbres qui bordaient la plage, le chef iroquois hésitait sur la manœuvre à effectuer. Il pensait bien que les Français, tapis derrière les rochers, n'étaient pas nombreux, mais il lui fallait non seulement remporter cette bataille mais aussi protéger ses effectifs. Le gros du combat se livrerait sur la rivière, quand les coureurs de bois seraient arrivés et, plus loin, sur l'île de Montréal. La présence de ce groupe le déconcertait, il redoutait un piège. Pourquoi les Français enverraient-ils un détachement de guerriers sans avoir un autre projet en tête?

Donaagatai, le jeune chef, ordonna de tirer une rafale sur le cairn et, sept minutes durant, les balles iroquoises balayèrent la plage entière, chassant les canards qui s'envolèrent, méprisants. Les fusils se turent enfin et les Iroquois tendirent de nouveau l'oreille.

Pas un gémissement.

— Tout le monde va bien? s'enquit Adam Dollard-Des-Ormeaux.

— Ces idiots s'imaginent pouvoir tirer au travers des rochers!

— Ils espéraient peut-être que nous passerions la tête.

Quelques garçons rirent nerveusement.

— Ils attendaient une riposte, expliqua Dollard-Des-Ormeaux.

— Quand la ferons-nous?

— Quand nous pourrons les tuer facilement, répondit le chef, approuvé par sa petite troupe.

— Les voilà! annonça l'un d'eux.

Ils ne lancèrent pas leurs cris de guerre habituels mais arrivèrent sans bruit après avoir traversé la plage en courant. Les garçons, protégés des flèches par leurs canoës, les rééquilibrèrent pour mieux s'abriter avant d'ouvrir le feu; les quatre Hurons lancèrent leurs flèches puis prirent leur fusil. Quelques Iroquois tombèrent, mais il en arrivait sans cesse, qui poussaient des cris aux accents démoniaques pour de jeunes oreilles catholiques. Farouches et déterminés, les Français faisaient feu puis changeaient de fusil pour tirer encore et encore. Pendant que l'un rechargeait son fusil, un autre tirait, et ainsi ils résistaient à l'assaut iroquois avec une efficacité redoutable; les rares guerriers qui réussirent à franchir leur muraille naturelle atterrirent non sur un Français comme ils l'espéraient, ni, faute de mieux, sur un Huron, mais sur des canoës retournés. Ils glissaient maladroitement dessus, passant un pied qui était aussitôt transpercé par une épée, ou un bras bientôt frappé d'un coup de poignard, à moins qu'ils n'aient chuté la tête la première, se retrouvant alors à la merci des jeunes gens, finissant égorgés par un couteau huron.

Les Iroquois battirent en retraite après avoir perdu quelques-uns des leurs.

— Ne criez pas, leur demanda Dollard-Des-Ormeaux dont le cœur battait pourtant aussi bruyamment qu'un cri de guerre iroquois.

De la forêt, Donaagatai contemplait le champ de bataille.

Un calme surnaturel régnait sur le poste de garde improvisé. Quelle étrange guerre l'homme blanc avait-il inventée ? Il compta onze cadavres iroquois sur la plage, auxquels il ajouta les hommes qu'il avait vus enjamber les murs du fort et qui n'étaient pas revenus, soit quatorze. Parmi les blessés, il faudrait en achever deux, et un ou deux encore préféreraient certainement mettre un terme à leur vie ; dix récupéreraient leurs forces, mais ils ne se battraient plus de la journée. Que signifiait donc tout cela ? Comment était-ce possible ? Pourquoi ces Français n'attaquaient-ils pas pour s'enfuir ensuite, comme tous les Français et tous les Hurons ? Leur assurance venait sûrement d'un plan plus subtil. Ses guerriers étaient-ils tombés dans un piège ?

Combattants courageux, les Iroquois étaient aussi d'admirables stratèges. Aucun chef ne voulait perdre d'hommes, aucun guerrier ne voulait mourir par surprise. Les Iroquois se regardaient et s'interrogeaient, sans comprendre ce qui s'était passé. Comment venir à bout de cet étrange ouvrage défensif sans essuyer de nouvelles pertes ?

Un des blessés s'adressa à son chef :

— Ils s'accroupissent, ils font feu, leurs canoës leur protègent la tête, si bien que nos flèches ne les atteignent pas.

Ces Français sont malins, songea Donaagatai. Il chargea un groupe de préparer vingt torches ; jetées à l'intérieur de l'abri, elles pourraient enflammer les canoës ou leur réserve de poudre. Si les Français avaient choisi de combattre les Indiens en se retranchant dans le petit fortin, il leur fallait d'abondantes réserves de poudre.

Les jeunes gens se préparaient à la reprise du combat quand les torches se mirent à pleuvoir au-dessus de leur tête. Ils relevèrent les canoës et laissèrent les torches tomber à leurs pieds, puis ils les ramassèrent pour les relancer dans les bois, de derrière leur muraille. Quand Donaagatai vit les projectiles enflammés revenir vers lui, il poussa des cris de fureur ; décidément, aucune de ses décisions n'avait donné de bons résultats.

Une torche faillit le toucher à la tête.

Les Iroquois étaient très fiers de leur organisation, une confédération de six nations, dotée d'une Constitution dans laquelle – personne encore ne pouvait l'imaginer – Benjamin Franklin puiserait largement pour formuler celle d'un pays qui s'appellerait les Etats-Unis d'Amérique. Même dans le chaos de la guerre, ils s'en tenaient aux plans qu'ils avaient soigneusement tracés et passaient les mois d'hiver à réfléchir à des problèmes logistiques concernant l'acheminement des provisions et la coordination des offensives. Or, aujourd'hui, ils se trouvaient confrontés à un type de bataille auquel ils n'avaient jamais réfléchi et ces stratèges qui, des décennies durant, avaient été les seuls à concevoir les assauts, étaient en plein désarroi. Les guerriers comptaient pourtant sur leur chef et attendaient qu'il réagît.

Les Iroquois reprirent enfin le combat depuis les bois ; cependant, des douzaines d'entre eux contournèrent discrètement le fortin de manière à se rassembler au bord de l'eau pour ensuite ramper vers l'ennemi. Mais Dollard-Des-Ormeaux avait chargé le plus jeune et plus frêle de ses compagnons de se glisser entre les rochers à l'insu des Indiens pour surveiller leurs arrières ; il ne mit pas longtemps à découvrir la ruse et à en informer son chef ; aussitôt cinq garçons, portant un canoë au-dessus de leurs têtes pour se protéger, se postèrent sur l'arrière du fort et canardèrent les Iroquois à découvert sur le rivage.

Défaite définitive du chef de guerre Donaagatai : jugé trop jeune, il fut remplacé par un homme plus âgé, Nomotigneega, lequel décida d'attendre la tombée de la nuit pour lancer une nouvelle escarmouche.

Dollard-Des-Ormeaux n'en attendait pas moins et mit au point sa riposte.

Pour passer le temps, les garçons dormaient ou coupaient les branches des arbres accessibles du fort ; ils en aiguisaient l'extrémité pour se fabriquer des épieux. Etant donné la manière dont les Iroquois s'étaient jetés par-dessus les rochers, ils s'empaleraient dessus lors de leurs prochaines tentatives. Les jeunes gens, désormais très agressifs, apprenaient vite les nouvelles techniques, non sans toutefois se rappeler, les uns aux autres, leur promesse : ils mourraient leurs cheveux sur la tête ou ne mourraient pas. A la vue des cadavres des Iroquois, ils avaient du mal à concevoir qu'ils étaient les auteurs d'un tel massacre. Ils gardaient le silence.

A la faveur des nuages qui dissimulaient la lune, les Indiens rampaient vers les fortifications sur la plage quand, de droite comme de gauche, surgirent des guerriers qui coupèrent leur progression et maniaient leurs épées tant et si bien qu'ils tuèrent ou blessèrent quelques-uns des sauvages. Les quatre hommes – ils n'étaient en effet que quatre Français à avoir été envoyés se cacher dans les buissons, une fois la nuit tombée –, réintégrèrent ensuite le fort où on leur réserva un chaleureux accueil. Soudain, les remparts s'illuminèrent du feu des fusils ; des Indiens ensanglantés et hurlants s'écroulèrent ; beaucoup moururent et les autres, comprenant qu'ils étaient pris au piège, se levèrent pour attaquer et succombèrent sur place.

Incrédules, les derniers Iroquois battirent en retraite, se lamentant sur leur échec, s'invectivant et invectivant surtout ces satanés Français qui combattaient sans se montrer et tuaient sans être touchés.

Nomotigneega fit le bilan de ses effectifs : cent soixante hommes contre, estima-t-il, cinquante ou soixante, plus probablement soixante-dix, cachés derrière les barricades. Il pouvait donc encore l'emporter sur les Français à environ trois contre un. Néanmoins, les nations iroquoises verraient d'un mauvais œil les difficultés que ses guerriers venaient de rencontrer ; leurs frères mohawks se moqueraient d'eux s'ils reconnaissaient la défaite. Leur honneur était en jeu : ils devaient livrer bataille et vaincre. Par précaution, le chef de guerre aux cheveux blancs convoqua un messager et l'envoya informer les Iroquois qui remontaient la rivière Richelieu de l'âpre combat que livraient leurs frères sur l'Ottawa et les prévenir qu'ils ne pourraient peut-être pas se joindre à eux pour conquérir la place française de Ville-Marie. Une fois le messager parti en aval avec quatre pagayeurs, le chef rassembla ses guerriers. Il leur parla du mépris dont les accableraient les Iroquois s'ils ne remportaient pas cette bataille. Il leur rappela que le peuple iroquois comptait sur eux pour vaincre ces Français. Il les félicita pour leur courage mais déclara que le moment était maintenant venu de remporter la victoire. Des cris s'élevèrent parmi les hommes. Les Français les entendirent.

— Nous mourrons avec nos cheveux sur la tête, répéta Dollard-Des-Ormeaux.

Ils ne moururent pas ce matin-là ; ils se battirent vaillamment contre les Iroquois qui tiraient des coups de feu et lançaient des flèches, des javelots, et même, de loin en loin, des tomahawks, en s'abritant derrière les arbres. Les Indiens étaient revenus à leur tactique favorite, la guerre d'usure, et les garçons comprirent dès lors que de longues journées de combat les attendaient ; ils commencèrent à compter leurs premières victimes, mais même les blessés continuèrent à combattre.

A tout instant, de jour comme de nuit, les attaques se multipliaient : parfois des escarmouches qui ne cherchaient qu'à troubler leur sommeil, sinon de véritables assauts. Les Iroquois avaient déplacé des rochers pour les rapprocher du fort : ainsi leurs flèches devenaient plus efficaces et leurs fusils hollandais pouvaient servir. Malgré la fatigue, la peur et le rationnement des vivres, les jeunes gens continuèrent à se battre et à causer des morts parmi les Iroquois...

Un jeune Français, prénommé Claude, reçut une flèche dans un poumon ; pendant une heure, il se tordit de douleur ; ses compagnons lui rafraîchissaient le front sans réussir à le soulager : plus la mort approchait, plus il souffrait. Quand il rendit l'âme, les garçons le pleurèrent, puis reprirent leur position derrière les rochers.

Le lendemain, il y eut encore un mort : le garçon avait levé la tête et reçu une balle dans la tempe.

Deux jours plus tard, un troisième garçon mourut. Personne ne comprit ce qui s'était passé. Ils étaient six, assis autour de leur petit feu de camp, ils dévoraient leur ration de haricots quand, soudain, il s'étrangla en gémissant ; du sang ruisselait de son cou. En quatre heures, il avait expiré. Un minuscule bout de mitraille avait trouvé une faille dans leur défense. Ce coup de malchance les démoralisa.

Sept jours s'étaient écoulés. Epuisés, affamés, blessés, les jeunes Français attendaient l'assaut final. Ils savaient qu'il viendrait. Malgré leurs efforts pour ménager leurs munitions, il n'en restait pas grand-chose. Où étaient donc les coureurs de bois ? Radisson et Des Groseillers devaient voyager en compagnie d'Indiens aguerris, ainsi que de Hurons et de Crees loyaux. Sans doute se rapprochaient-ils de jour en jour, mais pas assez vite. Après tout, peut-être qu'ils ne viendraient pas du tout et les garçons auraient mené un combat non seulement désespéré mais totalement vain.

L'attaque suivante se produisit à l'aube. Dollard-Des-Ormeaux répéta la phrase qui avait ranimé leur courage et était devenue leur cri de guerre secret :

— Nous mourrons nos cheveux sur la tête ! cria-t-il au moment où le combat commençait.

— Nos cheveux sur la tête ! reprirent en chœur ses compagnons.

La phrase retentit le long des remparts.

Ils tinrent parole, ce jour-là, à l'exception d'un seul. Dans le faux jour de l'aube, l'assaut féroce coûta la vie à de nombreux Iroquois, mais les garçons ne parvinrent pas à recharger assez vite leurs fusils, et ils ne purent empêcher l'invasion du fort. Les premiers des Indiens à franchir les remparts s'empalèrent en effet sur les épieux improvisés mais, de ce fait, permirent aux suivants d'atterrir sans dommage sur leurs cadavres; profitant alors de leur avantage numérique, ils engagèrent le combat à la hache et au couteau contre les douze garçons encore valides et leurs quatre compagnons hurons, seize malheureux qui tombèrent l'un après l'autre.

Adam Dollard-Des-Ormeaux ne fut pas le dernier, bien qu'il se fût farouchement battu, son épée déchirait la chair de ses assaillants tandis qu'il repoussait les autres de son couteau de chasse. Un Iroquois lui lança son tomahawk en plein cœur et le tua; ensuite, seulement, il le scalpa.

Le plus jeune d'entre eux se dissimula au milieu d'un amoncellement de rochers et frappa de sa lame les mains qui cherchaient à l'attraper. Un Indien finit par passer le canon de son fusil dans le réduit où il se terrait et lui tira une balle dans le rectum; il fut tiré de sa cachette, scalpé vivant – le seul de ces jeunes héros à faillir à sa promesse. Le supplice du couteau qui lui découpait le cuir chevelu lui arracha des hurlements jusqu'au moment où, lui ayant fracassé le crâne, un tomahawk mit fin à l'agonie du dernier défenseur du fortin.

Le jour naissant retentit alors des cris de victoire des Iroquois, mais l'expression de Nomotigneega les interrompit rapidement : le chef de guerre dénombrait silencieusement ses compagnons gisant sans vie sur la plage, parmi lesquels le vaillant Donaagatai, l'un des jeunes guerriers les plus prometteurs; quant au sol du fort lui-même, il était littéralement recouvert des cadavres des Iroquois ayant perdu la vie dans un furieux corps à corps. Le silence tomba sur les survivants atterrés. La fureur du combat s'étant apaisée, ceux qui étaient encore debout découvraient qu'ils perdaient leur sang.

Les Iroquois examinèrent alors le pauvre fortin et ses défenseurs, quelques très jeunes Blancs décharnés. Le chef regardait encore et encore, cherchant à comprendre comment seize jeunes gens et quatre Hurons pouvaient avoir tué ses propres hommes par dizaines.

Ils jetèrent leurs morts dans une caverne et recouvrirent cette tombe improvisée de pierres et de branchages pour la protéger des incursions des animaux de la forêt; quant aux Français, ils les laissèrent pourrir sur place. Puis les Iroquois engagèrent leurs canoës sur un affluent qui les ramènerait à leur village, plus au sud. Ils s'étaient assez battus pour cette saison.

Le soleil s'était levé, puis couché, et levé de nouveau, quand Des Groseilliers et Radisson qui passaient par là avec leur troupe de coureurs de bois et leurs guides indiens tombèrent sur les jeunes victimes; ils ne surent pas que de nombreux Indiens étaient enterrés à proximité, mais ils remarquèrent les pierres tachées de sang.

Ils devaient poursuivre leur chemin, le moindre retard représentait un danger. Ce serait à Ville-Marie de décider plus tard d'envoyer des hommes accompagnés de prêtres pour enterrer les morts ou ramener leurs corps à la colonie. De toute façon, ils n'avaient ni la place dans leurs canoës pour les courageuses jeunes victimes ni le temps de les enterrer. Ils se contentèrent donc d'aligner convenablement les corps sur le sol et de leur recouvrir le visage pour préserver quelque temps leur dignité.

Des Groseilliers balbutia une prière, souvenir du temps où il servait la messe chez les Jésuites.

Radisson, en s'occupant du cadavre d'Adam Dollard-Des-Ormeaux, découvrit la Dague de Cartier.

Il la reconnut car il l'avait vue entre les mains de Maisonneuve, même s'il n'avait jamais eu l'autorisation de la toucher. Mais comment le poignard était-il arrivé jusque-là? Des voleurs, ces garçons? Non, des voleurs ne se seraient pas battus aussi vaillamment. De plus, leurs corps n'auraient pas été déchiquetés à coups de hache, preuve du respect que leur portaient ceux qui les avaient vaincus. Il fourra le poignard sous sa veste de daim et allongea le jeune héros à côté de ses compagnons.

Puis ils reprirent leur portage et atteignirent Fort Périlleux sans encombre.

Un peu plus loin sur la rivière Richelieu, un éclaireur repéra ses amis iroquois; il leur parla d'une grande bataille qui avait fait rage et qui continuait sans doute; se l'étant remémorée tout au long de sa course, il en fit un récit plein de détails terribles et de violentes surprises. De telles nouvelles décidèrent le chef à renoncer à attaquer Montréal: si l'on avait eu vent de son expédition – et cela était fort possible –, on lui tendrait une embuscade à lui aussi; il ramena donc ses hommes au lac Champlain.

C'est ainsi que, par le jeu du malheur et du hasard, conjuguant inconscience et bravoure, la colonie fut épargnée une nouvelle fois.

On fêta à Ville-Marie le retour des coureurs de bois et on admira leur stupéfiante cargaison de fourrures. Ensuite, ils annoncèrent la triste nouvelle; les colons avaient beau être prêts à l'entendre, ils n'en furent pas moins peinés. Pressé par Maisonneuve, Radisson décrivit le terrible spectacle qu'ils avaient découvert et insista à maintes reprises sur le courage dont avaient fait preuve les malheureux et dont témoignaient les roches couvertes de sang. Quant à Des Groseilliers, il affirma que si les Iroquois ne se trouvaient plus sur la rivière, on le devait au sacrifice des garçons.

Radisson ne parla pas de la Dague de Cartier, qu'il ne rendrait que dans la mesure où on leur paierait convenablement les fourrures ; mais si, comme la dernière fois, on les volait effrontément, il garderait le poignard en guise de juste compensation.

L'arrivée au Québec des cent canoës constitua un spectacle grandiose salué par les tirs de cent canons et les acclamations des colons venus en foule. Un vaisseau prêt à repartir pour la France, les cales vides, retarda son départ. On s'arrachait les fourrures et les coureurs de bois s'attendaient à faire de bonnes affaires. Ils dégustaient une bière bien méritée dans une taverne en attendant la fin des marchandages quand le nouveau gouverneur, escorté de gardes armés, se présenta et demanda à parler à Des Groseilliers.

Pierre Voyer d'Argenson le félicita pour la réussite de son expédition et évoqua la remarquable contribution qu'il apportait ainsi à la Nouvelle-France.

— Je vous remercie, Excellence.

— Néanmoins, Des Groseilliers, n'ayant pas demandé les autorisations nécessaires pour une telle expédition, vous êtes en état d'arrestation.

Ses amis durent maîtriser Radisson tandis qu'on entraînait son associé. Le choc passé, ce fut sans surprise qu'il apprit que l'on avait saisi les fourrures et versé une misérable rémunération. Dès la libération de Des Groseilliers, des mois plus tard, les deux hommes s'attelèrent aux préparatifs d'une nouvelle expédition et, dans le même temps, de leur vengeance.

De son côté, Maisonneuve répondit avec quelque appréhension à la convocation du nouveau gouverneur, un certain Laval ; la Nouvelle-France était dorénavant une province royale, décision bien accueillie, car la participation, désormais totale, de la mère patrie soulagerait les communautés en difficulté. Cela exigeait néanmoins un pouvoir fort ; Laval voyait sans cesse ses ambitions contrariées par la popularité et l'ascendant de Maisonneuve : à Ville-Marie, on semblait se gouverner soi-même et jouir d'une autonomie divine ; pour qu'une décision fût respectée, il fallait l'assentiment de Maisonneuve, du pape, du roi et de Dieu en personne. Laval ne pouvait rien contre la trinité constituée par le pape, le roi et Dieu, mais il était persuadé d'avoir trouvé l'occasion de régler le problème que lui posait Maisonneuve.

— En 1661, vous êtes bien rentré en France ? lui dit Laval, entre deux verres de cognac.

Maisonneuve acquiesça en se remémorant cette époque. Il lui semblait que la conversation avec le nouveau représentant de l'autorité se passait bien et que son interlocuteur semblait tout disposé à comprendre l'histoire de la colonie.

151

— La situation à l'époque était désespérée ; sans nouvelles recrues, nous aurions succombé.

— Entreprise ambitieuse. Comment l'avez-vous financée ?

Une question innocente.

— Cela fait plus de douze ans maintenant, Votre Excellence.

— Ah ! c'est vrai, admit le gouverneur. Encore un peu de cognac ?

Soudain sur ses gardes, Maisonneuve sourit cependant ; tous ses sens en alerte, il tendit son verre.

Laval le remplit puis, s'étant rassis, observa attentivement Maisonneuve.

— Avec vingt mille livres prélevées dans la bourse de l'hôpital, n'est-ce pas ? J'ai vérifié les archives, pourquoi le nier ?

— Votre Excellence, Mme de Bullion, qui avait créé ces fonds, a approuvé la transaction que Jeanne Mance et moi-même avions passée : la promesse de terres.

— Paul, continua Laval, même s'ils ne se connaissaient pas assez bien pour qu'il pût l'appeler par son prénom, vous avez détourné vingt mille livres pour votre usage personnel, pour vous enrichir, et passer deux belles années en France. Je vous comprends. Ici, la vie est dure. Festoyer, boire à profusion et profiter de la compagnie des dames... c'est autre chose. Mais, pendant ce temps, la colonie de Montréal se débattait, au bord de la famine. C'est pourquoi, en tant que gouverneur de la Nouvelle-France, il est de mon devoir de vous demander de rendre des comptes.

— C'est ridicule !

S'oubliant, il se leva d'un bond.

« Mme de Bullion témoignera de cet accord ! Tout comme Jeanne Mance ! Vous ne trouverez aucune trace écrite, car notre bienfaitrice exigeait l'anonymat...

— Assez de balivernes ! Vous avez volé l'argent. Vous devriez le confesser si vous voulez sauver votre âme. Quoi qu'il en soit, en attendant le jugement de Dieu, le peuple sera informé et vous serez relevé de vos fonctions. J'ai expliqué la situation au roi et il est d'accord avec moi : vous allez être rappelé en France.

— Je n'irai pas !

— Vous êtes, monsieur, un sujet du roi. Vous suivrez ses ordres !

Les deux hommes se dévisagèrent.

« Ou dois-je vous faire embarquer enchaîné ? renchérit Laval.

— Sombre imbécile ! lança Maisonneuve.

Pour l'instant, son adversaire l'emportait.

« Je partirai pour la France, je laverai mon nom et je reviendrai.

Il ignorait que de ces trois vœux, seul le premier serait exaucé et qu'il mourrait dans un pays qu'il méprisait à présent, tentant toujours de se racheter, et rêvant à son logis sur l'île de Saint-Laurent, au milieu des arbres et des Iroquois.

— Un vaisseau appareille dans trois jours pour Saint-Malo, lui annonça Laval. Je vous souhaite bon voyage.

Trois jours. Il ne reverrait jamais Montréal.

Il regretta de ne pas avoir gardé la Dague de Cartier, qui l'aurait peut-être tiré de ce désastre ; hélas, elle avait disparu.

CHAPITRE 9

1955

L'ESPRIT PRÉOCCUPÉ, la tête pleine de projets, Armand Touton pensait n'avoir aucun mal à se réveiller de bonne heure. Il n'avait donc pas mis son réveil. Son corps en décida autrement, et c'est ainsi qu'au lendemain de l'émeute, il n'émergea d'un profond sommeil qu'à midi moins cinq.

Il reporta son agacement sur sa femme, Marie-Céleste, quand elle lui apporta son café. C'était une belle femme aux yeux verts et aux cheveux noirs ondulés retombant sur son front et sur sa nuque en boucles serrées ; elle avait un dos solide et de larges épaules ; elle se tenait bien droite, chose qu'il avait admirée dès leur première rencontre.

— Mufle ! Cesse de bougonner ! Est-ce que j'ai l'air d'une voyante ? Pourquoi te réveillerais-je de bonne heure si tu ne me le demandes pas ?

— Pardon, murmura-t-il. Un médecin légiste a été abattu hier soir à coups de fusil, et Roger Clement – je t'en ai parlé, non ? – a été tué lui aussi. Un coup de poignard, en plein cœur.

— Alors il ne s'agit pas simplement de l'émeute..., observa-t-elle tristement.

— Tu vois, j'en avais oublié « l'émeute Richard » ! Je crains que le centre de Montréal n'ait entièrement brûlé !

— Il a lancé un appel à la radio, lui annonça sa femme.

— Non ! Qu'a-t-il dit ?

— Il a demandé d'arrêter les violences, qu'est-ce que tu crois ! Il veut que les gens se calment.

Il avait estimé que l'intervention de Richard à la radio constituerait la meilleure stratégie, mais qu'on y ait recouru l'impressionnait parce que cela signifiait que celui qui en avait pris l'initiative jugeait la situation sérieuse.

— C'est sans doute Drapeau qui le lui a demandé. Il aime bien que les gens tiennent des discours apaisants. Comment était-il?

— Secoué.

Il tiqua.

— C'est l'impression que j'ai eue. J'ai trouvé que le Rocket avait l'air secoué, sonné. Mais nous le sommes tous. Je suis certaine qu'il n'a pas dormi de la nuit. Ses paroles porteront, on l'écoutera.

Tout en buvant son café, le capitaine réfléchissait à ce nouvel élément.

— Il faut que j'aille travailler...

— C'est pour ça que je t'ai laissé dormir. Je t'ai repassé une chemise, alors tu vois, la rumeur ne repose sur rien.

— Quelle rumeur? s'étonna Touton déconcerté.

— Celle qui affirme que je suis la plus mauvaise épouse de tout le Québec.

Touton sourit, et la prit dans ses bras. Mariés depuis deux ans, ils s'aimaient, malgré les horaires insensés du policier et l'absence d'enfant.

Dehors, le chiot jappait.

— Laisse rentrer Toot, s'il te plaît! Il ne comprend pas ce qu'il a fait de mal.

Touton lui fit signe d'ouvrir la porte, ce que, de toute façon, elle était décidée à faire. Pendant qu'il s'habillait le caniche sautait autour de lui et mordillait ses pantoufles pour lui faire comprendre qu'à son avis, c'était le moment idéal pour jouer. Son maître le regarda en riant et se laissa entraîner dans une lutte acharnée pour récupérer sa pantoufle.

Ses collaborateurs avaient organisé la réunion et Touton se rendit directement chez Clarence Campbell dans la rue Sherbrooke, en plein centre-ville.

En chemin, il examina les dégâts de la nuit précédente et put évaluer la colère des émeutiers. Les fenêtres étaient condamnées avec des planches, certaines parce qu'on avait cassé les carreaux pour piller les locaux, d'autres parce que les propriétaires craignaient d'être les prochaines victimes. Des gardes armés patrouillaient devant les banques. Aux carrefours les plus fréquentés, des policiers patrouillaient. L'émeute avait apparemment cessé, à cause de la fatigue, du lever du soleil et du discours de Richard qui avait frappé l'esprit des plus acharnés. Quelques jeunes traînaient encore dans les parages, au cas où le saccage reprendrait.

La situation demeurait explosive, les gens étaient tendus, pourtant Touton estimait que, si cela pouvait ressembler à une trêve il ne pourrait pas demander mieux. Mais si des hommes cherchant la bagarre provoquaient une étincelle, le pire se produirait : la ville replongerait dans la violence ; et cette nouvelle explosion, il en était convaincu, causerait davantage de dégâts.

Une section de la rue Sherbrooke avait jadis fait partie du célèbre Golden Square Mile de Montréal, un quartier d'immeubles et d'hôtels particuliers magnifiques, aux airs aristocratiques. Le bourgeonnement du centre-ville, l'avènement de l'impôt sur le revenu et l'impossibilité pour les générations suivantes de continuer à mener un tel train de vie avaient entraîné l'arrivée des bulldozers qui avaient rasé les propriétés les unes après les autres et les avaient remplacées par des tours de bureaux et des hôtels ; certaines avaient été réaménagées en boutiques au rez-de-chaussée et en appartements locatifs dans les étages. Le président de la Ligue nationale de Hockey habitait dans un bel immeuble d'autrefois en pierre de taille, avec des halls sombres, et de hauts plafonds. En pénétrant dans ce bâtiment si massif, on pouvait imaginer que les architectes avaient prévu l'essor de l'automobile : les murs, en effet, assourdissaient la rumeur de la circulation et étouffaient le hurlement des sirènes. Il monta jusqu'au septième étage et, après avoir pérégriné dans un couloir au nombre surprenant de tournants, Touton repéra l'appartement de Campbell ; une femme de chambre vint lui ouvrir la porte.

Touton faillit oublier qu'il se trouvait devant un homme que la populace voulait lyncher tant Clarence Campbell était de bonne humeur. Il accueillit chaleureusement le policier et le persuada d'accepter une tasse de café que son assistant partit préparer. Les bergères de style Queen Anne dans lesquelles ils s'installèrent n'étaient pas très confortables, du moins au goût de Touton. Elles conviennent peut-être mieux aux formes rondelettes de Campbell, supposa-t-il. Il lui trouva des goûts bizarres pour un célibataire, surtout à cause de la femme de chambre au menton pointu hérissé de longs poils noirs et au teint terreux. Le policier flaira une influence féminine, celle d'une tante bourrue ou d'une sœur revêche.

— C'est une honte ! s'emporta Campbell. Qu'on nourrisse des griefs contre moi n'oblige pas à saccager la ville !

— S'ils avaient pu vous rencontrer, monsieur...

— Je me trouvais au Forum, précisa l'ancien procureur de Nuremberg. J'ai même reçu une tomate dans l'œil. Celle-là, les journaux n'en ont pas parlé. Elle a rebondi sans éclater. Une autre m'a touché à l'épaule. Je suppose que c'est plus raffiné de lancer des tomates.

— Plutôt que des pierres ?

— Exactement. Ou des cocktails Molotov. Mais je suppose que ceux-ci sont venus plus tard.

— Il y a eu de nombreux incendies, reconnut Touton. C'est inquiétant.

— Une ville en flammes, oui ! renchérit Campbell en croisant ses mains sur son ventre. Je trouve cela inquiétant, en effet. Ah ! votre café et mon thé. Tant que nous aurons du thé, capitaine, nous vivrons encore une époque civilisée. Dites-moi, aviez-vous du thé dans votre camp de prisonniers ?

— Il y en avait pour les pilotes anglais, acquiesça Touton. Ils avaient des privilèges. Aujourd'hui, je suis plutôt café au réveil.

— Cela ne m'étonne pas. Vous êtes le capitaine de la Patrouille de nuit. Cela doit avoir un effet narcotique. Crème et sucre ?

— Noir, merci.

— Ah !

Touton avala une gorgée de café – bon mais brûlant – et reposa la tasse et la soucoupe sur la crédence auprès de lui. Il réalisa soudain que le silence s'était installé entre eux et, en observant Campbell, il s'aperçut que, malgré la position officielle du personnage et la place qu'il occupait depuis longtemps dans les médias, cet homme était timide.

— Monsieur, commença Touton en prenant une brève inspiration, je vous apporte des nouvelles déplaisantes.

— Encore ? s'étonna Campbell avec un sourire sombre. Ayant remué son thé, il reposa la tasse sur la soucoupe installée sur ses genoux. « Combien un homme peut-il en supporter, capitaine ?

— Monsieur, la Dague de Cartier a de nouveau été subtilisée. C'est une situation regrettable.

— Puis-je me permettre de préciser que la Dague de Cartier vous a été confiée, capitaine Touton ? Je me rappelle avoir réclamé qu'on me la rende et essuyé un refus.

— Vous seriez tout à fait en droit d'en faire état, répondit le policier en hochant la tête. Je me considérais comme responsable du poignard.

— S'il ne s'agissait pas de vous, je pencherais pour une affaire de corruption au sein de la police... Racontez-moi ce qui s'est passé, capitaine.

Touton prit de nouveau une profonde inspiration.

— Monsieur, deux hommes ont été tués. Peut-être l'avez-vous appris aux informations. Deux morts sur le carré Dominion...

157

— J'ai entendu cela. Un médecin légiste, n'est-ce pas ? Quelle affreuse nouvelle.

— Il détenait votre poignard, monsieur. On l'a tué pour le lui voler.

Campbell gardait la tête immobile et son visage n'exprimait rien, mais son regard ne cessait d'aller et venir. Puis il battit des paupières. Son hôte ne s'attendait pas à ce qu'il entendit ensuite.

— Je préférerais que vous n'en parliez pas comme de *mon* poignard, capitaine, ce n'était qu'un prêt.

— Je comprends, monsieur.

— Il s'agit donc d'une tragédie plus terrible encore et qui n'est pas de votre fait. Je vois. Tout cela est dû à un acte infâme et non à une négligence de la police, conclut-il.

— C'est aussi mon opinion, monsieur. Rien ne laissait présager ce second meurtre. En ce qui concerne le premier décès, je dois vous dire que la Dague de Cartier était l'arme du crime.

A cette nouvelle, son interlocuteur se renversa en arrière et ce fut lui, cette fois, qui soupira.

— Incroyable ! murmura-t-il en secouant la tête. Sa calvitie précoce le faisait paraître plus âgé. « Capitaine, il faut que je vous demande quelque chose...

— Allez-y.

— Avez-vous déjà entendu parler de l'Ordre de Jacques Cartier ?

— Ma foi, non. J'imagine des types avec de curieux chapeaux...

Le président de la Ligue se frotta les yeux avant de parler. Au vu des événements de la veille au soir, le capitaine doutait qu'il eût beaucoup dormi.

— S'il ne s'agissait que de cela ! Consultez les archives de la police et vous y verrez que j'ai attiré l'attention des autorités sur cette organisation. Il y a quelques mois, j'ai reçu une lettre. Il faudra que je consulte mes archives pour vous donner une date précise.

— Détenez-vous encore cette lettre ?

— Je l'ai remise à la police.

— Que contenait-elle ?

Campbell s'éclaircit la voix et continua :

— Il nous arrive parfois de recevoir des menaces au bureau. Le plus souvent, nous leur accordons peu d'importance. Il convient néanmoins de prendre quelques précautions comme vous savez. Je suis avocat et je m'efforce de me conformer à la loi.

— Vous avez été menacé ?

— Moi personnellement ? Non. Mais mon bureau, oui. Ils ont reçu un cocktail Molotov lancé par la fenêtre. Or le bureau est situé au douzième. Qui serait capable de lancer un cocktail Molotov à une

158

telle hauteur ? L'adresse de la lettre était incomplète : Ligue nationale de Hockey, Montréal – en français. C'est par un pur hasard qu'elle est arrivée jusqu'à nous.

— Votre organisation est bien connue, lui rappela Touton. La Poste n'a aucun mal à vous trouver. Et cette lettre, elle disait quoi ?

— L'Ordre de Jacques Cartier exigeait le retour du symbole suprême de l'Ordre, la vénérable Dague de Cartier. Sans même mentionner l'adresse où la renvoyer.

— J'ai toujours à l'esprit des rigolos coiffés de capuchons bizarres. Après lui avoir communiqué cette lettre, avez-vous eu des nouvelles de la police ?

— Non, capitaine.

— Et de l'Ordre de Jacques Cartier ?

— Aucune, à moins que les événements d'hier soir...

Touton se leva : trop d'idées lui trottaient dans la tête. Il n'était pas en mesure de se confronter à Campbell. On pouvait compter sur son intégrité mais le capitaine aurait voulu avoir la liberté de le provoquer un peu, car si le président de la Ligue n'était pas propriétaire du poignard, il le voyait chaque jour en entrant dans son bureau ; il avait conscience de la valeur de l'objet. Le garder pour soi ou le vendre pour plusieurs millions de dollars, c'était tentant. Quant à l'Ordre de Jacques Cartier, cette nouvelle piste intéressait Touton, mais la lettre était peu crédible. Dans les modestes débuts de sa carrière, il avait répondu à des appels concernant des portes forcées et des carreaux cassés, sans qu'aucun vol fût commis ; pourtant, quelques semaines plus tard, la maison était bel et bien cambriolée. Coïncidence ou non, les propriétaires avaient alors un rapport de police mentionnant une précédente tentative d'effraction à montrer à une compagnie d'assurances sceptique sans lequel elle aurait pu soupçonner les occupants d'escroquerie. Dans le cas présent, s'il y avait complot, impliquant ou non Campbell, la lettre d'un « Ordre » aurait fort bien pu avoir été envoyée avant pour lancer plus tard la police sur une fausse piste. Il ne voyait aucune raison de porter au crédit d'un cambrioleur habile la courtoisie d'annoncer d'abord son intention de commettre un crime.

Quel rapport pourrait avoir Roger Clement avec un « Ordre » ?

— Encore un point concernant la lettre, dit Campbell.

Son hôte lui tournait le dos et examinait une grande toile représentant des enfants du siècle passé rassemblés autour d'une mère plutôt enjouée.

— Quoi donc ? demanda Touton sans se retourner.

— La lettre...

— Oui ? fit Touton en pivotant sur ses talons.

— ... était tamponnée d'un svastika.

Campbell but une gorgée de thé et reposa sa tasse.

— Je dois vivre avec cela, capitaine. De temps à autre, les éléments profascistes qui subsistent décident de dénigrer le travail que j'ai accompli à Nuremberg. Il me semble bon de vous en parler, ce détail pouvant vous être utile. J'ai lu un jour un article sur vous et je n'ai donc aucune inquiétude quant à votre position sur le sujet.

Les mains enfoncées dans ses poches, le policier hocha la tête.

— Merci. C'est vrai, nous avons en commun d'avoir tous deux servi notre pays.

Il se garda d'ajouter que l'expérience en matière de guerre de l'ancien procureur était bien différente de celle du fantassin puis du prisonnier dans son stalag, cependant, il savait que le conflit avait changé leur vie à tous les deux dans des proportions imprévisibles. Chacun avait cru en ce qu'il faisait, et appris sur l'humanité des choses que seule une guerre révèle. Inconsciemment, ils avaient décidé de se tenir à l'écart de ceux qui n'y avaient pas participé, ne leur accordant jamais pleinement leur confiance, toujours mal à l'aise quand les conversations évoquaient la politique intérieure durant la guerre. Ainsi, bizarrement, l'expérience créait un lien entre eux.

— Monsieur Campbell, connaissiez-vous Roger Clement ?

— Le nom me dit quelque chose, mais je ne crois pas.

— Un ancien de la Ligue nationale de Hockey. Avant votre époque, précisa Touton en se rasseyant. Un café avec les BlackHawks, un déjeuner avec les Rangers...

— J'ai entendu son nom, mais je ne crois pas le connaître. Pourquoi ?

— C'est lui qui a été tué hier soir avec la Dague de Cartier.

— Oh ! mon Dieu ! s'exclama Campbell avec un gros soupir. Oh ! mon Dieu, répéta-t-il. Je n'aime pas ça du tout. Un ancien joueur de hockey tué par la Dague de Cartier ! Les journaux vont se régaler !

— Inutile qu'ils sachent quelle est l'arme du crime. Clement, que je connaissais fort bien, avait un casier judiciaire : il a passé la guerre dans un camp d'internement en tant que dissident.

Le président de la Ligue semblait soulagé d'apprendre que son organisation éviterait la curiosité des médias sur ce point.

Il prit congé, décidé à inspecter de plus près les conséquences de l'émeute.

Le plus gros des dégâts s'était produit dans la rue Sainte-Catherine, à deux pâtés de maisons plus loin.

160

Son arrivée au quartier général de la police au beau milieu de la journée ne surprit personne. L'émeute avait modifié le paysage, on traversait une période explosive et, de toute façon, la moitié des effectifs faisait des heures supplémentaires. En revanche, qu'il se dirige directement au service des Dossiers pour retrouver la lettre transmise par Campbell puis aux Archives où il réclama un rapport complet sur l'Ordre de Jacques Cartier, intrigua tout le monde. Armand Touton, comme d'habitude, ne donna aucune explication.

Il s'installa à son bureau et but tranquillement son café, insensible au tumulte qui l'entourait.

Pendant qu'il attaquait une nouvelle tasse de café, un policier en civil qu'il ne connaissait pas frappa à la porte de son bureau.

— Entrez ! Qui êtes-vous ?

— Inspecteur Fleury, capitaine. » L'homme semblait intelligent. Avec ses petites lunettes à monture métallique, il pouvait passer pour un universitaire. Sa silhouette dégingandée et son visage aux traits tirés tranchaient sur le physique impressionnant des flics actuels. « Vous vouliez des renseignements sur l'Ordre de Jacques Cartier.

Le capitaine se cala dans son fauteuil.

Curieusement, l'homme ne gardait pas les bras ballants mais les avait croisés sur sa poitrine ; ses doigts semblaient particulièrement longs, efféminés.

— Asseyez-vous, inspecteur. » Il s'installa d'une façon assez inhabituelle, juste au bord du siège. « A quelle brigade appartenez-vous ?

— Au service de l'Administration.

Malgré lui, Touton eut un petit rire.

— Et que faites-vous au juste ?

— Je suis un *véritable* inspecteur, tenta d'affirmer Fleury.

Il était moins sûr de lui que quelques instants plus tôt. Touton avait touché un point sensible.

— C'est votre grade, mais sur quoi enquêtez-vous dans l'Administration ?

— Je m'occupe des budgets, des affectations, de la répartition des crédits.

— Je n'ai pas passé l'examen à cause de la guerre, il fallait que je m'occupe de ma mère...

— On m'a affecté à la police pour être administrateur, pour représenter les intérêts des policiers qui patrouillent ou appartiennent à des brigades. Je trouve que c'est un travail important.

— Pardonnez-moi, Fleury, je suis certain que ça l'est. Mais un inspecteur qui n'enquête jamais sur rien... je n'en avais encore jamais rencontré.

161

— Personne ne veut me parler, *sauf* quand il s'agit du montant des retraites.

— Retraite, vous dites ? A vrai dire, le sujet l'intéressait aussi.

— Dans ces cas-là, je suis très demandé, mais ce n'est pas tout. L'été dernier, par exemple, vous demandiez deux inspecteurs supplémentaires dans votre brigade...

— Ah oui ? répondit Touton, se souvenant de cette requête et de son intention de faire un foin d'enfer si on ne la satisfaisait pas.

— C'est moi qui ai plaidé – avec succès – votre cause. D'autres brigades voulaient aussi davantage d'inspecteurs. Elles ne les ont pas eus, n'est-ce pas ? Cela n'a pas été facile, mais j'ai lutté et je l'ai emporté. Vous avez eu vos deux inspecteurs, contrairement aux autres brigades.

Touton comprit soudain l'intérêt de la présence d'un inspecteur dans l'Administration – et celui aussi d'entretenir de bonnes relations avec un spécialiste en budgets et en plans de retraite.

— Merci beaucoup, déclara-t-il avec sincérité.

— Je vous en prie.

— Alors, vous étiez sur le point de m'expliquer comment vous savez de quoi je m'occupe en ce moment.

Même si ce n'était que de deux ou trois centimètres, Fleury recula légèrement son postérieur sur son siège.

— Je ne connais rien à votre affaire, capitaine, je peux vous l'assurer, mais j'avais noté mon nom sur le dossier en demandant que, si quelqu'un s'y intéressait, on me contacte. La secrétaire m'a appelé pour me faire part de votre demande.

— Quel dossier ?

— Celui qui concerne l'Ordre de Jacques Cartier. Je le connais un peu.

— Dans quelle mesure ?

— Capitaine, ma foi, je sais tout et rien, si vous voyez ce que je veux dire.

— Alors, si vous êtes un véritable inspecteur, allons prendre un verre ensemble. Je ne suis pas de service, c'est donc sans conséquence pour moi, mais vous, inspecteur, vous commettrez une infraction au code du service de l'Administration. Voulez-vous venir prendre un verre avec moi ?

Fleury le surprit.

— J'aime bien une bière de temps en temps, répondit-il. J'en prendrais bien une. D'ailleurs, c'est mon jour de congé.

— Votre jour de congé ? Que faites-vous ici, alors ?

— L'émeute. On a rappelé tous les inspecteurs. J'ai pensé que cela me concernait aussi.

— Oh ! bien sûr ! lança Touton en attrapant son chapeau et son manteau. Il va falloir préparer le budget de l'émeute.

Les deux hommes entrèrent dans un établissement un peu à l'écart sur la rue Saint-Antoine, et s'installèrent sur de solides chaises en bois. Les tavernes de Montréal ne servaient que de la bière et n'acceptaient pas les femmes.

La décoration de ces grandes salles, encombrées de tables rondes, se résumait aux inévitables portraits de hockeyeurs et aux affiches publicitaires. Chaque taverne choisissait un seul fournisseur de bière, ce qui limitait les échanges entre clients et serveurs ; aussi, quand ils se furent assis dans un coin, Touton se contenta-t-il de lever quatre doigts. Le garçon servit la boisson jaune pisse, le capitaine en but une longue gorgée et poussa un soupir de satisfaction.

— Vous ignorez tout de l'Ordre de Jacques Cartier car vous étiez soldat et si vous n'avez pas entendu parler de l'Ordre, c'est parce qu'il est devenu célèbre ici à l'époque de votre captivité.

— Cela fait donc si longtemps...

— Avant la guerre, laquelle a juste favorisé le développement de l'Ordre et de son influence.

Touton vida d'un trait ce qui restait dans sa chope.

— Maintenant, racontez-moi.

L'inspecteur Fleury commanda quatre autres bières et se pencha vers lui.

— Si seulement j'en savais plus, capitaine. Cette société reste très discrète à propos de ses affaires. Si je peux me permettre, capitaine, puis-je vous demander en quoi tout cela vous intéresse ?

Le capitaine lui résuma brièvement les faits. A la mention de la Dague de Cartier, remarqua Touton, le regard de Fleury s'éclaira.

— Alors, l'encouragea Touton, il s'agit d'une vraie communauté, avec des adhérents ?

— A une certaine époque, au Sénat, on les estimait à dix-huit mille.

Décidément, avec Fleury, on allait de surprise en surprise ; Touton venait de recevoir un sacré choc. Il posa donc une double question :

— Le Sénat ? Dix-huit mille membres ?

— En 1944, lui expliqua le petit inspecteur, je pense que vous étiez encore en Pologne, un sénateur, Télésphore-Damien Bouchard, prononça son premier discours devant ses pairs : il y dénonçait l'Ordre de Jacques Cartier. Dès le lendemain, il cessa d'être invité dans les salons québécois, d'être le bienvenu dans les tavernes et fut renvoyé de la présidence d'Hydro-Québec.

Aux yeux de Touton, le poste de président d'une agence gouvernementale, de la Compagnie des eaux qui plus est, vous conférait une crédibilité automatique, plus encore qu'un mandat au Sénat.

— Qui l'a viré? s'enquit-il.

— Le Premier ministre du Québec, répondit Fleury.

— Duplessis?

— Je crois qu'il s'agissait alors de Godbout. Duplessis a manqué une session de 1944.

— Ah! je n'ai pas souvenir de ça non plus! On rate bien des choses quand on croupit derrière des barbelés. Qu'a-t-il bien pu dire pour se faire virer?

L'inspecteur but une gorgée de bière; et Touton comprenait qu'il fût tout excité à l'idée de déballer son histoire. Les policiers en civil affichaient d'habitude une certaine lassitude: ils avaient tout vu, tout fait – prélude, selon Touton, à l'inertie. Aussi l'enthousiasme de ce plumitif de l'Administration le surprenait-il agréablement.

— Le sénateur soutenait un projet de loi sur l'éducation, qui proposait un manuel de référence concernant l'histoire du Canada; Bouchard critiquait en effet la façon dont les écoles québécoises l'enseignaient. Leur interprétation était de la propagande plutôt subversive, visant à semer la pagaille dans la Confédération, renverser la démocratie – c'était l'idée –, en imputant aux Anglais tous les maux infligés aux Québécois, et en tournant en ridicule ou en niant tous les avantages à tirer de l'appartenance au Canada. En tout cas, c'est ce que prétendait Bouchard.

Touton comprenait. Aux yeux des Québécois, avoir combattu pendant la guerre ne faisait pas de lui un héros; au contraire, certains lui reprochaient encore son passé militaire. Certes, des milliers de Québécois s'étaient courageusement battus, beaucoup étaient morts, mais la grande majorité était restée au pays.

— L'Ordre de Jacques Cartier, poursuivit Fleury, assez satisfait d'impressionner un officier supérieur, est anti-anglais et antisémite. Vous savez bien, au Québec, la plupart des antisémites n'ont jamais rencontré un Juif et chez vous être antibritannique est atavique. Mais le sénateur Bouchard est allé plus loin, il a laissé entendre que l'Ordre de Jacques Cartier prônait la dictature, la tenant pour la forme idéale de gouvernement. En soi, ce n'est pas grave, n'est-ce pas? Pourquoi s'inquiéter des foutaises débitées par une poignée de fascistes écervelés?

— Dix-huit mille membres tout de même, intervint Touton.

— Précisément, sans oublier le soutien tacite de l'Eglise, même si, officiellement, elle condamne toutes les organisations secrètes et celles qui prônent la souveraineté du peuple québécois comme la Société

Jean-Baptiste. Lorsque Bouchard a pris la parole, les politiciens, les universitaires et les journalistes se sont déchaînés contre lui. Il a été condamné aux quatre coins du Québec. Saviez-vous, capitaine, que presque tous les Canadiens étaient pour le maréchal Pétain ? Que nous nous sommes ralliés aux Allemands après la capitulation de la France ? Que de Gaulle a envoyé un émissaire pour recueillir des fonds et soutenir la cause de la France résistante. Il a été accueilli par des francophones peu sympathiques et ses propos sur les Allemands étaient considérés comme de la propagande britannique, ni plus ni moins !

— Alors, mon incarcération en Pologne, ma traversée de l'Europe au cœur de l'hiver et pieds nus...

— Propagande britannique ! lui assena Fleury perché comme un oiseau au bord de sa chaise.

Il se souvenait du Débarquement, ils avaient sauté d'une péniche et, en quelques minutes, il ne restait que trois survivants dont lui ; et pendant qu'ils se battaient ou mouraient, au pays, on soutenait l'ennemi ! Il avait eu vent de ces rumeurs mais après la victoire des Alliés, plus personne ne manifestait son soutien aux Allemands. Touton but tristement sa bière ; malgré le brouhaha, il se sentait seul.

Il lui semblait entendre ces beuglements de taverne, les uns ressassant leurs mauvais jours, les autres évoquant le match de la veille, et, au passage, la guerre de l'autre côté de l'océan. La panse alourdie par la bière, ils parlaient de leur famille, de leur boulot, pendant que lui dévorait son unique repas de la journée – une tranche de pain noir et une maigre ration de porridge infâme. Trinquaient-ils à une victoire allemande ? Avaient-ils applaudi en apprenant la rossée des Canadiens à Dieppe, le carnage parmi les fantassins ?

Son interlocuteur finit par reprendre :

— Lionel Groulx, l'intellectuel, vous le connaissez ? » Touton secoua la tête. « Très influent. Respecté. Il portait Mussolini aux nues et classait l'Italie et l'Allemagne parmi les nations les mieux loties de la Terre, parce que gouvernées par des hommes forts, des dictateurs. Il priait pour qu'apparaisse ici un individu de leur trempe. Il s'insurgea contre les Italiens lorsqu'ils fusillèrent Mussolini. Il est vrai, capitaine, que quand de Gaulle est revenu au Québec, il fut acclamé, cette fois ; la victoire provoque de tels retournements... mais je suis persuadé qu'il se trouvait là des gens sincères. Malgré tout, l'idée d'une dictature n'avait pas disparu et ses adeptes ne le montraient pas au grand jour. Je suis certain que de telles convictions persistent aujourd'hui au sein d'une société secrète à laquelle ont prêté serment de nombreux citoyens éminents.

— L'Ordre de Jacques Cartier. Vous croyez vraiment à son existence ?

— Sans aucun doute, capitaine.

Armand Touton vida sa chope puis la moitié d'une autre, avant de déclarer avec un large sourire :

— Alors, ironisa-t-il avec un petit gloussement, nous tenons les coupables. Même dans l'Administration, un inspecteur reste un inspecteur !

A ces mots, le petit homme rayonna et, d'un même geste, ils trinquèrent. Puis, après des discussions polies mais guère probantes sur les causes profondes de l'émeute et sur la campagne menée contre les bistrots clandestins, Fleury annonça qu'il devait rentrer et ils partagèrent la note. Touton pensait à la tâche qui l'attendait et qu'il envisageait sans plaisir : présenter ses condoléances à la veuve du médecin légiste. Il finit par laisser sur la table deux chopes pleines – un péché pour certains : il avait décidé de revoir ses priorités.

En sortant, il marmonna : « A ta santé, Roger, un dernier verre pour la route ! A ta santé, Claude. Videz vos verres ! »

La nuit tombait sur une ville qui avait retrouvé une paix précaire certes, mais où le calme régnait. Armand Touton répartit les tâches entre trois douzaines d'inspecteurs : comment sérier les délits de la nuit précédente, entre ceux qui étaient la conséquence du chaos et qu'il faudrait ignorer, et ceux qui exigeaient une enquête ? Ses hommes allaient s'acquitter de leurs missions les unes après les autres sur le terrain, au détriment de leur travail de bureau. Après leur départ, Touton obtint un rendez-vous du directeur, ce qui, en général, n'était pas facile ; mais les deux hommes avaient un arrangement : chacun se rendait toujours disponible pour l'autre.

Dans son bureau, Pacifique Plante mâchonnait un sandwich. Deux dates avaient marqué la carrière du directeur. En 1946, une grenade avait été lancée dans un tripot. On décréta soudain – sous la pression de l'opinion – qu'il fallait agir contre le jeu. Là-dessus, six jours après, Harry Davis, le mafioso chargé des maisons de jeux qui maintenait la paix entre les diverses factions, fut abattu chez son coiffeur. Ce fut un tollé général contre la violence.

Le maire aurait volontiers légalisé les jeux d'argent si l'Eglise n'avait pas été contre, craignant qu'on légalise ensuite la prostitution. La méthode habituelle consistait à laisser les choses se calmer et à virer le patron de la Brigade des mœurs – sept en dix ans –, décision qui, en général, coupait court aux récriminations ; tout revenait alors à la normale jusqu'au scandale suivant et on limogeait le nouveau chef de la Brigade des mœurs. L'affaire cette fois s'avérait plus compliquée, car la victime était précisément la seule personne capable d'obliger les malfrats à se tenir tranquilles.

C'est alors qu'un avocaillon de la cour d'appel locale, Pacifique « Pac » Plante, contacta le chef de la police et lui demanda s'il voulait vraiment fermer les maisons de jeux. Le chef lui confirma qu'il n'avait pas d'autre solution.

— Confiez-moi la direction de la Brigade des mœurs, suggéra alors le petit avocat.

Le chef de la police, peu enclin à engager un étranger à sa bande, y vit soudain son intérêt, ainsi il donnerait l'impression de se mettre sérieusement à la tâche ; de toute façon, le candidat, sans expérience dans la police, avait toutes les chances d'échouer. Une fois que les malfrats auraient mis la main sur lui et l'auraient envoyé prendre un bain, lesté d'un sac de ciment, tout redeviendrait normal et la population se calmerait jusqu'au prochain regrettable incident.

— Très bien, acquiesça le chef de la police, mais ne venez pas gueuler chez moi si vous vous faites renverser par une voiture !

Plante se sentait investi d'une mission et voulait, à l'instar d'Elliot Ness à Chicago contre Al Capone et les gangs, faire le ménage chez lui. Il commença par fermer les tripots, puis s'en prit aux bordels. Bref, il s'acquitta si bien de sa tâche que le maire dut se débarrasser de lui et Plante fut viré. Puis, en 1954, les conservateurs arrivèrent au pouvoir et Plante réapparut dans la police, comme directeur cette fois, puisqu'il s'était empressé de supprimer le titre de « chef de la police ».

Plante savait que la corruption n'était pas seulement tolérée dans ses services, mais qu'elle faisait partie de l'ordre des choses. Il repéra en Armand Touton un policier digne de sa confiance, cultivant des idéaux et faisant preuve d'une totale intégrité et d'un courage sans limites, et le nomma capitaine à trente ans à peine. Touton, en entrant dans le bureau de son patron, se demanda à qui l'inspecteur Fleury devait d'avoir été engagé dans la police, car l'homme de l'Administration ressemblait au directeur comme un jeune frère. Il vérifierait, et si Fleury avait bien été choisi par le patron, il saurait qu'il pouvait lui accorder toute sa confiance.

— Armand ! lança Plante en l'invitant à s'asseoir. Comment ça va ?

— On est dans la merde, déclara Touton en se calant dans son fauteuil.

— L'émeute ? demanda Plante.

— Par exemple.

Plante acheva de mâcher une bouchée de son sandwich aux œufs puis suggéra :

— Le médecin légiste ?

Touton retraça les circonstances des deux meurtres et de la disparition de la Dague de Cartier avant de résumer son entretien avec Fleury.

— C'est un de vos hommes ?

Plante fit une boule de l'emballage du sandwich et la lança d'une main experte dans la corbeille à papier.

— Je le fais venir dès que j'en ai besoin.

— A dire vrai, il m'a impressionné.

— Son boulot, c'est la comptabilité, confirma Plante. Quel intérêt peut-il bien trouver à fourrer son nez là-dedans ?

— Le même que vous peut-être...

Cette idée parut plaire au directeur et lui arracha un petit sourire.

— Que vous faut-il, Armand ?

— Deux bons limiers, j'enquête sur l'Ordre de Jacques Cartier.

Son patron, à sa grande surprise, repoussa la requête.

— Je vais vous expliquer pourquoi, lâcha-t-il.

Touton ne le manifestait pas, mais il n'en revenait pas.

— Avant d'approcher l'Ordre de Jacques Cartier vous devez savoir où cela risque de vous conduire. Vous ne pouvez pas confier ce genre de travail à l'extérieur : vous devez mener l'enquête vous-même et la boucler. Comprenez-vous ? Rien ne doit fuiter dans les services. Deux fins limiers éveilleront à coup sûr les soupçons, à commencer chez ceux que vous traquez. Agissez seul, Armand, ou oubliez.

Armand comprenait ce point de vue mais il avait quand même besoin d'aide.

— Il me faudrait travailler nuit et jour, je ne peux pas faire plus d'heures supplémentaires que je n'en fais déjà.

— Nous connaissons tous les deux une personne de confiance dont les absences du bureau pour vous rendre divers services passeront totalement inaperçues.

— Fleury, devina Touton.

— Bien qu'il ne soit pas vraiment un limier.

— Très bien, je le prends. Hier soir, j'ai remarqué sur les lieux un policier en tenue, un nommé Miron, qui pourrait effectuer, et personne n'y trouverait à redire, des missions de jour pour le capitaine de la Patrouille de nuit...

— D'accord, prenez-le. Autre chose ?

— Laissez-moi au moins mettre des hommes de jour sur la piste de la voiture ; ce genre de mission pourrait s'intégrer à d'autres enquêtes en cours. Il s'agit d'ailleurs d'un meurtre.

— Ne lui accordez pas plus d'importance, en public du moins. C'est tout ?

168

— Parfait, Pac! Merci.

— Encore une chose, ajouta Plante en se versant du café d'une Thermos. Il travaillait sans doute vingt-quatre heures sur vingt-quatre depuis l'émeute et son regard paraissait fatigué. « Je n'ai encore jamais parlé ainsi à un policier, mais, cette fois, cela se justifie, et je veux que vous fourriez ça dans votre tête de mule, Armand...

— Monsieur ? lança Touton avec l'impression d'essuyer une réprimande.

— Observez la plus grande prudence dans cette affaire, car il est fort possible que la cible de votre enquête dispose de ressources et de relations importantes. Ne sous-estimez jamais le pouvoir du pouvoir.

— Vous avez donc entendu parler de l'Ordre.

— De vieilles rumeurs préoccupantes, admit Pac en hochant la tête, du genre de celles dont on ne se débarrasse pas.

— Ça monte haut, d'après vous ? essaya Touton.

— Plus haut encore, lâcha le directeur en le regardant dans les yeux.

— Que voulez-vous dire ?

— Si haut que soit le sommet où vous arriverez, commença-t-il, et il s'interrompit pour boire une gorgée de son café fumant, n'oubliez jamais qu'une instance plus haute encore se présentera certainement.

Les deux hommes se regardèrent. Ils eurent le sentiment de se comprendre. Cela ramena brusquement le capitaine à Dieppe et aux regards qu'échangeaient les hommes juste avant de débarquer dans lesquels se lisaient les questions qui les assaillaient : pourquoi se retrouvaient-ils dans une telle situation et tiendraient-ils le coup au moment crucial ?

Touton se leva, salua gravement de la tête, sortit et traversa tout le quartier général de la police pour regagner son bureau. Dans les couloirs, on murmurait que le calme régnait dans la ville.

CHAPITRE 10

1684-1714

COMME LORS des voyages précédents, la traversée semblait bien commencer ; Pierre-Esprit Radisson et Médard Chouart Des Groseilliers s'étaient déjà embarqués à plusieurs reprises pour rétablir leur situation et venir à bout du mauvais sort qui n'avait cessé jusqu'alors de les accabler. Depuis qu'il avait atteint l'âge d'homme, Des Groseilliers avait commencé avec détermination à chercher le passage du nord-ouest, non pas vers la Chine où se fourvoyaient les imbéciles, mais vers l'endroit où les rivières Rupert et Nelson se jetaient dans la Grande Baie salée, où les Crees remplissaient leurs canoës de fourrures. La malchance s'était acharnée sur eux avec une telle constance que Des Groseilliers avait fini par renoncer en 1682, imité par Radisson, l'ami fidèle de toujours. Des Groseilliers bâtit une cabane en rondins près de Trois-Rivières, acheta un coq et une douzaine de poules, mais l'adversité le retrouva dans cette vallée pourtant relativement paisible : un renard lui déroba ses poules et le coq, affolé, s'enfuit. Quatre matins de suite, Des Groseilliers, assis sur sa terrasse, écouta le chant du coq annoncer l'aube depuis un refuge dans la forêt, jusqu'à ce qu'il succombe lui aussi au renard ou tout simplement à la faim.

— On s'est bien juré que c'était fini pour nous ! expliquait Radisson à un mousse, le premier depuis longtemps à s'intéresser à ses récits.

D'abord intimidé, le garçon s'était laissé attirer par ce personnage légendaire. Maintenant que le vaisseau remontait les eaux à longueur de journées, dans la pluie et la grisaille, au rythme de la houle, le vent soufflant régulièrement à tribord, le mousse voulut connaître la vérité des contes des trappeurs français Radisson et Des Groseilliers.

Le *Happy Return* avançait lentement, sa vieille membrure grinçant, ses voiles gonflées.

— J'ai connu de pires mésaventures, commença Radisson, songeur.

Entre une abondante crinière et une barbe hirsute, on apercevait son visage sévère et taillé à coups de serpe, buriné par les intempéries et creusé de cicatrices. Ils s'étaient adossés à la rambarde sous le vent, le mousse pendu aux lèvres de son aîné, et avaient coincé leurs pieds contre le bastingage pour ne pas être emportés par-dessus bord. « Aye », reprit-il. Car il s'adressait au mousse en anglais, comme l'aurait fait un Anglais, à ceci près qu'il mélangeait le parler des soldats et des matelots, les dialectes de diverses provinces et les accents français et iroquois. « Le jour où le gouverneur a jeté Des Groseilliers en prison, alors que nous avions tant fait pour lui ! Sauver Ville-Marie, puis la Nouvelle-France ! Et en retour, des « merci », « merci encore » et de la prison, *merci beaucoup* ! Des remerciements et nos fourrures volées ! Un miracle que ce foutu gouverneur nous ait laissé nos canoës !

— Ça me foutrait en boule ! s'écria le jeune garçon.

— Ça m'a foutu en boule ! renchérit Radisson. Je lui en ai long-temps voulu... enfin, des semaines ; en vérité, ça m'aurait tenu plus longtemps, mais j'étais à court d'argent. Ah ! mon garçon !

— Et après ça ?

Le mousse savait que Radisson n'était jamais resté très longtemps tranquille.

Le coureur de bois tira sur sa pipe, savourant la fumée qui l'aidait à faire revivre le passé.

— J'ai attendu que Des Groseilliers ait purgé sa peine dans la vieille prison. Nous étions associés et les meilleurs amis du monde. A sa sortie, nous sommes descendus jusqu'à Boston pour discuter avec des marchands. Des Groseilliers leur a fourni, ou plutôt chuchoté, une bonne raison, ce qui obligea les hommes de Boston à tendre l'oreille pour l'entendre. Il n'avait jamais fait part aux Français de notre découverte, leur révéla-t-il, parce qu'il était convaincu que c'était aux hommes de Boston de profiter de ce que nous savions, à condition qu'ils aient l'amabilité de nous prêter un bateau.

— Ils l'ont fait ?

— Parfaitement ! Notre intention était de trouver l'entrée de la Grande Baie Salée en remontant vers le nord ; sinon, vers le sud, nous y serions allés en canoë. Rude trajet, mon garçon, et dangereux au

171

retour, à cause des Iroquois rôdant à proximité des rapides qui nous obligeaient à faire du portage. Une fois, quarante canoës sur cent abandonnèrent, car les hommes, qu'ils fussent français, hurons ou crees, n'avaient plus ni courage ni force. Et si nous avions un vaisseau sur place, il pourrait contenir le chargement de fourrures. C'est ce que nous expliquâmes aux hommes de Boston qui tendaient l'oreille, le regard brillant de cupidité.

— Vous y êtes déjà allés, n'est-ce pas ? interrogea le mousse, les cheveux ébouriffés par le vent, toute timidité oubliée, pris qu'il était par le feu du récit. Vers la Grande Baie Salée, notre destination actuelle ?

— Non, cette année-là, nous dûmes faire demi-tour, répondit Radisson. Des glaces aussi hautes que des montagnes, aussi larges que l'Irlande, ce qui ne les empêchait pas de voguer comme des navires poussés par le vent et les courants, nous y contraignirent. Nous essayâmes pourtant de contourner ces montagnes gelées, mais nous nous heurtâmes alors à un mur de glace qui bloquait la mer aussi loin que portait le regard et même plus loin – inaccessible à n'importe quel vaisseau. Cette année-là, les éléments nous avaient vaincus.

Le jeune garçon se représentait cette masse de glace bouchant l'horizon jusqu'à l'infini, surgissant menaçante et béante, capable de déchiqueter des vaisseaux.

— Vaincus, déclara Radisson, mais pas découragés ! Des Groseilliers – quel homme ! —ne doutait pas plus de notre capacité à nous frayer un chemin à travers les glaces que de la position de l'étoile polaire au firmament. Mais les hommes de Boston, mécontents, accueillirent mal notre retour forcé ; ils avaient perdu courage et il était inutile de compter sur leur générosité pour un second voyage. » Radisson tira sur sa pipe, et haussa les épaules. « Nous nous y attendions un peu. Alors, Des Groseilliers et moi gagnâmes l'Angleterre, en 1665... Quatre ans après, nous quittions l'Angleterre avec deux vaisseaux, en route pour la Grande Baie Salée.

Le vent sifflait dans les gréements, présageant une tempête.

— Et, cette fois, hasarda le mousse, vous y êtes arrivés !

— Mon vaisseau, l'*Eaglet*, avait subi de nombreuses avaries ; malgré sa vaillance, l'équipage et moi n'avions survécu que par la grâce de Dieu. Nous rentrâmes au port. Le bateau de Des Groseilliers et du grand capitaine Henry Hudson, le robuste et fidèle *Nonsuch*, essuya des tempêtes mais, quand il approcha de la côte anglaise, je le reconnus de loin – car tous les jours, une heure le matin, une heure l'après-midi, je braquais ma lorgnette vers l'horizon. Eh bien ! mon garçon, le *Nonsuch* débordait littéralement de peaux de castor !

— Ça a dû vous rapporter une fortune !

Radisson réfléchit, puis haussa les épaules et secoua la tête.

— On ne fait pas si facilement fortune ! voilà, à défaut d'autre chose, ce que m'a enseigné l'existence ! Nous n'avons pas tout perdu, c'est vrai. Je ne dirais pas non plus que c'était juste ou pas. Nous avions engagé les frais de deux vaisseaux, alors qu'un seul était rentré au port avec des fourrures... Ajoute à cela la bourse versée par le roi... Cette année-là, j'ignore pourquoi, les fourrures valaient une bouchée de pain. Ce qui m'a bien davantage déçu qu'une piètre récompense à nos efforts, c'est qu'on associait désormais le nom de Henry Hudson, et non de Des Groseilliers, à la Grande Baie Salée ! Il en avait rêvé, c'était son but, son illumination, et il était arrivé avec Hudson, qui n'y serait jamais parvenu sans lui ! » Une nouvelle fois, il haussa les épaules et claqua des lèvres, d'un air de regret. « Voilà comment ça se passe, parfois : la gloire vient couronner la tête des autres ! L'un dans l'autre, nous avions gagné assez pour conclure qu'un second voyage en vaudrait la peine. Cette fois-là, mon vaisseau connut la réussite et nous nous enfonçâmes profondément dans la Baie, jusqu'au fond, jusqu'à l'embouchure de la rivière Nelson !

« Cette année-là, en arrivant, nous fondâmes la Compagnie de la Baie d'Hudson, où nous conclûmes notre première grosse affaire !

— Mince alors ! déplora le jeune garçon en entendant la cloche.

— C'est le début de ton quart, lui confirma Radisson en souriant.

Radisson s'attarda un moment sur le pont pour humer l'air marin et savourer la fin de sa pipe ; quand il eut épuisé les derniers brins de tabac, il secoua les cendres du fourneau qu'il nettoya avant de ranger l'objet encore chaud dans sa poche ; il redescendit dans la cale. L'air n'était pas encore aussi vicié qu'il le serait à la fin de la traversée, sentait l'humidité et le renfermé associés à une forte odeur de sueur. Radisson gagna son hamac accroché dans la cale au milieu de ceux de l'équipage. Il s'allongea et, bercé par le vaisseau, s'assoupit.

Cette conversation avec le mousse avait éveillé chez lui des souvenirs doux-amers.

Avait-il jamais tenu les rênes de sa vie ? Sa naissance à Paris ? il n'en était même pas certain ; s'il y situait ses premiers souvenirs, il n'en connaissait pas non plus précisément la date, personne d'ailleurs. Venu de Paris, il avait atterri à Trois-Rivières, ce qui revenait, songeait-il à présent, à quitter l'Angleterre à bord du *Happy Return* pour aller sur la Lune. Ensuite, il avait été enlevé par des Iroquois qui l'avaient traité comme un des leurs, et il s'était laissé faire avec plaisir, maîtrisant leur langue, leurs coutumes, leur connaissance des bois et leur art de la guerre. Malgré tout, une partie de lui-même restée française, continuant de rêver dans sa langue maternelle et ne partageant pas les tendances sanguinaires de ses frères indiens, il s'était enfui.

Parti de Schenectady à travers bois, il avait regagné Trois-Rivières quand des guerriers iroquois à sa poursuite l'avaient capturé sans lui laisser le temps de franchir le seuil de la maison de son père. Cette fois, il ne fut pas aussi bien traité : ses ravisseurs lui avaient lacéré la peau, posé des braises brûlantes sous les aisselles, sur la poitrine et dans l'anus ; ils lui avaient écrasé les doigts et brisé les orteils ; ils lui avaient frotté les testicules avec des feuilles de sumac vénéneux, riant de plaisir à le voir souffrir. Ils avaient fait de lui leur esclave. Qu'était-il alors devenu ? Plus un Français, en tout cas pas de ceux susceptibles d'élever un cochon, de récolter des choux, de recevoir la communion le dimanche et, en même temps, d'abattre des Iroquois venus marauder dans son jardin. Il se considérait plus iroquois que français, mais les Iroquois n'étaient plus de cet avis. Ils lui faisaient traîner de lourds fardeaux, l'entravaient la nuit à un bouleau et le nourrissaient de vieux maïs desséché et de fougères, tandis qu'ils rongeaient de succulents cuissots de chevreuil ou mastiquaient les entrailles d'un enfant huron. Jamais ils ne l'autorisaient à manger les baies qu'ils l'obligeaient à ramasser. Il s'enfuit à nouveau, ce fut plus difficile que lors de sa première tentative, mais il avait acquis une certaine sagesse et, surtout, ne voulait pas d'une troisième captivité.

Il avait donc roulé sa bosse et visité Amsterdam – les Anglais disaient New York ; cet été-là, il était devenu un héros pour les Jésuites, en organisant l'évacuation d'un fort dont il avait sauvé les occupants juste avant une attaque iroquoise. Il avait accompagné son beau-frère et un modeste prêtre, le père Charles Albanel, dans un voyage autour des Grands Lacs, au cœur des territoires hurons, cree et saulteux. Le considérait-on pour autant comme un La Salle, un Marquette ou un Jolliet, explorateurs reconnus ? Selon toute apparence non, car le roi de France s'intéressait dorénavant davantage à des explorations vers l'ouest et le sud : le Nord, ce pays de neige, de glace et de ténèbres des mois durant, effrayait le roi. Le Nord évoquait pour lui l'enfer le plus froid, le plus sombre, un endroit sans vie ni mouvement ni couleur. Un endroit où le froid le tuerait. Ceux qui partaient vers l'ouest et le sud, descendaient le Mississippi jusqu'en Louisiane et avançaient jusqu'aux plaines du Lac Salé, incarnaient aux yeux du roi les vrais explorateurs, et il leur consacrait son attention et sa bourse, tandis que Radisson et Des Groseilliers qui avaient le cran de monter dans le Nord pour étendre le territoire des fourrures, de pénétrer dans des endroits où même les Iroquois n'osaient pas s'aventurer, et qui travaillaient une année pour les Français et l'année suivante pour les Anglais, ne pouvaient être considérés comme d'authentiques explorateurs.

Voilà qui expliquait, entre autres raisons, pourquoi il naviguait aujourd'hui à bord d'un navire anglais.

Qui était-il donc ? Français ? Anglais ? Iroquois ? Trappeur ? Marin ? Coureur de bois ? Soldat ? Officier de marine ? Il avait été tout cela et, pourtant, la fortune lui avait échappé. Mais il se retrouvait dans le regard du mousse, dans l'aventurier, le marginal, l'intrépide et courageux coureur de rêves qu'imaginait le jeune garçon.

— Pour ce deuxième voyage, mon garçon, j'ai eu la bonne idée d'emporter avec moi la Dague de Cartier.

— Alors, c'est vrai ? », lâcha le jeune mousse. Ils voguaient sous les étoiles et la lune, qui s'apprêtait à disparaître à cinq degrés au-dessus de l'horizon. Les embruns échappés de la crête des vagues et l'écume que faisait jaillir l'étrave obligeaient Radisson et son nouvel ami à s'écarter un peu pour ne pas être trempés. « Elle existe vraiment !

— Eh oui.

— Vous l'avez prise pour ce voyage ?

Radisson devança l'inévitable question suivante : *Je peux la voir ?*

— Je l'ai confiée à la garde de mon véritable amour, répondit-il en souriant, qui la garde en rançon jusqu'à mon retour, sain et sauf.

— C'est ce que j'avais entendu dire.

— Eh bien, mon garçon, tu as entendu la vérité. T'a-t-on également parlé des grands pouvoirs du poignard ? Par mon mariage, j'appartiens à la famille fondatrice de la Compagnie de la Baie d'Hudson, actuellement la plus grande compagnie au monde ! Ce qui démontre le grand pouvoir du poignard. Il m'avait accompagné jusqu'à la Baie, lorsque nous avons fondé la Compagnie. Je l'ai offert en cadeau de mariage à l'amour de ma vie et, depuis lors, mariage et Compagnie prospèrent.

Le mousse leva la tête pour examiner les étoiles. Il comptait sur cette traversée, son premier voyage lointain, pour s'habituer à se repérer en observant les astres grâce au sextant que lui avait donné un oncle navigateur. Radisson regarda lui aussi le ciel. Il adorait la nuit sur l'océan, quand les eaux fouettées par le vent se distinguaient à peine du firmament éclairé par les étoiles.

— Et ensuite ? demanda le mousse, toujours avide d'entendre un récit.

— Ensuite, tous les ans Des Gros et moi avons fait le voyage jusqu'au pays de la Grande Baie Salée – la Baie d'Hudson, comme il faut l'appeler aujourd'hui ; ce furent de bonnes années. Le commerce des fourrures, malgré leur prix dérisoire, nous a enrichis. Il fallait payer de grosses redevances au roi, mais nous nous enrichissions quand même, mon garçon, et je n'ai pas à me plaindre de ce temps-là.

— Que s'est-il donc passé ensuite ?

— En 1674, par un caprice du sort, nous sommes tombés au fond de la Baie d'Hudson sur un Français, un jésuite prisonnier des Crees, que nous avions connu autrefois, Charles Albanel. Quel étrange détour, mon garçon, nous conduisit-il à retrouver ce vieil ami dans ce coin perdu ?

Il s'interrompit, comme s'il n'avait toujours pas trouvé de réponse à cette question et que, cette nuit-là, il ne poursuivrait pas plus loin son récit. Le mousse n'insista pas, bâilla et regarda l'homme bourrer sa pipe, puis l'allumer en protégeant la flamme du vent. Il appartenait, à coup sûr, à la catégorie des vrais marins qui parviennent à allumer leur pipe au milieu des rafales avec une seule allumette. Le garçon observa avec attention le rituel, en attendant le jour où il saurait en faire autant.

— Charles Albanel », répéta Radisson, comme pour évoquer un esprit du fond de la nuit tandis que la lune orangée glissait derrière un nuage, « un prisonnier, un esclave qui nous persuada, Médard et moi, de retrouver l'amour de notre pays et de nous remettre au service du roi de France.

— Vous l'avez fait ? interrogea le mousse, fasciné.

— Oui, confirma Radisson.

— Pourquoi ? s'étonna le garçon.

Une nouvelle fois, Radisson, silencieux, réfléchit.

— Ne suis-je pas français ?

Le mousse haussa ses maigres épaules et Radisson interrogea une nouvelle fois les étoiles, se posant toujours la même question.

— N'êtes-vous pas français ? s'enquit Charles Albanel.

Ah ! ces Jésuites ! On était obligé de les admirer, même si, à l'instar de Des Gros, on avait plutôt envie de les considérer comme un fléau ! Torturés, mutilés, réduits en esclavage, massacrés et échouant la plupart du temps dans leurs missions, ils s'acharnaient à revenir dans ces régions sauvages auprès de leurs « enfants indiens » tant aimés, ces « enfants » qui leur brûlaient la plante des pieds, leur arrachaient la langue, ou dévoraient sous leurs yeux des enfants capturés à une autre tribu. Soucieux du salut des âmes, les Jésuites ne s'inquiétaient guère de leur bien-être. « Un jésuite en prière, avait dit un jour Des Gros, c'est comme un canoë. »

Ils remontaient la rivière Rupert en pagayant; elle traversait une région de pins échevelés et de roches érodées où la faune n'avait jamais rencontré aucun bipède, en tout cas, ni blanc de peau ni au visage orné d'une grande barbe noire, et, quand ils débarquaient sur la rive, leurs pieds étaient sans doute les premiers à laisser leurs empreintes sur cette terre depuis qu'il existait des hommes. Radisson hala son canoë auprès de celui de Des Groseilliers, et se laissa porter par le courant.

— Dis-moi, Médard, pourquoi un jésuite en prière est-il comme un canoë ?

— Le temps viendra, Pierre, où toi et moi devrons les porter sur notre dos.

Radisson comprit alors ce que son ami avait voulu dire : en arrivant à Long-Sault, à l'heure du portage, ils avaient trouvé trois jésuites en prière : ceux-ci avaient refusé de bouger ainsi que leur avaient demandé les voyageurs qui, à cause des dangers qui les menaçaient, voulaient maintenir leur progression. Aussi Radisson et Des Groseilliers et un troisième homme, avaient-ils empoigné chacun un jésuite qu'ils avaient balancé sur leurs épaules et gardé tout le long du portage ; à aucun moment les jésuites n'avaient cessé de prier ; puis on les avait redéposés sur leurs genoux dans leur canoë et on s'était remis à pagayer.

— Je ne comprends pas pourquoi, poursuivit Radisson, les Jésuites sont de plus en plus nombreux alors qu'ils sont célibataires ! Comment se reproduisent-ils ?

Un fléau peut-être, mais les Jésuites étaient admirés par tous, trappeurs et Indiens. Ici, à l'endroit où la rivière Rupert se jetait dans la baie d'Hudson, Charles Albanel, un jésuite esclave des Crees – avec des traces de brûlures sur les bras, les doigts cassés et noircis par le gel, aux ongles arrachés par les Iroquois pour le regarder se tordre de douleur –, reprochait à Des Groseilliers et Radisson leur manque de patriotisme !

— Je suis aussi français que vous ! protesta Radisson, stimulé par les quelques rations de rhum de l'Anglais. Peut-être même plus que vous !

— Je suis plus français que vous deux ! renchérit Des Groseilliers.

— Et ce pavillon à la poupe de votre embarcation ? Espagnol ? Hollandais ? Portugais ? Hmm... plutôt anglais, je dirais.

Les deux accusés en convinrent, mais Radisson ne voulait pas en démordre.

— Le pavillon... Quelle importance ? Moi, je reste français !

— Et votre femme, est-elle anglaise ou française ? Vos enfants, Radisson, sont-ils anglais ou français ? Où habitent-ils ? A Londres ou dans la campagne anglaise ?

— Cessez de me harceler ! lança le trappeur au prêtre.

— Vous harceler ? Et vous ? Quand cesserez-vous de me harceler ? D'embêter les Français du Nouveau Monde ? Cessez donc de harceler votre roi – je parle du roi de France ! Je ne sais pas si vous empoisonnez aussi la vie du roi d'Angleterre, mais c'est certainement aussi le cas...

Radisson, de plus en plus furieux, observa Des Groseilliers qui ricanait tout seul. Cet échange l'amusait. Il connaissait l'homme depuis longtemps : cela remontait au premier voyage de Radisson jusqu'au Lac Supérieur, quand Albanel avait abandonné sa mission de Tadoussac et décidé de les suivre, « pour l'expérience », avait-il alors prétendu. Sa carrière ecclésiastique n'avait rien d'exceptionnel et ses supérieurs le tenaient en piètre estime. Le gouverneur, pour ne pas confier une tâche aussi dangereuse à un prêtre estimable, avait chargé Albanel d'enquêter sur la Grande Baie Salée ; il avait en effet reçu un rapport mentionnant les navires anglais que Des Groseilliers avait guidés jusqu'à la Baie. Albanel se rendit sur place et affirma sans vergogne aux Indiens qu'on avait chassé les Iroquois des grandes rivières commerciales pour les envoyer vers le sud. Il ne se rendit pas compte que cette tribu n'avait jamais rencontré d'Iroquois et que par conséquent, cette nouvelle les laissait indifférents et ne les incitait pas à faire commerce avec les Français. A son retour, Albanel se présenta devant le gouverneur et ses supérieurs jésuites ; on lui annonça qu'il avait raté sa mission. Des années plus tard, il retourna dans la Baie, à titre personnel, pour réparer son erreur, mais le voyage l'avait épuisé au point que les Crees, ne sachant que faire de lui, le vendirent aux Assiniboines, lesquels le réduisirent en esclavage.

Des Groseilliers s'était assis sur une souche ; le robuste gaillard taillait une branche d'érable tout en continuant à rire sous cape.

— Que racontez-vous là ? répliqua Radisson au prêtre. Je ne harcèle personne ! Même pas vous, et pourtant je devrais, parce que vous m'échauffez les oreilles avec vos propos insensés. Seriez-vous dément, mon père ?

— Et vous ?

Ce prêtre à la mine sévère n'avait probablement jamais fait un repas convenable ni ri de bon cœur de toute son existence. Sa vulnérabilité, toutefois, n'était qu'apparente et personne ne doutait de sa force ni de sa détermination. Même l'épuisement et l'esclavage n'avaient pas réussi à le briser. Mais mettre en doute ses facultés et son bon sens, c'était une autre histoire.

— Je vais très bien. Moi, lança Radisson, je ne suis pas le cuisinier d'un chef indien !

— Vous avez deviné ? Cela m'étonne !

Il palpait de la langue une molaire douloureuse et crachait de temps en temps.

— Qu'y avait-il donc de si difficile à deviner ? Comment êtes-vous devenu prêtre, mon père, un pauvre estropié comme vous ? Je suis même étonné qu'un chef ait fait de vous son esclave. Vous avez de la chance de ne pas avoir eu la gorge tranchée...

Albanel croisa les bras sur sa poitrine, comme l'hercule qu'il n'était pas, et lança à Radisson un regard noir.

— Vous me faites remarquer que je suis un esclave, mais ça ne vous choque pas d'avoir asservi votre propre peuple ?

— Hein ? Quoi ?

Ses yeux aux reflets gris s'élargissaient comme ceux d'une chouette quand il les fixait sur son adversaire.

— Ce sont des traîtres comme vous qui ont amené les Anglais dans le nord, pour nous encercler nous autres, Français. Cette région devrait être entièrement française pour permettre à nos frères de créer une grande nation. Au lieu de cela, nous devons lutter et persévérer en nous demandant quelle nouvelle calamité les Anglais s'apprêtent à abattre sur nous, quelles alliances ils méditent. Nous sommes asservis par nos craintes, par la traîtrise des Anglais et de leurs alliés fantoches, les Iroquois. Chaque été, désormais, les Indiens attaquent, nous massacrent dans nos lits et nos champs, égorgent nos enfants... Le roi de France envoie-t-il des renforts en hommes ou en armes pour nous protéger ?

— Absolument pas, reconnut Radisson. Il est comme ça, le roi de France ! Ah ! Ah !

— Tout cela est votre faute, déclara Albanel.

— Ma faute ! Vous venez de dire que c'était celle du roi ! Pas très malin, vous, pour un jésuite !

— A cause de vous, reprit Albanel, d'un ton de réprimande, les Anglais chargent sur leurs gros bateaux les fourrures de la Baie d'Hudson. Etant donné que toutes ces richesses partent pour l'Angleterre, pourquoi le roi de France s'intéresserait-il à ses sujets qui meurent ici en vain ? Maintenant, si c'était le roi de France le bénéficiaire de ces fourrures, ne pensez-vous pas qu'il s'empresserait de protéger ses sujets, de s'assurer cette nouvelle source de richesse ? Aujourd'hui, quand un Français enterre la mère de ses enfants, morte dans d'horribles souffrances des sévices des Iroquois, il vous maudit : « Radisson et Des Groseilliers, vous avez cette mort sur la conscience ! »

— Pas du tout ! » Radisson se leva d'un bond et dégaina son poignard, prêt à le plonger dans la gorge du prêtre. « Sale menteur ! Je vais vous arracher le cœur ! s'écria-t-il.

— C'est la vérité, insista Albanel en haussant les épaules devant le poignard qui le menaçait. Que nos frères en soient convaincus ou pas, de toute façon, ils murmurent cette malédiction. Quand un enfant trébuche sur une racine, il s'écrie : « Maudit Radisson ! »

— Pas du tout !

— Ils le disent, garçon comme fille ! Quand une fièvre s'abat sur nous, Français – je l'ai souvent entendu, mon ami, au chevet des malades qui m'appellent pour que je leur apporte quelque réconfort –, nous crions : « J'ai la grippe ! Des Groseilliers s'est glissé dans mon sang ! Radisson me torture ! »

— Non ! s'exclama Radisson, affolé.

Des Groseilliers écoutait et ne riait plus.

— On nous déteste ? interrogea-t-il.

— On vous méprise. Nous, les Français, nous enseignons à nos enfants de vous mépriser plus que le diable lui-même. Nous manifesterions de la compassion envers le diable, si seulement il venait à nous en pénitent. Devant Des Groseilliers, devant Radisson, nous garderions porte close, même au plus froid de l'hiver, même si vous vous traîniez nus dans la neige en implorant votre Dieu. Si vous vous avisiez de paraître à la foire aux fourrures de Montréal..., marmonna le prêtre sans terminer sa phrase et en secouant la tête d'un air désespéré.

— Quoi ? voulut savoir Radisson. Que se passerait-il ?

Le prêtre fit une grimace, comme s'il préférait ne pas imaginer la scène.

— Dites-moi ! insista Radisson.

— Rangez votre poignard, et je vous le dirai, proposa le prêtre. Je ne veux pas que vous m'arrachiez le cœur dans une crise de colère. » Quand Radisson eut rengainé son poignard, il murmura : « Les gens, je le crains, vous lapideraient.

Des Groseilliers et Radisson restèrent songeurs. Ils ne savaient trop que croire, mais cela faisait tant d'années qu'ils avaient perdu tout contact avec les Français, si longtemps qu'ils n'avaient pas discuté de ce que leurs compatriotes pourraient penser maintenant qu'ils travaillaient avec les Anglais.

— Ils ne savent donc pas que l'on nous a volés ? gémit Radisson. Nos fourrures ont tant de fois disparu. Médard a été jeté en prison alors que son seul méfait était d'avoir sauvé la colonie ! Les Français nous ont traités avec mépris, avec dédain !

Albanel eut un claquement de langue réprobateur.

— Pourquoi me parlez-vous comme ça ? demanda Radisson.

— Vous n'avez jamais été maltraité par les Français. Seulement par le gouverneur. Les Français vous respectaient, vous adoraient. Il fut un temps où chaque Français de la Nouvelle-France aurait été honoré de vous accueillir dans sa cabane et de vous inviter à sa table. Chaque Français aurait été prêt à égorger un porc pour vous faire bon accueil. Mon Dieu ! c'est vrai ! A une époque, tout vrai Français aurait fait défiler ses propres filles devant vous et, si vous aviez choisi la plus ravissante, il aurait sur-le-champ doublé sa dot. C'est dommage ! Vraiment dommage, n'est-ce pas ? Je me demande... Mais non, c'est impossible aujourd'hui. Vous deux, vous êtes devenus trop anglais pour redevenir français...

— Qu'est-ce qu'il raconte ? demanda Radisson à son ami tout en écrasant d'une claque un moustique sur son cou.

Des Groseilliers semblait intéressé.

— Mon Père, dites ce que vous pensez.

— Songez à ceci... Pensez-y dans ce petit coin de votre âme dont le diable ne s'est pas encore emparé... » Accroupi, il s'approcha davantage des hommes, aussi près que le lui permettaient ses liens. « Si vous vous avisiez de prendre quelques canoës pleins de fourrures et de remonter en pagayant avec moi jusqu'à Montréal, si vous faisiez le serment de rendre la Baie aux Français, ne redeviendriez-vous pas alors des héros ? Peu importe l'opinion du gouverneur ! Le roi de France en personne vous couvrirait d'honneurs et de richesses. Vous obtiendriez sans doute en France le domaine de votre choix. Mais...

Le prêtre secoua de nouveau la tête, comme s'il était accablé, vaincu, puis à son tour il tua un moustique. Les insectes commençaient à pulluler.

— Mais quoi ? demanda Radisson d'un ton grave.

— Les Anglais, je suppose, vous paient vos fourrures des sommes astronomiques... J'imagine que vous êtes aujourd'hui les grands seigneurs de Londres. Le roi d'Angleterre, à ce qu'on dit, vous a donné des terres et des richesses. J'ai entendu dire que Des Groseilliers a été fait chevalier, est-ce vrai ?

— Chevalier de l'ordre de la Jarretière ! s'écria Radisson. Le plus grand honneur décerné en Angleterre.

— Et vous, j'imagine, vous êtes son écuyer. Vous devez posséder de grands domaines et de nombreux serviteurs.

Des Groseilliers et Radisson échangèrent un regard furtif. Ces derniers mois, ils avaient discuté de leur situation. Certes, Des Groseilliers avait été comblé d'honneurs pour avoir conduit les Anglais jusqu'à la Baie, mais leurs matelots connaissaient désormais la route et leurs capitaines avaient passé des alliances avec les Crees et les Assiniboines. En vérité, on n'avait plus besoin d'eux, ils avaient livré aux Anglais l'essentiel de leurs connaissances. Ils avaient compris qu'ils ne servaient plus à rien et qu'il leur serait bientôt refusé jusqu'à la plus modeste portion des bénéfices. Ils étaient devenus vulnérables.

Continuant à chuchoter, car les hommes s'étaient inconsciemment rapprochés du prêtre enchaîné, le père Charles Albanel déclara :

— Et, bien sûr, vous m'emmènerez aussi jusqu'à Montréal, avec les canoës chargés de fourrures.

— Nous pourrions aussi vous laisser ici, mon père. Radisson vous le dira. Sur la piste, l'avertit Des Groseilliers, je préfère ma cuisine.

— Vous aurez besoin de moi pour intercéder en votre faveur. Sans moi, dès l'instant où vous poserez le pied sur l'île de Montréal, on vous lapidera. La foule vous maudira d'abord puis vous lapidera.

— Nous avons déjà une cargaison complète de fourrures, l'informa Radisson. Je ne veux pas y renoncer.

— Alors, suggéra Albanel, embarquez les fourrures pour l'Angleterre et emmenez-moi avec vous. Ensuite, nous traverserons la Manche ensemble pour gagner la France, où j'intercéderai pour vous auprès du roi.

Par cette nuit étoilée, sur les rives de la Grande Baie Salée, ils mirent au point leur plan pour rendre aux Français la partie septentrionale du continent. Une fois de plus, ils sauveraient la colonie et, cette fois, du moins en étaient-ils convaincus, on les récompenserait somptueusement. On leur prodiguerait enfin les richesses qu'ils méritaient, ils connaîtraient la gloire en France et leurs compatriotes les couvriraient d'honneurs.

— Que penseront les Anglais ? s'inquiéta Radisson alors qu'ils étaient prêts à s'endormir à l'abri sous les branches d'un cèdre.

— Je crains fort de perdre mon titre de chevalier.

— Et moi mon épouse, reconnut Radisson.

— Le roi de France vous a-t-il bien reçus ? s'informa le mousse.

Assis dans la cale, ils prenaient leur repas du soir. Au-dessus de leurs têtes, une lampe se balançait au rythme du vaisseau, et, autour d'eux, d'autres mangeaient ou ronflaient au fond de leur hamac.

— Le roi voulut savoir pourquoi ma femme ne m'avait pas rejoint. « Traversera-t-elle la Manche ? » Cette question le tracassait et mes réponses, j'en conviens, ne dissipaient pas son inquiétude.

Cette remarque étonna le garçon. Il avala deux cuillerées de son ragoût en y réfléchissant, hésitant à poser une nouvelle question, de crainte de passer pour un idiot. Il finit tout de même par se lancer :

— Je ne comprends pas pourquoi le roi se préoccupait de votre femme...

Radisson secoua la tête, comme pour laisser entendre que lui aussi avait été intrigué par cette attitude, mais c'était faux : en vérité, il était préoccupé par le fait qu'il s'était montré incapable de régler ce problème.

— Le roi ne se tracassait pas pour mon épouse, mais pour ma loyauté ! Si ma femme demeurait en Angleterre, je pourrais retraverser la Manche. Il me considérait avec méfiance depuis que ses conseillers, des canailles, lui avaient instillé cette idée ! Mais il comprit la valeur de notre présence et nous renvoya, Des Groseilliers et moi, de l'autre côté de l'Atlantique : nous nous présenterions au gouverneur de la Nouvelle-France, Frontenac, qui veillerait à ce qu'on nous approvisionne comme il convenait. Nous nous retrouvâmes à Montréal, où les gens gardaient leurs distances, ainsi que l'avait prévu Albanel, mais nous leur parlâmes de nos plans, du projet de ramener le Nord au service du roi de France. Certains nous soutenaient, soulagés de notre retour à leurs côtés ; tandis que nous attendions que Frontenac prît sa décision et nous envoyât là-bas, beaucoup nous souhaitaient de réussir. » Comme s'il incarnait lui-même l'un de ces citoyens, le mousse attendait la suite du récit. « On nous convoqua au château de Frontenac, où le gouverneur nous offrit de choisir entre le commandement d'une expédition qui descendrait le Mississippi ou celui d'un groupe armé qui attaquerait Fort Ticonderoga. Aucune proposition concernant la Baie d'Hudson ! Nous réalisâmes alors que Frontenac non plus ne s'intéressait pas à la Grande Baie Salée.

Bien qu'il fût anglais, le mousse ne se rangeait dans le camp d'aucun des deux rois, mais aux côtés de ce voyou de Radisson.

— Qu'avez-vous fait ?

— Des Groseilliers est retourné à Trois-Rivières planter du maïs et élever ses enfants ; quant à moi, je me suis engagé dans la flotte française.

— Ce n'est pas possible ! lâcha le mousse, sincèrement étonné que l'homme des bois se fût enrôlé dans la Marine.

— Mais si ! J'ai navigué jusqu'aux Antilles et le long de la côte africaine. Un bon métier pour voir le monde, je te le recommande, mon garçon. Tu as fait le bon choix !

Le mousse semblait pourtant déconcerté.

— Les Français ont repris la Baie, j'en suis presque certain, déclara-t-il.

Radisson ramassa ses couverts et son assiette.

— Allons nous dégourdir les jambes sur le pont, j'aimerais respirer l'air de la nuit avant de dormir.

Ils contemplèrent les dauphins dans le sillage du navire. L'air avait beaucoup fraîchi depuis qu'ils naviguaient vers le nord et il faisait jour jusqu'à près de minuit.

— J'aime mon épouse et ce depuis l'instant où je l'ai rencontrée. L'amour entre une Anglaise issue d'une famille de marchands, et un trappeur français constitue une épreuve... Aux yeux des marchands de Londres, je suis un sauvage et ne représente pas exactement ce dont un riche bourgeois rêve pour sa fille...

— Je peux l'imaginer, reconnut le mousse.

Le trappeur avait pourtant épousé la jeune fille et, malgré l'éloignement, les dangers et la guerre qui séparait leurs pays, le couple avait tenu bon.

— En réalité, tu n'imagines pas à quel point. Encore aujourd'hui, ma femme subit davantage l'influence de son père que la mienne. Elle a décliné chacune de mes propositions de me rejoindre en France ou en Amérique du Nord. Elle attend à la maison le jour où je mettrai un terme à ma vie aventureuse... le jour où je me satisferai, comme Des Gros, d'élever des poulets...

— C'est pour cela que vous naviguez de nouveau sous le pavillon anglais ? s'enquit le jeune marin.

Radisson regarda un dauphin filer sous la surface avant de jaillir hors de l'eau.

— C'est une des raisons, je suppose. J'ai passé cinq années dans la flotte française, qui n'ont pas étanché ma soif d'aventures plus grandioses. Après une vie que j'estimais être un échec, j'ai éprouvé le besoin de me retrouver un moment auprès de mon épouse. Je l'ai suppliée, réellement suppliée, mon garçon, même si j'ai honte de l'avouer, de m'accompagner en France et d'y vivre à mes côtés. C'était en 1681, je venais de quitter la Marine. Mais elle a refusé, me brisant le cœur. Vivre ou mourir, désormais plus rien ne m'importait, et j'ai de nouveau imploré le roi : « Ne m'envoyez pas au Québec, Frontenac me méprise. » Au Québec en effet, il m'aurait demandé d'abattre des Indiens, dans l'espoir que l'un d'eux m'abattrait. Le roi, déjà déçu par Frontenac, a pris lui-même le projet en main. J'ai fait venir Des Groseilliers, un peu las de planter son maïs, et, à nous deux, nous amenâmes deux vaisseaux dans la Grande Baie Salée que, figure-toi, nous avons reprise aux Anglais ! Parfaitement ! Et, pour faire bonne mesure, nous avons capturé un vaisseau de Boston avec une cargaison de fourrures, par-dessus le marché ! Nous sommes rentrés en France avec trois navires pleins à ras bord. Nous avions accompli notre mission : rendre à la France la Grande Baie Salée ; pourtant, à notre retour en France, lui chuchota-t-il, avec notre cargaison, nos vaisseaux, cette merveilleuse reconquête du nord du continent, on nous a rejetés, Des Groseilliers et moi. On ne nous a pas payé nos fourrures ; la part qui aurait dû nous revenir, avait-il été décidé, annulerait la dette que nous avions contractée envers la France, des années auparavant, en conduisant les Anglais dans la Baie. C'était en 1682, il y a tout juste deux ans, et Des Groseilliers et moi avons décidé de démissionner une bonne fois pour toutes.

Ils continuèrent leur promenade et arrivèrent à la coursive qui menait à la cale.

— Cette fois, s'enquit le mousse, pensez-vous faire fortune ?

Il doutait, maintenant, de la réussite de Radisson, dont les nombreuses victoires et les riches prises ne l'avaient pas empêché d'être rejeté à chacun de ses retours de la Baie.

— Cette fois, je m'apprête à prendre la Baie pour l'Angleterre, car c'est ce que souhaite l'amour de ma vie. Son père aussi. Si j'y parviens, son père veillera à ce que j'en sois enfin récompensé. Des Groseilliers, lui, n'a pas voulu m'accompagner, il est resté à s'occuper de ses poulets : c'est un homme vaincu. Moi pas. J'ai pris la Baie pour la France en l'an de grâce 1682 et je vais la reprendre pour l'Angleterre en l'an de grâce 1684. Puis je me retirerai dans un domaine en Angleterre où je coulerai des jours sereins avec mon aimée, Dieu m'en soit témoin !

Le mousse, pourtant prévenu qu'il voguait vers un autre monde et vers une autre époque, considéra avec stupeur les dimensions fantastiques de l'immense Baie Salée. Enormes, monstrueux, des ours polaires blancs couraient sur une petite plage de sable parsemée de rochers et de morceaux de bois dont les formes torturées étaient décolorées par le soleil. Des cétacés lançaient dans l'air leur panache de vapeur et, patients maraudeurs, suivaient le vaisseau. L'air vif semblait tout juste né de l'aube des temps, et le ciel, pâle et beau, renforçait l'impression du mousse d'avoir accédé à une éternité ayant banni une fois pour toutes les vanités terrestres.

Radisson donna l'ordre de mettre des chaloupes à la mer pour permettre aux soldats de débarquer, tandis que le *Happy Return* continuait sa route vers la rade de Port Nelson pour y jeter l'ancre. Un canoë amena à terre Radisson qui, avec toute l'autorité d'un amiral, exigea la reddition de la communauté. Les marchands français, se sachant bien armés, commencèrent par éclater de rire ; de plus, une passe d'armes ajouterait un peu de piment à leur existence chiche en distractions, mais quand ils découvrirent dans les bois des alentours que des soldats anglais accompagnaient Radisson et ses marins, ils capitulèrent sans protester. Port Nelson redevint anglais.

Etant donné son nom, cela semblait normal.

Radisson remonta alors la rivière Hayes, et, à sa grande surprise, tomba sur son neveu, Médard Chouart, le fils de Des Groseilliers. Ils discutèrent autour d'un feu de camp, refaisant le monde et énumérant les multiples griefs que s'étaient attirés les gouverneurs successifs de la Nouvelle-France, tant et si bien qu'au lever du jour, Radisson avait convaincu le jeune homme et ses amis assiniboines de rallier le camp de l'Angleterre. Le territoire fut alors remis aux soins de la Compagnie de la Baie d'Hudson, et Radisson débarrassa les entrepôts français de la totalité des fourrures qu'ils abritaient pour les charger dans les cales du *Happy Return*. Le vaisseau repartit pour l'Angleterre, où Radisson toucherait enfin la belle récompense qu'il espérait depuis longtemps.

*

Le gentleman qui lui rendit visite en 1710 était vêtu avec goût : son élégance ne dénotait peut-être pas un courtisan mais, en tout cas, un personnage d'un certain rang, comme Radisson n'en avait pas revu depuis des années. L'homme avait décliné son nom, mais la mémoire de Radisson avait beaucoup baissé.

— Puis-je, monsieur, m'enquérir de votre nom ? demanda-t-il, au moins pour la quatrième fois.

— Charles Smythe Hamilton, répondit le visiteur en souriant avec indulgence. J'attends que vous me reconnaissiez, monsieur. Cela facilitera notre discussion.

— Vous me déconcertez, monsieur. Quel nom, me disiez-vous ?

Radisson avait répondu aux coups frappés à sa porte en criant : « Entrez ! » de son lit. Après deux ou trois invitations, il avait entendu grincer les gonds puis des bottes marteler le plancher. Il avait dû crier encore une fois pour guider les pas du visiteur qui, un grand chapeau sous le bras, était apparu sur le seuil. Si c'était la mort, elle était mieux vêtue que Radisson ne s'y attendait, et s'il s'agissait du diable, il régnait sur un royaume qui ne devait pas être si terrible.

Charles Smythe Hamilton s'assit sur une chaise qu'il avait approchée du lit et saisit la main du vieillard, avec une affection et une compassion qui surprirent l'invalide. Il eut un bref instant de recul, mais ne se dégagea pas, laissant sa paume reposer dans celle du visiteur. Il trouva la force de répondre par une légère pression des doigts.

— Quel est donc votre nom, monsieur ? Ne mettez pas ma mémoire à l'épreuve, elle est défaillante. Je vous connais, me dites-vous, mais mes souvenirs sont brouillés. D'où vous connaîtrais-je ?

— Vous rappelez-vous le *Happy Return ?* Un vaillant vaisseau, selon vous.

Radisson hocha la tête. D'un geste, il réclama un peu d'eau et son hôte lui passa la louche.

— Assurément, confirma-t-il, un vaillant vaisseau ! C'est avec lui que nous avons repris la baie d'Hudson pour les Anglais. Oui, pour les Anglais... Ou alors était-ce pour les Français ?...

— Les Anglais ! Puis, d'après ce que je comprends, vous y êtes revenu.

— En effet, je pensais m'y établir.

Sur son visage se lisaient les traces d'une existence difficile, laborieuse, désormais menacée par l'âge, la maladie et les excès. Ses cheveux blancs clairsemés, ébouriffés et crasseux encadraient un visage au teint jaunâtre qui reposait sur un oreiller malpropre. Sa barbe avait été taillée à coups de ciseaux grossiers. Une toux fréquente et grasse lui arrachait des crachats sanguinolents. Le visiteur remarqua son nez complètement déformé, probablement par les coups de poing encaissés lors des batailles homériques qui se livraient à Ville-Marie au printemps avant l'embarquement pour les territoires indiens. Sa chemise de nuit entrebâillée pour rafraîchir son corps brûlant révélait un « X » taillé par le sage chef Kondiaronk pour le décourager de trahir. L'homme avait dû naître sous une bonne étoile pour que cette incision se soit bien cicatrisée.

— J'aimais ce pays sauvage, se remémora Radisson, comme plongé maintenant dans une rêverie, sa voix retrouvant quelque force. Mon épouse, qui vivait en Angleterre, ne se souciait guère de mes goûts, et, pour mes propres enfants, je suis presque un inconnu. J'ai donc mis un terme à notre mariage selon la loi du Seigneur, ce qui est possible sans L'offenser, quand votre épouse est la fille d'un homme puissant. Je me suis ensuite installé dans la Grande Baie Salée, cette terre infiniment sauvage, mais n'abritant aucun Iroquois ! Un paradis pour moi ! J'aurais pu gagner quelques écus, pas une fortune – je ne compte plus là-dessus ! –, mais un petit magot pour mes vieux jours auprès de cette eau glacée.

— Alors, demanda le visiteur, que s'est-il passé ?

Il connaissait bien sûr la réponse, mais il ne se lassait pas d'avoir retrouvé la voix du vieux conteur.

— Personne n'aurait pu me dénicher dans mon refuge, mais hélas ! les Français y sont parvenus... Ils m'en voulaient, m'ont-ils fait savoir.

Le roi en personne, ce crétin de Louis XIV, a signé un édit d'arrestation à mon encontre et envoyé un de ses laquais, un certain Pierre de Troyes, qui se disait chevalier, pour me ramener. » Radisson s'interrompit pour demander de l'eau. « Des Groseilliers, lui, était chevalier ! Chevalier de l'ordre de la Jarretière !

— J'ai appris cela. Une grande distinction !

— Et à moi, on a envoyé ce Pierre de Troyes, un noblaillon ! Le connaissez-vous ? Mais, dites-moi, monsieur, êtes-vous français ou anglais ?

— Anglais, monsieur. Dans la marine marchande.

— Oh ! oui ? Pouvez-vous me dire votre nom ? J'ai moi-même été marin autrefois.

— Je le sais. Dans la flotte française.

— En effet, puis au service de la Compagnie de la Baie d'Hudson aussi.

— Qui m'emploie aujourd'hui, déclara l'inconnu.

Radisson, malgré son infirmité et sa fragilité, s'efforçait, dans la confusion de ses idées, de situer cet homme.

— La Compagnie vous emploie, dites-vous ? Sur des navires ? Quel est votre grade, monsieur, si je puis me permettre de vous le demander.

— Cela, monsieur, dépend peut-être de vous.

— De moi ?

— De vous, Pierre-Esprit Radisson.

Le vieil homme malade était maintenant fort déconcerté, mais pas moins, cette fois, qu'un homme en pleine possession de ses facultés ne l'aurait été.

— Quand je trimais pour la Compagnie, je n'attribuais son grade à personne. Pourquoi, dites-vous, monsieur, que le vôtre dépend de moi ?

Comme pour souligner à quel point sa mission était délicate, l'inconnu rapprocha encore un peu sa chaise du lit. Il se pencha si près que son souffle réchauffait la peau pâle et ravinée du vieillard.

— Radisson, chuchota-t-il, vous souvenez-vous de cette lame affûtée ? De la Dague de Cartier ?

— Oui, répondit Radisson sur le même ton.

— Vous en aviez confié la garde à votre épouse, lui rappela le visiteur.

— C'est vrai, admit Radisson, un peu méfiant.

— Mais, quand votre épouse et vous vous êtes séparés, vous avez repris le poignard.

— En effet, reconnut le vieil homme. A mon retour en Angleterre, à bord du *Happy Return*, je n'ai pas reçu le domaine que m'avait promis son père. Nouvelle promesse non tenue, on m'en a tellement fait. Entre eux, ces hommes n'agissent pas ainsi : ils respectent leur parole, mais ni Des Groseilliers ni moi n'en semblons dignes. Je l'ai appris au cours des vagabondages de ma longue existence. Aucun roi, aucun chevalier, aucune épouse – j'en ai eu trois –, aucun enfant – j'en ai eu neuf, m'a-t-on dit –, aucune compagnie – même si je n'ai trimé que pour une seule –, personne, monsieur, n'a tenu parole envers moi. J'ai donc repris la Dague de Cartier à l'individu qui avait repris le domaine qu'il m'avait si solennellement promis.

— Où se trouve maintenant la Dague de Cartier, monsieur ? murmura l'inconnu d'une voix encore plus étouffée.

Radisson fixa un moment son regard sur l'homme et une lueur parut surgir dans les sombres recoins de son esprit fatigué, peut-être un souvenir, mais il ne pouvait en être certain. Il appréciait cette visite, c'était tout ce qu'il savait vraiment.

— Qui me le demande ? Sous quel nom ?

— Charles Smythe...

— Je le sais, je ne suis pas encore gâteux ! Qui êtes-vous donc, mon garçon, et, dans votre intérêt, ne tardez pas à me répondre !

— Du temps a passé, répondit Charles Smythe Hamilton avec un large sourire, depuis le temps où vous m'appeliez « mon garçon »...

La lueur dans la mémoire du vieillard commença à briller un peu.

— Eh ! Dites donc ! J'y suis maintenant ! Vous êtes le mousse !

— A bord du *Happy Return*, monsieur, et je suis fier de croiser à nouveau votre route.

— Regarde-toi ! Tu es un homme désormais ! Un vrai de vrai ! Qu'es-tu devenu, mon garçon, dis-moi quel est ton grade ? Pas un mousse, je le vois bien !

— Je pourrais être capitaine, monsieur. Cela dépend de vous.

— Je te le souhaite, mon garçon ! Dis-moi ce que je peux faire !

Reprenant un ton de conspirateur, Hamilton expliqua :

— La Compagnie, monsieur, plus précisément Mr. Kirke, sait l'affection qui nous liait au bon vieux temps – je lui en ai souvent parlé. Ainsi que de ma fierté d'avoir appris à vous connaître grâce à nos conversations sous le ciel étoilé.

— On en a vu de dures en mer !

— C'est vrai, monsieur. En tout cas, Mr. Kirke sait que vous possédez la Dague de Cartier, car vous l'avez reprise à sa tante, au terme de votre union avec elle.

Radisson toisa le jeune homme d'un regard glacé, se demandant pour quelle vilenie cette fois on avait forcé sa porte.

189

— Que veux-tu de moi, garçon ?... La Dague ?

— Radisson, vous avez presque terminé votre temps sur cette Terre. Si vous disparaissez, le poignard restant caché, il disparaîtra. Or Mr. Kirke le convoite, monsieur.

Le vieux coureur de bois hocha la tête.

— Sa famille m'a tout pris : de pleines cargaisons de fourrures, la Baie d'Hudson elle-même. Ma connaissance du Grand Nord a guidé la Compagnie vers l'ouest. J'ai été dépouillé de toutes les douceurs de l'existence, de tous les plaisirs, et en contrepartie de mes services, on m'a fait cadeau de la citoyenneté britannique. La *citoyenneté* ! Voilà ce qu'ils m'ont offert et c'est d'ailleurs tout ce que j'avais revendiqué ! Un titre de chevalier ? Que non ! Seul Des Groseilliers le méritait. De moi, on a fait un citoyen ordinaire. Ils y étaient bien obligés : la France ne voulait plus de moi. Maintenant...

Une quinte de toux interrompit son discours.

— Monsieur, je n'ai pas frappé à votre porte pour vous tourmenter...

— Ecoute ! Maintenant, alors que je suis à l'agonie, que j'espère une mort aussi rapide qu'un lièvre, voilà que la Compagnie veut mon seul bien, la Dague de Cartier ! La seule chose qui me reste... Et ton Mr. Kirke voudrait me l'arracher ! La cupidité sans fond de ces messieurs se transmettrait donc de génération en génération ? » Le visiteur, charitable, garda le silence. « Qu'est-ce que cela te rapportera, mon garçon ?

Hamilton leva les yeux, découragé par l'échec de sa mission.

— Un commandement. On me fera capitaine, si, et seulement si je rapporte le poignard, et j'irai chercher fortune, comme vous, monsieur. Peut-être la trouverai-je, peut-être pas... Peut-être, comme vous, la trouverai-je maintes et maintes fois pour me la voir refusée par les détenteurs du pouvoir. Mais je suis venu vous voir, monsieur, pour vous supplier de m'aider à profiter de cette occasion. Pour, une fois de plus, aller de l'avant, habité par votre courage et sur un vaisseau qui ait votre protection, en quête de notre destin.

Radisson réclama encore de l'eau et son visiteur maintint lui-même la louche à ses lèvres pendant que le vieillard buvait.

— De tous les marchés qu'on m'a proposés dans ma longue vie, commença-t-il, songeur, c'est, assurément, le moins avantageux ! » L'autre baissait les yeux. « Mais tu n'es pas venu me voler, n'est-ce pas, mon garçon ?

— Non, monsieur.

— Tu n'es pas venu me tromper ?

— Non, monsieur.

190

— Tu m'as tenu des propos sincères. Pas d'âneries. A mes yeux, cela a de la valeur. Je n'ai rien et bientôt je serai mort. Le plus tôt sera le mieux. Je vais te donner ce qui m'appartient mais ne peut me suivre dans la tombe. Assure-toi, mon garçon, qu'on te nomme bien capitaine. Promets-le-moi! Campe-toi sur le pont du navire, ton équipage réuni autour de toi, ton brevet de capitaine dans une main et le manifeste de ta cargaison dans l'autre; et alors seulement, mon garçon, tu remettras le poignard à Mr. Kirke, fils de canaille et canaille lui-même! Promets-le-moi!

Hamilton saisit le bras du vieil homme dont il palpa le tendon, sinon le muscle, d'antan.

— C'est promis, monsieur, vous avez ma parole!

— Il te faudra jouer des coudes...

— J'en suis capable, monsieur.

— Te barbouiller encore plus qu'un Iroquois prêt au combat!

— J'y suis prêt, monsieur.

— Alors, va, jeune homme! Capitaine Hamilton! Va chercher fortune! Tout ce que je te demande, c'est de vérifier qu'on t'accorde bien ta nomination et que tu m'emmènes avec toi, en esprit.

— J'en fais le serment, monsieur.

En prenant congé le lendemain matin, Charles Smythe Hamilton ne fut pas en mesure de remercier une dernière fois ni de dire adieu à son vieil ami. Il ne put que lui fermer les paupières et s'en aller, bien décidé à tenir parole. Il ne remit la Dague de Cartier aux mains de la Compagnie de la Baie d'Hudson que lorsqu'il eut les pieds solidement posés sur le pont de son navire, et Mr. Kirke, poignard en main, dut s'empresser de débarquer, car on larguait déjà les amarres.

Le capitaine Charles Smythe Hamilton transporta un groupe de soldats venus de Boston pour lancer un raid sur Québec et chasser à jamais les Français d'Amérique du Nord. Une recluse de Montréal, Jeanne Le Ber, avait confectionné un étendard à l'effigie de la Vierge Marie, qui flottait sur le vaillant vaisseau, mais matelots et soldats l'ignoraient et l'auraient-ils su qu'ils n'y auraient vu qu'une défense dérisoire, surtout contre la plus violente des tempêtes qui s'abattit sur eux, en pleine nuit. Le vaisseau d'Hamilton perdit sa route dans le golfe du Saint-Laurent et fit naufrage. Ceux qui échappèrent à la noyade furent rejetés sur le rivage et restèrent quelque temps prisonniers avant d'être rendus aux Anglais. Hamilton, lui, se noya, et son corps fut enterré près de Tadoussac. Les hommes qui creusèrent sa tombe ne le connaissaient pas et ignoraient qu'il s'agissait d'un capitaine; lui pourtant aurait été ravi de rencontrer ces vieux coureurs de bois dont, dans son enfance, il avait entendu raconter tant d'aventures.

Lentement, avec leur vieille carcasse et leurs muscles fatigués, ils creusèrent.

Du fleuve, le vent soufflait et se faufilait entre les arbres.

Comme un seul homme, les vieux trappeurs cessèrent de creuser pour regarder vers le ciel, puis vers la forêt obscure et profonde. Comme un seul homme, ils sentirent passer le fantôme d'un vieil ami pagayant vers l'intérieur des terres. Comment était-il revenu ici, sur ce rivage ? Quelle volonté de fer. Avait-il pagayé une fois de plus vers la Grande Baie Salée ?

CHAPITRE 11

1955

LE CAPITAINE Armand Touton démarra son enquête par l'inspection systématique de toutes les Cadillac immatriculées dans la Province de Québec; à New York ou à Beverley Hills, une telle tâche aurait pu paraître insurmontable et, en tout cas, très coûteuse. La complaisance de ces riches propriétaires qui ouvraient leur garage à ses hommes ou leur indiquaient l'adresse de leur maison de campagne, commença par l'étonner; puis, rapidement, il comprit que, quand on choisissait d'afficher sa situation sociale en conduisant un véhicule aussi ostentatoire, on ne refusait jamais de l'exhiber, fût-ce à la police. Parmi les personnes que Touton interrogea personnellement, une douzaine lui proposèrent de faire un tour et une bonne vingtaine de tourner la clé pour « écouter son ronronnement ». Il écouta donc « ronronner » les Cadillac. Pour Touton, toutes les voitures produisaient à peu de chose près le même bruit, mais les fiers propriétaires de Cadillac semblaient enchantés, comme s'ils écoutaient une symphonie à l'opéra.

— Elle a un nom français! lui lança une petite dame d'environ quatre-vingts ans, du haut de l'aire d'aigle de sa maison d'Outremont, perchée au-dessus de la rue.

Touton, encore essoufflé par l'ascension de l'escalier creusé à flanc de falaise, douta qu'elle fût capable de grimper et de descendre plus d'une fois par semaine. Elle a dû aménager un ascenseur entre la maison et le garage, se dit-il, et j'espère qu'elle a un chauffeur. Il n'arrivait pas en effet à imaginer que cette petite vieille ratatinée par l'âge pût voir au-dessus du volant.

— Vous avez donné un nom à votre voiture ?

— Mais non, bêta ! » Cette petite bonne femme, voûtée par l'ostéoporose et le poids de ses colliers, le traitait de « bêta » ! Cela lui plut et, d'emblée, il l'aima bien. « La voiture ! Une Cadillac ! Le nom vient d'Antoine de la Mothe, sieur de Cadillac, le fondateur de Detroit. Le saviez-vous ?

— Non.

— Vous devriez, il s'agit de l'histoire de votre peuple et de l'un de nous : un Français. Il avait commencé par appeler Detroit « Pontchartrain », nom que l'on retrouve aujourd'hui jusqu'en Louisiane, où Cadillac s'installa quand il quitta Detroit ; il est devenu en 1713 gouverneur de la Louisiane française. Le saviez-vous ?

— Pas du tout.

— Vous devriez.

— Maintenant, je le sais.

— Grâce à moi.

— Grâce à vous. Quelle est la couleur de votre voiture, madame ?

— Noire. Toutes les voitures devraient être noires ou, comme le disait Henry Ford du Modèle T, peu importe la couleur dès l'instant que c'est du noir.

— J'ignorais aussi cela, s'amusa-t-il.

— Qu'y a-t-il d'autre que vous ignoriez ?

Question compliquée mais intéressante ! Elle aurait fait du bon boulot dans la police, apprécia-t-il en lui-même.

— Avez-vous un chauffeur, madame ?

— Vous me trouvez trop vieille pour conduire ? répliqua-t-elle, prête à se mettre en colère.

— Je me demandais juste si...

— Pas assez compétente ?

— ... si, à part vous, quelqu'un se sert de votre véhicule.

— Oui. Jim. » D'un regard, Touton l'invita à poursuivre. « Mon chauffeur : il est anglais et je l'appelle Jim, pas James. Original non ? Une vieille dame française avec un chauffeur anglais, cela laisse les gens sur le flanc, ne croyez-vous pas ?

— Je vous crois très capable de laisser les gens sur le flanc. » Ravie de cette remarque, elle éclata d'un grand rire, malgré sa voix frêle et les tremblements qui la secouaient si fort que le policier craignait qu'elle ne perdît l'équilibre et ne dévalât les marches s'il ne la rattrapait pas au vol. Elle riait encore et le capitaine ne la quittait pas des yeux, prêt à intervenir en cas de chute. « Votre voiture a-t-elle été accidentée ? A-t-elle subi des dégâts au cours des deux derniers mois ?

— Vous me prenez pour une chauffarde ! Prenez garde ! La moindre bosse dans la carrosserie et je tords le cou de Jim ! Je l'appellerai James, c'est son nom après tout, celui qui figure sur son permis.

— James est là ?

— James ?

— Jim.

Elle resta un moment songeuse, puis pâlit.

— Oh ! non ! Jim est mort. Qui êtes-vous, déjà ?

— Votre chauffeur est mort, madame ?

— Tout à fait. Pauvre garçon ! Il n'avait que soixante-treize ans... Soixante-quatorze en août, s'il était arrivé jusque-là...

— Et votre Cadillac ?

— Elle a cinq ou six ans. Elle est au garage. Elle n'a pas bougé depuis l'automne dernier, depuis la disparition de Jim. Je suis trop vieille pour la conduire et, par-dessus le marché, je n'arrive pas à toucher les pédales. Je suppose qu'il faudra que je la vende, mais que de tracas ! Avez-vous un bon travail, jeune homme ?

— Je suis policier.

— Oui, vous me l'avez déjà dit. Que désirez-vous, mon cher ?

Il prit doucement congé et entama prudemment la descente, aussi risquée que l'ascension, mais moins pénible pour ses cuisses. Relevant la tête, il aperçut la vieille dame qui l'observait d'une fenêtre. Elle lui fit signe de la main et il reprit sa marche.

J'aurais dû, regretta-t-il aussitôt, lui demander des renseignements à propos de l'Ordre de Jacques Cartier : elle est assez riche pour y appartenir et assez timbrée pour répondre à mes éventuelles questions. Mais il renonça à remonter les cent une marches, ses genoux le faisaient souffrir.

Au fur et à mesure de son enquête, il découvrit que ceux qui ne le laissaient pas accéder tout de suite à leur véhicule étaient en général de sales types.

— Votre nom est donc Marcello Gaspriani, est-ce exact ?

— Peut-être, peut-être pas. Que voulez-vous à ma voiture ?

L'individu, petit et presque chauve – mais ses quelques mèches restantes étaient soigneusement laquées –, le cou serré dans un col d'au moins une taille trop petite pour lui, portait costume et cravate. En arrivant à l'intérieur du garage, Touton s'était arrangé pour se tenir entre lui et la voiture. Des gouttes de sueur perlaient sur les tempes du propriétaire de la Cadillac, l'obligeant à s'éponger le front avec un mouchoir, de temps à autre.

— Monsieur, c'est moi qui ai posé la première question.

— Que voulez-vous à ma voiture ? rugit-il.

C'était un gueulard.

— Nous procédons à certaines vérifications.

Deux policiers en tenue inspectaient chacun un côté du véhicule : la carrosserie, blanche, était impeccable, avec ses enjoliveurs en chrome soigneusement astiqués et ses protège-roues étincelants ; l'intérieur était capitonné de cuir rouge vif.

— Dites à vos connards d'enlever leurs sales pattes de ma Cadillac tout de suite, je dis bien tout de suite !

— Nous cherchons à savoir si elle a été repeinte récemment.

— Elle n'a jamais été repeinte. Hé ! N'écaillez pas la peinture ! Elle est d'origine !

— Elle n'a jamais été noire ?

— Vous êtes fou ! Regardez-moi : est-ce que j'ai une tête à conduire une voiture noire ? Je ne conduirai jamais un corbillard ! Je ne conduis que des voitures blanches. Hé ! Dites à vos connards...

— Doucement, monsieur Gaspriani », lui intima Touton. Un sergent en tenue lui avait fait signe qu'il ne s'agissait pas de la voiture suspecte. « Nous allons partir.

— Ah, oui, vous allez partir ? Essuyez d'abord vos saloperies d'empreintes ! Je vous donne un chiffon.

— Inutile, nous n'effacerons aucune empreinte.

— Non ? Vous avez un sacré culot, vous savez !

— Alors, nous sommes deux ! Parce que vous-même n'en manquez pas, monsieur Gaspriani. Vous paraît-il normal qu'un petit glacier de la 16ᵉ Avenue conduise une grosse Cadillac blanche ? Ah ! Se ficher ainsi de la police, ça c'est du culot ! On vous a à l'œil, maintenant... On va vous surveiller. Voir si vous avez quelque chose sur le feu... si vous préparez un coup...

— On ne vous a pas bien renseigné, répondit son interlocuteur en levant un doigt menaçant, cette partie de la ville m'appartient. On ne nous a pas correctement présentés. Je vais envoyer un de mes hommes parler à vos supérieurs.

— Faites donc, monsieur Gaspriani. Peut-être l'inviteront-ils à déjeuner.

— C'est Gasprianini, Gasprianini, trouduc !

— Oui, je sais, mais ne vous inquiétez pas, quand on vous embarquera, on remplira les papiers de façon tout ce qu'il y a de plus correcte. Mais la presse – on ne peut jamais compter sur elle : aucun respect pour les honnêtes travailleurs – la presse écorchera votre nom, c'est certain.

Deux facteurs œuvraient contre Touton : le temps et la bureaucratie. Une bonne moitié des carrossiers de la ville travaillait souvent au noir et un quart ne faisait que ça ; aussi la réparation d'un feu arrière ou un rapide raccord de peinture s'obtenaient-ils sans mal. En tout cas, bien avant le passage des policiers. Deuxième difficulté : que ce genre de visite incombe à l'équipe de jour ; le capitaine de la Patrouille de nuit, très aimé de son équipe, ne connaissait pas, et de loin, la même popularité chez les autres capitaines et responsables de districts de jour, qui reprochaient à cet enfoiré d'enfant de chœur, à ce réformateur, de vouloir leur retirer le droit légitime de taxer les malfrats et, par-dessus le marché, celui de satisfaire leurs propres vices dans les tripots et les bordels d'une ville libre. Les autres services ne coopéreraient avec lui pour une enquête de jour qu'à leur corps défendant.

De plus, la Criminelle revendiquait, à juste titre, la juridiction sur les crimes et n'aimait pas beaucoup que l'on vienne mettre le nez dans ses affaires ; elle n'était pas prête à partager ses informations, pas plus que Touton, d'ailleurs. Comme le directeur de la police le lui avait clairement expliqué, il devrait se débrouiller seul et garder le secret sur l'enquête.

Tout cela semblait, sinon impossible, du moins difficile.

Il bénéficiait toutefois d'un avantage pas toujours évident : le zèle de l'inspecteur Gaston Fleury, le comptable de l'Administration. Le petit homme lui rendit visite au bureau un soir où il terminait de donner ses ordres avant de partir sillonner les rues.

— Quoi de neuf ? l'interrogea Touton, intrigué par le sourire radieux de son visiteur.

— Vous avez oublié une chose, répondit-il.

— Quoi donc ?

Généralement, il pensait à tout, mais si l'un de ses inspecteurs, qui adoraient le coincer, arrivait à le reprendre sur un détail – l'élève se révélant plus malin que le maître –, tout le monde exultait.

— Les véhicules de service.

— Je n'ai pas oublié.

— Vous ne les avez pas vérifiés, protesta Fleury, décontenancé. Ils ne figurent pas sur la liste.

— Ecoutez-moi bien : même si je les avais vérifiés, ils ne figureraient pas sur la liste. Je ne veux pas que *certaines personnes* sachent que j'ai contrôlé les véhicules de service, qui ne peuvent donc figurer sur *aucune* liste. Il est vrai, cependant, que je n'ai pas encore trouvé le moyen de le faire sans alerter les gens qui ne doivent pas l'être. Si l'Ordre de Jacques Cartier compte tant de gros bonnets au gouver-

197

nement, je ne peux pas me permettre de leur faire savoir que je mets le nez dans leurs affaires. Gardez cela dans un coin de votre tête, Gaston.

Fleury acquiesça, ravi que le capitaine l'appelle par son prénom.

— Je connais, suggéra-t-il, un moyen de contrôler les véhicules officiels sans éveiller de soupçons.

— Vous y avez réfléchi ? repartit Touton en se carrant dans son fauteuil, tournant un crayon entre ses doigts.

Le petit inspecteur haussa les épaules d'un air modeste.

— Il se trouve qu'un jour je suis passé devant le garage municipal, voilà tout.

— Et alors ?

— On y lave et on y astique toutes les limousines. J'ai été tenté, je dois le reconnaître, d'y faire nettoyer ma propre voiture, mais j'ai pensé que cela ne serait pas correct.

— Vous avez eu raison. Un garage, dites-vous ?

— Municipal. Nous n'avons qu'à repérer l'un des employés et à lui verser une prime pour qu'il vérifie les feux arrière de toutes les voitures, qu'il note ceux qui ont été endommagés ou réparés récemment et qu'il identifie le ou les conducteurs.

Touton, qui aurait pu penser à cette procédure tout à fait régulière, fut impressionné.

— Un seul point cloche dans ce scénario, mais ne vous méprenez pas, il me plaît.

— Alors, qu'est-ce qui cloche ?

— La prime : une prime laisse des traces. Si on verse de l'argent, cela devra se faire sous la table. Vous êtes comptable. Vous trouverez un moyen sans risquer la taule. Autre point qui pèche dans votre plan : l'emploi du « nous ».

— Je m'en occuperai moi-même, acquiesça-t-il en se levant.

— Bon, je vois que vous pigez.

Une semaine plus tard, Fleury réapparaissait, l'air consterné.

— Qu'y a-t-il ? s'inquiéta Touton.

— J'ai fait une erreur...

— Cela arrive. » Il n'ajouta pas qu'il l'avait prévue. Sans formation de policier... « En quoi ?

— Je me suis arrangé avec le type qui lave les voitures.

— C'est ce que vous étiez censé faire.

— Il m'a donné une liste de vingt-neuf véhicules qui auraient besoin de réparations à l'arrière.

— Vingt-neuf ? Les chauffeurs de limousines ont-ils le coup de frein si brutal ?

— Ce n'est pas le pire, répondit Fleury en se redressant comme pour affronter les reproches. J'avais prévu une prime par voiture : quinze dollars par limousine suspecte.

— Oh ! Gaston ! lâcha Touton et, portant une main à son front, il ferma les yeux.

— Oui, oui. J'ai eu des soupçons et j'ai compris, mais trop tard, je sais. Bref, je suis passé hier au garage pour vérifier moi-même que les voitures étaient réellement endommagées.

— Et... ?

— Eh bien, j'ai vu le type que j'avais engagé donner un coup de batte de base-ball sur un feu arrière avant d'emmener la voiture au garage pour la laver...

— Si bien que maintenant elles sont toutes amochées ! » Fleury, conscient de l'inutilité des excuses, se contenta de se lever ; il s'apprêtait à sortir quand Touton le rappela. « Il s'agissait des voitures de la ville, n'est-ce pas ?

— Exactement.

— Bon ! Si vous découvrez un moyen – meilleur ! – d'examiner les voitures de la Province et de l'Administration fédérale – testez-le également.

— Très bien. Je vais le faire.

— Et, Gaston..., ajouta Armand Touton au moment où son interlocuteur s'apprêtait à sortir.

— Oui, capitaine ?

— Cet incident vous rend maintenant suspect, vous l'avez saisi ?

— Capitaine ?

— Si on admet que la voiture du meurtrier appartenait à la municipalité, vous venez de trouver le moyen d'effacer les preuves, ce qui fait de vous un suspect. Cela n'a rien de personnel, je veux simplement que vous le sachiez. Tout homme du directeur de l'Administration que vous êtes, si vous travaillez sur le terrain pour moi, il faut que vous fassiez vos preuves jour après jour. Je mets une croix à côté de votre nom et un point d'interrogation.

Il se moquait de lui, mais Fleury ne semblait pas comprendre. S'il doit travailler pour moi, songea Touton, il lui faudra s'endurcir.

— Je me rattraperai, capitaine.

— Les voitures de service de la Province, du gouvernement fédéral. Trouvez un truc.

— Oui, capitaine.

Touton pensait qu'il n'y arriverait jamais, mais au moins, il en était débarrassé pour une semaine ou deux.

Il ignorait comment progressait l'enquête sur les morts de Roger Clement et du médecin légiste, mais de son côté, les choses n'évoluaient pas rapidement. La description de la Dague de Cartier, qu'il avait fait diffuser partout dans le pays et à l'échelon international, n'avait donné aucun résultat. Qu'on l'eût volé pour son pouvoir symbolique et non pour sa valeur marchande restait une théorie plausible. Mais comment explorer les couches supérieures d'une société, bien ou mal famée, susceptible d'appartenir à l'Ordre de Jacques Cartier, sans avoir ses entrées ? Issu des quartiers pauvres, il avait, au début de sa carrière, patrouillé parmi les déshérités et passait la majeure partie de ses heures de travail entre des flics et des criminels qui venaient tous des mêmes rues chaudes. Jusqu'aux deux personnes en lesquelles il avait confiance, le maire et le directeur de la police, qui n'appartenaient pas à des familles riches : avocats coriaces d'origine bourgeoise, ils étaient considérés par les nantis comme des réformateurs beaucoup trop fanatiques pour être honnêtes. Dans ces conditions comment s'introduire dans un milieu si fermé ?

Il avait posé précisément cette question lors de l'une de ces réunions avec le maire et le directeur de la police, dans le bureau de Pac Plante, où, de temps en temps, ils se retrouvaient pour rappeler aux autres policiers qui tenait la barre en cette période de réformes. Etre invité à y participer, ne serait-ce que quelques minutes, prouvait qu'on bénéficiait du soutien de la nouvelle administration ; en revanche, ne jamais y être convié attirait les soupçons. Cette méthode mettait les policiers véreux mal à l'aise et incitait les bons éléments à se donner plus de mal encore. Cela prouvait aussi aux gens du service qu'il existait maintenant dans la ville une autorité plus forte que la police et que c'en était fini du bon vieux temps où les flics régnaient sans partage.

Armand Touton expliqua son dilemme ; le maire, Jean Drapeau, et son bon copain Pacifique Plante lancèrent quelques noms. Chaque patronyme évoqué soulevait des problèmes et, les rares fois où ce n'était pas le cas, ne suscitait guère d'intérêt. Pourtant, le maire fit une proposition : le directeur de la police conservait, entassés dans un coin de son bureau, de vieux exemplaires jaunis du *Devoir* contenant des articles datant de l'époque où le futur maire et lui avaient décidé de changer la ville. Viré du service par un chef de la police corrompu, Plante avait décampé avec ses dossiers, puis avait chargé un journaliste, Gérard Pelletier, de lui servir de nègre pour écrire des articles s'appuyant sur ce trésor d'informations. A l'époque, le journal et Plante s'étaient attendus à une avalanche de procès, Plante citant des noms, donnant les adresses des bordels et des tripots, traînant dans la boue des citoyens jusque-là réputés honnêtes et révélant au grand jour les agissements de ceux auxquels on prêtait depuis toujours de louches activités. Ces articles, qui attaquaient très violemment les criminels et l'impuissance du système judiciaire à déclencher des enquêtes publiques, avaient provoqué la démission du chef de la police et la décision du maire de l'époque de prendre – de bonne grâce – sa retraite. L'audace de Drapeau et Plante dans cette enquête les avait portés au pouvoir dans la foulée. Drapeau choisit dans la pile un vieil exemplaire et l'étala soigneusement sur le bureau.

— Voilà notre homme, annonça-t-il, le nègre de Pac.

— Pelletier ? Un si gros bonnet ? interrogea Plante, sceptique.

— Assez gros, et ses copains sont encore mieux placés. Lui et cet autre type – comment s'appelle-t-il, déjà ? –, celui qui publie *Cité libre ?* C'est le gratin.

— Quel est son nom ? demanda Touton.

— Pierre Elliot Trudeau. Mais ils sont communistes, précisa Plante à l'intention du maire.

— Quelle importance ? rétorqua Drapeau en haussant les épaules. On ne leur demande pas de diriger le pays, mais qui est mieux placé que les communistes pour fournir des informations sur les fascistes ?

— Riche ?

— La famille de Trudeau a de l'argent. Et Pelletier n'est pas à proprement parler un bouseux, répondit Plante.

— Diplômés de Harvard, London School of Economics, etc., ajouta Drapeau. Ils sont nés avec une cuiller en argent dans la bouche. Voilà leur milieu et pourtant ils sont syndicalistes, et peut-être même communistes. Jeunes, un peu tête brûlée, mais intelligents et intègres, je dois leur accorder cela. Dans *Cité libre*, ils expriment leur volonté de changer la ville, alors nous avons cela en commun, même si nous sommes en désaccord sur pas mal de points. Préparez la voie pour Armand en parlant à Trudeau – il est au centre de cette bande –, et appelez votre ami Pelletier.

La rencontre avec Trudeau se déroula en présence de Pelletier, que, flairant la stratégie de Touton, il avait en fait imposé : il est en effet infiniment plus facile de recruter un informateur de la police quand on est seul avec la personne pressentie ; sinon, les choses se compliquent tout de suite. Puisqu'ils étaient deux à venir, Touton avait emmené Gaston Fleury, pour rétablir l'équilibre et profiter aussi de ses connaissances sur l'Ordre ; en cas d'accord avec Trudeau et Pelletier, Fleury pourrait également servir d'agent de liaison.

Touton, n'imaginant pas rencontrer ces jeunes nantis dans une taverne, choisit de les inviter à manger du smoked meat au Ben's Deli.

201

Ce rendez-vous avec des policiers semblait les amuser, comme une plaisanterie à raconter le soir même en buvant un cocktail, mais Trudeau, remarquant que Touton commençait à s'énerver, calma le jeu. Fils de riches peut-être, mais très courtois.

— Capitaine Touton, entama Trudeau, vous êtes très connu. On vous dit courageux et de bonne moralité. Gérard et moi, nous nous sommes bagarrés avec les troupes de choc de Duplessis, alors il n'est pas dans nos habitudes de rompre le pain avec un flic... Cela nous fait un drôle d'effet!

Touton apprécia cette sincérité et comprit ce que voulait dire son interlocuteur. Duplessis faisait souvent appel à la police de la Province – réputée brutale – pour briser les grèves : le Premier ministre de la Province annonçait l'envoi des forces de l'ordre pour aider les travailleurs à franchir les piquets de grève. Si aucun ne parvenait à passer, les policiers abattaient leur matraque sur la tête des grévistes jusqu'à en faire changer d'avis au moins quelques-uns. Dans un autre cas, à l'instigation du Premier ministre, les policiers de la Province avaient arrêté plus de mille Témoins de Jéhovah, coupables d'avoir distribué des brochures aux catholiques francophones; tandis qu'on procédait à leur arrestation, leurs maisons étaient mises à sac. « Policiers ou équipes de gorilles à la solde des politiques ? » s'étaient interrogés les deux jeunes gens dans leur petit magazine. Plus ils soutenaient les aspirations des travailleurs du Québec, aidaient les personnes désarmées devant le pouvoir, meilleure devenait leur expérience de la tactique des policiers.

— Je travaille en étroite collaboration avec Pacifique Plante, précisa Touton en haussant les épaules, que monsieur Pelletier connaît bien et dont il comprend les méthodes. Nous ne sommes pas de ces flics-là.

— Je crois, répliqua Trudeau, que nous en sommes tous les deux conscients, mais, même pleins de bonne volonté, police et intellectuels divergent probablement sur bien des points.

— C'est pourquoi j'ai amené mon excellent ami, l'inspecteur Fleury. Gaston a été trié sur le volet par Plante et connaît mieux que moi les dessous de cette affaire.

— De quelle affaire s'agit-il? demanda Trudeau.

Fleury expliqua alors ce que représentait l'Ordre de Jacques Cartier et Touton sentit, aux regards qu'échangeaient ses interlocuteurs, que la situation les intéressait. Ils possédaient sans doute déjà des renseignements qu'ils pourraient leur communiquer. En tout cas, ils ne s'attendaient pas à ce qu'un représentant de l'autorité évoquât les rumeurs circulant sur l'existence au Québec d'un puissant groupe fasciste.

— Pourquoi nous raconter tout cela ? interrogea Trudeau à la fin de l'exposé de Fleury.

Touton reprit alors la parole pour dire qu'il avait besoin d'approcher les classes influentes, de connaître ceux qui étaient susceptibles d'appartenir à l'Ordre ou du moins de fournir des renseignements à ce sujet.

Trudeau eut un petit rire et lança un bref coup d'œil à son ami.

— Moi, un espion ? Je ne peux pas. Je ne veux pas. Je ne suis pas un espion.

— Vous dirigez bien un petit magazine ? essaya Touton qui, prévoyant cette réponse, avait préparé une autre manière d'aborder le problème.

— Tout à fait.

— Consacrez un article à l'Ordre de Jacques Cartier. Je le lirai et y puiserai, comme n'importe qui, mes informations.

— Je déconseillerais à Pierre toute machination qui risquerait d'attirer des procès au magazine, intervint Pelletier. Avec tout le respect que je vous dois, capitaine, ainsi qu'à Pac Plante, il pourrait très bien s'agir d'un superbe coup monté pour nous démolir.

— Je dois me ranger à son avis, acquiesça Trudeau.

— L'ennui en effet, approuva Armand Touton, c'est le risque d'un procès. Alors, essayez donc ceci : vous préparez un article mais, avant de le publier, et pour obtenir confirmation de ce que vous exposez, vous montrez vos notes à d'autres personnes, à moi, par exemple. Il ne s'agit pas d'espionnage mais du travail préparatoire à la rédaction d'un article... qui... ne paraîtra pas.

— Quel remarquable recruteur d'espions, vous faites, capitaine.

— Merci.

Les deux intellectuels échangèrent de nouveau un regard, puis Trudeau haussa les épaules.

— Des fascistes, n'est-ce pas ?

— Probablement responsables d'un double meurtre et du vol d'une relique, propriété légitime des Québécois. En tant que syndicalistes, vous n'êtes pas sur la même longueur d'onde. Je suis persuadé qu'ils briseront toutes les grèves à venir, et tout le monde s'attend à ce qu'ils soutiennent Duplessis.

— Nous ne fréquentons pas vraiment ces gens-là.

— Oui, mais vous avez accès à la haute société, pas moi. Vous pourriez me guider dans ce labyrinthe, me préciser à qui me fier ou me désigner qui est susceptible d'appartenir à ce genre de groupe.

— Capitaine, lâcha Trudeau en secouant la tête, un tel pouvoir tournerait très vite à la chasse aux sorcières : un père me fait des histoires parce que je sors avec sa fille ; devrais-je le dénoncer comme membre de cet Ordre ? Vous réalisez, capitaine, le pouvoir que vous mettez entre nos mains ?

— Il est vrai, reconnut Touton, que je compte sur votre intégrité. Mais comment savoir si vous ne rencontrerez pas un jour la fille d'un fasciste ? Pas à dessein, bien sûr, mais possible, non ? Malheureuse, la petite vous raconte quelque chose à propos de son cher papa, quelque chose de peu flatteur pour lui, vous comprenez... sur ses habitudes, ses amis, ses opinions. Devant moi, elle ne le compromettrait jamais, mais à vous, monsieur Trudeau, blottie dans vos bras, elle raconterait tout ce qu'elle sait.

— Donc, conclut Trudeau en arborant de nouveau ce petit sourire insolent, vous me demandez maintenant d'espionner mes petites amies !

— Espionner ! Comme vous y allez ! Mangez donc votre smoked meat et réfléchissez-y, c'est tout. Vous évoluez dans certains milieux où, dans le feu d'une discussion, vous avancez des arguments qui choquent vos interlocuteurs, au point parfois de provoquer leur fureur et de les pousser à en dire plus qu'ils ne devraient...

— Quoi, par exemple ?

Suivant les conseils de Touton, il mangeait son sandwich à belles dents en essayant d'éviter de faire couler la moutarde sur son menton.

— Imaginons le jour, commença Touton en ralentissant délibérément son débit pour donner plus de poids à son discours, où les choses changeront, où le Québec sera enfin dirigé par un grand homme – un grand homme, vous me comprenez –, et puis, vous savez, après le départ des Juifs et des Anglais...

— Tous ceux qui veulent expulser les Anglais – et ils sont nombreux – ne sont pas pour autant des fascistes.

— Pas tous, bien sûr, mais certains, oui. Mais vous deux n'êtes certainement pas hostiles à l'idée de combattre le fascisme. Dans votre magazine, vous tenez contre eux des propos plutôt sévères.

Les quatre hommes mangèrent en silence pendant un moment. Le restaurant, clair, spacieux, au décor spartiate, rendez-vous nocturne à la mode dans le milieu du spectacle, était fréquenté dans la journée par des employés, des hommes d'affaires et des banquiers, comme par des étudiants au budget serré. En regardant autour de lui, Trudeau constata que c'était le seul établissement où deux intellectuels branchés pouvaient s'attabler avec deux flics sans faire sourciller. On avait donc choisi cette adresse avec beaucoup de soin : cela l'impressionna.

— J'ai toujours les oreilles qui traînent, commença-t-il tandis que le serveur attendait leur commande pour le dessert. Je prendrai de la tarte aux fraises », annonça-t-il au garçon. S'adressant à Armand Touton et à son compagnon, il ajouta : « Après ça, on verra. »

Touton attendait dans sa voiture garée dans la rue Ontario que l'homme sortît. Une mission de reconnaissance effectuée le soir précédent par l'un de ses inspecteurs avait révélé qu'il aimait rire un peu et vider quelques chopes avant de s'acquitter de sa tournée en ville ; il avait garé sa voiture à une centaine de mètres de la taverne. Touton faisait le guet un peu plus loin avec un équipier pendant que deux autres inspecteurs surveillaient la direction opposée au cas où l'homme remarquerait la présence de la police. La planque dura plus de deux heures, davantage que ne l'avait escompté le capitaine, mais, quand l'homme qu'il guettait apparut, l'affaire parut facile, car il était seul.

Son équipier, nerveux sans doute, sortit de la voiture un peu maladroitement et fit tomber son chapeau sur le trottoir. Il le ramassa et l'épousseta, puis le remit sur sa tête avant de se diriger vers le malfrat. Le type parut soudain méfiant : à cause de la voiture, de la démarche du piéton ? A moins qu'il ne l'ait reconnu pour l'avoir déjà rencontré ? Bref, il tourna les talons et s'engagea sur la chaussée en se dirigeant toujours vers son propre véhicule, une Pontiac cabossée. Quand Touton ouvrit sa portière à son tour, l'homme s'affola et partit en courant ; il traversa la rue, se glissa entre deux voitures, ce qui obligea l'une à freiner et l'autre à klaxonner furieusement ; Touton, déjà à sa poursuite, se savait capable de le coincer.

Le fuyard tenta un demi-tour pour repartir dans la direction opposée et il remarqua alors les deux autres inspecteurs qui fonçaient sur lui. Le policier nerveux qu'il avait d'abord repéré traversait la rue ; l'homme décida de revenir à son plan initial et de fuir devant Touton, mais cela ne lui réussit pas. Touton, bien placé pour le coincer, le poussa contre un mur de brique.

Maudite police !

Il ne se battrait pas : les autres étaient plus nombreux et il connaissait le capitaine Touton. Il ne sortirait pas vainqueur d'un combat contre lui, encore moins avec des renforts.

— Passez-lui les menottes et emmenez-le dans votre véhicule. Je ne veux pas respirer le même air que ce salaud.

— T'as rien contre moi ! Pas de preuves ! Pas de témoin dans cette ville !

— Tu as raison, approuva Touton, tu choisis toujours des clients dégonflés.

— T'as pas de preuves !

— Débarrassez-moi de lui, soupira Touton.

Touton se considérait comme un indépendant dans la police. Cela signifiait qu'un honorable citoyen pouvait lui exposer un problème qui méritait son attention sans se conformer strictement à la procédure, voire à la loi. Un restaurateur en vogue, propriétaire d'un établissement où se retrouvaient athlètes, artistes et hommes d'affaires, l'avait appelé à plusieurs reprises. Le restaurant se trouvait loin du centre, au nord-ouest, mais proche du champ de courses et en pleine zone industrielle. Il s'agissait d'un restaurant chinois qui proposait une cuisine pékinoise extravagante, servie avec beaucoup de chichis. Manifestement nerveux, il avait demandé à discuter dans la voiture de Touton, car il ne souhaitait pas être vu en sa compagnie.

Touton se gara au champ de courses. Au loin, dans la tiédeur de cette nuit d'été, des parieurs acclamaient une arrivée serrée.

— Qu'y a-t-il, Lu ?

— Capitaine, cela m'ennuie de vous déranger...

— Tu as des problèmes, c'est mon travail.

— Je connais bien mon affaire, mais il se trouve toujours quelqu'un pour me réclamer une part. Quelquefois c'est la bonne solution pour arranger les choses, vous comprenez ?

— Je n'aime pas ça, Lu. Tu le sais.

— J'ai une femme, trois enfants, une maison, une voiture... Dans ma situation, je suis vulnérable.

— Je comprends tout ça, Lu.

— Mais ce type-là, capitaine, ne veut pas être raisonnable. C'est un nouveau qui veut se faire une réputation et se faire bien voir de son patron. Il demande toujours plus d'argent, toujours plus. C'est plus possible, toujours plus d'argent, toujours plus. Maintenant, c'est plus une fois par mois, mais toutes les trois semaines, c'est fou... fou...

— Très bien. Calme-toi, Lu. Il y a deux mois, je me suis occupé de quelqu'un pour toi...

— C'est lui ! Il est revenu. C'est le même type. Seulement, maintenant, il demande deux fois plus qu'avant à cause de ses ennuis avec vous. Et ça monte chaque mois plus haut, toujours plus, et maintenant c'est trois semaines...

— Le même type ?

— C'est lui. C'est celui-là.

L'affaire était sérieuse. L'apparition d'un nouveau dur en ville, essayant de se tailler une réputation en pesant plus lourd que ses collègues sur ses victimes n'était pas une nouveauté. Cela se produisait régulièrement, et que Touton prenne sur lui pour donner un coup de main à des entrepreneurs comme Lu Lee ne l'était pas non plus. Une fois le soleil couché, la ville lui appartenait et il estimait que les gens honnêtes devaient pouvoir travailler sans crainte et les canailles ne rencontrer que des difficultés. Ce nouveau venu, en négligeant l'ordre reçu de laisser Lu tranquille, s'était rendu coupable d'un manque flagrant de savoir-vivre. Touton était convaincu qu'il devait tout faire pour rester l'homme le plus redouté de la ville, faute de quoi les malfrats reprendraient le contrôle.

— Très bien, Lu. Je m'occupe une nouvelle fois de cette affaire, mais je vais te demander un service.

— Venez faire un bon repas dans mon restaurant, avec votre femme, n'importe quand, tous les soirs que vous voulez...

— Non, Lu, merci beaucoup mais cela ne marche pas comme ça. C'est un service d'un autre ordre que je veux te demander.

Au sud du centre-ville, des autoroutes canalisaient la circulation de l'ouest et du sud dans les deux sens. Touton gara sa voiture de patrouille sous un autopont. Il descendit et attendit. Au-dessus de lui, le bruyant ronronnement du trafic. A ses pieds, les bas quartiers de Saint-Henri, de la Pointe Saint-Charles et de Verdun. Derrière, une falaise se dressait devant la colline. Un endroit sombre, peu engageant, où il ne serait pas dérangé. Il y était déjà venu.

L'autre voiture arriva et deux inspecteurs en civil en descendirent, laissant leur passager sur la banquette arrière. Ils fumaient et, coiffant leur feutre, rejoignirent sans un mot Touton et son équipier près de son véhicule. Ils contemplèrent les lumières du faubourg et, au-delà, la trouée noire du Saint-Laurent s'écoulant vers la mer.

Les deux policiers terminèrent leur cigarette.

— Bon, déclara Touton, amenez-le.

Le malfrat, les mains menottées dans le dos, n'était pas très grand et les deux hommes n'eurent guère de difficultés pour le faire avancer. Ses manches retroussées exhibaient des biceps d'haltérophile. Sur l'avant-bras, des tatouages noirs et rouges, d'un côté un serpent qui déroulait ses anneaux, de l'autre un aigle déployant ses serres.

— Oh, oh, oh, oh! Que j'ai peur! lâcha l'homme.

— On s'est déjà rencontrés, déclara Touton.

— Vous vous apprêtez à me suspendre au-dessus du fleuve une nouvelle fois? Aujourd'hui, capitaine, il fait doux. De plus, je sais nager. Avant, j'ai peut-être reconnu des choses que je n'avais pas faites, mais cela ne se reproduira pas. Ce soir, il ne fait pas froid. Pas d'eau glacée.

— Tu m'avais promis de laisser Lu Lee tranquille. Tu m'avais donné ta parole.

— Oh, oh, oh, oh! répondit l'homme avec un grand sourire en

remuant la tête pendant que les deux inspecteurs le tenaient par les bras. Aurais-je menti ? Ma parole ne vaudrait-elle plus rien ?

— Tenez-le droit ! ordonna Touton, et ses hommes serrèrent plus solidement leur prisonnier.

— Oh, oh, oh, oh, que j'ai peur ! reprit l'homme.

Touton le frappa.

Le coup de poing, terrible, lui brisa la mâchoire. Son visage se décomposa. Il parut complètement sonné. Les deux inspecteurs durent le soutenir pour qu'il puisse recevoir le deuxième coup de Touton qui lui cassa le nez. Du sang jaillit et couvrit bientôt tout son torse. Touton le frappa à la bouche et les deux policiers détournèrent la tête pour ne pas voir l'homme se mordre la langue et ses dents se briser. Il émettait maintenant des gémissements étouffés. Touton le frappa trois fois de suite dans la même côte, qui finit par céder. L'homme hurla de douleur et s'effondra. Touton lui laissa un instant pour récupérer puis demanda qu'on le relève. Le type n'y croyait pas : son supplice continuait. Touton lui envoya une droite dans l'estomac. Le souffle coupé, l'homme se tordait par terre, suffoquant, avalant son propre sang et son vomi.

— Emmenez-le faire un tour, déclara Touton. Mettez-le dans le coffre, n'allez pas salir votre banquette. Déchargez-le dans un champ de maïs en dehors de la ville, à proximité d'un hôpital. » Il s'accroupit auprès de l'homme. « Voilà ce que tu fais subir aux honnêtes gens. Qu'en dis-tu ? Pas terrible, hein ? Et surtout, ne prétends pas que tu ne peux pas m'entendre. On va t'emmener hors de la ville et tu n'y reviendras pas. Sous aucun prétexte. Ne remets jamais les pieds à Montréal. C'est clair ? » L'homme puisa dans ses dernières forces pour acquiescer de la tête. « Bon ! lâcha Touton en lui posant une main sur l'épaule. Bonne chance.

Il remonta dans sa voiture où son équipier ne tarda pas à le rejoindre et ils repartirent. Il remonta Décarie jusque chez Lu Lee, trouva une niche pour lui et son équipier et annonça au serveur, qui s'approchait en brandissant ses couteaux avec un grand sourire, qu'il désirait parler à Lu Lee. Quelques minutes plus tard, le propriétaire se glissait sur la banquette auprès de lui.

— Tu n'as plus de problèmes, annonça-t-il. Je suis désolé que ce type n'ait pas compris le message la première fois. Je suis certain qu'aujourd'hui je me suis fait comprendre.

— Merci, capitaine. Que puis-je pour vous ?

— Nous n'avons pas eu le temps de dîner, alors... choisis-nous tes spécialités, mais pas d'alcool, nous sommes en service, et nous paierons l'addition, Lu. Cela n'est pas négociable.

208

— Les autres policiers qui viennent ici ne se comportent pas comme vous.

— N'est-ce pas, Lu? Voilà pourquoi tu ne devrais pas attendre si longtemps désormais avant de m'appeler. » Il regarda son équipier, un ancien combattant comme lui, qu'il emmenait pour ce type d'excursions nocturnes plutôt animées. Michel Desbiens était un garçon nerveux qui, en général, n'avait pas grand-chose à faire, et le capitaine savait que, le cas échéant, il pouvait compter sur lui et qu'il la bouclerait. « Vous voudrez bien nous excuser une minute, Michel? demanda Touton.

— Bien sûr, capitaine! D'ailleurs, j'ai envie de pisser.

— Tu as beaucoup de clients riches, déclara Touton une fois seul avec Lu Lee, qui claquent beaucoup d'argent. Et aussi des politiques, des avocats... bref, des gens qui laissent de grosses additions...

— Bien sûr, reconnut Lu. Une grosse partie de ma clientèle.

— ... qui picolent pas mal, qui discutent et disent certainement des choses qu'ils pourraient regretter plus tard...

— Bien sûr, confirma Lu.

— Ecoute bien maintenant... Si jamais tu entends ce genre de clients parler de Jacques Cartier, de l'Ordre ou d'un poignard ancien qui vaut très cher, ou encore suggérer de se débarrasser des Asiatiques comme toi... ou des Juifs...

— Oui, capitaine? murmura Lu Lee sans le quitter des yeux, l'air concentré.

— Eh bien, j'aimerais connaître leur nom. C'est valable non seulement en ce moment, cet été ou cette année, mais pour aussi longtemps que toi et moi sommes en vie. Je veux savoir qui sont ces gens. Compris?

— Oui, capitaine, pas de problème.

— Pas de problème, parfait! » Il fit signe à son équipier de revenir. « Maintenant, sers-nous ta meilleure cuisine, d'accord? Je suis prêt à dépenser un peu d'argent ce soir.

Les deux hommes savourèrent un véritable festin et, à la fin du repas, Touton menaça son hôte du doigt, car la note lui semblait bien modeste.

Peu de temps après – en tout cas plus tôt que le capitaine ne s'y attendait –, l'inspecteur Fleury informa Touton que Pierre Elliot Trudeau voulait le rencontrer en tête à tête; Touton lui fit dire qu'il passerait le prendre à minuit le soir même.

Malgré un certain panache, qu'il fallait bien lui reconnaître, on avait du mal à le prendre au sérieux : Trudeau attendait sous un réverbère, dans un coin sombre, revêtu d'une tenue à la Sherlock Holmes – casquette de chasse à carreaux, pipe et manteau à revers, presque une cape. Ce jeune homme considérait la vie comme une pièce de théâtre et le monde comme une scène.

La pipe n'était pas allumée.

— J'ai créé un fantôme ! observa Touton.

— Vous l'avez seulement recruté, rétorqua Trudeau. Capitaine, j'ai ma réponse.

— Quelle est-elle ?

Ils roulaient sur la rue Sherbrooke, tandis que de nombreux flâneurs profitaient de l'air doux de juillet.

— Capitaine, je n'espionnerai pas pour vous. Si nous étions en guerre, peut-être l'envisagerais-je, mais ce n'est pas dans ma nature et les circonstances ne me conviennent pas.

— J'en suis navré.

— Je tenais à vous en faire part personnellement.

— Je vous en remercie, mais je suis quand même déçu.

— Auriez-vous l'amabilité de me conduire au belvédère de Westmount ?

Le gaillard mijotait peut-être autre chose, Touton acquiesça.

La route serpentait au milieu de riches hôtels particuliers et ils passèrent devant celui de Van Horne, bâti pour la construction de la première voie ferrée reliant une côte à l'autre ; il était si vaste qu'il avait fallu, au moment de le revendre, le couper en deux et supprimer une dizaine de mètres sur quelques étages. Ils atteignirent le belvédère, un peu plus loin, rendez-vous des amoureux qui venaient contempler le point de vue sur les lumières de la ville.

— Alors, insista Touton, vous ne voulez pas travailler pour moi.

— Capitaine, j'ai des ambitions cachées et si jamais on venait à savoir que je joue les indics, cela briserait ma carrière.

— Ça sent le conseil de votre ami Pelletier...

— Vous êtes malin, je l'avais remarqué et cela m'a impressionné. Capitaine, le nom de Bernonville vous dit-il quelque chose ?

En effet, même s'il ne l'avait pas sur le bout de la langue.

— On en parlait dans les journaux, il y a des années. » Soudain la mémoire lui revint. « Il a collaboré avec les Allemands en France, non ?

— Exact, jugé par contumace en France et condamné à mort pour avoir torturé et abattu ses compatriotes résistants ainsi que des Juifs. Après la guerre, il s'est échappé de France et a atterri à New York en passant par l'Espagne. Finalement, il est arrivé au Québec sous un faux nom, déguisé en prêtre.

— Quelqu'un l'a reconnu?

— Quelques douzaines de collaborateurs français avaient aussi choisi le Québec; ils n'ont pas tardé à découvrir qu'ils y avaient des amis capables d'assurer leur bien-être. Des résistants qui avaient immigré ont reconnu le comte Jacques Dugé de Bernonville et ont évoqué publiquement ses exploits.

— Il a été bien reçu ici? Par qui? Intéressant à savoir.

— Avec beaucoup d'aplomb, on l'a introduit dans la société de Montréal. Une fois découvert, il a avoué sa supercherie, imploré la miséricorde du Canada et demandé la permission de rester. Le Canada, après avoir enquêté, a ordonné son expulsion, décision qui a soulevé un tollé au Québec. On avait beau dénoncer ses crimes, ses partisans criaient à la propagande des Juifs et des francs-maçons. Comme si ces deux groupes se consultaient! On a prétendu qu'il n'avait fait qu'obéir aux ordres, que cet empressement à le renvoyer en France sentait le complot communiste. Il a alors obtenu un sursis, le temps qu'on révise son cas, et il a tenu ainsi trois ans. Mais ses crimes se sont révélés incontestables, ce qui lui a fait perdre ses appuis; le comte a fini par comprendre que la catastrophe était imminente : il aurait fui au Brésil, s'y serait acoquiné avec l'abominable Klaus Barbie, et, murmure-t-on, ferait des aller-retours réguliers entre ici et là-bas.

— Mmm..., marmonna Touton. A son arrivée ici, au début, il aurait bénéficié d'un réseau de partisans?

— Prêts et qui l'attendaient, oui. C'est là que ça devient intéressant. Parmi les tentatives pour le garder ici, figure une pétition signée par des médecins, des avocats, des hommes d'affaires, des étudiants, des universitaires de Montréal, notamment, et des hommes politiques, dont notre maire Houde, ainsi que par l'association des étudiants de l'Université, en tout cent quarante-trois signatures.

— Je retrouverai cette pétition, monsieur Trudeau.

— Appelez-moi Pierre.

— Appelez-moi Armand. Je partirai de cette liste. Je tiens à vous remercier.

— Comprenez bien, Armand, que ce n'est pas « espionner ». Je vous signale simplement un document public. On ne détruit jamais les pétitions adressées au gouvernement fédéral.

Touton démarra. Il avait enfin des noms! Des noms précieux! Il allait s'y atteler tout de suite.

— Je comprends parfaitement. Où puis-je vous déposer?

— Dans cette tenue? Le mieux serait de me ramener directement chez moi.

Touton s'annonça d'abord au téléphone puis, avec la liste des noms en poche, il se rendit chez la veuve de Roger Clement. Il s'apprêtait à les tester en premier lieu chez les plus démunis. Quelle satisfaction que ce lien entre les puissants et ceux qui croupissent dans la misère !

Vêtue cette fois d'un simple sarrau gris, les cheveux relevés en chignon, Carole Clement poursuivait son deuil. Sa fille, Anik, ne la quittait pas d'une semelle. Souvent, Mme Clement passait une main sur l'épaule décharnée de la fillette dans un geste inconscient, comme une femme jouerait avec son bracelet.

— J'ai parlé aux inspecteurs de la Criminelle, annonça-t-elle à son visiteur.

— Roger était un de mes amis, expliqua Touton, aussi les inspecteurs de la Criminelle feront-ils de leur mieux, avec les ressources dont ils disposent. Mais, s'il le faut, je poursuivrai les meurtriers de votre mari jusqu'à la fin de mes jours.

La femme laissa les mots retentir dans la pièce tels des grains de poussière flottant dans le soleil avant de disparaître, avalés par l'ombre.

— Voudriez-vous une tasse de thé ? proposa-t-elle.

Touton hésita, réalisant qu'il aurait préféré une tasse de café. Cette veuve avait beaucoup souffert et il ne voulait ni la contrarier en demandant du café ni décliner ce simple geste d'hospitalité.

— Je vous remercie, madame Clement, avec plaisir, répondit-il.

— Comment appeliez-vous mon mari ? demanda-t-elle. Par quel nom ?

— Roger.

— Et lui ?

— En général, Armand. Parfois, il m'appelait... Oh, je ne peux pas le dire devant la petite...

— Très bien, repartit-elle avec un bref sourire. Je vous en prie, appelez-moi Carole, et comme j'ai horreur d'utiliser les grades – j'ai un petit problème avec l'autorité : je ne la respecte pas – je vous appellerai Armand. »

Quand elle lui demanda ce qu'il prenait avec le thé, il ne sut que répondre. En captivité, il n'avait pas le choix, et le thé préparé à partir de sachets déjà maintes fois utilisés par les officiers britanniques l'avait d'ailleurs dégoûté de ce breuvage. En portant le liquide brûlant à ses lèvres, il retrouva l'odeur de son emprisonnement. Le thé avait le goût d'un souvenir et faisait ressortir l'impression de froid qui régnait dans cette maison.

— J'ai une liste de noms à vous soumettre, parmi lesquels vous en

212

reconnaîtrez peut-être certains parce qu'ils ont une vie publique. J'aimerais savoir si Roger a cité une de ces personnes, non pas pour avoir lu un article sur eux dans le journal, mais par expérience personnelle, dans son travail.

— Eh bien, le maire Houde, soupira-t-elle après avoir parcouru la liste.

— Il l'avait mentionné, acquiesça Touton en hochant la tête, me disant qu'il travaillait pour lui de temps en temps, ainsi que pour Duplessis. Aucun autre ?

— Qu'ont-ils fait ?

— Ils ont soutenu ce fasciste de Bernonville pour le garder au Canada.

— Le comte, murmura Carole.

— Exactement.

— Ma foi, c'est bien dans la manière de Houde. Au camp d'internement, Roger et lui discutaient politique. Roger m'en parlait dans ses lettres. Ils lisaient de la poésie ensemble, vous le saviez ?

— J'ai du mal à les imaginer, l'un comme l'autre, lisant de la poésie, reconnut le policier sans pouvoir s'empêcher de sourire.

— Moi aussi. Mais il leur fallait bien se distraire, occuper leurs soirées. » Cette évocation réveilla son chagrin. C'était dur pour elle, et le policier lui laissa le temps de reprendre son calme. « Après son retour, il avait pris l'habitude de nous lire, à moi et à Anik, des poèmes écossais.

— Ecossais ?

Ce fut comme un déclic.

— La bibliothèque de la prison était pauvre et ne proposait rien en français et, en anglais, pas grand-chose. Alors, grâce à l'aide d'un gardien écossais, le maire et Roger lisaient Robbie Burns. Il était capable d'en citer de longs passages avec un accent ridicule. Tu te souviens, Anik ?

La petite fille acquiesça de la tête et Touton sourit, même si la tristesse lui serrait le cœur. Quelle étrange coïncidence.

Le monument élevé à Burns avait vu beaucoup de monde déambuler à ses pieds ; pourtant, rares étaient les Montréalais capables de le décrire ou même de le situer ; et la plupart de ceux qui, par hasard, remarquaient la statue, étaient bien en peine d'identifier le personnage dont elle commémorait le souvenir. Semblable en cela à tous les monuments de ce type, sa partie supérieure servait de refuge aux pigeons et la base aux promeneurs fatigués cherchant un peu d'ombre. Ceux qui prenaient le temps de lire la plaque commémorative l'oubliaient vite. En revanche, Clement et Houde avaient de bonnes raisons de se souvenir de la statue, qui leur rappelait leur internement ; il était fort possible qu'elle fût devenue un point de rencontre : « Rendez-vous devant le monument de Burns. » Or Roger Clement avait été poignardé sous la botte du poète.

— A-t-il mentionné Duplessis, dans les semaines ou les mois qui ont précédé sa mort ?

— Non, il était plus silencieux que d'habitude, ajouta Carole ; il ne parlait plus de Duplessis et de Houde, comme s'il avait refermé une porte. Cela m'avait frappée. En temps normal, quand on parlait d'eux aux informations ou qu'un journal publiait leur photo, Roger faisait toujours un commentaire désagréable sur Duplessis ou, à propos de Houde, évoquait un incident amusant survenu au camp. Il aimait bien Houde. Puis plus rien. Il se contentait de détourner la tête et restait muet comme une carpe.

— D'autres noms sur cette liste vous disent-ils quelque chose ?

Reprenant la feuille dans sa main gauche, elle y posa son index droit.

— Ce nom-là, je le connais, mais sans doute pas par Roger. Un type situé très à droite qui écrivait des lettres aux journaux. Il avait horreur des grèves et, tout particulièrement de celles que j'organisais, peut-être parce qu'elles concernaient surtout des femmes, des immigrantes de surcroît...

— De qui s'agit-il ?

— Du docteur Camille Laurin. Je ne pense pas que Roger ait jamais rien eu à voir avec lui.

Touton avala sa dernière gorgée de thé, puis il tendit le bras et prit la main de la fillette dans la sienne. Elle se laissa faire sans cesser de le fixer.

— Merci pour tout cela, murmura-t-il.

La sonnette de l'entrée retentit soudain et Carole Clement alla ouvrir. Touton finit par lâcher la main de la petite fille et se leva pour prendre congé, tout en lui souriant. Elle le dévisageait d'un air inexpressif. Un homme entra et, étant donné l'heure tardive, se demanda visiblement si la veuve éplorée n'avait pas déjà trouvé un nouveau compagnon.

— Bonjour ? lança-t-il en toisant Touton d'un air méfiant.

Il était plutôt costaud, portait des vêtements de travail, et avait déboutonné sa chemise jusqu'au milieu du torse à cause de la chaleur. Il semblait essoufflé.

— Je suis de la police. Capitaine Armand Touton.

— Ah ! lâcha l'homme, satisfait de cette explication. Je suis un homme d'église.

— Le père François Legault, précisa Carole.

La fillette s'était précipitée dans les bras du prêtre qui la hissa sur ses épaules.

— Alors, nous nous préoccupons tous deux du sort de cette famille, conclut Touton.

— Souhaitons-le, répondit le prêtre.

Touton prit congé en espérant que la nuit serait fraîche ; hélas, non. Il jeta un bref regard en arrière puis continua son chemin. Un ecclésiastique sans son rabat n'avait rien de surprenant avec une telle chaleur et à une heure si tardive ; pourtant son attitude, sa tenue – des baskets ! – lui avaient paru sortir de l'ordinaire, en tout cas, elles ne suggéraient pas un homme d'église. Mais après tout, songea-t-il, un prêtre est certainement plus intéressant, plus utile, dans un monde qui ne respecte pas l'autorité, dans le monde où évolue Carole Clement.

Il décida, ce soir-là, avant de s'attaquer aux affaires pressantes, de procéder à une dernière visite et s'arrêta devant le domicile de Pacifique Plante ; ils firent un tour dans la partie bourgeoise du quartier d'Outremont ; vers l'ouest, s'étalaient des demeures vaniteuses, tandis qu'à l'est on trouvait des constructions de trois étages sans ascenseur, dans lesquelles s'entassaient des immigrants. Les deux promeneurs avaient gardé leur chapeau, ce qui les obligeait à l'enlever de temps à autre pour se rafraîchir le front. Plante fumait.

— Monsieur, j'ai lu tous les articles que Pelletier a écrits sous votre signature.

— Vous enquêtez sur moi, maintenant ? bougonna Plante.

— Non, monsieur, mais si le besoin s'en manifestait, je le ferais. » Intrigué, le directeur de la police le dévisagea. « Si quelque chose dans mon enquête me fait remonter jusqu'à vous, je chercherai. Vous me conseillez, depuis le début de cette affaire, de penser toujours plus haut, c'est ce que je fais. Pourtant quelque chose m'étonne : quand Pelletier et vous avez écrit ces articles, quand, avec le maire, Drapeau, vous avez mené cette enquête – quatre années de recherches poussées...

— Qu'est-ce qui vous dérange, Armand ?

— Que vous n'ayez jamais touché à l'ancien maire, que vous ayez laissé Houde tranquille. Il était impliqué, ne dites pas le contraire, pourtant vous lui avez fichu la paix. Moi j'enquêterai sur vous s'il le faut. Personne n'est hors de ma portée. Mais vous, vous avez laissé quelqu'un hors de la vôtre. Pouvez-vous m'expliquer pourquoi ?

Les deux hommes marchèrent un moment en silence. Plante pesait soigneusement sa réponse tout en fumant.

215

— Cela n'a pas été une décision facile, confia-t-il enfin à Touton après avoir attendu que les autres promeneurs soient hors de portée de sa voix. Ni celle que j'avais d'abord choisie. J'étais d'avis de l'attaquer de front, de faire de lui notre cible principale, mais Jean Drapeau, qui menait l'enquête, ainsi que certains membres de l'équipe m'ont persuadé de ne pas le mêler à ça. Mais nous attaquer à son entourage, détruire sa crédibilité l'isolerait et l'obligerait à se retirer, et, s'il s'y refusait, il serait sévèrement handicapé dans une élection.

— C'était donc politique...

— Armand, vous lâchez cela comme s'il s'agissait d'un gros mot. Nous savions depuis le début que faire justice sans changer les gens en place était impossible : qui remplirait le vide du pouvoir que nous aurions créé ? Par conséquent, notre but a tout de suite été double : abattre le maire et ses copains et remplacer nous-mêmes cette bande.

Touton digéra cette information, admettant que Plante avait raison. A quoi bon en effet déraciner les forces de corruption si c'était pour partir une fois le travail terminé ? Mieux valait – et de loin – assumer le pouvoir et prouver que l'on était capable de suivre une meilleure voie. Alors, ces articles de journaux et cette commission d'enquête, de simples éléments d'une stratégie politique ? Dur à avaler. Les hommes qu'il côtoyait faisaient preuve d'une habileté et d'une finesse supérieures à celles qu'il leur avait prêtées au premier abord.

— Je vois, acquiesça-t-il.

— Vraiment ? Je vous déçois, n'est-ce pas. En politique, on peut faire des saletés, mais, en l'occurrence, nous étions seulement habiles, pas des salauds ; tout se passait d'ailleurs au grand jour. Nos adversaires pouvaient constater nos agissements mais pas s'y opposer. Nous avons laissé Houde s'en tirer parce qu'il était populaire. Si nous l'avions attaqué personnellement, la populace aurait très probablement cessé de s'intéresser à notre projet. Houde aurait alors mis en œuvre tout son charisme pour nous traîner dans la boue. » Il tira une longue bouffée de sa cigarette. Au-dessus de leur tête, des insectes tournaient autour des lampadaires dans l'air humide de l'été. « Voyons les choses en face : je n'ai aucun charisme. Le nouveau maire ? Dans ses bons jours, il ressemble à un "bon tonton", dans ses mauvais, à un Adolf joufflu presque chauve. Même moi j'ai essayé de lui faire raser cette moustache ridicule, mais il est entêté... Malheureusement, voyez-vous, des personnalités telles que les nôtres ne s'attirent pas les voix du peuple ; c'est pourquoi nous nous sommes contentés de démontrer à Camillien Houde qu'il courait à la catastrophe ; cela lui a permis de se retirer avec une réputation à peu près intacte, même si

216

tout ça l'a un peu déprimé. Rendez-vous compte que cet homme, interné le temps de la guerre pour activités jugées préjudiciables à son pays, a été accueilli à sa descente du train, une fois les hostilités terminées, par dix mille personnes venues non pas le lyncher – cela aurait été compréhensible – mais l'acclamer! Après cela, reprendre le pouvoir n'a pas été bien difficile. Dans de telles conditions, pouvions-nous espérer battre un type pareil?

Ils s'apprêtaient à s'engager dans une rue perpendiculaire quand ils furent contraints de reculer pour laisser passer des enfants à bicyclette. Touton leur jeta un coup d'œil de policier : s'il avait été de ronde, il aurait surveillé ces jeunes qui auraient dû être couchés depuis long-temps ; il se serait renseigné sur leur vie familiale et leurs résultats scolaires, probablement médiocres, pour les orienter vers le base-ball ou le hockey ; mais, pour lui, ce temps-là était révolu. Il revint au point de vue de Pac Plante et apprécia le génie du plan des réformateurs.

— Alors vous avez démoli son appareil politique...

— Nous l'avons isolé et démoralisé de telle sorte que la retraite lui est apparue comme une bonne solution. Nous n'avons jamais eu à l'attaquer directement.

— Moi, je vais peut-être devoir le faire, avoua Touton.

— L'attaquer directement?

Le policier acquiesça.

Les deux hommes poursuivirent leur marche sans prononcer un mot jusqu'à ce que, revenus à leur point de départ, le directeur de la police lançât quelques ultimes recommandations.

— Armand, vous êtes quelqu'un de populaire, ce qu'on appelle un héros local. Mais Houde est un dieu. Si vous vous en prenez à lui, il vous faudra être convaincant. Si vous n'en êtes pas capable, abstenez-vous. S'il se sent menacé, il fera croire aux gens que c'est après eux qu'on en a et profitera de cet élan pour reprendre le pouvoir et nous virer tous. Toutes nos avancées seront gommées, et canailles, bordels, tripots, bref tout ce sale petit monde se retrouvera en selle avant que le soleil ne se lève sur sa victoire.

— Vous le redoutez à ce point?

— Il a ce pouvoir-là. Nous n'avons pas encore fait nos preuves. Notre sort ne tient qu'à un fil et Duplessis complote pour se débarras-ser de nous.

— Je me demandais pourquoi vous ne touchiez pas à lui, cela me tracassait. Désormais je sais pourquoi.

— Bonne nuit, Armand.

— Monsieur, pardonnez-moi, je vous prie, cette intrusion. Mes respects à votre femme.

217

Touton regagna son bureau : il éprouvait une certaine appréhension. S'il s'attaquait, si peu que ce fût, à Houde, les milieux populaires s'agiteraient ; la moindre insinuation deviendrait une chasse aux sorcières ; on le traiterait de laquais au service de ses supérieurs politiques, commis au sale boulot : éliminer la concurrence et donner le coup de pied de l'âne à un grand homme à terre.

Il déboucha sur le versant de la colline orienté vers l'est et descendit l'avenue du Parc en direction du centre dont les lumières dansaient au loin : vers lui, montaient la rumeur estivale de la ville, la musique diffusée par la radio, les cris et les crissements de pneus des voitures. Il nota, sans trop savoir pourquoi, de se renseigner sur ce père François Legault, l'ami de Carole Clement, puis il pensa aux hommes à la Cadillac noire, se demandant où ils traînaient ce soir, à quoi ils réfléchissaient et comment ils parvenaient à vaincre la chaleur.

CHAPITRE 12

1728-1732-1734

A CET ENDROIT, le fleuve s'élargissait et devenait plus profond. Beaucoup croyaient le fond inaccessible non seulement aux hommes mais aussi aux poissons. Les perches y foisonnaient ; elles sautaient et montraient leur tête aux yeux globuleux à la surface d'une eau limoneuse et jaunâtre qui attirait les cerfs descendus des collines ; en hiver, des loups traversaient sur la glace.

Un bon endroit pour dresser un camp.

Pour des individus las d'errer, un emplacement idéal pour fonder un nouveau foyer.

De la fenêtre de sa chambre au premier étage, Sarah Hanson vit frémir le maïs.

Il y avait là une mission, occupée de temps en temps par des sulpiciens zélés et des Indiens des tribus diverses qui avaient été déplacés. Le long des sentiers serpentant à flanc de colline, les prêtres édifiaient ici et là de grandes cabanes peu profondes, fermées par de larges portes de grange. Puis, accompagnés des indigènes, ils parcouraient les bois et quand ils arrivaient à l'une de ces cahutes, ils les ouvraient pour exhiber une œuvre d'art – tapisserie, sculpture... – illustrant le texte des Evangiles, ce qui impressionnait et consternait les autochtones, même : une maison pour une peinture !

Les Mohawks furent les premiers à s'installer de manière permanente, bien avant les hommes qu'ils appelaient les « corbeaux ».

Grâce à la Grande Paix signée par toutes les tribus – elles s'engageaient à ne plus se battre entre elles ni aux côtés des Anglais ou des
Français –, les affrontements s'espacèrent. Ces bandes de guerriers
vagabonds dont, depuis des générations, les ancêtres scalpaient les
Français tout en faisant lentement rôtir leurs enfants à la broche, avaient
constaté qu'ils étaient moins nombreux et prirent de nouvelles habitudes
tout à fait surprenantes : ils se transformèrent, vis-à-vis de leurs ennemis
de toujours, en voisins charmants lorsqu'ils se fixèrent sur les rives de
l'Ottawa – la rivière des Outaouais disaient les Français –, au lieu-dit
Oka, à courte distance en canoë à l'ouest de Montréal.

Ainsi fut fondé le camp de Kanesetake.

*Sarah Hanson n'avait jamais vu les champs de maïs frémir ainsi, comme si les
jeunes épis trébuchaient en apprenant à marcher. Intriguée par ce spectacle, elle se
rapprocha de la fenêtre en clopinant, une botte à moitié enfilée, pour éclaircir ce
mystère. Une brise légère effleurait les rideaux.*

Les Mohawks, la plus farouche des nations iroquoises, constituaient
une curiosité. Pourquoi revenir sur ces terres après les avoir abandon-
nées, sans raison apparente, à l'arrivée de Cartier, deux cents ans
auparavant? Pourquoi s'installer si près de ceux qu'ils avaient si
âprement combattus, et loin de leurs alliés coutumiers, les Anglais de
Boston et de New York? Ce mystère réveillait chez les habitants de
Ville-Marie une appréhension familière. Des rumeurs de complot
circulaient, et d'horribles récits reprenaient vie. On se sentait à la
merci de ces ennemis d'antan qui semblaient attendre l'occasion où les
Français dormiraient sans défense. Alors, les Mohawks recouverts de
leurs peintures de guerre et hurlant sous la pleine lune fondraient sur
les malheureux pour les scalper. Les survivants subiraient le supplice
des braises : lentement elles leur rongeraient les pieds, les chevilles, les
jarrets, avant de monter plus haut encore.

*Manifestement inquiets, les passereaux piaillaient et les corbeaux paniqués
croassaient; ils quittaient les champs pour se réfugier dans les arbres ou plus loin
encore. Sarah, quant à elle, attendait, impatiente, anticipant l'instant où le maïs se
mettrait en marche.*

Les quelques trappeurs ou chasseurs qui établissaient un contact
avec les Iroquois finissaient par comprendre leurs raisons, et ainsi
calmaient les inquiétudes des Français. Au sud, les Anglais
s'étendaient de plus en plus; l'été, ils déchargeaient quotidiennement
des cargaisons ayant traversé l'océan à bord de leurs vaisseaux. Les

Français, eux, se contentaient de bâtir leur nation à coups de reins, méthode bien connue des Iroquois et qui leur semblait infiniment moins menaçante ; de plus, les Français exploraient le continent – à l'ouest jusqu'aux Rocheuses et au-delà, au sud en descendant le Mississippi jusqu'au golfe du Mexique – et engageaient les Iroquois comme guides, qu'ils rémunéraient ; ainsi, ils restaient des sauvages au vrai sens du terme, des hommes des bois. Leurs prétendus vieux amis et alliés les Anglais les repoussaient plus loin et les entassaient sur ces terres qu'ils habitaient depuis toujours.

La douceur du matin. L'air pur et frais. Mais les chevaux ? Ils semblaient agités. Sarah tendit l'oreille, pour tenter de distinguer le hennissement de sa monture.

Les Indiens découvrirent dans leur nouvelle installation un bienfait inattendu : regroupés en petites bandes isolées mais efficaces, ils organisaient des incursions sur les établissements anglais du sud, en toute impunité puisqu'ils rapportaient leur butin sur le territoire des Français, donc hors d'atteinte de la loi britannique. Ils ne tardèrent pas à trouver un autre moyen de tirer profit de cette situation en enlevant de riches filles blanches en Nouvelle-Angleterre ; ils les traitaient bien et veillaient sur leur précieuse pureté en attendant que leurs pères se rendissent dans le Nord pour les retrouver et monnayer leur libération. Ces enlèvements, très lucratifs, prospéraient, car les Anglais, malgré leur désir de mettre un terme à cette pratique, ne pouvaient se permettre d'envoyer une armée en territoire français. Ainsi les Iroquois en vinrent-ils à apprécier leurs nouveaux voisins français ou, du moins, à trouver leur présence utile.

Le maïs, par endroits, trembla plus violemment, mais aucun souffle de vent n'agitait les arbres.

En 1728, dans la région qu'on appelait le Massachusetts, sur les rives de la rivière Charles, près de la ville de Dover, des pillards d'Oka attendaient l'aube dans un champ de maïs faisant partie du domaine d'un homme riche ; la ferme en occupait un petit carré et les serviteurs s'apprêtaient à traire les vaches et à ramasser les œufs dans le poulailler ; le propriétaire n'avait même pas encore ouvert un œil. Un coq chanta, les oiseaux commencèrent leur tapage habituel tandis que d'autres appels montaient des champs.

Puis elle reconnut un cri de guerre. Son sang ne fit qu'un tour, sa peau se hérissa et son cœur se serra.

221

Comme chaque matin, Sarah Hanson, la fille du propriétaire, debout devant sa fenêtre du premier étage, se battait pour enfiler ses bottes ; lorsqu'elle remarqua que le maïs était parcouru d'étranges secousses, comme balayé par un vent capricieux. Brusquement des hommes à demi nus et à la peau sombre envahirent la cour. Une torche enflammée jaillit devant elle et termina sa trajectoire sur le toit de sa fenêtre mansardée.

— Papa ! cria-t-elle terrifiée, en se précipitant tant bien que mal dans la chambre paternelle. Papa !

Elle réveilla son père brutalement, et reconnut aussitôt les vociférations des Iroquois. Deux décennies s'étaient pourtant écoulées sans qu'il les entendît. Il sentit un frisson courir le long de son dos.

— Mon Dieu ! murmura-t-il en saisissant son fusil posé près du lit.

Son épouse, affolée, émettait des sons qui ressemblaient étrangement à ceux des Indiens. La main sur son arme, Jeremy Hanson cherchait désespérément à se rappeler l'endroit où il avait rangé ses munitions. Au-dessus de l'évier, dans la cuisine ? Dehors, dans l'appentis ? Lors des dernières attaques des Indiens, il n'était encore qu'un enfant. Il se gratta la barbe, perplexe. Trois semaines auparavant, il avait chassé la grouse. Avait-il rangé ses munitions dans la cave ? Il maîtrisa son envie d'appeler la femme de chambre.

— Papa ! répéta Sarah Hanson, haletante, à la vue des deux Iroquois faisant irruption dans la chambre.

Grands, torse nu, barbouillés de peinture, ils souriaient. Or, elle le savait, les Indiens ne souriaient jamais.

L'un d'eux secoua son tomahawk orné d'une clochette, de plumes et de coquillages, et la famille, terrifiée, se blottit contre la tête de lit pour attendre la mort. Le guerrier agita une nouvelle fois son arme pour le plaisir de les voir sursauter et éclata de rire. Or, les guerriers indiens ne riaient jamais, elle le savait. On ne lui avait jamais parlé d'Indiens en train de rire. Jeremy Hanson, priant pour un trépas rapide, serra sa femme et sa fille contre lui ; tout plutôt que voir sa famille brûler vive sur un bûcher.

Son jeune fils tout juste âgé de sept ans se faufila alors entre les jambes des sauvages pour rejoindre ses parents. Le père sentit son cœur défaillir quand il réalisa que les pillards pouvaient trouver son fils appétissant.

Au rez-de-chaussée retentissait le fracas inquiétant d'un déchaînement destructeur ; on percevait aussi les protestations des serviteurs aussitôt étouffées. Au-dessus d'eux, le feu prenait, faisant craquer les poutres.

Les deux Indiens attendaient dans la grande chambre, ils se contentaient de les dévisager et de sourire. Jeremy Hanson ne comprit qu'en entendant les flammes crépiter sur le toit.

— Je vous en prie, murmura-t-il, pitié...

Mais pourquoi ce sourire ? De quelle tribu étaient-ils ?

— Toi mettre bottes ! ordonna l'un des Iroquois en désignant la jeune fille en tenue d'équitation. Toi venir avec nous !

Sa mère, entre deux sanglots, poussa un cri déchirant.

Le désespoir montait en Sarah Hanson qui ne savait plus où commençait et où finissait sa peau, comme si les flammes sur le toit la réclamaient déjà. Sa frayeur s'accrut quand elle sentit l'emprise de son père se resserrer autour de sa taille, puis, presque imperceptiblement, se relâcher. Elle entendait les chevaux hennir et les cochons crier en cherchant à échapper aux tomahawks iroquois ; quant aux poules, elles piaillaient en vain car les agresseurs leur tordaient le cou l'une après l'autre.

Elle attendait, assise sur le lit, dans la maison en flammes, et éprouvait une étrange sensation en constatant que l'étreinte de son père continuait à se relâcher, alors que le silence, peu à peu, s'installait dans la basse-cour.

Les chevaux ruaient entre les cloisons de leurs stalles, apeurés par le vacarme et les hurlements des bêtes mises à mort.

Son père la serrait de moins en moins fort contre sa poitrine et sa mère protégeait son jeune frère de tout son poids.

— Surprise vient avec moi, déclara Sarah Hanson du haut de ses seize ans.

— Chien ou cheval ? demanda un Mohawk, comme s'il avait déjà négocié ce genre de situation.

Il fit un pas vers la gauche, car le toit en flammes menaçait de s'effondrer sur sa tête.

— Nelly peut rester mais Surprise, mon cheval, vient avec moi, continua-t-elle en enfilant sa botte.

— Je viendrai te chercher, murmura son père. C'est ce qu'ils veulent, nous a-t-on raconté. Je viendrai. Je te ramènerai. J'achèterai ta libération.

— Père, homme sage ! lança l'Indien.

— Traitez-la bien ! Sinon...

— Vite ! ordonna l'Indien à la jeune fille. Avant famille brûler dans lit !

Sarah Hanson fit une halte à la porte du domaine avant d'entraîner son cheval vers le fleuve en compagnie des Iroquois. Les porcs décapités et dégoulinant de sang avaient été attachés sur chacune des montures, y compris sur Surprise que cela rendait nerveuse. La jeune fille adressa un dernier signe d'au revoir aux membres de sa famille qui lui répondirent de la main ; derrière eux, la maison dévorée par les flammes. Les serviteurs la saluèrent avant de reprendre leur place dans la chaîne des seaux. Puis Sarah tourna les talons et suivit ses ravisseurs sur le chemin qui menait à la rivière, à l'endroit où les Iroquois avaient échoué leurs canoës.

Ils confièrent trois chevaux ainsi que Surprise à deux jeunes hommes qui les conduiraient par voie de terre jusqu'à Oka, près de la rivière des Outaouais, pour servir aux Iroquois ou pour être vendus à la foire de Montréal. A contrecœur, Sarah Hanson fit ses adieux à sa jument, l'embrassa sur le museau et recommanda au jeune Indien qui en devenait responsable de bien la traiter.

Il la dévisagea sans rien dire d'un air mauvais.

Sarah se glissa à bord de l'un des canoës et les indigènes poussèrent au large.

Elle tremblait de tous ses membres, puis elle s'obligea à se maîtriser.

Pleine de fougue et de curiosité, elle venait de comprendre que, désormais, commençait la grande aventure de sa vie.

Les Iroquois lui apprirent à fumer.

Sarah Hanson n'apprécia pas particulièrement le goût du tabac ni la brûlure qu'il laissait sur les lèvres et la langue, mais elle voulait être traitée en adulte, or les adultes, dans les bois, la nuit, fumaient. Ils s'asseyaient autour d'un feu de camp et se faisaient passer des pipes d'argile et de pierre ; quand son tour venait, elle aspirait la fumée et regardait les lucioles voleter entre les arbres. Les Iroquois appréciaient son comportement. Sur les rivières, elle restait tranquille, et quand cela s'avérait nécessaire, elle transportait un ballot sur son dos sans qu'on eût besoin de le lui demander. Elle ne s'arrêtait qu'aux haltes prévues et n'entravait jamais leur marche. Elle partageait le même régime qu'eux — du porc rôti et des légumes provenant de sa ferme natale. L'estomac plein, un peu étourdie par les brindilles et les feuilles sèches que tous fumaient, elle dormait sur les branches de cèdre qu'elle avait elle-même ramassées. Elle aimait plus que tout les nuits claires qui lui permettaient de contempler, enfin seule, les étoiles en disant ses prières. Les étoiles, familières et réconfortantes, constituaient ses seuls repères. Le reste lui semblait bizarre, sombre et compliqué, déconcertant ou effrayant. Son corps était endolori par les épreuves du voyage et les lourdes charges qu'elle portait parfois. Epuisée, esseulée, harcelée par les moustiques et les mouches, craintive, nerveuse, elle se sentait aussi, malgré tout, étrangement grisée ;

une fois ses prières dites, elle passait chaque nuit sous les étoiles et les nuages dans un sommeil profond.

Le matin, Sarah remuait les haricots du petit déjeuner.

Les jeunes gens qui escortaient les chevaux retrouvaient parfois au campement ceux qui remontaient en canoë. Elle serrait alors contre elle le cou de sa jument, la faisait boire et brossait à la main la poussière de sa robe.

— C'est toi qui la montes maintenant? demanda-t-elle au jeune Iroquois.

— Moi lui apprendre monter sans selle. Comme cheval mohawk.

— Ça ne doit pas être très difficile, je l'ai souvent montée à cru.

— Filles blanches mentir! affirma le jeune homme.

— Vraiment? Moi, je n'en connais aucune qui mente. D'ailleurs, je suis certaine que tu n'as jamais rencontré d'Anglaises avant moi, alors comment le saurais-tu?

— Toi jamais rencontré Mohawks! répliqua-t-il d'un ton bourru.

Il paraissait plus vieux qu'elle, mais n'avait pas plus de dix-huit ans, peut-être moins. Même s'il avait l'air d'un homme, c'étaient d'ordinaire les autres qui lui donnaient des ordres.

— Je n'ai jamais rencontré de Mohawks auparavant, c'est vrai. Je ne sais donc pas si un Mohawk ment ou pas. J'attendrai pour me faire une opinion, et c'est ce que tu devrais faire : juger par toi-même.

— « Juger » c'est quoi?

Sarah Hanson réfléchit un moment.

— Cela signifie : décider toi-même. Penser sans te borner à croire ce que te racontent les autres. Tu comprends?

— Avant, toi, fille blanche, esclave de moi. Travailler dans cuisine, venir dans lit Colweenada quand Colweenada vouloir.

— De quel « avant » parles-tu? Tu n'étais pas là, alors tu l'ignores. Je ne viendrais jamais dans ton lit simplement parce que tu en aurais envie. D'ailleurs, tu n'aurais jamais eu l'occasion de faire de moi ton esclave. C'est un des guerriers qui m'aurait eue, pas un jeune garçon.

A la lueur du petit feu qu'il avait allumé près des chevaux, elle vit que le jeune homme essuyait son front.

— Moi, guerrier! riposta-t-il. Pas jeune garçon!

— Tu es un voleur et un ravisseur, voilà ce que tu es. Tu devrais avoir honte. Mais tu es un sauvage, alors, bien sûr, tu ne comprends pas de quoi je parle. Tu ignores la honte.

— Père de toi venir. Te ramener maison. Toi pas inquiète.

Il semblait envisager ce jour-là avec soulagement.

— A quel prix me vendront les Iroquois? Je me le demande?

— Une vache! l'informa l'Iroquois en haussant les épaules.

— Une vache ? s'insurgea Sarah, scandalisée.

— Deux vaches vivantes. Puis cochons vivants. Puis poulets morts. Puis sacs haricots. Deux chevaux. Colweenada demander ça si toi appartenir Colweenada.

— Je ne t'appartiens pas ! On ne peut appartenir à personne !

Elle s'assit auprès du feu et croisa les jambes. Avec un bâton, elle attisa les flammes, faisant voler des gerbes d'étincelles.

— Homme pouvoir avoir esclave.

Elle en convenait à contrecœur.

— Je suis une captive, pas une esclave. Tu ne devrais pas avoir le droit de me vendre, ce n'est pas juste. Et certainement pas pour deux vaches !

— Colweenada payer deux vaches toi, si Colweenada posséder deux vaches.

— J'imagine que c'est un compliment, s'amusa-t-elle en le regardant.

— Pas comprendre com-pli-ment...

Elle l'observa puis détourna les yeux.

— Peu importe !

— Si Colweenada posséder cheval..., commença le jeune Indien.

— C'est mon cheval ! l'interrompit Sarah.

— Si Colweenada posséder cheval, cheval reste avec Colweenada. Colweenada rendre cheval si Colweenada posséder cheval. Si pas posséder cheval, cheval au marché de Montréal, homme, Français, acheter cheval, toi plus voir cheval.

Sarah avait replié les jambes pour poser le menton sur ses genoux en croisant les bras autour d'elles pour se tenir chaud.

— Elle s'appelle Surprise, lui apprit-elle.

L'Indien hocha la tête. Il contempla le sol un long moment avant de relever les yeux. Il n'était pas aussi bel homme que certains des guerriers : il était en effet un peu potelé et avait un visage rond et plat, grêlé comme si, enfant, il avait eu des engelures. Au début elle l'avait trouvé laid, à cause de ses zébrures rouges et noires de guerrier et de sa mâchoire soulignée par un trait de peinture blanche, mais maintenant elle aimait assez son petit sourire fugitif et la douceur avec laquelle il s'exprimait quand ils étaient seuls auprès du feu.

— Beau nom ! apprécia-t-il.

— Merci, répondit la jeune fille.

— Toi monter cheval demain, annonça-t-il. Toi monter avec Colweenada.

Tout de suite intéressée, elle se redressa.

— Je pourrai ? Vraiment ?

— Colweenada demander à chef toi monter.

— Demande ! Demande ! Va demander ! insista-t-elle.

— Toi promettre à Colweenada pas t'échapper.

— Je serais incapable de m'échapper, Colweenada ! Comment ferais-je ? Je ne sais même pas où nous sommes !

— Filles anglaises mentir !

— Je ne mens pas ! Vas-y maintenant ! Demande-lui ! Vite !

Le garçon revint auprès de leur petit feu de camp escorté du vieux : de grosses tresses encadraient ses joues et il avait des sourcils noirs entrecoupés de touffes de poils gris. Il ne dit rien et se contenta d'observer les jeunes l'un après l'autre, sondant leur cœur et leur esprit, puis il repartit.

Le lendemain matin, Sarah Hanson pensait se séparer encore une fois de Surprise quand elle l'embrassa sur le museau, mais son nouvel ami intervint :

— Toi monter sur cheval. Toi venir. Chef, mon père, dire d'accord. Si toi t'échapper, Colweenada scalper toi.

— Tu ne ferais jamais ça ! répondit-elle joyeusement, ravie à l'idée de parcourir ces bois profonds sur sa jument préférée.

— Colweenada faire comme guerrier iroquois ! protesta-t-il.

Décidément, elle le traitait comme un enfant.

— Je ne m'échapperai pas, et je ne mens pas, lui assura-t-elle. Maintenant, à cheval ! D'accord ?

Ce voyage à cheval vers le nord se révéla cependant plus pénible que Sarah Hanson ne s'y attendait. Ils chevauchaient des heures durant, les haltes étaient rares, les garçons faisant preuve d'une endurance extraordinaire. Ils durent franchir à gué des torrents rocailleux, alors que les bêtes se dérobaient. Elle profitait de ces moments-là pour faire pipi, quand elle avait de l'eau jusqu'à la ceinture : autrement, elle était trop gênée. Les sentiers – les pistes – avaient été tracés tout au long des siècles par les Iroquois ; ils convenaient rarement à des cavaliers ; seuls cerfs, ours et autres créatures de ce genre les utilisaient. Sarah Hanson devait subir sans rien manifester les feuillages qui la giflaient et les branches qui lui entaillaient le visage, afin de ne pas alerter les éventuels bandits indiens en embuscade. Elle devait se forcer pour imaginer qu'elle était enlevée par une bande de pillards iroquois qui la protégeraient contre d'autres Iroquois ou des Indiens supposés être des bandits. Si le groupe qu'elle suivait n'était pas un ramassis de bandits, alors pourquoi était-elle là ?

A certains endroits particulièrement difficiles de la piste, il fallait tenir les bêtes par la bride et se courber sous les fourrés ; elle guettait

227

les pas des chevaux pendant que les garçons recherchaient sur le sol des empreintes différentes susceptibles de signaler le passage d'un Indien hors-la-loi.

Colweenada avait été très clair sur ce point : il s'agissait d'individus si violents que leurs tribus les avaient bannis ; ces égorgeurs montaient des chevaux volés et enlevaient les jeunes femmes blanches ; quand ils en avaient fini avec elles, ils les vendaient à des brutes encore plus horribles qu'eux. La crainte d'un deuxième, puis d'un troisième enlèvement, sans comparaison avec le premier, lui serrait le ventre.

— Toi pas inquiéter, lui avait promis le jeune Mohawk en bombant le torse. Avant bandits prendre toi, Colweenada mourir d'abord.

— Superbe idée, Colweenada ! Toi mort, ça me fera une belle jambe, n'est-ce pas ?

Colweenada était déconcerté par l'étrange manière dont s'exprimait la jeune fille. La plupart du temps, ne sachant quoi répondre, il restait silencieux, se contentant de hocher la tête.

Ils gravissaient les montagnes et fascinaient la jeune fille par leur habileté à repérer les passages. A un moment, ils guidaient les chevaux sur le rebord d'une falaise quand, tout en bas, elle distingua les canoës des pillards ; quel récit extraordinaire elle tirerait de cette aventure grisante !

Lors d'une descente particulièrement abrupte, l'un des chevaux se déroba et tomba : il roula sur le flanc, ce qui déplaça sa charge et le surprit ; il glissa alors les quatre fers en l'air, dans une chute qui parut interminable à Sarah. Le cheval se brisa le dos et le cou au fond du ravin. Elle éclata en sanglots, sans se soucier de paraître ridicule aux yeux des garçons ; elle pleura cet animal innocent entraîné dans une aventure qui l'avait mené à la mort à cause d'une pierre se détachant sous son sabot. Combien la vie pouvait parfois se révéler grotesque et terrifiante ! Le jeune Indien farouche, ce misérable pillard iroquois, Colweenada, posa une main sur son épaule pour la réconforter et l'inciter à reprendre la route.

Elle s'essuya le visage avec sa manche et repartit, espérant secrètement que les bandits attaqueraient et lui fourniraient l'occasion de frapper quelqu'un.

Quand ils trouvèrent un endroit approprié, les jeunes Indiens attachèrent la jeune fille à un arbre, puis descendirent récupérer les cochons encore ficelés sur le dos du cheval mort ; ils découpèrent ce dernier en portions qu'ils consommeraient plus tard.

Sarah se dégagea autant qu'elle le put de ses liens pour vomir. Mais elle ne dit rien, et les garçons la détachèrent ; la petite troupe repartit.

Ils descendaient et, parfois, au détour de la piste, elle apercevait la vaste étendue d'un lac. Ils se dirigeaient certainement vers le lac George et le lac Champlain. Quelques jours plus tard, ils arrivèrent au camp des Français et des Iroquois installé dans le fort Ticonderoga ; les Indiens, assis en petits groupes, fixaient de leurs yeux sombres la cavalière qui arrivait parmi eux. Quand ils eurent mis pied à terre, elle resta près de Colweenada, ne voulant pas qu'il pénétrât sans elle dans la forêt, pas même pour se soulager.

A l'intérieur du fort se trouvaient de jeunes Indiens ivres, ainsi que des femmes et des hommes qui, sans parler ni sourire, la regardaient fixement, aussi indifférents que des arbres. Elle était incapable de deviner leurs intentions. Certains Indiens portaient des vêtements d'homme blanc et, notamment, des uniformes de soldat.

— Est-ce qu'ils sont dans l'armée ? demanda Sarah.

Colweenada ne daigna pas répondre à une question aussi stupide.

Chaque fois qu'elle venait à lui poser une nouvelle question, il détournait la tête. Elle finit par le saisir par le bras et dit :

— Tu es en colère contre moi ? Qu'est-ce qui te prend ?

— Toi devoir faire comme si femme de Colweenada, lui répondit-il, mais en regardant au-dessus de sa tête. Si toi pas faire comme si femme de Colweenada, homme venir et prendre toi pour femme.

Ils suivirent la direction du lac, vers le nord, après avoir fait leurs provisions : ils avaient échangé un cochon et la viande du cheval mort, après avoir décliné les propositions qui concernaient la fille ; en échange, ils reçurent tout un assortiment de victuailles et des nouveaux fusils.

— Les bandits étaient dans ce camp, remarqua-t-elle.

— Colweenada croire ça vrai.

— Ils savent désormais où nous nous trouvons et que je suis avec vous !

— Toi peur, Sarah Hanson ?

— J'ai quelques raisons.

— Nous monter chevaux. Nous avancer. Colweenada pas inquiet pour bandits derrière. Colweenada inquiet bandits pas encore vus.

Voilà qui semblait sage, aussi Sarah s'inquiéta-t-elle à son tour de ces bandits pour l'instant invisibles.

A Montréal, la nuit, les sulpiciens, assis droit dans leur lit, transpiraient de peur : depuis la Grande Paix avec les Indiens, dont certains rôdaient dans les rues, on croisait aussi des trappeurs que des blessures ou des maladies empêchaient de repartir en exploration ; constamment ivres, ils organisaient des ripailles qui dégénéraient en bagarres.

Des anciens fermiers ayant perdu femme, enfants et terres, se querellaient souvent, il en allait de même pour d'anciens soldats un peu dérangés ou qui s'étaient mis à boire. Un prêtre jésuite, désormais défroqué pour avoir mis dans son lit des Indiennes, participait à ces rixes. Ces vauriens frappaient la tête de leurs agresseurs avec des marteaux, leur arrachaient les yeux ou leur tranchaient la langue et les oreilles. Dans les empoignades les plus rudes, les vainqueurs arrachaient les testicules des vaincus et les tordaient avant de tirer dessus ; les hurlements des malheureux réveillaient les sulpiciens, lesquels se dressaient sur leur couche pour prier, en se bouchant les oreilles et en pleurant sur les malheurs qui endeuillaient la ville.

Dans la journée, ils discutaient : que faire, et où aller ?

Tous pensaient aux douces collines bordant la rivière des Outaouais, à l'ouest des rapides, au confluent du Saint-Laurent. Une tribu disciplinée d'Iroquois y avait dressé un camp, « Oka » ; ils ne ressemblaient en rien aux déments et aux ivrognes qui, la nuit, sillonnaient les rues de Montréal. Ne trouvant jamais le repos, les sulpiciens envisageaient désormais de quitter la ville pour s'installer en un lieu où ils pourraient communier paisiblement avec Dieu et prier pour l'ensemble du monde, et pas seulement pour les malheureux qui gisaient dans la boue devant leur porte, les yeux crevés.

Sarah Hanson conduisait les trois chevaux vers un torrent impétueux dans lequel ils se désaltéreraient quand l'attaque commença. Un jeune Indien vit la flèche destinée à le tuer jaillir du feuillage ; elle lui transperça la gorge et il s'écroula sur les genoux dans un horrible gargouillement. Colweenada tressaillit et aussitôt une flèche lui traversa l'épaule. Il en brisa la hampe et réussit à l'extirper, tout en courant se mettre à l'abri derrière un rocher. Il se laissa tomber sur le sol et, sans se soucier de la douleur, tira son poignard.

Affolés par les vociférations et les cris des guerriers, deux chevaux échappèrent à Sarah ; elle remonta sur le dos de Surprise et se lança à leur poursuite. Colweenada l'aperçut à travers les arbres, songeant qu'il ne vivrait pas assez longtemps pour la revoir, il l'admira d'avoir fait si promptement le bon choix.

Le seul attaquant à posséder un fusil – il s'agissait de bandits pauvres –, cribla de balles le rocher derrière lequel se cachait Colweenada ; ce dernier espérait un corps à corps rapide. Il n'avait pas l'avantage du nombre, mais il était décidé à se comporter en combattant si redoutable que ses meurtriers, impressionnés, le respecteraient au point de protéger son corps de la voracité des bêtes sauvages.

Le problème immédiat de Colweenada, c'était l'homme au fusil, qui rampait dans les sous-bois pour tirer d'un endroit dégagé, sans craindre une riposte. Colweenada jeta un coup d'œil par-delà le rocher et vit son agresseur se couler le long d'un tronc d'arbre suspendu au-dessus d'un ruisseau ; il se déplaça légèrement sur sa droite pour être mieux protégé. Ce mouvement exposait son postérieur aux flèches des autres bandits rôdant dans les bois : il lui fallait donc éviter leurs projectiles et les inciter à l'attaquer avec leurs couteaux et leurs tomahawks.

Soudain, il entendit un martèlement de sabots.

Sarah avait poursuivi les montures en fuite pour récupérer les fusils accrochés à leurs sangles et, ayant réussi à saisir une paire d'armes, elle revenait au galop. Au passage, elle tira sur le bandit que, sur son tronc d'arbre, rien ne protégeait, et le manqua ; elle arrêta alors son cheval et en même temps fit feu une nouvelle fois. Elle l'abattit.

Sa victime, qui portait un grand chapeau de paille déchiré, dégringola parmi les branches d'arbre et se fracassa le crâne sur un gros rocher qui émergeait du ruisseau. Sarah mit pied à terre, laissant Surprise se débrouiller seule : la jument affolée continua à galoper. Sarah plongea derrière le rocher, près de celui qu'elle considérait comme son ami et lui lança un fusil. Ils ouvrirent le feu sur leurs agresseurs et, à eux deux, les mirent en fuite.

Levant les bras, Sarah poussa des hurlements dignes d'un Iroquois, mais Colweenada ne se montra pas aussi enthousiaste.

— Ton ami, le plaignit-elle. Je suis vraiment désolée.

— Lui mon frère.

Elle pensait qu'il employait ce terme dans un sens général, que tous les Iroquois s'estimaient frères et sœurs.

— Père triste apprendre nouvelle », déclara le jeune homme. Elle comprit alors qu'ils étaient frères de sang. « Père remercier toi avoir sauvé fils aîné.

Lui-même ne la remercia pas, car, après tout, elle n'était qu'une femme, mais il s'était dit que son père le ferait et avait transmis le message.

Ils se relayèrent pour creuser la tombe du jeune Indien, en grattant la terre avec leurs mains et des branches. Soudain, Colweenada se crispa et elle lui prit la branche des mains pour le laisser se reposer un peu. Ce fut le moment que choisirent les bandits pour revenir à la charge. Trois flèches atteignirent Colweenada : elle perçut nettement le bruit qu'elles firent en transperçant la peau ; l'une toucha un os du thorax et une autre ressortit par le dos, la pointe couverte d'un morceau de tissu ensanglanté. Elle n'était pas remise du choc. Levant les yeux, elle constata qu'elle était cernée. Elle ne disposait pour toute arme que d'un bâton, son fusil était inaccessible. Elle ne valait pas mieux, songea-t-elle, que son père, incapable de se rappeler où il avait rangé ses munitions le matin de son enlèvement. Sarah Hanson fit front avec son bout de bois, mais ils n'eurent aucun mal à la maîtriser et lui ligotèrent pieds et mains en riant.

Elle était terrifiée ; son cœur battait à tout rompre.

Devant le cadavre de Colweenada, ce pauvre garçon malchanceux, elle imagina le chagrin de son père qui venait de perdre ses fils.

Plus question de remerciements.

Elle aurait souhaité pour les frères une sépulture convenable.

Sarah n'avait encore jamais vu de morts, et maintenant elle en avait trois sous les yeux, dont un tué de sa main. Le désir de se retrouver chez elle la submergea et, à la seule évocation de sa mère, de sa maison, de son frère et de la ferme, elle perdit tout espoir, toute raison, et se mit à pleurer et à invectiver ses ravisseurs ; folle de rage, elle les maudissait en tirant de toutes ses forces sur ses liens, tandis qu'eux se contentaient de rire et de danser autour d'elle, en passant sur son corps leurs mains crasseuses et en lui léchant le visage comme des chiens. L'un d'eux déchira son corsage, révélant son sein gauche qu'il mordit, et elle se mit à pousser des cris déchirants. Un autre l'écarta et Sarah, haletante, les regarda, sachant que son destin dépendait maintenant d'eux.

Les bandits, craignant les représailles au cas où on les découvrirait, décidèrent qu'il valait mieux partir. Pour vendre la fille, il ne fallait pas qu'elle parût trop folle : elle en aurait moins de valeur ; elle vaudrait davantage s'ils se posaient en sauveteurs héroïques. On expliqua cela à l'homme qui lui avait mordu le téton, et elle guetta son regard pour y lire sa décision. Elle redoutait moins la mort que les épreuves qu'elle subissait en étant traînée à travers les bois, vers le lac. Elle avait la peau griffée, balafrée et meurtrie, et elle les maudissait, mais ses agresseurs, qui avaient eux aussi perdu un ami dans cette expédition, la firent taire à coups de pied.

Une fois au bord du lac, ils ligotèrent Sarah Hanson à un vieux tronc flottant sur l'eau dont ils avaient coupé les branches, et repartirent en tirant ce radeau improvisé.

Le tronc, tournant sur lui-même, lui maintenait le ventre dans l'eau et l'obligeait à se débattre pour garder le visage à la surface afin de respirer.

Si elle en avait eu le courage, elle se serait contentée d'aspirer de l'eau pour mourir.

Mais elle survécut à cette partie du voyage.

Ces ivrognes n'avaient pas l'habitude de peiner dans la forêt ; gagnés par l'épuisement, ils finirent par dresser le camp à la nuit tombée. Ils redressèrent la souche à laquelle était attachée Sarah et la halèrent à moitié sur le rivage sans plus s'occuper d'elle. Ils buvaient du whisky et le plus horrible d'entre eux, qui ne cessait de la harceler, l'embrassa sur la bouche ; ses lèvres sentaient la chair d'élan pourrie. Sarah Hanson lui cracha au visage tandis qu'il continuait à lui prodiguer d'abominables caresses. Les autres l'obligèrent à attendre puisqu'ils n'avaient pas encore tiré au sort celui qui la posséderait le premier, au cas où cela se ferait, mais aucune décision n'avait encore été prise. N'appartenant pas aux mêmes tribus, ils devaient recourir à l'anglais ; leurs voix résonnaient entre les rochers et les arbres. L'un d'eux rappela à ses compagnons qu'il ne fallait pas la rendre folle, mais l'horrible bonhomme insista, déclarant que ce n'était pas le cas et qu'elle désirait qu'il la touche. Sarah Hanson leur montra alors comment se comporte une femme devenue folle : elle se mit à hurler, suffoquer, baver, les maudissant, et ils durent écarter leur acolyte pour qu'elle se calme.

Longtemps après que son bourreau eut sombré dans un sommeil d'ivrogne, il lui sembla entendre l'écho de sa propre voix gémissant à la surface des eaux désolées du lac Champlain.

La voix d'une femme ayant réellement sombré dans la folie.

Au lever du jour, son ennemi déclaré se réveilla le premier et s'étira. Un tomahawk fila alors dans l'air ; Sarah l'entendit se ficher dans le crâne de son tortionnaire qui tomba face contre terre : on aurait dit un cheval s'asseyant sur sa croupe en soupirant de satisfaction. Sans pousser un cri, les Iroquois tombèrent sur les trois autres bandits endormis et les scalpèrent vivants ; deux survécurent au supplice et, le sommet du crâne arraché, le visage ruisselant de sang, ils descendirent en trébuchant jusqu'au lac, sans que les Indiens n'intervinssent autrement qu'en poussant des clameurs. Sarah les regarda tituber puis tomber dans l'eau, comme pour y dissimuler leur honte ; l'un d'eux se releva subitement avec un hurlement inhumain, le cri d'un homme abandonné de tous ; l'autre ne se retourna jamais vers le soleil et partit à la dérive, le visage plongé dans l'eau. L'unique survivant, du sang plein les yeux, se remettait péniblement debout quand une flèche l'atteignit, le faisant s'affaler sur Sarah Hanson : un second projectile pénétra dans sa bouche et stoppa net ses lugubres lamentations.

Les Iroquois tranchèrent alors les membres de leurs victimes et les jetèrent dans la rivière.

Sarah, libérée de ses liens, retrouva ses ravisseurs de la ferme ; elle serra leur chef dans ses bras et, entre deux sanglots, lui annonça la mort de ses fils. Il avait déjà appris la nouvelle.

Dans le courant de la matinée, tandis qu'ils pagayaient vers le nord, ils repérèrent les trois chevaux enfuis qui, regroupés, erraient sans but. Sarah, ayant réussi à calmer Surprise, demanda au chef l'autorisation de reprendre la route par la voie de terre. Ses cheveux étaient rasés de chaque côté de son crâne, des plumes pendaient à sa queue-de-cheval et il s'était noirci le visage en signe de deuil. Il donna son accord et octroya à Sarah un autre guide, un guerrier plus âgé qui ne portait pas de plumes mais une collection de colliers de perles et de pierres et qui, souvent, fermait les yeux en marchant ou en chevauchant, comme s'il pouvait voir les yeux fermés. Il était peu disert et, de toute façon, ne parlait que sa langue.

Sarah Hanson continua jusqu'à la Nouvelle-France à cheval et finit par rejoindre le village d'Oka, sur les rives de la rivière des Outaouais, où venaient d'arriver les Iroquois en canoës. Elle fut accueillie par le chef du village qui lui expliqua qu'ils attendraient ici que son père vînt la libérer.

— Je suis déjà une femme libre, déclara-t-elle.

Il ne comprit pas ce qu'elle entendait par là ni ce qui poussait cette femme courageuse à prononcer de si étranges paroles.

Sarah était au bord de l'eau quand une charmante petite fille de sept ans arriva en courant, tout excitée.

— Sarah! Père de toi!

Mon père?

Elle réalisa soudain que cela faisait des mois qu'elle n'avait pas pensé à lui.

— Lui ici!

Epuisé par le voyage, il paraissait gêné d'avoir tant tardé à la retrouver. Des cochons et des poulets remplissaient deux charrettes, mais ni vaches ni chevaux, et les négociations se durcirent. Le père fit alors une proposition : laisser une charrette et ses deux chevaux; les Iroquois acceptèrent. On tenait Sarah informée du progrès des discussions.

Une fois le marché conclu, elle eut connaissance des détails de la transaction : les Iroquois recevraient quarante-quatre poulets vivants en plus des quatorze qu'ils avaient déjà dévorés depuis le début du marchandage et huit truies, ce qu'ils apprécièrent particulièrement, la moitié d'entre elles étant grosses. A cela s'ajoutaient deux chevaux et une charrette branlante; une chèvre; quatre pièces de tissu dont on pourrait faire des vêtements pour les femmes ou des rideaux; dix-neuf couvertures; douze sacs d'oignons, vingt-deux de patates, seize de carottes; quatre-vingt-seize bouteilles de rhum et la promesse solennelle d'en expédier quarante-huit supplémentaires – cela avait constitué un point délicat, mais il était entendu que, sinon, les Indiens auraient le droit d'incendier de nouveau la ferme de l'homme blanc ; plus seize fusils, vingt grosses boîtes de munitions et douze pistolets.

— Et moi ? avait demandé Jeremy Hanson.

— Ta fille, lui avait répondu le chef par l'intermédiaire d'un homme de son village qui parlait très bien anglais.

— Vous avez brûlé ma maison.

— Le feu est une chose terrible, nous essaierons de ne pas recommencer à l'avenir.

— Vous avez brûlé ma maison, imbéciles !

— Nous n'en avions pas l'intention. Pourquoi ton toit a-t-il brûlé si rapidement ?

— Je mérite quelque chose pour ma maison.

— Que veux-tu ?

— Un dédommagement.

— Nous n'avons rien, mais tu seras autorisé à remporter tes carottes.

— J'ai perdu ma maison.

— Et moi deux fils lors du voyage du retour. Toi, tu vas ramener ta fille avec toi. Tu reconstruiras ta maison, c'est même probablement déjà fait. Pourquoi sinon aurais-tu mis si longtemps à venir ? Moi, il m'est impossible de faire revenir mes deux fils.

Cette déclaration scella leur accord : les deux hommes avaient souffert et cela sembla satisfaire Jeremy Hanson.

— Je ne rentre pas, déclara Sarah en apprenant ces détails.

— Un marché est un marché, fit dire le chef par l'intermédiaire de son interprète. Je garde tout ce que prévoit notre accord. J'ai autorisé ton père à te remmener. Que tu ne repartes pas ne me concerne pas.

— Je ne repars pas.

Son père passa onze jours au camp indien, en vain : il ne parvint pas à persuader sa fille. Il reconnut, en se promenant avec elle le long de l'Ottawa, que la région, avec ses douces collines, ses forêts profondes et sa rivière paisible, était belle. Mais quelle vie l'attendait ici ? Sarah semblait ne pas le savoir. Ses cheveux bruns avaient beaucoup poussé et elle les tressait avec des perles. Elle fumait en marchant et offrit la pipe à son père, qui la refusa. Jeremy Hanson rentra chez lui presque les mains vides : il ne rapportait qu'un châle brodé par Sarah pour sa mère, ainsi qu'une veste en peau de daim qu'elle avait taillée pour son frère et quelques sacs de carottes dont le chef, en vérité, ne voulait pas.

— Dis à Ronny que j'ai abattu le daim moi-même.

— C'est vrai ? s'étonna son père.

— Je ne mens pas, répondit-elle. Bien sûr que c'est vrai !

Il ne la reconnaissait plus.

Au bout du compte, fatigués par les bagarres, les fêtes et les beuveries de Montréal, les sulpiciens rendirent visite à une jeune femme qui vivait dans une cabane sur la rive sud de la rivière des Outaouais, en face d'un groupe de pillards mohawks installés sur la rive opposée. Avec son mari, Jean-Baptiste Sabourin, elle avait bâti une maison où les voyageurs empruntant la rivière avaient pris l'habitude de faire halte. Aussi Sarah Hanson-Sabourin ne fut-elle pas surprise de voir les vingt-cinq prêtres diriger leurs quatre canoës vers le rivage. En revanche, elle apprit avec stupéfaction qu'ils étaient venus tout exprès pour lui parler.

— Je vous inviterais bien à entrer, mais vous ne tiendrez pas tous, les prévint-elle.

Cela fit rire les éminents pères et un seul d'entre eux s'avança en déclarant avec douceur :

— Alors, vous et moi, rien que nous deux. Je peux parler au nom de nous tous.

Les autres acquiescèrent et Sarah Hanson-Sabourin fit entrer le père Bernard dans sa modeste demeure.

Sarah était une hôtesse parfaite : elle prépara du thé et des scones pour son hôte et les pères qui attendaient dehors.

— La prochaine fois, promit le père Bernard, je me souviendrai de voyager en moins importante compagnie. Mais chacun de nous souhaitait vous rencontrer.

Tout cela inquiétait Sarah.

— Ai-je fait quelque chose de mal, mon père ?

Protestante d'origine, elle s'était convertie et mariée à l'Église catholique. Que fallait-il de plus pour apaiser ces messieurs ?

— Pas du tout, mon enfant ! Pardonnez-nous ce dérangement. Nous pensons que vous seriez peut-être à même de nous aider dans une affaire... disons, un peu délicate, et qui revêt une certaine urgence. Nous sommes venus implorer votre assistance.

La visite prenait une tournure de plus en plus bizarre.

— Mon père, je ne comprends pas.

Il faisait sombre dans la cabane, les fenêtres conçues pour résister au froid de l'hiver étaient petites et n'ouvraient que sur l'ombre de la forêt.

— Nous souhaitons devenir vos voisins, Sarah. Nous convoitons, je crois que c'est bien le mot, les terres de la rive opposée, à l'est de

236

l'endroit où vivent désormais les Mohawks. Nous sommes intervenus auprès du roi de France qui nous a accordé un titre de propriété. Nous y construirions un monastère, nous aurions nos propres fermes, planterions des vergers, élèverions des animaux, mais pas pour les abattre : des poules pour leurs œufs, des vaches et des chèvres pour leur lait avec lequel nous fabriquerions du fromage. Après avoir réfléchi à tout cela, nous sommes parvenus à la conclusion que cet endroit serait idéal.

— C'est une merveilleuse idée ! approuva Sarah en buvant son thé.

Elle n'ajouta pas qu'elle appréciait particulièrement l'idée qu'ils s'installent sur l'autre rive et plus à l'est.

— N'est-ce pas ? Merci. Nous le pensons aussi. Ville-Marie – Montréal, comme on l'appelle maintenant – s'est développée. Depuis la signature de la Grande Paix, il n'y a plus de règles, les Français et les Indiens ne se massacrent plus dans les bois mais, dorénavant, s'étripent dans les rues. La ville est devenue trop turbulente pour de pauvres frères.

— Je comprends. En quoi puis-je vous aider, mon père ? Je ferai de mon mieux, bien que mon pouvoir soit bien limité. Vous êtes si nombreux : mon mari se plaît à dire qu'il y a plus de prêtres que d'arbres à Montréal. Nous passons nos étés entiers à tenter de joindre les deux bouts et à nourrir les chevaux.

Pendant leur conversation, le prêtre croisait les mains sur sa soutane, à la hauteur de ses genoux, puis les agitait, comme s'il caressait physiquement chacun de ses propos. Les cheveux gris, de constitution robuste, il émanait de lui une bonté naturelle, l'expression d'un caractère confiant et loyal, qui convenaient parfaitement à son rôle d'émissaire.

— Vous êtes si jeune ! Pas encore vingt ans... D'autres trouveraient insolite que je vous fasse cette proposition, mais tous ceux qui vous ont rencontrée vous tiennent en si haute estime que votre bon accueil serait pour nous un encouragement, mademoiselle Hanson.

— Madame Sabourin, le reprit-elle.

— Bien sûr ! Excusez-moi ! Madame Sabourin, nous tenons beaucoup à entretenir de bonnes relations avec nos éventuels voisins.

— Les Mohawks vous inquiètent..., suggéra-t-elle.

Elle commençait à comprendre.

— Ne vous méprenez pas. Si nous pouvons vivre en paix et en harmonie, nous serions ravis de leur voisinage. Mais accueilleront-ils notre présence avec le même plaisir ? Voilà la question.

— Et vous aimeriez que je me renseigne ?

Le père Bernard acquiesça.

— Nous avons entendu parler des bons rapports que vous entretenez avec eux. On raconte qu'ils vous ont aidée à bâtir cette cabane. Si vous vouliez intercéder en notre faveur, nous vous en serions infiniment reconnaissants, madame Sabourin.

Sarah fit le tour de la pièce puis revint s'asseoir en face du prêtre.

— Il faut comprendre, mon père, que les Iroquois ont souvent été chassés de leurs terres, et c'est devenu leur plus grand sujet d'inquiétude.

— Je comprends, répondit le père Bernard, consterné par ces perspectives bien sombres.

— Depuis quelque temps déjà les sulpiciens ont une mission à Oka. En tant que seigneurs de cette terre, vous jouissez du droit d'en faire ce que bon vous semble. Pourtant, la construction d'un grand monastère perturberait les Iroquois, et vous avez raison de prendre en compte leur inquiétude. Un grand monastère entouré de terres agricoles n'est pas aussi aisé à défendre qu'une mission à l'intérieur d'un fort.

— Vous venez de mettre le doigt sur notre problème. Vous en parlez en termes si nets, que je me demande si nos projets ont une quelconque valeur...

— Il y a un moyen, le coupa-t-elle.

Le prêtre retrouva quelque espoir.

— Oui ?

— Si vous expliquez clairement aux Mohawks que vous représentez une moins grande menace que, disons, l'installation de nouveaux fermiers au bord de la rivière, si vous leur faites remarquer que, appartenant à une communauté exclusivement masculine, il est peu probable, pardonnez-moi mon père, que vous prolifériez, ce qui exigerait une expansion... Si vous représentez en fait une barrière sûre entre les Iroquois et un plus grand développement d'établissements français, alors votre projet aurait des chances d'être bien accueilli et vous pourriez être reçus par des voisins pleins de bonnes dispositions.

Le père Bernard dévisagea la jeune femme : à moins de vingt ans, elle lui parut douée d'une sagesse et d'une intelligence qui lui auraient permis d'assumer les affaires de l'Etat. Les pères avaient eu tout à fait raison de s'adresser à elle.

— Oui, oui, bien sûr, approuva-t-il en s'arrachant à cette admiration. Avec votre assistance, madame Sabourin, nous en serons capables.

— Je vous en prie, appelez-moi Sarah, mon père.

Il lui obéirait d'autant plus volontiers qu'il lui était difficile de voir en cette enfant une femme mariée. Il y avait de cela quelques années seulement, fille d'un homme riche, elle fréquentait l'école et avait la perspective d'un bon mariage dans un cadre élégant. Or elle vivait désormais loin de tout, seule sur la rive sud de la rivière, à des dizaines de miles de toute agglomération et elle négociait habilement des accords entre les Français et les Iroquois. « Il vaudrait mieux, conseilla-t-elle, que vous n'arriviez pas comme un vol de corbeaux – c'est ainsi qu'ils vous appellent, "corbeaux". Il serait préférable que vous veniez seul avec moi. Mon père, outre l'absence d'enfants parmi vous, vous disposez d'un avantage dont vous n'avez peut-être pas conscience.

— Lequel, Sarah ?

Il l'aidait à débarrasser car les prêtres n'avaient pas l'habitude qu'une femme s'en charge pour eux.

— Vous êtes des sulpiciens. Vous avez maintes fois rencontré les Iroquois, certes, mais pas autant que les Jésuites. Aujourd'hui, quelques Iroquois ont du mal à regarder un jésuite droit dans les yeux, gênés d'avoir torturé tant d'entre eux. Si des jésuites s'installaient auprès d'eux, ils éprouveraient de la honte.

Le père Bernard réalisait que, non sans subtilité, Sarah Hanson était en train de lui faire prendre conscience que les sauvages avec lesquels ils s'apprêtaient à négocier un partage des terres et des voies d'eau formaient un peuple complexe et évolué, qu'il ne fallait pas traiter en enfants. Ses propres expériences au milieu des Indiens dans sa jeunesse le lui avaient déjà enseigné, mais il était quand même reconnaissant à Sarah de lui prodiguer avec tact de sages conseils.

— Sarah, je dois vous dire aussi que, dans d'autres missions, nous avons des Iroquois convertis, ainsi que des Hurons et des Algonquins. Nous avons cherché à les réinstaller sur la rive nord du lac. Ils viendront renforcer le contingent des Iroquois installés là aujourd'hui et peut-être aussi les aider à trouver la voie du Christ.

— Ce pourrait être très bien, mon père, admit la jeune femme, songeuse. Mais, permettez-moi de vous le dire, les Iroquois sont fatigués d'être divisés par leurs alliés. Qui influencera qui au final ? Le destin en décidera. Si vous étiez d'un autre genre d'homme, je vous mettrais aussi en garde contre toute tentative de diviser les Indiens : elle serait vouée à l'échec car, dorénavant, ils connaissent bien cette vieille tactique.

Quand le prêtre rencontra les Iroquois, il précisa que les terres sur lesquelles les frères comptaient s'installer seraient en partie consacrées à des vergers et à des cultures, partie qui serait définie dès le départ. Le monastère abriterait les prêtres mais, si leurs effectifs s'accroissaient, ils ne bâtiraient jamais d'autres résidences à l'extérieur. Ils n'empièteraient pas sur les terres habitées par les Iroquois et, en cohabitant, sulpiciens et Mohawks régneraient sans partage sur toute la rive, la préservant pour les générations à venir.

Le chef mohawk hocha solennellement la tête.

— Les terres accordées aux Iroquois seront régies par la loi de l'homme blanc. » Le Mohawk le regarda sans toutefois acquiescer. « Nous amènerons avec nous des poules, poursuivit le père Bernard, que nous ne partagerons pas avec vous, des vaches et des chèvres que nous ne partagerons pas non plus.

— Tu ne partageras pas les chèvres ? fit le chef.

Quelle étrange négociation que celle que menait l'homme assis en face de lui, sur le sol de son tipi, énumérant seulement tout ce qu'il garderait pour lui.

— Nous ne partagerons pas nos chèvres.

— C'est dommage.

— Nous partagerons les œufs que pondront nos poules.

— Ah ! fit le chef.

— Tout comme le lait de nos vaches et de nos chèvres, ainsi que le beurre et les fromages que nous fabriquerons. Quand les vergers produiront des fruits, nous partagerons nos pommes.

— Pommes des arbres ?

— Oui, acquiesça le père Bernard.

— Où sont arbres ?

— Nous les ferons pousser en plantant des graines.

— Seuls les oiseaux plantent des arbres, rétorqua le chef, quand ils chient.

— Les oiseaux, corrigea le père Bernard, et les sulpiciens.

— Tu chies des arbres ? interrogea le chef en se grattant le genou.

Bien installé sur la couverture posée à même le sol, le père Bernard opina de la tête et attendit un long moment.

Assise sur ses jambes croisées, Sarah Hanson suggéra :

— Mon père, ne serait-ce pas intéressant pour vous et vos compagnons de planter aussi des semences de pommes sur les terres indiennes ?

— Alors, déclara le chef, nous aurons des pommes aussi ? Nous aurons nos arbres à nous venant de la chiure de nos frères sulpiciens ?

— Bien sûr ! Evidemment ! Si vous voulez défricher le terrain, chef, nous planterons autant de pommeraies que tu le voudras.

— Bien, acquiesça le chef.

L'accord semblait pratiquement conclu, quand le chef se mit à parler d'un poignard qui avait été offert au premier homme blanc venu de France dans le village iroquois nommé Hochelaga. L'arme était passée entre les mains de rois et de voyageurs pour finir entre celles de l'homme qui dirigeait aujourd'hui la Compagnie de la Baie d'Hudson.

Le père Bernard commençait à transpirer, ignorant complètement comment acquérir ce poignard. La transaction représenterait sans doute un versement substantiel en argent ou une cession de terres ; plus, en tout cas, que même les riches sulpiciens étaient prêts à sacrifier.

Un an plus tôt, expliqua le chef, de jeunes jumelles s'étaient perdues dans une forêt à Boston, dans le pays qu'on appelait le Massachusetts.

— Perdues ? s'étonna le père Bernard, intrigué. A Boston ? Dans les bois ?

— Perdues dans la forêt de Boston, au Massachusetts, répéta le chef.

— Boston est une grande ville..., commença le prêtre, aussitôt interrompu par Sarah.

— Il arrive assez souvent que des jeunes filles s'éloignent de chez elles et se perdent, lui rappela-t-elle. Ce fut mon cas.

— Je comprends, dit le prêtre et il se tut.

— Des Iroquois de la région les ont retrouvées et les ont amenées ici, en sûreté jusqu'à ce que leur père vienne les rechercher.

— C'était..., hésita le père Bernard, c'était très bien de votre part, chef.

— Leur père n'est jamais venu ici. Très vite, c'est leur oncle, le frère de leur mère, qui s'est présenté.

— Pourquoi l'oncle est-il venu ? interrogea Sarah.

— Parce qu'il n'habitait pas très loin. Cet homme blanc dirigeait la Compagnie de la Baie d'Hudson. Il a lui-même ramené les fillettes à Boston. Il était très heureux de voir qu'on s'était si bien occupé d'elles. En témoignage de sa gratitude, il m'a fait don de ce poignard magique, qu'il appelait la « Dague de Cartier ».

Sarah Hanson et le père Bernard se penchèrent pour contempler l'arme que le chef avait retirée d'un coffret de bois.

— C'est magnifique ! s'exclama Sarah.

— Une merveille ! renchérit le prêtre.

— En gage de notre amitié, puisqu'il est entendu que les Français se tiendront éloignés de cet endroit, puisque les prêtres ont pris pour eux les terres libres et laissé le reste aux Mohawks, je te fais ce cadeau, père Bernard.

Le prêtre n'en croyait pas ses yeux ni ses oreilles. Lui qui espérait conclure un accord tacite des plus rudimentaires alors qu'il venait d'engager sa communauté pour des vies entières de confiance et d'amitié.

— Chef, merci de ton extraordinaire geste de générosité et de paix. Puissent nos peuples connaître l'harmonie éternelle. Comme tu le sais peut-être, nous autres, prêtres, avons fait vœu de pauvreté, nous ne pouvons acquérir de richesses et ton poignard est fait de diamants et d'or. En tant que souvenir historique, sa valeur est inestimable.

— Père Bernard...

Sarah essaya de l'interrompre, inquiète de l'entendre s'engager sur cette voie. Les prêtres avaient peut-être fait vœu de pauvreté, mais l'Ordre, lui, était loin d'être pauvre et pouvait fort bien recevoir ce don. Mais elle s'arrêta, car d'un geste de la main le prêtre lui imposait silence.

— Chef, j'ai une proposition à te faire. Permets-moi d'accepter ce présent dans l'esprit où il m'est offert, comme un splendide tribut de l'amitié des Mohawks pour leurs frères sulpiciens. » Ravi, le chef opina. « Comprends alors que j'accueille cette Dague de Cartier au cœur de ma communauté et, avec la bénédiction et la bienveillance qui accompagnent ce don, je l'offre à notre amie commune, à celle qui nous a fait nous rencontrer et qui a rendu tout cela possible, à Sarah Hanson. Ainsi, ce cadeau que tu me fais, grand chef, à moi et aux sulpiciens, nous nous joignons pour le remettre à Sarah.

Le chef se montra enchanté de cette proposition et ravi de la sagesse dont faisait preuve son nouveau voisin.

Sarah Hanson emporta le poignard de l'autre côté de la rivière, jusqu'à sa cabane, où elle le montra à son mari. Ces dernières années, il avait été très occupé à couper du bois pour Ville-Marie qui ne cessait d'en consommer pour se rebatir après l'incendie du vieux quartier. Jean-Baptiste Sabourin, qui avait une décennie de plus que sa femme, la serra contre lui tout en admirant le cadeau que l'on venait de lui faire.

— Que signifie, à ton avis, un poignard pareil ? lui demanda-t-elle.

Il avait épousé une femme plus sage que lui et appréciait sa perspicacité. Il savait aussi que pour être son mari, il devait penser à autre chose qu'à abattre des arbres et à les faire flotter sur la rivière jusqu'au marché. De toute sa vie, il n'avait encore jamais vu autant de joyaux et de pierres précieuses que ceux qui étaient incrustés dans le manche. Mais, comparé à ce qu'elle venait de lui raconter, cela ne comptait pas.

— Il signifie, répondit-il en lui posant un baiser sur le front, qu'il fait bon vivre ici !

Sarah le serra à son tour dans ses bras.

—Je suis d'accord, approuva-t-elle. Voilà ce que cela signifie !

Ainsi la Dague de Cartier resta-t-elle chez Sarah Hanson. Plusieurs bébés naquirent et on rangea soigneusement l'arme au fond d'un placard, dans lequel elle allait rester tandis que les générations se succéderaient.

CHAPITRE 13

1955

C ETTE JOURNÉE FERTILE en incidents professionnels ou privés et éprouvante avait empêché l'inspecteur Gaston Fleury de sombrer dans le sommeil réparateur dont il aurait eu besoin. La température accablante et humide d'août persistait. Il s'était effondré sur son lit et, ruisselant de sueur malgré la brise tiède que dispensait un ventilateur grinçant, il n'avait cessé de s'agiter.

Son épouse était parvenue à faire abstraction de la canicule et des vicissitudes du monde mais son fils, Guy – qu'il était allé chercher à l'hôpital ce jour-là – s'était, quant à lui, habitué aux attentions que lui prodiguaient les infirmières. Opéré des amygdales, il profitait de la compassion de ses parents. Fleury s'était donc déjà levé trois fois pour s'occuper de lui et à deux reprises encore pour arpenter la pièce comme un ours en cage. Quand la pendule indiqua trois heures du matin passées, il sut qu'il ne dormirait plus, qu'il repartirait travailler de méchante humeur et ne tiendrait debout que grâce aux effets de la caféine. Résigné, il regagna son lit et se cala contre les oreillers pour attendre l'aube et une nouvelle journée étouffante. Avec cette vague de chaleur, il dormait nu, par-dessus les draps, les jambes écartées, et les doigts de pieds en éventail pour profiter du moindre souffle d'air.

L'humidité, aimaient à dire les Montréalais, *c'est l'humidité*.

Une explosion à l'extérieur le fit bondir.

Plus tard, il se rappellerait avoir entendu un moteur tourner au ralenti, une portière s'ouvrir puis se refermer en claquant, des pas résonner sur le trottoir dans une direction puis revenir en arrière, des crissements de pneus, bref des bruits citadins agaçants certes mais d'une grande banalité ; ils n'avaient en tout cas éveillé ni inquiétude ni curiosité chez l'irritable inspecteur de l'Administration.

Le bruit de l'explosion le fit s'arracher du lit, mais il y retomba tout aussi vite, désorienté et abasourdi. Fleury tenta vainement de s'arracher aux draps moites ; les murs tremblaient et les vitres vibraient. Sa femme, réveillée aussi, se cramponnait à son bras. Il entendit son fils gémir dans sa chambre.

Sans prendre la peine de s'habiller, il se précipita sur le balcon pour se faire une idée de la situation et s'assurer que personne n'était blessé. La porte-fenêtre, grande ouverte, avait laissé s'engouffrer tout le fracas de l'explosion. Un appartement aurait-il sauté ? Une fuite de gaz ?

Deux entrées plus loin, une voiture aux vitres brisées, garée sur le trottoir, brûlait. Bien qu'il n'en ait jamais vu auparavant, il pensa qu'il s'agissait d'une petite bombe. Des éclats de verre jonchaient la chaussée et le trottoir, reflétant les lueurs de l'incendie ; le sifflement des flammes l'alerta : cela risquait d'être bientôt le tour du réservoir d'essence. Il cria à une vieille dame penchée sur son balcon à moins de cinq mètres de la voiture : « Rentrez chez vous ! Le réservoir ! » Elle battit aussitôt en retraite, soit pour obéir à son avertissement, soit en découvrant cet homme nu et décharné qui hurlait. Fleury rentra dans l'appartement avec l'intention de s'habiller mais il ressortit aussitôt. Il regardait le véhicule en feu et, du balcon d'en face, quelqu'un le fixait obstinément.

L'hypothèse qui avait jailli dans son esprit l'instant d'avant se révélait exacte : c'était bien sa Chevrolet qui brûlait ! Lillian, sa femme – elle avait eu la présence d'esprit d'enfiler un peignoir –, le rejoignit.

— Notre voiture, murmura-t-il, encore secoué. Ils l'ont fait sauter.

— Qui ? demanda-t-elle, car il semblait le savoir. Pourquoi ?

Leur fils appelait ses parents, et ils quittèrent aussitôt le balcon.

— Ils ont fait sauter ma voiture ! cria Fleury à l'instant même où Armand Touton, le capitaine de la Patrouille de nuit, décrocha.

Derrière lui, sa femme serrant son fils contre elle, demanda :

— Qui *ils* ?

— Qui est à l'appareil ? questionna le capitaine à l'autre bout du fil.

— Capitaine Touton, c'est moi, Gaston !

L'excitation avait certainement rendu sa voix méconnaissable.

— Gaston qui ?

— Fleury ! Gaston Fleury ! C'est moi, capitaine !

— On a fait sauter votre voiture ?

— Mon Impala ! On l'a fait sauter ! Elle est en feu ! Dans la rue. Je dois appeler les pompiers ! Envoyez la Patrouille de nuit !

245

Touton prit alors les choses en main ; il nota adresse et numéro de téléphone, et recommanda aux Fleury de se calmer et de se tenir à l'écart des fenêtres.

— Pourquoi ? l'interrogea Fleury.

— Pour le cas où quelqu'un chercherait à vous tuer...

Fleury lâcha le téléphone et fit rentrer sa femme et son fils qui, du balcon, regardaient l'incendie. Il claqua la porte-fenêtre et tira les rideaux, avant de reprendre le combiné d'où s'échappait la voix de Touton.

— Me revoilà, annonça Fleury. Je suis là.

— Ne me refaites pas ce coup-là, lança Touton, agacé par sa soudaine disparition. Maintenant, calmez-vous, j'arrive. » On entendit une seconde explosion. « Qu'est-ce que c'est ? demanda le capitaine.

— Le réservoir d'essence ? suggéra le petit inspecteur.

Arrivé sur place, Touton avoua sa perplexité : ce genre d'incident ne se produisait jamais, il ne connaissait aucune organisation, aucun criminel spécialisés dans la confection de bombes ; de plus les policiers n'étaient que rarement la cible de graves manœuvres d'intimidation ou de violence. Tout le monde savait pourquoi. Que, dans le feu de l'action, des policiers fussent provoqués – mitraillés durant le hold-up d'une banque ou blessés en tentant d'arrêter un fugitif –, et le service tout entier réagissait aussitôt avec une force incroyable. Quiconque s'attaquait à l'un d'eux était immédiatement traqué par tous ses collègues et abattu sur place s'il ne se rendait pas au premier avertissement.

Tout le monde comprenait ces règles.

Comme l'avait déclaré un policier posant pour les photographes devant un suspect qu'il venait d'abattre – l'homme gisait dans le caniveau rougi par son sang du boulevard Saint-Laurent, un quartier difficile : « Par ici, on n'aime pas les marioles. »

Ce commentaire avait fait tiquer le capitaine Armand Touton, car, quand les policiers faisaient preuve de tolérance, c'était précisément envers les marioles. Cette remarque laissait donc entendre qu'on répondrait par des tirs à toute infraction, mineure ou grave. Telle était la philosophie de l'époque : à Montréal, les policiers aidaient et encourageaient les syndicats du crime mais, vis-à-vis de malfrats opérant en *free lance*, ils appliquaient leur justice personnelle ; les malfaiteurs le savaient et l'acceptaient comme le code de la rue.

Dans ces circonstances, faire sauter la voiture d'un policier créait un précédent inquiétant.

— Fleury, qu'est-ce que vous trafiquez ? vitupéra Touton.

— Rien du tout! se défendit Fleury. » Il avait le sentiment que le capitaine, doutant de son intégrité, lui demandait s'il n'avait pas joué au poker avec des truands qui l'auraient plumé. « J'ai simplement... Vous savez.

— Que devrais-je savoir?

— Que j'enquête sur les voitures de service.

— Je croyais que vous aviez abandonné depuis des mois.

— Non, capitaine. Je n'ai pas l'habitude d'abandonner ainsi.

— Très bien, soupira le chef de la Patrouille de nuit. Peut-être êtes-vous allé trop loin, sans vous en rendre compte. Nous allons revoir tout cela ensemble afin de vérifier si votre enquête n'aurait pas rendu quelqu'un nerveux. De quel service s'agissait-il?

— Les voitures du service fédéral et du service de la Province, les deux. Et, tant que j'y étais, des véhicules privés aussi.

— Je vois, marmonna Touton. Pourquoi nous auriez-vous facilité la tâche, hein? Comment va votre famille?

Fleury inspira profondément.

— Au début, ma femme a bien réagi, maintenant... elle est plus anxieuse. Quant à mon fils, il est effrayé et fait des caprices.

— Occupez-vous d'eux. Laissons les prétendus experts se mettre au travail, même si je n'en attends pas grand-chose... Personne n'a d'informations sur les poseurs de bombes. Pas ici. Nous n'avons donc pas de pistes.

— Capitaine? Pour vous, déclara l'épouse de Fleury en débouchant dans la véranda, un téléphone à la main.

Il s'écarta pour prendre l'appel et, quelques instants plus tard, sortit en courant.

— Que se passe-t-il? lui cria Fleury du balcon.

— Ils s'en sont pris à ma maison!

— Qui donc? demanda Lillian Fleury tandis que le capitaine démarrait en trombe.

Obsédé par l'image du véhicule fumant devant le domicile de Fleury, entouré de voitures de police dont les feux clignotaient, Touton avait aussitôt réagi à la nouvelle qui venait de lui parvenir. Des véhicules de patrouille l'avaient précédé devant son immeuble et ce fut le cœur battant qu'il se précipita dans l'escalier. Sa femme, en peignoir, se tenait dans la cuisine; des policiers en tenue, ruisselants de sueur, l'entouraient.

— Marie-Céleste! » Elle le regarda en souriant et esquissa un mouvement sur lequel il se méprit : il crut qu'elle s'évanouissait alors qu'en fait elle se penchait pour qu'il l'embrassât. « Mon Dieu! Doucement! Ça va?

— Très bien, Armand. Juste un peu secouée.

— Elle n'a rien ? vérifia-t-il auprès des policiers.

Ils le rassurèrent tous à qui mieux mieux.

— Armand, je vais bien ! Je n'ai absolument rien ! Personne n'a été blessé ! Il n'y a pas de vrais dégâts, conclut Marie-Céleste en lui prenant la tête entre ses deux mains pour attirer son attention.

— Que s'est-il passé ?

On avait barbouillé de peinture noire la porte d'entrée du petit immeuble de deux étages où se trouvait son appartement, puis on avait frappé et sonné jusqu'à ce que Marie-Céleste se réveillât. Les coupables avaient alors détalé en voyant la lumière. Elle avait aussitôt appelé la police – Armand, d'abord, mais il n'était pas là –, sans oser s'aventurer au-dehors.

— Aucun mot ? Aucune menace ?

Il espérait qu'il ne s'agissait que d'un hasard et d'une simple farce décidée par une bande d'enfants attendant Halloween avec impatience.

— Non, capitaine, lui répondit le plus âgé des policiers, mais il faut que vous voyiez ça.

Il entraîna Touton devant la porte d'entrée et lui tendit une torche, bien que les lumières de la rue éclairaient vivement le revêtement en acier blanc. Il n'y distinguait aucun dessin particulier.

— Regardez ici, reprit le policier.

Touton trouvait cet homme curieux, mais il était trop énervé pour mettre le doigt sur ce qui lui semblait insolite. Malgré ses cheveux gris et un soupçon de brioche, il ne devait pas avoir dépassé de beaucoup la quarantaine. Probablement un père de famille honorable, songea Touton en remarquant l'alliance du policier qui lui désignait un point sur la porte. Touton finit par voir le griffonnage minuscule, probablement tracé avec un doigt, que le flic lui indiquait : un svastika.

C'était bel et bien son domicile qu'on visait !

Le capitaine découvrit alors en quoi ce policier lui avait paru insolite : il était anglais. Parmi ceux qui étaient un peu plus âgés que lui, il connaissait quelques inspecteurs anglais, mais aucun qui eût fait sa carrière en patrouille.

Il revint dans l'appartement et, cette fois, prit sa femme dans ses bras et la serra très fort, puis il congédia les policiers qui se trouvaient sur les lieux et ordonna à deux voitures de patrouiller dans le quartier, au cas où il se passerait quelque chose. Il chargea l'Anglais de surveiller la maison jusqu'à la fin de son service et demanda aux autres de rejoindre leur sergent.

— Tu ne restes pas ? lui demanda Marie-Céleste quand ils se retrouvèrent seuls. Elle avait pensé qu'il ferait peut-être une exception pour cette soirée particulière, mais elle comprit vite, à son visage, qu'elle devrait y renoncer.

Il lui raconta ce qui était arrivé à l'inspecteur Fleury.

— Nous avons eu de la chance.

— Ta chance s'explique par le fait que tu travaillais. Sinon, ta voiture se serait trouvée dans la rue.

— Dorénavant, je prends les choses en main. Il ne sera pas dit qu'on peut s'en prendre au domicile des policiers.

— Bien sûr... Va, Armand. A demain matin.

Elle essayait de se montrer aimable mais le manque d'enthousiasme avec lequel elle accueillait son départ était visible.

— Je vais te border et rester un moment, jusqu'à ce que tu t'endormes.

— Par cette chaleur ? Après tout ça ? Je ne réussirai pas à dormir et il est inutile que tu me bordes. Je m'allongerai sur les draps.

Malgré ses protestations, il l'accompagna jusqu'au lit et l'embrassa tendrement sur le front avant de retourner travailler.

Quant à l'inspecteur Andrew Sloan, il avait dû se rendre dans un quartier particulièrement sinistre, où, dans les ruelles, les prostituées s'agenouillaient pour opérer à côté des pochards qui pissaient leur ration d'alcool, et où l'attendait une scène macabre et barbare. La victime en effet n'avait pas eu une mort facile. Le meurtrier s'était, à coup sûr, servi de la batte ensanglantée abandonnée sur les lieux, mais des perforations le long de l'épine dorsale et sur la main suggéraient qu'on avait également utilisé un objet pointu – sans doute un pic à glace. Cela restait un ustensile de cuisine banal, malgré la généralisation des réfrigérateurs électriques.

— Vous le connaissiez bien ? s'enquit Sloan auprès de Lajolie, un flic de patrouille rude, grognon et qui ne manquait pas d'expérience ; il revenait souvent de ses rondes les jointures ensanglantées.

Lajolie aimait bien en effet se colleter avec les traîne-savates et les jeunes caïds. Pas son genre de discuter avec la racaille : il préférait coincer les types contre un mur, histoire de les secouer un peu. De méchantes rumeurs circulaient sur lui : il appréciait de travailler sur La Main parce que, disait-on, il prélevait sur les prostituées un péage en nature, et on racontait aussi que ses dépenses dépassaient ses revenus de simple flic. Jusqu'à présent le service n'avait pas bronché, on fermait les yeux sur son tempérament bagarreur, on reconnaissait qu'il valait mieux l'avoir de son côté dans les cas où les choses tournaient mal.

Lajolie haussa les épaules. Il n'aimait pas cet inspecteur Sloan qui travaillait dans la Patrouille de nuit censée faire le ménage dans la ville – une bande de cinglés en somme, car selon Lajolie, une ville un peu pourrie, c'était bon pour les affaires. D'ailleurs personne ne faisait confiance à leur patron, Armand Touton, un réformateur; et les réformateurs passaient pour être prêts à vendre leur mère sur les bords du Saint-Laurent – mais en solde, précisait-on en plaisantant dans les vestiaires.

— Vous ne le connaissiez pas? insista Sloan, sceptique. (Il était sûr que Lajolie tutoyait tous les gens du quartier.)

— Je le connaissais un peu, admit Lajolie. Il était portier au Copa, enfin... si on veut. Qu'on l'appelle comme ça ou autrement, c'est toujours la même merde. Pour moi, c'était un casse-couilles qui m'avait dit avoir un casier, une histoire un peu fumeuse... Bizarrement, il avait des rapports avec l'Eglise. Je n'ai jamais essayé d'éclaircir tout ça, mais on l'appelait parfois l'« Evêque », je n'ai jamais su pourquoi. Il n'avait jamais causé d'ennuis, mais traînait toujours avec les types qu'on repère près des isoloirs au moment des élections... Quand il votait, il ne le faisait pas qu'une seule fois, si vous voyez ce que je veux dire...

— Quel est son nom?

— Michel Vimont.

— Vous l'aviez vu dans les parages ces derniers temps?

— Une fois! Devant une boîte, appuyé contre une voiture, une grosse limousine. Je lui ai conseillé de ne pas érafler la peinture et il a rigolé en me disant que c'était sa nouvelle profession...

— Quelle profession?

— Conducteur. Chauffeur. Les mots changent mais pas le boulot, vous voyez ce que je veux dire...

— Que voulez-vous dire? interrogea Sloan, perplexe.

— Un truand reste un truand. Chauffeur, c'est être aussi garde du corps, videur, enfin... vous voyez...

Cette fois, Sloan crut avoir compris.

— Pour qui?

— Je n'ai jamais attendu que son singe rapplique.

— Bon, lâcha Sloan en repoussant son chapeau sur son front. Renseignez-vous. Cuisinez vos contacts, je veux savoir pour qui il travaillait.

— D'accord.

La ruelle représentait l'endroit idéal pour commettre une agression ou un meurtre: la nuit, le tintamarre des poubelles que manipulaient les tenanciers des bouis-bouis du quartier ou que renversaient des

250

ivrognes couvraient les bruits de bagarre. Les portes qui donnaient sur le passage étaient bouclées de l'intérieur. Un hangar de deux mètres cinquante de haut et les escaliers de secours qui s'arrêtaient à trois mètres du sol empêchaient de voir le trottoir ainsi que les fenêtres des étages, et l'endroit était mal éclairé. Pour trouver un témoin, il faudrait faire du porte-à-porte dans les alentours, mais sans grand espoir de succès. Par-dessus le marché, le meurtre ayant à peu près coïncidé avec l'heure de la fermeture – le sang sur le trottoir n'était pas encore complètement coagulé –, il devait y avoir du chahut dans la rue, des passants ivres, bref, le bon moment pour une bagarre à mort.

Sloan s'approcha du bleu travaillant ce soir-là en binôme avec Lajolie, un certain Leduc qui remplaçait son partenaire habituel parti en vacances. Même pour faire quelques pas, il dut patauger dans les légumes pourris et visqueux, ses narines agressées par des relents d'urine, de vomi et de pisse de chat. De vieux journaux étaient comme collés à l'asphalte par une sorte de compost, probablement à base d'excréments humains et de crottes de chien.

— Mais qui a bien pu découvrir le corps ici ?

— Mamie Gâterie. On l'a laissée partir.

— Qui ça ?

— D'après Lajolie, pour une chope de bière elle fait des pipes à des vieux. Elle doit avoir dans les soixante-dix mais elle en paraît quarante de plus. Des types complètement bourrés, à mon avis.

— Donc, elle aurait amené un client ici ?

— C'est ce qu'elle prétend, et elle n'a aucune raison de mentir.

— Vous l'avez laissée partir sans la conduire à un inspecteur ?

— Elle n'est pas allée loin. Elle est toujours dans les parages. On ne voulait pas de cette vieille folle dans nos jambes.

— Et son client ?

— Elle a dit à Lajolie qu'il avait dégueulé et qu'il s'était tiré. Lajolie lui a refilé un billet pour la remercier d'avoir passé un coup de fil.

— Bon. Il y a donc un téléphone dans le coin ?

Sloan appela mais ne put joindre son patron, parti de son côté. Il fit alors sortir le dossier de la victime. « Son nom, c'est Michel Vimont. » En général, ce n'était pas de son ressort, mais il demanda quand même le nom du légiste qui serait convoqué ; il ne lui convenait pas ; il réclama les noms des remplaçants.

— Qu'y a-t-il d'extraordinaire dans une rixe qui a mal tourné sur La Main ? le questionna-t-on au central.

— Sans doute rien », répondit-il. Il avait cependant un pressentiment, ce qui lui faisait réclamer un légiste expérimenté.

251

Après avoir obtenu satisfaction, Sloan dicta un message pour Touton : « Un chauffeur mort, ça vous intéresse ? »

— C'est tout ? grommela l'homme du central, intrigué.

— Cela suffira. Je vais voir le corps dans le fourgon de la morgue et puis je rentre chez moi, d'accord ? Je suis crevé. Posez le casier du macchabée sur mon bureau.

Embarquer un cadavre trouvé dans la rue prenait parfois du temps : en pleine nuit, les types de la morgue ne se pressaient guère et s'arrêtaient souvent pour boire un coup en chemin ; il fallait ensuite tirer le légiste de son lit, et vérifier, en le rappelant, qu'il ne s'était pas rendormi ; après cela, il fallait tenir compte d'une halte dans une boîte de strip-tease, histoire de goûter à l'air ambiant et de ne pas s'être dérangé pour rien. C'est ainsi que Sloan ne quitta les lieux du crime qu'au petit matin ; la lumière du jour éclairait les détritus et l'endroit semblait du même coup puer encore plus.

*

La lumière du jour eut également pour effet d'enflammer la rage d'Armand Touton, et quand la Patrouille de nuit se réunit le soir suivant, il était dans tous ses états. Les observations qu'il lança à ses collègues avaient perdu leur ton désinvolte habituel.

— Si ces fils de putes s'imaginent qu'ils peuvent... Nom de Dieu ! ils feraient mieux de chier dans leur potage ! Maudit calice ! On va leur vomir dans la gueule, leur clouer le bec et les faire dégueuler par les trous de nez, ces enculés !

Il avait bu quelques verres – ce qui n'arrangeait rien –, mais une journée entière à ruminer l'audace des vauriens qui avaient barbouillé sa véranda de peinture, tiré sa femme de son sommeil, et dans le même temps fait sauter la vieille Chevrolet de Fleury, l'avait mis d'une humeur de chien.

— De la dynamite, voilà ce qu'on nous a dit. Trois bâtons. Trois de trop ! Je veux savoir d'où ils venaient. Passez-moi à la moulinette tous les indics de cette foutue ville ! Je veux connaître la provenance de ces bâtons ! Qui les a achetés, à qui, pour combien, au centime près. Je veux connaître tous les détails de cette transaction ! Cette ville ne connaîtra pas le repos avant d'avoir craché ces renseignements-là ! Pigé ? Tout le monde dans cette pièce a bien compris ce qu'il y a à faire ce soir ? » En fait, personne n'avait vraiment compris, ni jamais passé une ville entière au peigne fin pour obtenir des renseignements sur de la dynamite, mais personne n'avouerait son ignorance, surtout pas à un patron d'aussi massacrante humeur. « Ils ont fait une erreur, ces enfants de salauds, déclara Touton d'un ton plus calme mais intense. *Deux* erreurs, si vous voulez la vérité. *Primo* : ce svastika peint sur ma porte équivaut à nier ma carrière militaire. Vous comprenez ce que je vous dis ? S'ils s'imaginent qu'ils peuvent me baiser, ils chieront dans leur froc avant que j'en aie fini avec eux ! *Secundo* : ils ont fait sauter la Chevrolet de Gaston Fleury. Vous savez pourquoi c'est une erreur ? Parce que cela crée un lien entre les deux événements. Cela me révèle qu'ils croient pouvoir chier devant ma porte. Eh bien, non ! ils n'emmerderont pas mes hommes ! Pas un seul d'entre eux ! Ils cherchent à ficher la trouille à nos femmes ? Je leur arracherai la bite ! A foutre le bordel en bousillant la propriété d'un policier ? Eh bien, avant qu'on en ait fini avec eux, ils regretteront de ne pas avoir acheté des marécages au fin fond de la Floride ! Vous m'avez compris ? » Ses yeux parcoururent l'assemblée silencieuse qui osait à peine respirer, mettant au défi un seul d'entre eux de broncher, puis il reprit d'une voix sourde : « Qui vend de la dynamite dans cette ville ? Trouvez-moi ça ! Qui en vole et qui en propose ? Qui achète ? Arrachez des ongles si nécessaire, mais trouvez-moi ça ! » Après avoir promené sur son équipe un regard noir, il conclut : « Des questions ?

Tous en avaient, mais personne ne se hasarda à les poser, à l'exception d'Andrew Sloan qui leva lentement la main.

— Quoi ? grommela Touton.

Les autres retinrent leur souffle. Poser une question retardait le moment de se remettre au travail et d'échapper ainsi au regard furibond de leur chef. Aussi, quand Sloan leva la main et prit la parole, tous éprouvèrent l'envie de l'abattre.

— Il y a eu un meurtre hier soir, déclara Andrew Sloan.

— Occupez-vous-en, rétorqua Touton en le foudroyant des yeux. Il y a pour l'instant de plus grosses merdes à régler.

— Vous n'avez pas reçu mon message ? Cela pourrait être important.

— Je vous ai dit de vous en occuper ! Réglez vos petits problèmes !

Sloan n'allait pas lâcher le morceau :

— Personne n'a été blessé, marmonna-t-il.

— Quoi ? riposta Touton. Qu'avez-vous dit ?

— Je dis simplement que mon affaire – un chauffeur abattu dans une ruelle – est plus importante que de la peinture sur votre porte.

Les deux hommes ressentirent le frémissement qui parcourut l'assemblée. Armand Touton avait remarqué que Sloan était le seul à oser lui tenir tête dans de pareilles circonstances, aussi estimait-il ce collègue qui, pourtant, lui rendait la vie difficile de temps en temps.

— Enquêtez ! martela Touton. Faites un rapport, ne m'emmerdez pas! Vous avez compris? Est-ce que c'est trop vous demander? Parce que, si c'est le cas, je peux vous faire muter aux vols de bicyclettes, je suis sûr que votre expérience leur serait profitable.

Quelques inspecteurs émirent un petit rire prudent en entendant la menace traditionnellement brandie par Touton lorsqu'il voulait ridiculiser un membre de son équipe; apparemment, il la trouvait amusante. Les hommes éprouvaient le besoin de rire un peu.

— Un inspecteur a emmerdé quelqu'un, protesta Sloan. Ce quelqu'un a fait sauter une voiture, garée le long du trottoir, en pleine nuit, sachant parfaitement qu'elle était vide. C'est grave, je suis d'accord avec vous là-dessus, mais je dis simplement...

— Je me fous de ce que vous dites!

— Je dois dire qu'il y a plus grave.

— Sloan!

— Quoi? soupira l'inspecteur.

— Dans mon bureau! éructa le capitaine. Tout de suite!

— Très bien.

De toute façon, Sloan cherchait cette occasion de s'expliquer avec Touton et, si cela impliquait une prise de bec, pourquoi pas?

Sloan suivit son patron à dix pas derrière lui, au grand soulagement des autres policiers : ils allaient pouvoir vaquer à leurs occupations; certains étaient même satisfaits que Touton ait trouvé un bouc émissaire sur lequel passer sa colère.

Une fois dans son bureau, Touton se montra étonnamment conciliant.

— Quel est, au juste, votre problème? demanda-t-il plus calmement à Sloan.

— Des arbres vous cachent la forêt, répondit l'inspecteur. A mon avis, ajouta-t-il, un ton en dessous.

— Ça vous plairait, n'est-ce pas, que ce chauffeur soit celui qui conduisait la limousine le soir du meurtre du légiste? Le soir où Roger Clement a été abattu?

— Un minable de chauffeur de limousine est mort, c'est tout ce que je sais, mais c'est suffisant pour enquêter un peu sur lui, vous ne trouvez pas? C'est tout ce que j'ai à dire.

— Vous savez, fit Touton en s'asseyant, qu'officiellement nous n'enquêtons pas sur cette affaire-là? Que cela n'avance à rien de le claironner en réunion? Vous le comprenez, n'est-ce pas?

— Désolé, j'avais oublié.

— Alors, qu'est-ce qui vous tracasse?

Sloan s'était attendu à batailler davantage pour se faire entendre de son supérieur et aurait presque préféré pouvoir exprimer son opinion haut et fort, brandir ses arguments. Il devrait se contenter d'exposer son point de vue sans l'éclat d'une discussion passionnée.

— On ne parle plus que de la voiture qui a sauté et de votre porte peinturlurée hier soir. Bon ! Je veux bien reconnaître qu'il s'agit là de fâcheux incidents. Mais qu'est-ce qui a bien pu motiver ces actes ? Je n'arrête pas de me poser la question. On cherchait à vous intimider, d'accord, mais si nous ignorons l'identité de ce *on*, comment pourriez-vous être intimidé ? Simplement parce que votre porte...

— Il ne s'agit pas de ma porte, l'interrompit sèchement Touton, mais de ma femme qui a été terrifiée.

Sloan céda du terrain, une position plus conciliante était préférable.

— Je comprends. C'est moche de s'attaquer ainsi à une épouse. » Il prit une profonde inspiration. « Armand, j'ai une théorie, laissez-moi l'énoncer. » Touton hocha la tête pour l'encourager. « On ne parle que de ces incidents, mais c'est peut-être cela l'idée : détourner l'attention et, dans ce cas, les salauds ont vraiment atteint leur objectif...

— Détourner l'attention ? le coupa le capitaine.

Sloan sentit la colère s'emparer à nouveau de Touton.

— Supposons que l'assassinat du chauffeur soit en lien avec une affaire dont vous vous occupez. Les meurtriers se doutent que vous allez vous y intéresser, et c'est ce qu'ils veulent éviter à tout prix. Ils vous occupent donc l'esprit avec autre chose et sont tranquilles.

Touton se renversa dans son fauteuil. Malgré son épuisement – il ne fonctionnait plus qu'à la caféine et à l'alcool –, il se dit que la théorie de son inspecteur tenait debout. Il se pencha en avant, vérifia un renseignement noté sur une feuille de papier, inscrivit une adresse, tel un médecin rédigeant une ordonnance, puis il arracha la feuille de son bloc pour la remettre à Sloan.

— Qui est Carole Clement ? s'enquit Sloan après l'avoir lue.

— La femme de Roger, lâcha Touton. Elle a appelé aujourd'hui. Elle a écouté la radio.

— Et... ?

— Elle a entendu le nom de votre macchabée et elle veut en parler. Nous irons la voir ensemble, d'accord ? N'en parlez à personne. Rendez-vous là-bas à dix heures et demie. Je serai peut-être en retard.

Sloan se leva ; un moment, au cours de la soirée, il avait cru que son chef avait perdu la boule. Il réalisait maintenant que, une fois de plus, Touton avait une longueur d'avance. Si les incidents de la nuit avaient bien été un stratagème, que ce fût accidentellement ou à dessein, Touton avait donné l'impression d'avoir mordu à l'hameçon.

— Prenez des chemins détournés pour vous rendre là-bas, Sloan.

— D'accord, répondit l'inspecteur. Je serai – quel est le mot déjà ? – circonspect.

Touton acquiesça en se levant et les deux hommes partirent chacun de leur côté.

Touton, après avoir envoyé son équipe traquer les trafiquants de dynamite, s'engagea pour sa part sur une tout autre piste : il avait pris rendez-vous dans la soirée avec le docteur Camille Laurin, un psychiatre de Montréal signataire de la scandaleuse pétition réclamant le droit d'asile pour un criminel de guerre français. Précédemment, Laurin avait eu des contacts avec Carole Clement, ce qui avait incité Touton à rendre visite à ce pourfendeur de grèves – ainsi l'étiquetait Carole dont le mari, en son temps, avait exercé les mêmes activités ; il était plausible que les deux hommes aient été en contact récemment.

Le rendez-vous était prévu dans un restaurant du quartier ouvrier au nord de la ville, non loin du cabinet du médecin. Arrivé à la porte de l'établissement, le capitaine ôta son chapeau et regarda sa montre : 20 h 46, cela convenait à Touton qui avait proposé cet horaire insolite en prétextant que son métier de policier lui imposait cette heure tardive ; le médecin avait accepté à contrecœur.

Et pourtant, il avait commandé un plat, ce qui suggérait qu'il lui arrivait aussi de dîner tard. Ses pâtes lui furent servies au moment où Touton arrivait, et le policier commanda un café à la serveuse. Les flics des équipes de nuit avaient l'habitude de dire qu'ils saignaient de la caféine : ainsi, en cas de blessure, ils évitaient une hémorragie fatale. Les deux hommes, à peu près du même âge, étaient assis l'un en face de l'autre dans une niche aux banquettes recouvertes de vinyle rouge.

— Le célèbre capitaine, salua Laurin d'un ton calme et contenu en lui tendant la main. Armand Touton eut l'impression de serrer un filet de flétan. Je vous félicite, capitaine, pour l'excellent service que vous dirigez.

— Merci, docteur. Je ne connais pas votre travail, je ne peux donc pas... comment dit-on ?... vous retourner le compliment.

— Mes travaux sont bien modestes, capitaine, rien d'extraordinaire. En quoi puis-je vous aider ?

Touton pensa que la question était plus que pertinente. A dire vrai, il n'en avait pas la moindre idée.

Camille Laurin levait le menton d'une façon curieuse, comme s'il regardait le bout de son nez. Ses cheveux drus, noirs et ondulés, étaient peignés vers l'avant puis ramenés en arrière, ce qui soulignait la hauteur impressionnante de son front. Ses yeux étaient étonnamment petits.

— Je crois que ma question est... d'ordre psychologique. C'est bien le terme?

— Psychologique, oui... » Laurin semblait ravi et chercha ses cigarettes. A en juger par le cendrier déjà plein qui se trouvait devant lui, il devait fumer comme un pompier. Les doigts de sa main droite étaient d'ailleurs tachés de nicotine, son tabagisme n'était donc pas une réaction nerveuse. « Bien sûr, tout dépend de la question. De quoi s'agit-il? » Il eut un pâle sourire, et une fois sa cigarette allumée, garda un visage impassible derrière la fumée bleutée qu'il exhalait.

Bougeant sur son siège, comme si la discussion le dépassait déjà, Touton se lança :

— Je m'interroge, docteur, sur la façon dont fonctionne l'esprit. Pourquoi, à votre avis, y a-t-il des gens à gauche et des gens à droite? Je veux dire, du point de vue de la psychologie.

Dans les tavernes de la ville, les buveurs, barricadés derrière leur chope de bière, auraient pu supposer qu'ils parlaient hockey.

— Comment se fait-il que certains vivent dans le monde réel, alors que d'autres se cantonnent dans un univers de fantasmes – c'est bien ce qu'implique votre question? – en s'enfermant dans leurs rêves utopiques? Grave problème, capitaine. En quoi est-ce lié au travail de la police, cela m'intéresserait de le savoir. » Il poursuivit en fixant délibérément un point sur la droite et non son interlocuteur. « Sans réfléchir, je vous dirais que la réponse diffère probablement selon les cas. Mais on peut admettre que certains esprits ont une prédisposition pour appréhender le potentiel d'un individu, alors que, malheureusement, d'autres esprits préfèrent se lamenter à propos de problèmes insignifiants. » Son regard revint sur Touton. « L'univers de la gauche est fondé sur le matérialisme; c'est un principe marxiste. Le chaos de l'imagination, la divine promesse de l'expérience humaine, les accomplissements raffinés de l'art, le caractère divin de l'homme auquel celui-ci tient tant, tout cela n'intéresse absolument pas la gauche, qui se préoccupe avant tout de salaires et de ce qu'elle peut acquérir sans l'avoir gagné. La gauche veut savoir combien d'argent elle peut puiser dans les poches des individus entreprenants et des visionnaires, combien elle peut voler aux gens honorables, pour le gaspiller.

Touton hocha la tête, feignant d'approuver.

L'éclairage du restaurant – brutal et éblouissant – tombait sur les tartes et les gâteaux proposés sur des assiettes étincelantes que reflétait le miroir courant le long d'un mur.

— Si les syndicalistes connaissaient votre politique, comment vous décriraient-ils en tant que personne, en tant que penseur?

— Comme une sorte d'abruti, à n'en pas douter. (Le docteur laissa s'évanouir les volutes de fumée de sa cigarette pendant qu'il se remettait à son repas. Apparemment, cette conversation le ravissait.) Ils analysent les problèmes en termes de nuances de cupidité. Les richesses doivent être partagées, fragmentées en morceaux si petits qu'on ne réussit rien de mieux que de nourrir, une minute ou deux, les plus démunis pendant que les élites s'appauvrissent. Celles-ci, privées de toute compensation, cessent de s'intéresser à leurs entreprises, c'est la ruine économique, l'effondrement de toute structure sociale, économique et politique. La justice est dépassée. Il en résulte le chaos ou la tyrannie et, entre les deux, les masses choisissent toujours la tyrannie. Elles préfèrent le fouet à la lumière. (Laurin but une gorgée de son café bouillant tout en regardant son interlocuteur par-dessus sa tasse.) Vous souriez, vous vous amusez, mais l'Histoire apporte la preuve de ce que j'avance. (Touton modéra son sourire, regrettant de s'être ainsi livré.) Pourtant, reprit le docteur Laurin, je suis mal vu par les gens de gauche qui me considèrent comme un tyran parce que j'ai une opinion, qui estiment que je suis le seul responsable de leurs salaires de misère, alors que, en toute logique, ils sont à l'origine de la situation dans laquelle ils se trouvent. Vous comprenez, capitaine, j'ai la *présomption* d'exprimer mon opinion. La *présomption* d'en avoir une. Je ne laisse pas mes opinions s'asservir devant la foule. Je ne m'intéresse pas à l'opinion *publique*, je m'intéresse aux opinions *réfléchies*, *raisonnées*, *informées*, alors que la gauche, je le crains, abhorre la réflexion *et* la raison. Nous l'avons constaté il y a quelque temps, lors de l'émeute Richard — qui a constitué une expression de l'opinion publique, n'est-ce pas ? Cette expression était-elle réfléchie ? Raisonnable ? Bien sûr que non ! Représentait-elle la gauche ? les syndicats ? les communistes ? Etaient-ils impliqués ? Etaient-ils contents ? Bien sûr que oui ! Il faudrait être un imbécile pour ne pas en convenir, et la gauche, si je peux me permettre, est essentiellement constituée d'imbéciles.

— Je ne connais guère d'intellectuels, je n'évolue pas dans leurs milieux. » Laurin haussa légèrement les épaules, comme pour signifier que cela se voyait. « Mais j'ai eu l'occasion de rencontrer Pierre Elliot Trudeau, ajouta Touton. Diriez-vous qu'il s'agit d'un imbécile ?

Le sourire du docteur fut immédiat mais rien moins que sincère.

— Le plus grand imbécile de la bande ! lâcha-t-il. Mais malin.

La verve du médecin amusait Armand Touton, sans toutefois lui faire perdre de vue que, si le docteur Laurin lui parlait si librement, c'était qu'il avait percé le policier à jour. En prétendant ne rien savoir des opinions politiques de Laurin, il mentait et Camille Laurin le

258

savait. Le gaillard était en train de faire ce que Touton avait lui-même tenté en tant que policier : il harcelait son interlocuteur. Un véritable jeu du chat et de la souris, où Laurin voyait la souris en Touton, qui n'était pas loin de se considérer lui-même comme la souris.

Le docteur semblait tout fier d'avoir renversé les rôles. Tout ce baratin n'avait pour but que de pousser Touton à s'énerver. Il tenta d'amener Laurin sur un autre terrain.

— Docteur, il y a quelque temps, vous avez signé une pétition demandant au gouvernement d'accorder l'asile à un criminel fasciste notoire. Pourquoi ? » Laurin s'arrêta de manger pour reprendre sa cigarette et, derrière un nuage de fumée, il loucha légèrement, gardant ses petits yeux noirs fixés sur Touton ; mais il n'eut pas d'autre réaction et le policier, maîtrisant sa rage, poursuivit : «Je suppose que vous exprimiez une opinion réfléchie, raisonnée. » Le médecin revint à son repas et se mit à découper ses lasagnes avec application — il mastiquait derrière l'éternel rideau de fumée et semblait attendre des excuses. « Etes-vous en train de réfléchir, docteur, ou avez-vous choisi de ne pas répondre ?

— La guerre, déclara enfin Laurin, impose des préjugés. Actuellement, on nous demande de haïr les Russes ; pendant la guerre, il nous fallait détester Allemands, Italiens et Japonais. Devais-je enquêter sur mon jardinier italien ? Que je cherche à savoir ce qu'il mijotait pendant que les batailles faisaient rage ?

— Le comte Jacques Dugé de Bernonville n'a jamais combattu, ne fût-ce qu'une seule journée, sous le drapeau de son pays. Il a torturé des résistants et massacré ses compatriotes. C'était un collaborateur.

Le docteur Laurin agita une main, comme pour écarter cette discussion hors de propos.

— Comprenez-moi bien, avec le temps, on a découvert des choses dont on ne connaissait pas les détails quand j'ai signé cette pétition. Beaucoup d'entre nous jugeaient hystériques les détracteurs de De Bernonville, et certains furent, dirai-je, influencés par le caractère du personnage, très jovial. Peut-être que nous ne savions pas tout, mais permettez-moi d'ajouter qu'il en allait de même pour ses détracteurs. Certains éléments sont peut-être encore cachés.

— Cachés ? C'était un collaborateur.

— Capitaine, je sais que vous avez souffert durant la guerre, ce qui ne vous incline pas à la compassion. Mais de Bernonville a contribué à sauver la France des communistes et, si vous aviez enduré le joug russe, vous tiendriez peut-être un autre discours.

Touton avait dû évacuer la Pologne à marche forcée pour conserver son avance sur les Russes qu'il savait sur ses talons ; il avait regagné la France pour y trouver un réconfort dispensé par les Américains. Mais que savait Laurin ? Peut-être s'était-il un peu intéressé à la guerre, mais bien à l'abri, sur l'autre rive de l'océan.

— Signeriez-vous cette pétition aujourd'hui ?

— Pourquoi ? Vous en faites circuler une nouvelle ?

— Non, docteur, je vous pose une question.

— Quiconque, répondit Laurin en haussant les épaules, a le droit de garder ses opinions pour lui. Je ne vois pas ce que tout cela a à voir avec les affaires de la police.

— Roger Clement, connaissez-vous ce nom ?

Nouveau haussement d'épaules indifférent.

— Je devrais ?

— C'était un briseur de grève.

— Donc un type bien, observa Laurin. (Il repoussa son assiette pour concentrer son attention sur sa cigarette et sur son café.)

— Connaissez-vous son épouse, Carole Clement ?

— Quel rapport avec le travail de la police ?

— La connaissez-vous ?

— Le nom me dit quelque chose. Il faut que je vérifie s'il s'agit d'une patiente et, dans ce cas, je ne pourrai pas vous en dire plus.

— Cette Carole Clement n'est pas une patiente.

— Qui est cette femme ? Une autre briseuse de grève ?

— Une meneuse dans le milieu des couturières. Après la mort de son mari, je crois qu'elle a arrêté. C'est assez dur de tirer sa subsistance d'une machine à coudre...

— Le mari, un briseur de grève, et elle, meneuse ? Charmant couple ! Je ne voudrais pas être invité à leur table !

— Ils s'entendaient bien. Connaissez-vous Michel Vimont ?

— Non plus.

Touton eut le sentiment qu'il avait répondu sur la défensive, trop rapidement, qu'il mentait sans doute. Laurin alluma une nouvelle cigarette au mégot de la précédente.

— Qu'est-ce que tout cela veut dire, capitaine ? Ai-je l'air d'un homme qui fréquente la racaille ? Allez-vous me citer tous les criminels de vos dossiers, pour voir si je peux vous aider ? Où voulez-vous en venir ?

— Je n'ai pas dit qu'il s'agissait d'un criminel, observa Touton.

Il baissa un peu la tête et s'effleura le front. Cette fois, il réfléchissait vraiment à la façon de formuler sa question : il voulait que le docteur Laurin se sente coincé et qu'il se demande si on n'était pas en train d'enquêter sur lui. « Docteur, continua le capitaine, il y a un point sur lequel vous pouvez m'éclairer : en ce qui concerne cette pétition...

Laurin tourna vers lui la paume de sa main qui tenait la cigarette.

— Il est passé de l'eau sous les ponts. Personne ne connaissait l'ensemble des faits. La guerre était finie depuis longtemps...

— Vous parlez de votre attachement au maréchal Pétain ? Cela ne fait pas si longtemps.

— Je vous demande pardon ? Mon attachement ? Mes opinions politiques dépassent vos facultés de compréhension, et ne vous regardent en rien, capitaine.

— Vous avez soutenu les fascistes français !

— Je ne répondrai pas à des insinuations, à des rumeurs sans fondement. Avez-vous une vraie question à me poser ?

Laurin avala la fumée d'un air furieux.

— Cette pétition, peu importe les circonstances ou l'époque... Cette pétition, on ne la présentait pas aux coins d'une rue à n'importe quel passant. Les auteurs de ce document savaient qui contacter, ils savaient – *à l'avance* – qui signerait volontiers cette pétition. Ma question, docteur, est donc la suivante... » Touton marqua une pause. « Etes-vous, oui ou non, membre de l'Ordre de Jacques Cartier ?

Le médecin, le visage en partie dissimulé par la fumée de sa cigarette, les coudes sur la table, continua à loucher de cette manière exaspérante mais, en même temps, Touton comprenait qu'il venait de tracer entre eux une frontière invisible.

— Je ne sais pas de quoi vous parlez, répondit-il enfin.

Le capitaine avait été choqué par le baratin de cet homme qui avait sans doute ri de lui et de ses camarades tandis qu'au péril de leur vie ils livraient bataille aux nazis. Il sentit qu'il ne dominait peut-être pas totalement son émotion mais lança malgré tout :

— Docteur, êtes-vous l'auteur ou le complice du meurtre de Roger Clement ?

— C'est scandaleux ! Moi qui avais du respect pour vous !

— Etes-vous l'auteur ou le complice du meurtre du médecin légiste Claude Racine ?

— Capitaine, c'est inqualifiable ! Je pars ! Je mets un terme à cette discussion ! Soyez-en assuré, je ferai à vos supérieurs un rapport circonstancié sur votre comportement !

— Etes-vous l'auteur ou le complice du meurtre de Michel Vimont ?

Le docteur Camille Laurin ne prit même pas la peine de répondre et alla droit à la caisse pour régler son addition et quitta le restaurant sans se retourner. D'un geste, Touton commanda un autre café et attendit un moment, un peu honteux de ce qu'il venait de faire. Il consulta sa montre. L'heure de retrouver l'inspecteur Sloan chez

Carole Clement approchait. Pour l'instant, il profitait de cet instant de répit. Il avait besoin de se ressaisir. Les événements de la nuit précédente, l'incident à son domicile l'avaient déboussolé, il fallait vraiment qu'il se calme. Le café n'était pas censé produire cet effet-là, mais cette deuxième tasse lui fit du bien.

Impossible dorénavant de nier ses activités et l'intérêt qu'il portait à l'Ordre de Jacques Cartier. Si les graffitis sur sa porte n'avaient été qu'un leurre imaginé pour l'empêcher de se pencher attentivement sur la mort du chauffeur, les malfaiteurs savaient désormais que le stratagème n'avait pas réussi. Son rendez-vous avec Laurin le confirmait et avoir cité le nom de l'Ordre ne ferait qu'alerter ses membres et, probablement, provoquer leur fureur. Les malfrats comprendraient qu'il se rapprochait; s'ils faisaient alors un faux pas, s'ils réagissaient, il aurait la certitude d'avoir découvert une voie menant à leur société. Peut-être, après tout, valait-il mieux qu'il fût repéré : les criminels penseraient à de l'assurance, voire de l'arrogance de sa part – attitude qui ferait certainement perdre patience à leur précieuse société secrète, ce qui lui serait très utile.

Mais en son for intérieur, il savait qu'il avait commis une erreur.

L'offense faite à sa propre demeure l'avait déstabilisé.

Quand des hommes passaient le soir l'entretenir d'affaires douteuses, Carole Clement préparait du café bien fort qu'elle gardait au chaud – malgré la température élevée – en attendant leur arrivée. Vers l'heure du dîner, un orage avait dissipé la touffeur de l'air et, jusqu'aux prochains éclairs, sans doute dans l'après-midi suivant, on se sentirait plus à l'aise. De sa véranda, elle avait regardé, fascinée, le ciel noircir et l'orage se déchaîner. Son homme lui manquait, dans des moments comme celui-ci où, blottie dans ses bras, elle affrontait, calme et heureuse, les éléments furieux. Désormais, elle craignait les orages. Et si un arbre s'abattait sur le toit? Et si l'électricité était coupée? Et si le vent brisait les carreaux? Comment s'en tirerait-elle?

Elle ne voulait pas se l'avouer, mais l'idée de la présence de deux adultes dans sa maison, alors qu'il n'y avait d'habitude que sa fille et, parfois, des camarades de celle-ci, la réconfortait. Ils étaient en route, le café passait doucement et déjà elle se sentait moins seule. Quand on sonna à la porte, elle dut se retenir pour ne pas se précipiter.

— Comment allez-vous? lui demanda le capitaine Armand Touton.

Cette simple question, pleine de gentillesse, la poussa au bord des larmes.

— Pardonnez-moi » répondit-elle, comme si un autre problème

était venu la distraire, et elle s'enfuit dans la cuisine pour se calmer. Elle revint en arborant un sourire, les épaules bien droites, marchant en se déhanchant un peu. « Excusez-moi. Je vais très bien, capitaine, et vous ?

Comprenant soudain qu'il ne devait pas se montrer laconique, il lui raconta l'agression dont sa maison avait été victime le soir précédent, et dit ensuite que malgré la chaleur et l'humidité qui le fatiguaient un peu, il allait bien.

— Dieu soit loué, je travaille la nuit, il fait plus frais ! Mais essayez donc de dormir aux alentours de midi par cette chaleur ! Pourquoi vivons-nous ici ? Quand on ne cuit pas en été, on se gèle les...

Il s'arrêta net, et cela la fit rire.

— Comment va votre fille ?

— Anik va bien. Comme vous, elle se plaint de la chaleur et me répète au moins vingt-cinq fois par jour qu'il fait trop chaud ! C'est un bon prétexte pour redemander de la glace !

Le tour pris par la conversation commençait à agacer l'inspecteur Andrew Sloan. Il supportait en effet difficilement d'entendre quelqu'un parler de ses enfants.

— Vous disiez, madame Clement, connaître l'homme qui a été tué la nuit dernière ?

— Je vous présente l'inspecteur Sloan, à qui a été confiée l'enquête, expliqua Touton en reposant sa tasse. On lui a dit hier soir, sur les lieux du crime, que la victime, Michel Vimont, travaillait comme chauffeur et que vous le connaissiez ?

— C'est bien Michel, oui. Je sais qu'il conduisait de temps en temps de gros bonnets. Roger le connaissait, c'est d'ailleurs lui qui lui avait trouvé sa place.

— Ils étaient amis ?

— Roger s'occupait de lui.

Hochant la tête, Sloan prit son calepin. La réponse de Carole lui avait donné de l'espoir : elle lui semblait un témoin sérieux, qui savait de quoi elle parlait.

— Diriez-vous qu'ils étaient partenaires ?

Carole Clement regarda le capitaine en se demandant pourquoi il ne posait pas lui-même les questions, puis, résignée, se tourna vers l'inspecteur.

— Ils étaient copains.

— Vous le connaissiez aussi ?

— Michel est venu ici une douzaine de fois peut-être, répondit-elle. Il n'était pas à proprement parler sociable. Pas comme certains truands. Les amis de Roger, ses partenaires si vous voulez, picolaient et racontaient des histoires. Michel préférait rentrer chez lui une fois son boulot terminé. En dehors du travail, il ne fréquentait guère que Roger qui l'invitait à venir suivre un match à la radio ou à bavarder en buvant une bière. C'était un solitaire.

— Vous l'aimiez bien ? avança Touton.

— Je le tolérais. Il ne m'a jamais causé d'ennuis, contrairement à d'autres copains de Roger... Michel était trop renfermé pour moi. Bizarrement renfermé. Peut-être était-il timide, peut-être n'avait-il rien à dire, mais ce silence continuel et la façon dont, je crois, il gagnait sa vie... Bref, il me faisait un peu peur. Je lui trouvais quelque chose de sinistre. J'avais toujours l'impression... Je ne sais pas... Il ne semblait pas être un type à se fixer des limites. Je le pensais capable de briser un jour ce silence et de devenir dingue. C'était le genre de type à qui on aurait demandé de descendre quelqu'un si besoin était.

— Et c'était le genre à accepter ?

— Je ne sais pas... Les amis de Roger étaient de grandes gueules, capables de se déchaîner, de perdre tout d'un coup leur sang-froid. Pourtant, je repérais toujours parmi eux celui qui avait ses limites et renâclerait pour faire quelque chose qui ne lui plaisait pas. Michel... il fonctionnait autrement... » Les deux policiers hochèrent la tête. Ce qu'elle rapportait – des rumeurs, en fait, des impressions que rien ne corroborait – ne les avançait pas à grand-chose ; malgré tout peu de gens avaient été proches de lui et ces renseignements pouvaient un jour s'avérer utiles.

— Savez-vous pour qui il travaillait ces derniers temps ? ajouta Carole Clement.

Touton regarda Sloan, qui répondit :

— J'ai des informateurs, je ne tarderai pas à le savoir.

— Je peux vous le dire dès maintenant, si vous voulez.

— Qui ? l'interrogea Touton.

Sloan se pencha en avant, son carnet à la main. La femme les regarda tour à tour.

— Heureusement que vous êtes assis ! s'exclama-t-elle.

— Qui ? insista Sloan.

— Le maire.

— Drapeau ? s'étonna Touton, qui n'en croyait pas ses oreilles.

— Non ! L'ancien maire, Camillien Houde. » Ça, c'était une nouvelle : le champion de Mussolini en Amérique du Nord, interné en même temps que Roger Clement dans le camp du Nouveau-Brunswick, avait été l'employeur de la victime. « Roger lui avait trouvé cette place, ajouta-t-elle, en plus de son boulot chez un truand important ; quand l'ancien maire avait besoin d'un chauffeur pour une occasion spéciale, on envoyait Michel. Ils s'arrangeaient en souvenir du bon vieux temps.

— Je n'ai pas entendu dire aujourd'hui, observa Sloan, que l'ancien maire ait exprimé ses regrets.

Touton eut un petit sourire et acquiesça.

— Quand a lieu l'enterrement ? Peut-être ira-t-il ?

— Lundi matin, précisa Carole Clement. Je pense que j'irai. Pour lui rendre hommage. J'ai quelquefois du mal à croire que des gens comme Michel Vimont étaient des copains de mon mari, mais je ne dois pas me voiler la face. Je suis une mère, je veux honorer le souvenir de mon mari, pour moi, pour ma fille, ce qui implique d'être sincère et d'accepter le bon comme le mauvais. J'irai.

Le capitaine reposa sa tasse. Il semblait ruminer quelque chose.

— Madame Clement... » commença-t-il avant de s'interrompre. « Il n'y aura sûrement pas beaucoup de monde à l'enterrement d'un type comme lui... Quelques vieux amis, c'est tout. Si l'inspecteur Sloan, ou moi, ou n'importe lequel de nos collègues y va, on nous remarquera comme le nez au milieu de la figure. » Il marqua une nouvelle pause, il sentait le regard de Sloan posé sur lui : déjà, son équipier avait flairé où il voulait en venir et en avait déduit des perspectives à plus long terme. Peut-être Carole Clement sentait-elle, elle aussi, qu'une occasion se présentait à elle, car elle s'obstinait à regarder le tapis, comme si elle redoutait de lever les yeux. « Mais si vous, vous allez à l'enterrement – vous irez de toute façon, avez-vous dit – pourriez-vous nous prêter vos yeux et vos oreilles, nous dire qui y assistait et nous répéter ce que vous y entendrez peut-être...

— Vous me recrutez comme indic ? s'insurgea-t-elle. Comme vous avez recruté mon mari !

— Parmi les nombreuses actions à porter au crédit de votre mari, déclara-t-il, sa collaboration avec la police au nom du bien, de la justice...

— Vous l'avez forcé à travailler pour vous ! protesta la veuve.

— Votre mari était entêté, mais un homme d'honneur. Il ne m'a pas été facile de le convaincre. Je ne suis parvenu à le persuader qu'en lui rappelant ses responsabilités de chef de famille.

La femme fixait de nouveau le plancher, ce qui, pour le capitaine Touton était signe qu'elle ne rejetait pas catégoriquement sa proposition.

— J'ajouterai qu'en nous invitant chez vous, ce soir, vous visiez un objectif identique au nôtre. Vous et moi, nous poursuivons les patrons, remettant en question leurs décisions, et, quand ils agissent en criminels, nous les traquons, voilà tout.

265

Il lui laissa le temps de prendre sa décision en connaissance de cause. Elle répondit en gardant les épaules bien droites et en levant le menton. Si elle décidait de faire ce travail, elle l'accomplirait comme son mari, fièrement.

— Une fois, commença-t-elle, Roger a voulu savoir d'où venait l'expression « mouton ». Je l'ai aidé à chercher : il s'agirait d'une allusion à l'humeur facile des moutons qui inspirent confiance. Les gens racontent leur vie à des individus d'humeur facile. » Elle marqua un temps pendant lequel, Touton et Sloan le constatèrent, elle fixa une photo de son mari jeune homme, arborant son maillot des BlackHawks de Chicago. « C'était déjà, disait-il, ce qu'il faisait sur un terrain de hockey. Il avançait sur la glace et on envoyait les mauvaises têtes de l'équipe adverse à sa rencontre. Ainsi, les vedettes, les bons joueurs, étaient débarrassés des mauvais, trop occupés à se bagarrer. « C'est pour cela qu'on me gardait, expliquait-il, car je n'étais pas si fort que ça sur des patins ; seulement, j'étais prêt à me laisser tabasser. » Il avait conscience qu'il s'agissait là d'une curieuse façon de gagner sa vie, mais il en était fier.

— Il avait raison, approuva Sloan.

— L'inspecteur Sloan est un fervent supporter, expliqua Touton. Il adore le hockey.

— Tout comme Roger, soupira Carole Clement. Mon mari savait que les moutons n'avaient pas la vie facile, mais qu'il en fallait bien. Alors, capitaine Touton, d'accord. Pourquoi pas ?

Après de tels commentaires, il n'était pas facile de la remercier, mais il parvint quand même à dire :

— Merci. Sincèrement.

— Je suis une syndicaliste, ne l'oubliez pas.

— Euh... oui, je ne l'oublierai pas, marmonna le capitaine, interloqué.

— Un syndicaliste ne travaille pas à l'œil. Cinq dollars de l'heure depuis le moment où je pars de chez moi jusqu'à mon retour, et versés que vous soyez content ou non de mon travail.

— Quel syndicaliste, répondit Touton en souriant, se fait cinq dollars de l'heure ? Je vous paierai trois, ce qui me paraît bien.

— Vous oubliez la prime de risque, répliqua-t-elle, et le fait que vous ne m'offrez aucun avantage social : pas de retraite, pas d'assurance, pas de sécurité, pas de vacances payées, pas d'horaires réguliers... Cinq ou rien.

— Va pour cinq ». Touton jeta un coup d'œil à Sloan, qui s'amusait de voir son chef vaincu dans une négociation. « Qu'est-ce que vous regardez comme ça ? Vous voulez marchander avec elle ?

Tous trois éclatèrent de rire, et les policiers repartirent dans la tiédeur de la nuit en espérant des merveilles de leur nouvelle recrue.

En plus de Carole Clement et de sa fille Anik, ils étaient six à l'enterrement de Michel Vimont.

Le service à la chapelle de l'établissement de pompes funèbres fut expédié en moins de dix minutes, si bien que deux retardataires n'eurent que le temps de faire une génuflexion devant le cercueil et de se signer avant qu'il ne descende la travée. Tout cela se déroula à une allure telle que Carole accepta de se rendre au cimetière.

Personne ne connaissait son identité ni n'arrivait à croire que Vimont eût une petite amie cachée. Sa sœur ? sa cousine ? une parente ? Aucune autre hypothèse ne tenait debout.

Enfin, dans la voiture, elle se présenta. Les hommes accueillirent chaleureusement la veuve de Roger Clement et la complimentèrent au sujet d'Anik. Ils avaient connu et apprécié Roger ; ils avaient bien sûr assisté à son enterrement, mais au milieu d'une foule de gens et sans voir le visage ravagé qui se dissimulait derrière des lunettes de soleil. Triste sort que celui de Roger, regrettaient-ils. Michel ? Bah ! A quoi pouvait-on s'attendre ?

— Pourquoi ? Il avait des ennemis ?

Deux des passagers de la voiture haussèrent les épaules, le troisième hocha la tête.

— Et Roger ? Avait-il des ennemis ?

Ils étaient tous d'accord : aucun.

— Roger était un type formidable ! Le meilleur !

— Et Michel ? De temps en temps, Roger l'amenait dîner à la maison, ajouta Carole.

— Pas étonnant de la part de Roger, toujours prêt à s'occuper des âmes perdues...

— Comme Michel, renchérit l'homme assis à l'avant.

Les autres hommes firent le signe de croix.

— J'espère qu'il appréciait ces invitations, lâcha le voisin de Carole, un Anglais qui récitait à Anik une comptine qu'elle ne connaissait pas et qui la faisait beaucoup rire. Parce que nulle part je ne l'ai vu se détendre.

Carole ne regretta pas d'avoir assisté à l'enterrement de Michel, car, même si elle n'éprouvait aucune sympathie pour le défunt, elle comprit que personne, sans doute, n'avait passé autant de temps avec lui qu'elle et son mari.

L'orage menaçait de plus en plus, et le prêtre, qui ne souhaitait pas s'attarder, s'empressa d'expédier le défunt au paradis ou dans ses environs. Le vent fouettait sa soutane et les robes de Carole et d'Anik ; les hommes, quant à eux, cramponnaient leur chapeau. Il n'y avait ici aucun gros bonnet.

Un de ceux qui s'étaient rendus au cimetière dans la seconde voiture murmura quelque chose à l'Anglais qui jouait avec Anik, puis s'approcha.

— Madame Clement, commença-t-il. (Il semblait être anglais lui aussi, ou peut-être italien, il parlait cependant bien français, malgré un accent marqué.) Je m'appelle Roméro et j'étais un très bon ami de votre mari. Paix à son âme ! » Roger aurait été vraiment ravi de se savoir autant d'amis, se dit Carole. « Je suis barman au Copacabana depuis des années. Roger passait de temps en temps, une ou deux fois avec vous, je m'en souviens.

Qu'il s'en souvînt impressionna la veuve. Roger l'avait effectivement emmenée là, deux fois exactement.

— Allons-y maintenant – ce n'est pas ouvert dans la journée –, pour une sorte de veillée funèbre. Michel avait peu d'amis, mais il mérite qu'on lui dise adieu. Par respect pour sa mémoire. Quelque chose, en tout cas, d'un peu mieux que ce service funèbre. Ce prêtre ! ma parole, on aurait dit qu'il voulait arriver à l'hippodrome avant la première course, comme s'il avait hâte de perdre son fric ! » Le prêtre avait en effet profité du départ du corbillard pour s'éclipser. « Voulez-vous venir ? Le soir, ce ne serait pas un endroit pour votre fille, mais, dans la journée, elle pourra courir partout, cela la distraira. Elle pourra même casser tout ce qu'elle voudra, cela m'est égal. Nous prendrons un verre et nous dirons adieu à notre ami.

Le cheveu rare plaqué sur son crâne, pas rasé, à cause, sans doute, d'un réveil plus matinal que d'habitude, le torse large, un peu de brioche, un cou épais et des bajoues, l'homme, d'une cinquantaine d'années, portait un costume noir adapté aux circonstances. Peut-être celui de tous les jours, se dit Carole, mais pourquoi pas ? Je ne ressemble guère moi-même à une gravure de mode. Combien d'occasions une femme qu'on charge d'espionner a-t-elle le droit de refuser ? se demanda-t-elle.

— Une petite heure, peut-être, concéda-t-elle. Cela distraira Anik. Je n'ai pas les moyens de la sortir beaucoup.

— Parfait ! Je suis ravi de faire votre connaissance. J'ai toujours respecté Roger. Il ne vous a jamais parlé de moi ? Roméro ?

— Je suis navrée, mais je ne pense pas.

— Cela ne m'étonne pas de lui ! Il était très discret. On pouvait lui faire confiance ! Il est mort, paix à son âme, il n'a jamais été une balance. On n'en fait plus des comme ça aujourd'hui. Mais pourquoi est-ce que je vous raconte cela ? Vous le savez !

Hochant la tête, Carole se sentit à la fois heureuse et triste. Elle prit Anik par la main et l'entraîna vers les voitures ; elles montèrent dans celle de Roméro qui lui parut assez belle. Tout en conduisant, il bavarda avec Anik, ce que Carole apprécia, autant qu'elle appréciait que ces hommes lui fissent confiance et n'eussent aucun soupçon.

Les malfrats parlèrent à tour de rôle avec Carole, qui, bien qu'il fût encore tôt dans l'après-midi, accepta une bière. Au fond, il s'agissait vraiment d'une réunion à la mémoire de Roger Clement, celle que son profond désarroi l'avait empêchée d'organiser sur le moment. Personne ne souhaitait parler de Michel Vimont mais tous étaient contents de parler de Roger ; elle attaquait sa seconde bière quand elle remarqua que l'assistance était plus nombreuse au Copacabana qu'au service funèbre.

La fête battait son plein quand trois hommes élégamment vêtus entrèrent, et, après avoir ôté leur chapeau, observèrent la salle et ses occupants. Ils échangèrent quelques hochements de tête, l'un d'eux ressortit pour revenir aussitôt, accompagné d'un grand gaillard que Carole et même sa fille reconnurent immédiatement. Camillien Houde était plus imposant dans la réalité que sur les photos des journaux ou aux informations télévisées, et l'assurance légendaire avec laquelle il s'imposait à l'attention d'une salle se confirma au Copacabana : on s'alignait pour lui serrer la main et on commandait pour lui plus de verres qu'il n'arriverait jamais à en consommer en une journée. Apparemment, il était souffrant, car, après s'être frayé un chemin parmi ses admirateurs, il avisa un fauteuil dans lequel il se laissa tomber, le souffle court, il s'épongea le front puis accepta avec un plaisir visible son premier gin-tonic, qu'il descendit si rapidement que Carole se dit qu'après tout il serait peut-être capable de siffler tout l'alcool qu'on lui avait commandé. La présence d'une femme et d'une petite fille l'amena à poser discrètement quelques questions ; Carole, comprenant qu'elles la concernaient, feignit la politesse et détourna la tête.

Quelques instants plus tard, Roméro lui demandait si elle aimerait présenter sa fille au maire.

Houde fit sauter sur ses genoux une Anik qui semblait fascinée par ce géant si laid. Carole et Camillien s'étaient rencontrés une fois déjà, après la guerre, mais Houde lui rappela qu'il avait été interné en même temps que son mari pendant la guerre, et ils se mirent à échanger des histoires, la veuve évoquant les souvenirs de son mari et l'ex-maire donnant sa propre version des événements. Il agita soudain un doigt dans sa direction.

— Quoi ? demanda-t-elle.

— C'est vous qui lui souffliez ses opinions... par la poste ! C'est vous qui avez inspiré sa politique ! C'est vous !

Elle acquiesça.

— J'aurais dû être emprisonnée, mais Roger s'est accusé à ma place, comme vous le savez. » Le silence se fit dans la salle et tout le monde les écouta. Houde paraissait sur le point d'éclater en sanglots.

« Roger, déclara-t-il, était un grand homme. Il nous manquera toujours. Tournée générale ! cria-t-il. Buvons à Roger !

Et on but à Roger. Tout en sirotant sa bière, Carole songeait : Es-tu là ? Toi, le meurtrier de Roger ? Si oui, je te découvrirai, et j'irai ensuite accrocher tes couilles tout en haut du building de la Sun Life, pour les pigeons, pour qu'ils les déchiquettent.

Jadis, elle avait eu affaire à des durs, des patrons, des contremaîtres au regard d'acier qu'elle avait soutenus par la seule force de sa volonté, les contraignant à négocier. Il ne fallait jamais abattre ses cartes trop tôt. Elle observa sa petite fille sur les genoux de l'ex-maire et comprit qu'elle s'était acquis la confiance d'un petit cercle d'intimes. Elle avait hâte de le raconter à Armand Touton, mais resta pourtant, après le départ de Camillien Houde, dîner avec quelques convives ; puis elle se fit raccompagner chez elle par Roméro et attendit qu'Anik fût couchée et endormie avant de composer le numéro du capitaine de la Patrouille de nuit.

Il commença par la réprimander et lui interdire de l'appeler de chez elle.

Puis il la félicita pour son courage, et lui dit que Roger aurait été fier d'elle. C'était vrai mais elle savait aussi que jamais Roger ne l'aurait laissée faire tout cela. Hélas ! il avait disparu et la situation avait changé : de toute façon, le travail qu'elle faisait devait être accompli.

— Quand j'emmène ma fille, annonça-t-elle à Touton, il y a un supplément horaire de deux dollars.

Touton ne discuta même pas.

LIVRE DEUX

CHAPITRE 14

1936

C ELA FAISAIT trois décennies que Sir Herbert Holt déjeunait
toutes les semaines avec ses amis au Mount Royal Club, et
pourtant, cette fois-là, son entrée ne passa pas inaperçue.
Faisant fi de son âge et au prix d'efforts considérables mais calculés,
l'octogénaire avait quitté sa résidence de la rue Stanley, dans le centre
de Montréal, pour se rendre à son club, quelques pâtés de maisons à
l'ouest de la rue Sherbrooke ; les quatre individus armés qui l'escortaient reçurent l'ordre, une fois qu'il eut prudemment gravi les
marches du perron, de monter la garde devant l'impressionnante
porte de chêne aux cuivres rutilants ; de cet endroit on voyait très bien
tout ce qui se passait dans la rue grouillante d'activités. Il promit de
leur faire préparer un en-cas chaud, qu'il leur conseilla de manger à
tour de rôle en se dissimulant derrière les trois autres ; ainsi ils
n'offenseraient pas la vue des membres quand ceux-ci monteraient à
leur tour péniblement les marches ou sortiraient du club.

Les gardes le remercièrent.

Alors l'homme le plus riche et le plus puissant du Canada pénétra
dans l'établissement, à l'instant même où son ami, sir Edward Beatty,
parvenu au pied de l'escalier, s'attardait un peu pour permettre à Sir
Charles Gordon, qui le suivait tout essoufflé, de le rejoindre ; ils
gravirent les marches, bras dessus bras dessous, se soutenant mutuellement. A leur table habituelle, près de la grande baie vitrée, Sir
Herbert les attendait déjà.

273

— Alors, commença sir Edward, auriez-vous coupé l'électricité à un meurtrier fou ?

— Aujourd'hui bien mieux, précisa sir Charles avec un clin d'œil : il vient de couper le chauffage de la cathédrale Notre-Dame !

— J'ai lu dans un quotidien français, poursuivit sir Edward, que notre ami couperait sans sourciller le chauffage et l'électricité à une parturiente.

— Pas s'il s'agit d'une véritable Anglaise, rétorqua sir Charles (il volait au secours de son ami et avait pourtant lu le même article), si elle est française, bien entendu, la sentence sera exécutée.

— Les journaux sont libres de publier ce qu'ils veulent et les gens de les croire, intervint sir Herbert. Moi, je dis qu'une femme incapable de payer sa note d'électricité ou de chauffage ne doit pas avoir de bébé. Si elle en est à son dixième ou quatorzième enfant, c'est l'Eglise catholique qui l'y a poussée. Et donc, selon moi, la Compagnie d'électricité et de chauffage de Montréal n'est pas tenue de veiller à son confort. Ce devoir charitable incombe aux évêques qui n'ont qu'à payer les notes de ces miséreuses.

— Vous êtes un homme dur, sir Herbert, lança sir Charles, vous avez un cœur de pierre. (La réputation de ce président de la Banque de Montréal n'était pourtant plus à faire ; il avait, en supprimant des milliers de prêts, plongé des familles entières dans le dénuement, lors de la crise de 1929. Ni aussi riche ni aussi puissant que les deux autres, il était néanmoins devenu leur plus fidèle allié.)

— Je suis un homme d'affaires, sir Charles.

— Portons un toast, répondit sir Edward.

— Je serais prêt à porter un toast à n'importe quoi, bougonna sir Charles, si seulement ce fichu maître d'hôtel nous servait à boire ! Que fait-il donc ?

Bien que sur le déclin, ils continuaient à régner en maîtres. Des décennies plus tôt, le jeune ingénieur irlandais Herbert Holt avait quitté son pays pour contribuer à la construction du Canadian Pacific Railway, il avait conservé sa forme physique de l'époque. Le chemin de fer terminé, il était bien décidé à s'enrichir et à grimper dans l'échelle sociale, et ce dans la banque ; après un bref passage dans un établissement qui démarrait, il accepta la présidence de la Banque Royale, pinacle qui lui permit d'accéder à la direction de nombreuses sociétés : la Compagnie d'électricité et de chauffage de Montréal, la Montreal Trust, la compagnie d'assurances Sun Life, les minoteries Ogilvie et la Dominion Textile Company. Impossible pour les Montréalais de passer une journée sans utiliser son électricité, consommer ses produits ou porter ses vêtements ; son influence s'étendait sur quatre continents. Membre du conseil d'administration de plus de trois cents entreprises, sir Herbert ne parvenait à n'en citer qu'une poignée si on le lui demandait. Ces sociétés anonymes se mettaient régulièrement en grève, et, depuis quelque temps, plus souvent qu'il ne l'estimait tolérable. Les menaces de mort s'accumulaient sur son bureau, au milieu des invitations à des réjouissances données au profit d'œuvres de bienfaisance ; les menaces devinrent plus nombreuses que les invitations mondaines –, et il fit appel à la protection de ses amis militaires : cela expliquait la présence des quatre gardes armés qui l'accompagnaient ce jour-là.

Austère, sévère, intimidant, plus maigre que jamais, sir Herbert affichait derrière sa barbe blanche des manières puritaines, autant dans sa vie publique que privée. Les déjeuners constituaient l'exception. Ses compagnons menaient des existences autrement plus passionnantes que la sienne, et il appréciait leurs récits. Dans sa jeunesse, seule l'ambition le guidait, puis la vie l'avait comblé, désormais sur ses vieux jours, les coquineries de ses compagnons le faisaient rire.

Mais ce que racontait sur lui sir Charles – et qui ne s'éloignait guère de la vérité – ne le faisait pas rire. Il coupait en effet sans aucune hésitation l'électricité des foyers qui n'avaient pas payé leur note, ne tenant compte ni de la crise ni des excuses. Puisque l'Eglise exhortait ses ouailles à développer la population du Québec pour asseoir ainsi le pouvoir politique des Français, eh bien ! Les Français, il ne se faisait aucune illusion à ce sujet, danseraient sur sa tombe, ravis de le voir enfin sous terre. Ils ignoraient que, bien avant que l'impôt sur le revenu existe, il reversait une partie de sa fortune à des œuvres de charité. Lui savait.

Les affaires d'un côté, la charité de l'autre ; il ne mélangeait pas.

Bien différent, sir Edward Beatty avait fait l'objet de rumeurs que ses amis savaient fondées. Son appui à la ferme-école de formation pour garçons de Shawbridge, dans le Nord, les corroborait. Sir Edward, président de la Canadian Pacific Railway, énorme entreprise de transport et holding contrôlant une compagnie internationale de navigation et une chaîne de palaces, avait fait construire une voie ferrée sur le terrain de la ferme. Quand il désirait s'offrir un week-end agréable, il s'installait dans son luxueux wagon qu'il faisait tracter jusqu'à Shawbridge sur un embranchement privé. Là, il régalait de merveilleuses histoires les jeunes délinquants des faubourgs et les encourageait à changer de vie. A maintes reprises, sir Edward avait choisi l'un d'entre eux pour occuper un poste subalterne dans une de ses sociétés, en lui démontrant que le sommet lui était accessible.

Plusieurs brillants hommes d'affaires de Montréal lui étaient redevables d'avoir ainsi échappé la vie de larcins et de pauvreté qui les attendait.

Sir Edward faisait partie de la vague d'Irlandais arrivés au Canada, souvent chassés de leur terre et envoyés au-delà des mers contre leur gré, qui avaient prospéré dans le Nouveau Monde. « Seigneur, nous ne Vous demandons pas d'argent, seulement de nous montrer où il y en a. » Ainsi priaient les Irlandais et Beatty, à l'instar de nombre de ses compatriotes, avait été exaucé.

Ses amis intimes connaissaient et toléraient l'homosexualité de sir Edward ; sa réussite dans les affaires, sa sincère philanthropie et sa perspicacité dans la gestion de sa fortune aidaient à fermer les yeux. Chancelier de l'université McGill et président de l'Hôpital Royal Victoria, il ne laissait rien paraître en société et pouvoir confier à ses amis les escapades parfois risquées qu'à l'occasion ses affaires lui offraient représentait un luxe absolu. Il ne lui restait désormais à son âge que le souvenir de ses folies pour distraire ses compagnons.

Quant à sir Charles Gordon, qui n'était ni homosexuel ni puritain comme Holt, il demeurait un fringant coureur de jupons. Rien ne transpirait des exploits auxquels il se livrait dans les chambres d'hôtels – de la chaîne appartenant à sir Edward – et les deux autres vieillards ne souhaitaient pas en savoir plus.

Tous les trois savaient en revanche que le moule dont on tirait des gens de leur espèce était brisé.

Le Premier ministre William Lyon Mackenzie King déconseillait aux Britanniques d'anoblir des Canadiens et après le décès des trois magnats, personne ne viendrait les remplacer sur les listes nobiliaires.

Ils furent servis sans avoir à commander, et sir Charles n'eut qu'à apposer sa signature sur la fiche qu'on lui tendait.

— La guerre approche, murmura sir Herbert.

— Ça se présente mal en effet, renchérit sir Edward.

— Mais, pour les hommes d'affaires, déclara sir Charles, quelle occasion !

Sir Edward fit chorus :

— A la fin des guerres, il suffit de se trouver en bonne position, car l'Histoire a souvent démontré qu'elles étaient suivies de croissances exceptionnellement fortes.

— Messieurs, rétorqua sir Herbert, est-il nécessaire de vous rappeler que si cette calamité dure deux ou trois ans, comme on l'entend dire un peu partout, personne à cette table ne sera là pour profiter des occasions, que la guerre pouvait offrir pendant ou après. Il y a peu de chances que nous connaissions l'issue de cette affaire.

— Oh! la victoire sûrement, murmura sir Edward.

— Bien sûr, renchérit sir Charles.

— Alors, la victoire. Soit mais, nous n'en serons pas témoins, insista sir Herbert.

— Vous avez raison, admit à regret sir Charles après avoir bu une gorgée de son gin.

— Dites-moi, mon vieux, lança sir Edward, vous êtes d'humeur guillerette aujourd'hui!

— Pas vraiment, avoua sir Herbert, mais il sourit. Savez-vous pourquoi les militaires m'offrent l'escorte des quatre solides gaillards qui se trouvent dehors ? Il s'agit d'un privilège gratuit, vous savez.

— Je vous ai rarement vu, sir Herbert, observa sir Charles avec un petit rire, payer quelque chose dans la vie.

— Mais non, mais non! Les militaires, voyez-vous, se préoccupent de ma sécurité, car ils tiennent à me garder en vie aussi longtemps que possible, je pourrai ainsi leur fournir des choses, vous comprenez ?

— Quelles *choses* ? s'enquit sir Edward, intéressé.

Lui-même s'était inquiété du degré de préparation des forces canadiennes : on les disait en triste état, nullement prêtes à affronter une guerre.

— J'ai accepté d'acheter pour l'Air Force une *escadrille* d'avions de chasse. Des Spitfires, je crois que c'est leur nom. Aussi tient-on beaucoup à ce que je vive assez longtemps pour effectuer ce virement.

Ses deux interlocuteurs restèrent silencieux, ils n'avaient aucune idée de l'importance exacte de la fortune de sir Herbert, mais être assis en face d'un monsieur, un vieil ami, assez riche pour offrir une *escadrille* d'avions à l'armée, les rendait momentanément muets.

— Il m'a semblé que c'était le moins que je puisse faire, ajouta sir Herbert, éprouvant le besoin de combler le silence, puisque je ne verrai pas la fin de cette sale affaire. Je suppose que vous aussi pensez à apporter votre soutien sans attendre trop longtemps.

— Vous accomplissez là un très beau geste, répondit sir Edward. (Il était impressionné par la clairvoyance de sir Herbert. Après sa mort, ses héritiers, selon toute vraisemblance, empocheraient les bénéfices et se moqueraient du reste.

— La Marine aurait sûrement besoin d'aide, elle aussi, proposa sir Charles, qui n'éprouvait pourtant aucune envie de se trouver en compétition avec ces deux gentlemen pour collecter des fonds.

— Un navire? Une frégate? Peut-être un destroyer? suggéra sir Herbert.

— Je pensais à des munitions.

— Faites un effort, sir Charles. La guerre approche et, comme on dit, vous n'emporterez pas votre argent avec vous. C'est l'héritage que nous laisserons qui est en jeu. Je ne fais pas allusion à ma réputation ni à la vôtre, car on gardera de moi le souvenir d'un ignoble individu qui coupait la lumière le soir et le chauffage en hiver, mais à la renommée de notre société, des compagnies que nous avons bâties, des institutions que nous avons vu prendre corps. En perdant la guerre, on renoncerait à tout cela.

— Tout à fait, tout à fait, renchérit sir Edward avec entrain, et, même s'il ne frappait pas du poing sur la table, on ne pouvait mettre en doute sa détermination. Disons deux chars !

— Si j'achetais les chars, suggéra sir Charles, vous pourriez acquérir une frégate. Après tout, vous êtes dans la navigation.

— Bon sang ! C'est peut-être une bonne idée ! Nous allons y réfléchir, sir Charles.

La première tournée était terminée et la seconde arriva, suivie d'une soupe à l'oignon. Sir Herbert semblait soucieux ; il n'entendait pas les questions qu'on lui posait et ne répondait pas quand on les lui répétait. On enleva les assiettes à soupe et ils attendaient un succulent rôti de porc quand sir Herbert aborda un autre sujet qui le préoccupait :

— J'ai en ma possession... commença-t-il, puis il se reprit : Pas vraiment en ma possession, vous comprenez... Je détiens, sous l'égide d'une de mes sociétés, la compagnie d'assurances Sun Life, une relique, héritage culturel d'une époque disparue. Je ne sais trop que faire de cet objet qui représente, prétend-on, une certaine importance historique. J'ai découvert, en le faisant estimer, qu'il a également une certaine valeur commerciale. Cette relique est censée posséder des pouvoirs quasi magiques, car tous ceux qui l'ont eue entre leurs mains ont connu la prospérité. D'aucuns avanceraient que cela n'a pas été le cas pour un dénommé Radisson, qui en était propriétaire mais l'a cédé à sa belle-famille pour conserver son épouse. Ces gens-là ont assez bien réussi. Lorsque Radisson a fini par le récupérer, ma foi, il arrivait au terme de sa vie, mais du moins est-il mort pendant son sommeil, ce qui constitue un exploit pour un pareil personnage. Quoi qu'il en soit, la Sun Life a prospéré et moi aussi, par la même occasion. Cet objet a été acquis par un représentant de la Sun Life en échange d'une police d'assurance, payée en totalité ; cet assureur a été réprimandé par son directeur qui lui reprochait d'avoir conclu une affaire discutable, a changé d'avis le jour où le représentant lui a montré l'or et les diamants dont l'objet était incrusté et qui lui donne une valeur immense.

— Non !

— Bon sang! quel coup de chance! Pour l'occasion, sir Herbert, vous devriez payer le déjeuner!

Sir Herbert les regarda sans sourire et resta muet.

— De quelle relique s'agit-il? s'enquit sir Edward.

— On l'appelle la Dague de Cartier. Les Indiens vivant sur l'île de Montréal l'auraient offert à Jacques Cartier lui-même. En tout cas, c'est ce que prétend la légende.

— Cela lui donne en effet une grande valeur.

— Avec un manche incrusté d'or et de diamants, comme je vous l'ai dit. Il était rangé dans un carton. On réagençait les bureaux quand on l'a découvert. Heureusement, on me l'a montré, alors qu'on aurait pu tout simplement le voler! Je ne l'aurais jamais su, certes, mais ç'aurait été une grande perte.

Sir Herbert expliqua alors comment le poignard était tombé entre les mains de la Sun Life, alors qu'il avait jadis appartenu à la Compagnie de la Baie d'Hudson. Il avait rarement l'occasion de raconter une belle aventure, aussi en savourait-il tous les méandres et toutes les nuances, en se disant que la Dague de Cartier possédait bien des pouvoirs magiques pour faire soudain de lui le conteur du groupe. Pendus à ses lèvres, ses amis l'écoutèrent avec ravissement narrer les audacieux exploits qu'on attribuait à Sarah Hanson.

« Le poignard est resté dans sa famille durant plusieurs générations jusqu'au jour où un nigaud d'arrière-petit-fils l'a échangé à la Sun Life contre une police d'assurance! Et c'est dans nos greniers qu'il a dormi jusqu'à ce jour.

Ses compagnons secouèrent la tête, n'arrivant pas à comprendre la chance de cet homme.

— Mais comprenez mon dilemme. Je ne le léguerai pas à ma famille : je ne serais même pas confortablement installé dans ma tombe que le mari d'une de mes petites-filles l'aurait déjà mis en gage! En faire don? Mais à qui? Voilà mon problème.

Sir Edward, qui faisait grand cas de son titre car il lui assurait une position dans la société à une époque où son homosexualité, si la nouvelle s'en était répandue, aurait fait de lui un paria, suggéra à sir Herbert de donner la Dague de Cartier à la monarchie britannique :

— On annonce la visite de George V qui souhaite soutenir le moral des Canadiens dans l'effort de guerre. Ce serait un geste.

Tout en goûtant son rôti de porc, sir Herbert repoussa d'emblée cette idée :

— Je suis, certes, fidèle à la Couronne, mais irlandais de naissance et canadien de cœur. Je ne saurais faire don d'une relique qui représente beaucoup pour ma patrie d'adoption à ce vieux pays, qui regorge de trésors anciens. D'ailleurs, le poignard a été, dans le passé, en la possession de la monarchie britannique ; mais ces stupides crétins l'ont abandonné.

— Alors, proposa sir Charles, faites don de la Dague au Canada...

— Avec ce rustre de Mackenzie King comme Premier ministre ? Je préférerais l'offrir à mon livreur de charbon ! King accepterait le poignard au cours d'une cérémonie dont il se ferait le héros ; il utiliserait l'événement pour s'attirer des voix supplémentaires. Non ! Il a retiré à nos jeunes pairs la possibilité d'être anoblis, et sans lui nous serions tous les trois lords aujourd'hui ! Je sais : dommage pour le Canada ; mais rien à faire.

— King, ricana sir Edward, a déclaré au moins dix fois que nous n'entrerions pas en guerre pour défendre un autre pays que le nôtre. Avez-vous entendu son discours ? *Pas de guerre étrangère*, braille-t-il. Mensonges, nous le savons tous ; cette canaille ne cherche qu'à gagner des voix au Québec !

— En attendant, observa sir Charles, l'Air Force recueille les promesses, comme celle de notre ami ici présent !

— Le gouvernement renforce l'armée, mais en vue de défendre le sol canadien, affirma sir Herbert. Les militaires ont été autorisés à préparer notre défense nationale en faisant appel aux ressources privées. C'est nécessaire, bien sûr, mais d'une telle absurdité : des demi-mesures uniquement, et tout cela à cause de cette canaille de King. A Hitler, il dit qu'il se battra aux côtés de la Grande-Bretagne ; au peuple québécois, il affirme qu'il ne se battra pas du tout. Cela fait le jeu d'Hitler, je vous assure.

— Oh ! s'exclama sir Edward tout excité, j'ai une solution magnifique ! Confiez le poignard à une fondation qui, à la fin de la guerre, la remettra à un grand héros canadien. Pourquoi pas ? Si les militaires veulent obtenir des fonds privés, ils ne peuvent pas refuser un honneur que leur accordent des financiers privés.

La discussion, dès lors, devint très animée : ils débattaient des mérites et des inconvénients de cette idée. Sir Charles craignait que le poignard ne fût gagné, par exemple, par un fantassin, lequel, reprenant alors sa vie de pêcheur ou de bûcheron, laisserait la lame à son épouse qui l'utiliserait pour écailler le poisson ou dépecer un élan. Pas question.

Sir Herbert, quant à lui, imaginait – et il ne le supportait pas plus – un récipiendaire – ou en tout cas ses héritiers – vendant la relique, en raison de sa valeur exceptionnelle, si bien que la Dague de Cartier ne tarderait pas à se retrouver dans les mains d'un banquier suisse ou d'un « mineur de Bolivie » qui aurait les moyens. Pas question de le protéger du vol ou de payer les primes d'assurance.

L'idée pourtant faisait son chemin et, une fois dégusté le savoureux rôti de porc, il fut décidé que la Dague de Cartier serait confié à la garde de la Sun Life ou à des administrateurs désignés par elle, si d'aventure elle faisait faillite. On pourrait ensuite l'offrir à un authentique héros de guerre canadien, qui, après les hostilités – idée de sir Edward –, aurait accédé à la direction d'une grosse compagnie. Cette dernière aurait alors la responsabilité de la Dague jusqu'à la disparition soit du héros, soit de la société; le poignard reviendrait alors à la Sun Life qui chercherait un autre héros national – également dirigeant de société à qui le donner.

De cette manière, les prétendus pouvoirs magiques de cette relique serviraient en assurant des bénéfices à une entreprise. Personne ne l'utiliserait pour tailler du bois!

— Mais alors, s'écria sir Edward avec enthousiasme, recevoir le poignard pourrait devenir une distinction importante, une sorte d'élévation au titre de chevalier! Ou de lord! Bref, une dignité spécifique à notre pays. Et là, ce rustre de Mackenzie King ne pourrait pas s'y opposer!

L'idée prit corps. Sir Herbert Holt et ses compagnons quittèrent ce jour-là le Mount Royal Club plus heureux qu'à leur arrivée, persuadés d'avoir conçu un héritage qui, indépendamment des chars, des Spitfires et des frégates, leur permettrait de célébrer la victoire de leur pays en guerre. Même si leurs chances de participer aux festivités étaient minimes, ils pouvaient désormais regarder les nuages obscurcir le ciel de leur patrie avec plus d'ardeur, voire avec impatience.

— Excellent, ce rôti, aujourd'hui, conclut sir Herbert en arrivant au niveau de la rue.

— Succulent, renchérit sir Charles en se léchant les babines.

— Dites-moi, s'exclama soudain sir Herbert, nous allons dans votre direction, non?

— C'est vrai, lui répondit sir Charles.

— C'est parfait alors. Au pas. Un peu d'entrain, que diable!

Les trois vieillards s'engagèrent en traînant les pieds dans la rue Sherbrooke, escortés des quatre fusiliers. Ils souriaient à leurs connaissances, saluaient ceux qui prenaient le frais aux fenêtres, avec le sentiment que la victoire flottait dans l'air; il leur semblait même avoir retrouvé un peu de leur jeunesse de héros revenant des tranchées pour proclamer leur attachement à la patrie.

CHAPITRE 15

1936-1939

CHAQUE FOIS que ses adversaires politiques le traitaient de dictateur, Maurice Duplessis réagissait en arpentant son bureau et faisait appel à son répertoire d'invectives et de jurons. L'insulte en elle-même ne le choquait pas – jadis, il avait fait remarquer lors de joutes oratoires, que, à bien y réfléchir, le terme rendait plutôt hommage à son efficacité (et pourquoi pas, suggérait-il en privé, à sa virilité). Mais là, il estimait qu'être traité de dictateur déformait son image et réduisait le respect que méritaient ses exploits politiques.

— Les dictateurs dépendent de leurs armées, déclara-t-il d'un ton plus calme qui convenait mieux à la qualité de son interlocuteur, un ecclésiastique. Où sont mes chars, mes fantassins ? Vous le voyez bien : la chaude affection que me porte le peuple me tient lieu d'armée.

Elégant, comme d'habitude, dans un costume trois pièces en lainage bleu marine, sa cravate à pois dépassant légèrement d'un gilet qui le sanglait, il s'assit et se carra dans son fauteuil ; deux doigts enfoncés avec distinction dans son gousset caressaient la pièce de dix cents qu'il y cachait en permanence. Toujours avoir sous la main une pièce de dix cents à tendre à quiconque aurait besoin de téléphoner. Puis il se pencha pour prendre son verre de jus d'orange, sa boisson favorite (impossible de savoir si on y avait ajouté ou non un doigt d'alcool), et en savoura une gorgée. Il garda le verre en main, songeur.

— Espérons, Monsieur le Premier ministre, que l'affection du peuple ne se démentira pas, déclara monseigneur Gauthier.

Sa ressemblance, moustache, coupe de cheveux et, à bien des égards, son style oratoire avec celui que le monde entier observait – le petit homme qui régnait sur l'Allemagne –, n'avait pas contribué à améliorer son image. Heureusement, sa corpulence évitait à Duplessis d'entendre ses adversaires répéter ce refrain à l'envi.

—Je vous assure, Monseigneur, que l'amour du peuple pour son Premier ministre est sincère et solide. Si je me comportais en dictateur, comme cet Adolf, nos problèmes, j'en conviens, seraient rapidement réglés. La patrie ne compterait aucun communiste et je n'aurais pas de mal, en l'occurrence, à renvoyer les infidèles grouiller en enfer.

— Monsieur le Premier ministre, nous devons les renvoyer ensemble, insista Gauthier. » S'il appréciait la rhétorique politique – et les talents oratoires de Duplessis avaient été souvent mis à l'épreuve avant de triompher sur le terrain –, il lui fallait un plan d'action concret. « Il faut surmonter les difficultés, cette affaire ne tardera pas à nous mener à une crise. C'est notre devoir envers la mère patrie.

— Nous le ferons, Monseigneur, le rassura Duplessis. Ne vous méprenez pas. Je vais purger le Québec des infidèles plus efficacement que n'importe quel prétendu dictateur. Mais je dois opérer habilement. C'est pourquoi je suis agacé quand on me qualifie de dictateur. Trop facile ! D'un autre côté, je dois remporter les élections et faire passer les lois ! Je dois être bien plus adroit que n'importe quel misérable oppresseur ! Même si, au final, nous parvenons au même résultat et que nous renvoyons les communistes chez eux.

— À propos des communistes... reprit le prélat, très agité.

Duplessis l'interrompit :

— Vous aurez votre meeting, Monseigneur. Avec ma bénédiction. Oui, j'y assisterai et je prendrai la parole. Après cela, laissez-moi m'occuper des communistes.

— Monsieur, il faudra être intraitable.

— Qu'est-ce que vous croyez ? » commença Duplessis en tapant du poing sur la table. La méfiance de cet ecclésiastique à son égard commençait à l'irriter. « Que je vais fléchir face à des païens qui usurpent les droits légitimes des propriétaires ? Face à des étrangers qui s'incrustent chez nous dans l'intention de dresser les Français les uns contre les autres, au nom de la lutte des classes ? Je ne le tolérerai pas ! Jamais ! Ils ne veulent pas de classes dans la société ? Mais justement nous ne faisons ici aucune distinction, nous sommes tous français ! Ils en appellent à la violence et à la désunion, alors que nous ne formons qu'une seule famille ! Que nos concitoyens se laissent séduire, que la production diminue, qu'on méprise l'autorité, qui alors tiendra le compte de ces épreuves et paiera la note ? Je ne me sens pas d'humeur à les supporter, Monseigneur. Vous aurez votre meeting. Ne doutez pas de ma détermination dans cette affaire !

Le prélat pouvait aller rassurer ses pairs, Grégoire et Villeneuve, en leur annonçant que le Premier ministre prenait personnellement la situation en main et que les communistes ne trouveraient pas refuge au Québec.

Seul dans le silence de son bureau, le Premier ministre du Québec réfléchissait, les mains confortablement posées sur son ventre rebondi. Au fond, Duplessis était convaincu qu'il n'avait pas grand-chose à craindre des communistes, guère plus, en tout cas, que quelques épisodes déplaisants, comme avec les moustiques, en somme : un fléau qui apparaît pour un mois ou deux au printemps et qu'on écrase, bruyant mais impuissant, et même, à ses yeux, inoffensif. La crise qui persistait en Amérique du Nord les avait aidés, cela ne faisait aucun doute, mais ils n'avaient établi aucune tête de pont sur sa terre bien-aimée du Québec ; quant à la malheureuse emprise qu'ils avaient réussi à se gagner, il s'apprêtait à les en priver.

Les communistes ne constituaient pas un véritable souci ; mais si l'Eglise les redoutait à ce point, il allait la rassurer. Sous couvert de purger la province des communistes et des syndicalistes étrangers, il allait, sans que personne s'en aperçoive, se débarrasser des Juifs.

— Dictateur, dit-il en ricanant à sa secrétaire. Où est mon armée ? Il faut que je sois plus malin qu'un dictateur. Ceux dont je ne veux pas ici devront s'en aller.

Levant les yeux pour recueillir leur approbation, il constata qu'il était seul dans le bureau.

Le 24 mars 1937, Carole Bonsecours en rentrant chez elle constata que sa porte avait été endommagée avant d'être condamnée. On en avait fracassé un carreau pour faire passer une lourde chaîne qui ressortait par une fenêtre latérale laissée ouverte et que bloquait un cadenas. Elle comprit aussitôt ce qui lui arrivait, les manchettes des journaux ne parlant que de la nouvelle loi ; tous ceux qui œuvraient au service des travailleurs savaient à quoi s'en tenir.

Tout d'abord, elle n'en crut pas ses yeux, puis, folle de rage, elle donna des coups de pied dans sa porte.

Puis elle s'assit sur le perron et se mit à sangloter.

Elle pleurait de désespoir : elle touchait vraiment le fond.

Les responsables du saccage rôdaient dans les parages : il ne s'agissait même pas des policiers, mais de simples voyous; cela l'exaspéra d'autant plus qu'elle les vit allumer une cigarette pour fêter leur sale boulot. Deux d'entre eux au moins avaient beaucoup ri quand elle s'acharnait à coups de pied sur sa porte. C'était plus que ne pouvait en supporter ce vigoureux petit bout de femme, elle attaqua.

— Ouah ouah ouah! aboya l'un des voyous en riant, tandis qu'elle essayait de le frapper.

Elle avait beau se démener pitoyablement sous l'effet de la colère et redoubler d'efforts, il esquivait ses coups comme un boxeur. Mais qu'au moins il arrête de rire!

Enfin, elle le toucha aux bras et aux épaules puis, prenant du recul, elle tenta de le gifler. En vain. Elle perdit l'équilibre et il la rattrapa au vol. Quelle frustration pour elle de voir cet homme prendre ainsi le contrôle de la situation! Ah! si elle avait été un garçon, un grand gaillard, si elle avait possédé une arme... elle l'aurait tué.

Elle sanglotait – elle ne savait même plus très bien pourquoi, peut-être devenait-elle hystérique; elle remarqua quand même qu'il avait cessé de rire et qu'il essayait de la calmer. Elle cessa donc de le harceler de coups sans effet et se mit à lui hurler dessus:

— C'est chez moi ici! Vous ne pouvez pas m'empêcher de rentrer dans ma propre maison! Pour qui vous prenez-vous! Qu'est-ce que vous croyez!

D'autres pourtant se conduisaient bien plus mal: ils ne se contentaient pas de rire, ils ajoutaient les moqueries. Lui, au moins, cherchait à la calmer et faisait preuve d'une certaine humanité.

Mais elle n'arrivait pas à se calmer.

— Mon père, en mourant, a laissé cette maison à ma mère! A seize ans, je l'habitais déjà! Ma mère est morte dans cette maison! Alors vous n'avez le droit de m'en refuser l'entrée, espèce d'abruti!

Tous ces souvenirs ajoutés au fait de se retrouver dehors bouillonnaient en elle. La dureté de la vie, la mort tragique de son père, la longue et pénible maladie de sa mère. Puis sa mort qui avait soulagé Carole. Son travail épuisant pour un salaire de misère, sa croisade sans fin pour améliorer les conditions de travail des femmes, à laquelle elle ne pouvait mettre ni un terme ni même un frein parce qu'elle était devenue sa bouée de sauvetage, qu'elle la maintenait en vie et qu'elle incarnait les derniers vestiges d'espérance.

— Vous n'avez pas le droit!

Si elle avait tenu sans succomber, c'était précisément grâce à cette maison triste et délabrée. Grâce à ce cadeau de son père et à l'assurance vie qu'il avait prise, elle possédait un endroit à moitié convenable pour vivre et dont l'entretien ne lui coûtait presque rien.

Posséder cette maison lui conférait une certaine dignité, lui donnant un avantage que les autres couturières ne pouvaient que lui envier.

— Donne-moi cette foutue clé, salopard ! Je veux cette clé !

Les voisins, dont certains costauds, s'attroupaient sur le trottoir. Encore quelques-uns et la situation s'aggraverait. Les comparses du nervi comprenaient maintenant qu'en essayant de la calmer il avait opté pour la sagesse.

— Gros dur ! Grosse merde ! Alors, tu empêches une femme d'entrer dans sa maison, hein ? Tu te sens fort ! Ça te fait bander ! Je voudrais bien savoir ! Tu ne me connais même pas ! Tu ne sais rien de moi !

Un des hommes, croyant peut-être arranger la situation, marmonna quelques mots dont elle ne comprit que le terme « communiste ».

Carole Bonsecours se tourna vers lui, furibonde.

— Petit merdeux de gringalet ! Communiste, moi ? C'est ça qui te fait si peur ? Je suis deux fois plus petite que toi et tu me tordrais le cou comme à un poulet que ça ne changerait rien ! C'est ça qui te fait si peur ? C'est pour ça que tu mouilles ton lit la nuit, en priant le Seigneur de ne pas être avalé par le gros monstre rouge ? Si je suis communiste, alors je suis donc le monstre ! Regarde bien ! Maintenant, explique-moi, de quoi as-tu peur exactement ?

Elle avait raison et, sur le trottoir, on acquiesçait.

Elle pivota alors vers son premier adversaire et braqua un doigt sur lui.

— Je travaille comme couturière, voilà ce que je fais ! Je couds ! On essaie de s'organiser. Le Syndicat International des Travailleurs du Vêtement ne se laissera pas intimider par ce genre de manœuvre !

Elle balaya du regard les témoins qui avaient spontanément applaudi sa tirade, puis revint au premier.

— Regarde mes mains. Regarde-les ! Ce sont les mains d'une couturière. Si je cherche à gagner quelques sous supplémentaires, pourquoi veux-tu m'en empêcher ? Gros crétin !

— Je ne suis pas gros, protesta l'homme.

Quelques personnes se mirent à rire, mais sans ignorer la fureur extrême de la jeune femme. Elle brandissait les mains.

— Alors, tu le reconnais ? Tu reconnais que tu es un crétin !

L'homme haussa les épaules.

— Je suis un joueur de hockey. J'étais dans l'équipe des Black-Hawks avant d'être blessé.

— Il a reçu un coup de patin, expliqua l'un de ses copains.

— Un coup de patin. Et maintenant, tu n'as rien de mieux à faire que d'empêcher une couturière de rentrer chez elle, parce qu'elle veut regrouper ses pauvres collègues.

Elle finit par baisser les bras.

— Alors, fini le grand joueur, pas vrai ? Tu n'es plus qu'un crétin qui, un jour, deviendra gros !

Il ne répondit pas, mais eut un mouvement de tête que Carole ne comprit pas. Elle se retourna pour vérifier ce que préparaient les autres : ils remontaient dans leurs voitures.

— Mais oui ! Filez ! Retournez dans votre lit pour rêver des communistes ! Pissez donc dans votre froc, pourquoi pas ? Vous ne savez rien faire d'autre avec vos pauvres petits zizis ! Je vous souhaite de faire des cauchemars ! Le jour où les cocos vous interdiront l'accès à votre maison, vous verrez si vous trouvez ça drôle ! Ah ! que ce jour vienne et qu'en plus ils fassent fondre la clé !

Deux voitures démarrèrent, Carole prit son élan et donna un coup de pied dans la portière arrière et le pare-chocs de la plus proche. Elle menaçait du poing ses bourreaux quand elle s'aperçut que celui qu'elle n'avait cessé d'invectiver était resté derrière.

Elle eut terriblement peur une fraction de seconde, puis elle se raisonna.

— Allons faire un tour, lâcha l'homme. Il faut que je vous parle.

— Va te faire voir !

— Je veux juste faire une balade. Ça ne sera pas long.

— Pourquoi ?

— Pour discuter de votre problème. J'ai une solution. Je l'ai avec moi.

— Parlez-m'en donc tout de suite.

— J'peux pas, madame.

— Pourquoi ? » Elle avait adopté un ton moins méprisant et où perçait plus de curiosité qu'elle ne l'aurait voulu.

— Parce qu'il y a des témoins. Je ne peux pas vous aider ici, en public. J'ai un travail à faire, mais je peux peut-être vous aider, en privé. Comprenez-vous ?

Elle se sentit hésiter, ce qu'elle ne voulait pas. Premier principe quand on abordait un employeur ou un flic sur un piquet de grève : ne jamais se laisser prendre à part, loin des regards. Pour que tous, y compris la presse, entendent leur réaction. Elle hésitait pourtant : cette grosse brute, qui n'était ni grosse ni, peut-être, stupide, la regardait sans acrimonie.

Et puis la presse n'était pas là.

— Bon, acquiesça-t-elle.

— Bien.

Ils marchèrent en silence et tournèrent au coin.

Son silence la rendit curieuse.

287

— Si vous avez décidé de me tuer, commença-t-elle, prévenez-moi, d'accord?

— Pourquoi? s'étonna-t-il.

— Je ne prie jamais beaucoup mais, en cas d'urgence, je me crois capable d'apprendre.

Il sourit et la regarda : elle aussi souriait.

Ils avaient atteint la ruelle qui passait derrière la maison de Carole, et dans laquelle il restait, bien qu'elle eût beaucoup fondu ces dernières semaines, une trentaine de centimètres de neige : le soleil n'y pénétrait en effet que rarement.

— Bon! » lâcha-t-il. Il tira de sa poche une clé qu'il lui tendit. « Elle ouvre le cadenas posé sur la porte de derrière. Passez par là. Si vous forcez, quelqu'un – ce ne sera pas moi, mais ça ne changera rien – en mettra une neuve, et ensuite ils condamneront aussi la porte de derrière. Pour l'instant, je crois que vous pouvez faire comme ça.

— Faire quoi? l'interrogea-t-elle.

— Entrer chez vous, mais sans que mes patrons le sachent.

— Merci, murmura-t-elle en acceptant la clé.

— Je suis désolé, reprit-il.

— J'imagine, en effet. Comment vous appelez-vous?`

— Roger Clement. Et vous?

— Carole. Vous disiez que vous avez joué dans l'équipe des Black-Hawks?

— Oui. Et avant, avec les Rangers. Pas longtemps.

— Deux équipes minables, observa-t-elle.

Il haussa les épaules et baissa un peu la tête.

— Bon, il faut que j'y aille.

— Ouais, je pense que vous avez d'autres maisons à boucler.

— Je ne sais pas. Peut-être... Vous savez, je pensais à une chose...

— Ah oui. A quoi? » Elle attendit. « A quoi?

— Je ne sais pas. Peut-être que ça vous dirait de sortir un soir. Hein? Je ne sais pas.

— Si vous ne savez pas, moi non plus.

— Oh, je vous posais la question. Je veux dire, on pourrait sortir.

— Si je dis non, est-ce que vous allez encore m'empêcher de rentrer chez moi?

— Non, je ne ferai plus jamais ça.

— Promis?

— Oui. Promis.

— Alors, d'accord, dit-elle.

— D'accord. » Il se risqua à la regarder en face. « D'accord pour quoi?

— D'accord, je veux bien sortir avec vous. Vous voulez dire aller prendre un verre ?

— Ah. Oui, ou bien... Ce genre de boulot m'a rapporté un peu de blé... Je me disais que... peut-être on pourrait aller dîner. Si vous voulez, ou voir un film, par exemple.

— Ça fait longtemps que je ne suis pas sortie dîner. Ça me fait tout drôle. D'accord. Bon sang, j'irai dîner avec vous.

— Formidable.

— Roger, vous avez une arme ?

— Oui, mais pas toujours sur moi.

— Quand on sortira, ne la prenez pas, d'accord ?

— D'accord.

En sortant avec lui, elle réalisa dans quelle solitude elle avait vécu jusqu'alors. En riant avec Roger, elle comprit qu'elle avait vécu sur une force morale entretenue au fond d'elle-même. Elle ne se reconnaissait plus, avec ce nouveau sourire dans son regard, ce rire soudain, un peu nerveux ; elle ne reconnaissait que sa farouche détermination à ne pas mourir. Désormais, elle était celle qu'elle avait toujours désiré être. Quand elle l'embrassa, elle mesura combien elle était usée : un autre mois sans lui, une semaine ou une heure peut-être, l'auraient épuisée à jamais. Quand il la serra dans ses bras, sous l'éclairage de la porte de derrière elle réalisa les dangers qu'elle encourait et faisait encourir à quiconque entrait dans sa vie. Seul pourrait l'aimer, s'il le voulait, un homme avec des poignets solides, un cœur courageux et peut-être même un pistolet à la ceinture, seul celui-là supporterait l'existence qu'elle menait.

Il était donc parfait.

Ses imperfections le rendaient parfait.

Lorsqu'elle le guida jusqu'à son lit, elle ne le laissa pas se relever. Il était stupéfait de la force de son désir. Elle lui dit ce qu'il devait faire et comment : il n'avait jamais rencontré une femme pareille et il obéit, suivant ses mouvements. Il s'épuisa le premier. Plus tard, elle lui permit de la serrer dans ses bras en dormant. Maintenant, elle reconnaissait qu'elle avait besoin de lui et qu'elle aimait cet homme. S'il nourrissait des idées qu'elle méprisait, elle continuerait à les mépriser, mais elle l'aimerait, lui, malgré tout. D'ailleurs elle n'avait pas le choix. Si Roger l'aimait lui aussi, elle serait libre et bénie des dieux. Si au contraire, il ne l'aimait pas – mais c'était inimaginable, elle ne se permettait même pas de l'envisager.

Roger l'aimait et le lui disait souvent. Quand elle le taquinait en lui faisant remarquer que les hommes racontaient n'importe quoi à leurs maîtresses, il frôlait l'apoplexie, ne supportant pas qu'elle pût douter de sa sincérité. Ce n'était encore qu'une taquinerie, une plaisanterie, quand elle lança :

— Alors, prouve-le.

— Comment ? demanda-t-il. Je suis prêt à escalader les montagnes, à apprendre à nager pour traverser les mers, à réparer ton toit, quoi d'autre... ?

— Qu'est-ce qu'il a, mon toit ?

— Ne change pas de sujet. Comment puis-je te le prouver ?

— En m'épousant, je pense.

Dans la seconde qui suivit, un genou posé à terre, il la demandait en mariage. Elle essaya alors de le dissuader, le chatouilla pour le faire rire, lui conseilla de rester sérieux, et lui reprocha d'être un gros crétin mais bien bâti – elle mit même ses mains sur ses hanches et frappa du pied en criant : « Roger ! », comme pour le ramener sur terre. Puisqu'il ne voulait rien entendre, elle céda et dit oui.

— Oui ? demanda-t-il.

— Oui, répéta-t-elle, très doucement, toute la détermination enfouie en elle refaisant surface.

Pourquoi pas ? C'était sa vie après tout.

Des problèmes se posèrent, qui ne ressemblaient en rien à ceux de la plupart des couples mariés. Un jour, par exemple, Roger avait conduit un bataillon de gorilles jusqu'à un piquet de grève dans l'intention de faciliter l'accès d'un car qui devait convoyer trente ouvrières jaunes. Les hommes, armés de battes de base-ball et de pinces coupantes, se précipitèrent hors de leurs voitures et découpèrent une ouverture dans la clôture de l'usine, loin des piquets de grève. Mais les grévistes, des femmes uniquement, les repérèrent et foncèrent dans leur direction. Les hommes abandonnèrent leur batte qu'ils n'utiliseraient certainement pas contre ce genre d'adversaires. Là-dessus, Roger s'aperçut que la femme qui tenait le porte-voix s'adressait directement à lui.

— Roger ! Fous le camp de cette clôture !

Les gorilles s'étonnèrent d'entendre leur chef se faire apostropher par son prénom ; ils regardèrent la femme puis Roger.

— Oh, oh ! s'exclama celui-là.

— Roger ! Fous le camp de cette clôture !

Il s'approcha d'elle et essaya de lui parler sans être entendu des autres.

— Carole, que fais-tu ici ?

— Et toi, que fais-tu ici ? répliqua Carole dans le porte-voix.

— Je viens briser cette grève, chuchota-t-il. Je fais entrer les jaunes...

— Il dit qu'il vient briser la grève !

— NON ! ripostèrent quatre-vingts femmes.

— Qu'est-ce que vous dites de ça ? demanda Carole à la foule.

— NON ! rugirent les femmes en refermant le cercle.

— Es-tu décidé à te servir de ces battes de base-ball contre des femmes ? lança-t-elle au briseur de grève. Dans ce cas, la première tête à matraquer sera la mienne, autant que tu le saches ! Tu vas faire passer ce car de jaunes sur nos corps ?

— C'est notre boulot ! lança un gorille en la défiant.

— Je serai la première à m'allonger sur la route ! cria Carole dans le porte-voix.

— Pas de problème ! riposta le gorille.

— C'est ma femme, lui expliqua Roger en se retournant vers lui.

— Quoi ? s'étonna l'autre. Puis il annonça aux autres : C'est sa femme.

La passe d'armes ne se prolongea pas. Roger se retourna pour emmener ses hommes qui, d'ailleurs, s'y attendaient. Après tout, impossible pour un mari de rosser son épouse en public, même s'il s'agissait de son travail.

— Oh ! appela Carole.

Roger se retourna.

Elle l'embrassa sur les lèvres puis, reprenant son porte-voix, elle ajouta :

— Rentre à la maison !

— RENTRE À LA MAISON ! RENTRE À LA MAISON ! RENTRE À LA MAISON ! reprirent en chœur les femmes.

Comme chassés par cette clameur, gorilles et jaunes repartirent. Les femmes tapèrent du poing sur les voitures et le car et saluèrent par des acclamations le cortège qui disparaissait sur la route. Belle victoire pour Carole, mais Roger, lui, dut donner quelques explications à ses patrons.

Le couple réfléchit à une autre profession pour Roger. Il essaya d'abord de travailler en usine, mais les ouvriers ne pensaient qu'à provoquer ce type aux poings réputés puissants. Il rentrait chez lui en sang et humilié. Personne n'attendait de l'ancien hockeyeur qu'il soulevât des sacs de ciment ou repérât les défauts sur une chaîne de montage, mais plutôt qu'il relevât des défis à la pause de midi, cassât les couilles au patron, ou accompagnât la bande au bistro après le travail ; après quoi – vous savez ce que c'est –, on lui demandait de passer à tabac tel type qui devait de l'argent à un autre pour un pari impayé, qu'il jurait n'avoir jamais tenu. Bref, on ne le laissait jamais tranquille et, parfois, assis le soir à la table de cuisine, Carole et lui en discutaient.

— Quand on me payait pour me servir de mes poings, il ne s'agissait jamais, pratiquement jamais, de frapper quelqu'un. Il suffisait que je me montre, à la limite que je fasse valser quelques tables et quelques chaises ou que je casse une fenêtre, que j'abîme le mobilier. Le pire...

— ... a été de verrouiller ma porte.

— C'est vrai. Mais, après ça, il y a eu ce type qui avait un train miniature, avec tout, les Rocheuses, tout le bazar... le petit facteur qui distribuait le courrier dans toute la ville, des camions de lait, des ponts, des rivières, tout un village, avec des petits chiens et des femmes en belle toilette, il avait vraiment tout. Le train tournait au milieu de tout ça, passait un moment dans un tunnel, c'était vraiment chouette, puis il sortait en sifflant. Toot toot! Bref, son train miniature, je l'ai démoli. Il aurait préféré, j'en suis sûr, que je lui casse la tête... En tout cas, après la condamnation de ta porte, c'est ma plus mauvaise action. Bon, un nez qui saigne de temps en temps, mais rien de terrible, tu vois? J'intimidais, voilà, pas plus. Je ne cognais que si on m'avait frappé.

— Oui, et alors? C'est fini, ce temps-là. » Ils discutaient à la lueur de la bougie et elle caressait lentement le dos de sa grosse main droite, une main capable, prétendaient ses amis, de renverser un camion.

— J'ai déjà flanqué une rossée à six types de mon usine... Regarde mes jointures complètement esquintées... Demain, deux durs viennent d'une usine qui se trouve à quatre blocs de là, pour tenter de me faire mon affaire...

Carole soupira. Il y avait vraiment un problème : la vie simple d'un honnête travailleur n'était pas son truc.

— Si tu perdais, suggéra-t-elle, peut-être que s'attaquer à toi n'intéresserait plus personne.

Il la regarda comme si elle avait perdu l'esprit.

— Quoi? lui demanda-t-elle.

— Tu ne comprends pas, lui expliqua-t-il. Perdre signifierait la mort, ou presque.

Elle réfléchit un moment et prit vraiment conscience de ce qu'était sa vie, elle comprit pourquoi il déprimait autant.

— Roger, tu veux dire que, quand tu te bats... » Elle n'osa pas poursuivre.

— En général, l'autre type se retrouve à l'hôpital. Parfois, je mets le gars K.O. d'un seul coup de poing : il tombe dans les pommes mais, au moins, il n'y a pas de sang.

S'il reprenait son métier de gorille, il retrouverait peut-être la vie paisible de ce temps-là.

— Je n'aime pas cogner, je n'aimais pas ça au hockey et je n'aime toujours pas.

— Je vais te dire une chose, déclara sa femme en posant doucement ses doigts sur son avant-bras musclé. Il vaut mieux que tu gagnes ta vie comme tu sais le faire. Il se présentera bien quelque chose de mieux un jour. Pour l'instant, je ne veux pas m'en mêler.

— Il faudra que tu me dises sur quel piquet de grève tu te trouves.

— Entendu.

Qu'il saccage des isoloirs et qu'il effraie les électeurs l'ennuyait.

— Etait-ce bien nécessaire ?

— C'est mon travail...

— Détruire la démocratie ? Barrer la route au peuple ? Empêcher les travailleuses et les travailleurs d'exercer leur droit de vote ? Roger, ce n'est pas bien.

— Mais ils ne votent pas comme il faut.

— Même si je préfère, lui expliquait-elle alors, que des voix aillent dans une certaine direction, j'admets que chacun a le droit de choisir. C'est le but même d'un vote : que le vainqueur soit désigné par tout le monde et non par une bande de gorilles.

Comme souvent, ils conclurent la discussion au lit.

Le 1er septembre 1939, Maurice Duplessis, complètement ivre, profitait, en compagnie d'une jeune femme du pool des secrétaires, du confort du château de Frontenac, à Québec. Il n'avait pas jugé utile, contrairement à ses collègues du monde entier, de prendre conseil auprès de ses assistants ; Hitler envahissait la Pologne, Duplessis se laissa aller aux caprices de sa libido.

Il resta ivre des jours durant, et s'abstint de tout commentaire public au sujet de la guerre. Une tactique qui lui était habituelle : les autres livraient les positions et il ne lui restait plus qu'à occuper les vides. Le Premier ministre du Canada, William Lyon Mackenzie King, était revenu sur ses anciens discours et avait déclaré que son pays se battrait aux côtés de la Grande-Bretagne. La Chambre des communes devant aborder le problème le 4 septembre, King se préparait déjà à invoquer la loi sur les mesures de guerre accordant au gouvernement des pouvoirs spéciaux ; la nouvelle enflammait bien sûr les passions dans tout le Québec.

Duplessis gardait son calme, il attendait et observait tout en s'adonnant à la boisson et à la débauche.

King parvint à invoquer sa chère loi de mesures de guerre ; les prémices de la législation avaient beau concerner la défense de la nation tout en aidant l'Europe contre l'agression allemande, les premières victimes furent québécoises : le Premier ministre du Québec et, par extension, le bruyant maire de Montréal, les véritables ennemis de King qu'il lui fallait éliminer pour mener à bien une campagne militaire. Jamais il ne rallierait le pays à la cause de la guerre si des adversaires très populaires s'alliaient contre lui. Les deux hommes menaient leur gouvernement à la faillite. Camillien Houde avait endetté sa ville de quarante millions de dollars et les banques refusaient toute nouvelle avance.

Pour trouver de l'argent, Duplessis aurait pu se tourner vers les Etats-Unis mais la loi sur les mesures de guerre de Mackenzie King interdisait désormais aux villes et aux provinces de contracter un emprunt sans l'aval du gouvernement fédéral ; Duplessis se retrouva à genoux.

Les coffres étaient fermés et l'émissaire envoyé à Ottawa pour emprunter directement au gouvernement fédéral revint bredouille.

L'opposition reprenait courage. Godbout, le moucheron libéral qui se présentait contre lui, déclara : « A chaque battement de votre cœur, Duplessis grossit votre dette de deux dollars ! » Autrefois, le Premier ministre aurait riposté à ces accusations en multipliant les dépenses pour attirer les électeurs : il aurait fait construire des routes, des ponts ou des ports ; dorénavant, cela ne lui était plus possible, et, dans un moment d'égarement, il décréta des élections pour octobre. Or, King avait instauré la censure, ce qui aggrava sa situation. Duplessis ne pouvait plus faire campagne à la radio sans avoir préalablement soumis son discours aux censeurs fédéraux, lesquels avaient spécialement affûté pour lui crayons rouges et ciseaux. Il refusa alors de s'exprimer à la radio et l'interdit aux membres de son parti, livrant ainsi les ondes à ses ennemis.

Cette campagne électorale, lancée avant le terme de son mandat pour s'assurer des soutiens contre le gouvernement fédéral, débuta de façon désastreuse et ne fit qu'empirer. Son premier discours, très peu clair quant à la diction et très vigoureux quant à l'éloquence, fut livré par le tribun parfaitement ivre, si bien qu'il fut impossible de savoir s'il se prononçait pour l'indépendance, pour ou contre la guerre, s'il les poussait dans les bras de Hitler ou s'il les incitait à l'insurrection. Résultat : le délitement de sa coalition et la consternation du comité des entreprises anglaises. Le cardinal Villeneuve avait récemment fait un voyage en France, on l'avait accueilli avec enthousiasme, comme un chef d'Etat, en insistant toutefois sur l'imminence du péril allemand. Il ne pouvait donc plus soutenir Duplessis, qui se trouva, ainsi, privé de l'appui de l'Eglise.

Les libéraux se battirent avec acharnement et s'emparèrent de positions que le Premier ministre aurait pu considérer comme son domaine naturel; ils refusèrent la conscription en déclarant qu'elle ne serait jamais votée et traînèrent Duplessis dans la boue. Donner sa voix au Premier ministre équivalait à soutenir Hitler et Staline. Constamment ivre, ridiculement sûr de son autorité, le Chef perdait peu à peu son ascendant sur ses complices, persuadés désormais qu'il les entraînait au désastre.

Aux élections avancées d'octobre, Duplessis fut battu à plate couture, et son régime basé sur le leurre, les scandales, l'intempérance et les cohortes de jolies femmes s'effondra.

Dans leur maison de Trois-Rivières, la sœur de Duplessis, peu familiarisée avec la défaite, sanglotait sans bruit.

— Ne pleure pas, la consola-t-il en s'asseyant auprès d'elle, je reviendrai et, cette fois, je resterai quinze ans au pouvoir ou jusqu'à ce que Dieu me rappelle à lui. Je te promets que plus jamais nous ne connaîtrons la défaite. A la radio, certains parlent à propos de mon gouvernement d'aberration, mais nous nous relèverons.

Il posa un baiser sur sa tempe et elle cessa de pleurer.

— Je reviendrai.

Les jours suivants, Duplessis resta chez lui; il buvait moins et reprenait des forces. Sur son bureau une coupure, en anglais, du magazine *Time*. Il la lisait d'un bout à l'autre tous les matins, avant le déjeuner, et tous les soirs, une fois la journée de travail terminée; ainsi, l'amertume que provoquait en lui chacune de ces lectures s'enracinait profondément en lui. Avant de se retirer pour la nuit, il s'imprégna une énième fois des conclusions de ce commentaire irritant et, en particulier, de l'insulte lancée par le journaliste au beau milieu de l'article, insulte qu'il ne supportait pas, qu'il effacerait et, surtout, dont il se servirait pour justifier son retour en scène :

« Pour avoir utilisé les théories racistes de Hitler, le système corporatiste de Mussolini et la technique des menaces de Huey Long, on l'a traité de fasciste. Hélas! les choses ont mal tourné pour ce bon vivant, pour monsieur Maurice Duplessis, avec ses joues roses et sa moustache à la Hitler. »

Plus jamais, se jura Duplessis, on ne parlera de mes « joues roses », plus jamais, j'en suis certain.

— Je reviendrai, promettait-il chaque jour à l'article du *Time*.

Carole et Roger furent brusquement tirés de leur sommeil.

Les policiers allèrent droit à la petite presse à manivelle cachée dans la chambre du fond, et découvrirent dans la corbeille à papier un exemplaire froissé d'un manifeste.

— Veuillez vous habiller et nous accompagner, madame.

— C'est moi qui les fais, pas elle, déclara Roger sans hésiter. » Il savait que, en vertu de la loi sur les mesures de guerre, on avait annulé quelques procès de criminels.

Un policier brandit le tract accusateur.

« On raconte là-dessus qu'une femme a été violée. C'est de la sédition. C'est vous qui avez tiré ça ?

C'était vrai : la manivelle fonctionnait mal et était difficile à tourner.

— Allez-y. Tournez donc pour voir.

L'homme essaya puis ordonna qu'on arrête Roger à la place de Carole. Elle le regarda s'éloigner. Cet homme, qui l'aimait, se sacrifiait ; dans le fond, elle savait que c'était la meilleure solution. Qu'aurait-elle fait dans une prison, sinon se recroqueviller sur elle-même et mourir ? Roger disposait, lui, des capacités pour survivre, et il lui reviendrait. Elle participait à la fabrication d'ailes d'avion. Peut-être ses efforts abrégeraient-ils la guerre. Chaque soir, elle regagnait seule sa petite maison, comme avant sa rencontre avec Roger, et, chaque soir, elle contemplait leur photo de mariage et murmurait : « Reviens. Sois courageux. Reviens-moi, Roger. » Chaque jour, elle vérifiait le courrier, espérant trouver quelques lignes qui auraient échappé aux censeurs.

Les lettres de Roger se terminaient invariablement par une déclaration d'amour et ces mots : « Je reviendrai. »

Ce fut le ministre de la Justice qui annonça la nouvelle. Il n'avait pas été aussi excité depuis qu'il avait annoncé la défaite de Duplessis. Paris était tombée, et certains, sur la colline du Parlement, s'en réjouissaient.

— Qu'y a-t-il ? demanda le Premier ministre.

— Houde ! s'exclama-t-il. Il s'est déclaré publiquement contre la conscription. Il a incité les Québecois à braver la loi !

— C'est de la sédition ?

— Absolument.

— Je veux sa tête.

— Monsieur, je ne sais pas...

— Oh, bon sang, c'est une métaphore. Arrêtez-le. Je veux qu'on l'interne.

— Le maire de Montréal ?

— Le maire de Montréal, confirma King.

— Comme ça ? demanda l'autre.

King réfléchit.

— Non, décida-t-il, son cerveau d'homme politique se mettant en marche. Pouvons-nous affirmer avec certitude qu'il a tenu ces propos ? Ou bien va-t-il prétendre qu'on les a déformés ?

Le ministre lui raconta que le journaliste qui avait surpris les remarques les avait rapportées par téléphone à son rédacteur en chef, Ludington, que King avait rencontré une fois. Ludington conseilla au reporter de rédiger les remarques telles qu'il les avait entendues puis de les soumettre à Houde pour signature.

— Et il a signé ?

— Apparemment avec un certain enthousiasme.

— Appelez Ludington, ordonna-t-il, et demandez-lui de faire supprimer l'article par les censeurs.

— Il est déjà imprimé.

— Peu importe, il ne peut plus écrire là-dessus. Quand il se plaindra, faites-lui valoir que si l'article avait été mentionné à la Chambre des communes, il aurait été libre d'écrire à ce propos puisque cela aurait fait partie du domaine public. Mais, dans les circonstances actuelles, libres à nous de le supprimer.

— Nous ne tenons pas Houde, observa le ministre de la Justice.

— Mais si, rétorqua King. Ecoutez-moi. Ludington va contacter l'opposition et persuadera ses membres d'ébruiter cette histoire au sein du Parlement. A ce moment-là, mon devoir me commandera d'arrêter Houde, pas pour le voir disparaître, mais forcé par l'opposition. Passez ce coup de téléphone, insista-t-il.

Roger Clement assista à l'arrivée de ce gros homme jovial au camp du Nouveau-Brunswick ; le sachant en route, il s'arrangea pour être parmi les premiers à l'accueillir.

— Mon cher maire, vous vous souvenez de moi ? Je matraquais pour vous.

Le maire le regarda de plus près.

— Roger, n'est-ce pas ? Roger Clement !

Fidèle à sa réputation, il n'oubliait jamais un nom ni un visage.

— Installez-vous dans ma cabane, nous l'avons rendue assez confortable.

297

— Bonne ambiance ?

— Nous distillons notre propre alcool.

— Alors, jeune homme, montrez-moi le chemin. Prenez mes bagages, voulez-vous ?

C'est ainsi que Camillien Houde, enfant pauvre devenu maire
d'une grande ville, fut le premier et le seul détenu du camp d'internement à profiter des services d'un valet de chambre.

— Vous verrez, lui disait-il en agitant un doigt boudiné, je reviendrai.

CHAPITRE 16

1958

T ROIS ANS après avoir été présentée aux anciens copains de
son défunt père dans la salle du Copacabana, Anik Clement,
onze ans, s'apprêtait à rendre une nouvelle visite à ce géant
illustre et sage, le plus flamboyant des anciens maires de Montréal.

Elle le faisait régulièrement.

Son père, de son vivant, avait tenu sa famille à l'écart de ses activités douteuses. Ils habitaient loin des boîtes de nuit et les gros parieurs
ne vivaient pas dans leur quartier. Après la mort de son mari, sa mère
n'avait entretenu aucun rapport avec les anciens camarades de celui-
ci ; les choses avaient changé quelque temps après, lors de l'enterrement d'un truand assassiné. Anik n'avait jamais compris ce brusque
changement de cap, mais elle ne regrettait pas non plus que, du jour
au lendemain, le paisible appartement de sa mère connût davantage
d'animation : on passait y régler des affaires, ou bien ouvrir des
canettes de bière et d'énormes paquets de chips en discutant. Anik
adorait les chips qui, en temps normal, n'étaient pas autorisées à la
maison. Les vendredis soir où elle n'avait rien à faire, sa mère passait
un coup de fil et, en deux temps trois mouvements, elle rameutait une
bande avec laquelle elle allait traîner pendant qu'un « baby-sitter », en
général mâchouillant un cure-dent, un revolver coincé dans la
ceinture, venait s'affaler sur le divan ; il regardait la télévision en noir
et blanc, achetée par une de ces nounous porte-flingue.

Il lui fallait faire l'éducation de ses « baby-sitters » : elle avait neuf ans quand l'un d'eux lui offrit une bière ; elle lui répondit alors qu'on ne proposait pas de bière à une jeune fille, qu'au contraire son *boulot* consistait à s'assurer qu'elle n'en buvait pas ; son *boulot* était aussi de veiller à ce qu'elle se couche à une heure convenable.

Il haussa les épaules et but une lampée de sa Carlsberg.

— C'est quoi, une « heure convenable » ? demanda-t-il au bout d'un moment.

— Ça dépend, répliqua-t-elle.

— De quoi ? (Maigre, le crâne chauve, une moustache en guidon de vélo bien gominée qu'il tortillait sans arrêt, il portait deux anneaux d'or à l'oreille gauche, ce qui, à l'époque, ne s'était encore jamais vu.)

— Du programme télévisé. *L'Île enchantée* commence bientôt. J'ai le droit de regarder ça, puis je ferai mes devoirs. Après ça, il faudrait que je lise un peu. Toutefois, s'il y a une bonne émission – j'adore les westerns –, je pourrais la regarder aussi pour te tenir compagnie. Je ne sais pas trop jusqu'à quelle heure... minuit ?

— Minuit, alors. Mais pas de bière !

En prime, quand il n'y avait pas classe et que sa mère était accaparée par des travaux de couture, Anik avait ses entrées dans un monde plus intéressant que celui de son quartier pauvre. Carole Clement avait précisé à tous que sa fille ne tremperait dans aucune affaire louche : les hommes lui rappelaient alors qu'Anik était la fille de Roger Clement.

— Vous croyez que je risquerais mon chemin vers le paradis – si j'ai la chance d'aller jusque-là – à m'escrimer et à m'user les coudes en suppliant le Sauveur de me donner la moitié d'une chance ici-bas, pour découvrir que j'aurais des comptes à rendre à Roger pour avoir fait du mal à sa fille ? Ma petite dame, vous êtes dingue !

Assez rapidement, elle n'hésita plus à leur confier Anik. Les hommes étaient ravis de protéger la petite orpheline, de s'occuper d'un enfant supplémentaire au nom de celui qui s'était fait descendre. En dehors de ses baby-sitters, Anik pouvait compter sur une demi-douzaine des copains de son père pour veiller scrupuleusement sur elle et, parmi ceux-là, aucun ne la surveillait de plus près que l'ancien maire.

Tout en se dirigeant vers son domicile, elle jouait avec son yo-yo ; elle travaillait ses figures, songeant qu'un nouveau modèle de pro l'aiderait à les améliorer, mais elle ne voulait pas jeter l'ancien de peur que ça lui porte malheur. En trottinant gaiement, elle effectua une « Promenade de toutou » et une « Berceuse pour bébé », des figures qui ne lui demandaient pas une trop grande concentration.

Anik avait poussé : elle était grande pour une fille de son âge, et aussi efflanquée qu'un garçon. Coiffée « à la garçonne », mais un chouia plus long parce qu'elle adorait la coiffure d'Elvis Presley, elle avait, comme lui, la nuque en queue-de-canard. Sa mère ne voulait pas qu'elle les porte plus courts mais lui autorisait toutefois cette coupe. Certains des hommes la traitaient de garçon manqué en riant, parce qu'ils adoraient cette idée. « Onze ans, c'est l'âge parfait », disait le vieux maire. Elle n'en savait rien. Elle avait de grands yeux bruns, un petit nez criblé de taches de rousseur, et était la première fille du quartier à porter un jean et un blouson assorti, que sa mère lui avait cousu. Pour rendre visite à l'ex-maire, elle avait enfilé un chemisier bleu clair sans manches, son corsage le plus féminin. « L'an prochain à cette époque, lui avait-il déclaré, on enverra une limousine te chercher, avec des gardes armés pour te protéger des garçons. »

Sans savoir exactement pourquoi, il lui semblait que le vieux maire ne verrait jamais la prochaine année.

Il l'adorait.

Elle éprouvait beaucoup d'affection pour lui. Il lui manquerait.

Ce colosse passait son temps à la faire rire ! Pour son anniversaire et pour Noël, il lui offrait des cadeaux merveilleux ; elle en avait perdu l'habitude depuis la mort de son papa. A Pâques, il préparait des « chasses aux œufs ». Elle fouillait toute la maison et trouvait les œufs en chocolat cachés sous les meubles, les recueillait et les disposait dans une grande coupe. Pendant tout ce temps, le vieux maire bedonnant se servait, déballant les chocolats et les dévorant presque aussi vite qu'elle les trouvait : elle devait donc aller plus vite, toujours plus vite, en courant partout, et c'était seulement quand elle avait rempli la coupe qu'il avouait :

— Ma foi, je crois que tu en as trouvé plus que je ne peux en manger ! Tu m'as battu à plate couture !

Elle rentrait alors chez elle, transportant tant bien que mal l'énorme coupe débordant d'œufs de Pâques.

Mais, par-dessus tout, elle aimait les moments où le vieux maire lui parlait de son papa. S'il disait : « Il m'arrivait de sortir pour le regarder jouer sur la piste », Anik comprenait qu'il s'agissait de la piste du camp d'internement – sa mère le lui avait expliqué –, même si le vieux Houde évitait cet épisode. Tout était énorme chez lui, son nez, son menton, la façon dont ses joues se gonflaient quand il souriait, élargissant encore plus son visage, et sa voix, impressionnante, capable d'emplir une pièce même quand il parlait doucement. Cette grosse voix donnait plus de substance à ce qu'il disait ; surtout quand cela concernait le père d'Anik. « Quelle injustice de le limiter au rôle du bagarreur au hockey : il était meilleur que les autres ! Dans la Ligue...

301

bon ! il n'était peut-être pas une vedette... C'était un costaud, pas un as du patinage ni un tireur au but, mais sur la rivière, quand il jouait au milieu des prés... (Son débit prenait une ampleur telle qu'il ne pouvait contourner un détail sans créer un vide immense.) Au cours de ces parties sur la rivière, il réussissait à tracer des cercles autour de tout le monde... et à marquer quelques buts aussi ! Je pariais d'ailleurs toujours sur son équipe et moi, je ne fais jamais de pari stupide ! »

Le vieux maire était mourant, lui avait révélé sa mère. Pour le revoir, il ne fallait pas qu'elle tarde.

Pourtant, Anik avait, à maintes reprises, repoussé cette visite : la mort lui faisait peur.

Elle supportait difficilement celle de son père. Elle regrettait sa présence dans la maison, le martèlement de ses grosses chaussures sur le plancher qui faisaient trembler la vieille maison ; il lui donnait un sentiment de sécurité qu'elle n'avait jamais retrouvé depuis. Elle aurait voulu qu'il la bordât dans son lit le soir, regrettait jusqu'à ses cha-touillis, dont elle se souvenait très bien. Qu'un jour, elle ne fût plus capable de s'en souvenir la tracassait beaucoup. Qu'elle pût l'oublier. Mais jamais elle n'oublierait, elle en était certaine, la manière dont il était mort, un poignard planté dans le corps. Comme son père avait dû se sentir seul en se vidant de son sang dans un parc au pied du poète écossais ! Il avait certainement pensé à elle, mais cette idée ne faisait qu'accroître sa tristesse.

Elle aimait particulièrement ces séances pendant lesquelles son vieil ami lui racontait des histoires désopilantes. Mais s'il disparaissait, il se tairait pour toujours, emportant plus loin encore le souvenir de son père.

Elle appréciait aussi les histoires que le vieux Houde racontait sur lui-même : au cours d'un dîner avec le roi et la reine d'Angleterre, il avait fait rire le roi ! Les invités l'avaient remarqué et s'étaient deman-dé ce que le maire de Montréal avait bien pu dire pour dérider Sa Majesté à ce point.

— Cela se passait bien avant la guerre, avait confié Camillien Houde à la fillette, le roi, assis à côté de moi, me demanda : « Monsieur le Maire, que lisez-vous ? » En effet, je lisais sans cesse, même à table. Je lui répondis : « Votre Majesté », c'est ainsi qu'on s'adresse à un roi, tu sais, « Votre Majesté, j'essaie d'apprendre par cœur cette liste très importante, à laquelle mes conseillers ont travaillé une journée et demie. Elle recense tous les points dont je ne suis pas autorisé à vous parler. » Puis j'ai ajouté : « Tenez, Votre Majesté, prenez donc cette liste. Si j'aborde un sujet qui y figure, rappelez-moi de me taire. » Je lui ai alors tendu ma liste, et figure-toi que le roi s'est mis à rire à gorge déployée... Cette liste l'enchantait! Et tu sais quoi?

— Quoi donc? s'étonnait toujours Anik, bien qu'elle eût souvent entendu l'histoire et qu'elle connût la réponse.

— Tout le reste de la soirée, nous n'avons parlé que de cela! De cette fameuse liste! Le roi George a tout simplement parcouru ma liste des sujets interdits. Un par un!

Anik connaissait donc un homme qui avait dîné avec un roi, ce qui lui conférait à elle aussi, lui semblait-il, un peu de cette particularité. Son père ne l'appelait-il pas sa « princesse », à moins que ce ne fût le vieux maire? Elle oubliait déjà.

En approchant de la maison de la rue Saint-Hubert, dans le quartier est de la colline qu'on appelait « le Plateau », elle remarqua un regain d'activité : il y avait beaucoup de remue-ménage autour de la maison de Camillien Houde, et c'était une des raisons pour lesquelles elle aimait y venir. C'était comme vivre au centre du monde, là où se prenaient toutes les décisions, mais, ce jour-là, le nombre de voitures et le silence des hommes en trench-coat coiffés de feutre l'inquiétèrent. Elle ralentit le pas, exécuta la « Promenade de toutou », mais faillit laisser échapper le yo-yo; elle dut rembobiner le cordon pour défaire un nœud.

Anik se rapprochait de la maison, mais si lentement que le meilleur ami de sa mère, le père François, la rattrapa facilement; il passa un bras autour de ses épaules et lui fit signe d'avancer.

— Tu n'as pas à t'inquiéter. Il n'arrivera rien de mal aujourd'hui, dit-il, ayant deviné ce qui la préoccupait.

— Pourquoi courez-vous? demanda Anik en sautillant sur quelques pas pour rester à sa hauteur. (Pour un homme de sa corpulence, et peu sportif de surcroît, le prêtre marchait vite.)

— Courir? Je marche simplement d'un bon pas. » Balançant les bras, il continua à grandes enjambées. Ce jour-là, à cause de sa soutane noire, il ressemblait à un prêtre. Elle ne l'avait pas souvent vu la porter dans la rue.

— Alors, pourquoi marchez-vous d'un bon pas?

— C'est mon affaire, jeune personne! Je ne te le dirai pas!

— Alors, marchez tout seul! bougonna-t-elle en ralentissant délibérément.

— J'essaie de perdre du poids. Ou, dirons-nous de restreindre celui que je prends. Voilà! Tu es satisfaite, maintenant?

Elle avait encore une question délicate à poser avant de remonter à sa hauteur.

— Que font tous ces gens?

— Ce sont des journalistes. Ils sont toujours là, répondit le père François, en reprenant son allure soutenue. Comment arrivent-ils à rester minces dans ces conditions, ça me dépasse! Ce sont des vautours, Anik! Ils attendent qu'il meure pour ronger ses os! C'est peut-être pour ça qu'ils sont si maigres... A cause de leur minable régime de vautour!

Il jeta un coup d'œil par-dessus son épaule. La fillette paraissait le prendre au sérieux, alors il changea brusquement de ton, ralentit le pas et la prit par l'épaule.

— Ils veulent être les premiers à faire son éloge. Quand un personnage de cette stature meurt, tout le monde veut clamer ses mérites. Pendant un moment, on oublie le mal et on ne parle que du bien.

— Même vous? demanda Anik.

Le père François lui lança un bref regard. Cette question était celle d'un adulte.

— Même moi, reconnut-il. On ne dit pas de mal des morts... au cas où quelqu'un là-haut écouterait pendant qu'on décide du sort du défunt. Une fois qu'il a trouvé sa place dans l'autre monde, c'est différent, ce que nous disons n'a plus d'importance. C'est une logique comme une autre, Anik, ça vaut ce que ça vaut, mais je crois à ce genre de superstition. Je ne suis que trop humain... Viens, entrons.

Avant, elle voulut savoir.

— Est-ce qu'il est malade aujourd'hui? Il va mourir?» Elle lui serra le poignet pour l'empêcher d'entrer tout de suite. Toute cette presse rassemblée – au coin de la rue, une équipe de télévision avait installé son matériel – la rendait nerveuse.

— C'est un homme épuisé, la rassura-t-il doucement, car il avait perçu la détresse dans sa voix, mais il ne devrait rien arriver de terrible aujourd'hui. La fin viendra bientôt, aux dires du médecin. Prépare-toi à cela. Il le faut. Je lui ai parlé au téléphone, il a bon moral, il est lui-même. Quand il te verra, il sera tel que tu le connais! Pour un homme dans son état, tout ce qui peut lui remonter le moral est une bonne chose.

Elle fit encore quelques pas avec lui avant de demander :

— C'est l'effet que je lui fais? Je lui remonte le moral?» Elle se demandait parfois pourquoi un homme qui avait dîné avec un roi perdait son temps avec elle.

Le père François hésita. Les jeunes grandissaient parfois plus vite qu'il n'en avait conscience.

— Nous entrons ensemble, n'est-ce pas?

Camillien Houde accueillit Anik et le prêtre avec bonheur. Une horde de vieilles femmes rôdaient dans les parages, quelques-unes en

304

prière, les autres pépiant à qui mieux mieux. Elles avaient la ferme intention d'assister à la mort du maire ; or, de toute évidence, celui-là détestait leur présence et leur air grave.

— Mesdames ! Mesdames ! cria-t-il. Vous le voyez, mon directeur de conscience vient d'arriver ! Laissez-nous maintenant. Un mourant doit prendre le temps de recevoir son directeur de conscience.

Les femmes quittèrent les lieux en faisant bruisser leurs atours. D'un petit geste du menton, Houde demanda à Anik de rester.

— Ah ! soupira Camillien Houde quand ils furent seuls, quel est votre conseil du jour, cher directeur de conscience ?

— Whisky ! suggéra le père François en tirant une flasque des plis de sa soutane.

— Oh ! mon bon ami Jack Daniels me rend visite ! (Le vieux maire arracha la capsule et se servit une bonne rasade.) Ah ! soupira-t-il avec une satisfaction théâtrale. Ça fait du bien !

Des coups discrets frappés à la porte attirèrent leur attention. Anik alla ouvrir, tandis que le vieux maire cachait sa bouteille sous la couette. Une des petites vieilles mises à la porte avait quelque chose à ajouter :

— Nous nous sommes aperçues, après notre départ, que cette jeune personne... marmonna-t-elle sans terminer sa phrase.

— Elle reste, déclara Houde. S'il en avait eu la force, il lui aurait passé un savon pour s'être mêlée de ce qui ne la regardait pas. Il se contenta de raconter n'importe quoi pour se débarrasser d'elle. « Elle fait une sorte d'apprentissage avant d'entrer au couvent. Ecouter les conseils d'un prêtre à un mourant participe à sa formation.

La petite femme aux cheveux gris hocha la tête. Elle observait la fillette au yo-yo, en jean, et qui ne lui faisait pas du tout penser à une novice. Elle répondit au vieux maire :

— Vous avez l'air mieux, monsieur le maire. Vos joues ont retrouvé leurs couleurs !

— N'oubliez pas quand votre jour viendra, lâcha le vieux Houde, en agitant vers elle son index gauche, de garder du temps pour votre directeur de conscience !

Le père François traversa la pièce et, souriant, referma la porte sur la visiteuse.

— Que me veulent-elles ? Viennent-elles pour boire mon sang ? Si je ferme les yeux, elles le signalent et se signent ! Si je les rouvre, elles remercient Dieu, comme si elles assistaient à un miracle... Mon père, si un cœur défaillant et un mauvais sang ne me tuent pas, la vue de ces vieilles biques le fera !

— Nous portons tous une croix, observa le père François.

305

— C'est bien vrai, mon père. Maintenant, où est passée cette flasque ?

— Dans votre main droite.

L'homme politique vieillissant, un peu fou, et le jeune prêtre aux idées arrêtées formaient un couple étrange. De taille à peu près comparable, l'aîné était cependant légèrement plus grand et nettement plus corpulent. Son cadet aurait peut-être un jour la même allure de bon vivant, mais certainement pas la stature qui lui permettrait de s'imposer devant une assemblée avec le panache du vieil homme. On s'épanouissait aux côtés de l'ancien maire. Ce qui semblait bizarre aux yeux des autres dans ce couple, c'était leurs divergences sur le plan politique. Le maire s'était taillé sa réputation en lançant, en 1929, en pleine crise, de vastes projets inutiles, piscines, bains et viaducs, qui poussèrent la ville à la faillite mais permirent aux ouvriers de gagner de quoi vivre ; ce n'était cependant pas un homme de gauche. Il avait maudit les communistes chaque fois que se moquer d'eux pouvait lui attirer une voix. Son soutien à Mussolini et au régime de Vichy témoignait d'un penchant pour l'extrême droite, qui semblait incompatible avec le choix d'un prêtre socialiste pour l'assister dans ses derniers jours. Le père François partageait ces réserves.

— Pourquoi moi ? avait-il alors demandé. (Ils s'étaient rencontrés grâce à Carole Clement, mais fortuitement.)

— Quand leur fin approche, certaines personnes se mettent en quête d'un prêtre qui leur convienne, expliqua Houde.

— En quoi est-ce que je vous conviens ?

— Certaines personnes, vous savez, ne fréquentent guère les prêtres...

— C'est vrai. Il restait sceptique, car derrière l'image publique de Houde – la seule qu'il en avait – il soupçonnait un tempérament machiavélique ainsi que de secrètes manipulations dans chacune de ses décisions.

— Mais ce n'est pas mon cas, mon père. Je connais de nombreux ecclésiastiques. Je suis un homme connu, j'ai dîné avec des rois ! Anik vous le confirmera. C'est elle que j'ai chargée de me trouver un prêtre.

Le père François était de plus en plus déconcerté.

— Elle n'aurait pas orchestré cela ?

— Elle vous le confirmera aussi. Vous n'êtes peut-être pas d'accord, mais, à ma façon, mon père, je suis un homme religieux. J'ai besoin d'un prêtre. Je connais des évêques, de grands vicaires, des hommes politiques, un tas de gens... Comment confier mon ultime examen de conscience à l'un de ceux-là, auxquels je me suis heurté tout au long de ma carrière? Certes, nous avons partagé de bons moments, des rigolades même, et, très exceptionnellement, nous sommes tombés d'accord sur un point, mais combien de fois nous sommes-nous durement affrontés! Ils seraient capables de garder mes secrets, mais l'étincelle dans leur regard, cette lueur de supériorité qui imprégneraient mes derniers instants au moment où j'avouerai mes folies – sans parler de la confession de mes péchés –, cette atmosphère ne diffuserait pas la chaude lumière du paradis. Ah! mon père, cela me tuerait avant que mon cœur ne s'arrête! D'ailleurs...

— D'ailleurs? » En son for intérieur, il reconnaissait la justesse des propos de son interlocuteur. A l'instar de la plupart des adversaires politiques du vieux maire, il était sous le charme, mais pas vraiment dupe.

— Nous en avons vu, vous et moi, dans notre vie, n'est-ce pas, mon père?

— C'est bien vrai.

— Et nous savons, tous deux, ce que l'autre a vu.

— C'est vrai, reconnut le père François en se demandant qui confessait l'autre.

Le vieux maire laissa cette confirmation flotter un instant entre eux, puis reprit dans un murmure, obligeant le prêtre à se pencher pour entendre :

— Auquel de vos coreligionnaires demander de me verser une goutte? Lequel serait capable d'ouvrir une flasque au chevet d'un mourant? Eh bien! tous refuseraient, pour assouvir leur rancune – je suis navré de vous le dire, mais les évêques sont rancuniers, autant que moi! –, de me glisser en cachette une bouteille à la barbe de mon infirmière, une vraie virago qui appartient à l'Association pour la tempérance!

Houde le regardait droit dans les yeux pour bien lui faire comprendre que, sur ce point, il n'accepterait aucun compromis.

— Je vois, opina le père François.

— Tant mieux. Alors, nous sommes d'accord? Tout ce que je demande, mon père, c'est que, lorsque mon heure sera venue, vous ne soyez pas jeté en prison pour une histoire de syndicat!

— Si cela arrivait, monsieur, je suis certain que vous disposez des relations pour m'en faire sortir.

Le vieux maire éclata de rire, certain d'avoir fait le bon choix.

Le père François aurait pu décliner l'invitation ou suggérer une autre solution, mais ce mourant constituait une obligation pour lui en tant que prêtre, et refuser en insinuant que ce rapace qui sollicitait son aide pensait trop à droite ou ne s'était guère encombré de principes moraux lui paraissait inconvenant, pour ne pas dire contraire à la charité chrétienne. S'il tenait vraiment à se dérober à son devoir, il lui faudrait alors faire un accroc à ses principes, car, en secret, le père François s'intéressait aux aveux du mourant, au-delà du secret qu'ils partageaient déjà. D'ailleurs, il savait d'où il venait ; lui aussi devrait soulager sa conscience, mais pas devant n'importe lequel de ses pairs. Aussi, plutôt que d'avouer une telle faiblesse, il veillerait à satisfaire les besoins spirituels de cet homme aux portes de la mort.

— Comment va la jeune princesse de Montréal ? interrogea Houde d'une voix faiblissante.

Anik s'avança vers le grand lit en cuivre où reposait le vieux maire sous une somptueuse couverture en patchwork bleu azur et turquoise, bordée d'un galon orange. Elle sourit timidement, ravie de s'entendre décerner ce titre dont il avait l'habitude d'user avec elle.

— Je vais bien, lança-t-elle.

— Tu n'en as pas l'air, estima Houde. Tu sembles aussi malheureuse qu'un petit chiot abandonné sous la pluie. C'est peut-être ce qu'il te faudrait, un chiot...

La fillette haussa les épaules, s'assit au pied du lit, comme elle le faisait si souvent, et se balança un peu en jouant avec son yo-yo.

— Tu as appris de nouvelles figures ?

Nouveau haussement d'épaules.

— Elle a été troublée par les journalistes qui se bousculent devant votre porte, expliqua le père François à Houde.

— Qu'ont-ils dit ? (L'espace d'un instant, Anik retrouva l'ardeur du maire, sa volonté de prendre sa défense.)

— C'est leur présence, tout simplement, qui a dérangé Anik.

Le regard du vieux maire passa de la fillette au prêtre puis revint se poser sur elle. Un large sourire se dessina lentement sur son visage et il lui fit un clin d'œil.

— Approche, murmura-t-il.

Quand Anik se fut assise tout près de lui, il se redressa en puisant dans ses dernières réserves d'énergie, et l'attira vers lui pour la serrer dans ses bras.

— Maintenant, écoute bien, fit-il en posant ses mains sur les épaules étroites. Je le leur donnerai, à ces journalistes, leur sujet d'article, seulement le vieux nounours est mauvais, aussi, et il les fera lanterner. Avant que je leur donne ce qu'ils recherchent, ils auront largement le temps de connaître la déception, la fatigue et l'exaspération ; ils se feront, et plus d'une fois, tremper par la pluie ou brûler par le soleil ! Avant que j'en aie fini, certains regretteront que ma place et la leur ne soient pas interchangeables ! Alors n'oublie pas ceci, Anik, mon chou :

308

les gentils comme nous ne vivent pas au rythme du monde ; les gens comme toi et moi, le monde peut les attendre ! Comprends-tu ? Que le monde se rasseye et reste bien tranquille jusqu'à ce que je sois prêt. Ces individus auront ce qu'ils sont venus chercher, mais pas une seconde trop tôt !

Anik hocha la tête en souriant, puis il essaya de la chatouiller et elle se mit à rire ; pourtant, elle sentait qu'il était faible et qu'elle aurait pu lui échapper facilement.

*

Les relents âcres de la rue – chaleur poisseuse, caoutchouc brûlé des coupés sport, parfums des promeneuses arrogantes déambulant au bras de leur soupirant – envahissaient l'habitacle de la voiture et ses narines. Il remarqua leur trottinement nonchalant, le miroitement de leurs jarrets gainés de Nylon, la coupe capricieuse de leur robe claire. Les fenêtres ouvertes lui apportaient le timbre aigu des fous rires auxquels il regrettait de ne pouvoir faire chorus ; il aurait aimé participer à ces jeux, aux séductions qu'offrait la nuit. Au contraire, la mission dont il était chargé l'obligeait à oublier les plaisirs de cette tiède soirée de septembre.

Cela faisait un moment qu'il ne s'était pas octroyé une promenade dans les quartiers chic. Ces temps derniers, ses distractions l'avaient entraîné dans des brasseries ou à des réunions syndicales, dans les modestes appartements de ses amis. Plutôt que de distractions, il s'agissait en fait de longues discussions pleines d'animation et l'élaboration de stratégies minutieuses pour des actes politiques où des grèves remplaçaient pour l'instant le badinage. Pendant ces journées agitées, Pierre Elliot Trudeau s'appropriait volontiers le vœu chinois : « Puissiez-vous vivre à une époque intéressante. » Il voulait se plonger totalement dans le monde présent, de tout son corps, de tout son esprit, et, comme il éprouvait, au fond, un penchant pour la religion, de toute son âme.

Trouver une situation intéressante soulevait bien des difficultés. Son diplôme de droit obtenu à Harvard ne l'avançait pas à grand-chose, estimaient certains, s'il s'agissait de se consacrer aux conflits sociaux et d'écrire dans un journal dont, il fallait bien le reconnaître, l'influence était insignifiante. Après tout, on laissait à des étudiants le soin de rédiger la chronique politique dans les publications qui démarraient ; ce n'était pas l'affaire de ceux qui, avec un minimum d'efforts, pourraient facilement diriger un cabinet d'avocats ou obtenir une chaire de professeur. Mais la direction d'un cabinet juridique n'aurait pas satisfait son appétit de vivre, ni même son goût de la discussion, et c'était une erreur de penser qu'il décrocherait facilement un poste de professeur au Québec. Trois fois, il avait posé sa candidature à un poste à l'université de Montréal, et trois fois, sa demande avait été rejetée. Le Premier ministre de la Province, Maurice Duplessis, avait bloqué chacune de ses tentatives, soit en intervenant auprès du recteur, soit en glissant un mot au doyen, soit encore en passant un coup de fil au secrétaire général. Le Premier ministre considérait en effet que ses études s'étaient déroulées dans un environnement communiste – à Paris et à Londres –, et ne l'estimait donc pas fait pour un tel poste.

Dans les années 1950, ne régnait nulle part au Québec la liberté de Paris ou de Londres.

Que faire? Il était riche, intelligent et avait du succès auprès des femmes. Pour l'instant, il suivait ses amis Pelletier et Marchand dans un combat contre le régime de Duplessis : puisque ce dernier ne manquait pas une occasion de lui barrer la route, autant lui assener quelques coups de son côté. Il luttait contre les sociétés américaines qui payaient leurs ouvriers plus mal qu'ailleurs. Il ferraillait avec la droite et s'attaquait à des sociétés solides à coups d'idées et d'arguments logiques. On ne pouvait pas appeler cela un travail, cela ne payait pas, mais du moins cela stimulait-il son intérêt pour l'idéologie et l'action. Le choix de ses armes – la logique et la confrontation intellectuelle – le rendait redoutable alors qu'il n'en était qu'à l'affûtage de ses talents.

Ce soir-là, en revanche, pas question de discussion ou d'accord.

L'objectif n'était qu'une simple transaction. A ses yeux, la plus stupide que l'on pût imaginer...

Une affaire peu reluisante, résolument illogique, hors de son domaine habituel.

Et pourtant *excitante*. Il devait en convenir.

Je viens en émissaire de l'Eglise catholique. Cette idée le fit soudain rire. Ce n'était pas la vérité, il ne s'agissait que d'un raisonnement. *Je suis l'émissaire d'un prêtre marginal.* Plus proche de la vérité et tout aussi divertissant. Un dominicain! Pour lui, jésuite intégriste, cela représentait une alliance improbable. *Je ne résiste pas à l'aventure.*

Il avait saisi un murmure dans une conversation, une rumeur venue d'aussi loin que la lueur d'une galaxie et transmise de bouche à oreille, ce qui anéantissait tout espoir d'en vérifier la source et la véracité. Bref, il se chuchotait un peu partout : *La Dague de Cartier est à vendre.*

Mais comment prendre contact avec les détenteurs de cet objet s'ils ne souhaitaient pas sortir de l'anonymat? Deux meurtres avaient été commis la nuit du vol, l'un perpétué avec le poignard lui-même, l'autre pour le dérober. Quiconque mettrait ce trésor aux enchères serait aussitôt suspecté de ces crimes et non d'un banal recel de biens volés. Les éventuels acheteurs étaient eux aussi contraints d'agir secrètement car, la possession du poignard serait considérée comme un crime. Pierre Elliot Trudeau en avait discuté avec le père François, le prêtre marxiste avec qui il s'était lié d'amitié à *Cité libre* et qui, ayant eu vent de l'histoire du poignard, en avait parlé à ce fils de riche. Apparemment, il avait voulu mesurer, et peut-être piquer, son intérêt en lui proposant un plan curieux.

— Pierre, finit-il par murmurer devant un verre de cognac, achetez vous-même la Dague de Cartier.

— Achetez-le vous-même.

— Ne soyez pas ridicule, vous êtes le seul, à ma connaissance, à avoir les moyens de le faire.

— Vous rêvez, mon père ! Je n'ai pas des millions à jeter par les fenêtres !

— Si on ne le vend pas à un honnête Québécois comme vous, où ira-t-il ? A Londres ? A Paris ? Le Louvre n'exposerait pas l'arme d'un crime. En Californie, peut-être, ou chez un pétrolier de Dallas ? Dans ce cas, le Québec perdra à tout jamais les joyaux de son héritage. Ce serait un peu comme si l'Egypte expédiait l'une des pyramides à New York, ou si on reconstruisait le Taj Mahal dans le Missouri...

— Pas tout à fait, protesta Trudeau.

— Pierre, si vous acquérez le poignard – pas officiellement, bien sûr –, le jour viendra, peut-être dans un proche avenir, où vous le restituerez au peuple, non ? On pourrait en profiter dans un musée ou l'exposer dans une vitrine à Notre-Dame. Tiens, voilà une idée !

— Ne me faites pas croire, ironisa Trudeau, que vous venez juste d'y penser...

— C'est déjà assez triste que le poignard croupisse à la Sun Life ou à la Ligue nationale de hockey ! poursuivit le prêtre sans tenir compte des propos de son ami. Au moins, il resterait à l'intérieur de nos frontières. Pierre, il appartient à notre peuple dans son ensemble, et non pas à des malfaiteurs, et jamais, en tout cas, à l'Ordre de Jacques Cartier ! S'ils viennent à le vendre, le peuple québécois doit l'acheter, mais il ne peut l'acquérir que par un geste secret et philanthrope. C'est là que vous intervenez.

— Mais comment ? l'interrogea Trudeau, ébranlé par une telle ardeur.

— Vous êtes malin, moi je ne suis pas aussi brillant ; de plus, je suis prêtre, ce qui m'interdit ce genre de transaction. Alors que vous, vous

311

ne travaillez même pas. Cela passerait pour une « folie de riche ». Pourquoi pas ? Faites-le, Pierre. Trouvez une idée.

— Vous êtes drôle !

Ce défi séduisait pourtant Trudeau, et l'ardeur du prêtre l'aiguillonnait. L'idée d'accomplir un geste extraordinaire aux yeux des Québécois, mais qui resterait secret des décennies durant le stimulait. Quant aux problèmes posés par la morale, aussi évidents pour l'un que pour l'autre, ils ne s'en encombraient pas. Que le poignard fût entre les mains de meurtriers et de voleurs – ou, comme certains le croyaient, accaparé par des néofascistes, l'Ordre de Jacques Cartier – n'avait rien de très moral. Le père François gardait en réserve une autre raison – stupéfiante – d'acquérir l'arme du crime :

— On prétend, poursuivit-il, que le poignard serait doté de propriétés cachées. Tous ceux qui l'ont possédé ont traversé des aventures inouïes. Imaginez, Pierre, qu'un homme de votre trempe soit en possession du poignard de Jacques Cartier... Quelle redoutable puissance créerait ce rapprochement !

— Vous souhaitez me voir puissant ?

— L'Eglise est capable d'assurer la garde de la Dague dont, peut-être, vous lui feriez don. Et si elle possède des propriétés d'ordre spirituel, peut-être l'Œuvre de Dieu en tirera-t-elle profit...

De la magie maintenant ! Encore un argument, certes en contradiction avec sa logique et la foi de l'Eglise. Mais décidément ce poignard exerçait dans le parfum enchanteur de cette nuit une séduction certaine.

— Vous invoquez des raisons spirituelles quand cela vous arrange, mon père ! rétorqua Trudeau à son ami. Je l'ai déjà remarqué.

— Moi aussi, Pierre, j'ai noté une chose : la marque de votre éducation chez les Jésuites. Vous avez beau reléguer la religion dans votre poche revolver, elle ne vous quitte pas et elle continue de compter pour vous.

Dans quelle mesure ? Il avait suivi l'itinéraire de Des Groseilliers et de Radisson, et ce dernier avait porté le poignard. Durant les longues heures passées à pagayer sous le soleil brûlant, dans la paix profonde des magnifiques fleuves du Nord, il s'était senti imprégné de l'esprit de ces hommes. L'Histoire avait mal traité Radisson, qui avait travaillé pour les Anglais, les Français, les Américains, bref avec quiconque servait ses intérêts. Le poignard lui était fréquemment passé entre les mains. Tous ceux qui, de son temps et après lui, l'avaient eu en leur possession avaient prospéré. Sauf le trappeur et le guerrier indien qui l'avaient cédé si facilement.

Cette histoire avait marqué Pierre Elliot Trudeau, et l'idée de posséder la Dague de Cartier, de la tenir entre ses mains ainsi que Radisson l'avait fait jadis le taraudait. Si jamais il la trouvait, il ne la laisserait pas lui échapper.

Il conçut un plan qu'il soumit au prêtre.

— Vous avez entendu dire dans une réunion où il y avait quelques voix mais aussi de nombreuses oreilles que quelqu'un la mettait en vente ?

— Oui, bien sûr. Mais, je vous le répète, Pierre, cette personne avait elle-même recueilli cette rumeur de la bouche de quelqu'un d'autre.

— C'est là-dessus que nous allons jouer. Tous ceux qui ont colporté cette rumeur la tiennent de quelqu'un d'autre. Personne n'en parle ouvertement, on se borne à laisser tomber des confidences dans quelques oreilles sûres... Comme personne ne connaît l'origine de ce bruit, personne ne craindra de refaire passer un message en sens inverse.

— Peut-être, reconnut le prêtre.

Ils s'étaient installés au calme dans la bibliothèque ; la maison paternelle de Trudeau constituait en effet un endroit rêvé pour tenir une conversation tout en dégustant un bon cru. Dès l'enfance, grâce à la soudaine fortune de son père, le jeune Pierre avait maintes fois eu l'occasion d'écouter les esprits les plus brillants de sa ville natale discuter guerre et politique, contrat social et avenir de la nation ; véritables années de formation, durant lesquelles il avait baigné dans les débats passionnés que soulevait l'analyse des grands thèmes abordés, et animés, souvent, par l'alcool. Mais la bibliothèque, et ses rayonnages en acajou couvrant les murs jusqu'au plafond, était réservée depuis toujours à la réflexion paisible. Trudeau y retrouvait rarement son père, sinon pour aborder des problèmes graves. Il avait quinze ans lors de sa disparition brutale et avait ressenti une douleur dont il ne s'était jamais remis.

Trudeau se pencha vers son interlocuteur.

— Retrouvez la personne qui vous a parlé de cette vente du poignard au marché noir, et allez la voir. Dites-lui que vous avez répété l'histoire à un ami, qui lui-même l'a racontée à l'un de ses amis, et ainsi de suite, Dieu sait combien de fois. Dites-lui aussi que la personne en bout de chaîne, un inconnu, aimerait faire une offre – à un bon prix – pour la Dague de Cartier.

— Un « bon prix », mais encore ?

— Inférieur à sa valeur réelle, j'imagine. Posséder cette relique est dangereux et le marché limité. Si on la vend, c'est soit pour s'en débarrasser afin de sauver sa peau, soit parce qu'on est à court d'argent, ce qui contribue aussi à diminuer sa valeur.

Formé par les Dominicains, le prêtre acquiesça. S'il était incapable

313

de garder un travail régulier, son ami Trudeau faisait tout de même preuve d'astuce.

— Continuez...

— Dites à la personne qui vous a parlé de faire exactement comme vous, c'est-à-dire de s'adresser à celui qui lui a raconté l'histoire. Qu'il fasse passer le message : un acheteur s'est manifesté.

— Et que chacun remonte ainsi la chaîne en transmettant le message ?

— Exactement. Personne ne saura où elle aboutit, ni où elle prend son origine. Si la chance est de notre côté, quelqu'un chuchotera à l'oreille de l'actuel détenteur du poignard ou de celui qui a lancé la rumeur, lequel se contentera de hocher la tête et de promettre de transmettre le message...

Cette stratégie semblait plausible, surtout si les maillons de la chaîne n'étaient pas trop nombreux. Restait toutefois un obstacle.

— Comment l'actuel détenteur du poignard, en admettant qu'on le retrouve, communiquera-t-il avec l'autre extrémité de la chaîne ?

— De la même manière, expliqua Trudeau.

— Combien seront-ils à relier ainsi l'acheteur et le vendeur ? Cinq, vingt, quarante...

— Autrement dit, un véritable moulin à rumeurs. Mais la communication reste possible. Quand arrivera le moment de relier l'entrée et la sortie du moulin à rumeurs... si nous en arrivons là, et Dieu sait quand, nous trouverons une solution.

Le capitaine Armand Touton préférait rendre visite à Carole Clement chez elle, même si sa présence risquait de compromettre son rôle d'informatrice. La retrouver en dehors s'avérait difficile, car elle passait beaucoup de temps devant sa machine à coudre et de plus, si on les repérait quelque part, ils auraient encore plus de mal à expliquer ce rendez-vous. En allant chez elle, il pouvait prétendre qu'il souhaitait la tenir informée des progrès de l'enquête sur le meurtre de son mari. Hélas ! il n'avait en réalité rien à lui rapporter. Aucun résultat tangible en trois ans d'enquête.

— Vous devenez trop proche de ces individus, fit-il remarquer.

Elle trimait derrière sa machine, ses lèvres serrées sur les épingles qui lui servaient à bâtir un revers de pantalon.

— Vous trouvez ? s'étonna-t-elle sans ouvrir la bouche.

— Vous passez beaucoup de temps avec eux. Anik aussi. Vous êtes amis maintenant.

— C'était l'idée, non ? riposta Carole en retirant les épingles de sa bouche. Je me rapproche d'eux, ils apprennent à me faire confiance.

— Vous êtes trop proche et cela me tracasse. Tant de confiance, ça vous avance à quoi? Vous ne m'avez donné aucun renseignement intéressant ces derniers temps. N'oubliez pas que l'on continue à vous payer.

— Je ne fais pas ça pour l'argent, répondit-elle sans lever la tête, le regard fixé sur son ouvrage.

— Peut-être, mais vous empochez l'argent et j'attends toujours des résultats.

— Capitaine, libre à vous de vous mettre votre fric au cul! Si vous avez besoin d'un coup de main, prévenez-moi. Peut-être que vos résultats seront à la hauteur.

— Inutile d'être vulgaire, répliqua-t-il en se redressant.

— Qui est vulgaire?

Cela le fit réfléchir.

— Je suis désolé si je vous ai offensée, mais vous comprenez ce que je veux dire...

— Vraiment? (Sa machine ronronna et elle termina une jambe de pantalon. Elle brandit la pièce pour l'inspecter rapidement, la lança d'un côté et ramassa par terre la suivante.)

— Avez-vous appris quelque chose?

De nouveau des épingles entre les lèvres, elle attendit d'avoir les mains libres pour les retirer et parler.

— Des hypothèses, marmonna-t-elle, puis elle remit les épingles dans sa bouche.

Touton était sincèrement préoccupé. Il la surveillait et savait à quel point elle s'était liée avec tous ces truands. Des policiers appartenant à d'autres services et qui ignoraient tout de leurs rapports l'avaient cataloguée comme souris d'un gangster.

— Allez-y.

— Supposons que j'aie eu vent d'un projet de cambriolage dans une banque, fit-elle d'une voix à peine intelligible. Cette fois, quand elle retira les épingles qu'elle tenait entre les dents, elle les posa sur la table. « Que se passerait-il?

— Je m'attendrais à ce que vous m'en informiez.

— Et moi, je m'attendrais à ce que, au cas où la police interviendrait, elle parle d'un coup de chance et non du tuyau d'un indic.

— Vous avez un tuyau?

— Plusieurs. Quelques cambriolages ont déjà eu lieu, mais je ne vous en ai pas parlé.

Touton se frotta nerveusement les mains puis les posa sur ses cuisses.

— Et pourquoi?

— Eh! c'est élémentaire! Si tout ce que j'entends finit par être intercepté par les flics, je perds ma crédibilité! Rappelez-vous, je fais ça pour qu'on attrape les meurtriers de mon mari.

— Mais celui-là, vous souhaitez m'en parler.

— Oui.

— Pourquoi?

— Pour vous faire plaisir. Je ne fais pas ça pour l'argent, mais... je ne refuse pas les petits bénefs. Ça m'aide. Donc je vais être sympa, je vais vous donner quelque chose, Armand.

Touton acquiesça. Parmi les indics, Carole Clement occupait une position unique. En bons termes avec les malfrats, elle s'en rapprochait de plus en plus et ils lui faisaient assez confiance pour parler devant elle sans retenue, mais elle ne faisait pas partie du groupe. Par conséquent, on ne pouvait ni l'intimider ni l'emprisonner. A vrai dire, elle avait plus de pouvoir que lui sur elle, situation dont il n'avait pas l'habitude.

— Très bien, je vous écoute.

— Ça va vous plaire, lâcha-t-elle en plantant ses épingles dans une jambe de pantalon. Cela se passera pendant que vous serez de service. Pour la Patrouille de nuit.

— Ceux qui sont impliqués sont-ils ceux qui servent de baby-sitters à votre fille?

— A dire vrai... soupira-t-elle en s'interrompant pour donner un tour de machine,... non.

— C'est ce qui m'inquiète.

— Vous avez raison, capitaine. Tout à fait raison. Je laisse circuler les types dont je suis le plus proche, et, si vous les collez en taule, je n'aurai plus de contacts avec les truands, n'est-ce pas? Mais vous ne l'envisagez pas. Ce qui vous préoccupe, c'est que je sois prête à dénoncer ceux que je n'aime pas plutôt que ceux avec qui je m'entends bien. Trouvez-vous que ce soit mal? Eh bien, capitaine, c'est à prendre ou à laisser, vous voyez ce que je veux dire?

Elle avait raison sur un point. Sur plusieurs, en fait. Elle ne pouvait pas se permettre de faire coffrer des hommes qui l'avaient accueillie dans le milieu; elle ne présenterait plus aucun intérêt.

— Alors je prends, confirma Touton.

Elle lui donna des détails sur la banque, un grand établissement du centre, ainsi que sur la date et la méthode utilisée. Cela se passerait en dehors des heures de travail, car les voleurs comptaient percer un mur du sous-sol en passant par l'immeuble voisin durant le week-end. Pour réduire les manœuvres de la police, il était prévu de déclencher trois fausses alarmes dans le quartier juste avant l'opération.

— Réagissez à ces alarmes, Armand, sinon ils comprendront qu'on vous a renseigné, et simulez un pur coup de chance quand vous tomberez sur les voleurs, sortant de l'immeuble d'à côté, les poches pleines.

— Ne vous inquiétez pas. Merci, Carole.

— Je ne suis pas inquiète.

— Je vais m'occuper de tout.

— On verra. Maintenant, si vous me foutiez la paix, que je puisse vraiment travailler ?

Les deux complices mirent leur projet à exécution. Le prêtre rencontra autour d'un verre un homme d'affaires avec lequel il devait discuter de problèmes ecclésiastiques ; au milieu de la conversation, il lui fit part du lourd et étrange souci qui le préoccupait.

— Il est impossible d'évaluer le nombre de personnes impliquées, annonça-t-il sans vergogne, alors qu'il savait pertinemment son ami Trudeau et lui dans la confidence. Pas mal, selon moi. Mais comme c'est vous qui m'avez raconté l'histoire, c'est à vous que je demande maintenant de prendre contact avec celui qui vous en a parlé la première fois. Sans mentionner mon nom, bien sûr : personne ne doit connaître, ni en amont ni en aval, l'identité du chaînon suivant. De même, demandez-lui de ne pas vous nommer. Nous verrons alors ce qui se passera.

Il partit en murmurant une prière à son intention et en implorant le divin pardon pour sa supercherie.

Un petit groupe, des hommes riches pour la plupart, fut ravi d'être contacté. Bientôt, dans les clubs, il ne fut plus question que de la nouvelle ; ceux que l'on n'avait pas pressentis, ou pas encore, regrettaient de ne pas avoir ce privilège. La nouvelle parvint à Pierre Elliot Trudeau lui-même grâce à un ami, qui avait été contacté non pas une mais deux fois.

— Comment se fait-il ? s'étonna Trudeau.

— On m'a parlé de cette histoire à deux reprises, à deux semaines d'écart, et il s'agissait de deux personnes différentes. J'en ai alors parlé à deux autres collègues et voilà qu'aujourd'hui, les deux sont revenus vers moi. La rumeur circule donc. Mais, vous, vous ne faites pas partie de la chaîne ?

— Malheureusement non », répondit Trudeau. Depuis le début de cette aventure, il avait débité tant de mensonges qu'il ne voyait aucune raison de cesser maintenant.

Cette affaire prenait une couleur un peu snob, et cela l'inquiétait : cela risquait de tout gâcher.

— Trop de gens en parlent, dit-il au prêtre.

Enfin, lui parvint le message suivant : *Faisons affaire. Combien ?*

Il répondit aussitôt, en se prétendant seulement un intermédiaire : *Tous ceux qui appartiennent à la chaîne doivent respecter la discipline et cesser d'aborder ce sujet en public.*

Le message fut transmis plus discrètement.

Puis se posa la question difficile : *Et maintenant, que fait-on ?*

Bonne question. Chacun se demandait comment les extrémités de la chaîne réussiraient à se rencontrer sans que chaque maillon en fût informé et sans que les plus curieux – très certainement tous – eussent découvert le moyen d'écouter les échanges. Le prêtre évidemment s'interrogeait lui aussi et, quand le message lui revint, il demanda à son acolyte :

— Et maintenant alors ?

— J'ai un moyen, le rassura Trudeau.

Par les voies habituelles, il envoya un message énigmatique : *Choisissez un intermédiaire connu ou inconnu de vous.*

La personne qui prétendait être à l'autre extrémité fit répondre qu'il avait arrêté son choix : son intermédiaire serait l'ancien chef de la Brigade des stups de la police de Montréal, titre impressionnant pour qui ignorait qu'à l'époque son détenteur servait de bouc émissaire : on lui demandait de se comporter un jour comme un chevalier défenseur de la morale et plus tard on l'accusait de corruption : ainsi, le chef de la police et le maire échappaient aux soupçons.

— Croyez-vous que l'autre partie le connaît ?

— Evidemment, car qui se risquerait à désigner une tierce partie impartiale ?

L'idée était tout à la fois simple et risquée : les deux extrémités de la chaîne humaine contacteraient cet intermédiaire, Réal Guevremont, et assurerait la liaison entre eux, sans savoir nécessairement à qui il s'adressait. Trudeau l'appela d'une cabine téléphonique qui portait le nom imposant près de son domicile et lui demanda de l'appeler : « Le Noir » ; son interlocuteur répliqua aussitôt en choisissant le pseudonyme « Le Blanc ».

La partie d'échecs s'engageait.

Au terme du jeu, Pierre Elliot Trudeau, au volant de sa voiture, s'apprêtait à rencontrer un représentant du Blanc. Son ami, Gérard Pelletier, attendait dans un café qu'un émissaire de cette équipe passe le chercher. Quant à Pierre, il conduirait l'homme du Blanc à l'endroit où était caché l'argent. Dans le même temps, Gérard serait mené à la cache de la Dague de Cartier. Après un échange de coups de fil et vérification du paiement, le poignard changerait de main. On ramènerait Gérard à son café, ce qui déclencherait le retrait de l'argent de son coffre ; ainsi serait conclue la transaction. Chacune des parties avait donc un endroit sous sa responsabilité. Voilà le plan sur lequel les protagonistes s'étaient mis d'accord mais auquel Trudeau comptait apporter une légère variante. Si tout se déroulait comme prévu, la Dague de Cartier connaîtrait bientôt un autre propriétaire.

Le Blanc avait donné rendez-vous à son mandataire au Ritz ; Trudeau gara devant la porte la Jaguar cabriolet qu'il avait empruntée à l'une de ses anciennes maîtresses, un modèle assez remarquable pour qu'on ne confondît pas son arrivée avec celle de n'importe quel visiteur. L'émissaire du Blanc était censé y prendre place aussitôt, mais personne ne se présenta. Trudeau descendit de voiture pour échanger avec le concierge un billet de dix dollars ; il regagna alors le coupé – qui ne dérangeait plus le concierge – et attendit. Quelqu'un sortit enfin de l'hôtel en hochant la tête et, quand le portier lui eut ouvert la portière de la Jag, il se baissa et s'assit.

— Pourquoi ce retard ? l'interrogea Trudeau. Vous étiez censé attendre, pas moi.

— J'ai été surpris de trouver quelqu'un que je connais.

Trudeau, qui s'engageait dans le flot de la circulation, freina brusquement.

— Nous nous connaissons ?

— Vous êtes Trudeau ! Cette saleté de syndicaliste !

— Et vous, qui êtes-vous ?

— Vous n'avez pas besoin de le savoir !

On klaxonnait, mais Trudeau ne bougeait pas.

— Dorénavant, si !

— Allons, roulez, je vous expliquerai !

Trudeau passa la première et repartit à contrecœur. Il fonça sur la voie de gauche puis, coupant les files, s'engagea sur la rue Peel, à flanc de colline.

— Je vous écoute, lâcha-t-il alors.

— Je vous ai vu à la télé, dans les journaux, et une fois en personne. Nous étions dans des camps opposés.

— Lors d'une grève ?

— Je ne me rappelle plus laquelle, j'en ai fait pas mal.

— Moi aussi.

C'était un grand gaillard, obligé de se recroqueviller dans cet espace restreint. L'air d'une brute, mais bien vêtu, son cou de taureau dans un col trop serré. Le visage bouffi, comme enflé, les cheveux taillés en brosse, des cicatrices autour des yeux et une oreille déformée indiquaient qu'il avait pratiqué la boxe dans sa jeunesse. En cas de bagarre, Trudeau, mince mais athlétique, et qui avait souvent joué du poing en son temps, serait ridiculisé. Cela ne l'étonnait pas : Le Noir devait déployer une grande finesse pour mener à bien cette transaction ; le camp adverse comptait, lui, sur la force.

— Alors, j'ai appelé, lâcha l'homme.

— Qui avez-vous appelé ? De quoi parlez-vous ?

— Quand je vous ai vu arriver, j'ai prévenu mon patron. Je lui ai dit que je vous connaissais et je lui ai donné votre nom. Il m'a répondu d'attendre une seconde, puis il a repris l'appareil et m'a confié que cela ne le surprenait pas.

— Pourquoi donc ?

— Un syndicaliste... Où voulez-vous que les syndicalistes trouvent de l'argent ?

— Je comprends. Je ne suis pas un syndicaliste ordinaire.

— C'est ce qu'a dit mon patron. Vous avez du fric. C'est votre paternel qui l'a gagné. Vous êtes aussi un *intellectuel*.

Il avait prononcé ce dernier mot avec un mépris indiscutable.

— C'est vrai. « Je pense, donc je suis. »

— Hein ?

— Pour l'instant, je pense que l'affaire tombe à l'eau. Ce n'est pas bon que vous m'ayez reconnu. Je savais que je prenais ce risque, mais... ça ne me plaît pas.

Il avait tourné avant d'arriver en haut de la côte et se dirigeait vers l'est. Plus loin, il prit vers le nord et traversa la colline en suivant l'avenue du Parc.

— Bah, ça n'a pas d'importance ! On vous connaît, et alors ? Vous planquez le poignard, et personne ne pourra rien prouver, vous voyez ce que je veux dire...

— Cela ne me plaît pas, répéta Trudeau. Je n'aime pas que des rumeurs courent...

— Le syndicat a des idées romanesques, m'a dit mon patron. C'est pour cela que vous vous voulez la Dague de Cartier.

— Dites-moi qui est votre patron, dites-moi qui vend le poignard.

— Pas question !

— Pourquoi pas ? Vous savez qui je suis. Ça serait normal !

— Je n'en ai pas l'autorisation.

— Vous n'avez pas... Très bien. Passez un coup de fil et obtenez cette autorisation. Pendant que vous y serez, demandez-leur d'envoyer quelqu'un d'autre, quelqu'un capable de pisser sans permission.

— Dites donc... ce n'est pas le chemin !

Une fois sur la colline, Trudeau avait accéléré pour voir de quoi était capable la voiture.

Son passager avait une main calée au plafond et l'autre cramponnée à la poignée de la portière pour ne pas glisser sur la banquette tandis que le conducteur zigzaguait d'une file à l'autre pour lui faire peur.

— Allons, ralentissez, fit-il d'un ton penaud.

— Pour qui travaillez-vous ?

— Je n'ai pas le droit de...

— Vous n'avez pas l'autorisation, vous n'avez pas le droit... Vous n'êtes pas bon à grand-chose, n'est-ce pas ? Qui détient le poignard ? Dites-le-moi !

— Seigneur ! ralentissez !

Trudeau ralentit puis s'arrêta à un feu rouge.

— Dites-moi pour qui vous travaillez. Vous savez qui je suis, je dois savoir pour qui vous travaillez.

— Pas question !

— Alors, dites-moi votre nom.

— Plutôt crever !

Jeune homme, Trudeau avait beaucoup voyagé : d'abord en canoë sur les traces de Radisson et de Des Groseilliers. Au début de la Seconde Guerre mondiale, il contournait le Gaspé quand on avait signalé des sous-marins allemands dans les eaux du Québec ; cela lui avait valu d'être harcelé par la police, qui le prenait pour un espion. Après la guerre, il suivit les cours de la London School of Economics ; en 1948, il rentra chez lui en faisant le tour du monde : d'Angleterre, il partit vers l'est en stop ou en train, sans billet. Il se trouvait en Europe de l'Est au moment où le Rideau de fer s'abaissa, et il dut traverser la Pologne, la Tchécoslovaquie, la Hongrie et la Yougoslavie en se débrouillant, franchissant les frontières avec des faux papiers et ayant affaire, tous les jours, à des hommes armés, vêtus ou non d'un uniforme.

De la Turquie, il gagna la Jordanie. Le 14 mai, Israël proclamait son indépendance et des soldats palestiniens patrouillaient sur les routes. Sans se démonter, il passa d'Amman à Jéricho et, dans les faubourgs de Jérusalem, il fut pris dans une fusillade. Voyageant la plupart du temps en compagnie d'un prêtre, il se trouva à Beyrouth avec un ecclésiastique qui lui recommanda un dominicain vivant à Jérusalem. Il revenait de lui rendre visite quand il fut arrêté par des soldats arabes, qui lui reprochaient d'avoir enfreint le couvre-feu, et qui, surtout, le soupçonnaient d'être un espion israélien. Il fut emprisonné dans la tour Antonine, là où Ponce Pilate avait interrogé l'homme qu'on appelait le Christ.

Le dominicain le fit relâcher, mais il ne resta pas libre longtemps.

Les soldats, toujours persuadés que c'était un espion, le reconduisirent en Transjordanie, en lui montrant les fossés où ils auraient bien aimé l'abandonner après l'avoir criblé de balles. Trudeau avait compris qu'il devait afficher de l'assurance et ne pas montrer sa peur. Une fois à Amman, il fit négocier sa libération par l'ambassade britannique et, sa liberté recouvrée, reprit sa progression vers l'est.

Il traversa le désert irakien d'al-Hajar en train et débarqua à Ur, la ville d'Abraham. Il erra seul au milieu des ruines en ramassant des tuiles couvertes d'inscriptions sumériennes datées de l'époque du grand patriarche, trésors dont il ne se séparerait jamais. La journée était fraîche, le soleil bas sur l'horizon. Il se rendit à la ziggourat de Nanna, la mieux conservée de tous ces temples antiques, et commença à l'escalader. Les ziggourats avaient été construites pour abriter les dieux et seuls les grands prêtres des cultes dominants y avaient accès ; il lui semblait grimper vers les cieux.

Il se souvint du rêve d'Abraham : les lumières des anges se déplaçant sur un édifice comparable à celui-là, le patriarche assis sur son oreiller de pierre et sa vision aussi distincte que les étoiles du désert.

Arrivé au sommet, il contempla le panorama et ressentit l'enchantement du temps, du monde ancien se perpétuant jusqu'à cet instant. Il remarqua soudain qu'il n'était pas seul. Deux bandits du désert, ayant aperçu le touriste, grimpaient vers lui en ahanant.

S'approchant, ils précisèrent aussitôt ce qui les intéressait en utilisant un mot anglais qui leur était familier.

— Ar... gent ! déclarèrent-ils, le premier désignant la montre de Trudeau.

Pierre n'attendit pas qu'ils reprissent leur souffle et bondit vers celui qui, plié en deux, semblait le plus éprouvé par l'ascension pour s'emparer de son couteau.

— Donne ! Tout ! ordonnèrent-ils, peu impressionnés.

Trudeau tenait l'arme et leur fit comprendre, par des gestes et ses quelques mots de vocabulaire, qu'il valait mieux descendre de la ziggourat pour négocier sur le sable du désert.

Les bandits obéirent et Trudeau les fit passer devant lui ; ainsi il les dominait et il profita de son avantage.

— Remontez donc me voler, connards ! les provoqua-t-il en brandissant le couteau.

Et, campé au sommet de l'antique temple, il déploya dès cet instant toutes les ressources de sa rouerie pour leur tenir tête. Il commença par leur réciter de très longs extraits de son anthologie poétique personnelle, d'abord les poèmes de Cocteau invectivant l'Antiquité, ensuite tout ce qui lui passa par la tête ; il bava et gesticula tant et si bien que ses adversaires ne tardèrent pas à conclure qu'ils avaient eu la malencontreuse idée de s'en prendre à un jeune homme à l'esprit dérangé et certainement capable de bien des vilenies ; de plus le couteau lançait des éclairs menaçants dans la lumière du soleil couchant et les enfants du désert, ne demandant pas leur reste, battirent en retraite et dévalèrent sans lui les flancs de la ziggourat.

Ainsi c'était une marotte idiote qui ce jour-là l'avait sauvé, et cela lui donna une idée : la Jag, dans un crissement de pneus, fit demi-tour au milieu de l'avenue du Parc et repartit à toute allure dans la direction opposée.

— Qu'est-ce que vous faites ! s'écria le passager au moment où la Jag abordait des virages serrés à une vitesse vertigineuse.

— L'affaire est annulée ! Vous en portez la responsabilité !

— Vous êtes cinglé !

— Je n'en ai rien à foutre ! Yahhoooo !

Devant eux, se profilaient les rainures bétonnées séparant l'avenue du Parc en autant de files qu'il y avait de directions. En général, les véhicules ralentissaient pour négocier ce passage délicat, lui, au contraire, accéléra.

— Attention ! Ralentissez ! Je vais vous le dire !

Trudeau écrasa la pédale de freins, les projetant vers l'avant, puis donna un coup de volant : ils roulaient vers le nord dans le flot de la circulation qui se dirigeait vers le sud et déferlait sur eux. Il accéléra une nouvelle fois.

— Merde !

— Vous êtes prêt à parler ? Ne vous avisez pas de mentir !

— Je ne mentirai pas !

Alors que la moindre erreur pouvait être fatale, Pierre, pour réintégrer la file des voitures roulant vers le nord, franchit une rainure de béton, presque sous les roues d'un camion transportant de la bière et roulant lui aussi trop vite.

— Seigneur !

— Quel est le problème ? demanda calmement Trudeau.

— Quoi ?

— Vous semblez nerveux.

— Allez vous faire voir !

— Alors ? Pour qui travaillez-vous ?

— Ralentissez, d'abord ! Je vais vous le dire...

— Tout de suite !

— De Bernonville !

Trudeau retrouva une vitesse quasi normale.

Trois pâtés de maisons plus loin, un feu rouge les stoppa.

323

— Vous le connaissez ? grommela alors le passager.

— Ce nazi ! ricana Trudeau.

— C'est bien un jugement de syndicaliste !

— Il est en ville ?

— Dans les parages.

— Il a besoin d'argent ?

— Comme tout le monde, de nos jours !

— Vous-même, vous le connaissez ?

— Je lui ai dit bonjour une fois. Depuis hier soir, dit-on, il serait désespéré.

— Hier soir ?

— Vous n'écoutez pas les nouvelles ?

Trudeau les avait écoutées. La veille au soir, le cambriolage d'une banque avait été interrompu par des policiers éméchés, en congé et passant là par hasard. Les voleurs s'étaient introduits par le sous-sol et avaient fait sauter le mur de la chambre forte. Ils avaient été arrêtés au moment où ils sortaient de l'immeuble mitoyen ; un des flics avait en effet reconnu un homme qu'il avait fait emprisonner autrefois et avait réalisé en même temps que c'était une soirée de week-end et que, par conséquent, les bureaux étaient fermés. Par-dessus le marché, raconta un policier à un journaliste, chaque homme portait un manteau sur l'avant-bras, mais le dernier en avait un sur chaque bras. Il avait piqué un pardessus supplémentaire dans le bureau du directeur pour dissimuler ses sacs de billets.

— D'accord, soupira Trudeau. » Quand le feu passa au vert, il repartit de l'allure tranquille d'un conducteur du dimanche. « Finissons-en.

Peu habitué à des machinations de ce niveau, Pierre Elliot Trudeau compensait son manque d'expérience non seulement par de folles bouffonneries, mais aussi en suivant un plan qu'il avait élaboré en ne laissant aucun détail de côté. Même son compagnon fut impressionné quand il s'arrêta près d'un parc d'attractions de l'autre côté de la ville. Parc Belmont avait autrefois appartenu à son père, aujourd'hui décédé, et la famille en possédait encore une part non négligeable. Il tira de sa poche un trousseau de clés et ouvrit une entrée latérale.

— On entre là ?

— Pourquoi pas ? Vous n'avez pas envie de vous amuser un peu ? » Les hurlements des enfants sur les montagnes russes et les cris poussés par les passagers de la grande roue retentissaient dans l'air du soir. « Quel est votre nom ? s'enquit une nouvelle fois Trudeau.

— Pas question que je vous le dise ! rétorqua l'autre en le regardant, comme pour bien lui faire comprendre qu'il n'était pas aussi bête qu'il en avait l'air.

324

— Il faut bien que je puisse vous nommer. Mais, pour connaître votre identité, il me suffira de regarder les photos des anciens boxeurs détenteurs du Gold Glove. Je saurai ainsi qui vous êtes.

— Je m'appelle Barry, avoua l'homme, coincé.

— Pas très français...

— Ma mère était anglaise.

— Alors, Barry, nous avons quelque chose en commun.

Ils avancèrent jusqu'à une sorte de bunker où les accueillit un gardien qui, de toute évidence, somnolait, la tête appuyée sur un bureau, le derrière confortablement calé dans un fauteuil pivotant. Il s'empressa de se lever, en prenant un air aussi éveillé que possible. Il donna du « Monsieur » à Pierre Elliot Trudeau.

— Henri, nous allons au coffre, lui annonça Trudeau.

Le gardien, sanglé dans son uniforme bleu marine et blanc, un pistolet dans son baudrier, les précéda.

Trudeau composa la combinaison, fit pivoter la lourde porte, tourna un commutateur et fit passer Barry devant lui. La chambre forte était dorénavant un placard destiné à conserver des papiers importants, des contrats, des baux – l'argent allait ailleurs, maintenant, mais en cas d'urgence, l'endroit pouvait servir à une transaction clandestine. Une fois à l'intérieur, il expliqua au garde comment refermer la porte.

— Ne tournez que la petite manette, lui ordonna ensuite Trudeau.

— Pour quoi faire ? interrogea Barry.

— Pour fermer la porte, bien sûr ! Elle ne pourra pas s'ouvrir de l'intérieur ; le gardien devra donc intervenir.

— Attendez un peu ! Comment saura-t-il qu'il doit nous ouvrir ?

— Par le téléphone, j'ai son numéro. Et voici le combiné, ajouta Trudeau en désignant un point derrière le dos de Barry. Autrefois, les employés étaient enfermés ici pour compter les reçus ; ainsi les voleurs n'entraient pas et les employés ne ressortaient pas les poches ou le soutien-gorge bourrés de billets.

Barry jeta un coup d'œil nerveux autour de lui, trahissant une certaine claustrophobie.

— Je n'ai pas envie d'étouffer ici ! Il y a une aération ? Comment respire-t-on ?

— On peut tenir une vingtaine de minutes, Barry, en fait peut-être moins parce que vous êtes grand. En tout cas, il y a de la lumière. Ne perdons pas de temps. Voulez-vous que je vous montre l'argent ?

Il avait trouvé chez un prêteur sur gages une valise de mauvaise qualité avec de petits fermoirs métalliques. Les billets qu'elle contenait formaient des liasses crissantes ; de grosses coupures pour que cela ne pèse pas trop lourd. Barry émit un petit sifflement en découvrant tant de billets de mille dollars...

— Un million cinq. A prendre ou à laisser.

— C'est ce qui était convenu, je les prends.

Trudeau referma le couvercle puis les fermoirs.

— D'abord, on attend. Il me faut la Dague de Cartier avant que vous n'emportiez ça.

— Je vais téléphoner, lâcha Barry en haussant ses lourdes épaules. C'est ce qui est convenu, pas vrai ? Je leur dirai que nous avons l'argent.

— Ce ne sera pas nécessaire. Les arrangements ont été modifiés.

— Je n'ai rien modifié du tout ! » Dans cette atmosphère confinée, la réaction de Barry était considérablement atténuée.

— Pas vous, mon associé. Il arrive. Nous procéderons à l'échange à l'intérieur de cette chambre forte.

— C'est dégueulasse ! On devait faire ça dans des endroits différents !

— C'est trop risqué. Les deux rendez-vous ne font plus qu'un. Cela ne vous gêne pas, n'est-ce pas ?

— Mais..., protesta l'autre.

— Quoi ?

— On ne peut pas attendre à l'extérieur ?

— Barry, détendez-vous. En respirant calmement, ça ira très bien. Ne vous excitez pas. Je m'assieds, je vous conseille d'en faire autant, ainsi nous consommerons moins d'oxygène.

Barry l'imita et s'assit par terre. De grosses gouttes de sueur perlaient sur son front.

Il attendit dix minutes en silence, surveillant soigneusement sa respiration, puis desserra son nœud de cravate et déboutonna son col, en remuant lentement les doigts pour ne pas faire d'efforts inutiles.

— Et si personne ne venait ? demanda-t-il.

— Bonne question.

Cette réponse inquiéta le boxeur.

— Comment ça ?

— Si mon contact ne parvient pas à convaincre vos amis de venir ici, ce sera un coup de malchance pour vous. Ils redouteront un piège et, bien sûr, nous nous y attendons. Vos amis ont deux atouts dans leur jeu : la Dague de Cartier – une preuve des plus convaincantes – et votre numéro de téléphone. Ils peuvent vous appeler, vérifier grâce à vous que l'argent est ici, qu'il n'y a pas de flics dans les parages, seulement un gardien. En outre, mon contact peut arriver en portant le poignard, rien alors n'accuse vos amis, qui n'auront cédé qu'au plaisir de l'accompagner. Cela devrait les mettre à l'aise. Nous verrons. S'ils n'appellent pas bientôt...

— Il faut sortir d'ici !

—Je sors d'abord.

—Je vous demande pardon ?

—Je veux m'assurer que mon contact est en sûreté. En attendant, vous restez ici.

— Je ne resterai pas tout seul dans cet endroit !

— Je ne vous tiendrai pourtant pas compagnie, Barry. Je vais sortir ; l'ouverture de la porte permettra à l'air de se renouveler. Seul ici, vous tiendrez probablement une bonne demi-heure.

— Espèce de salaud !

— Ne vous excitez pas, vous gaspillez l'oxygène.

Barry se prit la tête à deux mains et essaya de se calmer, puis le téléphone sonna et il sursauta, se cognant la tête contre le rayonnage au-dessus de lui.

— Ce doit être pour moi, déclara Trudeau en se levant. Il répondit à la troisième sonnerie.

Pelletier lui annonça que tout s'était passé comme prévu, que son groupe attendait dehors qu'on lui ouvre. Trudeau confirma qu'à l'intérieur tout s'était déroulé conformément au plan. Ils finirent en échangeant des mots de passe :

— Pain perdu, annonça Pelletier.

— Sourire de Bouddha, répondit Trudeau. Il y a eu un changement.

Son associé lui demanda ce qu'il entendait par là.

— Le Blanc a essayé d'attaquer une banque hier soir. Ça ne s'est pas très bien passé, mais, en cas de réussite, ils auraient annulé notre accord et gardé le poignard.

— Mais nous avions passé un marché !

— Vous voyez ! Je n'aime pas faire des affaires de cette façon.

— Alors, de quel changement s'agit-il ? demanda Pelletier.

— Répétez-leur ce que je viens de vous dire à propos de la banque et annoncez-leur que, dans de telles conditions, le prix est ramené à un million de dollars tout rond. Je garde un demi-million pour moi.

— Quoi ? s'exclama Barry. Vous n'avez pas le droit de faire ça !

— Vous allez comprendre : moi, je n'ai pas besoin de ce machin sans intérêt, Le Blanc, lui, a besoin du million.

Il attendit un moment puis reprit dans le combiné : « Gérard, comment ça se passe ?

— On s'excite, on passe des coups de fil ; sur les trois lignes, j'entends des gens crier. Une bonne chose pour vous d'être enfermé dans une chambre forte, sinon vous risqueriez d'avoir le nez en sang.

— Et vous ? Ça va ?

— Pour l'instant.

La réponse arriva cinq minutes plus tard : un million et quart de dollars ou Le Blanc s'en allait. Trudeau accepta le compromis et soulagea la valise d'un quart de million tandis que Barry vérifiait ses dons pour l'arithmétique.

— D'accord ? demanda Trudeau.

— Pour moi, ça colle, marmonna Barry.

Trudeau appela le gardien et lui dit d'ouvrir la porte extérieure en laissant entrer Pelletier accompagné d'une seule autre personne. Il devrait ensuite les conduire à la chambre forte et refermer la porte sur eux quatre pendant qu'ils procédaient à la transaction.

Pierre Elliot Trudeau savait que l'audace et la détermination payaient et il croyait en l'action. Héritage de son père qui lui avait inculqué ces principes alors qu'il n'était qu'un enfant. Charles Emile Trudeau avait, au prix d'un travail acharné, monté une chaîne de stations-service. Sa vente, juste avant le crack de 1929, lui avait rapporté une fortune qu'il avait investie dans une mine d'or, l'équipe de base-ball des Royaux de Montréal et le parc d'attractions où son fils menait actuellement son affaire. Ces achats se révélèrent d'excellents refuges pendant la crise, car on n'avait renoncé ni aux rencontres de base-ball, ni aux sucreries, ni aux frissons sur les montagnes russes pour oublier un peu son malheur. Quant à l'or, il ne perdit jamais de son lustre. Trudeau recevait fréquemment la visite de Camillien Houde, soit dans son hôtel particulier, soit dans son chalet de montagne. Le maire menait la ville à la faillite, certes, mais donnait du travail aux hommes, et ceux qui en bénéficiaient fréquentaient les entreprises de la famille Trudeau, où ils échangeaient leur salaire contre quelques heures de bonheur. Son père avait eu le bon réflexe au bon moment. Lui-même, dans ce domaine, ne manquait pas de jugeote.

— Nous voilà de nouveau enfermés ici ? protesta Barry, au bord de la panique.

— J'espère au moins qu'on vous paie bien vos services.

— Pas assez pour ça, reconnut le truand.

— Vraiment ? Avez-vous déjà eu le sentiment d'être assez payé ?

— Je dirais que non, convint Barry.

— Alors, Barry, au fond, vous êtes un syndicaliste. Sans le savoir.

Pelletier et le représentant de Le Blanc – regard dur, visage étroit et chevalin, au tempérament nerveux – entrèrent alors dans la chambre forte. Pierre Elliot Trudeau demanda à voir la Dague de Cartier. Le truand, qui avait cru qu'on lui montrerait l'argent d'abord et s'apprêtait à engueuler ce faux jeton de la « haute » pour avoir fait baisser le prix fixé par son patron, s'étonna lui-même en se laissant fléchir.

Il ouvrit l'étui.

Trudeau eut enfin sous les yeux la Dague de Cartier, d'aspect, somme toute, plutôt fragile et banal, au manche en os incrusté de diamants et d'or. Il tendait la main pour s'en emparer quand le malfrat posa sa grosse patte sur son poignet ; Trudeau le regarda dans les yeux sans rien dire et le truand retira sa main.

Trudeau attrapa le poignard, le tint à bout de bras, et enfin l'examina de plus près. C'était bel et bien une œuvre d'art et il eut l'impression de sentir passer en lui le pouvoir que l'art iroquois et l'histoire du Québec avaient conféré à l'arme. Il la reposa doucement sur le velours du coffret – les voleurs avaient pris grand soin de leur butin – et referma sans bruit le couvercle.

— Prenez votre argent et filez ! leur ordonna Trudeau.

— Il faut d'abord que je compte...

— Ne soyez pas stupide ! Vous savez qui je suis et où me trouver. Prenez l'argent et décampez ! Votre ami Barry est sur le point de tourner de l'œil. Emmenez-le à l'air libre. Allez !

Les voleurs obtempérèrent sans plus discuter. Pelletier et Trudeau attendirent, d'abord dans la chambre forte puis dans le bureau. Ils ne parlaient pas, même si, de temps en temps, ils échangeaient un sourire. Quand ils se pensèrent en sécurité, ils gagnèrent, sous la protection du gardien, la nouvelle chambre forte à l'autre extrémité du parc, et y déposèrent le coffret et le quart de million de dollars récupéré. Trudeau scotcha le coffret pour éviter aux employés la tentation de l'ouvrir, le rangea dans un casier fermé à clé et vérifia qu'on refermait bien la chambre forte derrière eux. Tous deux montèrent dans la Jag et quittèrent ensemble Parc Belmont.

— Alors, demanda Gérard Pelletier à son ami, vous sentez-vous différent maintenant que vous possédez le poignard ? De quoi vous pensez-vous capable désormais ?

— De tout, affirma Pierre après avoir médité un moment.

— Alors, allons-y ! Et n'oubliez pas de me faire profiter de la balade, Pierre.

Trudeau démarra en trombe, provoquant le courroux des autres conducteurs et il alluma la radio à fond pour couvrir la cacophonie des coups de klaxons furieux.

Toute cette agitation n'augurait rien de bon. La peur au ventre, Anik aurait voulu s'enfuir, pleurer, crier, être réconfortée, mais tous étaient trop accaparés pour remarquer sa présence.

Dehors, la foule habituelle de journalistes semblait être déprimée avait affirmé l'un d'eux la veille. « Bored out of our tree ». Anik devinait ce que cette expression anglaise voulait dire, et la trouvait amusante. Les reporters tentaient de l'amadouer, dans l'espoir qu'elle leur donnerait quelques bribes d'informations. En général, elle reprenait les propos de l'infirmière : « Il se repose confortablement. »

Quand elle le disait, cela paraissait tout à fait charmant.

Dès l'entrée, elle reçut un choc : deux vieilles pleuraient, des infirmières couraient en quête d'eau fraîche, de linge propre, d'une cuvette... des religieuses s'entretenaient avec un médecin qui fit signe au prêtre. Le père François, qui lui-même venait d'arriver – elle l'avait vu entrer avant elle –, rejoignit quelques personnes qui s'entretenaient à voix basse. Des infirmières se hâtaient pendant que des femmes plus âgées sanglotaient.

Personne n'avait remarqué sa présence, aussi Anik, livrée à elle-même et inquiète, jeta-t-elle un coup d'œil dans la chambre de son vieil ami.

S'il avait été soigné à l'hôpital, au moins, elle n'aurait pas eu le droit d'entrer. Elle aurait voulu qu'il la réconforte, qu'il lui raconte une histoire, et que tout ça s'arrête.

Gêné dans son sommeil, Camillien Houde s'éveilla.

— Anik ! murmura-t-il en découvrant la petite fille qui venait d'entrer dans sa chambre. Serais-je déjà arrivé au paradis ?

Elle caressa son avant-bras hérissé de chair de poule et se mit elle-même à trembler. *Il est en train de mourir ! Il peut mourir d'une seconde à l'autre !* réalisa-t-elle, terrifiée et cependant pleine de curiosité.

— Où est mon directeur de conscience ? marmonna-t-il. (Il parvenait à garder un œil entrouvert, tandis que l'autre, qui palpitait, restait obstinément fermé.)

L'air de la chambre était irrespirable : cela venait du lit et elle savait ce qu'était cette odeur.

Les pas rapides des infirmières dans le couloir la firent sursauter ; elles apportèrent une cuvette, des serviettes et de l'eau et chassèrent la fillette. L'une des religieuses qui les suivaient prit Anik par les épaules et la secoua.

— Ne reste pas ici ! Qui es-tu ? Tu ne peux pas rester là !

— Je ne te savais pas ici, Anik, dit le père François volant à son secours.

— Est-ce qu'il va mourir, mon père ? murmura-t-elle.

330

— Nous n'aimons pas, répondit le prêtre sur le même ton, prononcer ces mots-là à portée de voix de ceux qui souffrent.

Le vieux maire ne pouvait pas l'entendre, mais elle reprit plus bas :

— C'est vrai, alors ?

— Nous avons bien des fois parlé de ce jour, la rassura-t-il en la prenant par les épaules comme l'avait fait la religieuse, mais avec une infinie tendresse. Nous devons nous y préparer.

Se sentant pleurer, elle essuya ses larmes, en vain.

— Quand les femmes en auront terminé, je parlerai à Camillien ; je lui donnerai les derniers sacrements après avoir entendu son ultime confession. Attends-moi dans le salon, Anik, je te raccompagnerai chez toi.

Elle hocha la tête et s'éloigna pendant que la religieuse la plus âgée fermait les rideaux.

Les infirmières et les religieuses, incapables de déplacer le maire, trop lourd, s'adressèrent au seul homme présent : il aida donc les huit femmes à rouler d'un côté puis de l'autre le gros homme pour changer ses draps ; la paire souillée dégageait des relents très malodorants que le prêtre s'efforça d'ignorer. Le mourant retrouva enfin une position confortable et le prêtre resta seul avec lui.

— Mon père..., chuchota Houde.

— Souhaitez-vous que je vous entende en confession, mon fils ? C'est l'heure.

— Tout d'abord..., murmura le vieux maire.

Le prêtre se pencha plus près pour l'entendre.

— Oui ?

— Dites-moi. Le poignard...

Le prêtre le considéra gravement, le regard fixé sur l'œil qui luttait pour rester ouvert. Il comprenait maintenant pourquoi ce personnage machiavélique s'était adressé à lui et non à un autre prêtre : il s'agissait de mener à bien une ultime transaction, une mission politique.

— Vous avez pris la bonne décision, Camillien. Le fils de votre vieille connaissance, ce jeune homme que vous admirez, Pierre Elliot Trudeau, en a pris possession. De Bernonville tient son argent dans ses sales mains. Votre héritage s'est accru. La relique restera au Québec, à Montréal, vous savez que c'est là sa place.

Le prêtre le vit acquiescer faiblement de la tête.

— Maintenant, mon fils, c'est l'heure de vous confesser.

Le père François admira la manière dont le vieux pécheur rassemblait ses forces pour parler dans un authentique esprit de contrition. Inutile de le pousser : le maire avait dressé la liste de ses péchés et l'ordre de leur énumération. Quand il eut terminé, le prêtre sut que Camillien avait vidé son âme et que sa vie arrivait à son terme.

La main tremblante du vieux maire esquissa un mouvement vers celle du père François qui la saisit et ressentit sur ses doigts une pression analogue à celle, étonnante de force, des nouveau-nés. Le prêtre se pencha vers les lèvres du moribond.

Celui-ci termina sa confession comme il l'avait commencée :

— Pardonnez-moi, mon père, car j'ai péché.

Puis il lui fit un clin d'œil.

Le père François lui donna l'absolution, lui offrant le pardon de son Seigneur, conscient pourtant que son propre cœur manquait de pureté et d'amour. Il administra les derniers sacrements et les paupières du vieil homme palpitèrent, l'une après l'autre, comme si chaque nouvel instant exigeait un effort.

Le père François, sur le point de quitter la chambre, ressentit soudain pour son ennemi politique un amour qui le surprit, non pas certes un immense sentiment, mais malgré tout de l'amour, mystérieux et rongé par le doute. Cet ultime clin d'œil l'avait conquis et il le quitta en paix.

Peu après, une infirmière vint tapoter l'oreiller et ajuster le pyjama du moribond, puis elle s'en alla, elle aussi, le laissant dormir et, peut-être, mourir.

Anik se glissa alors hors de la penderie, où elle s'était accroupie pendant qu'on s'affairait autour du maire, et contempla son vieil ami mourant, le souffle rauque. Elle se leva, ouvrit la porte et, passant devant tout le monde, quitta la maison. Un pâté de maisons plus loin, ignorant les journalistes qui l'appelaient, elle se mit à courir.

Des larmes coulaient en pluie sur ses joues. Elles séchèrent à mesure qu'elle courait, et elle ne ressentit plus que de la fureur...

Cent mille personnes suivirent le cortège funèbre de Camillien Houde, mais Anik Clement refusa d'assister à la cérémonie. Sa mère interpréta l'obstination de l'enfant comme le refus des trop nombreux souvenirs que remuait son chagrin et, peut-être, celui de la mort de son père. La pauvre enfant. D'une certaine façon, réalisait-elle, Anik perdait un second père. Carole se rendit seule à l'enterrement et fut admise à suivre le service funèbre. La ville entière semblait s'être rassemblée dans les rues où passait le cercueil : tout le monde était là, sur seize rangs, les dignitaires dans leurs costumes officiels, les ouvriers dans leurs chaussures éraflées et portant fièrement leur pauvre veste ; tous avaient la tête couverte, et il y avait tant de femmes en robe noire qu'on aurait dit qu'elles enterraient un époux. Montréal venait de perdre un peu de son âme, il pesait sur elle une immense tristesse. Une époque était révolue : adieu aux boîtes de nuit, aux danseuses, aux filles drapées de dentelles ; adieu aux tripots dispensateurs de rêves et de richesses autant que de désillusions amères ; adieu aux salles de concert ; adieu aux comédiens et aux procès burlesques qui condamnaient des maquerelles à verser des amendes dérisoires avant de les retrouver un peu plus tard dans leur salon ; adieu au bon temps ; adieu aux guerres et aux famines ; adieu à tout ce passé et adieu à Camillien Houde, cette vieille canaille. Adieu à la voix cocasse et au large sourire de ce tribun capable d'enflammer les foules grâce à sa logique déconcertante, capable de provoquer le rire d'un individu dont il faisait en même temps les poches. Adieu au vieux sage, au vrai copain, au grand personnage ainsi qu'à l'homme de paille. Adieu.

Montréal était en deuil.

Quatre jours après les obsèques, un monsieur se présenta à la maison de Carole Clement : il apportait le dernier cadeau du vieux maire, un chiot, un fox-terrier. Anik prit l'animal dans ses bras et se laissa lécher le visage, mais en restant imperturbable, sans sourire, elle serra cependant contre elle la petite boule de poils et se précipita dans sa chambre.

Cette drôle d'attitude surprit sa mère, qui la mit toutefois sur le compte des circonstances tristes et troublantes que traversait sa petite fille.

CHAPITRE 17

1968

ACCOMPAGNÉE D'UN JURON instantanément couvert par un chœur de trombones, cornemuses, tambours et cymbales, la première pierre décrivit au-dessus de la foule stupéfaite une large parabole, et vint ricocher sur les marches du large escalier de la Bibliothèque municipale où était dressée la tribune. Les gens, rentrant instinctivement la tête dans les épaules, vidèrent le trottoir et coururent se mettre à l'abri. Un manifestant à la silhouette athlétique s'était précipité au passage du défilé ; la puissance concentrée dans les jambes puis dans le bras qui lançait le projectile, l'adresse du geste et l'effet de sa relative précision avaient électrisé l'ambiance, déclenchant soudain une salve de pierres et de bouteilles partie des mains d'un groupe d'agités. Surpris, les dignitaires, dont le maire de Montréal, se protégèrent de leurs mains ou se précipitèrent derrière les policiers, les assistants, les chaises et les hautes colonnes doriques.

Seuls, les agents des services secrets bondirent en avant.

Quant au Premier ministre du Canada, la cible principale, il ne chercha pas à s'abriter.

Il se leva même pour mieux observer la scène, défi que relevèrent aussitôt des jeunes : des projectiles s'abattirent sur la tribune, lancés moins par colère que dans un accès d'enthousiasme et de libération, pour le plaisir de cogner sur un adversaire.

Leurs tirs, pourtant soutenus, ne touchaient jamais au but.

Ce soir-là, un policier jeune et vigoureux assurait la circulation ; il n'avait pas de consignes précises, ni d'ailleurs l'expérience d'incidents tournant si vite à la violence. Tout au long de la nuit et à mesure que la parade progressait vers son poste, à proximité de la tribune, il s'était fait insulter. Il débutait dans le métier et portait avec fierté son uniforme bleu et son badge. *Cochon de fonctionnaire !* Néanmoins, il tenait bon et encaissait les sarcasmes de cette jeunesse ivre de rage, de politique et de bière, si le privilège de porter l'uniforme se payait à ce prix-là.

Fasciste !

Grand, bien bâti, il avait en gros leur âge. *Traître !* Vingt-quatre ans. Les garçons aux cheveux longs et les filles aux tenues insensées ne s'étaient pas beaucoup colletés avec l'existence, songeait-il, et n'avaient certainement pas grand-chose à leur actif. *Commencez par faire quelque chose de votre vie*, se disait-il, *avant de m'apprendre ce que je dois faire ou penser*. Les jeunes manifestantes, surtout les plus jolies, lui tapaient sur les nerfs. *Bouseux !* Supporter, impassible, leurs harangues n'était pas une partie de plaisir mais il était bien décidé à ne pas perdre son sang-froid.

Le pouvoir au peuple ! Merde aux flics !

Tant que ça restait verbal, il ne bronchait pas.

Mais, à la première pierre, il réagit aussitôt pendant que ses collègues esquivaient tomates, œufs, canettes, et autres ingrédients des paniers pique-nique. Le sergent Émile Cinq-Mars savait en effet qui avait lancé la première pierre, et il ne laisserait pas cette canaille s'échapper ; il l'arrêterait, ce qui le soulagerait un peu du poids des insultes qu'il subissait depuis le début de la soirée.

Il se précipita sur le coupable, qui se croyait protégé par la foule et le nouveau Premier ministre du Canada, Pierre Elliot Trudeau, de la tribune, le regarda disparaître dans l'impressionnante cohue.

Quelle époque prometteuse ! se dit Pierre Trudeau.

Sa vie ne lui appartenait plus que rarement : elle appartenait désormais au peuple, comme se plaisaient à le proclamer ses amis, et qu'il le veuille ou non, c'était bien le peuple qui était maître de son destin. Sous ses yeux, des excités braillaient qu'ils représentaient le peuple mieux que lui, et tentaient de l'en persuader en le lapidant. C'était de très mauvais augure pour l'élection du lendemain, ainsi que pour sa santé si un projectile atteignait la cible visée, à savoir son front.

Trudeau savait que son équipe, notamment les agents du service secret, voyait là une attaque calculée. Quant à lui, il avait d'instinct retrouvé l'attitude apprise dans son enfance pour esquiver les coups quand il boxait : bien droit, assez calme et le poids du corps imperceptiblement porté vers l'avant ; il se penchait quand la trajectoire d'une bouteille de bière ou d'une brique jetée avec furie dans l'obscurité l'exigeait. Sous ses yeux, la rue se soulevait dans des convulsions de plus en plus violentes, ponctuées par le hurlement des sirènes et la chute des débris ; le ciel s'effondrait devant lui.

Des agents tentèrent de l'éloigner, mais il les repoussa ; il voulait tout voir de ce défilé auquel, après tout, on l'avait invité. Des ruffians déchaînés ne réussiraient pas à le chasser comme cela arrivait trop souvent lors d'élections au Québec. Pierre Elliot Trudeau, ce glandeur de la haute qui, de toute sa vie, n'avait guère fait que se plonger dans les bouquins, se balader un peu partout et palabrer – encourageant à l'occasion une grève, griffonnant un article ou donnant quelques cours de droit constitutionnel –, ce dilettante, en somme, avait fini par trouver sa véritable vocation : il menait désormais le gouvernement, il était le Premier ministre de son pays. Aujourd'hui, on cherchait à l'évincer par la force, mais on ne lui ferait pas quitter la tribune si facilement, même si on en était arrivé à un niveau de violence quasi incontrôlable.

Il ne se départit à aucun moment de l'attitude qu'il avait choisie : impassible et provocante.

Elle adorait ça et n'avait jamais peur. La poussée d'adrénaline la grisait. Elle bondit, à la stupéfaction des couples qui, assis sur leurs petits tabourets, s'apprêtaient à faire honneur au pique-nique de fromage et de vin disposé sur leurs genoux, et elle fendit la foule qui s'éloignait de l'émeute. La voyant poursuivie par un de leurs collègues, d'autres policiers la prirent en chasse mais elle choisissait des raccourcis et eux étaient gênés par des manifestants qui leur criaient des insultes ou leur barraient le passage. Elle en profitait alors pour ralentir et décider de l'itinéraire de sa fuite. Pourtant, le premier policier s'obstinait encore à la traquer. Pourquoi ? Parce qu'elle avait jeté la première pierre ? *Ecoute, mon vieux, il y a un millier de bouteilles qui volent en l'air, alors remets-toi ! Je ne suis pas la seule à avoir perdu la boule.*

Il persévérait.

Elle pouvait compter sur sa jeunesse et son endurance, mais elle ne tarda pas à réaliser que son poursuivant semblait à peu près du même âge qu'elle et dans une forme comparable. Ça ne marcherait donc pas. Alors, elle ôta sa casquette, libérant ses longs cheveux. *Regardez, monsieur le policier ! Je suis une femme ! Tout ce mal pour attraper une femme ! Seriez-vous trop dégonflé pour poursuivre un mec ?* Des jeunes gens dans la foule semblaient de cet avis et barrèrent le chemin au flic ; quelqu'un lui fit un croche-pied et il tomba, tandis que les fautifs se dispersaient. Mais ils ne furent pas poursuivis, ce qui les étonna beaucoup. Le flic se redressa, ramassa sa casquette et repartit à la poursuite de la fille.

Seigneur ! Qu'avez-vous donc ?

Emile Cinq-Mars, le jeune sergent de ville, contrôla sa respiration pour ménager ses forces ; il voulait mettre en taule le coupable à l'origine de ce désordre, *la* coupable, découvrit-il en chemin. Ce fut une révélation. A la vue des longues mèches qui flottaient derrière elle, il se sentit vaguement attiré par cette femme, à coup sûr par l'idée de l'arrêter. Sa course, agile et harmonieuse, évoquait celle d'un faon ; elle interrompait ses longues et belles enjambées quand il le fallait, et esquissait un petit saut qui faisait perdre l'allure à Cinq-Mars.

Il était résolu à attraper cette fille. Trop de jolies jeunes femmes s'étaient moquées de lui ce soir, insultant son uniforme et blessant son amour-propre. Il n'y avait aucune raison qu'elles échappent aux poursuites, surtout si l'une d'elles était à l'origine de toute cette affaire ! Du coin de l'œil, il remarqua des paniers à salade et deux fourgons attendant qu'on les remplisse ; d'ailleurs, çà et là, des policiers, matraque au vent, cognaient sur des têtes. Lui ne souhaitait pas matraquer, seulement coffrer cette fille ; s'il y parvenait, il estimerait avoir rempli sa tâche en arrêtant l'instigatrice de la manifestation.

Bon sang ! qu'elle était belle... et quelle façon de courir...! Athlétique et agile. Elle sautait par-dessus les gens et les buissons, puis s'arrêtait net. Elle, on l'acclamait, lui, on le huait, et c'était une raison suffisante pour ne pas abandonner. S'il échouait, cela donnerait confiance aux manifestants. S'il réussissait, cela contribuerait peut-être à les calmer.

Emile Cinq-Mars la saisit par les cheveux pour lâcher prise aussitôt. En effet, si elle ne s'arrêtait pas, elle se blesserait. Il accéléra ; il commençait à s'essouffler. Il était sans doute à moitié amoureux d'elle, s'avoua-t-il, au bord du vertige, riant tout seul et admirant sa silhouette, son courage et sa grâce. Peut-être allait-il tout simplement devoir la laisser filer.

La jeune femme contourna un groupe d'une douzaine de personnes, ralentissant un peu pour reprendre haleine : elle n'allait pas courir indéfiniment, c'était dingue. Ce flic était un fou dangereux ! Pourtant, il l'avait tenue un instant par les cheveux, elle l'avait senti, puis il l'avait laissée partir. Dieu en soit loué ! Elle avait cru que son cou allait se briser. En tout cas, ce type-là méritait de l'arrêter ; de toute évidence, il avait une conscience et ne la traînerait certainement pas par les cheveux jusqu'à un panier à salade, à l'instar de certains de ses collègues qui se souciaient peu du sexe de leur prise.

Respirer, respirer, respirer et continuer à courir.

Respirer et courir, se répétait lui aussi Emile Cinq-Mars.

Le changement avait été si rapide. Unanimement, amis et ennemis rangeaient bel et bien Pierre Trudeau dans le camp socialiste, mais lui considérait que leur parti ignorait complètement le Québec. Il fonda donc l'*Union des forces démocratiques,* au sein duquel il comptait rassembler les groupes d'opposition existant avant les élections provinciales de 1960. Vaincre Duplessis devenait prioritaire. Pourtant, *le Chef* déjoua les plans de son brillant jeune adversaire en recourant pour le battre à un stratagème aussi simple qu'élégant : il mourut.

Le Chef était mort.

Ce qui tua le parti de Trudeau.

La brusque disparition de Duplessis changea tout. Sans lui, son parti se désintégra. Privée de son allié, l'Eglise perdit son pouvoir et son autorité morale. Sa voix ne fut plus qu'un écho affaibli sortant d'une statue poussiéreuse, des paroles creuses tombant sur des rangées de bancs vides. Le gouvernement provincial accueillit des penseurs politiques vivant jusqu'alors en marge de la société : l'ardent et populaire René Levesque accepta un poste dans le Cabinet. De l'intérieur, il se démena beaucoup pour faire adopter par le gouvernement une position favorable à l'indépendance et ne cessa d'insister pour qu'Ottawa abandonnât de son influence et de ses deniers. Très rapidement, d'ex-professeur au chômage puis ex-conférencier à mi-temps, Trudeau devint membre du Parlement et ministre de la Justice. Sitôt après le départ en retraite du Premier ministre, le jeune homme posait sa candidature à la direction du parti. Bien qu'outsider, il l'emporta. Son ascendant politique le rendit imbattable aux élections ; et pourtant, des pierres en ce moment pleuvaient sur lui et les manifestants s'en prenaient à la police qui les pourchassait.

Il refusait de quitter la tribune. Il menait le combat de sa vie, entre les adeptes d'un Québec légitimement intégré au Canada et les partisans d'un Québec autonome dans toute sa gloire mythique. Son ascension stupéfiante et sa popularité sans précédent avaient abouti à ce conflit, et l'histoire de la nation québécoise avait inexorablement débouché sur cette querelle. Ses paroles et sa position avaient déclenché cette tempête, il tiendrait donc jusqu'à ce qu'il sache si ce genre d'action était capable de le briser.

Assis devant la télévision, le pays observait.

Elle avait beau ruer dans tous les sens, il la tenait, le salaud, il était costaud – puis soudain elle se retrouva libre. Anik ne chercha pas à comprendre et reprit sa course. Un coup d'œil derrière elle lui permit de voir que des passants, prenant son parti, s'étaient interposés entre elle et le policier ; quand il s'en fut débarrassé, au lieu de les arrêter, il se remit à courir après elle. Il finirait par l'attraper.

Ne souhaitant pas être arrêtée, elle décida de se rendre ; c'était la meilleure solution : elle était hors d'haleine et son corps tout entier se rebellait. S'effondrant sur les genoux, elle attendit. Le flic lui bloqua les mains dans le dos.

— Vous m'avez eue, haleta-t-elle, le souffle court.

— Un jeu d'enfant, répondit-il, ce qui les fit rire tous les deux.

Ils avaient besoin de répit et, dès qu'il l'eut menottée, Cinq-Mars posa ses mains sur ses genoux et reprit son souffle. Il la regarda et elle en fit autant, la captive et son vainqueur en proie à la même curiosité. Elle lui paraissait *longiligne* avec son cou qui n'en finissait pas et son nez mince comme une lame. Elle avait des yeux bruns très écartés, mais le visage étroit, ce qui les mettait d'autant plus en valeur. Ses sourcils délicats avaient une perfection d'ailes d'ange. Elle était si jolie qu'il aurait voulu la laisser partir ou la poursuivre encore. C'était plus facile, plus poli de regarder ses yeux, mais c'était sa bouche qu'il avait envie d'observer et, faisant semblant de prendre une profonde inspiration, il baissa les yeux comme pour examiner ses pieds avant de les relever aussitôt et de laisser son regard effleurer ses lèvres. Fines, elles aussi, pas les lèvres pulpeuses de prétendues grandes beautés, se dit-il, mais ouvertes ainsi pour reprendre haleine, il ne pouvait s'empêcher de les trouver *attirantes*. A gauche de sa bouche, il découvrit quatre petites taches. Il ne l'avait pas remarqué, mais s'aperçut alors qu'elle avait le nez criblé de taches de rousseur qui remontaient sur la douce courbe de ses joues.

C'était elle la captive, mais elle l'avait désarmé.

Elle était si ravissante.

— Connaissez-vous le capitaine Armand Touton ? l'interrogea-t-elle, tandis qu'il l'aidait à se relever.

Il pensait à ses jambes, si longues et si belles. Il attendait avec impatience de la voir marcher jusqu'au panier à salade. Il tendit la main pour la guider et fut surpris de constater avec quelle facilité ses doigts encerclaient son poignet.

— J'ai entendu parler de lui. » Cinq-Mars était une recrue trop récente pour avoir eu l'occasion de faire la connaissance de Touton, le policier le plus célèbre et le plus redouté du service. « Laissez-moi deviner : c'est un oncle que vous avez perdu de vue depuis longtemps ?

— Il est plus proche de moi qu'un oncle.

— Quand bien même ce serait votre père, je m'en fiche ! C'est vous qui avez lancé la première pierre.

— Je les ai comptées, on en a lancé dix-huit mille. Pourquoi attachez-vous tellement d'importance à la première ? » Il l'entraînait vers un panier à salade. On y entassait les manifestants et elle, à cause de sa claustrophobie, risquait de ne pas supporter d'être enfermée dans ces conditions sans perdre son calme.

— C'est vous qui avez commencé.

— Non, ce sont les Anglais qui ont commencé en 1759 en nous envahissant. Cette pierre attendait d'être lancée depuis plus de deux cents ans.

— Vous raconterez cela au juge. » Tous deux faisaient la queue avec les autres policiers flanqués de leurs prisonniers. Des cordons de police fermaient le secteur pour barrer le passage aux badauds et à ceux qui voudraient intervenir.

— C'est vous qui le direz à Armand... au capitaine Touton, insistat-elle. Si vous me maltraitez, vous pouvez faire une croix sur votre carrière !

— J'en tremble !

— Vous ne m'avez pas encore maltraitée. Je ne demande pas un régime spécial.

— Très bien. De toute façon, je n'ai plus la force de vous maltraiter.

Ils rirent encore et Cinq-Mars ne put s'empêcher de regretter de l'avoir rencontrée dans de telles circonstances. Etant donné l'ampleur des événements, avoir lancé cette malheureuse pierre n'était peut-être pas un crime si abominable.

— Rendez-moi un service. Non, deux, reprit-elle, essayant toujours de reprendre son souffle.

— Etes-vous vraiment en position de demander des services ?

— Je suis claustrophobe. Mettez-moi dans une voiture de patrouille, pas dans un panier à salade où je me mettrai à hurler ; je deviendrai folle.

Cinq-Mars l'observa et vit qu'elle parlait sérieusement.

— Désolé, mais vous auriez dû y songer avant. » Il avait réagi brutalement mais la jeune fille continuait à le regarder d'un air suppliant, comme si le policier pouvait trouver une autre solution. « Je n'ai pas de voiture de patrouille, reprit-il, d'ailleurs je ne suis pas assez gradé pour prendre ce genre de décision.

— Alors promettez-moi...

— Je ne peux pas faire de promesses.

— Promettez-moi ! Mettez-moi alors dans ce panier à salade, il est presque plein ; je serai près de la vitre et il va bientôt partir. Dans le suivant, on me poussera au fond, il faudra attendre son départ ; je mourrai là-dedans. Je vous en prie...

Cinq-Mars acquiesça et, la traînant derrière lui, dépassa ses collègues.

— Elle doit partir tout de suite. Ça ne peut pas attendre. » Les autres lui cédèrent volontiers la place : ils ne risquaient rien aussi longtemps qu'ils seraient éloignés de la bagarre.

— Merci, soupira Anik. Je le dirai à Armand.

— N'y manquez pas.

— Maintenant, mon second service...

Ils étaient presque arrivés au fourgon ; Cinq-Mars cria au garde d'attendre sa prisonnière. L'autre discuta mais laissa la porte entrouverte.

— Quel second service ? demanda-t-il à l'oreille de la jeune femme.

— Dites à Armand qu'on m'a arrêtée. Prévenez-le, d'accord ?

— Je n'ai aucun moyen de le joindre...

— Faites-le, d'accord ? Faites-moi confiance, il vous remerciera.

— Quel est votre nom ? Il faudra que je le lui donne.

Il l'aida à monter tandis que, de l'intérieur, un bras la saisissait par la taille pour la hisser.

— Reprenez vos menottes ! ordonna le garde.

Cinq-Mars l'aida à se retourner et il récupéra ses menottes.

— Vous n'oublierez pas ? Je m'appelle Anik Clement !

La porte se referma sur la jeune femme. Cinq-Mars s'éloigna rapidement, sans vraiment savoir ce qu'il devait faire au milieu d'un tel chaos. Il remarqua que, malgré les heurts, le défilé conservait une certaine cohésion. Des artistes, des orchestres et des chars continuaient à descendre la rue Sherbrooke, ceux qui se trouvaient en fin de cortège ne se rendant pas bien compte de ce qui se passait à l'avant. Il faudrait au moins arrêter le défilé pour éviter aux majorettes d'être blessées.

Soudain des cris et des hurlements retentirent derrière lui : des policiers jouaient de la matraque non loin du panier à salade. Ça tournait mal, mais la police semblait avoir le dessus. On n'avait donc pas besoin de lui. Puis, comme dans un ralenti – cela ne prit en réalité que quelques secondes –, il vit un manifestant déverrouiller la porte du fourgon et les prisonniers sauter dehors. Il aperçut la fille, qui le remarqua avant de plonger dans la foule et la nuit noire, loin des lumières du défilé et des projecteurs de la télévision.

Cinq-Mars fit trois pas dans sa direction puis renonça.

Cette fois, il l'avait bien perdue, mais il connaissait son nom, ce

341

qu'elle devait regretter maintenant : en essayant de faire jouer son piston dans la police, elle avait dévoilé son identité. Pour plus de sûreté – qui sait quels autres incidents allaient se produire au cours de la nuit – il nota son nom dans son calepin avant de s'intéresser de nouveau à ce qui se passait dans la rue. Son regard tomba directement sur le Premier ministre, qui examinait la situation. Intéressant : un politique qui n'avait pas couru se mettre à l'abri. Là-dessus, Cinq-Mars abattit sa main sur le dos d'un manifestant qu'il força à ouvrir sa paume gauche pour lui faire lâcher sa pierre, puis il le poussa pour qu'il s'en aille. Quant à la pierre, il la rejeta du pied dans une bouche d'égout.

Des manifestants menottés attendaient d'être transportés au violon, et dans ce secteur, l'ordre semblait à peu près rétabli : on commençait d'ailleurs à nettoyer la chaussée. Cinq-Mars s'occupa alors d'un couple d'un certain âge qui marchait avec des cannes et que l'idée d'être piétinés par les policiers ou les fuyards paralysait. Malgré l'appréhension, ils avaient bien profité du spectacle. Cinq-Mars prit la femme frêle et voûtée par les épaules et l'entraîna, tandis que le petit vieux s'accrochait à son autre coude pour ne pas perdre l'équilibre. Le trio ainsi soudé se fraya un chemin jusqu'à une rue plus calme que les deux vieillards descendirent seuls, courageusement, malgré la pente assez prononcée. Il les regarda s'éloigner, émerveillé par l'affection qui les liait.

Avant de retourner dans la mêlée, le jeune sergent reprit son carnet, juste pour lire le nom qu'il venait d'y inscrire : Anik Clement.

Pierre Elliot Trudeau, seul sur la tribune, se rassit. Son bon ami Gérard Pelletier, actuel ministre et au siège du Parti libéral avant tout ce tintouin, le rejoignit pour faire le point.

— J'imagine, observa Trudeau, qu'on va me reprocher cette bagarre.

— Je t'ai vu à la télé, tu as été formidable. Les réactions sont dans l'ensemble positives. Il y a eu quelques petits sondages – genre micro-trottoirs ; ceux qui ont été diffusés étaient plutôt négatifs mais, dans l'ensemble, tu as fait bonne impression et les commentaires seront favorables.

Trudeau hocha la tête et se leva comme pour partir. Le défilé était maintenant passé, la bagarre était terminée ; il ne restait que quelques milliers de spectateurs un peu sonnés. L'épisode qui faisait recette concernait les manifestants – des patriotes, disaient quelques-uns – qui s'étaient évadés du panier à salade dans lequel les avaient jetés les forces de l'ordre. *Ça*, ç'avait été excitant !

— Gérard, ça ne se passera pas comme ça. Nous en ferons le combat de nos vies.

— Pierre, c'est une période cruciale. Préférerais-tu t'ennuyer ?

Cette question n'exigeait pas de réponse. Tous deux savaient qu'une conjonction d'événements et de forces les avaient précipités dans une ère de mutations. Deux semaines avant cette manifestation, Martin Luther King avait été abattu à Memphis, dans le Tennessee, deux mois seulement après l'assassinat de Robert Kennedy et moins de cinq ans après celui de John Kennedy. Les leaders politiques devaient désormais ajouter aux tensions de leur vie le risque d'être agressés ; ce soir on n'avait lancé que du verre et des pierres, mais que réservait l'avenir ? Les discussions, les controverses, les débats improvisés lui plaisaient infiniment et, au cours des mois et des années à venir, les occasions ne lui manqueraient pas. D'autres, en revanche, évoluaient dans l'ombre et protégeaient leurs secrets, la discussion étant close d'après eux ; là dehors, on croyait à leur analyse des événements et si, aujourd'hui, on avait lancé des projectiles plus ou moins au hasard, nul n'était capable de prévoir l'intensité que pouvait atteindre leur rage, ni son effet sur les performances des émeutiers.

— Je commence à croire aux pouvoirs de ta Dague de Cartier. Avec toute la veine que tu as eue !

— Allons, conclut Trudeau, allons gagner une élection !

Au grand soulagement de l'agent des services secrets chargé de la protection du Premier ministre, Trudeau et Pelletier remontèrent enfin les marches de la bibliothèque municipale et disparurent derrière les rideaux tendus pour l'occasion, comme s'ils quittaient une scène. Une autre représentation, dans les urnes celle-là, les attendait le lendemain matin ; leur sort se trouvait, une nouvelle fois, entre les mains du peuple.

Elle n'avait encore jamais connu un moment plus exaltant : elle venait à peine de sauter à bas du fourgon que l'un de ses codétenus la prit en charge : « Par ici ! Viens ! », et elle le suivit, courant comme une folle. Elle était tellement soulagée d'avoir échappé à cette atmosphère confinée qu'elle en aurait hurlé de joie, mais elle restait terrifiée à l'idée d'être de nouveau capturée et enfermée dans le panier à salade. Les évadés détalaient à toutes jambes, se donnant mutuellement l'alerte quand la police était en vue. C'était stimulant et drôle ; rattrapant la queue de la foule, qui ne comptait plus que quelques traînards, ils vérifièrent leurs arrières et ralentirent enfin l'allure ; puis, épuisés, ils s'arrêtèrent complètement pour reprendre haleine.

— Paul, se présenta l'un.

— Jean-Luc, annonça le suivant.

— Vincent, enchaîna le troisième.

— Pierre, continua le garçon qui se trouvait le plus près d'elle.

— Anik.

— Allons prendre une bière, proposa Paul.

Ils s'engagèrent dans la rue Saint-Denis qui offrait de nombreux bars. Ils choisirent un établissement en sous-sol, bondé ; des jeunes gens discutaient de la soirée ; beaucoup prétendaient avoir lancé des projectiles, en exagérant peut-être sur le nombre réel. Un garçon montrait ses orteils qui pointaient à travers ses chaussettes trouées.

— J'étais dans un tel état que j'ai jeté mes chaussures ! (La décharge d'adrénaline les avait tous rendus euphoriques.)

Les cinq fugitifs mirent leur monnaie en commun et commandèrent un pichet de bière. Anik ne quittait plus son petit nuage, émerveillée de nouer enfin une vraie relation avec des gens comme elle et partageant les mêmes idéaux. Les garçons étaient étudiants : Paul en photographie, Jean-Luc en sciences politiques, Vincent et Pierre suivaient des cours de littérature dans différentes universités. L'excitation puis, après quelques brèves incursions dans la ruelle, la marijuana les faisaient planer. Dans l'ensemble, une bonne soirée.

La conversation enflammait Anik. Ses dégonflés de copains l'avaient laissé tomber. Elle n'en attendait pas grand-chose, mais tout de même un peu plus qu'une débandade. Ce soir, c'était le bouquet ! Elle allait changer de fréquentations. Ces garçons-là étaient prêts à se battre, et avaient bel et bien participé à la bagarre. L'un d'eux lui reprocha en plaisantant de l'avoir coiffé sur le poteau.

— Je voulais lancer la première pierre, après le passage des petites majorettes toutes roses ! s'exclama Jean-Luc. Pourquoi se sont-elles arrêtées juste devant moi ?

— Je ne me doutais pas qu'on allait m'imiter ! s'exclama Anik.

— Je t'ai vue t'élancer en courant dans la rue, je n'en croyais pas mes yeux !

— Ce soir, Anik, le peuple québécois s'est rallié à toi, renchérit Paul d'un ton solennel. Nous nous soulevons !

Enfin des amis qui ne se contentaient pas de discuter, mais comprenaient que les actes ont plus d'effet que les mots. Le lendemain, le monde apprendrait dans les journaux la nouvelle de la manifestation et le peuple du Québec comprendrait alors que sa cause avait progressé, que les étudiants étaient prêts à dénoncer les politiciens, à combattre la police au nom de l'indépendance. Les Québécois auraient pleine conscience que leur environnement politique avait à jamais changé.

— Je parie, déclara Vincent, que Trudeau sera battu demain, et ce sera grâce à nous ! Demain, les Québécois ouvriront, pour la première fois en un siècle, tout grands leurs yeux. Nous avons dénoncé le traître et il sera viré !

Ils trinquèrent, aussi impatients que les politiques de connaître le verdict des urnes.

— Sommes-nous tous membres du RIN ? s'enquit Jean-Luc.

Les garçons répondirent que oui, mais Anik lança un « non » catégorique.

— Il faut que tu t'inscrives ! déclara Vincent.

— Non, répéta-t-elle, pas question !

Ce fut un choc.

— Mais tu devrais ! insista Paul. Pourquoi pas ?

— Nous avons besoin d'aide.

— Je ne veux pas m'inscrire.

— Mais pourquoi ? l'interrogea Paul.

— Je ne veux pas que mon nom figure sur une liste. Un jour, nous devrons peut-être entrer dans la clandestinité, ce qui n'est pas facile quand on a signé une liste que la police montée possède déjà en trois exemplaires.

Sa prévoyance, sa détermination les impressionnèrent. Anik avait hérité la tactique que sa mère avait élaborée durant sa longue expérience des batailles syndicales.

Très tard, épuisée mais encore grisée, elle se traîna jusque chez elle. Aucun de ses nouveaux amis ne disposait d'une voiture et, entre un taxi et un dernier pichet de bière, elle avait choisi de boire. Le métro ne fonctionnait pas la nuit, pas plus, à cette heure, que le bus. De toute façon, traverser la ville puis dévaler la colline au pied de laquelle s'étendaient les quartiers pauvres de la Pointe Saint-Charles lui ferait du bien ; ce serait l'occasion de s'éclaircir les idées et de réfléchir à cette soirée agitée. L'action, c'était formidable ! Pourtant, elle était moins optimiste que ses nouveaux compagnons. Les étudiants avaient lancé, c'est vrai, des pierres et des bouteilles – ça c'était stupide –, mais sans toutefois initier un quelconque soulèvement général. Certes, ils avaient fait du grabuge, mais rien de plus. La plupart des milliers de spectateurs étaient venus assister à un défilé, pas à une émeute, et seule une minorité avait réagi favorablement au saccage. Changer la mentalité des gens – Anik en était persuadée, tirant une nouvelle fois la leçon des expériences de sa mère – demandait du temps et de la persévérance. Cependant, cette nuit avait démarré la conquête du cœur et de l'esprit de la population, cela au moins était acquis. Dans un moment, le soleil se lèverait sur la journée des élections, et si Pierre Elliot Trudeau revenait au pouvoir, il saurait, et le pays tout entier

345

saurait, qu'avait débuté une lutte nouvelle que les urnes n'avaient pas prise en considération.

Parvenue, à bout de forces, devant la barrière de sa maison, elle en soulevait le loquet quand elle entendit des pas. Son cœur bondit dans sa poitrine ; ce n'était pas encore l'aube.

— Bonjour, Anik, dit une voix.

Si l'intrus n'avait pas parlé, elle ne se serait pas retournée, mais la curiosité l'y contraignit. Elle reconnut l'uniforme, puis le policier.

— Vous ? fit-elle.

— Je n'ai pas eu l'occasion de me présenter. Sergent Emile Cinq-Mars.

— Drôle de nom... C'est une visite mondaine ?

— Je suis ici pour vous arrêter.

— Mais, enfin, qu'est-ce qui vous prend ? J'ai rencontré ce soir des gens prétendant avoir lancé une vingtaine, voire une trentaine de pierres. Et moi, une, une seule ! J'ai entendu aussi un type dire qu'il avait lancé ses chaussures ! Il devrait être facile à trouver, celui-là. Refaites le coup de Cendrillon : si les chaussures lui vont, arrêtez-le ! Pourquoi me pourchasser moi ?

— Parce que vous avez jeté la première pierre. (Il se rapprocha, sachant pertinemment que, si elle s'enfuyait, il aurait du mal à la rattraper.)

— Et mon crime serait plus grave ? Parlez-moi de cette loi mythique selon laquelle quiconque jette la première pierre est plus coupable que celui qui jette la deuxième.

— On lit dans la Bible : *Que celui qui n'a jamais péché lui jette la première pierre.* Cela implique donc une certaine culpabilité, mais, j'en conviens, ça ne tiendrait pas devant un tribunal. N'oublions pas tout de même que vous avez également échappé à la garde de la police. C'est un crime plus grave.

— Je suis claustrophobe ! Je vous avais prévenu ! Je devenais folle là-dedans, il fallait que je sorte ! Quand la porte s'est ouverte, j'ai sauté ; d'ailleurs, si je ne me trompe, personne ne m'a interdit de le faire.

— Je crois, malheureusement, qu'il faudra vous en expliquer devant un juge.

— J'en ai bien l'intention, et je parie qu'il sera compatissant.

Soudain, le vestibule s'éclaira et on entrebâilla la porte.

— Anik, demanda Carole Clement d'une voix ensommeillée, tout va bien ?

Un fox-terrier se précipita sur la véranda et se mit à bondir frénétiquement autour de la jeune fille ; elle s'agenouilla, lui caressa les oreilles pour le calmer et lui posa un baiser sur la truffe.

346

— Mais oui, maman, ne t'inquiète pas, on vient juste m'arrêter.

— Très bien, ma chérie. Inspecteur, je pense que vous devriez être couché, il est quatre heures du matin !

Anik éclata de rire et Emile Cinq-Mars eut un petit sourire.

— Maman, je parle sérieusement, il vient m'arrêter.

— Tu n'es pas sortie avec lui ?

— Je ne sors pas avec... (Elle se retint à temps de lancer l'insulte qu'elle avait sur le bout de la langue...) les policiers, termina-t-elle.

— Si vous entriez tous les deux pour qu'on en discute ? leur proposa Carole en ouvrant la porte.

— Madame... » Cinq-Mars s'apprêtait à protester quand Anik, sautant sur l'occasion, grimpa les marches et se glissa derrière sa mère.

— Au fait, inspecteur, s'enquit Carole en posant une main sur la poitrine du policier, avez-vous un mandat ?

— L'arrestation ayant débuté dehors, madame, cela me donne le droit de continuer la poursuite à l'intérieur, déclara-t-il avant de reprendre, plus amène : si cela s'avérait nécessaire.

Carole enleva sa main et, d'un geste large où perçait une ironie certaine, lui fit signe d'entrer.

— Ranger, reste dehors, mon garçon. Fais ton pipi.

Le chien resta dans la cour, trop content de profiter de cette balade matinale.

Une fois à l'intérieur, le policier se heurta à de nouveaux problèmes.

— Voulez-vous une tasse de thé, sergent ? lui proposa d'abord la fille.

Pendant ce temps, sa mère avait composé un numéro au téléphone et, en attendant qu'on décroche, elle demanda :

— D'ailleurs, que signifie tout ça ? Que prétendez-vous lui reprocher ?

— Je prétends lui reprocher..., commença Cinq-Mars, mais Carole leva la main pour l'arrêter et parla dans le combiné :

— Le capitaine Armand Touton, je vous prie.

Encore ! Tous ses supérieurs respectaient Armand Touton ; Cinq-Mars, lui, ne le connaissait que de réputation.

— C'est votre frère, ou quoi ? demanda-t-il à Carole Clement.

— Armand, c'est Carole, reprit-elle au téléphone sans avoir eu le temps de répondre à la question de Cinq-Mars. Vous avez eu une nuit bien remplie, dirait-on. » De la tête, elle fit signe à Anik de lui servir une tasse de thé. Cinq-Mars haussa les épaules : la situation lui échappait – cela devenait de plus en plus évident –, autant prendre du thé lui aussi ; cela lui ferait du bien après cette longue nuit et

347

l'interminable attente devant le domicile d'Anik. « Un policier est ici... non, un sergent de ville. Il est venu arrêter Anik... Il prétend qu'elle aurait fait du chahut au défilé.

Cinq-Mars secoua la tête pour signaler que la version qu'elle venait de donner différait de la réalité.

— Je vous demande pardon, continua Carole en s'adressant à lui, quel est votre nom déjà ?

— Emile Cinq-Mars, maman, répondit pour lui Anik. Au fait, sergent, d'où tenez-vous un nom pareil ?

Il se demandait si elle se moquait de lui.

— Vous êtes de Montréal ? reprit-elle.

— De la campagne, d'une petite ville, Saint-Jacques-le-Majeur-de-Wolfestown.

— Il vient d'une bourgade, déclara Carole au téléphone, et il s'agit probablement d'un débutant. Un bleu, confirma-t-elle après avoir interrogé Cinq-Mars du regard. Il s'appelle Cinq-Mars.

Anik s'était affalée dans un fauteuil, en face de lui. Elle se débarrassa de ses baskets, qui lui avaient bien servi dans la soirée, ainsi que de ses chaussettes et, pieds nus, passa ses jambes par-dessus l'accoudoir ; elle les balançait légèrement.

— Elle parle vraiment avec Armand Touton ?

— Ouais.

— Le fameux Armand Touton ?

— Vous avez peur ?

— Exactement ! s'exclama Carole, toujours au téléphone. Il est là, chez moi, il s'apprêtait à arrêter Anik, on vient de lui offrir du thé... Non, je crois qu'il a suivi Anik jusqu'ici. » Elle marqua un temps puis tendit le combiné à Cinq-Mars. « Votre patron veut vous dire un mot.

Le jeune policier hésita : ça n'allait pas très fort pour lui et certainement pas comme il l'avait prévu.

— Il n'est pas directement mon patron.

— Ce n'est pas le moment de discuter de ça ! Vous l'avez déjà mis suffisamment en rogne !

Cinq-Mars prit l'appareil.

— Allô ? fit-il d'un ton hésitant.

— Nom de Dieu ! lança une voix dans le combiné, que se passe-t-il ?

— Pardonnez-moi, mais je ne sais pas avec certitude à qui je parle, monsieur.

— Vous tenez vraiment à le savoir ?

Il n'en était plus sûr.

— Eh bien, monsieur, non, à dire vrai. Mais, pour l'instant, vous n'êtes qu'une voix au téléphone.

348

« — Vous voulez me dire que vous avez suivi une fille jusqu'à son domicile, pendant des heures ?

— Non, monsieur, j'avais son nom. Quant à son adresse, c'est le commissariat qui me l'a donnée, grâce à son permis de conduire. Donc je me suis rendu à son domicile et je l'ai attendue.

— Pourquoi ?

— Monsieur, je ne sais pas à qui je m'adresse...

— Cinq-Mars, n'est-ce pas ? Répondez, bon Dieu !

— Monsieur, c'est elle qui a déclenché l'émeute, qui en a été l'instigatrice en jetant la première pierre. » Tout en parlant, il comprit qu'il se fourvoyait en s'appesantissant sur cet unique fait ; la première pierre ne pesait pas plus dans la balance que la dernière. Anik le lui avait d'ailleurs fait remarquer et elle avait eu raison. Pourtant, à l'autre bout du fil, on sembla considérer un moment cette nouvelle, et Cinq-Mars profita de la pause pour ajouter :

« — Et elle a échappé à la garde de la police, monsieur.

— Que racontez-vous là ? Elle n'a jamais été sous la garde de la police.

— Ce soir, monsieur, elle était dans un fourgon dont elle s'est enfuie avec les autres.

— Elle en faisait partie ? s'exclama-t-on avec – c'était indéniable – une certaine admiration.

— Elle a été la première à sortir, monsieur.

— Très bien, Cinq-Mars. Cela vous ennuierait-il de rester là jusqu'à ce que j'arrive ? »

Voilà qui ressemblait fort peu au protocole en usage dans la police.

« — J'attendrai, monsieur. Combien de temps, à votre avis ?

— Pas longtemps. Reprenez votre calme, ce n'est pas une menace, répondit la voix, et on raccrocha.

Le sergent reposa le combiné. Son regard passa de Carole à Anik, puis revint sur le téléphone.

« — Il arrive, annonça-t-il.

— L'eau bout, remarqua Anik. Du lait, Cinq-Mars ? Du sucre ? Du cyanure ?

Carole Clement, les cheveux gris et la peau terne, alluma une autre lampe puis, serrant son peignoir autour d'elle, s'assit dans le fauteuil que venait de quitter Anik.

« — Pourquoi donc est-ce si compliqué de procéder à l'arrestation de votre fille ? s'étonna-t-il.

— Vous venez de vivre une nuit passionnante ! observa la femme en guise de réponse.

— Une véritable expérience...

— Sans doute, quand on vient de la campagne. »

Cette remarque contenait quelque chose de vaguement désobligeant.

— Il est vrai que je suis un bleu et peu habitué à la ville...

— ... et, par conséquent, sans expérience dans ce domaine.

— Peut-être, mais je sais que, nulle part, on ne doit se servir de pierres ou de bouteilles comme projectiles.

— Ma fille sait qu'on ne doit jamais lancer une bouteille.

De toutes les surprises de la nuit, cette observation était la meilleure.

— Les pierres sont dangereuses elles aussi, madame.

— Comme si je l'ignorais ! Deux fois, j'ai atteint – et blessé – une jaune avec une pierre bien lancée. » Complètement décontenancé, Cinq-Mars ne réagit pas. « Lors d'une grève, expliqua Carole, il faut savoir choisir un camp.

— Dans quel camp se trouve Anik ? demanda le sergent en acceptant la tasse que celle-ci lui tendait.

— Demandez-le-lui !

— Vous essayez de m'amadouer, Cinq-Mars ? répliqua la jeune fille.

— Il y a une élection demain, enfin tout à l'heure, vous pourriez exprimer votre opinion par le vote, non ?

— Aucun des candidats dans cette élection n'exprime mon opinion, déclara-t-elle.

— Ni la mienne, maintenant que j'y pense, ajouta sa mère.

— Aucun d'eux ne mérite mon soutien, insista Anik. Je suppose, Cinq-Mars, que vos opinions et celles de la police sont bien représentées ?

Le thé le calma, mais pas la double attaque verbale de la mère et de la fille.

— Au moins, aucun des candidats ne présente un programme qui assimile les policiers à des porcs, principal argument que j'ai entendu ce soir.

Les deux femmes sourirent.

— Nous avons touché un point sensible, observa Anik.

— Vous avez raison, renchérit Carole, tous les sentiments, toutes les insultes exprimés n'auraient pas dû l'être. J'imagine ce que vous avez enduré.

— De même pour les pierres.

— C'est vrai. Maintenant, entre nous, pourquoi avoir dépensé tant d'énergie pour n'arrêter qu'une seule de ces milliers de manifestants ? Avant de répondre, prenez bien conscience qu'il s'agit là d'une question grave, que votre supérieur ne manquera pas de vous poser.

— Madame, commença Cinq-Mars en reposant sa tasse sur le guéridon situé près de son fauteuil, permettez-moi de vous demander quelle est la nature de vos relations avec le capitaine Armand Touton ?

Les deux femmes échangèrent un regard.

— Cinq-Mars, lança Anik d'une voix flûtée, c'est un point sur lequel je n'insisterais pas à votre place. En partie parce que... (Elle masqua une partie de sa bouche, comme pour empêcher sa voix de parvenir jusqu'aux oreilles maternelles, et murmura :)... *personne ne sait.* (Elle laissa retomber sa main et reprit un ton normal.) Et en partie parce que personne n'a envie de savoir quelque chose qui ficherait la trouille à quiconque le découvrirait.

— Anik !

— Ils pourraient être amants...

— Anik, arrête immédiatement !

— A moins que ma mère n'ait un moyen de pression sur lui, qu'elle n'exerce sur lui une sorte de chantage. Dans un cas comme dans l'autre, à votre place, je préférerais ne pas savoir.

— Après tout, maugréa Carole, arrêtez-la donc !

— Il a un faible pour moi, je le sens.

— Sergent Cinq-Mars, c'est vrai ? s'exclama la mère, comprenant soudain certaines choses.

— Il rougit ! observa Anik, enchantée de le constater.

Il regrettait maintenant son impétuosité. Que faisait-il ici ? Il aurait pu faire signer un mandat d'arrêt, sans s'impliquer personnellement. Il aurait pu aussi laisser tomber, ce dont personne ne se serait soucié. Pourquoi diable s'était-il acharné précisément sur une fille dont la mère était au mieux avec le commissaire le plus important de tout le service ? Bien sûr, sa carrière survivrait à ce cafouillage, mais ses perspectives d'avancement – notamment son espoir d'être engagé dans la Patrouille de nuit, sous les ordres du capitaine Armand Touton – venaient d'en prendre un coup. Quelle leçon ! Se trouver du côté des anges gardiens, tenir le bon rôle n'impliquaient pas automatiquement détenir la vérité. Il n'avait aucun motif pour s'occuper personnellement de cette arrestation et il venait de le réaliser quand il entendit son célèbre supérieur grimper les marches du perron.

— Courage ! lui lança la jeune fille. Il est venu seul, sans le peloton d'exécution...

Cette plaisanterie ne le soulagea en rien.

Carole Clement alla ouvrir au commissaire et Cinq-Mars se leva d'un bond pour découvrir avec consternation que les deux femmes et son supérieur entretenaient en effet des liens amicaux. Le chien de la maison l'accompagnait, mais il avait l'air épuisé et, après avoir

351

vaguement reniflé le jeune policier, il s'effondra sur son coussin sous un banc.

Cinq-Mars, ne sachant trop quoi faire, resta debout et salua Armand Touton ; il se sentait complètement idiot.

Le commissaire se comportait tout à fait comme chez lui ; il se laissa tomber sur un divan auprès d'Anik, puis il l'interrogea.

— Dis-moi ce que tu as fait ce soir, Anik, et de quelle infraction il s'agit. Explique-moi pourquoi je dois m'opposer à ce que le sergent t'arrête et te conduise à pied jusqu'au commissariat.

Elle s'agitait nerveusement et Cinq-Mars le remarqua : il la connaissait impétueuse mais pas boudeuse.

— J'ai lancé la première pierre, d'accord ! Et alors ? il n'y a pas de quoi en faire un plat ! Je l'ai lancée sur Trudeau. Oui, le Premier ministre... Et alors ? Je regrette de l'avouer : je l'ai manqué. Mon unique projectile n'a frappé que les marches. Alors, très bien, arrêtez-moi pour ça, pour avoir lancé une pierre sur un immeuble sans causer le moindre dommage.

— Le sergent Cinq-Mars déterminera lui-même les chefs d'accusation. Pourquoi as-tu lancé la pierre ?

— Parce que Trudeau est un salaud !

— Et pourquoi est-il un salaud ?

Elle resta muette.

— Si on t'arrête, tu seras obligée de répondre à ce genre de questions.

— C'est un salaud !

Touton soupira et se frictionna les mains un instant.

— Qu'as-tu fait d'autre ? Qu'as-tu fait d'autre qui pourrait intéresser la police ?

— Quelqu'un a ouvert la porte du panier à salade. Comment ? Je ne sais pas, mais c'est comme ça. Ne me reprochez pas ça, je n'y étais pour rien, d'accord ? Je n'ai fait que me trouver dans le fameux fourgon. D'ailleurs, il était bondé et je suis claustrophobe ! Je ne pouvais pas le supporter. Je le lui ai dit, à lui ! Il ne m'a pas crue...

— En fait, je vous ai crue.

— Mais vous m'avez quand même collée là-dedans ! Espèce de salaud !

— Encore un salaud ? Tu traites tout le monde de salaud, maintenant, Anik ?

— Allez vous faire foutre !

Choqués, les protagonistes baissèrent la tête.

On entendait le tic-tac de l'horloge.

Cinq-Mars jeta un coup d'œil à la mère, curieux de savoir comment elle considérait la comédie jouée par son enfant. Elle paraissait désemparée, mais ne dit pas ce qu'elle pensait et ne fit aucun reproche. *Abasourdie peut-être,* se dit-il.

— Pardon, ce n'est pas ce que je voulais dire, s'excusa Anik en essuyant une larme.

Elle se tortillait sur place et Cinq-Mars dut reconnaître qu'elle était plus compliquée qu'il ne l'avait d'abord imaginé. Touton essaya d'attirer l'attention de Cinq-Mars et lui fit un signe ; les deux hommes se levèrent alors pour sortir.

— Laissez Ranger sortir, leur demanda Carole Clement.

Touton entraîna le jeune homme à l'écart de la maison pour pouvoir lui parler tranquillement.

— Situation difficile, maugréa le commissaire, songeur.

A cinq mètres d'eux, le chien flairait avidement le sol et les pneus des voitures garées.

— Comment ça ? répondit Cinq-Mars, qui s'attendait déjà à une déception.

Le capitaine de la Patrouille de nuit allait donc renoncer à cette arrestation ; il allait laisser les choses filer.

— Depuis un moment, je mène une enquête...

— Ah ?

Ils s'éloignaient de la maison, lentement selon Cinq-Mars qui d'ordinaire marchait vite ; mais Touton souffrait et avait ralenti son allure. N'ayant pas de but précis, ils s'avancèrent assez loin.

— Une enquête sur un meurtre, précisa Touton.

— Quand cela s'est-il passé ? s'informa le débutant, fasciné par la seule mention de ces deux mots : « enquête » et « meurtre ».

— J'aime votre façon de vous exprimer, Cinq-Mars. Vous n'avez pas dit : « Quand est-ce que le tueur a fait son coup ? » ou bien : « Quand le gars s'est-il fait buter ? » Vous avez dit : « Quand cela s'est-il passé ? » C'est très civilisé.

Son aîné se moquait-il de lui ?

— Merci, capitaine.

— Je ne devrais m'attendre à rien de moins, non ?

Il était de nouveau déboussolé ! Touton, une nouvelle fois, le laissait croire qu'il comprenait ce qui se passait, puis faisait volte-face.

— Capitaine ?

— Appelons ça le langage de l'éducation. Vous êtes policier, et vous êtes passé par l'université.

— Oui, capitaine.

Une instruction un peu poussée restait rare dans la police, même si cela devenait plus courant. Les inspecteurs plus âgés jugeaient ses antécédents bizarres ; certains d'entre eux allaient même jusqu'à voir dans ce débutant diplômé un individu vaguement suspect, comme si l'évidente intelligence du nouveau venu risquait de saper leur autorité et leur expérience. Les anciens n'aimaient pas que des gens trop instruits s'introduisent dans leur milieu, dans leur culture familière ; et Cinq-Mars avait constaté que leur réaction initiale cédait la place à la curiosité quand ils découvraient la matière qu'il avait choisie.

— Un diplôme d'élevage, énonça Touton, prouvant d'emblée qu'il ne ferait pas exception à la règle. Pourquoi un tel diplôme, si vous souhaitiez devenir policier ?

— Je ne l'ai pas fait pour devenir policier, capitaine.

— Je vous crois.

— J'ai d'abord obtenu mon diplôme – mon père tenait beaucoup à ce que je fasse des études –, puis j'ai décidé d'entrer dans la police. Je n'ai pas réussi l'école vétérinaire, vous comprenez, comme je l'espérais quand j'étais plus jeune.

— Ce sont des choses qui arrivent. Premier choix : véto. Second choix : flic. Dans les deux cas, vous passez votre vie au milieu des animaux. Peut-être souhaitiez-vous faire partie de la montée ou de son Carrousel ? On vous a refusé ?

— Je voulais travailler en ville, capitaine. Le poste que j'ai maintenant, est celui que je désirais.

Ils continuèrent à marcher en silence. Cinq-Mars sortit son paquet de cigarettes et en offrit une à Touton.

— En général, lâcha Touton, je ne fume pas. » Mais il en prit une quand même. Ils fumèrent un moment sous un lampadaire puis marchèrent encore un peu.

— Alors, vous désiriez être policier dans cette ville, insista Touton.

— Oui, capitaine. Pour moi, c'est plus qu'un simple travail : c'est ce que j'ai envie de faire.

Touton hocha la tête. Peu lui importait cette touche romanesque, ce sentiment de vocation, dès l'instant que le jeune sergent savait où il voulait aller.

— C'est une ville dure. Le racket prend de l'ampleur. Autrefois, on luttait contre le jeu et la prostitution. Aujourd'hui, c'est contre l'héroïne. Il se commet des tas de meurtres ici : environ deux par semaine ; on s'attaque à plus de banques à Montréal que nulle part ailleurs. Pourquoi ? Deux types assis sur une véranda bavardent, l'un dit : « Que fais-tu aujourd'hui ? — Rien », répond l'autre, et le premier de proposer : « Si on braquait une banque ? » Et ils le font, et avec succès la plupart du temps. Comment arrêter cela ? Comment empêcher que des garçons résolus, sans casier judiciaire, ne s'attaquent pas à des banques sur un coup de tête ? Nous sommes sans défense contre cette plaie. Je suis tombé sur un type de ce genre la semaine dernière. « Tu as un bon boulot, une famille. Pourquoi as-tu dévalisé cette banque ? » lui ai-je demandé. « Parce que je m'ennuyais », m'a-t-il répondu. Autrefois, j'arrêtais des criminels, désormais je dois traquer aussi les gens qui s'ennuient... C'est dingue !

Ils avaient atteint une zone plus sombre de la rue : seule la lueur de leur cigarette les distinguait l'un de l'autre. Cinq-Mars savait que son supérieur exagérait, mais il n'allait pas le lui reprocher.

— Votre père tenait beaucoup à ce que vous fassiez des études, ce sont vos propres termes.

— Oui, capitaine.

— Je n'avais jamais entendu utiliser cette formule avant. « Il tenait beaucoup... » Un flic ne s'exprime pas ainsi. Votre père est-il en rogne contre vous ?

— Il est... consterné, capitaine, je crois que c'est le mot. Je vous demande pardon s'il ne s'agit pas non plus d'un mot de flic.

— Peu importe. Je comprends, tout comme je comprends le père « y tenait beaucoup ». Et ce n'est pas mon cas, Cinq-Mars, dans la circonstance qui nous occupe. Réalisez-vous le tort que vous causeriez à cette enfant en l'arrêtant ? Avez-vous conscience – ce n'est pas un trop grand mot pour vous, n'est-ce pas ? – de la situation difficile dans laquelle vous la placez ?

— Ne s'est-elle pas mise elle-même dans cette situation, capitaine ? répondit Cinq-Mars en haussant les épaules.

— Peut-être, en effet, si vous l'aviez arrêtée sur place et que vous aviez veillé à ce qu'elle reste tranquille. C'est une chose. Le problème est désormais différent : vous l'arrêtez après les faits.

— Je ne vois pas, capitaine, pourquoi ce serait un problème. Qu'est-ce que cela change ?

Touton pencha la tête comme s'il esquivait un coup de poing.

— Bon, une fois que les prisons sont remplies, que les manifestants ont vu leurs avocats et les parents payé la caution après avoir attendu l'ouverture des banques – et engueulé l'inspecteur de service en le menaçant de porter plainte pour arrestation injustifiée –, c'est à ce moment-là que vous envisagez de nous l'amener. Après les faits ! Elle semblerait ainsi bénéficier d'un statut spécial, voilà ce que je dis ! Anik sera remarquée, et elle éveillera la méfiance des autres prisonniers. Vous savez comment ça marche ?

Il sentait son assurance faiblir, car il venait de découvrir que la position de force à laquelle il se cramponnait d'habitude dans une discussion avec un supérieur était déjà minée.

355

— Je ne crois pas, capitaine.

— Vous gâcheriez sa vie, Cinq-Mars, vous lui causeriez des dommages probablement définitifs. Pensez-vous qu'elle mérite ça pour avoir jeté une seule pierre ?

— Je ne vois toujours pas bien comment...

— Cinq-Mars... (Touton stoppa sa marche et posa une main sur l'avant-bras de son cadet.) Tout le monde verra en elle une balance. Il y a eu une grande manifestation, on a rassemblé les meneurs et on les a incarcérés. Puis, miraculeusement, quelques heures plus tard, on appréhende un dernier manifestant, une, parmi les dizaines de milliers qu'on a laissés partir libres. Puis-je vous suggérer une solution ?

Cinq-Mars acquiesça.

— Cela m'aiderait, avoua-t-il. Il laissa tomber sa cigarette et écrasa le mégot sous son talon.

— Rentrez chez vous et laissez passer la nuit. Si, demain après-midi, en arrivant au bureau, vous continuez à estimer qu'Anik devrait être emprisonnée, procurez-vous un mandat d'arrêt puis téléphonez-leur, à elle ou à sa mère, pour les prévenir. Anik, en constatant que vous avez insisté pour obtenir ce mandat, se livrera d'elle-même, je peux vous le garantir. Elle arrivera flanquée d'un avocat qui se comportera comme tous ses confrères : une caution sera fixée et, une heure plus tard, Anik rentrera chez elle et personne ne pensera à l'hypothèse d'un piège. Elle ne sera pas remarquée. C'est une bonne solution, non ?

— Oui, capitaine, acquiesça Cinq-Mars. Merci, c'est ce que je vais faire.

— Allons-y ! Mais, en chemin, je voudrais vous parler de mon affaire.

— Votre affaire, capitaine ?

— Mon enquête sur un meurtre.

Cinq-Mars se sentit de nouveau inquiet.

— Quand disiez-vous que cela s'est passé ?

— En vérité, je ne l'ai pas mentionné. C'est à ce moment-là que j'ai détourné la conversation.

— Capitaine ? » Cinq-Mars le trouvait sympathique, mais il n'était pas commode de discuter avec ce vieil homme.

— Si vous voulez devenir inspecteur, vous devriez remarquer ces choses-là tout seul. Vous avez posé une question : quand le crime a-t-il eu lieu ? Je n'ai pas répondu. Après cela, nous avons parlé de mille choses et c'est moi qui vous ai rappelé que nous évoquions une affaire de meurtre. Sergent, si vous voulez devenir un jour inspecteur, il vous faudra apprendre à ne jamais perdre le fil d'une conversation.

Tout cela tournait à un véritable enseignement.

— Je m'en souviendrai, capitaine. Vous avez précisé que la situation dans laquelle Anik risquait de se trouver affecterait votre enquête. Puis-je vous demander de quelle manière ?

— Cinq-Mars, reprit Touton, la victime était le père d'Anik Clement. Le mari de Carole. Vous comprenez ? C'était un petit délinquant impliqué dans des histoires de gros bras, de cambriolages, ce genre de choses. Il a passé la guerre dans un camp d'internement à cause de ses opinions politiques.

— Il était communiste ?

— Bonne hypothèse, mais ça n'était pas le cas. Il ne s'agissait pas non plus d'un fasciste. Il aimait sa femme et cela lui a attiré des ennuis avec la justice. Cela vous semble-t-il juste ? Moi, je continue à prétendre que non.

Espérant démontrer qu'il était capable de démêler les fils de la conversation, Cinq-Mars demanda :

— Et, quand, capitaine, ce meurtre a-t-il eu lieu ?

— Ah ! Vous vous rappelez l'émeute Richard ? Vous vous souvenez de cette nuit-là ?

Cinq-Mars se rappelait l'événement – il avait à peu près onze ans et avait écouté les reportages diffusés par la radio. Ces évocations d'une grande ville en flammes, des supporters renversant des voitures de police, n'avaient pas quitté son esprit de toute son adolescence et, de façon subliminale, l'avaient certainement guidé vers cette carrière de maintien de l'ordre urbain.

— Je n'étais qu'un enfant et je n'habitais pas Montréal, mais je m'en souviens très bien.

— Cette nuit-là, le père d'Anik a été tué.

Cela lui fit un choc de l'apprendre.

— Capitaine... Il y a une douzaine d'années de cela, peut-être davantage...

— Treize ans. Pensez-vous qu'après quelques années on devrait oublier un meurtrier qu'on n'a pas réussi à inculper ? Laisser de tels types en circulation ? Est-ce votre opinion ?

— Je ne veux pas dire ça. Mais... Je me dis simplement... Comme vous l'expliquiez, il y a chaque année une centaine de meurtres dans cette ville. Vous continuez à enquêter sur cette affaire ?

— J'essaie, oui. Puis-je vous faire partager une de mes inquiétudes ?

— Oui, capitaine, répondit Cinq-Mars qui, après avoir plusieurs fois changé d'avis sur le sujet, se félicitait maintenant de s'être rendu chez Anik alors qu'il n'était pas de service.

— Il est possible que l'enquête sur ce crime déborde sur les années

357

qu'il me reste à faire dans la police. C'est pourquoi je devrais peut-être la confier à quelqu'un d'autre, à un policier plus jeune. A vous, Cinq-Mars, éventuellement.

— Pourquoi moi ? Permettez-moi de vous faire remarquer, capitaine, que vous ne me connaissez pas.

— Vous avez fait des études universitaires, vous vous exprimez de façon curieuse, vous êtes passionné par votre métier, et vous êtes prêt, apparemment, à travailler en dehors de vos heures de service.

— Tout cela est vrai. » Ils avaient regagné la maison des Clement et s'arrêtèrent devant la porte. « Je vous remercie, mais j'ai l'impression que vous vous amusez un peu à mes dépens.

— Toujours. Il faut toujours s'amuser, Cinq-Mars, n'oubliez pas cela. Maintenant, qu'en dites-vous ? Vous ne voulez pas de l'affaire ? demanda Touton.

— Je ne sais que dire. Je ne suis pas encore inspecteur...

— Vous le serez. Ne me dites pas que vous ne songiez pas à devenir inspecteur en entrant dans la police.

— Si, capitaine, c'est vrai. Mais il n'y a aucune garantie.

Touton leva le doigt, comme si ce geste représentait le lancement d'une nouvelle idée.

— Je recherche depuis longtemps un policier jeune et brillant qui accomplirait pour moi, dans la clandestinité, quelques petites missions. Enquêter sur un crime en col blanc. Cela ne vous prendra pas trop de temps. J'ai besoin de quelqu'un qui parle comme un homme intelligent. Cela vous intéresse-t-il ?

— Capitaine..., commença Cinq-Mars, incapable de réprimer un sourire, je suis votre homme !

— Bon ! conclut Touton en lui donnant une tape sur le coude. Avant d'entrer, que ce soit bien clair : nous n'avons passé aucun marché ce soir. Ce que vous déciderez concernant Anik ne regarde que vous.

— Merci, capitaine, je vous en suis reconnaissant. Je laisserai passer la nuit puis je prendrai ma décision.

— Alors, dormez bien, Cinq-Mars. Présentez-vous à moi demain soir. (Là-dessus, le capitaine siffla doucement et Ranger le rejoignit en courant.)

Quand Cinq-Mars se réveilla cet après-midi-là, il était dans un tel état d'excitation qu'il faillit oublier Anik. Il décida de ne pas la poursuivre et, conformément au plan, l'appela pour l'en informer.

— Oh ! mon Dieu ! s'exclama-t-elle au téléphone, moi qui m'étais mise sur mon trente et un !

— Vous me voyez désolé de vous décevoir...

— Alors, vous avouez maintenant ?

— Je vous demande pardon ?

— Que vous avez un faible pour moi... Pourquoi ne pas le reconnaître ?

Bonne question.

— Je... Maintenant, il faut que j'aille travailler, Anik.

— Ah ! oui. Bon ! Mais vous me le direz, n'est-ce pas ? Je veux dire, vous ne garderez pas ça pour vous ?

Cinq-Mars raccrocha, songeur. Après tout, peut-être que le capitaine Touton cherchait à ce qu'il devînt l'ami d'Anik parce qu'elle avait les qualités pour devenir un indicateur bien placé. Cette idée le déconcerta. Que faire alors ? Se lier d'amitié ? Sortir avec elle ? Dans ce cas, agirait-il par attirance ou par intérêt ? Autre hypothèse, plus délicate encore, pourrait-il envisager de mêler romance et recrutement ?

Plus tard, il alla voter, puis, après avoir passé quelques heures à patrouiller, il gagna le commissariat central pour se présenter au capitaine.

— Avez-vous un costume ? demanda Armand Touton.

— Oui, capitaine.

— Rentrez chez vous, enfilez-le et revenez ici.

Cinq-Mars ne bougea pas.

— Eh bien, allez-y !

Après avoir pris une profonde inspiration, le jeune policier répondit :

— Capitaine, j'aurais l'air d'un fermier.

Touton jeta un coup d'œil au jeune homme et hocha la tête. A son retour de la guerre, il avait souvent souffert de ne pas avoir de vêtements ni de chaussures convenables. Ce sergent portait sans doute son uniforme fièrement, comme lui l'avait fait, pour oublier son allure ridicule une fois en civil. Il imaginait sans mal l'état de la garde-robe du sergent : ses premiers salaires lui avaient permis de l'améliorer un peu, mais certes pas d'acheter une tenue habillée.

— Je vous comprends, mon garçon. Cela n'irait pas. Bon ! Pouvez-vous aller demain chez un tailleur que je connais et qui vous fera un costume dans lequel vous n'aurez pas l'air d'un fermier, pour un prix raisonnable que vous pourrez régler – je le lui demanderai – en plusieurs mensualités ? Cela vous convient-il ?

— Bien sûr ! Mais demain est censé être mon jour de repos.

— N'y pensez plus.

Cinq-Mars se donna donc congé pour le reste de la nuit. De toute façon, il était trop excité pour patrouiller. Il quitta le commissariat, se rendit dans un bar pas trop encombré et commanda un whisky. Il n'était pas censé faire ça. En uniforme, il n'aurait pas dû, mais qui l'arrêterait ? Il s'octroya son premier verre d'alcool depuis son arrivée à Montréal, parce qu'il avait enfin quelque chose à fêter. Le téléviseur placé au-dessus du comptoir diffusa le résultat des élections : large victoire de Pierre Elliot Trudeau, auquel Cinq-Mars porta un toast. Il avait beaucoup apprécié le cran de ce type face à la foule, malgré sa présence sur la liste des suspects de l'enquête de Touton. Pour finir, il appela Anik, pour avoir son sentiment au sujet des résultats et lui proposer de prendre le coup de l'étrier avec lui.

— Je ne sors pas avec des flics, lui rappela-t-elle.

— Je ne suis pas de service.

— Selon vous, ça fait une différence ?

— D'ailleurs, je ne vous demande pas de sortir avec moi, seulement de prendre un verre.

Le silence qui suivit lui parut plein d'espoir.

— Qu'est-ce que c'est que cette histoire d'élevage ? lui demanda-t-elle enfin.

— Je suis expert en chevaux », avoua-t-il. En général, il ne parlait pas de lui-même en termes aussi flatteurs, mais, dans cette circonstance, il avait du chemin à rattraper. Cinq-Mars attendit, oubliant presque de respirer.

— Allez-vous enfin avouer que vous avez un faible pour moi, ou non ? » De toute évidence, elle ne lui faciliterait pas les choses.

— Je l'avoue. Vous venez ou pas ?

— Ne montez pas sur vos grands chevaux ! Dites-moi où vous êtes.

Quel humour ! Cependant il s'abstint de tout commentaire et la renseigna.

CHAPITRE 18

1968

L E CAPITAINE Armand Touton examina le jeune homme des cheveux – soigneusement coupés – aux chaussures – noires étincelantes : il était impeccable.

— Ça ira, conclut-il. Vous pourrez passer.

— Passer ? s'étonna Emile Cinq-Mars tout en supportant stoïquement l'inspection. Il avait opté pour un costume gris, le bleu lui rappelant trop la couleur de son uniforme. Il n'avait toujours aucune information concernant la mission que le capitaine de la Patrouille de nuit comptait lui confier, mais en tout cas son arrivée au bureau en civil, bien qu'il s'efforçât de paraître naturel, avait fait envie à ses collègues dont certains émirent des sifflements admiratifs.

— Vous faites penser à quelqu'un qui a reçu une certaine instruction et qui est prêt à conclure des affaires », le complimenta Touton. Ses traits énergiques étaient dominés par un nez protubérant qui d'ordinaire attirait l'attention. Energique aussi, son regard, qui risquait de poser un problème car il dénotait chez cet homme, d'allure pourtant tranquille, un caractère fort. « Vous paraissez gagner de l'argent sans vous fatiguer.

— Merci, capitaine.

— Vous semblez aussi avoir des secrets. Est-ce vrai, Cinq-Mars ?

— Capitaine ?

— Ne prenez pas la mouche, c'est une bonne chose. Je n'attends pas de vous que vous vous comportiez en bon fermier, mais en individu habitué à traiter des affaires louches. Vous sentez-vous capable de vous conduire en jeune salaud dévoré d'ambitions?

Cinq-Mars, certain maintenant que son supérieur le taquinait, sauta sur l'occasion :

— Tous ceux qui me connaissent savent que je suis ambitieux et, à en croire les émeutiers de l'autre soir, je suis un vrai salaud.

— Alors, reprit Touton en souriant, vous aviez raison.

— En quoi, capitaine?

— Vous êtes l'homme qu'il me faut.

— Merci, capitaine. » Une nouvelle fois, il ne savait pas s'il s'agissait d'une moquerie ou d'un compliment.

— Bon! Allons voir l'équipe.

— Comment se fait-il que vous soyez sur votre trente et un? lui demanda Anik. D'où sort ce costume?

— Je ne peux donc pas m'habiller une fois de temps en temps? (Fier de son premier costume convenable, il avait décidé de le porter pour leur deuxième rendez-vous. Il parlait de rendez-vous, même s'il s'agissait de circonstances pas follement romanesques : petit déjeuner tardif ou repas de midi à onze heures. Ses horaires nocturnes justi-fiaient ces choix, mais il réalisa que l'idée du costume était une belle bourde.)

— Regardez-vous puis regardez-moi! Cherchez l'erreur! » Selon lui, ils formaient un beau couple, mais ce n'était pas difficile d'interpréter sa remarque. Lui, dans son costume gris très classique, attendant la commande un coude négligemment posé sur le comptoir, et Anik dans son éternel jean couvert de pièces, un genou passant par une déchirure, complété par un haut hésitant entre le jaune et le vert qui la moulait et laissait voir son nombril.

— On ne va pas ensemble. On fait très *fossé culturel*, ajouta-t-elle devant son silence.

— Désolé.

Leur premier rendez-vous – cela les avait surpris autant l'un que l'autre – s'était très bien déroulé. Chacun avait parlé de son enfance et Cinq-Mars avait bifurqué vers les chevaux et son amour pour ses animaux; Anik le partageait, mais de loin seulement. Le flic et la jeune rebelle avaient oublié ce qui les différenciait et ils avaient discuté jusqu'au petit matin. Pour leur deuxième rendez-vous, un brunch, Cinq-Mars n'avait pas eu le temps de rentrer chez lui se changer. Il aurait dû le faire, quitte à prendre un taxi pour arriver à l'heure. Au fond, il souhaitait qu'elle le vît en costume, mais se sentait maintenant la pire incarnation du stéréotype du péquenot.

— Pour moi, c'est le petit déjeuner, je viens de me lever, je peux à peine garder les yeux ouverts. Et vous êtes sapé comme si vous vous apprêtiez à passer un marché avec le diable avant de vous faire conduire en limousine à l'aéroport !

Il sourit, la sachant déjà capable de mouvements d'humeur, et soupçonnant que ce torrent d'affronts remplaçait, chez elle, les mots tendres.

— Pourquoi souriez-vous ?

S'il essayait, il réussirait facilement à l'énerver, en tout cas plus efficacement qu'elle avec lui.

— Vous ne vous trouvez pas assez habillée ? Aucun problème, je vous attends ici pendant que vous allez vous acheter quelque chose.

— Moi, pas assez habillée ? riposta-t-elle, après être restée un moment bouche bée. C'est vous, mon bon monsieur, qui détonnez. Vous ressemblez à...

— Je sais à quoi je ressemble. Je suis beau, on peut même parler d'allure, d'élégance nonchalante.

— Vous vous prenez pour qui ? Cary Grant ?

— Ah ! vous l'avouez : vous avez un faible pour Cary Grant !

— Pas du tout !

— Vous ne vous intéressez pas aux intellectuels hirsutes autant que vous le proclamez. Vous appréciez aussi les hommes soignés, bien habillés.

— Oh ! Oh ! Je vous en prie. C'est tout ce que vous avez trouvé ?

Ça ne lui était encore jamais arrivé et le moment ne lui paraissait pas particulièrement opportun, mais il obéit à l'instinct qui lui vint : Emile Cinq-Mars se pencha vers elle et plaqua sur ses lèvres un baiser bref, mais appuyé.

Il se redressa, elle resta ébahie, ouvrant tout grands ses beaux yeux bruns.

On leur servit alors leurs cafés. Toujours souriant, le jeune policier but une gorgée pendant qu'Anik se remettait peu à peu.

— Pourquoi avez-vous fait cela ? balbutia-t-elle.

— C'est vous qui me l'avez demandé !

— Absolument pas !

— Vous avez demandé : « C'est tout ce que vous avez trouvé ? » Alors m'est venue cette idée.

Leurs assiettes atterrirent littéralement devant eux – c'était le style de l'établissement ; un service un peu fruste contrastait avec l'excellente réputation de la cuisine. Cinq-Mars avait commandé une omelette aux champignons et au poivre vert, Anik, une assiette de fruits au fromage blanc.

— Pauvre flicaille à la solde de l'establishment, avec ses grands airs agressifs ! Espèce de rétrograde en costume trois-pièces ! Sale larbin de la bourgeoisie...

— Continuez, Anik, et je vous embrasse encore une fois.

Elle se tut un moment, l'observa puis baissa les yeux vers son assiette ; enfin, elle le regarda de nouveau dans le miroir qui courait derrière le comptoir.

— Minable, bon à rien, crétin ignare en politique, intellectuel abruti...

Il l'embrassa encore.

Le baiser, cette fois, se prolongea, car elle le lui rendait avec une égale ardeur. Ils ne s'arrêtèrent même pas quand la serveuse apporta leurs jus de fruits, ni quand les occupants d'une niche voisine se mirent à applaudir.

— Ôte ta veste, ta cravate, et déboutonne ton col, lui conseilla Anik quand ils eurent enfin terminé.

— Sinon quoi ? On ne s'embrasse plus ?

— Sinon... on ne mange plus.

Il obtempéra et, arborant tous deux un sourire béat, ils attaquèrent leur repas.

Cinq-Mars demeura longtemps dans l'ignorance de sa mission. Chaque soir, il arrivait au commissariat central dans son beau costume qui provoquait un concert croissant de quolibets, et attendait qu'on lui ordonnât, ou non, de remettre son humble uniforme bleu. A deux reprises, on l'envoya rejoindre l'équipe de patrouille mais, quand il se présenta au contrôle, on lui annonça qu'on l'attendait au commissariat, qu'il regagna en bus ; il ôta alors sa tenue bleue, enfila son costume neuf et se précipita pour recevoir des instructions qui n'arrivèrent jamais. Son service terminé, il patienta encore jusqu'au moment où on vint lui dire de rentrer chez lui.

— La situation est variable, lui expliqua le capitaine Armand Touton.

— Je comprends, capitaine.

— Il m'est impossible de prévoir quand nous aurons besoin de vous.

— Je comprends, capitaine, mais en quoi au juste consistera mon travail ?

— Restez patient, nous en parlerons plus tard. Nous ne divulguons jamais à l'avance les opérations que nous prévoyons. C'est ma politique. N'y voyez là rien de personnel, cette règle s'applique à tout le monde.

Comme il l'expliqua à Anik, il était impatiemment patient.

Il estimait avoir de la chance les jours où, dès son arrivée au commissariat central, on lui demandait de se présenter immédiatement à Touton : il vérifiait alors le pli de son pantalon, se donnait un coup de peigne et une touche de laque pour évoquer au moins vaguement un truand, puis il attendait en se tournant les pouces. Touton l'emmena deux fois faire un tour dans les rues de Montréal.

— J'aime cette ville, lui confia le capitaine alors qu'ils traversaient le difficile quartier Est, niché sous les arches du pont Jacques-Cartier. Surtout la nuit; de nuit, c'est ma ville. Bien sûr, je n'en suis pas le propriétaire – elle ne m'appartient pas, je le sais –, mais je la connais à fond, et je la protège.

— Qui recherchons-nous ?

— Des racketteurs dans le milieu du jeu.

— Formidable !

— Vous vous infiltrerez comme joueur. L'inspecteur Gaston Fleury...

— Le flic de l'Administration ?

— Ne riez pas, lui reprocha Touton. C'est un vrai policier, dans son genre, il peut être utile et efficace.

— Certainement, capitaine. » Il acceptait le point de vue de Touton, mais continuait à penser : ce type n'est qu'un comptable.

— L'inspecteur Fleury vous fournira l'argent. Nous vous avons préparé une identité, un nom qui vous ouvrira les portes des tripots. Avez-vous déjà joué, Cinq-Mars ?

— Non, capitaine.

— Jamais ? Même pas un petit peu ? Vous avez bien parié une fois ?

— Non, capitaine.

Touton l'observa, son regard quittant un instant la route.

— Qui êtes-vous exactement ? Un garçon de ferme doublé d'un enfant de chœur ?

— Oui, capitaine, je crois...

— Quoi donc ?

— J'ai été enfant de chœur, capitaine.

— Eh oui ! s'exclama Touton en riant. Vous vivez au Québec ! Cinq-Mars, nous avons tous été enfants de chœur ! Mais même les enfants de chœur jouent aux cartes !

— Pas moi, capitaine.

— Aucun vice ?

— Je bois du scotch... de la bière aussi, un peu...

— On va vous apprendre à jouer à la roulette. Ce n'est pas exactement un jeu d'adresse, vous placez simplement votre argent sur un chiffre ou sur une couleur, ou les deux. Vous n'êtes pas bête, vous comprendrez rapidement. Personne ne vous demande de gagner. Il suffit que vous vous trouviez à l'intérieur du tripot et que vous vous conduisiez comme un habitué quand nous descendrons du toit.

— Du toit, capitaine ?

— Ma méthode favorite ! expliqua le capitaine. Oui, il y a une verrière. J'en ai souvent défoncé, et toujours avec plaisir. Difficile à croire, mais beaucoup de ces établissements ont des verrières ; ils veulent évidemment un endroit sans fenêtre. Un éclairage naturel leur est pourtant nécessaire en cas de panne d'électricité, et ils ont besoin d'une issue de secours quand ils sont cernés par les flics. Dommage pour eux, je ne passe jamais par la grande porte si on me laisse l'option de la verrière.

— Ils n'ont pas encore compris ?

— Ils auraient dû ! Mais ce sont des hommes, et les hommes ont leurs faiblesses... Ils ne pensent jamais qu'un malheur les menace. Je me souviens d'une fois où ils avaient même disposé une échelle donnant sur la verrière pour faciliter leur fuite : elle m'a permis de descendre les saluer !

— C'est dans un cas pareil qu'intervient le salaud plein d'ambition que je suis censé être ? demanda Cinq-Mars, tout excité par l'opération qui se profilait enfin.

— Voici le plan : vous arrivez, vous jouez tout en gardant à l'œil un fonctionnaire pourri que nous surveillons. Apprendre de qui il s'agit sera un choc. On vous montrera une photo. Puis, les flics débouleront par la verrière. Cela semblera parfaitement vrai, ne vous inquiétez pas à ce sujet.

— Vous voulez dire que cela ne le sera pas ?

— Pas tout à fait. Vous sortirez par le conduit d'aération : Gaston Fleury vous l'indiquera. Mais vous emmènerez notre ordure de fonctionnaire avec vous. Il existe un toboggan d'évacuation connu des seuls initiés, dont quelques-uns des nôtres. Dès l'instant où vous vous serez échappés, le ripoux deviendra votre débiteur et vous fera confiance. Il vous sera reconnaissant, et vous développerez alors cette relation. Vous prétendrez être dans l'import-export. Quand il vous demandera si vous avez besoin d'un coup de main pour vos affaires, vous lui répondrez que vous gardez ça pour vous jusqu'à ce que le besoin se fasse sentir. Compris ?

— Bien, capitaine.

Il avait prévu un rendez-vous dans la matinée, que cette conversation risquait de compromettre ; il ne serait pas non plus en mesure de passer un coup de fil. Le métier de flic lui posait parfois des problèmes dans sa vie mondaine. Ils avaient tellement tourné que Cinq-Mars n'aurait su dire où ils se trouvaient, même en apercevant une partie du pont un peu plus à l'ouest.

— Nous attendrons ici.

Au début, rien ne semblait se passer : tout dormait dans le voisinage. Puis une voiture se gara derrière la leur et éteignit aussitôt tous ses feux. Cinq-Mars jeta un coup d'œil sur le conducteur : il paraissait examiner le contenu d'une serviette.

— Ne faites pas ça !

— Quoi donc ?

— Ne vous retournez pas.

Sa première mission en civil, et déjà une erreur. Deux minutes plus tard, le nouvel arrivant lança deux appels de phares et descendit du véhicule. L'inspecteur Gaston Fleury – c'était lui – s'approcha de Touton qui baissa sa vitre.

— C'est annulé, annonça Fleury. Il ne joue pas ce soir.

— Comment cela se fait-il ?

— Il a rencontré une fille.

— Le connard ! Bon. On ne peut pas brusquer les choses. On essaiera un autre soir.

Touton démarra et Cinq-Mars se sentit bizarrement soulagé.

— Maintenant, vous connaissez le plan, mais n'en parlez pas, l'avertit Touton.

— Je n'en soufflerai pas mot, capitaine.

— Dans le cas contraire, je vous écraserai les couilles ! Pardonnez-moi, je n'ai pas l'art des métaphores. Je n'ai pas reçu votre éducation, je pense simplement ce que je dis. Je n'ai pas un diplôme d'ingénieur agronome, mais je sais comment remonter les bretelles à un petit con comme vous.

Allez vous faire voir ! aurait voulu répondre Cinq-Mars, mais il parvint à retenir sa langue.

Un appel codé fit vibrer le talkie-walkie de Touton qui démarra et fonça jusqu'à une cabine téléphonique. Il freina alors brusquement et fouilla dans ses poches, en vain.

— Cinq-Mars, avez-vous une pièce de dix cents ? » Le jeune sergent la lui tendit et le capitaine se jeta sur le téléphone. « En définitive, lâcha-il en revenant, vous aurez peut-être droit à un peu d'animation ce soir. Contentez-vous de la boucler et de baisser la tête, compris ?

— Oui, capitaine.

— Si vous vous sentez l'envie de dégueuler... retenez-vous.

Ils traversèrent rapidement la ville en direction de l'ouest, mais contournèrent toutefois le centre par le nord pour éviter la circulation. Touton brûlait les feux rouges, mais seulement après avoir ralenti pour s'assurer qu'aucune voiture n'arrivait, puis fonçait quand la voie était libre ; quand il déboucha sur la large avenue de la côte Sainte-Catherine, il accéléra encore. Un policier se lança à sa poursuite et Touton hurla alors dans le talkie-walkie pour que le central le débarrasse du gêneur, lequel éteignit aussitôt son gyrophare et fit demi-tour. Ils arrivèrent à la hauteur du champ de course des Blue Bonnets ; les chevaux récupéraient dans le calme de leur écurie et les parieurs étaient rentrés chez eux depuis belle lurette. Des policiers en civil rôdaient tout de même dans les parages. Soudain, Cinq-Mars aperçut au milieu d'un petit rassemblement un homme ligoté à un poteau.

Il ne paraissait guère en forme.

Sa chemise lui avait été arrachée et elle restait coincée par un pan dans son pantalon ; les lèvres en sang, il avait déjà encaissé quelques coups, et un œil déjà gonflé cligna quand Touton s'approcha ; son front semblait tout bosselé.

Cinq-Mars resta à l'écart, la tête baissée et muet, comme on le lui avait ordonné.

L'homme, frappé en plein ventre par Touton, s'écroula autant que ses liens le lui permettaient...

— Voilà ce que je pense de toi, lui assena Touton. Maintenant, tu le sais. » L'homme n'émit aucun son. « Ce point est désormais réglé, Marcel... Tu t'appelles bien Marcel, n'est-ce pas ? » Malgré le coup qu'il venait de recevoir, il dodelinait de la tête. « Ecoute-moi quand je te parle, Marcel, sinon je trouverai un moyen de capter ton attention. Je t'ai posé une question, et s'il y a une chose que je ne supporte pas c'est bien de me répéter. Tu veux que je répète, Marcel ?

De nouveau ce même vague mouvement, comme si l'homme assistait de loin à son propre supplice. Cinq-Mars nota sa musculature – il mettait sans doute à profit ses périodes d'emprisonnement pour pratiquer l'haltérophilie –, et en conclut qu'on avait dû le cogner énergiquement pour qu'il soit aussi désorienté.

— Où vas-tu aller t'installer, Marcel ? C'est la question à cent dollars. As-tu une proposition ? Commence par me répondre, et on partira de là.

L'homme murmura de manière inaudible et Touton dut se rapprocher.

— Drummondville ! Il va à Drummondville. » Les policiers se mirent à rire ; Cinq-Mars, qui connaissait cette cité ouvrière posée sur une grande plaine agricole, se demanda pourquoi cette réponse amusait ses collègues. « C'est à... moins d'une heure en voiture ? Je suis désolé, Marcel, mais tu n'as toujours pas l'air de comprendre.

Drummondville, c'est bien trop près, ça n'est même pas en dehors de la carte. Je crois que tu ferais mieux de te réinstaller ailleurs.

Le prisonnier, comprenant alors comment se jouait la partie, proposa de s'installer à Québec.

— Voilà ! Tu commences à comprendre ! Seulement, j'ai des amis à Québec et je ne voudrais pas leur infliger ta présence. Ils ne me le pardonneraient pas.

L'homme continuait à s'imaginer une autre vie en remontant le cours du Saint-Laurent.

— La Rivière-du-Loup ? suggéra-t-il.

— C'est une proposition raisonnable, reconnut Touton, une proposition que je respecte. En effet, quitte à t'expédier ailleurs, j'aurais pu choisir le Gaspé où on ne trouve que des oiseaux qui te chieraient dessus à longueur de journée ; franchement, j'aime bien cette idée. Mais, hélas pour toi, quelques amis convenables vivent également sur la côte et tu pourrais les déranger. En fait, où que tu ailles, tu déranges. La Rivière-du-Loup est donc une assez bonne idée.

Le prisonnier opina, d'accord sur cette destination, prêt à conclure le marché.

— Pourtant... je te suggérerais une destination un peu plus lointaine... Je préviens le chef de la police de Rimouski – c'est là que tu vas te rendre, à Rimouski, tout au bout du fleuve, pratiquement dans la mer, ce qui correspond mieux à ce que tu mérites. Si tu ne te présentes pas au chef de la police pour t'installer à Rimouski sous sa surveillance, alors on te traquera, Marcel, je suis navré de te l'apprendre. Nous n'avons plus la patience de t'arrêter ni de te remettre en prison. D'ailleurs, jusqu'à maintenant cela n'a pas servi à grand-chose, n'est-ce pas ? Non, mon bon monsieur, donc on te traquera et, quand on en aura fini, on te fera payer tous les ennuis que tu nous auras causés. Maintenant, Marcel, confirme-moi que tu as bien compris tout ce que j'ai dit, parce que nous ne voulons pas d'autre malentendu entre nous.

Marcel se souleva tant bien que mal pour hocher la tête.

— J'irai, affirma-t-il.

— A Rimouski. Tout de suite. Et, écoute-moi bien, espèce d'abruti, tu n'emmènes personne avec toi ! Tu entends ce que je te dis ?

Il hocha de nouveau la tête. Touton s'éloigna alors tandis que des policiers coupaient les liens qui le retenaient au poteau. Quand le dernier nœud fut tranché, l'homme s'écroula.

— Qu'a-t-il fait ? demanda Cinq-Mars à son patron en revenant avec lui vers la voiture.

— Il est de la pire espèce des maquereaux ! Ici, il y en a de toutes

369

sortes, mais celui-là, c'est un étranger qui a trop tendance à maltraiter ses filles. Il a également la fâcheuse habitude de les prendre trop jeunes. » Touton s'installa au volant et Cinq-Mars se glissa sur le siège passager. « C'est une triste situation, déplora Touton.

— Ah oui ?

— Autrefois, il y avait des maisons de passe que dirigeaient des mères maquerelles. Ces établissements ont été fermés quand Drapeau est arrivé au pouvoir, cela semblait une bonne chose.

— Et ça ne l'était pas ?

— Ne vous méprenez pas. C'était en effet une bonne chose. Mais la prostitution a persisté, et aujourd'hui il y a des maquereaux. On peut changer le paysage mais pas changer le monde, vous voyez ce que je veux dire ?

— Je vois, répondit Cinq-Mars.

— Je sais ce que vous pensez, reprit le capitaine en tournant la clé de contact.

— A quoi ? (Pour dire vrai, il pensait à beaucoup de choses.)

— Vous pensez que je suis trop dur, que je suis de la vieille école, qu'on ne peut plus tabasser les gens et que c'est contraire à la loi. Voilà ce que vous croyez !

— Oui, admit Cinq-Mars. C'est un peu mon avis.

— J'en étais sûr. Bon, mon garçon, vous faites bien de raisonner ainsi !

— Alors pourquoi tabassez-vous les gens, si j'ai raison de penser de cette façon ? s'étonna le jeune agent.

— C'est ma ville. Je n'en suis pas propriétaire, mais j'y maintiens la sécurité.

— Et cela justifie de tabasser des maquereaux ?

— Moi, ça me va. Ça érafle un peu les jointures, voilà tout. C'est supportable. Vous, vous n'aimez pas tellement les brutalités ?

Cinq-Mars n'avait pas le choix : il devait déclarer sa position.

— Non, capitaine, je crois à la loi. Je crois qu'elle s'applique aux policiers exactement comme aux civils.

— Bon ! déclara Touton en démarrant. Vous avez raison de penser de cette façon. Vous avez probablement des problèmes avec moi, des sujets d'inquiétude, je le vois sur votre visage. Vous êtes tendu, Cinq-Mars. Si je ne me suis pas montré à la hauteur de vos nobles idéaux, je ne m'en excuse pas. J'étais le flic nécessaire à mon époque et j'ai fait du bon travail. J'ai assuré la sécurité des citoyens et rendu nerveux les truands. Cela vaut mieux que l'inverse. Voyons si vous ferez mieux. C'est seulement là-dessus que vous serez jugé. Serez-vous le flic nécessaire à votre époque ? Les citoyens se sentiront-ils en sécurité et les truands nerveux ? On le saura bientôt. Avec le temps, n'est-ce pas ?

Arrivés au commissariat central, il ne savait toujours pas s'il devait remettre sa tenue de patrouille ou rentrer chez lui. Touton lui proposa une troisième solution :

— Trouvez-vous un gobelet, Cinq-Mars, et venez dans mon bureau.

— Un gobelet pour quoi faire ?

— Ne pissez pas dedans.

Le sergent dénicha un gobelet en plastique et entra dans le petit bureau en désordre en le brandissant ; le capitaine acquiesça d'un grognement et farfouilla dans un tas de chaussures amoncelées dans une grande armoire verte coincée entre un classeur et un portemanteau ; il en tira une bouteille de whisky à moitié pleine.

— Puisque vous prétendez que c'est votre vice ! C'est de l'irlandais, pas du scotch, mais cela fait le même effet. (Le jeune homme acquiesça, plus nerveux que content.) Détendez-vous, mon garçon, on ne va pas vous virer, je veux examiner ma grande affaire avec vous. Notre coup remis à plus tard nous donne du temps devant nous. D'ailleurs, quand un officier plus gradé que moi a-t-il mis les pieds dans ce bureau après minuit, hein ?... Devinez... Eh bien, cela ne s'est jamais produit.

— Certainement, capitaine, lâcha-t-il en regardant malgré tout avec une certaine nervosité le capitaine emplir son gobelet à ras bord.

— Goûtez-moi ça !

Il avala une gorgée, puis s'assit et patienta pendant que Touton se déchaussait. Le capitaine tendit ses mains dans la zone éclairée par sa lampe de bureau pour montrer à Cinq-Mars ses doigts écorchés et sourit.

— Il faut bien se faire respecter. L'inspecteur Fleury, que je respecte, même en tant que comptable de l'Administration, se briserait la main si jamais il cognait quelqu'un. Je ne veux donc pas dire que tout le monde doit utiliser la même méthode. Comment trouverez-vous la vôtre, Cinq-Mars ?

— Je ne sais pas, répondit-il en haussant les épaules. En faisant du bon travail, je pense.

— J'ai mon idée sur vous. J'ai beaucoup appris à l'armée : en temps de guerre, on vit très près des gens. (Il s'assit, une main posée sur sa tasse à café remplie de Jamieson, l'autre pendant dans le vide mais tenant toujours la bouteille, comme si l'idée de s'en séparer lui était insupportable.) Vous, vous êtes intelligent, l'instruction ne fait pas tout. Vous êtes intelligent, admettez-le.

371

— Ici, capitaine ? Autant révéler que j'ai la lèpre !

Touton rit, s'arrêta puis se remit à rire.

— Si intelligent que vous soyez, je vous ai malgré tout déjà appris quelques petites choses, n'est-ce pas ?

— Aucun doute là-dessus, capitaine.

— Vous avez été assez malin pour apprendre. J'aime ça. On rencontre tant de types intelligents trop bêtes pour apprendre, l'avez-vous remarqué ?

En y réfléchissant, il se rendit compte en effet qu'il en avait maintes fois côtoyé.

— Oui, capitaine, je vois ce que voulez dire.

— J'apprécie chez vous, qui êtes certainement plus intelligent que moi, l'humilité dont vous faites quand même preuve. Une qualité rare dans le monde d'aujourd'hui.

Cinq-Mars se demanda si ne perçait dans le ton du capitaine une certaine mélancolie, comme si, ces derniers temps, sa vie avait été émaillée d'événements malheureux. Ils buvaient en silence, le jeune homme attendant que son aîné lui confiât ce qui, manifestement, le préoccupait.

— Je veux que vous rendiez de nouveau visite à ces salauds, lâcha enfin Touton.

— Capitaine ?

— Pour qu'ils comprennent que nous ne les avons pas oubliés. Ré-interrogez-les et tirez-en votre propre point de vue. Moi, de toute façon, cela fait trop longtemps. Un regard neuf est indispensable. Ces salauds s'imaginent s'en être tirés. Les fumiers ! Ils dorment tranquillement. S'il leur arrive encore de penser à moi, c'est pour vérifier que la date de ma sortie du tableau approche : retraité, mis au pré. Pour ma simple satisfaction, Cinq-Mars, rien pour cela, retournez les voir et montrez-leur que ce n'est pas fini. Montrez-leur que nous ne les laisserons jamais tranquilles. Faites-leur comprendre que, désormais, ils ont aux fesses un type plus intelligent que moi, un type qui les poursuivra jusqu'à leur tombe ! Peut-être pas plus coriace, mais avec de la cervelle. Les générations se succèdent mais ne lâchent pas le morceau. Voilà la leçon à leur mettre dans le crâne : on les épuisera ! Insistez bien là-dessus, Cinq-Mars, calmement, discrètement, en leur posant les mêmes vieilles questions. Plantez-leur un surin entre les côtes ! Ce n'est pas une mission trop ardue pour vous ?

Dès l'instant où le surin n'était qu'une métaphore, l'idée plaisait au jeune homme.

— Non, capitaine.

— Ça ressemble pas mal à un coup de poing, vous savez.

— C'est différent, capitaine, vous le savez bien.

— Je n'objecterai rien. J'insiste pour que vous les harceliez, Cinq-Mars ! Comprenez-vous ? Ai-je été assez clair ?

— Tout à fait, capitaine. Je le ferai.

— Très bien.

Ils burent encore un moment. Les fenêtres de la petite pièce donnaient sur celles des bureaux d'en face, aux châssis encombrés de piles de cartons et de dossiers. L'immeuble était vide la nuit, Touton tirait rarement ses rideaux et tous les soirs il saluait l'homme de ménage du bâtiment voisin, rituel qu'il pratiquait maintenant depuis des années. Ils avaient vieilli ensemble, se disait-il avec tristesse. Ce soir-là, en effet, le Noir lui avait paru vieux et frêle : quand ils échangèrent leur salut, l'homme étira son dos en grimaçant pour indiquer qu'il souffrait. Touton posa ses deux mains sur sa cuisse gauche en fermant les yeux, pour faire comprendre les élancements que lui infligeaient périodiquement ses vieilles blessures de guerre. Les deux hommes n'avaient jamais échangé un seul mot.

— Ma fille est revenue habiter à la maison avec ma femme et moi. C'est bien, confia Touton avec une émotion que Cinq-Mars ressentit.

— Où était-elle ? s'enquit-il.

Touton se contenta de gonfler les joues et de souffler en agitant la bouteille de whisky pour répondre :

— Partout et nulle part.

Cinq-Mars fit une nouvelle tentative :

— Quel âge a-t-elle ?

— Seize ans. (Touton avala une gorgée.) Naturellement, elle est enceinte. Nous allons avoir un enfant dans les jambes...

Cinq-Mars essaya d'évoquer avec entrain ce problème qu'il supposait délicat :

— Cela ne vous était certainement pas arrivé depuis un moment !

Touton le regarda comme s'il envisageait de lui donner un coup de poing dans le ventre, rien que pour vérifier s'il apprécierait.

— Il n'y a jamais eu d'enfant à la maison. Notre fille avait dix ans quand nous l'avons adoptée. Cinq ans plus tard... elle a décampé. Maintenant, elle revient enceinte. Nous pouvons abriter la mère et l'enfant, on verra ce que cela donnera.

Le jeune agent réalisa alors que la vie familiale du capitaine n'était pas très gaie.

— J'espère que tout se passera bien », déclara-t-il. Une remarque sans risque, mais il ne put s'empêcher de poser une question du genre de celles qui lui venaient souvent à l'esprit : « Et le père, je suppose qu'il n'est pas dans l'histoire ?

— Non, plus maintenant, réussit à répondre Touton en remplissant son verre. Ce soir, on l'a envoyé à Rimouski.

Cinq-Mars en eut le souffle coupé.

Touton lui fit signe de tendre son gobelet. Le jeune agent le vida, tendit le bras et le capitaine lui versa une généreuse rasade.

Ils restèrent un moment silencieux puis Touton lâcha :

— Si j'avais décidé de jeter ce salaud dans le fleuve, les hommes présents ce soir m'auraient aidé à lui attacher des chaînes aux pieds : de vieux copains qui, si j'avais choisi de lui réduire le visage en bouillie, auraient regardé ailleurs et qui vous y auraient obligé si vous n'aviez pas eu le bon sens de vous retourner spontanément. Ils ne m'auraient pas empêché de faire subir à ce type tout ce qui me serait passé par la tête et, si je l'avais fait, ils ne me l'auraient pas reproché.

— Sauf moi, je suppose, observa Cinq-Mars.

— Sauf vous, et c'est sans doute pour cette raison que je vous ai emmené. Je me suis dit que nous finirions bien par attraper ce type, un de ces soirs. J'ai été un bon flic, Cinq-Mars. Pas commode, je le sais, je casserais la figure de n'importe qui si cela me paraissait nécessaire pour avoir la paix. Aujourd'hui, cela pose un problème aux gens, ce qui n'arrivait jamais autrefois ; le monde change, sans doute. Désormais, qu'un flic crache sur le trottoir et il se trouvera toujours un journaliste pour en tirer une info, ce qui obligera la mairie à rassembler une commission royale à propos des flics qui crachent. Qu'un flic ayant encaissé un coup de poing casse la main de son agresseur, qui, selon vous, se tirera du merdier qui s'ensuivra ? Mais je fais toujours ce que je crois être juste, jamais ce que je sais être mal.

— Alors, si vous aviez cassé la figure de ce type ce soir…

— C'est ce qu'il y a de bizarre, l'interrompit Touton, vraiment bizarre. Il méritait de se faire casser la gueule, ce salaud ! Quel père n'agirait pas de même s'il en avait l'occasion ? Mais j'avais promis à ma fille de ne pas le faire : elle ne rentrait à la maison qu'à cette condition. Et j'ai également promis à ma femme de ne pas perdre ma plaque à cause de cette histoire. Il faut que je vous précise quand même que je me suis fait une promesse à moi aussi – au bout du compte, c'est peut-être la seule qui compte, peut-être : je me suis promis de ne pas me conduire comme un animal.

Cinq-Mars hocha la tête.

— Je veux que vous sachiez une chose, Cinq-Mars, que je vais vous expliquer : un jour, vous entendrez peut-être parler d'une crapule repêchée dans le fleuve du côté de Rimouski ; sachez alors que je n'aurai rien à voir là-dedans, même si ce n'est pas encore arrivé…

— Vous avez simplement le don de prédire les choses, c'est ça ? fit-il, l'estomac serré.

— Je sais quel genre de merde il est. Je sais quel genre d'endroit est Rimouski. Là-bas, les truands défendent leur territoire, et cela m'étonnerait que cette ordure survive. Je ne l'ai pas envoyé à Disneyland demain ! Mais, même si cela arrive bientôt, je n'y serai pour rien. C'est tout ce que je dis. Je l'ai envoyé chez des amis avec lesquels il ne faut pas plaisanter et s'il est assez idiot pour essayer, c'est son affaire, cela ne me concerne pas.

— C'est vrai ? Cela ne vous concerne pas ? s'étonna Cinq-Mars, après avoir réfléchi un moment.

— Si je lâche un rat au milieu d'une bande de chats, je crois que je peux prédire comment cela tournera. Voilà tout ce que je dis.

— Alors ce qu'il fait, la façon dont il se débrouille, il n'y a que lui que ça regarde.

— Vous n'êtes donc pas une lavette ?

— Non, capitaine, je ne suis pas une lavette. J'aime à penser que je suis un policier peu commode qui croit qu'il faut respecter les règles. Je ne vois pas en quoi vous violez les règles.

Touton acquiesça, apparemment satisfait par cet échange. Au bout d'un moment, il reprit :

— Si vous saviez à quel point cela m'a coûté de ne le frapper qu'une fois, et pas plus ? Ce n'était même pas pour moi, c'était juste pour être certain qu'il m'écoutait.

— J'imagine que cela a été difficile, capitaine. » Mais, sentant que le capitaine avait besoin de parler d'autre chose que de son obsession de vengeance, il lui demanda : « Comment avez-vous adopté votre fille ? Où l'avez-vous trouvée ?

Touton secoua la tête tristement ; ce souvenir aurait dû pourtant être plus heureux.

— Une bagarre dans un bar. Un habitué qui, après le travail, siffle sa bière avant de rentrer chez et reçoit une balle dans l'œil droit. Tué sur le coup. J'accepte d'aller prévenir la famille... Vous comprenez ? Je vais chez lui, et c'est une gamine de dix ans qui m'ouvre la porte, avec le grand sourire qu'elle destinait à son papa. Je me suis senti fondre, j'avais le cœur brisé. Je demande à parler à sa maman : « Elle est morte », me répond-elle en regardant si son papa arrive. Je découvre qu'elle n'a jamais connu sa mère, morte en la mettant au monde. » La voix de Touton devint étrangement douce, tandis qu'il continuait : « Le père avait élevé seul cette petite fille... Il avait vraiment fait du bon boulot... Elle n'avait jamais eu que lui. Alors, aujourd'hui, je parle à son vrai père dans mon sommeil pour tenter de lui expliquer que, je ne sais comment, j'ai laissé sa petite fille mal tourner. Elle a passé, sans doute, trop de nuits à travailler. Trop de journées à dormir... Elle s'est attiré des ennuis... De mauvaises fréquentations... J'ai fait ce que j'ai pu... A ma façon... et j'ai échoué...

Le jeune campagnard avait vu des hommes pleurer à des enterrements, mais discrètement, un peu comme s'ils se retenaient. L'homme en face de lui était brusquement accablé et Cinq-Mars attendit que le flot de larmes cesse.

— J'avais envie de le tuer, ce fils de pute! Vous comprenez? lança Touton. J'avais envie de le tuer!

— Vous l'avez cogné vraiment fort. Il n'oubliera jamais ce coup-là. Jamais.

Ce commentaire parut le revigorer et il se reprit, hochant la tête en essuyant ces dernières larmes. Il poussa un soupir, fit un geste qui signifiait : sacrée nuit! et il vida d'un trait sa tasse.

— Cinq-Mars, reprit-il d'un ton calme mais ferme, pas de bêtises avec Anik! Elle aussi est comme ma fille...

— Je crois, répondit le jeune agent en souriant, que vous devriez plutôt craindre qu'elle ne me mâche et ne me recrache comme un vieux chewing-gum!

Cette remarque ranima Touton qui émit un petit rire en hochant la tête.

— Oui, s'amusa-t-il, c'est quelque chose, cette fille!

Ils trinquèrent – gobelet en plastique contre tasse en céramique – et avalèrent leur whisky en deux lampées.

— J'ai vingt ans de service, mon garçon! Je peux tenir encore cinq ans. Dix, c'est moins sûr. Je n'ai jamais travaillé que la nuit. L'hiver, il arrive qu'un mois entier s'écoule sans que je voie le soleil. Je suis encore costaud, mais usé. Je ne sais pas pourquoi. Je suis crevé. Je veux retrouver les meurtriers du père d'Anik. Une croisade personnelle, je l'avoue, une vraie croisade, une bonne œuvre. En êtes-vous, Cinq-Mars?

Question d'ivrogne, car le jeune homme avait déjà donné sa réponse et attendait, depuis des semaines maintenant son ordre de marche.

— Oui, capitaine.

— Bon! (Touton s'étira, comme si sa crise de larmes lui avait laissé des courbatures.) Rentrez chez vous, mon garçon. On recommence demain. Peut-être aurons-nous besoin de vous, peut-être pas. On fera ça au pifomètre. Mais je tiens vraiment à ce que vous retourniez voir les truands, pour les faire encore suer un peu.

— Je ne vous décevrai pas, capitaine.

376

— Attendez » reprit Touton en s'approchant d'une pile de classeurs. Il en tira un qui était fermé par de gros élastiques. « L'histoire de la Dague de Cartier... Commencez par là. Etudiez ce texte. Des faits à connaître pour votre enquête.

— Bien, capitaine, merci. Capitaine ?

— Oui ? répondit le chef de la Patrouille de nuit en se laissant retomber dans son fauteuil.

— Comment s'appelle votre fille ?

Touton hocha de nouveau la tête et regarda sa tasse, maîtrisant ses émotions.

— Patti, lança-t-il. Patti.

Ils se dirent bonsoir de la tête et Cinq-Mars rentra chez lui. Le soleil se levait presque, cette fausse aurore annonçait une belle journée. Il avait quelques heures à tuer avant de retrouver Anik pour un petit déjeuner tardif et choisit donc de rentrer à pied : il mettrait le jean acheté pour lui faire plaisir et une chemise. En attendant, il profiterait du réveil de cette ville que son chef aimant tant et dont il assurait la sécurité. Cinq-Mars commençait à éprouver un sentiment identique, un mystérieux mélange de sollicitude et de détermination.

*

Leurs discussions étaient si passionnées, leurs débats si vifs qu'Anik en oubliait parfois de manger et de dormir. Un verre de bière suffisait à la mettre dans les vapes et elle réalisait qu'à vingt-trois heures, depuis son jus d'orange et son toast matinaux, elle n'avait avalé qu'une pomme. Ils changeaient alors d'endroit pour avaler un hamburger, et la conversation reprenait. Avec le temps, ce n'étaient plus tant les idées qui importaient que la stratégie.

Puis, dans la soirée, jaillissait spontanément la musique. Jeunes et vieux réunis par l'amour qu'ils se portaient les uns aux autres et la passion pour la cause. Cette communion d'esprit l'envahissait, comme elle les envahissait tous. Pour beaucoup, le bonheur et la spontanéité des soirées ne pouvaient se poursuivre que dans un décor animé, et les amoureux, bras dessus bras dessous, quittaient les pubs qui fermaient pour s'embrasser contre un réverbère ou, glissant les mains sous leurs vêtements, pour caresser de nouveaux mystères. Même ceux qui n'étaient pas amoureux rentraient, poussés par la joyeuse brise du désir, et couchaient ensemble.

Anik quittait le dernier pub en compagnie de ses nouveaux amis, Pierre, Paul, Jean-Luc et Vincent, et elle savait que l'un des quatre se ferait toujours un plaisir de l'emmener chez lui. Mais, comme elle leur avait souvent précisé : « Je ne suis pas libre ». Ils ne comprenaient pas : elle n'amenait jamais son petit ami. Pourquoi n'était-il jamais venu discuter de l'avenir et de leur plan d'action ? Anik gardait son mystère. Elle continuait à refuser de s'inscrire au parti, ce que tout le monde trouvait normal à cause des affrontements prévisibles et inévitables avec la police. Elle évoquait les luttes syndicales des dernières décennies comme si elle-même y avait participé – pour certaines elle avait à peine cinq ans, pour d'autres elle n'était même pas née. Ils étaient allés une fois chez elle et avaient écouté sa mère discourir dans la cuisine ; son engagement de longue date pour la justice sociale avait un peu rabattu leurs convictions véhémentes. Les garçons souhaitaient pouvoir un jour raconter leurs souvenirs héroïques, assis chez eux, comme elle. Anik avait compris que le passé de sa mère faisait d'elle leur chef, mais elle avait une opinion différente de la leur : ils croyaient à la fragilité des puissances politiques et économiques de l'époque ainsi qu'à leur renversement par une manifestation appuyée de la volonté publique. Elle ne partageait pas ces illusions. Le gouvernement avait la résistance des gens impitoyables et les capitalistes étaient cruels et implacables. Eux ne disposaient que de chants et du sang du peuple.

— Nous verserons notre sang, déclara Paul.

— Et nous chanterons ! renchérit Vincent.

— On chantera, on verra ce que ça donnera ! continua Pierre.

Ils riaient beaucoup. Anik, leur chef, leur apprenait à se moquer d'eux-mêmes.

— Nous sommes trop sérieux, trop graves, trop partiaux, nous serons vaincus. Il faut que nous soyons souples, visionnaires, et malins. Et, si on désire vraiment l'emporter, il faut savoir aussi tricher.

Tout cela semblait si vrai.

Pourtant elle rentrait toute seule chez elle en pensant à Emile. Pourquoi l'encourageait-elle à lui faire la cour ? Il était si vieux jeu, mais plein de vie ; elle aimait sa douceur et se sentait prête à céder. Tout de même, un flic... Mon Dieu ! Un peu de sérieux ! *Tu n'envisages quand même pas de te faire sauter par un flic !*

Elle pensait qu'elle le ferait et même qu'elle le devrait parce qu'elle l'aimait bien ; si ses idées l'entraînaient parmi ses copains radicaux, son cœur, sinon ses pensées, revenait toujours à ce garçon au grand nez et à la détermination sans faille. Elle n'avait jamais compris comment son père avait accepté de travailler pour la droite, saccageant les bureaux des organisations de gauche pour rentrer chez lui serrer sa femme – elle aussi de gauche – dans ses bras. Sa mère avait souvent tenté de le lui expliquer. « Il n'a jamais fait de mal à personne, et il me répétait qu'il endurcissait un peu les partisans de la gauche, qu'il trouvait trop mous. Bien sûr, Anik, il avait ses problèmes. Il ne voyait pas très clair en lui-même, cet homme-là. Mais nous l'aimions malgré tout, n'est-ce pas ? »

Elle non plus n'avait pas les idées très claires, elle le savait. Emile défendait le camp adverse, celui des gens établis, alors qu'elle représentait dans la société un groupe qu'il serait obligé de combattre un jour. Peut-être y avait-il là de l'amour, peut-être avait-il connu la même situation, son père, cet homme qui avait gagné sa vie avec ses poings. Et pourquoi pas ? Seulement, il était tombé amoureux d'une syndicaliste qui cherchait à aider les pauvres. Il avait donc dû s'accommoder d'un autre point de vue.

Anik ne s'en sentait pas capable, mais, du garçon, elle s'accommodait volontiers. Elle l'aimait bien et pensait tout le temps à lui. Elle se reprochait parfois de le trouver trop à son goût, mais que pouvait-elle y faire ? Ses pas, après une longue nuit passée avec la bande, ne la ramenaient pas chez elle mais l'entraînaient dans une tout autre direction, vers un endroit où elle n'était jamais allée et dont pourtant elle avait soigneusement enfoui l'adresse dans une poche, tout au fond, et qu'elle serrait de temps en temps dans son poing, l'adresse d'Emile. Oh ! ces pieds stupides ! Elle prendrait un petit déjeuner quelque part et lui ferait la surprise de l'attendre ; pendant qu'elle y était, elle continuerait ainsi à se surprendre elle-même.

Sans se douter qu'Anik Clement se dirigeait vers son appartement au cœur de la nuit, l'agent Emile Cinq-Mars, au terme d'une patrouille sans histoire, appela son sergent au téléphone, en croisant les doigts.

— J'ai un message pour toi du capitaine Touton, annonça le sergent au jeune homme que la joie gagnait. Je te le lis : *Rentrez vite, c'est pour ce soir.* Cela te dit quelque chose, Cinq-Mars ? Que se passe-t-il ?

— Je ne peux pas répondre.

Au diable l'avarice ! Cinq-Mars prit un taxi pour le ramener dans le centre, même si cela lui coûtait la moitié du salaire d'une nuit.

Il s'habilla en hâte mais, cette fois, il n'eut pas à grimper les escaliers jusqu'au bureau de la Patrouille de nuit ni à attendre des heures dans une antichambre aussi animée qu'une morgue, Touton et d'autres inspecteurs arrivaient et le prirent au passage.

— La voiture attend, lança le chef, allons-y !

Ils coururent vers le parking et, d'un geste impérieux du menton, Touton lui indiqua un véhicule banalisé où se trouvait l'inspecteur Fleury.

« — Cette fois, ça y est ! annonça Fleury tandis qu'ils s'entassaient dans la voiture. » Grâce à la plaque désodorisante accrochée au rétroviseur, on se serait cru au cœur d'une forêt de pins. « Attrapez cette sacoche derrière !

Cinq-Mars se pencha par-dessus la banquette pour attraper une petite serviette noire juste au moment où Fleury accélérait pour rattraper les autres véhicules du convoi.

— Faut-il que je l'ouvre ?

— Ouvrez-la, bon sang ! On n'a pas toute la nuit !

Cinq-Mars savait qu'ils avaient au moins dix minutes de trajet.

— Ne vous affolez pas !

— Faites attention. Prenez le fric et fourrez-le dans vos poches. Comme si vous veniez d'attaquer une banque et que vous aviez du pognon jusqu'au trou de balle !

— Il y a combien ?

— Aucune importance, de toute façon vous le perdrez ! Si, par hasard, vous gagniez, n'imaginez pas que vous le garderez. Je vous fouillerai, une fois l'opération terminée.

— Bon, bon. » Ce type ne lui plaisait pas. Il semblait se venger de sa vie de comptable et profiter du fait que Touton n'était pas avec eux. Il se serait sans doute montré moins désagréable si le capitaine avait été là.

« Allons ! Prenez ce fric !

— C'est bon.

— Maintenant, retrouvez la photo.

— Je vous demande pardon ?

— La photo là-dedans, prenez-la et regardez-la !

Elle se trouvait dans une pochette. Cinq-Mars la prit et alluma le plafonnier.

— C'est ce mec-là ?

— Cette raclure, c'est lui ! Retenez bien son visage ! Il ne sera pas le seul chauve dans les parages ! Je ne devrais rien vous dire, mais vous allez entrer là comme un connard de bleu et tout bousiller en tombant sur le mauvais type... On ne peut pas se le permettre. On a besoin de ce mec. Vous devez établir le contact, d'accord ? C'est notre meilleure occasion, vous comprenez ?

Ils prirent un virage très sec qui fit hurler les pneus et Cinq-Mars fut projeté contre la portière.

— Maintenant, trouvez-moi le plan, dit Fleury. Nous n'avons pas beaucoup de temps. Etudiez-le !

— Pourquoi ne m'avez-vous pas montré ça plus tôt, il y a des semaines ?

— Ne jouez pas le mec irritable avec moi, le bleu ! Trouvez le plan !

Cinq-Mars étudia le croquis détaillé des pièces et de leur configuration établi par un dessinateur industriel. En superposition, on avait figuré un panneau de secours donnant sur un conduit d'aération qui se terminait par un ancien toboggan de buanderie. Cinq-Mars devait prendre contact avec la cible puis, quand la bagarre éclaterait dans la salle, l'entraîner vers l'issue de secours du tripot, jusqu'au rez-de-chaussée.

— J'atterris sur quoi ? demanda-t-il.

— Sur du ciment, à moins que j'aie le temps d'arranger ça ; les truands conservent dans une grande poubelle des oreillers et des vieux matelas. Ça sentira un peu le moisi, mais vous ne vous casserez pas la jambe. Vous passez le premier. S'il y a un problème à l'atterrissage, vous arrangez ça pour le client.

Tout ceci ne plaisait pas beaucoup à Cinq-Mars.

— Faut quand même avoir la foi, vous ne pensez pas ? Un saut de trois étages !

— Je ne parlerais pas de foi, mais plutôt de couilles ! Ou vous en avez, ou vous n'en avez pas ! On le saura dès ce soir !

— Pour vous, c'est facile à dire ! Vous vous contentez de gratter du papier !

Fleury donna de nouveau un brutal coup de frein, sans aucune raison, puis accéléra.

— Ecoutez : vous avez appris ce plan par cœur, oui ou non ? Avec vos jérémiades, on perd du temps ! Vous descendez de voiture, Cinq-Mars, vous trouvez la bonne porte, vous prenez le monte-charge jusqu'au troisième, vous cherchez de nouveau la bonne porte : elles ont chacune trois points rouges tracés sur le gond du haut. C'est ce que vous devez trouver.

— Trois points rouges.

— C'est trop difficile à retenir ? Quand on vous demandera votre nom, vous répondrez que vous êtes envoyé par Merlin.

— Vous plaisantez ! » Décidément, cette opération ne tenait pas debout, mais pas question qu'il paraisse se dégonfler. Qu'on le laisse mettre son nez dans tout ça – puisse ce jour arriver rapidement –, et on verrait valser pas mal d'âneries de procédure.

« *Merlin.* Cessez de m'interrompre ! Surtout, ne vous trompez pas de bonhomme.

Fleury lui précisa les derniers détails de l'opération puis freina.

— Descendez, dit-il.

— Bonne chance à vous aussi ! lui lança Cinq-Mars en descendant de voiture.

— Revenez! ordonna Fleury.

— Quoi encore?

— Donnez-moi votre arme, votre baudrier, votre plaque et votre portefeuille. Je ne veux rien d'autre dans vos poches que du fric.

Il avait encore du chemin à faire. Les autres voitures s'étaient garées et Fleury en faisait autant, sans doute pour préparer l'assaut des policiers par la verrière. Cinq-Mars se sentit seul et angoissé tout d'un coup. Il devait jouer un rôle et se montrer convaincant, sinon il ferait foirer l'opération et, du même coup, sa carrière d'inspecteur. Il ne s'agissait pas ici d'une question de courage, mais il lui fallait dissimuler sa nervosité, crâner, oublier son identité et sa vraie nature pour les retrouver très vite ensuite. Tout cela le préoccupait. Il devait également éviter de trop réfléchir afin de se détendre; Emile Cinq-Mars inspira profondément une dizaine de fois.

La neuvième inspiration l'amena devant la porte.

Elle n'était pas fermée à clé, mais gardée par une espèce de taureau qui avança le menton, attendant un mot de passe. Dixième inspiration.

— C'est Mer... (Il perdit sa voix, son souffle et son aplomb. Il se racla la gorge.) C'est Merlin qui m'envoie, annonça-t-il à la brute qui le toisa de la tête aux pieds avant de le laisser entrer.

Il trouva le monte-charge et manœuvra la très lourde porte coulissante; un second jeu de panneaux, plus légers, lui permit d'accéder à la cabine qui grimpa jusqu'au troisième étage où elle stoppa avec une violente secousse. Les battants intérieurs s'écartèrent sans mal mais il dut pousser une nouvelle fois la porte extérieure qui coulissa avec beaucoup de difficulté. Il se frotta les mains pour se débarrasser de la poussière, on ne devait pas souvent faire le ménage. Cinq-Mars s'engagea dans le couloir, sombre et sinistre. Heureusement, les portes étaient peintes en blanc et il n'eut aucun mal à repérer les trois points rouges.

Il frappa.

Rien.

Il frappa encore.

Toujours rien.

Il essaya la poignée, quelqu'un ouvrit la porte de l'intérieur.

— Il va se calmer, ce con! grommela un petit bonhomme grisonnant.

— C'est Merlin qui m'envoie, lui déclara Cinq-Mars.

— On t'a demandé quelque chose? maugréa l'homme. Il avait les cheveux ramenés sur un côté du crâne et une barbe de trois ou quatre jours.

— Je disais juste que...

— Qui t'envoie ? demanda alors le rustre, volontairement dés-agréable.

— Je viens de te le dire, Merlin.

— Et alors ? Tu te prends pour qui ? Pour King Kong ?

Son subconscient le chatouille, estima Cinq-Mars qui mesurait au moins cinquante centimètres de plus que cet irascible gringalet de portier. Ou alors on attendait de lui une réponse codée. Il se tut.

— T'as du fric ? Montre ! Ici, c'est pas une banque ! Tu veux em-prunter ? Pas de problème ! On gardera ta queue en gage !

— Dans tes rêves ! répliqua Cinq-Mars. (Il était fier de sa réponse qui collait à l'ambiance. Il commençait à piger le métier...)

Avec des gestes délibérément lents, il extirpa des billets du fond de ses poches, quelques-uns tombèrent par terre, il ne les ramassa pas.

Le portier le poussa derrière une lourde tenture noire – avant qu'il remarque les billets par terre – et lui lança en guise de salut :

— La prochaine fois, tête de nœud... attends que je t'ouvre !

Dans la pièce, tout le monde parlait à voix basse, sauf un joueur qui, plus turbulent, prévenait l'assemblée chaque fois qu'il gagnait ou perdait, proclamant ses victoires et maudissant ses pertes. Les lumières étaient tamisées, les murmures étouffés autant que les nuages de fumée étaient intenses. Des ventilateurs au plafond brassaient un air tiède sur les joueurs : Emile Cinq-Mars décida de tousser.

Bonne initiative, se félicita-t-il. Ainsi on ne remarquerait pas qu'en fait il inspectait les lieux.

Il compta une vingtaine de personnes, il s'agissait d'une soirée calme. Ce qui signifiait, dans l'esprit des joueurs, une soirée tranquille qui n'intéresserait pas la police. A première vue, le personnel parais-sait impeccable, mais, en se glissant à côté d'un client chauve, il remarqua des taches sombres – de la sauce tomate, sans doute – sur le gilet d'un croupier, et sa chemise plus grise que blanche. Cinq-Mars vida ses poches intérieures et regroupa les billets en une liasse informe, léchant consciencieusement son pouce à plusieurs reprises, et enfin il tria ses coupures.

— Je ne sais pas exactement ce que j'ai ici, lança-t-il sans s'adresser à personne en particulier, puis il regarda le chauve.

Il ne s'agissait pas de son client.

Alors, il dénombra les chauves : huit en tout. A croire qu'ils tenaient un congrès en ville.

Il s'approcha méthodiquement de chacun, en joueur averti qui sent d'abord les tables, et jeta un coup d'œil à chaque individu touché par la calvitie... Pas de chance. Enfin, un client sortant des toilettes en reboutonnant sa braguette se révéla être son homme.

Cinq-Mars le suivit jusqu'à la roulette et posa son argent devant lui.

—J'me sens en veine! commença-t-il. Et vous?

L'autre, peu désireux de parler à ce nouveau venu aux mains pleines, haussa les épaules. « Vous avez raison, observa Cinq-Mars, la chance, ça ne veut rien dire. La roulette c'est scientifique. Avec la bonne martingale, vous ramassez le pactole. Ça marche à tous les coups.

— Tout le monde a une martingale, répondit l'homme avec philosophie. (Un comptable sans doute, se dit Cinq-Mars, capable de calculer les pourcentages de chance.) Mais, tôt ou tard, la roulette finira par vous battre.

— Si vous la laissez faire, oui. Quand ma martingale ne marche plus, je change de stratégie, c'est ma politique : toujours un coup d'avance sur le jeu. Regardez! Je vais vous montrer.

Il posa cent dollars sur la table et annonça :

— Le rouge.

— Monsieur, l'informa le croupier, il vous faut des chips, des jetons.

— Merci, je n'ai pas faim, rétorqua le policier.

— Très drôle! Combien voulez-vous changer?

— C'est Merlin qui m'a envoyé..., commença Cinq-Mars, un peu déconcerté.

— Parfait, mais il vous faut quand même acheter des jetons.

— Alors, lança un joueur de l'autre bout de la table, on joue ou pas?

— Retirez votre argent de la table, monsieur. Je vous donnerai vos jetons quand vous m'aurez dit pour combien vous en voulez.

—Je suis superstitieux, répondit le jeune homme en se tournant vers son chauve. Dites-moi une chose, vous avez eu de la chance ce soir?

—Je rentre dans mes frais. » Une fossette ornait le côté gauche de son menton et ses yeux bleu clair lui donnaient un regard de husky.

— Vous avez commencé avec combien?

— En quoi ça vous regarde? répliqua l'autre en haussant de nouveau les épaules.

— Monsieur, ne dérangez pas les joueurs!

—Je veux échanger la même somme que lui. Il s'en tire bien, il est rentré dans ses frais, j'ai envie d'avoir un peu de chance, voilà tout...

— Mon garçon, reprit le chauve, demandez deux mille de jetons et laissez le jeu reprendre, voilà ce que je vous conseille.

—Je vous en suis très reconnaissant, déclara Cinq-Mars. » Il tanguait un peu, comme avec quelques verres dans le nez. Il aurait bien commandé un scotch, hélas ! la barmaid officiait à l'autre bout de la salle. Il commença alors à compter deux mille dollars. « Vous êtes un gentleman et, je peux vous le dire, vous avez de l'instruction. Peut-être qu'un jour j'aurai l'occasion de vous rendre service.

Ignorant la valeur des jetons, Cinq-Mars provoqua quelques haussements de sourcils quand il déposa onze cents dollars sur le noir.

Il perdit.

— Drôle de combinaison ! ricana le chauve. Changez de stratégie, vous allez perdre !

— Hmmm, grogna Cinq-Mars, qui ne pensait qu'à localiser la trappe pour sortir de là. Je continue à jouer jusqu'à ce que je gagne ! s'esclaffa-t-il. C'est ça mon système !

— Bien sûr, c'est celui de tout le monde ! » repartit l'homme en riant à son tour, imité par quelques joueurs de la table. Soudain, il y eut un grand fracas : la verrière, pulvérisée, tombait sur eux.

Le chauve raflait les jetons sur le tapis, les siens et les autres, en promenant autour de lui un regard égaré : le pire jour de sa vie était-il arrivé ? Cinq-Mars l'empoigna par l'épaule.

— Suivez-moi, lui chuchota-t-il à l'oreille. Je connais une sortie secrète.

— Quelle sortie secrète ?

— Vous m'avez rendu service, pas vrai ? Je paie mes dettes. Venez !

Les croupiers se précipitaient vers les portes du fond et les clients vers la grande porte, tandis qu'un policier juché sur le bord de la verrière criait dans un porte-voix : « Que personne ne bouge ! L'immeuble est cerné ! » Pendant ce temps, Cinq-Mars, à quatre pattes sous la roulette, libérait un panneau à la base de la cloison. L'espace ainsi découvert était étroit, les propriétaires étaient certainement très minces. Il glissa, la tête la première, dans le réduit obscur, balayant au passage une toile d'araignée ; le chauve le poussait aux fesses pour le faire avancer. L'obscurité était totale et l'atmosphère humide.

Après avoir rampé six ou sept mètres, ce qui malgré toute sa hâte demanda un certain temps, ses yeux s'étaient adaptés et il aperçut un moyen de sortir de ce purgatoire. Il se laissa aller dans le vide, tomba sur un plancher, une chute d'environ un mètre, et se retourna pour aider son client à se relever.

— Et maintenant ? interrogea le chauve, comme si Cinq-Mars l'avait emmené dans un guêpier encore pire.

Dans cette partie de l'immeuble, le mur était entièrement vitré, ce qui permettait de voir les gyrophares en bas dans la rue.

— Par ici ! lança Cinq-Mars.

Ça marchait : il avait sorti son client du tripot et maintenant il était sur le point de les sauver tous les deux. Tout se passait comme prévu et il avait tenu son rôle à la perfection. Ils dévalèrent un couloir jusqu'au toboggan, plutôt impressionnant.

— Vous plaisantez ! s'écria le client. Je ne descends pas par là !

Cinq-Mars ne pouvait le lui reprocher, lui-même avait l'estomac noué.

— Le toboggan ou les flics, le prévint-il. Je passe devant et vous verrez que ça marche.

Le chauve envisagea les solutions qui s'offraient à lui.

— Bon ! maugréa-t-il, n'en trouvant pas d'autre. Mais je ne descends pas par là avant d'avoir constaté que vous en sortez vivant !

— Une fois en bas, je frapperai trois fois sur le toboggan. Ça signifiera que vous pouvez me suivre sans risque. Si vous n'entendez rien, ne bougez pas.

— Allez-y. Fichons le camp d'ici !

Le jeune policier, pour sa première opération clandestine, hésitait à se lancer : il s'agissait d'une longue descente ; trois étages, à la verticale, dans le noir, et, en bas, peut-être le néant. Il s'assit dans le réduit et tendit les jambes jusqu'aux parois d'aluminium du toboggan. Il posa les mains sur les côtés et se redressa. La pente était assez raide, inutile de l'aider, mais le chauve choisit de le pousser.

— Go ! lâcha-t-il, et Cinq-Mars dévala la rampe comme une fusée.

La rapidité de la descente lui coupa le souffle, il avait le cœur au bord des lèvres. C'était si rapide et si violent qu'il ne put se retenir de pousser des petits cris en fonçant vers son destin.

Il appelait de tous ses vœux la douceur d'un matelas pour le recevoir, mais c'est dans un liquide que le toboggan l'expulsa subitement.

Il s'enfonça dans une mare visqueuse, plus épaisse que l'eau – comme de l'huile, peut-être – et se débattit pour remonter à la surface. Il haletait et respirait les effluves de cette substance dégoûtante ; il devait faire vite, car son client ne tarderait sans doute pas. Taperait-il sur la paroi pour l'inciter à le suivre ou lui épargnerait-il l'abomination de ce bain ?

Il réussit à s'extraire du liquide immonde et se retrouva dans une atmosphère fétide, ses vêtements imprégnés de cette mélasse graisseuse quand, soudain, une lumière l'aveugla. Il entendit un énorme rugissement qu'il prit, un instant, pour un signal d'alarme. Mais son cœur se serra, il se serait tiré une balle dans la tête : il ne s'agissait pas d'une alarme ; des gens s'étaient mis à l'acclamer, à l'applaudir.

Emile Cinq-Mars, se protégeant les yeux de la lumière, constata qu'il était entouré de policiers que rejoignaient peu à peu les croupiers et les clients du tripot. Celui qui riait le plus fort, presque secoué de convulsions, était l'inspecteur Fleury, tandis que, debout auprès de lui, tout sourires, se tenait le capitaine Armand Touton.

Leurs regards se croisèrent et Touton leva les mains et fit chorus aux applaudissements.

On éteignit la lumière aveuglante et la cour retrouva son éclairage habituel : Émile Cinq-Mars vit alors qu'il était tombé dans une profonde cuve probablement emplie de mazout, de graisse, de goudron et d'eau; il comprit aussi que ses collègues savouraient le tour qu'on venait de lui jouer, et, horreur! que son costume neuf, l'orgueil de sa garde-robe, était fichu. La moindre fibre, le moindre fil du tissu, la moindre couture étaient dorénavant imprégnés d'un cambouis malodorant.

Ce qu'il ne voyait pas, mais imaginait sans peine, et qui faisait rire ses collègues, c'était son état pitoyable. S'il entrouvrait ses lèvres, on voyait l'éclat presque aveuglant de ses dents blanches ressortant sur son visage noirci.

Touton s'avança vers lui et clameurs, rires et sifflets s'apaisèrent.

Le client sortait de l'immeuble en courant pour se joindre à la fête. Touton attendit un peu avant de parler :

— Alors, il paraît que vous voulez devenir membre de la Patrouille de nuit? Rejoindre nos rangs? Eh bien, fiston, vous voilà initié maintenant. Vous continuerez vos rondes, mais, quand on aura besoin de vous, nous saurons où vous trouver.

— Pas ce soir..., protesta Cinq-Mars.

— Non, mon garçon », répliqua Touton en souriant. Il faillit poser une main sur l'épaule de son cadet mais se ravisa. « Pas ce soir.

Dans cet état, Cinq-Mars ne pouvait compter sur personne pour rentrer chez lui : les chauffeurs de taxi, les conducteurs de bus – de toute façon, il y aurait trop de témoins de sa misérable tenue dans un transport public – les collègues, personne n'accepterait de le transporter : seule solution, rentrer à pied, ce qui représentait une bonne distance, surtout dans son état.

Dans une ruelle, il ôta ses chaussures pour tenter d'essorer ses chaussettes : inutile. Il jeta donc ses chaussettes et remit ses chaussures pieds nus. Il se sentit beaucoup mieux, cela couinait moins. Puis il passa à la veste et s'escrima à éponger la boue et à vider le mazout qui suintait de ses poches. Une cause désespérée, pourtant il éprouvait le besoin de le faire.

Il voulait cesser de dégouliner en marchant et de laisser des empreintes tachées d'huile.

Repérant des plages épargnées sur sa chemise blanche, il l'ôta et s'en essuya le visage avant de la jeter, il enfila sa veste encore graisseuse à même la peau. De nouveau, il se sentit plus à l'aise. Après avoir jeté un coup d'œil alentour, il s'abrita derrière un poteau électrique, déboutonna son pantalon et racla la graisse de son caleçon et de ses organes génitaux avec ses mains avant de nettoyer celles-ci tant bien que mal sur le mur de brique.

Pouah !

Il lui restait du chemin.

Il se cantonna dans les petites rues. Heureusement, c'était le petit matin, et il ne croisa que quelques automobilistes trop ensommeillés pour le remarquer, à moins qu'ils n'aient l'habitude de rencontrer de drôles d'oiseaux couverts de cambouis, les cheveux collés au crâne.

Les quelques rencontres qu'il fit ne l'inquiétèrent pas outre mesure : une femme qui changea de trottoir pour éviter de le croiser ; un taxi qui ralentit, accéléra puis ralentit de nouveau ; un enfant qui le regarda bouche bée par la lunette arrière d'une voiture. Il arriva à son pâté de maisons, ce qui le ragaillardit un peu ; il était pourtant de mauvaise humeur et bien déterminé, une fois nommé capitaine, avec des policiers sous ses ordres, à interdire un tel traitement sur les bleus.

Là-dessus, il aperçut Anik Clement : assise sur les marches du premier étage, elle l'attendait. Il sentit son cœur se serrer.

Son premier réflexe fut de se cacher, mais Anik devait l'observer depuis un moment, certaine d'avoir reconnu sa démarche, certaine qu'il s'agissait de lui mais se demandant comment cela pouvait être lui. Que s'était-il passé ? Il approcha, elle le regarda bouche bée, hésitant entre le recours à une ambulance et la fuite.

Puis il arriva au pied de l'escalier, leva les yeux avec un drôle de sourire, ses dents étincelant comme des perles.

— Mais qu'est-ce qui... commença-t-elle.

— Ne me le demande pas, lui conseilla-t-il.

— Je te le demande, justement.

— C'est une histoire de fous !

— Ce sont des flics qui t'ont fait ça ?

— Anik, pourquoi es-tu là ?

— Apparemment, je suis venue te laver, même si je l'ignorais jusqu'à maintenant. Emile... ce n'est pas...? Ce n'est pas ton costume neuf ?...

— Que ton grand ami Touton m'a fait acheter, sachant que cela arriverait !

Elle se mit à rire comme une folle, pliée en deux, et il sut alors qu'ils étaient bien ensemble.

Cinq-Mars exhiba ses paumes pleines de cambouis. Coincée dans l'escalier, elle ne pouvait se réfugier nulle part.

— Salut, Anik! lâcha-t-il.

Elle monta un demi-étage en courant, se précipita jusqu'à sa porte et attendit qu'il la serre dans ses bras visqueux, malodorants, repoussants.

Sur le pas de la porte, elle poussa un cri, un simulacre de hurlement auquel il se joignit. Puis il plaqua sur sa bouche une main noire et poisseuse pour la faire taire; désormais, son sort à elle aussi était scellé : elle n'avait plus qu'à entrer pour se nettoyer aussi. Il ouvrit la porte.

— Je te croyais catholique », déclara Anik. Ils étaient allongés nus sur son lit étroit, leurs corps propres et épuisés, leurs pieds emmêlés.

— Je suis *très* catholique.

— Alors, tu confesseras ce péché?

— Ne te moque pas de moi!

— Non, je veux juste savoir.

— Si j'en ai le courage, je confesserai ce péché.

Elle ne connaissait aucun autre garçon susceptible de se livrer ainsi.

— Parce que tu te sens coupable?

— C'est bien le problème, soupira Cinq-Mars, pas du tout. Or, je le devrais.

— Non... Ne soupire pas comme ça, Emile, j'essaye de comprendre. Nous nous sommes douchés ensemble puis nous avons fait l'amour – toi, j'ai cru comprendre, pour la première fois –, nous avons passé des moments formidables. Pour moi, en tout cas, mais je sais que toi aussi. Maintenant... tu te tracasses...

Malgré ses protestations, il soupira de nouveau.

— C'est enraciné, Anik.

Il ne voulait pas qu'elle se moque de lui ainsi; il voulait qu'elle se rende compte que malgré leurs ébats sous la douche, quand elle lui avait savonné les cheveux et les fesses, elle avait couché avec un garçon sérieux. Il avait été très gêné et elle avait adoré découvrir son embarras, avant de comprendre qu'il était torturé.

— Tu sais, lui fit-elle remarquer, le monde évolue.

— Cela implique-t-il que l'univers en fasse autant? Le monde n'a jamais été réputé pour sa perspicacité, sa spiritualité, son goût de la vérité, de l'amour ou de la grâce. Le monde est un endroit lamentable, meurtrier, trompeur, arrogant et sournois. Je n'ai pas grande confiance dans le jugement du monde, Anik.

Ses autres amis ne lui tenaient pas ce genre de conversation, surtout

389

quand ils batifolaient dans un lit. Ils avaient plutôt tendance à parler révolution et la chaleur de la discussion les amenait à fumer un joint. Cinq-Mars ne fumait pas de joints.

— Tu es bizarre, observa-t-elle.

— Tu es jolie, répondit-il.

— Ah! mais est-ce qu'être jolie me rend mauvaise? N'ai-je pas séduit un homme de Dieu? Je suis donc une pécheresse, tu ne crois pas? Vouée à l'enfer!

— Certainement.

Elle lui donna une bourrade dans les côtes.

— Je ne porte pas de jugement, je suis simplement si heureux d'être avec toi. Je te l'ai dit, des choses sont profondément enracinées en moi, et je ne peux pas prétendre qu'elles ne m'affectent pas.

— Mais es-tu disposé à les prendre à bras-le-corps?

— Apparemment, je suis prêt à te prendre à bras-le-corps!

— Mais oui! Et ensuite, tu pousseras de grands soupirs!

— C'est ma façon de me protéger.

— En parlant de se protéger... (Elle prit son pénis entre ses doigts et il se prépara à entendre une plaisanterie obscène, mais elle lui chuchota à l'oreille :)... Je prends la pilule. C'est un péché pour toi?

Il était mortifié et ne savait comment l'exprimer. Anik avait prévu son dilemme et, continuant à le pétrir tandis qu'il durcissait dans sa main, elle éclata de rire.

— Ça, annonça Emile Cinq-Mars à sa nouvelle petite amie, c'est l'affaire sur laquelle je travaille.

— Impressionnant dossier, observa Anik Clement.

Les feuillets perforés reposaient dans un classeur noir.

— C'est l'histoire de la Dague de Cartier...

— Quoi? s'étonna Anik, abasourdie et effrayée.

— Le poignard..., commença-t-il.

— ... qui a tué mon père, continua-t-elle, perplexe. Tu enquêtes sur le meurtre de mon père? Pourquoi toi?

— Je ne suis pas le seul. Le capitaine Touton m'a mis sur l'affaire pour que l'enquête se poursuive après sa retraite, d'une génération à la suivante, même après, s'il le faut. Si Touton ne traîne pas les coupables en justice, alors je le ferai en mon temps.

Elle resta stupéfaite. Malgré ses doutes et sa défiance vis-à-vis des fonctionnaires, l'acharnement avec lequel Touton suivait cette affaire l'avait déjà frappée. Elle était abasourdie de voir son obstination dépasser sa propre carrière dans la police.

— Alors, ce dossier... représente toute l'affaire, pour l'instant?

— Non, je commence par l'histoire du poignard. J'ai besoin de la connaître à fond. Disons que c'est un début.

Ils étaient moins nus : Cinq-Mars, en caleçon et maillot de corps – ses vêtements jetés dans un sac-poubelle – et Anik, revêtue d'un grand tee-shirt d'Emile qui lui tombait jusqu'à mi-cuisse. Rassasiés d'amour, ils avaient dormi puis s'étaient réveillés, un peu intimidés malgré la passion qu'ils avaient partagée quelques heures auparavant, et enfin s'étaient une nouvelle fois douchés – séparément – s'étaient un peu rhabillés, puis avaient regagné l'étroit lit.

— L'histoire de la Dague de Cartier...

— Oui, l'histoire, répondit-il.

— Je connais beaucoup de choses, mais pas assez pour remplir les pages de ce dossier...

Cinq-Mars ouvrit le classeur et lui exposa les faits saillants de ce que l'on savait ou de ce que l'on supposait des débuts de l'histoire. Il insista sur les allées et venues du poignard, démêlées par les chercheurs.

— J'ai aimé découvrir cette aventure et j'y ai beaucoup réfléchi. J'essaie de ne jamais oublier que la dernière fois que l'on a vu le poignard... il avait été utilisé pour tuer ton père. La manière dont le poignard s'est retrouvé à la compagnie d'assurances Sun Life m'a bien plu.

— Raconte-moi.

Allongé à plat ventre, il ouvrit le dossier aux pages qui donnaient la chronologie du récit. Anik se glissa sur son dos ; elle se sentait légère comme une plume, lui si grand et elle si petite, et elle aimait chez lui la robustesse du garçon de ferme aux épaules massives. Elle adorait même son énorme nez, qu'elle avait déjà mordillé et dont elle avait raillé les proportions.

Elle découvrit l'histoire de Sarah Hanson dont elle n'avait jamais entendu parler : les circonstances de la remise du poignard aux Sulpiciens par les Mohawks, puis par la jeune femme brave et sage qui vivait au bord de la rivière des Outaouais. Sarah avait ensuite montré la relique au gouverneur de la Nouvelle-France pour tenter d'empêcher l'armée et le peuple de manger du cheval, tentative qui avait échoué.

— Il a menacé de la pendre ? Seigneur !

— L'histoire du poignard prend alors une étrange tournure : il est resté pendant deux générations dans la famille Hanson, qui habitait toujours la même maison au bord de la rivière, toutefois la valeur de l'héritage avait diminué avec la mort de Sarah. Apparemment, un membre de la famille avait fait évaluer le poignard, intéressé par ce que pourrait rapporter la vente des diamants et de l'or qui ornaient le manche, mais l'expert lui affirma que les diamants étaient du quartz et les incrustations jaunes du mica. Aucun expert digne de ce nom ne serait arrivé à cette conclusion : donc, à mon avis, l'homme était soit incompétent, ce qui me semble peu probable, soit malhonnête et avait l'intention de dépouiller un péquenot qui n'y connaissait rien.

— En tant que flic, tu t'imagines que tous les gens sont des voleurs, lui chuchota-t-elle à l'oreille.

— Tu me crois déjà aussi blasé ? Je ne suis qu'un flic débutant. Reviens me voir dans quelques années.

— Pourquoi pas ?

Ils échangèrent quelques baisers pour célébrer cette idée.

— Quoi qu'il en soit, le joaillier ne réussit pas à acheter la relique même pour une bouchée de pain et le poignard lui échappa parce que la famille, comme c'était de la camelote, choisit de le garder dans l'héritage familial.

— Compris, murmura Anik et elle l'embrassa encore. Ensuite ?

— C'est là que ça devient intéressant ! Les Anglais mouraient de faim dans la région des lacs...

— Oh ! pauvres Anglais ! soupira Anik.

— Eh, ce n'est pas gentil ! Ils mouraient réellement !

— Bon, d'accord ! D'ailleurs, je n'ai rien contre les Anglais morts !

— Ni contre leurs femmes, ni contre leurs enfants ?

— Non, je plaisante ! Enfin, presque...

Cinq-Mars se déplaça et la fit basculer. Il la cloua sous lui pour la couvrir de baisers, ne cessant que quand il s'aperçut qu'elle lui tapotait l'épaule.

— L'histoire ! insista-t-elle. (Il avait oublié qu'elle s'intéressait tout particulièrement à la Dague de Cartier.)

Il se remit sur le ventre et feuilleta les documents.

— Bon ! Donc, les Anglais arrivaient à Montréal à demi morts. L'évêque de Montréal les poussa à s'installer près du lac des Deux-Montagnes, à l'endroit où la rivière des Outaouais s'élargit. C'est d'ailleurs là qu'habitait Sarah Hanson.

— Pour quelle raison ?

— Essentiellement parce qu'il n'existait aucune église dans les parages et qu'à cause de cela aucun Français ne désirait s'installer dans la région.

— Cela se comprend.

— Pour la mentalité du XIXe siècle, oui.

— Et alors ?

Elle se demandait si elle était tombée amoureuse. Serait-ce vrai ? Se serait-elle entichée du parti le plus improbable : un flic ! Un catholique pratiquant ! Un moraliste ! Un fédéraliste ! – Non seulement, il était le parti le plus invraisemblable, mais aussi le pire pour elle : il exerçait une profession en totale contradiction avec son histoire familiale. Son père avait été un escroc, un dur, un gangster parfois, même si aucune de ces descriptions ne convenait au souvenir qu'elle gardait du personnage. Elle préférait voir en lui un ancien joueur de hockey qui avait fait de la prison pour couvrir les activités syndicales de sa mère. Il avait été un père magnifique, tendre et attentif. Mais quelle que fût l'image qu'elle gardait de lui, gangster ou papa, ce n'était pas un flic, et il avait même eu pas mal de problèmes avec la police. D'un autre côté, elle savait que Roger Clement avait lié une sorte d'amitié avec Armand Touton ; aussi, peut-être, aurait-il compris, s'il vivait encore, qu'elle soit attirée par ce jeune policier.

Papa, il s'occupe de ton affaire ! On va attraper tes meurtriers !

— L'Eglise avait déjà remis toutes les terres disponibles aux Français qui pouvaient alors conserver leurs villages et leurs fermes et, par là même, permettre à leur religion et à leur héritage culturel de prospérer...

— Tout cela, l'interrompit Anik, je le sais.

— Mais l'Eglise ne pouvait pas distribuer des terres aux Anglais. Il n'y avait pas de relations entre l'Eglise catholique, toute-puissante au Canada, et les Protestants. Même Rome avait des problèmes avec l'Eglise d'Angleterre. Passer un accord avec les Anglais, ça c'était nouveau. L'évêque s'entendit donc avec la compagnie d'assurances Sun Life et c'est-là que les choses deviennent vraiment fascinantes, historiquement parlant.

Ils se déplacèrent encore un peu. Anik appuya sa tête sur une main, tandis que son petit ami, allongé sur le dos, regardait le plafond. Elle aimait la manière dont il avait assimilé les éléments de leur histoire.

— Si un Français voulait posséder des terres, il devait faire confiance à l'Eglise et se mettre à prier. Après toute une vie de piété, il pouvait espérer aller au paradis. Un Anglais, lui, devait se tourner vers la compagnie d'assurances Sun Life et, après toute une vie passée à payer des primes, il pouvait espérer recevoir de l'argent. La division culturelle entre Anglais et Français était donc virtuellement gravée dans le marbre. A partir de là, les deux groupes poursuivirent chacun leur chemin. Côte à côte, du moins à Montréal, mais profondément distincts dans leur façon de penser, vivant chacun sa vie.

C'est peut-être un flic, expliquait-elle mentalement à son père, *mais il ne ressemble à aucun des flics que tu aies jamais connus.*

— Cela ne me dit toujours pas ce qui est arrivé au poignard, observa Anik.

— Les Anglais s'installèrent dans des fermes le long de l'Ottawa, en face des Mohawks, et plus en amont, en face des sulpiciens. De ce côté de la rivière, les descendants de Sarah Hanson étaient les seuls à les avoir précédés. Un jour, le représentant de la Sun Life vint visiter les nouveaux propriétaires terriens afin de leur faire signer des polices avec sa compagnie.

Anik avait compris.

— La Sun Life leur accorde des terres puis leur *conseille*, dirons-nous, de souscrire une assurance vie. Ce que la compagnie donne, elle le reprend.

— Exactement. Si un homme, pensant à ses fils, se posait la question de savoir où ils iraient une fois adultes, de quelles terres ils disposeraient, il se rendait compte qu'il fallait compter avec la Sun Life. Alors, bien sûr, tous les fermiers souscrivirent une police. Là-dessus, l'agent d'assurances en rentrant chez lui dans sa carriole s'arrêta près de la ferme de la famille Hanson-Sabourin.

— Ne m'en dis pas plus.

Il l'embrassa en s'exhortant à n'éprouver ni regret ni honte. Il était catholique, c'était vrai, et il répondrait de ce péché plus tard devant son Créateur et son prêtre. Peut-être choisirait-il pour se confesser une paroisse lointaine où personne ne le connaissait, mais ce baiser-là, il le donnait avec toute la force de son amour et de son désir pour elle. Ce baiser, il le donnerait de toute son âme, et c'est ce qu'il fit.

— L'assureur, murmura-t-il, était un vendeur qui savait exploiter les craintes des gens. Il persuada la famille Hanson qu'elle avait besoin d'une police d'assurance, comme celle que souscrivaient leurs voisins. Sinon, à leur mort, leurs enfants seraient pauvres, alors que la progéniture des nouveaux arrivants bénéficierait d'une assurance vie.

— La famille n'avait pas assez d'argent pour s'offrir ce luxe. D'ailleurs, elle ne craignait pas, comme les autres fermiers, de perdre ses terres si Sun Life cessait d'approuver sa présence. Pour elle, ces polices équivalaient à un impôt. Pourtant un membre de la famille Hanson-Sabourin exhiba le Poignard de Cartier et l'offrit en échange. L'assureur fit tout un numéro pour vanter la générosité de sa compagnie ; en réalité, il le savait, il volait ces gens. Il leur présenta le formulaire à signer et disparut avec la Dague de Cartier. Sun Life venait d'acquérir un bien très précieux. Certains lui attribuaient sa puissance. Tu connais la suite : après la Seconde Guerre mondiale, on prêta l'objet à la Ligue nationale de hockey pour récompenser les efforts déployés par son président lors du procès de Nuremberg, et la

Ligue devint toute-puissante. Certains prétendent que c'est grâce au poignard. La question qui se pose est la suivante : qui le possède aujourd'hui ?

Anik, allongée auprès de lui, murmura :

— Je sais à qui il appartient aujourd'hui.

— Tu le sais ? s'étonna Cinq-Mars en se redressant.

— A Trudeau.

— C'est le bruit qui court en effet, mais rien ne le confirme. Simplement parce qu'il est devenu très puissant...

— Ce n'est pas une rumeur, c'est vrai, affirma-t-elle en se tournant vers lui. J'étais cachée dans un placard lors de l'ultime confession de Camillien Houde et j'ai entendu que Trudeau avait acheté le poignard.

— Alors, aide-moi.

— Je ne sais pas tout, répondit-elle.

— C'est parce que Trudeau possède la relique que tu es séparatiste ?

— Ne dis pas de bêtises ! Mais c'est à cause de cela que, ce soir-là, j'ai choisi de lancer la première pierre sur lui. C'est pourquoi je regrette de l'avoir manqué.

Cinq-Mars était troublé par son amour pour elle et par cet élan de sa chair qu'il n'avait encore jamais connu et qui maintenant sapait son code moral. Il devait se marier. Il était aussi troublé par les informations que venait de lui donner Anik.

CHAPITRE 19

1968

LORSQU'IL VENAIT d'être démobilisé et avait décidé de devenir policier, Armand Touton repensait au médecin corrompu qui avait tenté de lui extorquer une rente annuelle. Vingt ans plus tard, il estimait que le charlatan aurait obtenu plus facilement satisfaction en soignant ses blessures de guerre plutôt qu'en lui inventant des varices ; il aurait alors payé cher et même signé un chèque en blanc. Aujourd'hui, il abandonnerait volontiers sa pension au premier rebouteux qui lui offrirait une nuit de soulagement.

Ses douleurs allaient mettre un terme à sa carrière prématurément.

Les piles de vieux dossiers s'entassaient derrière son bureau et la banquette se constituait de caisses de diverses hauteurs, sur lesquelles il avait disposé des coussins fatigués, aplatis par l'âge et le postérieur de ses visiteurs. Il essaya péniblement d'installer plus confortablement son pied droit, puis le posa sur un barreau de chaise en même temps qu'il soulevait son pied gauche pour savourer quelques minutes le plaisir d'une nouvelle position.

Assis en face de lui, l'inspecteur Fleury savait ce qu'endurait le patron, mais il ne bronchait pas. L'agent Cinq-Mars, assis droit comme un « i » à côté de Fleury, ne comprenait pas les étranges postures de son supérieur. Il semblait affalé comme au bout du rouleau ; la pièce sentait d'ailleurs légèrement le whisky, et le jeune policier éprouva un certain mépris pour cet officier qu'il admirait pourtant beaucoup.

Fleury estimait, lui, que l'alcool avait des vertus médicinales.

— Si j'ai bien compris, résuma Touton en se tassant encore un peu plus, vous me demandez la permission de grimper jusqu'au Parlement, d'entrer d'un pas martial dans le bureau du Premier ministre, de vous asseoir devant lui – peut-être après avoir resserré votre nœud de cravate ou vous être soigneusement recoiffé pour vous rendre présentable – et de l'accuser, les yeux dans les yeux, d'être en possession de l'arme d'un crime... ?

— Capitaine... Emile Cinq-Mars tenta de l'interrompre mais un geste de son supérieur, désormais à demi allongé, le stoppa net.

— ... Parce que, reprit Touton après avoir bâillé profondément, vous avez eu un tuyau d'une extrémiste de gauche... qui tenait ses informations d'un mourant et d'un prêtre lié par le secret de la confession. Oh! Ça en jettera à la barre des témoins! Vous serez accusé de diffamation et d'arrestation injustifiée : les avocats du gouvernement s'en donneront à cœur joie!

— Répondez, Cinq-Mars, lui conseilla Fleury.

Le jeune policier s'agita en essayant de maîtriser ses émotions : ne pas exploser surtout.

— Premièrement, déclara-t-il, je n'ai pas l'intention de « grimper jusqu'au Parlement » et il n'est pas dans mes habitudes, où que ce soit, d'« entrer d'un pas martial ».

— Voilà qu'il s'énerve, ricana Fleury.

— Deuxièmement, poursuivit Cinq-Mars, je ne compte pas porter d'accusation. Je présenterai l'affaire au Premier ministre et j'écouterai ce qu'il aura à répondre. Troisièmement...

— Troisièmement! soupira Touton, ravi de voir le jeune homme se défendre.

— ... je n'ai jamais parlé d'« une extrémiste de gauche »...

— C'est vrai, reconnut le capitaine dont le regard pétillait. Mais c'est ce qu'elle est, n'est-ce pas?

— ... et quatrièmement je n'ai jamais précisé que mon informateur était une femme.

— Ah! maugréa le capitaine. Comprenez mon dilemme. J'ai besoin d'imaginer votre informateur : à mon âge, ça aide à tout mémoriser. Selon moi, elle a vingt-deux ans, une jolie tête, des cheveux bruns coupés court, un mignon petit nez et des yeux brillants, bruns également. Je l'imagine comme une extrémiste de gauche. Sa mère pourrait-elle participer à l'agitation syndicale? Pourquoi refuser l'image que je me fais d'elle, alors qu'elle est si nette? Maintenant, voici ce qui me tracasse : vous pensez que le Premier ministre du Canada a quelque chose à vous révéler à propos d'un objet volé, et que si vous allez lui parler... Trudeau reconnaîtra : « Sergent, vous avez raison. Cela va ruiner ma carrière, me coûter une élection et peut-être me mener en prison, mais cela pesait sur ma conscience. Je ferai ce soir une déclaration à la télévision pour annoncer à mes concitoyens que je détiens la Dague de Cartier et implorer leur pardon. » (Cinq-Mars s'agita sur sa chaise.) Vous n'aimez pas que je cite le Premier ministre ?

— Je ne m'attends pas à ce qu'il avoue, admit Cinq-Mars.

— Ravi de l'entendre ! Qu'espérez-vous alors ?

— Je ne suis pas certain... Je...

— Vous imaginez peut-être qu'il commettra une imprudence après votre conversation ? insista Touton. Qu'il se servira du poignard pour découper la dinde de Noël ? Qu'il cachera plus soigneusement le poignard ou que, inquiet pour sa carrière, il vendra sa relique au marché noir ? C'est quoi votre idée ?

Pour défendre l'honneur d'Anik, Cinq-Mars voulait que le détenteur du poignard qui avait tué son père sache que lui, Cinq-Mars, prenait l'affaire en main ; dans une certaine mesure, il ne cherchait rien d'autre que l'ébranler, l'énerver un peu. Il mesurait maintenant l'inefficacité de cette manœuvre, ainsi que l'indigence, pour ne pas dire l'absence, des renseignements apportés à ses interlocuteurs. En confirmant une rumeur, il ne faisait guère progresser l'enquête. Le témoin mort, et son confesseur tenu par le secret, n'ouvraient aucune perspective intéressante. Cinq-Mars et Touton se regardèrent en hochant la tête et le jeune homme se leva pour prendre congé, mais Touton reprit la parole :

— Voilà ce que nous allons faire avec vos informations, proposa le capitaine. Avertir le Premier ministre le plus populaire de notre histoire que nous savons qu'il détient le poignard ne nous avancera pas beaucoup. En ce qui concerne le défunt maire, l'exhumer ne nous révélera pas grand-chose. Reste le prêtre.

— Le prêtre ? (Même Fleury parut surpris.)

— Le père François est le prêtre d'Anik et de sa mère, il était celui de Camillien Houde et, dans les années cinquante, il faisait partie de la bande de *Cité libre* qui comprenait...

— Pierre Trudeau ! termina Fleury.

— Mon garçon, j'ai relevé quelque chose dans votre formulation des faits, poursuivit Touton. Selon votre informateur – ou informatrice – le prêtre aurait réconforté l'ancien maire au moment de sa mort en lui annonçant que la transaction avait eu lieu. Ce prêtre ne recevait pas une confession, il conspirait.

Cinq-Mars réfléchit.

— J'y ai pensé, mais mon... informateur... pense qu'il ne faisait que transmettre un renseignement, qu'il n'était pas personnellement impliqué.

— Transmettre une information, c'est s'impliquer, Cinq-Mars. A qui s'adressait-il ? Que savait-il ? Ce genre d'information ne se recueille pas en donnant les derniers sacrements aux mourants. D'ailleurs, conclut-il, il ne m'a jamais plu. Traitez-moi de vieux jeu, mais je persiste : il s'agit d'un homme politique, pas d'un vrai prêtre.

— Je vais étudier ça, annonça Fleury.

— Laissez ce jeune homme vérifier lui-même ! lui ordonna Touton, décevant Fleury, toujours prêt à abandonner son bureau et ses estimations budgétaires. Il sait s'y prendre avec les prêtres. Mais c'est à vous qu'il fera son rapport. (Il ouvrit un tiroir dans lequel il tâtonna à la recherche de sa bouteille de whisky.) Maintenant, filez, il y en a qui ont du travail !

Dans le couloir, Fleury se tourna vers son nouvel adjoint.

— Qu'est-ce qu'il raconte à propos de vous et des prêtres ?

— J'ignore comment il l'a su.

— Il sait tout », déclara l'inspecteur. Cinq-Mars haussa les sourcils d'un air dubitatif. « Maintenant, dites-moi ce que j'ignore.

— A une époque, expliqua le jeune policier avec une certaine gêne, j'ai envisagé d'entrer dans les ordres. Mon père le désirait et cela m'intéressait. Mais comment le sait-il ? Je n'en ai jamais parlé ici, du moins je le croyais.

— L'imaginiez-vous capable, lâcha Fleury en haussant les épaules, de vous prendre dans notre équipe sans se renseigner à votre sujet ? A mon avis, il connaît tout sur vous, la couleur des yeux de votre mère ainsi que les noms gravés sur la tombe de votre grand-oncle en France.

— Non, répliqua Cinq-Mars, las de ces plaisanteries.

— J'exagère, mais pas tant que ça ! Moitié fermier, moitié prêtre, vous venez d'une petite ville : cela sous-entend que vous n'avez pas été corrompu et que personne ne fera pression sur vous pour que vous protégiez le nom de la famille. Dans cette histoire, vous pensez vous en prendre seul au Premier ministre ? Cela n'est pas si simple. Vous allez déterrer de vieilles histoires concernant des hommes politiques disparus qui sont devenus des mythes. Il faut avoir les épaules solides pour s'attaquer aux héros du peuple. Car, dans ce cas, nous n'allons pas seulement nous attirer les foudres d'une grosse légume du coin ou du type installé sur la colline du Parlement, mais celle de toute une population ! » Cette fois, le jeune policier fut bien obligé d'admettre que son nouveau chef ne se moquait pas de lui. « D'accord, il s'est renseigné sur vous, Cinq-Mars, mais il vous a fait confiance d'instinct, puis il a voulu savoir qui vous étiez, d'où vous veniez. Jusqu'à présent, vous avez obtenu la mention "passable".

— Tout cela me paraît contradictoire : me faire confiance d'emblée pour se renseigner ensuite sur mon compte, observa Cinq-Mars.

— Vous n'êtes qu'un imbécile, vous ne comprenez rien ? Allez vous faire voir ! J'ai vu votre regard quand il a pris cette bouteille... Eh ! S'il en a besoin pour se tenir ! Hein !

Cinq-Mars, qui avait commencé à se retourner, pivota pour faire de nouveau face à Fleury.

— Vous êtes mon supérieur, mais il est inutile que vous vous excusiez pour lui et il est inutile que j'écoute ça.

— Au contraire. Cet homme-là, durant la Seconde Guerre mondiale...

— Tout le monde a une excuse...

Il essaya une nouvelle fois de s'en aller, mais Fleury le retint par le bras et lui murmura à l'oreille d'une voix rauque :

— Blessé à Dieppe et fait prisonnier, dix-sept jours sans soins, une marche forcée puis l'opération, pratiquée sans anesthésie par un médecin français employé par les Allemands, et, au cours de laquelle Armand Touton n'a pas émis un cri ; le chirurgien, impressionné, l'a félicité pour son courage – il n'avait jamais rencontré autant d'endurance – et lui a serré la main. Trois ans plus tard, au cœur d'un hiver glacial, il a retraversé l'Allemagne, pieds nus dans la neige. Aujourd'hui, vous feriez mieux de respecter cet homme quand il a besoin d'un petit coup pour supporter la douleur après avoir été charcuté par ce toubib ! A sa place, Cinq-Mars, vous auriez crié, hurlé comme un bébé, comme n'importe qui, comme tous les autres. Pendant cette marche interminable, vous vous seriez recroquevillé sur le bord de la route pour vous endormir à tout jamais. Comme tant d'autres. Lui ne l'a pas fait. Alors, si vous tordez le nez parce qu'il boit un coup, préparez-vous à vous battre avec moi dehors, parce que cela arrivera plus d'une fois.

Cinq-Mars regarda cet homme qui devait peser vingt-cinq ou trente kilos de moins que lui et mesurer vingt ou vingt-cinq centimètres de moins, ce bureaucrate qui ne s'était jamais coltiné, ne fût-ce qu'un seul jour, le travail à la ferme et qui, s'il l'avait tenté, n'y aurait probablement pas survécu. Une bagarre avec lui serait brève et inégale, le jeune homme le savait. Pourtant, il eut l'élégance de battre en retraite.

— Ce ne sera pas nécessaire », lui répondit-il. Il s'imagina qu'il aurait tenu le coup durant cette longue marche en plein hiver, tout en remerciant le ciel de lui avoir épargné une épreuve pareille. Fleury n'aurait probablement jamais vu l'aube se lever sur le deuxième jour. Mais pouvait-on vraiment savoir?

L'inspecteur le fixa sombrement puis il esquissa un sourire.

— Dieu soit loué! lâcha-t-il avant de s'en aller.

Il avait presque atteint le bout du couloir quand Cinq-Mars lui lança:

— Monsieur, que dois-je faire maintenant?

— Me suivre! ordonna le comptable sans se retourner.

Le jeune policier obtempéra.

Touton roulait sur l'avenue du Parc qui épousait le flanc est du mont Royal; une pluie fine filtrait quelques rayons de soleil.

Sur sa gauche, des espaces verts en pente douce; plus bas, sur sa droite, un vaste plateau occupé par des terrains de sport, puis, au-delà, par des villages, et enfin, tout au bout de l'île, une zone industrielle dominée par des raffineries et des usines.

Le capitaine de la Patrouille de nuit appréciait de conduire en plein jour et ainsi de voir le paysage. Il avait rendez-vous avec le docteur Camille Laurin qui, cette fois, avait refusé de le rencontrer dans un lieu public. Touton s'installa dans sa salle d'attente comme tout maniaco-dépressif attendant une consultation, quelques mots aimables et une ordonnance. Il patienta un peu avant de s'entendre appeler.

— Capitaine!» le salua Laurin du seuil de son bureau – privilège dont ne bénéficiaient pas les autres clients, reçus par un assistant. Touton se leva péniblement et entra en boitillant. « Ravi de vous voir! Cela faisait longtemps, poursuivit le médecin en lui serrant la main. Il s'assit et fit signe à Touton de faire de même.

« Comment vous sentez-vous ces temps-ci?

— Comme nous tous, je vieillis.

— Comment réussissez-vous à vivre, capitaine, en ne voyant le soleil que le week-end?

— Le week-end, je travaille. De toute façon, je n'éprouve pas le besoin de bronzer.

Le médecin secoua sa cigarette au-dessus d'un gros cendrier de verre rempli de mégots puis la porta à ses lèvres, aspira profondément et regarda son hôte à travers la fumée.

— Ce n'est pas bon, observa Touton. Cancérigène. Cela vous tue à petit feu.

Laurin haussa les épaules.

Il observait et attendait.

— L'enquête continue.

— Quelle enquête?

— Sur la mort de Roger Clement et sur le meurtre d'un médecin légiste, ainsi que sur l'assassinat de Michel Vimont, chauffeur occasionnel de Camillien Houde et d'un racketteur prénommé Harry Montford. Vous le connaissiez ?

Le docteur tira sur sa cigarette.

— Pourquoi connaîtrais-je un racketteur ?

— Vous connaissiez Houde, l'ancien maire ?

— Bien sûr.

— Connaissiez-vous Harry Montford ?

Il exhala la fumée.

— Je viens de vous dire...

— J'ignore pourquoi vous, un psychiatre, vous connaîtriez Montford, un gangster, qui plus est anglais. Peut-être que vous ne vous êtes jamais rencontrés. Mais je dois vous poser cette question. Le connaissiez-vous ?

Le praticien accepta à regret de répondre.

— Le nom me dit quelque chose, en effet... Il devait être connu. Quant à dire que je le connaissais... Pas que je sache, bien que je rencontre beaucoup de gens, Anglais compris.

— Racketteurs compris ?

Cette question arracha à Laurin un large sourire qui semblait sincère.

— Pas à ma connaissance, capitaine.

— Vous comprenez, après avoir été évincé de la mairie, Camillien Houde ne disposait plus d'un chauffeur – ni même d'une voiture ; c'est pourquoi Vimont le conduisait parfois dans le véhicule de Montford. Je crois que ce dernier lui devait un ou deux services, datant du bon vieux temps où la corruption battait son plein dans la ville.

Le médecin secoua une nouvelle fois les cendres de sa cigarette.

— Du temps a passé, votre enquête n'ira pas bien loin. Houde est mort et ce Montford ? Mort aussi ? s'enquit-il, avec un sourire imperceptible.

— C'était le bon vieux temps et nous avons vieilli, renchérit Touton. La plupart des témoins sont morts : c'est de cela que je suis venu vous parler. Très bientôt, docteur, vous recevrez la visite d'un jeune policier : un robuste gaillard, alerte, dévoué, instruit, intelligent, un bon flic qui fait partie de l'équipe chargée de l'enquête. Je voulais, docteur Laurin, vous prévenir de sa venue. Votre coopération est précieuse et ce nouveau policier a hérité du dossier et le mènera à sa conclusion.

Ce petit discours fit sourire le psychiatre. Il alluma une nouvelle cigarette au bout rougeoyant de la précédente, puis écrasa le mégot dans le cendrier.

— De quoi désirerait-il me parler, capitaine ? De ma prétendue faute de jeunesse ? De ce moment d'égarement qui m'a fait signer une pétition dont je n'avais pas pleinement saisi la portée ?

— Aujourd'hui, vous vous intéressez à la politique...

— Nous vivons une époque intéressante. C'est la responsabilité des citoyens de préparer l'éventuelle indépendance du Québec, vous ne croyez pas ?

— Disons que oui.

— Vous êtes contre l'indépendance, capitaine ? Vous me semblez pourtant faire partie de ceux qui voudraient avant tout se ranger dans le camp de la justice. Peut-être arriverais-je à vous convertir, sinon à vous convaincre.

Touton sourit.

— C'est le mot que certains emploient, comme s'il s'agissait d'une religion nouvelle. On ne m'a jamais totalement converti à l'ancienne, docteur, et je ne me laisserai pas facilement convertir à la nouvelle.

— Le mouvement entraînera tout le monde. Ceux qui ne se rallieront pas à nous resteront derrière.

— Encore des menaces ! s'amusa Touton. « Si vous ne prenez pas le train du paradis, c'est en charrette que vous serez envoyés en enfer. » « Si vous n'obéissez pas à la loi, vous irez en prison. » Nous savons que ce n'est pas toujours vrai.

Derrière le nuage de fumée de sa cigarette, Laurin fit écho au rire de Touton avec un sourire en coin.

— Vous me considérez comme une dupe, comme un imbécile. C'est votre droit, mais j'ai analysé la situation de mon point de vue de psychiatre. Le professionnel que je suis estime que l'indépendance du Québec représente une indispensable psychothérapie collective, reprit-il en insistant sur ce dernier mot, comprenez bien, une psychothérapie collective visant à traiter le complexe d'infériorité des Québécois.

— Je ne me sens pas inférieur.

— Capitaine, ce n'est pas le problème...

— Bien sûr que si. Vous êtes convaincu que les Québécois souffrent d'un complexe d'infériorité. Je suis québécois, je vous assure que je ne me sens pas inférieur.

— La collectivité, si. Bien que personne ne veuille en convenir...

— Il faudrait que ce soit volontaire, lança Touton.

— Pardon ?

— Votre traitement contre le sentiment d'infériorité dont vous estimez les Québécois atteints, un traitement tel que l'indépendance devrait être volontaire et non imposée... Moi, par exemple, je n'aimerais pas du tout être enfermé dans un asile sous prétexte que mon voisin est dingue.

— Vous n'avez pas envie de participer à notre entreprise et, pourtant, vous nous faites participer à la vôtre, observa Laurin.

— La mienne ?

— Duplessis, Drapeau, le gouvernement fédéral, égrena-t-il en tirant sur sa cigarette. Nous sommes un peuple conquis, capitaine Touton...

— Conquis ?

— Nous nous comportons en peuple conquis.

— Parlez pour vous ! Personne ne m'a conquis, moi ! Je me suis battu.

— Oui, capitaine, coupa sèchement le médecin, je connais vos brillants états de service. Franchement, selon moi, vous n'auriez pas dû vous battre, mais, puisque vous l'avez fait, je rends hommage à votre courage. Tous les Québécois, j'en suis sûr, en sont fiers. J'admire vos camarades et je rends hommage à leur bravoure. Toutefois cela ne change pas le contenu de l'Histoire : nous sommes un peuple conquis et nous nous conduisons comme tel.

Touton se maîtrisa ; inutile de revenir sur la guerre : Laurin avait soutenu le régime de Vichy, mais cette époque était désormais révolue.

— Au fond, c'est peut-être ce qui nous lie, docteur Laurin. » Maintenant intrigué, le médecin le regarda à travers son nuage de fumée. « Je revis quotidiennement la bataille de Dieppe, expliqua Touton, de la même façon que vous, vous revivez celle qui s'est livrée sur les plaines d'Abraham *.

— Je prétends que le Québec devrait acquérir son indépendance, ce qui nous débarrasserait une fois pour toutes de notre complexe d'infériorité. Et alors seulement, nous serions vraiment libres.

— Que les Québécois commencent par se débarrasser de leur complexe et qu'ensuite ils choisissent leur destin ! Si vous comptez traiter la Province comme un patient, docteur, nous ne serons pas d'accord.

Laurin sourit, satisfait peut-être parce que leur conversation avait suivi son cours, et cependant surpris par la conscience politique du policier. Mais, au fond, ne vivaient-ils pas dans un pays où on adorait la politique autant que le hockey ou le soleil ?

— Capitaine Touton, les patients viennent me consulter avec leurs

---

* La Bataille des plaines d'Abraham qui, en 1759, durant la guerre de Sept Ans, opposa les Anglais et les Français. *(NdT)*.

problèmes. Je ne vous vois pas comme un patient, mais il va bien falloir pourtant que vous m'expliquiez la raison de votre présence chez moi. Certainement pas pour discuter de la guerre ou de l'indépendance. Quant à votre nouvel assistant, il est certainement capable de se présenter lui-même. Alors, en quoi puis-je vous aider ?

Touton retrouva sa gravité. Le moment était enfin venu d'aborder le sujet qui lui tenait à cœur.

— Vos vieux amis étaient des fascistes, vos recrues actuelles arrivent de la gauche. Or vous venez de dire que le mouvement emporte les gens dans son élan. Vous serez donc maintenant dans vos bras ceux qu'autrefois vous combattiez...

— Votre naïveté est charmante jusqu'à un certain point.

— ... Laissez-moi terminer... Vous occupez désormais la place à gauche de ceux que vous tourniez autrefois en ridicule. Ne pensez-vous pas, docteur, que certains des membres de ce nouveau groupe risquent d'être atterrés en découvrant que vous avez jadis cherché à obtenir la liberté d'un criminel de guerre nazi ?

— La naïveté de ma jeunesse...

— Excuse valable, selon vous ?

— Capitaine, répondit Laurin, les yeux baissés vers son bureau, un sourire sardonique aux lèvres. A mon grand regret, je me vois dans l'obligation de mettre un terme à cette conversation.

— Vos nouveaux amis, insista Touton comme si cette idée venait seulement de lui traverser l'esprit, seraient peut-être plus impressionnés de savoir que, grâce à vous, la Dague de Cartier a été redonnée au peuple québecois, plutôt que d'apprendre que vous avez guidé les autorités dans le labyrinthe des sympathisants nazis du Québec.

— Je ne crois pas, fit Laurin en le dévisageant, que cela ait été un exercice bien fructueux...

— Camillien Houde était impliqué. C'est lui qui avait aidé à vendre le poignard. Il est mort, et d'autres aussi... Pourquoi refusez-vous d'aider la police, docteur Laurin ? Aidez le peuple québécois !

Tout en le raccompagnant jusqu'à la porte, le psychiatre lui assura qu'il y réfléchirait.

— Emile Cinq-Mars viendra ! lança Touton de la salle d'attente. Rappelez-vous ce nom ! Il reprend l'affaire, de fond en comble, pour arriver à ses propres conclusions. Très bientôt, il aura des questions à vous poser afin de poursuivre son enquête !

Dans la salle d'attente, on le prit pour un fou.

— Je vous souhaite le bonjour, capitaine Touton.

— Au revoir, docteur !

Sur le chemin du retour, Touton repensa au piège qu'il avait tendu à l'éminent psychiatre, et n'en fut pas mécontent. Au cours de sa carrière, il avait été témoin de trahisons ; pourtant, bien sûr, il ne s'attendait pas vraiment à ce que le docteur Laurin trahisse ses deux amis. D'ailleurs, en donnant des noms, le praticien avouerait sa propre culpabilité et compromettrait ses copains de la droite ; cependant, en trahissant la vieille garde, il se gagnerait les bonnes grâces de la tendance gauchiste du mouvement indépendantiste, mais, dans ce cas, il subirait davantage l'influence de Touton, ses investigations et ses manœuvres machiavéliques.

Il lui avait laissé une marge de manœuvre très réduite : en choisissant de ne pas coopérer, Laurin l'inciterait à s'intéresser beaucoup plus à lui ; en se montrant hostile à son enquête, il le pousserait à lâcher sur lui son nouveau limier, ce chiot bâtard débarquant de sa campagne, Emile Cinq-Mars. Le médecin en déduirait finalement qu'il n'aurait pas la paix, et que la retraite imposée à Touton par son état de santé n'épargnerait pas à Laurin de perpétuelles investigations au moment précis où ses ambitions politiques commençaient à prendre forme.

Touton, en révélant à Laurin le rôle joué par Houde dans la vente du poignard – rôle confirmé par Anik –, lui annonçait du même coup que la police se rapprochait du but. Petit renseignement qui resterait en travers de la gorge du psychiatre et l'irriterait sans fin.

Touton souriait en conduisant : Cinq-Mars et lui devraient, à eux deux, réussir à ternir la brillante réputation du docteur Laurin.

Dans le bar, l'excitation atteignait son comble quand les délégations habituelles sapèrent une nouvelle fois le moral des assistants. La cause semblait perdue aux yeux des partisans déprimés, quand, soudain, se produisit en direct à la télévision l'événement clé qu'ils espéraient. Ebouriffé par le vent, parlant sans cesse de fumer, les traits burinés comme s'il avait vécu dans le désert ou en haute montagne, René Lévesque annonça sa démission de son poste au Cabinet de la Province de Québec, en même temps que la formation d'un nouveau parti politique consacré à la seule option qu'il estimait viable, à savoir l'indépendance.

Le grand projet de leur vie se concrétisait.

— Enfin, soupira Jean-Luc, nous avons un chef !

Anik renifla doucement. Les autres la regardèrent.

— Quoi ? » lança Vincent. De tous, il était le seul à avouer vouloir se marier, faire carrière et ne pas se retrouver, à quarante ans, extrémiste célibataire et chômeur ; aussi avait-il hâte que les grands problèmes fussent résolus. « Tu ne penses pas que nous ayons trouvé notre chef ?

409

— Cela fait une éternité, argumenta Anik en levant les bras au ciel, que je le répète ! Notre but est l'indépendance, pas de trouver un chef ! Les Québécois sont tellement heureux d'avoir un chef ! Mon Dieu ! Maintenant que nous en avons un, tout le monde se réjouit ; mais ce n'est pas l'indépendance.

— Mais, protesta Jean-Luc, Lévesque peut rallier le peuple. Le mouvement dispose maintenant d'un pouvoir, d'un élan. Pourquoi ? Parce que nous avons trouvé notre chef.

Anik attendait davantage de cet étudiant en sciences politiques avec lequel elle s'affrontait souvent dans des discussions animées. Un cérébral, avait pensé Anik, alors que Paul était un passionné, sentant couler dans ses veines l'amour qu'il portait à son peuple. Chez Jean-Luc au contraire, tout – le monde, ses aspirations, ses opinions politiques – se concentrait dans son cerveau.

— C'est foutu ! lâcha Anik en secouant la tête. Nous cherchons toujours à placer un héros au-dessus de nous !

— Quelles sont tes objections ? l'interrogea Paul d'un ton agressif.

— J'ai rencontré Lévesque une fois, sur un piquet de grève auquel ma mère et moi étions présentes, commença Anik. (Ils s'intéressèrent soudain à sa vision de la situation.) Il était venu soutenir les ouvrières et il a prononcé un petit discours.

— Comment s'en est-il tiré ? demanda Jean-Luc.

— Pas mal. Les couturières l'adoraient. Toutefois, il avait un problème : je portais un jean et il m'a mis la main aux fesses pendant que personne ne regardait.

— Lévesque ?

— J'avais dix-sept ans ! Lui était nettement plus âgé !

Les garçons semblèrent compatir, mais Jean-Luc saisit l'occasion :

— René Lévesque a mis la main aux fesses d'Anik ! Je vous confirme, les gars, ce type est un vrai chef ! Il y a une minute, je le respectais, désormais, je suis impressionné !

De nouvelles plaisanteries fusèrent et Anik finit par rire avec eux. Elle reconnaissait que Lévesque était spécial.

— A l'indépendance ! lança Paul, et ils levèrent leurs verres pour boire à leur cause.

— Au cul d'Anik ! proposa Pierre, ce qui lui valut une gifle.

Plus tard, avec tous les clients du bar, ils chantèrent et la soirée se termina fort tard.

Le père François ôta ses vêtements – une cape, un châle et une robe – et garda sa soutane, dans laquelle il était plus à l'aise quand il n'officiait pas. Une servante aux cheveux gris ramenés en chignon,

410

plus grande que le prêtre et d'une maigreur remarquable, entra dans son salon et accepta sans sourciller la présence à déjeuner d'un nouveau convive. Le père oubliait toujours de la prévenir quand il avait un invité. Les deux hommes prirent place dans des fauteuils assortis situés de part et d'autre d'une petite table de service.

La lumière de l'après-midi, tamisée par des rideaux de dentelle, filtrait sur un tapis ocre.

La discussion démarra sur Anik, car l'agent Emile Cinq-Mars avait reçu cette invitation à déjeuner après avoir mentionné le nom de la jeune fille au sortir de la messe dominicale. Il lui fallait maintenant détromper le prêtre dévoré de curiosité : il ne s'agissait pas pour l'instant de parler mariage ; peut-être aurait-il mieux fait de se décommander pour revenir une autre fois.

— Vous êtes le nouveau petit ami, Emile... j'ai tout de suite envisagé une heureuse conclusion. Peut-être m'annoncerez-vous cette nouvelle une autre fois...

On leur servit le potage, une crème de brocolis, accompagné d'une assiette de sandwiches sans croûte coupés en quartiers. La servante s'attarda assez longtemps pour recevoir les félicitations des deux hommes et ressortit en entraînant le chat de la maison.

Cinq-Mars remercia le prêtre de son hospitalité.

— J'apprécie votre compagnie, lui assura le père François. Maintenant, dites-moi, Emile, ce qui vous a mené jusqu'ici puisqu'il ne s'agit pas de la terrifiante perspective du mariage. Ni de maladie ou de mort, je l'espère...

— Le père d'Anik, déclara Cinq-Mars sans ambages. Son meurtre. Je travaille sur l'enquête.

A cette nouvelle, l'ecclésiastique hocha la tête puis remua lentement son potage d'un air absent avant de revenir à son jeune visiteur.

— Je croyais cette affaire enterrée depuis longtemps. Roger Clement. Mon Dieu !

— J'ai cru comprendre, mon père, que cette affaire ne serait jamais enterrée.

— Mais pourquoi ? s'étonna le religieux. A cause d'Armand Touton et de son amitié avec la mère d'Anik ?

— Et, reprit Cinq-Mars d'un ton détaché, de son amitié avec Roger Clement, qui pourrait avoir plus d'importance. Le meurtre d'un médecin légiste compte aussi. Sans oublier le vol de la Dague de Cartier. Enfin, quel qu'en soit le motif, on m'a confié ce dossier et l'enquête est à nouveau ouverte.

— Emile, la persévérance des services de police a quelque chose... d'admirable, je dois le reconnaître.

411

— Mon père, pourriez-vous me parler des rapports que vous entreteniez avec le défunt ?

La conversation prenait une tournure nouvelle. Il ne s'agissait plus du prêtre accueillant, mais du prêtre impliqué dans des crimes odieux.

Malgré son inexpérience, Cinq-Mars éprouvait une étrange confiance, comme s'il pratiquait ce genre d'interrogatoire depuis des années.

— Mon père ? demanda-t-il, son interlocuteur semblant perdu dans ses rêveries.

— Roger, oui, répondit le prêtre. Comprenez mon hésitation : je suis contraint de distinguer les rapports que m'imposait mon sacerdoce des liens tissés par l'amitié, or la mémoire peut les confondre aisément.

— Donc, vous étiez amis, trancha Cinq-Mars.

— Oui, je suppose. Carole Clement s'occupait beaucoup, comme moi, de problèmes syndicaux, de la défense des droits et des intérêts des pauvres. Nous nous sommes trouvés à maintes reprises dans le même camp et c'est par Carole que j'ai connu Roger ; pourtant cela n'a pas été un enchaînement aussi naturel qu'on pourrait le supposer.

— Comment cela ? (Dès le début de sa digression, le père François avait cessé de le regarder.)

— A cause de sa politique... A cause, sans doute, de son internement pendant la guerre. Personne n'a jamais traité Roger d'intellectuel... S'être acoquiné avec des fascistes comme Houde...

— Le terme est un peu fort, mon père, remarqua Cinq-Mars.

— Emile, reprit le religieux en haussant les épaules, si vous voulez que je modère mon langage, je le ferai. Si je parlais du haut de ma chaire, vous avez raison, je serais plus circonspect. Mais, après tout, nous sommes seulement en train de déjeuner, n'est-ce pas ? (Le policier opina, pour encourager son interlocuteur à continuer.) Venant de la gauche, je trouvais Houde et Roger très à droite.

— Pourtant, Carole était à gauche...

— Très à gauche, précisa le prêtre. Elle était de tous les combats les plus durs. C'est elle, rappelez-vous, qui aurait dû être envoyée dans ce camp d'internement, mais Roger a assumé la responsabilité à sa place.

— Alors que...

— C'était un briseur de grève ! Il cassait la figure des syndicalistes !

Cinq-Mars fit jouer les muscles de ses épaules comme si concilier cette contradiction lui imposait un effort physique.

— Ainsi, la femme de gauche et l'homme de droite s'aimaient. Le soir ils rentraient à la maison et faisaient la paix, c'est ça ?

— Déconcertant, n'est-ce pas ?

— Et si Roger Clement avait cherché à donner cette apparence...

— Je vous demande pardon ?

Emile Cinq-Mars hésitait en général à attirer l'attention sur son imposant appendice nasal, mais, cette fois, pris d'une démangeaison, il n'eut d'autre choix que de se gratter le nez.

— J'ai rencontré la mère d'Anik, expliqua le jeune homme. Un personnage redoutable et pas seulement parce que je sors avec sa fille. Cette femme dit ce qu'elle pense et fait ce qui lui plaît. Je suis convaincu qu'elle ne tolérerait absolument pas un mari assistant et encourageant l'ennemi.

Le père François rectifia un pli de sa soutane et hocha la tête. Il semblait réfléchir à ce que venait de dire son invité ; il conclut pourtant en rejetant le point de vue du jeune homme :

— Roger était aussi entêté qu'elle. Il assistait et encourageait réellement l'ennemi.

— Il en avait l'air, oui, admit Cinq-Mars. Pourtant, observa-t-il en baissant le ton comme pour s'assurer de sa complicité, dès l'instant où sa femme fut menacée d'être envoyée dans un camp d'internement, il s'est accusé de ce crime. Qui, bien sûr, n'en était absolument pas un, seulement de la propagande. Vous-même, par exemple, auriez très bien pu être impliqué dans l'impression de quelques-unes de ces brochures. On m'a laissé entendre que des prêtres renégats avaient permis la diffusion de tracts politiques en utilisant les machines à polycopier de l'Eglise. A l'époque, vous étiez étudiant et préoccupé par des problèmes identiques à ceux dans lesquels Carole s'était plongée. Pourtant, aucun de ses amis ne s'est proposé pour écoper à sa place, mais son mari l'a fait.

Le prêtre croisa et décroisa les jambes, tandis que Cinq-Mars l'observait et attendait. Il aimait bien sa position de flic. Les idées affluaient dans sa tête et, avec elles, des tentations. Quelles limites franchir ? Quels pièges éviter ? Il avait raconté certaines choses au prêtre. Il lui avait fait comprendre qu'il en savait plus sur lui qu'il ne s'en doutait. Le religieux se tenait maintenant sur la défensive.

Le père François réfléchit un instant.

— Le fait qu'elle fût son épouse comptait davantage. L'amour.

— Oui, mon père, mais pourquoi ne pas envisager que Roger Clement faisait seulement semblant de travailler pour la droite ? Que depuis le début, il était un espion ?

— Un espion ?

— Un informateur.

— Pour qui ?

— Pour la gauche. L'opposition n'a pas déposé les armes pendant la période noire de Duplessis. Il était peut-être un faux informateur pour la droite, et ne racontait que des mensonges à Duplessis et à Houde, qui étaient prisonniers avec lui.

— Emile, s'exclama le père François en secouant la tête, quelle imagination débordante ! Je suppose qu'elle rend de grands services au défenseur de l'ordre que vous êtes.

Se rendant compte que son interlocuteur voulait mettre un terme à leur entretien, Cinq-Mars choisit de réagir en franchissant une limite :

— Mon père, je peux vous dire ce que je sais de façon certaine : Roger Clement était un indicateur de la police.

— La police ! répéta le prêtre, accueillant cette nouvelle qui lui semblait ridicule avec un ricanement.

— Plus précisément, il renseignait Armand Touton. Vous comprenez mieux maintenant pourquoi le capitaine n'a jamais mis le couvercle sur cette affaire, et pourquoi il ne le fera jamais. C'est un de ses hommes qui a été tué cette nuit-là et il prend l'enquête à cœur.

L'homme d'église venait de comprendre ce qui lui avait échappé jusqu'à présent.

— Voilà pourquoi il est resté si proche de Carole et d'Anik...

— Peut-être aussi parce qu'il se sentait coupable, vis-à-vis de la famille de Roger Clement.

— Je vois.

Ils restèrent quelques instants silencieux. Cinq-Mars se rassit et continua son repas.

— Sur cette affaire, reprit-il, je fais appel à votre discrétion de prêtre. Depuis des années en effet, le milieu veille sur la famille : Anik m'a décrit ses pittoresques baby-sitters armés jusqu'aux dents. Pour des raisons de sécurité, nous tenons à ce que ces rapports demeurent.

— Bien entendu, mais je me demande pourquoi vous me racontez tout cela.

Bonne question qui, pour y répondre, allait obliger Emile à mentir à un prêtre. Il croisa les mains entre ses cuisses et leva les yeux vers son hôte.

— Nous ne fermons pas le dossier, mais du temps a passé et de nouvelles tactiques s'imposent. Je prendrai avec reconnaissance tout ce que vous pourrez m'apporter, secrètement ou ouvertement. Je vous confie tout cela parce qu'il est capital que vous compreniez que, en tuant Roger Clement cette nuit-là, on a très probablement éliminé l'un des vôtres.

L'homme d'église hocha la tête puis se reprit aussitôt.

— Un des miens ? demanda-t-il.

— Je ne parle pas de l'une de vos ouailles, fit Cinq-Mars en souriant, mais de l'un de vos frères politiques tellement attaché à la cause qu'il aura consenti à vivre en faisant semblant d'être celui qu'il n'était pas.

Au religieux maintenant de trouver comment révéler à Cinq-Mars ce qui n'apparaissait pas dans les témoignages officiels. Anik avait surpris sa conversation avec Camillien Houde, sur son lit de mort. Touton ne s'était pas trompé : les remarques du prêtre n'entraient pas dans le secret de la confession. L'heure était venue pour cet homme d'église, intellectuel de gauche, de livrer des renseignements, faute de quoi on pourrait le considérer comme complice ou coupable.

Le père François acquiesça avec un certain empressement, mais resta muet.

— Mon père, où vous trouviez-vous lors de l'assassinat de Roger Clement?

Son hôte le regarda bien en face, la question ne provoquant apparemment chez lui ni surprise ni inquiétude.

— Je pense, dit-il, que vous accomplissez votre devoir.

— Merci de votre compréhension.

— Pas très loin, soupira le prêtre, j'assistais à la manifestation.

J'assistais : curieux, ce terme, songea Cinq-Mars.

— Quelqu'un vous y a-t-il vu?

— Des milliers de gens...

— Personne qui pourrait se souvenir de vous et confirmer vos dires?

— Emile, vous devenez de plus en plus insultant! Vous en rendez-vous compte?

— Pardonnez-moi, mon père. Je dois poser cette question à tous ceux que j'interroge. Je dois constituer un dossier.

Nouveau soupir du prêtre.

— J'ai eu une conversation à trois blocs de l'endroit où Roger a été tué, sur la place Phillips, durant une bagarre entre la police et les manifestants.

— Vous rappelez-vous avec qui?

— Pierre Elliot Trudeau, lâcha-t-il en regardant de nouveau le jeune homme bien en face. A l'époque, il n'était pas notre Premier ministre. Je suis convaincu d'avoir été l'un des premiers à croire en lui.

Cinq-Mars se leva à nouveau, cette fois pour prendre congé.

— S'il vous revient quoi que ce soit qui puisse nous aider, n'hésitez pas à appeler.

Le père François se leva à son tour.

— Et vous, Emile, si vous décidez d'épouser cette fille, j'espère que vous penserez à moi pour le mariage.

Bien que la remarque fût conçue comme une plaisanterie, ni l'un ni l'autre n'en sourit.

Anik ne trouva pas cela drôle.

— Tu es allé voir le père François ? Pourquoi ?

Cinq-Mars aimait bien la pauvre élégance un peu sombre de la maison de Carole. La patine lui avait fait acquérir ce que les conventions qualifiaient de « caractère », mais il lui trouvait une grâce qui lui était propre. La maison, dans ses coins et recoins, donnait une impression de persévérance.

— Qui t'a dit cela ? s'étonna-t-il.

— Lui. (Le prêtre et elle étaient amis de longue date, il devait s'en souvenir.) Emile, que se passe-t-il ? Que mijotes-tu ?

—J'enquête sur cette affaire. Je fais mon travail !

— Mes renseignements provenaient de la confession d'un mourant !

— Et alors ? Je ne lui ai pas dit ! Je ne lui aurais jamais dit ça.

— Mais... c'est pour cela que tu es allé le voir ! Avoue-le !

—Je ne vois pas où est le problème.

— Emile ! Avoue-le !

— Qu'y a-t-il à avouer ? Pourquoi en faire tout un plat ?

— Tu te sers de moi ! Voilà pourquoi j'en fais un plat !

—Je ne me sers pas de toi. » Mais il en doutait un peu. D'un ton plus calme, il reprit : « En quoi est-ce que je me sers de toi ? Anik, j'enquête sur la mort de ton père. Nous sommes dans le même camp. Une de mes tâches consiste à parler à tous ceux qui auraient pu savoir quelque chose...

— Le père François n'était pas dans le parc ! lança-t-elle.

— A trois blocs.

— Quoi ? Comment le sais-tu ?

— Il me l'a dit. Ce n'est pas très loin !

— Qu'est-ce que tu prétends ? Le père François n'a rien à voir là-dedans !

— Calme-toi, je vais t'expliquer.

— Tu ferais mieux ! rétorqua-t-elle en grattant l'étiquette de sa bouteille.

— Le père François connaît tous ceux qui ont joué un rôle dans cette histoire : ton père, ta mère, Camillien Houde...

—Je les connais aussi ! Tu vas m'interroger et me demander où j'étais ce soir-là ? Ou bien l'as-tu déjà appris, espèce d'ordure ! Fouilles-tu dans mes affaires en mon absence ?

—Je sais que tu te trouvais chez toi ce soir-là, tu n'étais qu'une enfant. Peux-tu me laisser terminer ? » Il commença par se détendre en expirant profondément, comme une baleine qui fait surface. « A cette époque, le père François connaissait déjà Pierre Elliot Trudeau ; il était mêlé, comme ta mère, à l'affaire de Bernonville qu'il s'efforçait de faire extrader en France, pour qu'il réponde de ses crimes de guerre. Donc soit il travaillait avec des personnes impliquées sur le plan politique, soit il s'opposait à elles. Il connaissait tous les participants. Il sait également, parce que tu m'en as parlé, que Trudeau a acquis la Dague de Cartier. Il aurait pu me le dire l'autre jour, mais il a choisi de se taire.

— C'est un prêtre ! s'écria-t-elle, s'acharnant toujours sur l'étiquette de sa bouteille. Il n'a pas le droit de révéler ce qu'il apprend en confession !

— Seulement, Houde ne se confessait pas quand il lui en a parlé. Réfléchis : Houde cherchait à savoir s'il y avait eu transaction pour le poignard, précision dont le père François était au courant. Anik, regarde les choses en face !

Elle se mit à crier en brandissant dangereusement sa bouteille.

— Il n'était pas dans le coup ! Il s'est simplement trouvé au courant !

— Etre au courant signifie, dans une certaine mesure, être dans le coup.

— Foutaises !

— C'est mon boulot de poser des questions à quelqu'un qui joue un rôle clé. Ce n'est pas parce que je te connais.

— Mais si, c'est parce que tu me connais ! Je t'ai fait confiance, Emile ! La seule raison qui fait que je t'ai parlé de Trudeau et du poignard, c'est qu'on couche ensemble !

— De temps en temps... Je me demande, reprit Emile, si tes parents discutaient de la même façon...

Anik s'était souvent posé cette question : ces deux-là se tenaient vraiment aux deux extrémités du spectre politique. Sa mère prétendait passer sa vie à donner des explications à Roger qui l'écoutait. Il ne la contredisait pas souvent, il vérifiait simplement qu'il savait quelle grève elle soutiendrait ce jour-là.

— Je ne sais pas très bien, reconnut Anik d'un ton calme et en pesant ses mots, si je peux vivre aussi bien qu'eux avec nos différences.

— Anik...

— Et si... Je ne sais pas. » Elle prit une profonde inspiration. « Si on faisait une pause ?

— Anik... Voyons, ce n'est pas si terrible ! Cela doit pouvoir s'arranger...

417

— Je n'en suis pas si sûre. Pour l'instant, Emile, pour aujourd'hui en tout cas, j'ai besoin d'espace.

— Que dis-tu ?

— Rien de définitif. Aujourd'hui, je veux être seule.

Cela faisait mal. Emile accepta sa décision et traversa la pièce pour l'embrasser. Leurs lèvres s'effleurèrent et leurs regards se croisèrent : celui d'un homme scrutant un mystère féminin, celui d'une femme s'interrogeant sur des pensées masculines. Quand il referma la porte de la maison derrière lui, il se sentit aussi triste que la pluie qui commençait à tomber. Elle avait beau prétendre le contraire, il redoutait une décision à caractère définitif. Une douleur lui traversa le dos, et il eut envie de se retourner pour voir si elle le regardait partir, prête à le rappeler ; il ne le fit pas : il n'aurait su quoi dire qui fût nouveau ou utile, alors il poursuivit sa marche.

Toute la journée, il avait failli lui demander pourquoi elle avait pleuré en quittant la maison de l'ancien maire, où elle venait d'entendre sa dernière confession. Elle avait insisté pour le lui raconter. Ses sanglots étaient-ils dus à la mort imminente du vieux maire ou à une autre atroce révélation dont elle ne lui aurait pas encore fait part ? Emile s'en voulait d'échouer à sortir de ce dilemme : petit ami ou interrogateur ? Arrivé au coin de la rue, où il regarda si un bus arrivait, il songea qu'Anik avait sans doute probablement le même problème.

Anik l'avait regardé s'en aller par la fenêtre du salon, se retenant de se précipiter pour lui proposer un parapluie.

Cela faisait mal. Elle se sentait triste, incapable de décider de ce qu'elle allait faire. Elle passa dans sa chambre et s'écroula sur le lit. Elle resta pelotonnée là, en s'efforçant de ne pas pleurer. Quelques instants plus tard, elle s'endormit. En s'éveillant, elle comprit qu'elle devait aller quelque part, voir des gens. Le temps de prendre un parapluie et de se changer, et elle filerait. Encore un soir où elle se coucherait tard. Emile lui reprochait ces soirées tardives qui le rendaient soupçonneux. En s'habillant, accablée de tristesse, elle se demanda si elle rentrerait à la maison ce soir. Elle laisserait à sa mère le billet habituel, lui conseillant de ne pas l'attendre.

Des heures plus tard, elle retrouva son bar habituel aussi animé et bruyant que de coutume. Devant un mur de brique, des jeunes gens se pressaient autour d'une longue table ; ceux qui n'avaient pas de place assise se tenaient debout à côté, leur chope de bière à la main. Anik essaya de voir qui attirait autant de monde. Elle se frayait un passage dans la foule quand un de ses copains la remarqua et lui fit signe de venir : on lui avait réservé sa place. On la toisa de la tête aux pieds en se demandant ce qui lui valait ce privilège. Le doyen de la table avait orchestré un petit numéro de chaises musicales qui libéra, comme par magie, une place à côté de lui.

Anik se faufila, sourit à l'homme qui l'embrassa sur les deux joues avant de poursuivre sa conversation. Les jeunes l'écoutaient, enchantés, fascinés. Il s'agissait de la seconde réunion de ce genre. Dès la première, Anik et l'homme politique s'étaient bien entendus, ce qui l'avait étonnée. Elle écoutait, réfléchissant à ce qu'il disait. Seraient-ils vraiment capables de créer un pays indépendant? D'imaginer une procédure? Puis elle pensa à Emile. Comment en étaient-ils venus à s'aimer alors que cet amour semblait impossible? Si Emile était là, il discuterait chaque point, il ne se contenterait pas de se chauffer béatement à la gloire de ce moment. *Qu'est-ce qui me prend?* Son destin ressemblerait-il à celui de ses parents, et cette idée ne devait-elle pas l'effrayer? Cette quête d'un homme susceptible de l'attirer, aux opinions politiques pourtant opposées aux siennes, était-elle délibérée? N'était-ce pas injuste pour tout le monde? Elle se demanda si elle ne ferait pas mieux de rentrer chez elle ou chez Cinq-Mars, plutôt que de rester là à écouter cette discussion passionnée qui l'entraînerait dans les bras de ce révolutionnaire fascinant et dangereux — sa main lui effleurait le genou, la cuisse, puis le poignet : elle ne s'écartait pas. Elle observait, écoutait, attendait, s'interrogeait et son indécision l'agaçait.

CHAPITRE 20

1968

C INQ-MARS avait besoin de se représenter avec précision les événements de la soirée au cours de laquelle un poignard ancien avait été dérobé dans un coffre. Il avait besoin de remonter le temps et, pour cela, s'adressa au policier de service cette nuit-là, l'inspecteur – aujourd'hui commissaire – Andrew Sloan.

— Touton ne veut pas lâcher, hein? marmonna Sloan en secouant la tête.

Il faisait un temps de chien.

Invoquant sa claustrophobie, le commissaire sexagénaire proposa pourtant de poursuivre la conversation à l'extérieur. Cinq-Mars et lui descendirent jusqu'aux écluses de Sainte-Anne-de-Bellevue qui permettaient aux embarcations modestes de traverser le confluent tumultueux des deux fleuves. A intervalles réguliers, on permettait aux piétons d'accéder à un parc aménagé sur un îlot.

— Il m'arrive d'oublier que Montréal est une île, observa-t-il.

— Vous m'en direz tant! grommela Sloan. J'adorais cette ville. C'était mon territoire, vous comprenez? La grande ville dégueulasse! Le matin, on sent l'odeur laissée par la nuit sur ses vêtements : le dégueulis d'un connard sur vos poignets! On respire encore l'haleine chargée d'ail d'un crime! Et l'on a soif d'air pur... Maintenant, j'habite la campagne et le matin – ici-bas, on n'est jamais content – je sens une odeur de fumier ou quelque chose de ce genre.

Cela rappela à Cinq-Mars ses années à la ferme et, bien qu'ayant le cœur gros, il sourit.

Cinq-Mars appréciait la simplicité de leurs rapports et découvrait du même coup que Sloan ne méritait plus sa réputation de flic sévère. Il administrait désormais un petit détachement pour lequel les éventuelles bagarres déclenchées par quelques jeunes gaillards descendus en ville se soûler représentaient les moments les plus durs de l'année, bien loin de l'époque où elles amorçaient n'importe quelle soirée.

— J'ai entendu de ces histoires, fit le vieux policier en s'appuyant à la rambarde. Il dominait le quai en contrebas et regardait le fleuve s'écouler. Tout a énormément changé depuis. Oui... Aujourd'hui, je ne suis plus survolté. Ça ménage mon cœur. (Sloan enfonça ses mains dans les poches de son imperméable et le fit claquer pour se réchauffer.) Que puis-je pour vous ?

— Je ne suis pas inspecteur, monsieur, je suis toujours en uniforme, mais je travaille pour le capitaine Touton et il me fait trimer pendant mes jours de congé. Ce qui explique ma tenue civile.

— Pour Armand, flic ou prêtre, on porte toujours le crucifix autour du cou !

— Il faut que je m'y fasse. Comme je vous l'ai dit, j'enquête sur les meurtres de Roger Clement et du médecin légiste Claude Racine. Cela ne date pas d'hier.

— Le passe-temps favori d'Armand. » Il se remit à marcher le long de la balustrade de pierre qui les séparait du fleuve, et Cinq-Mars lui emboîta le pas.

— Vous avez été le premier inspecteur à arriver sur les lieux. Comment se fait-il qu'on vous ait fait venir dans les bureaux de la Ligue de hockey ?

— Comment ? Je ne sais pas. On m'a envoyé un télégramme.

— L'entrée de l'immeuble avait été interdite, alors comment a-t-on pu savoir que quelque chose avait été volé ?

Sloan s'arrêta, apparemment songeur.

— Inspecteur, je ne suis pas sûr qu'on ait déjà songé à poser cette question, dit-il avant de reprendre sa marche.

— Je ne suis pas inspecteur, lui répéta Cinq-Mars, mais ça sonne bien dans votre bouche !

— Pardon, je vous appellerai donc Emile, après tout, c'est votre jour de congé. Seigneur ! Comment suis-je arrivé là-bas ? » Le commissaire s'arrêta de nouveau pour rassembler ses souvenirs. « Armand avait attribué à chacun son secteur, il s'attendait à des problèmes. Nous aussi. Les plus gradés avaient chacun un secteur du

421

centre à surveiller. Pas tellement pour l'émeute, mais pour tout événement sérieux qui aurait pu avoir lieu en parallèle. Je me rappelle maintenant, ça me revient.

Cinq-Mars hocha la tête, il se souvenait avoir entendu, petit garçon, des informations signalant la grande émeute en ville, cette ville si lointaine, en flammes.

— Donc les bureaux de la Sun Life étaient vides.

— En tout cas, on le croyait. Nous nous étions rendus à la Sun Life pour leur dire : « On ne peut pas protéger les bureaux de la LNH si on ne boucle pas l'immeuble. » Tous ces types, les chefs, avaient déjà la tremblote et ils ont vite coopéré pour faire évacuer les bureaux de la Ligue.

— Cela se passait avant l'émeute ?

— Oui, on la pressentait. Au bureau du maire, on disait que trop de préparatifs équivaudrait aux yeux des manifestants à une invitation à se montrer. Mais Armand sentait les choses venir, je ne l'avais jamais vu aussi inquiet. Il savait ce que disaient les mecs dans les bistrots. Il avait peut-être donné quelques ordres, mais, surtout, il avait mis son plan au point sans en parler.

— Vous l'admirez, observa Cinq-Mars.

Le vieux policier hocha la tête, comme à contrecœur.

— Je lui tenais tête de temps en temps. Au début, peut-être parce que je me faisais engueuler... Sur certains coups, il me laissait en dehors ; tout simplement parce qu'il voulait des gars qui obtempéraient sans barguigner. Dans d'autres cas, c'était moi qu'il voulait auprès de lui, parce qu'il avait besoin qu'on le force à réfléchir. Ainsi, il ne perdait jamais la main.

Cinq-Mars écoutait ces propos nostalgiques avec plaisir, sans oublier toutefois la leçon que lui avait inculquée Armand Touton : d'accord pour les conversations qui tournent autour du pot, elles mettent de l'huile dans les rouages, mais attention à ne pas perdre le fil et à savoir ramener son interlocuteur à l'essentiel.

— Quels souvenirs gardez-vous de la succession des événements ?

— Cela a commencé à la Sun Life. Le coffre était muni d'une alarme qui a déclenché une sonnerie dans les couloirs. Il n'y avait plus personne pour l'entendre, mais elle était reliée aux ordinateurs du service de sécurité situé au rez-de-chaussée de l'immeuble. Les agents ont vu sur leur tableau l'alarme s'allumer, puis s'éteindre : on avait donc coupé la ligne.

— Ils sont montés ? se renseigna Cinq-Mars.

— Nos hommes les en ont empêchés, ce qui a causé du grabuge, laissez-moi vous le dire ! J'ai reçu un appel sur mon talkie-walkie et je suis alors intervenu. Pour calmer tout le monde, je suis monté avec les types de la sécurité sur mes talons.

— Et alors ?

Côté est, la vanne du canal était ouverte. A l'intérieur de l'écluse, deux petits canots à moteur, dont un magnifique Chris-Craft en bois, descendaient doucement jusqu'au niveau du Saint-Laurent.

— On a vu ce qu'on a vu : la porte des bureaux de la Ligue enfoncée, le coffre éventré et l'écrin de la Dague de Cartier vide. Ce sont ceux de la sécurité qui m'ont révélé l'importance du vol.

— Vous ne connaissiez pas l'existence du poignard ?

— Bien sûr que non ! Je croyais qu'il s'agissait d'une relique des Français ; Armand non plus n'était pas au courant. Je pense qu'il fallait être un mordu.

— Un mordu ?

— Un mordu d'histoire.

Les occupants des deux canots engagés dans l'écluse bavardaient aimablement.

— Donc, vous vous trouvez dans les bureaux de la Sun Life ; comment, alors, apprenez-vous le meurtre du parc ?

— Un passant, un étudiant, je crois, a aperçu un homme à terre et des individus s'acharnant sur lui. Ce témoin s'est précipité vers les flics qui surveillaient les issues de l'immeuble de la Sun Life ; hélas, ils n'avaient pas l'autorisation de quitter leur poste et on a perdu ainsi une belle occasion ! En fin de compte, un policier en tenue est allé voir ce qui se passait ; son arrivée a déclenché la fuite des meurtriers supposés. Là-dessus, c'est devenu intéressant.

— Seulement à ce moment-là ?

— On m'a appelé. J'étais occupé, mais cela se passait dans mon secteur. En regardant la victime du parc, il m'est venu une idée et j'ai demandé à un mec de la sécurité de me décrire le poignard volé – il l'avait vu exposé –, et en l'écoutant mon estomac s'est noué. Cela confirme l'ordre dans lequel j'ai vu les deux scènes : en effet, j'ai fait traverser la rue au garde de la Sun Life pour identifier le Poignard de Cartier, ce qu'il a fait, puis – sacré choc – il a également identifié le cadavre.

— Comment cela ? s'étonna Cinq-Mars.

— Le garde, un fan de hockey, l'a reconnu comme étant un ancien hockeyeur. » L'expression qui se peignit sur le visage d'Emile Cinq-Mars intrigua le commissaire Sloan. « Qu'est-ce qui ne va pas ?

— Roger Clement, expliqua Cinq-Mars, avait bien été un joueur de hockey, mais il y avait déjà presque vingt ans... Il avait dû changer... De plus, cela se passait dehors, de nuit, et de surcroît par mauvais temps. Les cadavres n'ont pas bonne mine et ne sont pas faciles à reconnaître dans la pénombre.

Sloan ne contesta pas la logique de ce raisonnement.

— Que voulez-vous dire ? Que le garde le connaissait ?

— Cela aurait pu être un coup monté par des gens de la boîte...

— Non, l'opération a été menée à partir du toit. La fenêtre a été cassée.

— Mon travail consiste à examiner tous les aspects de l'affaire, à vérifier que rien ne manque. Vous venez de me dire que le garde aurait pu connaître Roger Clement. Je suis allé sur le toit de la Sun Life...

— Vous êtes monté sur ce foutu toit ?

— Je pense que personne n'est descendu par là, et qu'ils ont simplement fait en sorte que tout le monde le pense et que personne n'imagine que le coup venait de l'intérieur.

— Cela ne nous était pas venu à l'esprit.

— Je n'affirme pas que cela s'est passé ainsi. Mais j'abordais cette énigme sous un certain angle et maintenant vous me parlez de ce garde... Cela commence à prendre tournure.

Sloan secoua la tête, impressionné par ce que semblait contenir le ciboulot de ce garçon. Ils étaient revenus sur leurs pas, mais on était en train d'ouvrir l'écluse et ils durent attendre la fin de la manœuvre.

— Il va falloir que vous parliez à ce garde. Mais je serais incapable de me souvenir de son nom !

— Il est mort.

— Comment savez-vous ça ? s'enquit Sloan en reculant d'un pas pour considérer son collègue. D'après ce que je vous ai dit vous ne connaissez même pas son identité...

Cinq-Mars haussa les épaules. Il faisait un peu d'esbroufe, mais l'homme était commissaire et lui un policier ambitieux attaquant sa deuxième année dans la police.

— Je reprends tout depuis le début. J'ai réinterrogé tous les gardes en service ce soir-là : ils figurent dans les dossiers du capitaine Touton qui, à l'époque, les avait interrogés. Ainsi j'ai su qui vous avait rejoint dans le parc. Cet homme est mort.

— Et ça n'a pas fait tilt dans l'esprit de Touton cette histoire de garde qui identifie automatiquement Roger Clement ?

— Non, mais reconnaître quelqu'un n'implique pas qu'on travaille ensemble. Ce n'est qu'une hypothèse de ma part...

— Vous m'avez posé des questions dont vous connaissiez déjà les réponses.

— Vous savez bien que tout a besoin d'être confirmé. Je veux aligner les faits. Mais, en même temps, je cherche à m'imprégner de l'atmosphère du moment.

— Je connais les flics et je sais que vous voulez épingler quelqu'un ; eh bien, je suis enchanté que ma mémoire ne m'ait pas fait défaut et qu'elle vous ait aidé à trouver ce que vous cherchiez !

— Je vous remercie de cette conversation, commissaire.

Ils regardèrent les canots quitter l'écluse, les équipages glacés mais apparemment ravis.

— Un jour, murmura Sloan spontanément, cela vous arrivera. La soixantaine, la retraite approcheront... Vous vous imaginerez assis dans une vieille cabane sur un champ pourri en plein vent, par une journée bien grise et empestant le cochon, près d'une maudite route déserte. Le vent hurlerait à travers les murs mal joints de votre masure et vous transpercerait jusqu'aux os. C'est ce que vous vouliez, hein, ce dont vous rêviez : l'air pur, sans l'odeur de merde. Mais au moins finies les crapules de la ville avec leurs chaînes en or, finis les salopards dans leurs grosses Mercedes. La retraite ! Voilà ! Plus rien à foutre ! Seulement rêver d'égorger des cochons. Ou des cochons de fermiers ! Je ne vous le souhaite pas, mon garçon, mais c'est ainsi. Bonne chance !

Cinq-Mars ne savait trop quoi répondre.

— Vous n'êtes pas encore à la retraite, lui rappela-t-il.

— Dans six semaines ! Six semaines ! Ne vous gênez surtout pas pour venir me casser les couilles chez moi ! Ça me changera ! (L'homme lui tendit la main pour signifier que l'entretien était terminé.) Je reste ici un moment pour respirer. Vous retrouverez votre chemin.

Ils se serrèrent la main et, une fois les vannes de l'écluse refermées, Cinq-Mars traversa et reprit sa voiture pour retourner en ville. Pendant le trajet, la radio annonça qu'un attentat à la bombe venait d'avoir lieu. Le journaliste commença à donner des détails : le FLQ (Front de libération du Québec) pour se faire entendre menait une campagne de plus en plus violente qui, cette fois, menaçait la population. Ils avaient déjà fait sauter des boîtes aux lettres. Aujourd'hui, il s'agissait d'un magasin de chaussures et il y avait une victime.

Anik eut du mal à émerger.

Les aventures de l'après-midi sont souvent les meilleures.

Ensemble, lui probablement défoncé, elle pleine d'ardeur, ils étaient prêts à tout.

Faire l'amour dans le lit d'un inconnu – René avait emprunté la clé d'un appartement –, créait un climat particulièrement érotique. Un autre couple s'installerait dans cette chambre et penserait sans doute à changer les draps, mais les murs résonneraient encore de l'écho des cris que poussait Anik, dominant les rires et les gloussements de René, éraillés par la fumée. Il avait sans doute intercalé cet entracte entre deux réunions importantes – et cela aussi c'était excitant. Elle le regarderait au journal télévisé du soir et calculerait que deux heures et demie avant de se planter devant la batterie de microphones, il s'était agenouillé devant elle pour couvrir ses cuisses de baisers, tentant de lutter contre son désir à elle d'aller plus loin : cette sensualité imprégnerait les ondes et pénétrerait les os, le sang, l'esprit de la jeune femme, attisant son désir.

S'avouer qu'à travers lui, c'était peut-être le pouvoir qu'elle adorait, voilà qui l'agaçait. Il était petit, presque un gnome. Pour le taquiner ou lui rabattre le caquet, elle l'appela « Napoléon », puis elle le traita de « Petit Napoléon » et enfin de : « Eh ! regardez-moi ça, mais c'est la doublure de Napoléon ! » ; formule qui lui déplaisait et qu'elle était ravie d'avoir trouvée. Objectivement, il était vraiment laid. En outre, il fumait sans arrêt. Pourtant, son cerveau débordait d'idées et son corps de passion ; puis elle le connut mieux et décela qu'il bouillonnait aussi de doutes et d'inquiétudes. Sur ses épaules pesaient et son pays et sa mission. Prenaient-ils, lui et ses émules, la bonne direction ? S'ils obtenaient l'indépendance, comment la géreraient-ils ? Comment y parviendraient-ils ? Quels compromis faudrait-il négocier et quelle serait la réaction des autres Canadiens ? Par quelle manœuvre son grand rival, Trudeau, lui répondrait-il ? Parviendrait-il à remporter une élection ? Bourassa, le nouveau Premier ministre de la Province de Québec, était une vraie sauterelle, et il lui semblait inconcevable de ne pas réussir à le battre à plate couture ; pourtant, sa vision de la société se révélait difficile à faire accepter par les différentes générations, malaisée à imposer à chaque segment de la population. Ses partisans de tendance socialiste ne suffiraient pas à le faire gagner ; il lui fallait un soutien plus large, donc accepter des compromis et décevoir l'attente des fidèles. Il parlait à Anik de ces problèmes et elle lui donnait son avis. Elle lui conseillait d'être pragmatique. La victoire cicatriserait bien des plaies, lui assurait-elle et il hochait la tête d'un air approbateur.

Anik, elle-même, détestait que des personnalités de droite fussent impliquées dans le parti et y jouissent d'une telle influence : comme Laurin et Parizeau, des casse-pieds constituant une menace permanente pour l'autorité de René, indispensables pourtant, elle devait en convenir, pour un résultat à long terme. Concevoir un pays constituait une tâche difficile, à laquelle on aurait pu dire qu'ils étaient vraiment en train de s'atteler lors de leurs étreintes passionnées sur des lits d'emprunt, autant que les couples désirant faire un enfant. Elle aimait le pouvoir, mais l'excitation de la révolution la touchait davantage, cette impression d'être à la pointe de l'Histoire, du temps, de plier le monde à son opinion la grisait. Ainsi tous deux se laissaient emporter par le désir irrésistible de créer un monde nouveau, en même temps que les tenaillait la peur de réussir, et celle d'échouer.

Mais les choses n'avançaient guère.

Des problèmes à résoudre succédaient aux problèmes résolus.

Pourtant, ils s'abandonnaient à la volupté, persuadés qu'ils trouveraient des solutions ; là, ils créeraient du neuf à partir de leur enthousiasme et de la grande force morale de leur histoire. Et elle se dirait : *Voilà pourquoi je couche avec lui.* Parce que, associée à parts égales avec lui, elle se sentait capable de créer une nation. Quand il n'était pas là, elle en était moins convaincue.

Il maudissait Trudeau !

Avec Anik, plus qu'avec n'importe qui d'autre, il baissait la garde, et elle décelait combien il redoutait le personnage, à quel point le Premier ministre du Canada l'intimidait. René adorait les débats, les discours et les confrontations. Il avait tellement l'habitude de l'emporter sur son adversaire que, la plupart du temps, il savourait d'avance sa victoire. Les observateurs attendaient le moment où il attaquerait ou se défendrait comme il convenait, il se montrait alors moqueur ou ordurier, frémissant de passion, soutenu par le sentiment qu'il parlait du cœur et des souffrances de son peuple. Délirants, les admirateurs s'extasiaient, oubliant qu'il avait fort peu contredit son adversaire ou avancé d'arguments décisifs. Toutefois, il ne bénéficiait pas d'un tel avantage sur Trudeau, dont les brillantes improvisations et la désinvolture parvenaient à compenser le charme traditionnel et roublard de Lévesque. Dans un débat avec Pierre Elliot Trudeau, il devait s'attendre à être vaincu. Anik le lisait dans son regard. Il avait beau se lamenter, bouder ou ricaner, il n'y pouvait pas grand-chose.

C'était un secret qu'ils partageaient tous les deux, même s'ils n'en parlaient jamais. Tous leurs projets grandioses pourraient n'aboutir à rien s'ils restaient obsédés par ce talon d'Achille. Lévesque était persuadé qu'il ne pourrait jamais battre Trudeau, et s'il ne parvenait jamais à le vaincre, comment pouvait-il mener son parti à la victoire ? Anik n'avait pas de réponse à lui donner et ne pouvait que le soutenir, souhaitant qu'un jour il retrouve son assurance. Elle avait fait de son mieux pour descendre Trudeau de son piédestal, en expliquant pourquoi son adversaire était si puissant et jouissait d'une telle aura intellectuelle et d'une telle force spirituelle.

427

— Tu sais, commença-t-elle, il a en sa possession la Dague de Cartier. Elle dut lui expliquer de quelle manière elle l'avait su.

Cette fois encore, ils étaient au lit. Après l'avoir écoutée, Lévesque enfouit son visage dans ses mains et se tourna sur le dos, l'air profondément malheureux. En s'efforçant de démythifier Trudeau, elle l'avait par inadvertance fait paraître invincible. Lévesque se tordait littéralement de douleur. Si Trudeau possédait le poignard, cela expliquait sa rapide et trop extraordinaire ascension jusqu'au pouvoir, sans parler de son étonnante popularité, et quels espoirs restait-t-il alors pour la « doublure de Napoléon » ? Non seulement se dressaient contre lui cette brillante intelligence, cet homme charismatique d'une haute moralité, ce personnage quasi religieux – ce soleil ! –, et maintenant ce pouvoir mythique qu'on prêtait à ceux qui possédaient la Dague de Cartier ! Quel espoir lui restait-il ?

Un vrai dilemme. Quiconque accuserait ouvertement Trudeau de posséder le poignard se verrait aussitôt accusé de calomnie, de mesquinerie et deviendrait l'objet de toutes les moqueries pour sa croyance en une magie dérisoire. Sa crédibilité ainsi perdue, il ne la retrouverait jamais. Il pourrait s'estimer heureux qu'on ne rie pas de lui jusqu'à la fin de ses jours, et à juste titre. Pourtant, tout homme assez imprégné de superstitions pour être convaincu que la Dague de Cartier possédait des qualités mystiques et conférait à son propriétaire un avantage sur autrui, se condamnait à la défaite quand il se dresserait contre le détenteur du poignard – Lévesque estimait que cela s'appliquait à lui aussi. Psychologiquement, il se sentait battu à plate couture.

— Je suis désolée, dit Anik, en essayant de dégager les mains qu'il gardait plaquées sur son visage.

— Je suis mort, gémit-il.

Trudeau était né riche alors que lui avait été conçu dans la pauvreté. Trudeau avait reçu une éducation sans faille et avait parcouru le monde. Lui n'avait bénéficié que d'une instruction sommaire et n'avait guère voyagé. Trudeau était brillant, alors que Lévesque était simplement très futé, avait la repartie facile et une arrogance qu'il arborait tel un déguisement. Trudeau séduisait plus de femmes que lui, même si, dans ce domaine, Lévesque se débrouillait plutôt bien. Et Trudeau possédait le poignard convoité, alors que lui avait le couteau sous la gorge parce qu'on lui demandait ce qu'il n'était probablement pas capable de donner.

Il s'agita auprès d'elle, émergeant d'un petit somme postcoïtal, le regard vague, satisfait toutefois du temps qu'ils avaient passé ensemble. Elle l'embrassa sur le front et attira sa tête contre son épaule.

— Où sommes-nous, ici ? demanda-t-il.

—Je ne sais pas, mais tu ferais mieux de rendre la clé à la bonne personne.

Au-dessus de la tête de lit se dressait un mur de briques nues. Sur une autre cloison, du plancher au plafond, des rayonnages où s'entassaient des livres.

— C'est un écrivain qui crèche ici ? se souvint Lévesque. Un plumitif. Quelle heure est-il ?

— Dans soixante-cinq minutes a lieu ton prochain rendez-vous. Au foyer des seniors. Cela veut dire que tu peux être en retard. Comme d'habitude : personne ne le remarquera.

A ces mots, il se blottit plus près d'elle. Une main remonta doucement sur son sein et il se penchait pour poser un baiser sur le téton opposé quand le téléphone sonna.

— Ne te dérange pas.

Il se pencha sur son téton et elle ferma les yeux, en se disant que, oui, elle remettrait bien ça. Lui aussi. Il n'avait pas besoin d'être en forme pour des seniors. De toute façon, la moitié d'entre eux ne seraient là que pour les hors-d'œuvre.

Le répondeur se mit en route et une voix désincarnée les interrompit : « René, c'est moi. Décroche. »

Ils ne savaient pas qui pouvait être « moi », mais ils supposèrent qu'il s'agissait du propriétaire du lit sur lequel ils se trouvaient. Lévesque décrocha et dit :

— Oui ? » Il écouta un moment, puis : « Oh merde !

— Que se passe-t-il ? demanda Anik, inquiète.

Après avoir raccroché, il murmura :

— Ce maudit FLQ ! Ils ont fait sauter un magasin de chaussures !

— *Quoi* ? Personne ne fait sauter un magasin de *chaussures*.

— Personne ne fait non plus sauter de boîtes aux lettres, sauf ces connards ! Ils ont tué une vendeuse...

— Oh ! non ! Mon Dieu !

— Une Française. Je ne sais pas si cela aggrave les choses, mais elle est française.

— Quels abrutis !

Il posa les mains sur ses yeux et se frotta les tempes avec ses pouces. En prônant l'indépendance, en profitant de chaque occasion pour en faire l'objet du débat, il courait le risque d'enflammer les passions. C'était censé être son travail, motiver ses partisans, les galvaniser, mais était-ce vraiment possible ? Savoir qu'il n'avait rien à se reprocher n'arrangeait rien...

—Je ferais mieux d'y aller, conclut-il. La presse va me traquer, il faut qu'on puisse me trouver.

Elle écarta les mains de son visage.

— Les poseurs de bombes, c'est Trudeau qu'ils attaquent. Ce n'est pas ta faute.

Lévesque hocha la tête, soupira et fit signe qu'il comprenait. Mais, tout en s'habillant, il ajouta :

— Apparemment, elle était jeune. La vendeuse. (Il haussa les épaules, puis se crut obligé d'ajouter :) Comme toi.

Le chiche éclairage de la rue ne facilitait pas sa marche. Dans les maisons qu'elle longeait, les gens dormaient ou s'attardaient devant la lueur bleutée des téléviseurs. Ici ou là, quelques insomniaques traînaient encore. Anik écoutait avec plaisir ses talons claquer sur le trottoir. Derrière elle, une voiture se rapprochait ; elle frissonna de peur mais ne voulut pas regarder. Sans doute des jeunes lorgnant ses fesses, des abrutis qui allaient lancer une remarque salace avant de faire crisser leurs pneus pour s'enfoncer dans la nuit, dissimulant leur lâcheté pathétique derrière des ricanements. Croiser leurs regards ne réussirait qu'à les provoquer, elle avança donc sans se retourner.

Néanmoins, la voiture roulait toujours derrière elle.

Ça sentait le roussi. Il lui fallait identifier le conducteur, affronter ses démons.

Anik jeta un coup d'œil.

Le conducteur était seul, pas très jeune, entre deux âges.

La voiture accéléra puis ralentit à sa hauteur, serrant le bord du trottoir. Anik, sans s'arrêter, se pencha pour manifester sa colère. Au volant, Armand Touton lui souriait.

— Que faites-vous ici ? » lui demanda-t-elle par la vitre ouverte. Elle était soulagée mais intriguée. Furieuse, toujours, mais pour une raison différente. Du moins n'aurait-elle pas à se battre contre un pervers.

— Qu'ai-je l'air de faire ?

— Vous me suiviez ?

— Ce soir, déclara Touton, j'assure la sécurité dans les rues. Monte, je vais te déposer.

Cette rencontre n'était pas accidentelle, elle le sentait. Bien qu'appréciant sa promenade nocturne douce et paisible, elle savait qu'il se passait quelque chose. Elle se glissa dans la voiture, heurtant du genou la radio de la police, claqua la portière et se blottit sur la banquette comme une petite fille. Elle aurait volontiers ôté ses chaussures et exposé ses pieds nus par la vitre ouverte.

— Que se passe-t-il ?

— Tu as entendu parler du magasin de chaussures ?

— C'est terrible, pour cette fille, répondit-elle en hochant la tête.

— Nous avons enquêté sur elle, sur la victime. Pas la moindre activité politique. Une innocente, morte déchiquetée par une bombe. Pourquoi ? Je me demande comment ces types peuvent justifier ça...

— Moi aussi », murmura Anik. Mais elle le savait, ayant souvent surpris des discussions. *Des innocents ? Il n'y a pas d'innocents !* Personne n'avait le droit de rester spectateur, encore moins de proclamer son innocence. Si l'on n'était pas avec le mouvement ou la cause, on était contre. L'innocence n'était qu'un camouflage bourgeois pour protéger les coupables. Même l'Eglise catholique, expliquait-on, croyait au péché originel, notion niant ainsi toute idée d'innocence. *Nous sommes tous complices. Condamnés pour être nés.* Elle avait entendu ce genre de propos dans des bars, à des soirées, sur les balcons de la ville, un verre de bière à la main, l'autre tendant un joint. Mais elle n'en parlerait pas à Touton. Il avait raison. Seul un imbécile ou un boucher pouvait justifier le meurtre d'une vendeuse, qu'importait la cause ?

— Les boîtes aux lettres, c'est déjà assez moche. Cela ne blesse personne, prétend-on, mais c'est faux : un facteur découvre une bombe, l'armée l'envoie à un expert pour la désamorcer... *Boum !* Elle lui saute entre les mains...

La faible lueur des réverbères suffisait à éclairer le reflet de son visage sur le pare-brise.

— Tu te rends compte ? Entre ses mains. *Boum !*

Elle ne voulait pas se le figurer. On se moquait beaucoup de la « manie » du FLQ : dissimuler des bombes dans des boîtes aux lettres, c'était si *canadien*. Ils étaient si polis ces poseurs de bombes, ne voulant la mort de personne, ne cherchant qu'à détruire des bouts de papier et des factures pour se faire remarquer. Oui, pourquoi cette idée, bien meilleure que celle de tuer, suscitait-elle tant de moqueries ? On voyait bien qu'ils n'étaient pas des tueurs fous, mais des révolutionnaires se contentant d'explosions ! Une manière de déclaration efficace dans la vie des citoyens, dans l'esprit craintif du gouvernement. Leur argument ? L'existence même du gouvernement fédéral, du *courrier* fédéral, suffisait à déclencher leur réaction.

Boum ! Le sol couvert de confettis. Dans le pays, tous les médias en parlaient.

Mais elle savait ce qui allait suivre.

— Des boîtes aux lettres ! Très bien ! Personne n'est blessé, sauf peut-être un soldat, mais on s'en fout ! Sa famille ? Qui donc y pense ! Peut-être un jour un flic trinquera-t-il, mais que représente un soldat de plus ou de moins, un flic de moins ? Une autre fois, ce sera un malheureux facteur... Et puis, merde ! Peu importe que les victimes soient des pères de famille, ça leur apprendra à être dans la police, dans la police ou – Dieu les protège ! – dans la Poste. Ce n'est pas ce qu'ils disent ?

— Qui ça ?

— Les gens qui posent ces bombes.

— Vous croyez que je sais qui les pose ?

— Bien sûr que oui ! répliqua Touton en haussant les épaules. Peut-être ne le sais-tu pas, mais tu les connais. C'est inévitable, étant donné les gens que tu fréquentes. Ce soir, Anik, je t'emmène quelque part pour te montrer quelque chose que tu n'as encore jamais vu.

— Je ne connais pas de poseurs de bombes !

— Je ne dis pas que ce sont des proches, mais, dans les endroits que tu fréquentes, on les côtoie. Je peux te dire une chose...

— Ah oui ? Quoi donc ? l'interrompit-elle d'un ton revêche.

— Eux te connaissent.

Il l'emmena sur les quais.

Des silos à grains dressant leurs hautes silhouettes provocantes sous le clair de lune se dégageait une impression lugubre et menaçante. Des projecteurs complétaient l'éclairage clairsemé décourageant les intrus et suggérant que régnaient ici maraudeurs et pervers, même si non loin de là un policier tabassait des récalcitrants. Impression justifiée, car les quais continuaient d'abriter des marginaux et il se produisait dans le secteur toutes sortes de méfaits ; pourtant, pesait sur le site un sentiment de torpeur besogneuse à cause du vrombissement des machines qui brassaient l'air et les liquides comme le cœur et les poumons d'un monstre essoufflé.

Et c'était cette atmosphère lourde et menaçante qu'on respirait.

Les roues de la voiture franchirent les aiguillages fatigués de plusieurs voies ferrées puis retrouvèrent la chaussée et le sol du parking, malmené par le gel mais jamais convenablement réparé ; aussi étaient-ils pas mal secoués, ce qui obligea Anik à appuyer une main contre le plafond pour rester calée sur son siège. Touton s'engagea sur une jetée dominant le Saint-Laurent, son courant agité, ses remous et ses tourbillons. Touton coupa le contact.

Dans le calme qui s'ensuivit, le moteur refroidissant émettait de petits cliquetis et des soupirs.

— Pourquoi sommes-nous ici ? finit par demander Anik.

— La première fois que j'ai rencontré ton père, je l'ai conduit ici. A cet endroit précis.

— Pourquoi ?

Touton ne la quittait pas des yeux.

— Je lui ai demandé d'ouvrir la portière, lui raconta-t-il. J'avais garé la voiture juste au bord. Vraiment au bord. Au-dessus du fleuve. Je lui ai demandé d'ouvrir la portière et de sortir.

— Il n'a pas pu le faire ? (Elle savait que Touton tentait de lui révéler quelque chose concernant son père, et cela la rendait nerveuse.)

— J'ai braqué mon pistolet sur son genou, il a ouvert...

Elle attendit, écoutant le grondement de l'eau. Elle avala péniblement sa salive.

— Il a vraiment cru que vous alliez tirer ?

— Il savait que je le ferais. Je l'ai obligé à sortir, il se cramponnait à la portière, suspendu au-dessus du vide. Je n'avais pas l'intention de le laisser remonter dans le véhicule. Je me moquais du temps que ça prendrait. Il pouvait tomber dans le fleuve...

— Mon père ne savait pas nager ! s'insurgea Anik.

— Il me l'a dit. Il pouvait tomber à l'eau...

— ... et se noyer !

— ... et se noyer, ou bien accepter de travailler pour moi.

Elle songea avec tristesse à la position dans laquelle s'était trouvé son père. Que sa présence lui manquait ! Ne plus pouvoir se jeter contre lui en sanglotant ni sentir ses bras serrés autour d'elle !

— Vous êtes un salaud, capitaine Touton, dit-elle calmement.

— C'est vrai, admit-il. Je n'ai jamais dit le contraire. Ton père le savait aussi. Sur ce plan-là, nous nous parlions franchement tous les deux. Il me comprenait, ton père. J'avais un travail à faire.

Cette histoire la dérangeait.

— Je dois comprendre que mon père était un indic.

— Pas ce mot pour lui, tu ne m'as d'ailleurs jamais entendu le prononcer à son sujet. J'affirme que ton père était un héros. Ne comptaient pour lui que sa femme et sa fille. En dehors d'elles, tout le monde – moi inclus et les maires et les Premiers ministres pour lesquels il travaillait également – pouvait bien se risquer à jouer avec un cerf-volant en plein orage, les pieds dans une flaque, il s'en foutait.

Touton s'interrompit et tapota un moment le volant, sorte de message en morse vers l'au-delà.

— Sa famille était tout pour lui. Il a travaillé pour moi, c'est vrai, et m'a appris des choses qui m'ont aidé, mais ce n'est pas pour éviter de se noyer qu'il l'a fait, mais pour ne pas vous laisser seules toutes les deux car, sans vous, il se serait jeté à l'eau sans hésiter. Mais s'il faisait du bon boulot pour moi, c'était parce qu'il voulait faire le bien ; il souhaitait que sa fille en grandissant ne se découvre pas un paternel voleur, mais qu'elle le découvre au service de la loi, s'efforçant de faire quelque chose de bien de sa vie malgré les mauvaises cartes qu'on lui avait distribuées.

Touton respirait sans effort et il pensa à allumer une cigarette, ayant oublié un bref instant qu'il ne fumait que celles des autres. Quand ils avaient adopté leur fille, il avait promis à sa femme d'arrêter, en tout cas de ne plus jamais s'acheter un paquet de cigarettes.

— Je crois venu pour toi, confia-t-il à Anik, le moment de l'apprendre. Ton père était fier de ce qu'il faisait, alors ne le traite pas d'indic. A ta place, je parlerais plutôt d'un héros, d'un homme qui accomplissait une tâche très dure, en y mettant toute son âme et une grande maîtrise.

Anik sortit de la voiture et fit quelques pas sur la jetée, serrant les bras contre son corps pour se protéger du vent. Elle fouilla dans sa poche et en tira ses cigarettes, geste qui attira le capitaine Touton. Il accepta la cigarette qu'elle lui proposait.

— Je devrais arrêter, dit-elle.

— Moi aussi.

Ils contemplèrent le fleuve qui bouillonnait au-dessous d'eux ainsi que les bateaux de plaisance qui emmenaient des touristes dans de joyeuses équipées.

— Qu'attendez-vous de moi ? Accouchez !

— Très bien. Viens travailler pour moi.

— Comme indic ?

— Je n'utilise jamais ce terme pour parler de gens bien qui font du bon boulot.

— Comme mon père, hein ? C'est ce que vous pensez !

Touton haussa les épaules. Il aspira la fumée et la retint au fond de ses poumons avant de l'exhaler.

— Il faisait du bon travail, ton père.

— Mais il a veillé à ce que j'apprenne à nager...

— Vraiment ?

— Il voulait m'épargner son point faible, la peur de l'eau. Moi, je sais nager ! Si je sautais d'ici, j'aurais de bonnes chances de regagner la rive un peu plus en aval.

— A Sorel, lâcha Touton.

— Quoi ? Pourquoi si loin ?

— La plupart des corps jetés ici y échouent.

— Je nagerais.

— Tu ne vas pas sauter ?

— Je ne veux pas non plus être votre indic.

— Ne te méprends pas, Anik, je ne te menace pas. Il s'agit d'une

434

conversation amicale. Je veux te convaincre que tu peux faire de ta vie quelque chose de très positif, voilà tout.

— Capitaine Touton, je ne suis pas née dans le seul but de vous faire plaisir.

— Ton père non plus. Mais il a quand même fait du bon travail pour moi. (Elle resta silencieuse, le regard baissé vers le fleuve, suivant les remous du courant.) Anik ? demanda Touton.

Elle termina sa cigarette qu'elle envoya d'une pichenette dans l'eau. Elle regarda le bout rougeoyant décrire une longue trajectoire avant de s'éteindre sur une vague.

— Je ne connais pas de poseurs de bombes ! lança-t-elle.

— Soit tu les connais, soit tu connais quelqu'un qui les connaît, ou quelqu'un qui connaît quelqu'un qui les connaît. Ils ne sont pas très loin de toi.

Elle hocha la tête, comme pour admettre que c'était probable. La ville n'était pas si grande, le petit groupe de radicaux venant de divers mouvements politiques pas si nombreux.

— Je connais des gens qui connaissent des gens. Mais ceux que je connais sont mes amis, ils me font confiance et savent que je ne les vendrai jamais. Je ne pense pas que mon père trahissait ses amis. Des voleurs, des crapules, des types qui travaillaient avec lui, peut-être, mais pas ses amis. D'ailleurs, mon étoile a pâli dans les milieux radicaux. Ces derniers temps, je fréquente d'autres gens.

Il le savait. Elle se tourna vers lui, intriguée par son silence.

— Me demanderiez-vous d'espionner René ?

— Ce n'est pas un poseur de bombes, lâcha Touton en secouant la tête.

— Non, répliqua Anik, certainement pas.

— Je comprends ce que tu veux dire. Désormais, tu fréquentes des gens de l'*establishment*. Tu suis le courant. Mais, Anik, écoute-moi. Fais attention à ce que tu dis quand tu es avec lui.

— Je vous demande pardon ?

Touton termina sa cigarette et la lança à son tour dans le Saint-Laurent. Sa lueur s'éteignit bien avant de toucher l'eau. Il remonta le col de sa veste de sport et serra lui aussi ses bras autour de son corps. L'air frais de la nuit le faisait frissonner et il aurait apprécié qu'elle regagnât la voiture.

— Pourquoi M. Lévesque t'emmène-t-il toujours dans des appartements qui ne lui appartiennent pas ?

Avant de répondre, elle dut assimiler l'idée que Touton en savait plus sur sa vie privée qu'elle n'en avait dit à quiconque. Elle ne criait pas sur les toits qu'elle couchait avec le politicien, mais ses amis les

435

plus proches et sa mère étaient au courant. Elle n'avait parlé à personne de leurs rendez-vous clandestins dans des chambres d'inconnus. Les autres qui étaient au courant de cette partie de sa vie étaient ces inconnus qui leur prêtaient leur domicile, mais ils ne la connaissaient pas et n'avaient jamais entendu son nom.

— Il habite Québec mais possède un appartement ici, c'est vrai, avec plein de visiteurs et de journalistes devant la porte. Nous nous retrouvons chez d'autres personnes pour être plus tranquilles. (Touton secoua la tête.) Quoi? Vous ne me croyez pas? Vous imaginez qu'une autre femme vit chez lui? (Cette idée, qui n'avait rien d'insensé, l'avait effleurée, elle aussi.)

— Peut-être, mais ça m'est égal. M. Lévesque ne t'emmène pas chez lui parce qu'il sait que des micros peuvent avoir été installés dans sa propre chambre.

— Posés par vous?

— Je m'intéresserais à lui, moi? Non, mais la police montée, c'est une autre histoire. Le gouvernement fédéral, qui le considère comme un séparatiste, un individu subversif, essaie de faire enregistrer ses conversations. Ton ami René le sait.

Elle-même s'en serait doutée. Et alors?

— Ce qu'il ignore, reprit Touton, c'est qu'il lui arrive d'utiliser des appartements mis à sa disposition par quelqu'un de la police montée. Comme celui d'aujourd'hui, où on lui a téléphoné pour lui parler de la bombe. (Anik se retourna vivement, bouche bée, horrifiée.) C'est pourquoi je te répète de faire attention à ce que tu dis devant lui. Surtout quand tu crois que vous êtes seuls dans l'appartement d'un étranger.

— La police montée, vous dites.

— J'ai parfois des contacts avec des amis qui en font partie.

Elle repassa rapidement dans sa tête ce qui aurait pu être entendu. Les discussions politiques confidentielles ne l'inquiétaient pas, car des oreilles curieuses n'y apprendraient rien; en revanche, elle craignait que sa vie privée ne fût compromise par la divulgation de leur intimité.

— Oh! Mon Dieu! s'exclama-t-elle en songeant à certains de leurs ébats. Oh! Mon Dieu!

Touton s'approcha et lui effleura doucement l'épaule.

— Tu vois, ça marche dans les deux sens. Moi aussi, je peux te rendre service.

Elle se laissa entraîner vers la voiture et ils s'y installèrent.

Anik se sentait pétrifiée, mal à l'aise.

— Allons, fit Touton d'un ton encourageant, ce n'est pas si terrible!

436

— Ah non ? Alors, comment se fait-il que j'aie envie de revenir sur mes pas et de sauter à l'eau ?

Il la déposa devant la maison de sa mère.

— Anik, veux-tu me rendre un service ? lui demanda Touton tandis qu'elle quittait le véhicule. Parle avec ta mère.

Elle sortit, referma la portière, puis se pencha et le regarda par la vitre ouverte.

— Vous voulez que je... parle avec ma mère... de ce dont nous avons discuté ? Pourquoi ? » De tous les sujets abordés ce soir-là, ce fut celui qui la surprit le plus.

— Parle-lui, d'accord ?

Anik Clement ne s'éveilla qu'à onze heures, au moment où elle devait se précipiter à son travail. Elle but son café matinal, mâchonna un toast, puis raconta sa soirée à Carole. Quand elle commença à parler des quais, sa mère arrêta la machine à coudre.

— Touton m'a dit qu'il voulait qu'on parle, termina Anik. Pourquoi, maman ? Je ne comprends pas.

Carole alla prendre une bière dans le frigo.

Anik la regarda en verser le contenu dans un grand verre.

— Maman, il n'est même pas midi !

Carole avala tout de même quelques gorgées.

— Le capitaine Touton veut que tu saches que tu appartiens à une famille de menteurs, lâcha-t-elle d'un ton où perçait une menace. (Anik, effrayée, attendit.) Ton père, Anik, n'était pas le seul indic de cette maison.

Carole but encore quelques lampées puis raconta l'histoire à sa fille. Anik comprit que ce jour-là elle n'irait pas travailler et qu'elle n'aurait pas à mentir quand elle téléphonerait pour signaler qu'elle était malade.

Anik Clement dîna dans un McDo, puis elle rentra. Elle frappa doucement à la porte de Carole, près de la cuisine. Anik entra à pas de loup et se coula dans le lit auprès de sa mère, assise, la lampe de chevet allumée, un livre sur les genoux.

Elles restèrent allongées, mère et fille côte à côte, sans un mot, puis Anik rompit le silence :

— Pourquoi, maman ?

Elle ne pouvait pas lui reprocher sa vie. Il s'agissait de sa mère et elles étaient très proches l'une de l'autre.

— Pour deux raisons..., commença Carole. Elle avait eu le temps de préparer ses explications.

— Les hommes qui venaient chez nous, mes baby-sitters, l'interrompit Anik, tu les as fait arrêter ?

— Si j'estimais que quelqu'un était un brave type, je le laissais filer. Tes baby-sitters s'en sont tirés à bon compte.

— Quelques-uns sont quand même allés en taule !

— Pas à cause de moi.

— J'aimerais te croire !

— Je ne te mens pas, Anik.

— Tu m'as toujours menti, maman. Je t'en prie !

Carole referma son livre et le posa sur la table de chevet.

— A ma place, quand aurais-tu avoué à ta fille que tu étais indicateur de police ?

Jamais Anik ne se trouverait dans cette situation, voilà la différence.

— Pourquoi ? insista Anik.

— Pour deux raisons.

— J'écoute.

Carole prit une profonde inspiration.

— La première, pour aider la police à découvrir l'assassin de ton père.

Anik acquiesça, cette réponse lui plaisait.

— Quoi d'autre ?

— Pour gagner de l'argent...

— Oh ! maman...

Anik fit mine de sortir du lit, mais Carole la retint doucement.

— Je venais de perdre brutalement mon mari et je devais faire vivre ma fille. En ce temps-là, les briseurs de grève faisaient tout pour m'empêcher de travailler. Comprends-tu ? La vie était dure, Anik. Je n'envoyais pas de braves gens en prison, j'empêchais qu'on commît des crimes, je veillais à ce que l'on coffre les plus mauvais. Une fois, ce furent un meurtrier et quelques sales types. Un enfoiré s'apprêtait à attaquer une banque, quelque chose tournait mal, le hasard voulait que les flics tombent sur lui. Armand était très fort pour ça, avec lui tout semblait arriver par hasard. D'accord, d'accord j'étais une balance, mais pas une jaune. Je ne dénonçais jamais des types relativement convenables. Je rendais plutôt la vie dure aux vraies ordures.

Anik s'efforçait de mettre de l'ordre dans sa tête.

— Tu disais toujours que papa avait ses raisons pour avoir accepté ce travail, qu'il se contentait de secouer les gens sans jamais leur faire de mal. Qu'il n'intervenait jamais vraiment dans les élections, s'arrangeant seulement pour que les gens apprécient davantage le résultat du vote...

Carole ne put s'empêcher de pouffer. Elle avait souvent répété elle-même cette réplique, mais jamais en riant.

— C'est vrai, Anik, que j'avais besoin d'argent et aussi, au plus profond de moi, de contribuer à faire arrêter les meurtriers de ton père. Mais, maintenant que j'en parle, je crois qu'il y avait autre chose...

— Quoi donc? (Fatiguée, elle se blottit plus près de sa mère. Cela faisait une dizaine d'années qu'elle ne l'avait pas fait, mais, ce soir, elle avait envie de dormir avec elle.)

— Je voulais avoir une vie, je ne voulais pas simplement coudre et me faire rosser sur les piquets de grève. Je voulais vivre. Traîner avec les vieux copains de ton père, vivre un peu... Même – tu es une grande fille maintenant, n'est-ce pas? –, il m'est arrivé d'aimer un peu. Un tout petit peu.

Oui, cette nuit, elle dormirait près de sa mère, qui n'avait rien fait d'autre que ce qu'elle faisait avec René. Anik aimait la vie, les distractions, le mouvement, les intrigues, les possibilités, même les dîners à l'extérieur ou chez elle. Elle adorait le sexe, la compagnie des gens, les discussions. Elle savait depuis le début qu'elle ne bâtirait pas sa vie avec lui, qu'il s'agissait juste d'une parenthèse excitante et provisoire.

Le silence s'étant installé et sa fille désirant apparemment rester, Carole tendit le bras pour éteindre la lampe.

Quelques minutes s'écoulèrent puis Anik lança dans le noir :

— Crois-tu que je devrais le faire, maman?

Carole soupira et posa sa tête sur l'oreiller. Tout cela ne lui plaisait pas, les problèmes imprévus, les soucis, sources de mauvaise humeur et véritables poisons, les frissons courant le long des os par les nuits les plus noires, tromper un compagnon si mal à l'aise qu'il ne rentre jamais plus à la maison... Elle s'apprêtait à lui conseiller de refuser, à déclarer que le peuple en demandait trop, que personne ne voulait des bombes mais que la facture était trop lourde : la solitude, sans point d'ancrage, sans base, sans refuge intérieur où se retrouver soi-même quelques instants, non, vraiment c'était beaucoup trop lourd de conséquences. Carole s'apprêtait à parler quand elle s'aperçut qu'Anik avait sombré dans un sommeil profond. Pauvre enfant! A quoi servirait de l'éveiller, juste pour lui expliquer qu'elle ne connaîtrait peut-être jamais ni bonheur ni sécurité...

Carole s'enfonça à son tour sous les draps en s'attendant à une longue nuit sans sommeil peuplée de bien des sujets d'inquiétude; elle s'endormit pourtant avec le sentiment que son corps flottait sur des vagues. Le ciel bouillonnait dans un rêve épique, simple rivage d'une mer aux contours flous.

Chapitre 21

1947-1949

LES GROS ENNUIS de Roger Clement commencèrent un samedi soir à l'El – l'élégant El Morocco – où Lily Saint-Cyr exécutait, pour quelques privilégiés, son fabuleux numéro de strip-tease qui lui attirait des amants comme Orson Welles, Frank Sinatra et des champions de boxe.

— Il te cherche, lui dit Lily en l'accueillant.

Lily et lui étaient copains. Elle aimait bien avoir auprès d'elle un grand et solide gaillard qui ne rêvait pas de coucher avec elle et qui lui parlait de sa fille. Ça la changeait.

— Qui donc?

— Le patron.

« Quel patron? » faillit rétorquer Roger qui se qualifiait d'« agent indépendant »; mieux valait cependant ne pas proclamer qu'il travaillait pour plusieurs personnes, et, bien qu'il ait bu, il ne répondit donc pas n'importe quoi.

— Où est-il? se contenta-t-il de demander.

— Quelque part en coulisses, à peloter les filles.

A son retour à Montréal, après la guerre qu'il avait passée en camp d'internement, Roger avait repris sa carrière de malfrat. Il n'était d'ailleurs pas le seul à retrouver ses occupations d'antan : Camillien Houde, le bon vivant, avait été arraché au camp pour redevenir l'élégant et jovial maire de Montréal. Simultanément, Maurice Duplessis émergeait de sa tente à oxygène et de la réclusion imposée par son alcoolisme avec le poste de Premier ministre du Québec quasi tout-puissant... et sobre. Sans le grand bouleversement de sa vie, l'arrivée de sa fille, Roger aurait pu, en fermant les yeux, s'imaginer avoir remonté le temps et ignoré la guerre.

En passant derrière l'épais rideau de scène, il fut donc pris au dépourvu quand il découvrit, entouré par des danseuses encore moins vêtues pour certaines que sur scène, le Premier ministre Duplessis. Le « patron » auquel Lily venait de faire référence n'était autre qu'une mauvaise traduction de « Chef », le surnom de Duplessis. Il attendit dans un petit coin tranquille que le petit Premier ministre rondouillard se libérât.

Le Premier ministre ne tarda pas à le rejoindre.

— Mon assistant a téléphoné chez vous, Roger. Pas de réponse. Nous nous sommes dit que vous étiez sorti en ville.

— Oui, Monsieur.

— J'ai un petit travail pour vous. Il faudra vous déplacer.

— Pour aller où ? (Il s'aperçut à cet instant que tous les deux chuchotaient.)

— A Asbestos.

Tout à fait dégrisé, Roger Clement hésita à informer le Premier ministre de la présence dans cette ville de sa femme et de sa fille de deux ans. Sur des piquets de grève.

— Si je souhaite que soient prises certaines mesures précises, je ferai appel à vous. Nous ne voulons pas d'histoires, Roger.

— Je comprends, Monsieur. Et..., ajouta-t-il, hésitant, pensant que son interlocuteur n'apprécierait peut-être pas la question, de quelles mesures précises parlez-vous ?

— Des intellectuels..., souffla Duplessis. Par-dessus l'épaule de Roger, il fit un signe à une jolie danseuse qui, torse nu, passait derrière eux, perchée sur ses hauts talons. Roger Clement jeta un coup d'œil, puis son regard revint sur son interlocuteur.

— Monsieur ? demanda-t-il.

— Ils s'imaginent pouvoir gouverner ma Province ! Comme s'ils savaient comment on fait ! Autant d'expérience que les filles d'ici... Ils savent tout juste lacer leurs chaussures, ces clampins ! Le temps d'en finir avec quelques-uns d'entre eux, Roger...

— Oui, Monsieur ?

— Comme ces filles, ils apprendront à lacer leur corset, à danser en talons hauts. En tout cas, une chose est sûre : ils ne me feront plus d'histoires.

La mission devait être d'importance pour que l'homme le plus puissant du Québec lui donnât personnellement ses ordres. D'ordinaire, il envoyait un émissaire.

« Monsieur ? A qui pensez-vous ?

— A la racaille, murmura le Premier ministre. Trudeau, Marchand, le journaliste Pelletier, et aussi le prêtre, le père François.

— Le prêtre ? s'insurgea Roger, choqué. (Il ne franchirait pas cette limite.)

— Ne jouez pas les enfants de chœur ! ricana Duplessis. Le père François est le laquais de monseigneur Charbonneau et n'est donc pas digne de sa soutane ! Il mérite une bonne correction qui sauvegardera la réputation de notre Eglise... C'est une tradition au Québec : quand un prêtre s'égare, il n'y a pas grand-chose à faire... que le fouetter en privé. Le pape est de notre côté, tout comme Dieu.

— Oui, Monsieur, soupira Roger. (Tout de même, un prêtre... Un nom que Carole mentionnait de temps en temps.)

— Je ne sais pas sur qui vous tomberez : avec un peu de chance, sur Chartrand, le syndicaliste.

— Reggie Chartrand ? Le boxeur ?

— Oui. Il ne vous impressionne pas, par hasard ?

— Pourquoi m'impressionnerait-il ?

Duplessis hocha la tête d'un air approbateur.

— Vous prenez n'importe lequel, vous tombez dessus dans une allée sombre, une nuit, résuma le Premier ministre avec un clin d'œil. Ainsi, vous aiderez cet homme à comprendre que, dans la Province de Québec, cela ne se fait pas d'être un intellectuel communiste ! Vous voyez ce que je veux dire, jeune homme ? Les autres tireront la leçon du bon exemple que vous aurez donné.

— Bien, Monsieur.

— Si vous avez le choix, trouvez donc Trudeau et donnez-lui une leçon de haute finance. La London School of Economics, mon cul ! Pour qui se prend-il ? De la racaille communiste ! Alors si vous tombez sur lui, faites-lui regretter de ne pas habiter Moscou !

— Je ferai de mon mieux, Monsieur.

— Alors, en route ! Roger, bon voyage.

Duplessis se leva et partit en reconnaissance du côté des trois femmes sur lesquelles il avait jeté son dévolu pour ses distractions d'une nuit.

Roger se retrouva dans le parc, au pied de l'escarpement sur lequel se dressait la mairie. Son ancien camarade de camp, le maire, en jaquette, chaussures noires étincelantes et guêtres courtes, assis sur un banc, lançant des miettes de pain aux pigeons. Une main sur sa canne, un grand sourire se dessina sur son visage repoussant.

— J'ai besoin de toi à Asbestos. Pour une œuvre de charité.

Peut-être, après tout, ce voyage se révélerait-il profitable.

— Qui te fait des ennuis là-bas ?

— J'ai parlé de charité, Roger. Pour qui me prends-tu ? Pour un gangster ? Tu serviras de garde du corps à l'un de mes amis. Il est arrivé à Asbestos hier soir pour une petite enquête, et il a découvert que certaines personnes sont hostiles à sa présence. Va le protéger. Quand ces malappris t'auront repéré, ils battront en retraite.

— Son nom ?

— Comte Jacques Dugé de Bernonville. (Roger avait entendu ce nom dans la bouche de sa femme.) Il s'est installé à l'hôtel. C'est une petite ville, tu trouveras l'adresse.

Eperonné par la perspective d'encaisser deux chèques, Roger Clement rentra chez lui en taxi. Il faisait sa valise quand le téléphone sonna : d'une voix haut perchée, un prêtre l'invitait à rencontrer l'archevêque de Montréal.

— Je m'apprêtais à partir en voyage, déclara Roger.

— L'archevêque de Montréal, répéta le prêtre. Le ton arrogant de son interlocuteur incitait à réfléchir ; faute d'obéir, il serait directement expédié au fin fond de l'enfer.

Roger s'entendit donc acquiescer :

— Oui, mon père.

Pour la première fois depuis bien longtemps, Roger Clement éprouvait de l'appréhension. Il connaissait les hommes les plus puissants du Québec, mais ne s'était jamais trouvé en présence d'un prélat d'un rang aussi important. Pour Roger, lui-même croyant, à sa manière, cette convocation équivalait à se retrouver à deux portes de Dieu. Il arriva au palais archiépiscopal, son sac de voyage à la main – dans lequel se trouvaient un coup de poing américain, un couteau à cran d'arrêt et un pistolet –, et leva les yeux vers les hautes voûtes, les balustrades sculptées et les colonnes, avant d'être introduit auprès de l'homme d'église le plus influent de la ville.

— Roger Clement ! s'écria celui-là en se levant d'un bond, comme pour accueillir un souverain du Vieux Monde. C'est bien aimable à vous de venir si vite !

Roger ignorait quelle attitude adopter. Fallait-il tomber à genoux, puis baiser le sol ou les escarpins du prélat ? Déconcerté, il s'agenouilla, mais son hôte, d'un geste empreint de douceur, lui fit signe de se relever.

— J'ai parlé au père François, un prêtre de votre paroisse : il se trouve à Asbestos en ce moment. Il s'est entretenu avec votre épouse et, apparemment, tous deux auraient conçu un plan que, selon eux, vous êtes le seul capable de mener à bien.

— Quel plan, euh... mon père ? Monsieur l'évêque... ? Ah ! Monseigneur ?

— Nous avons besoin de vous à Asbestos pour veiller à ce que les mineurs restent disciplinés, mais résolus. Nous ne voulons pas que Duplessis et la police leur infligent de nouvelles brutalités.

— A moi tout seul ? Face à un millier de policiers armés de mitraillettes, d'après ce qu'on m'a dit ?

— Vous en êtes capable. Discipline et calme.

— Ah ! mon père... Monseigneur... Votre Grâce... Mons... mons...

— Appelez-moi père Joe.

— Je pars pour Asbestos.

— Bon ! Ne tardez pas. Mon bureau s'occupera de votre billet. Que dis-je ? Mieux, nous mettrons une voiture à votre disposition ! » Le père Joe lui souriait. C'était un homme de haute taille, à l'air distingué, dont le physique et le comportement évoquaient un peu une vedette de cinéma. Roger se sentait intimidé, mais pas comme d'habitude. Le prélat était en effet un personnage controversé : à la mort de son prédécesseur, on s'attendait à ce que le pape lui choisît un remplaçant dans la liste suggérée par les principaux prélats du Québec composée en majorité de néofascistes. Or, le pape qui venait de survivre à la période Mussolini, préféra nommer évêque de Montréal un vicaire socialiste – faisant, selon Duplessis, le jeu de l'Antéchrist. « Votre femme a raison, déclara Monseigneur.

— Mons... Excusez-moi, je veux dire père Joe...

— Vous êtes l'homme de la situation.

— De toute façon, j'allais là-bas.

— Voir votre épouse ? Formidable ! Nous vous épargnons cette dépense ! Roger, nous attendrons, votre rapport avec impatience une fois le travail terminé, lorsque le conflit s'achèvera, à la satisfaction de tous. Une expérience éprouvante, ne pensez-vous pas ?

— Le Premier ministre Duplessis..., commença Roger en toussotant. (Il se sentait au bord des aveux.) *Pardonnez-moi, père Joe, car je m'en vais à Asbestos pour pécher !*

— Oh ! cet avorton ! Ne vous faites pas de souci ! Ce cafard ! Il a téléphoné au pape pour condamner mes bonnes intentions, lequel m'a fait un cours sur la politique du Québec ! Très amusant, d'ailleurs. Au bout du compte, Roger, la justice l'emportera et les cœurs se calmeront. J'en ai la conviction, et vous aussi certainement.

— Oui, père Joe.

L'archevêque Charbonneau jeta un coup d'œil au sac de voyage de son robuste interlocuteur.

— Vos bagages sont faits ? Avez-vous tout ce qu'il vous faut ?

— Oui, père Joe.

— Voilà qui est bien ! Alors, en route ! Je commande la voiture. Bon voyage ! Bénis soient les conciliateurs, Roger ! En l'occurrence, vous devenez un conciliateur !

Roger s'inclina profondément pour baiser l'anneau archiépiscopal.

Il pensa qu'il s'en était bien tiré.

Il se dit qu'il partait pour une excursion intéressante avec, au programme, la protection d'un criminel de guerre fasciste, une raclée pour les intellectuels, la défense des grévistes face au feu des mitraillettes et, pour couronner le tout, un peu de temps avec sa famille. Une première : il arrivait à son « travail » en limousine ; mais il avait un regret : Anik était trop petite pour apprécier qu'un chauffeur conduisît son papa en ville les saluer, sa mère et elle, sur les piquets de grève.

Dans les rues de Montréal, les partisans de la grève agitaient des clochettes comme les membres de l'Armée du Salut ; ils recueillaient dans les seaux déposés à leurs pieds des pièces de cinq, dix ou vingt-cinq cents, et même des billets pour aider les mineurs d'Asbestos.

Le moment était maintenant venu pour chacun de choisir son camp, et tous avaient une opinion bien arrêtée. Duplessis n'ayant pas réussi à étouffer la nouvelle, la populace avait appris les matraquages : on avait vu des hommes entraînés dans les commissariats pour en ressortir, quelques jours plus tard, titubants à force d'avoir été tabassés.

Tout le monde le savait : Asbestos s'était transformé en champ de bataille.

L'inquiétude de Roger Clement, quand il arriva en ville, monta de plusieurs crans. Il craignait de plus en plus pour la sécurité de sa fille. Avec son paysage poussiéreux tout en aspérités, ses rochers entassés, ses vieux camions et ses engins de terrassement délabrés, le site de l'entreprise évoquait à la fois un poste avancé du Far West et un décor de cinéma pour un film de gangsters tourné à Chicago. Des barricades édifiées à l'aide de poutres, de morceaux de métal et de débris de mobilier délimitaient les rues auxquelles on pouvait accéder ; derrière ces amoncellements, on apercevait des policiers solidement armés et des mineurs armés de pelles et de briques, bref de tout ce qui pouvait se brandir ou se lancer. A l'entrée d'une épicerie se tenait un groupe de journalistes, dont certains qu'il avait rencontrés à l'El. Grâce à la Cadillac de l'archevêque —le chauffeur pouvait le prouver –, il parvint à franchir les barrages routiers des uns ou des autres ; cette ville était sur le point de basculer dans la guerre et, même s'il avait

445

l'habitude des affrontements et que ce fût pour sa femme un terrain familier, il craignait pour sa fille.

Balles perdues, bousculades, cocktails Molotov, départs de feux inexpliqués : cette ville n'était décidément pas un endroit pour un enfant.

Un groupe de mineurs refusa de les laisser passer, malgré la lettre de Monseigneur qu'exhiba le chauffeur. L'un d'eux se montrant particulièrement agressif, le chauffeur descendit de voiture pour s'expliquer. Roger était prêt, persuadé qu'une bagarre allait éclater. Il remarqua alors la robustesse de son chauffeur ; dans une échauffourée, il serait précieux et ce d'autant plus qu'il se révélait très avisé ; réalisant que le mineur était un total analphabète et que brandir une lettre sous son nez était aussi inutile qu'insultant, il la lut lui-même, comme si cela allait de soi. Renseigné, le mineur laissa passer les deux hommes dans leur somptueux équipage.

— Comment vous appelez-vous ? demanda alors Roger Clement au chauffeur.

— Michel Vimont.

— Vous vous en êtes bien tiré ! J'imagine que vous faites du bon travail pour Monseigneur.

— J'ai un boulot en or pour un type que j'adore ! On verra bien comment ça va tourner : il est soumis à tant de pressions.

— Quel genre ?

Ils longeaient des maisons pauvres séparées par des courettes minables dans lesquelles des dizaines d'enfants jouaient, poussant des cris perçants et cependant rassurants. Ils interrompirent leurs jeux pour contempler la limousine, quelques-uns couraient même pour tenter de rattraper ce véhicule si impressionnant.

— Il me fait des confidences quand nous roulons.

— Que dit-il ?

— Justement, fit l'homme en riant, ce sont des confidences ! Je ne peux donc pas les répéter !

— Oui, je comprends.

— Mais je peux dire qu'il est sous pression et que, s'il est viré, je pars aussi.

— Viré ?

— Le pape serait prêt à le balancer et à l'expédier à Tombouctou. Une possibilité qui dépend de la grève, de ce qui se passe ici.

— Bon Dieu !

— Voilà qui sonne mal dans cette voiture...

— Pardon. Je ne me doutais pas que tant de choses... (Il faillit ajouter : dépendent de moi.) Vous quitteriez l'Eglise ?

446

— Le chauffeur d'un évêque est comme n'importe quel autre chauffeur. Le successeur de mon patron ne voudra peut-être pas de moi. Le prochain évêque choisira peut-être quelqu'un d'autre.

— Michel... Vimont, c'est bien ça ?

— Oui, monsieur.

— Si vous perdez votre place, faites-moi signe. Je connais pas mal de monde : des hommes politiques, des patrons de boîtes... On vous trouvera quelque chose.

— C'est bon à savoir. (L'homme semblait soulagé, comme s'il s'attendait à être démis de ses fonctions d'un jour à l'autre. C'était inquiétant.)

— Ce sera peut-être un peu moins bien qu'avec Monseigneur, mais, s'il est dégommé, on s'occupera de vous, je vous l'assure.

Roger ne voulait pas d'Anik dans les parages et il avait bien raison : au moment où il pénétrait dans les locaux d'un syndicat installé au sous-sol d'une église, une inconnue lui lança sa fille dans les bras ; il faillit perdre l'équilibre en la rattrapant. La femme lui expliqua que la baby-sitter avait du retard et que Carole se trouvait sur une barricade qu'elle n'avait pas le droit de citer ; à lui maintenant de s'occuper d'Anik, car ses enfants à elle l'attendaient. Cela étant dit, elle se précipita au-dehors sans laisser à Roger le temps de protester et surtout sans lui expliquer où se trouvait sa femme.

Roger rassembla les affaires de sa fille et joua un moment avec elle, par terre, dans la permanence improvisée des grévistes. Elle semblait contente de le voir et pas le moins du monde perturbée par l'agitation ambiante ; elle interpellait tous ceux qui passaient par leur surnom : Nomo, Deeka, Manna, Moze... La baby-sitter n'arrivant pas, il laissa un message pour sa femme et ramena Anik à sa chambre d'hôtel ; il défit ses bagages et s'organisa tant bien que mal pour explorer le terrain avec un enfant sur les bras.

Il retrouva enfin Carole, qui le prévint qu'il n'y aurait pas de baby-sitter ce jour-là.

— Pas de baby-sitter ?

— Je savais que tu venais !

— Je n'ai pas le temps de faire du baby-sitting...

— Bien sûr que si ! Ne t'inquiète pas ! Nous avons un vrai travail pour toi aussi. Pour demain, je trouverai quelqu'un parmi toutes ces femmes de mineurs disposées à donner un coup de main.

— De toute façon, je serais venu.

— Tu ne peux pas vivre sans moi, hein ? C'est gentil. » Elle l'embrassa. Qu'elle était sexy dans son jean moulant, sa chemise écossaise un peu lâche et son foulard jaune dans les cheveux, dégageant ses yeux et sa nuque !

Roger n'insista pas.

— Tu m'as manqué aussi, ma chérie, terriblement. Mais ce que j'essaie de te dire, c'est que je suis venu ici parce que j'ai été engagé pour du travail, et je ne parle ni de toi ni de Monseigneur. Sais-tu qu'il m'a demandé de l'appeler « père Joe » ?

Carole se planta devant Roger, une main sur les hanches.

— Qui t'a engagé ? demanda-t-elle doucement.

— A peu près tous ici, avoua Roger Clement, plus quelques autres à côté. En tout cas, ce mois-ci, je ramasserai un bon paquet !

— Roger, l'interrogea-t-elle, et la simple énonciation de son nom sonnait comme une réprimande, de quel côté es-tu maintenant ?

Il tenta d'éviter son regard, mais il n'y parvint pas.

— Du côté de tout le monde, admit-il.

Le Premier ministre tint une conférence de presse pour évoquer la grève devant les journalistes entassés dans une petite salle de bal. A la première question qui lui déplut, il fit place nette. Le journaliste fut prié de sortir, un autre fut mis dehors à cause de son style vestimentaire, d'autres parce qu'ils l'avaient récemment offensé dans un article ou bien parce que leur journal ne lui avait pas suffisamment rendu hommage. Ce fut le sort de Pierre Laporte, un reporter du *Devoir*. D'autres furent chassés de la salle parce que le Premier ministre y avait pris goût. Deux éditorialistes qui avaient posé des questions sur Asbestos s'entendirent déclarer qu'il les ferait licencier, et tout le monde savait que Duplessis tiendrait parole. Finalement, seuls les membres de la presse qui faisaient son éloge furent autorisés à prendre la parole, à condition de ne poser aucune question concernant la grève.

On arriva à un compromis : Roger consacrerait un peu de temps à jouer les baby-sitters et à se montrer un mari attentif, mais il refusait de loger avec Carole chez les mineurs. Il préférait rester à l'hôtel, généreusement payé par l'archevêché de Montréal, où elle ne serait pas la bienvenue, car, sait-on jamais, on ne pouvait pas exclure qu'une brique vole par la fenêtre ou que des flics étrangers à la ville décident d'enfoncer la porte. Carole trouvait l'endroit où elle logeait avec sa fille tout à fait satisfaisant. Dans cette ruche à l'activité débordante – à la fois centre de communication et nursery – s'activaient une douzaine d'épouses de mineurs : elles préparaient la soupe pour les barricades et du café pour les piquets de grève, et stockaient des médicaments au cas où le centre se transformerait soudain en hôpital. Dans les chambres, des adolescents peignaient des panneaux.

— Je resterai à l'hôtel.

Elle le prit alors par les revers du col de son manteau et l'attira vers elle.

— Tu travailles pour Monseigneur, ce qui signifie que tu travailles également pour moi !

— Vraiment ?

— Ces mineurs refusent de recevoir des ordres venant d'une femme ou d'un prêtre ; il nous faudrait quelqu'un de costaud pour les mettre au pas, quelqu'un qu'ils écouteraient. Les jeunes ne savent pas garder la tête froide. On ne peut pas les laisser tirer à l'aveuglette sur les flics avec leurs carabines. Ils ont besoin de savoir que s'ils font des conneries, c'est à toi qu'ils en répondront.

— Dis-leur qu'ils iront en enfer, soupira Roger, puisque nous travaillons pour Monseigneur.

— Toi aussi tu iras ! pouffa Carole, moqueuse. A cause de ce que tu fais avec moi !

Il y repensa en regagnant seul sa chambre ; cela le fit sourire et il se sentit mieux.

L'hôtel avait reçu beaucoup de monde – journalistes, syndicalistes étrangers à la région –, et Roger Clement s'acquit le concours du gardien de nuit qui, moyennant cinq dollars, lui nomma tous les clients du bar du rez-de-chaussée. Il y avait là Pierre Elliot Trudeau et Gérard Pelletier, Jean Marchand, René Lévesque et le père François – il logeait avec les mineurs mais était passé à l'hôtel à l'heure de l'apéritif. Il devina que le gaillard qui discutait bruyamment dans un coin n'était autre que Reggie Chartrand, le syndicaliste aux airs de boxeur. Parmi ce petit monde, seuls Chartrand et Marchand avaient une mâchoire susceptible d'encaisser un bon coup de poing. Mais Marchand semblait trop distingué pour se bagarrer ; ce type qui ne prenait pas de grands airs lui plaisait d'ailleurs. Chartrand était petit et semblait imbu de sa personne. Trudeau et lui commencèrent à s'affronter en plaisantant, et Roger constata avec étonnement que le fils de riches maigrichon ne s'en laissait pas conter par l'ancien boxeur qui, tout chef des syndicalistes qu'il était, paraissait embarrassé par ce richard plus vif que lui et essayait de le prendre en riant. Roger eut un petit claquement de langue : s'il lui décochait un uppercut, Trudeau ne ferait jamais plus figure d'intellectuel. Mais, quand il se battait, Roger Clement préférait réduire les dégâts, aussi, cette fois, devrait-il s'en prendre à Chartrand, l'ancien poids moyen. Il le coincerait dans une ruelle et satisferait les envies de carnage de Duplessis.

Roger commanda une bière pour se donner le temps d'évaluer les capacités de ses adversaires ; il était seul dans un coin et remarqua un

449

autre client qui jetait un coup d'œil dans la salle. De sa place, le veilleur de nuit ne pouvait l'aider à l'identifier, mais, à en juger par les regards mauvais que lui lança l'assemblée soudain silencieuse, il supposa qu'il s'agissait du comte Jacques Dugé de Bernonville.

L'élégant gentleman quitta le bar et sortit dans la rue. Roger lui emboîta le pas : impossible de laisser un comte déambuler seul, alors que l'une de ses missions consistait précisément à assurer la sécurité du susnommé.

Les évêques s'engouffrèrent dans le palais de l'archevêque, le visage grave, et gardèrent un air maussade lorsque la réunion commença. Ils interrogèrent Monseigneur Charbonneau sur les raisons qui le poussaient à soutenir Juifs et communistes. L'évêque de Montréal leur demanda s'ils savaient ce qu'il advenait des hommes qui, jour après jour, respiraient de l'amiante. Oui, observa l'un d'eux, ils font vivre leur famille.

Les évêques lui reprochèrent unanimement de mettre en pièces la structure de la sainte Eglise en soutenant la grève ; les dégâts pourraient être irréparables. Le peuple, assuraient-ils, attendait des conseils, pas une révolution.

— Je soutiens la juste cause des mineurs, insista Charbonneau, pas la révolution ; il s'agit de leurs droits à obtenir un salaire décent et à choisir leurs syndicats.

— Mais, Votre Eminence, nous avons un syndicat catholique.

— Les mineurs sont libres de s'y inscrire ou pas ; ils choisiront eux-mêmes, pas les évêques.

— Et le Québec ? interrogea-t-on alors.

Les évêques repartirent mécontents, laissant Monseigneur Charbonneau au désespoir, seul face au monde.

Le comte n'intéressait sans doute personne à Asbestos, estimait Roger Clement. Les mineurs avaient assez de leurs propres problèmes pour se soucier de cet ancien nazi. Il n'y avait pas de juifs dans les parages. La police travaillait pour Duplessis qui se moquait bien que des ex-nazis rôdent dans sa province en quête d'une résidence. Tout le monde se fichait que le comte surveillât la grève, prenant peut-être des notes sur la tactique de la police ou soupesant la conviction des sympathisants communistes. Mais cela intriguait Roger ; en quelques minutes, il arriva à la conclusion que Houde l'avait envoyé à Asbestos pour une raison différente de celle qu'il avait avancée. Il ne servirait pas de garde du corps au comte mais lui tiendrait amicalement compagnie.

Ce premier soir, Bernonville et lui sillonnèrent la petite ville.

— On lit votre nom dans les journaux, observa Roger.

— Les journalistes! ricana Bernonville. Ils n'ont rien de mieux à faire pour occuper leurs cervelles de soûlards! Qu'un mineur se fasse une ecchymose, et on croirait que le ciel s'est écroulé! Les mineurs font un métier dur, bien sûr qu'ils se font des bleus! D'ailleurs, ils se cognent entre eux pour le sport!

— Le gouvernement chercherait à vous expulser.

— Quel gouvernement? Si le Québec avait son propre gouvernement, comme il le devrait, qui me demanderait de partir? Et pourquoi le ferait-on? A cause de la guerre? Dans une guerre, on se situe dans un camp ou dans un autre. Le mien a perdu. Est-ce que cela fait de moi un criminel de guerre?

— Certains prétendent que oui.

— Et d'autres parlent de moi comme d'un héros. Le problème vient des journalistes qui, si j'arrive à les faire changer d'avis et à leur faire comprendre les raisons de ma présence ici, me ficheront la paix. Les gouvernements ne cherchent jamais les problèmes, et dès que les articles concernant mon expulsion auront disparu, celui d'ici ne m'obligera plus à partir. Vous comprenez?

Ils avaient atteint la lisière de la ville et la lune, presque pleine, éclairait un terrain rocailleux qui, sans elle, leur aurait semblé morne.

— C'est pour cela que vous êtes ici? demanda Roger.

—Je suis ici parce que je suis ici », lui répondit Bernonville. Plus grand que la moyenne des Français, ses larges épaules carrées et son visage bien rond présageaient d'un futur embonpoint. Le comte marchait en s'aidant d'une canne au lourd pommeau et à la pointe en cuivre. Une arme, sans doute, présumait Roger. Il allait comme si sa taille était prise dans une gaine.

— Voulez-vous vous faire des amis? proposa Roger.

—J'aimerais que les journalistes me reçoivent dans ma nouvelle patrie plus chaleureusement qu'ils ne l'ont fait jusqu'à présent. Où, en dehors d'ici, puis-je en trouver autant à la fois? Si l'occasion se présentait à moi de leur dire un mot, de trinquer avec eux, de plaisanter, ils finiraient peut-être par accepter d'un œil plus aimable mon séjour ici. S'ils cessaient d'écrire des articles sur moi, je serais capable de régler cette situation.

Roger se demandait comment Bernonville pourrait influencer des hommes à ce point montés contre lui.

— Vous me demandez de vous présenter des gens que je ne connais pas moi-même?

— Laissez-moi organiser une belle réception, et les journalistes parleront : ils poseront des questions aux gens qui font l'actualité et,

451

tôt ou tard, ils cesseront de me regarder d'un mauvais œil et m'inviteront à débattre. A ce moment-là, je les ferai changer d'avis. Je les charmerai. Si cela ne marche pas, alors vous pourrez faire votre travail.

— Mon travail ?

— Leur casser la figure !

— Hein ? Aux journalistes ? Attendez un peu. Je n'ai pas signé pour ça !

— Roger, fit Bernonville en lui donnant une petite tape dans le dos, je plaisante ! Ce ne sera pas nécessaire ! Nous promener ensemble revient à leur envoyer un message, et n'oubliez pas mon charme bien connu, je sais comment m'y prendre avec ces gens. Bientôt, nous souperons tous ensemble.

Roger était sceptique. Les journalistes qu'il avait vus au bar ne passaient pas pour bien disposés envers les nazis. Bernonville était convaincu qu'ils lui mangeraient bientôt dans la main, mais Roger pensait que ce serait plus compliqué.

— Vous verrez ! Maintenant, raccompagnez-moi à l'hôtel. Vous m'avez entraîné trop loin et, dans l'obscurité, je ne me repère pas. D'abord une bonne nuit de sommeil, et demain... nous nous mettrons au travail !

Deux des trois missions qu'on lui avait confiées lui paraissaient d'une simplicité enfantine. Tôt ou tard, il entraînerait à l'écart un Reggie Chartrand bien éméché, le tabasserait rapidement et, dès l'instant où ça saignerait un peu, Duplessis serait satisfait. Bernonville n'avait pas l'intention de sermonner les mineurs ou de prêcher la révolution, mais désirait seulement se faire des amis et influencer les penseurs de la Province ; il le garderait aisément à l'écart des ennuis. L'hostilité des intellectuels du bar de l'hôtel se manifesterait par quelques ricanements et peut-être élèveraient-ils la voix. Le seul à représenter un risque, c'était Chartrand : il était suffisamment explosif pour se servir de ses poings, mais Roger s'en accommoderait. Par contre, la mission que lui avaient confiée l'Eglise catholique, et sa femme de surcroît, se révélait plus délicate. Comment transformer en groupe discipliné cinq mille mineurs que leur dur travail avait transformés en forces de la nature ?

Carole lui donna une foule de conseils, dont aucun ne l'inspirait.

— Je ne vois pas pourquoi je ne pourrais pas aller prendre une bière avec ces types et leur conseiller de se tenir tranquilles, faute de quoi Monseigneur les expédierait en enfer dans sa limousine.

— Parce qu'ils seront ivres, qu'ils auront oublié qui est Monseigneur et jusqu'à la signification du mot « enfer ». D'ailleurs, ils ne s'en inquiètent pas autant que toi et te riront au nez !

— De toute façon, ils seront ivres. Pourquoi, dans ces conditions, devrais-je leur parler ?

— Tu ne dois pas leur faire un discours, mais discuter autour de la table de la cuisine, chez eux, avec leurs femmes et leurs enfants. Mets tout le monde dans le coup. Ensuite, si les hommes s'enivrent, ils auront affaire à leur femme et leurs voisins. Ils y réfléchiront peut-être à deux fois.

— Bloody hell ! » lâcha-t-il. Cette expression anglaise lui venait du camp d'internement. Il fallait bien admettre que, de temps en temps, les Anglais savaient s'exprimer !

— Tu y arriveras, l'encouragea-t-elle.

— Peut-être, admit-il dans un soupir, mais j'ai l'impression que cela va prendre du temps. » Elle se retourna pour le réprimander mais il arborait un large sourire, prélude à un long baiser. « Et la baby-sitter ? demanda-t-il.

— Ce matin, Anik vient avec nous. Avec son bagout, elle a l'art de briser la glace ! Une vraie petite syndicaliste, notre fille !

— Bloody hell ! répéta-t-il à l'idée de se retrouver face à ce duo sur un piquet de grève.

Roger Clement se réveilla parce qu'il avait soif. Il regarda au-dehors et aperçut des feux. Il s'habilla, fourra pistolet, couteau et coup de poing américain dans les poches de son blouson avant de les fermer soigneusement. Il chaussa ses godillots, qui convenaient mieux à ce qui l'attendait que ses chaussures de ville et sortit en claquant la porte de sa chambre.

Les minces cloisons du petit hôtel tremblèrent.

Il se précipita dans le couloir en braillant et frappa du poing sur toutes les portes.

— Réveillez-vous, têtes de lard d'intellectuels ! beugla-t-il. Réveillez-vous en vitesse si vous voulez être dans le coup ! Réveillez-vous !

On s'agita dans les chambres, mais personne n'osa ouvrir sa porte pour se renseigner. Il recommença alors sa manœuvre.

Pelletier apparut le premier ; grand et imposant, une serviette drapée autour de la taille, il lui jeta un regard mauvais.

— Bon sang ! Que se passe-t-il ?

La porte d'en face s'ouvrit et Trudeau passa par l'entrebâillement une tête bouffie de sommeil.

Puis ce fut le tour de Marchand, et enfin Chartrand qui avait pris le temps d'allumer une clope avant de se montrer, vêtu d'un caleçon à pois.

— Ça a commencé, ce sera un massacre à moins qu'on ne l'arrête !

— Quel massacre ? Allons-y ! lança Chartrand qui repartit dans sa chambre pour s'habiller.

— Qui êtes-vous ? s'enquit Pelletier.

— Plus tard, les présentations ! Que vous soyez journaliste ou syndicaliste, vous ne voudrez pas manquer le spectacle ! D'ailleurs, j'ai besoin de votre aide.

— D'aide ? demanda Trudeau. (Roger paraissait sain d'esprit mais il avait un comportement singulier.)

— Si le syndicat se bat avec la police, ça va être une boucherie ! C'est ce que vous voulez ?

En regardant par sa fenêtre, Chartrand avait vu le défilé de torches, les mineurs et les policiers prêts à la confrontation.

— Il a raison ! Ils vont se bagarrer ! On va voir qui se fait massacrer ! s'écria-t-il. Continuant à s'habiller d'une main, tenant ses souliers de l'autre, il se lança dans l'escalier.

— Aidez-moi ! supplia Roger. Ils commenceront à coups de poing puis finiront avec des fusils contre des briques !

— Dans quel camp êtes-vous ? s'enquit Marchand, encore sceptique. Roger ne s'était pas trompé : ils s'étaient renseignés sur lui. Il était d'ailleurs aisé de reconstituer son passé d'homme de main de Duplessis et de Houde et de briseur de grève, mais il avait également été interné dans un camp comme sympathisant communiste ; enfin, on l'avait maintenant vu traîner avec un fasciste notoire. Personne ne savait donc que penser de sa présence à Asbestos.

— Monseigneur Charbonneau m'a engagé pour éviter que la paix ne soit troublée ; il a foi en Dieu... et aussi en moi. Comment parviendrais-je à la préserver tout seul ?

— Si nous nous retrouvons au beau milieu de tout ça, nous allons nous faire tuer », remarqua Trudeau. Il n'avait l'air ni effrayé ni réticent, seulement prudent. Les divers avatars de son parcours intellectuel ne l'avaient jamais éloigné de la religion ; il respectait Monseigneur Charbonneau et aurait donc dû adopter une certaine attitude, mais la logique lui interdisait une telle réaction. « Qu'attendez-vous de nous ?

— Que vous vous habilliez, suggéra Roger, avant de se précipiter derrière Chartrand pour le retenir.

Sur un terrain vague bordé par des barils d'huile vides dans lesquels brûlaient des feux, butant sur le pied d'une colline, deux groupes s'apprêtaient à ouvrir les hostilités. Les mineurs éclairaient leur chemin avec des torches. Quelques policiers en tenaient également qui projetaient de l'ombre vacillante, mais la plupart étaient équipés de lampes électriques. Il s'agissait en quelque sorte d'un combat privé provoqué par les têtes brûlées des deux camps, qui s'étaient interpellés toute la journée. Pas d'insignes, pas d'armes à feu, on s'était mis d'accord : des hommes contre des hommes, vingt dans chaque camp ; tous jeunes, prêts à régler des comptes, à venger des insultes et à se battre de bon cœur. Roger n'était pas stupide et, dans les deux camps, tout le monde ne l'était pas non plus. Malgré toutes ces dispositions, il ne s'agirait pas d'un combat de bonne foi, les deux partis s'étant assurés de la présence de renforts éventuels. Si tout se déroulait convenablement, peut-être n'y ferait-on jamais appel, mais qu'un camp ne respectât pas la règle ou fût simplement mauvais perdant, et la nuit se terminerait en désastre.

Il crut voir une ombre se déplacer sur la crête pendant que des policiers descendaient la pente. Du côté de la vallée, où se tenaient les mineurs, il ne distinguait rien, mais c'était leur terrain et ils devaient savoir comment se déplacer sans se faire repérer.

Deux garçons, des fils de mineurs, alimentaient les balises du terrain vers lequel convergeaient les deux groupes. Roger y courut aussi ; seul Chartrand l'avait devancé sur le champ de bataille.

— Il faut empêcher ça, lui dit Roger, en espérant que l'homme ait un soupçon de sens commun.

— Pas du tout ! Quand une vingtaine de flics se retrouveront à l'hôpital, cette grève prendra une autre tournure !

— A moins que cela ne se traduise par la mort d'autant de mineurs !

— Un combat, c'est un combat, déclara Chartrand. De toute façon, c'est trop tard, vous ne pouvez plus l'empêcher.

Roger craignait que l'autre n'eût raison.

Les mineurs se regroupèrent à la lisière du champ. Ils brandirent leurs torches et seuls leurs visages brillèrent, comme désincarnés, leurs corps habillés de sombre restant indistincts. Un banc de nuages éclipsa la lune. Puis ce fut le tour des policiers : ils formèrent une seule file, d'où partaient les faisceaux des torches électriques accrochées à leur ceinture pour trouer les ténèbres ; sans les lampes qui s'agitaient nerveusement, on les aurait à peine vus.

Les « intellectuels » qui logeaient à l'hôtel rejoignirent Roger Clement et restèrent immobiles tandis que les adversaires avançaient les uns vers les autres, à grands pas, dans un semblant d'ordre de bataille, puis ils s'immobilisaient en prenant une posture agressive pour s'intimider mutuellement.

Soudain, la silhouette sombre et massive de Clement se dressa entre eux au milieu du champ.

— Ne faites pas ça ! Réfléchissez ! cria-t-il dans la pénombre.

— C'est fait, répondit un policier. Dégagez le terrain !

— Vous avez pensé aux mineurs, reprit Clement en se tournant vers la police.

— Les salauds ! lâcha un policier parmi quelques rires méprisants. Ils ont insulté ma mère ! Ma sœur, ma femme ! Mon chien, mon chat et mon nez ! Ce soir, ces salopards vont le payer !

— Ma foi, je ne distingue pas votre nez dans cette obscurité, aussi suis-je incapable de reconnaître si c'était justifié. Quant au reste, tout policier doit apprendre à vivre avec ce qui se dit sur un piquet de grève.

— Je me rappelle ce nez-là ! brailla un mineur. Un nez obscène ! Il faut le casser sur sa sale gueule !

— D'ailleurs, intervint un autre flic, qui es-tu, toi ? L'un d'eux, sûrement ! Un trouillard en tout cas !

— Un trouillard, moi ? répliqua Roger.

— Et un dégonflé !

— Un dégonflé ?

— Autant qu'un vieux pneu !

Cette remarque déclencha quelques rires chez les mineurs et des policiers se mirent à caqueter comme des poulets.

— Tu ne veux pas te battre ! Tu as bien trop peur ! lança un autre.

— Dégage, connard ! Ou tout le monde te piétinera ! (Cela venait d'un mineur et Roger réprima un sourire. Au moins aurait-il réussi à mettre les deux camps d'accord sur un point.)

Chaque ligne avança encore de quelques pas vers l'autre puis s'arrêta pour échanger des invectives.

— Attendez ! cria Roger. Attendez !

— Laissez-le parler ! intervint une voix, celle d'un journaliste situé sur le côté.

— Qu'il aille se faire foutre ! On est là pour botter le cul des flics ! (Cette voix aussi provenait d'un des côtés. Roger la reconnut : Reggie Chartrand. *Espèce de petit salaud !*)

— Ecoutez ce qu'il a à dire ! lança la voix inconnue. Je suis journaliste ! Vous, les policiers, vous allez vous faire saquer ! Ecoutez-le ou nous vous dénoncerons à vos supérieurs ! » Pelletier plaidait pour la paix, même s'il ne savait absolument pas comment Roger se tirerait de ce coup-là.

La présence des journalistes donna à réfléchir aux policiers : ils n'affrontaient plus seulement les poings des mineurs, et leur ardeur belliqueuse s'atténua un peu.

— Je disais, cria Roger à l'intention des policiers, que vous avez tort de croire qu'il n'y a que ces mineurs qui sont en face de vous ! Vous

456

croyez qu'ils comptent se battre à la loyale ? Si vous avez le dessus, tous les autres sortiront de l'ombre, à dix contre un. Et vous, les mineurs, fit-il en se tournant vers eux, vous croyez vraiment que leurs petits copains avec leurs mitraillettes ne sont pas là ? Mais, moi, je les ai vus prendre position. Ça ne marchera pas, les gars ! C'était une bonne idée, mais vous ne vous faites pas assez confiance, alors ça ne marchera pas !

— Je les ai vus aussi ! s'écria Trudeau. (Il connaissait la plupart de ces hommes ainsi que leur famille.) D'autres policiers descendent la colline.

— Il n'y a que nous ! tenta un des policiers, mais il n'était pas convaincant.

— Vous mentez ! lança un autre à l'adresse de Trudeau.

— Ils ont leurs renforts, nous avons les nôtres, reconnut un mineur. Ça rétablit l'équilibre.

— Ce sera un bain de sang et ça ne s'arrêtera pas là ! Pensez à vos femmes, à vos bébés ! Combien faut-il de morts parmi vous ? Vous croyez que ça n'arrivera pas ? Réfléchissez un peu ! Réfléchissez ! C'est une sale situation qui ne s'arrangera pas !

— Mais qui êtes-vous ?

— Je représente l'Eglise catholique ! lança Roger d'une voix de stentor, ce qui prit les deux groupes par surprise. Je parle ici au nom de Monseigneur Charbonneau ! Vous êtes tous catholiques ! Alors, rentrez chez vous maintenant, ou bien, je vous l'affirme, vous irez en enfer !

Il avait jeté son atout maître et ils se contentèrent de lui rire au nez : il aurait dû le savoir, car Carole avait toujours raison. Les temps avaient bien changé dans la Province de Québec. Seul point positif : il avait déclenché des rires unanimes dans les deux camps.

Là-dessus, Chartrand cria :

— Allons-y ! Flanquons-leur une raclée ! Rappelez-vous ce qu'ils ont fait à nos garçons !

Puis Roger recommença à les exhorter avec les mots que sa femme – il s'en rendit compte – employait pour engager grévistes et flics à se tenir tranquilles.

— Vous êtes tous québécois ! Vous êtes tous frères ! Vous tous, vous touchez une paie pour nourrir vos enfants ! Ici, vous ne vous battez pas contre les patrons, le système ou les Anglais, vous vous battez entre vous et tout ça ne rime vraiment à rien ! Alors, arrêtez !

— Commençons par lui coller une trempe, proposa Chartrand.

— D'accord ! Je t'attends ! répondit Roger. Auras-tu assez de cran ? (Sa voix portait bien et l'idée était suffisamment absurde pour que les deux camps fissent silence en attendant ses explications.) Je suis prêt ! continua-t-il d'un ton de défi. Je me battrai avec le premier flic qu'ils m'enverront et, ensuite, je te prendrai, Reggie ! Tu es petit, mais tu es un boxeur, et on verra si tu tiendras le coup ! Montre donc un peu comment tu te comportes ! Tu veux qu'on se batte ? Prouve-le ! Prouve que tu le mérites. Tu l'auras ta bagarre ! D'accord ? Les journalistes la boucleront, fermeront les yeux et s'en iront, et toi tu pourras t'en aller en paix. Mais si je bats le flic, puis Reggie ou celui que les mineurs m'enverront, si je suis le dernier à tenir debout, alors vous rentrez tous là où vous devriez vous trouver maintenant !

Ils avaient fait le plein d'adrénaline, ils cherchaient des histoires. La proposition était valable : de toute façon, impossible de refuser le défi qu'aucun des deux camps ne s'attendait à perdre. Un mineur, toutefois, éleva une objection :

— Tu peux rosser un flic, je n'y vois pas de problème. Ce sont tous des tas de lard. Mais tu veux t'attaquer à Reggie... ? Il est plus petit que toi. C'est illégal.

— Je peux y aller, ricana Chartrand, avec toutefois plus de bravade que d'assurance.

— Je vous l'ai dit, envoyez-moi qui vous voulez, je l'accepterai. Mais c'est Reggie qui parle tout le temps, et je voudrais juste lui fermer son clapet pour une heure ou deux.

— Et si moi je prenais Reggie ? » proposa une voix sur le côté. Les gens se retournèrent, essayant de percer la pénombre. Les policiers braquèrent leurs lampes et découvrirent le visage résolu de Pierre Elliot Trudeau. « Nous avons à peu près le même gabarit, remarqua le jeune homme. Il était plus mince et n'avait pas le physique d'un pugiliste costaud.

— Vous avez de l'entraînement, mon petit monsieur ? s'enquit Roger qui le sentait rapide et malin, mais peut-être pas assez pour gagner.

— J'ai fait du canoë tout l'été.

Certains des mineurs rirent, mais Roger trouva sa réponse prometteuse.

— Je prends l'enfant de riches, déclara Chartrand, soudain plus enthousiaste.

Ni les policiers ni les mineurs n'allaient refuser : le grand gaillard au milieu du champ était peut-être capable d'affronter n'importe quel représentant de l'ordre, personne n'en savait rien, mais la raclée qu'infligerait Chartrand à cet intellectuel de la haute bourgeoisie parlant économie et discipline aux mineurs était une quasi-certitude. Les policiers furent d'accord : dès que Chartrand se serait débarrassé

458

de Trudeau, ils pourraient tous s'y mettre et les journalistes seraient tenus de se taire.

— D'accord, déclara un policier, dès l'instant que la presse va faire un tour pendant ce temps-là.

— Pas de problème! acquiescèrent les mineurs.

— Moi d'abord! décréta Roger. (Il ôta son blouson et le donna à Trudeau.) Ne me bousillez pas mon coup, l'enjeu est important, murmura-t-il à Trudeau.

— Je crois que je suis capable de l'avoir.

— Ça ne suffit pas.

— J'ai de gros enjeux, moi aussi; je dois me faire respecter pour mener à bien mon travail.

— Vouloir gagner ne suffit pas non plus.

— Je sais boxer. Mon père m'a donné des leçons et, à l'école, j'ai battu des garçons plus costauds que moi.

— D'accord! Bon! Mais Chartrand ne se bat pas à la régulière. Je l'ai vu à l'œuvre sur des piquets de grève.

— Alors, j'en ferai autant. Vous m'avez impressionné ce soir, mais surveillez vos arrières, lui conseilla Trudeau. Regardez celui qu'ils envoient.

Un géant.

L'ombre que l'homme projeta en passant devant les torches de la police plongea Roger dans l'obscurité. Son visage n'était pas visible et cela le rendait particulièrement menaçant; mais Roger s'efforça d'évaluer le défi aussi exactement que possible : un mètre quatre-vingt-huit – beaucoup pour un Français – et au moins cent kilos; Roger, en face, plus petit mais en forme, quatre-vingt-dix kilos, avec un torse puissant et une musculature solide, avait ses chances. Mineurs et policiers se rapprochèrent des deux hommes et, à la lueur des torches, Roger remarqua l'absence de muscles sur le cou de son adversaire et en conclut qu'il était peut-être un peu mou. Le premier direct du gauche lui effleura le front. L'homme savait se servir de ses grosses pognes et de sa puissance : Roger devrait se tenir hors de portée de ces poings-là. Mais avait-il de l'estomac? Roger feinta d'un crochet du gauche, puis frappa bas dans le ventre et entendit le gémissement révélateur de son adversaire.

Roger comprit qu'il le tenait et, dans le regard du flic, il vit que l'autre l'avait également compris.

Il écopa quand même d'un direct du droit et la surprise, autant que la violence du coup, l'envoya au tapis. Il dut alors se démener à quatre pattes pour parer aux attaques de l'homme qui voulait lui tomber dessus et se battre au sol. Roger s'affola : il ne voulait pas de ça. Il esquiva, se contorsionna, donna des coups de pied et finit par se dégager et se relever. La foule acclamait son favori, les deux camps souhaitant voir Roger essuyer une raclée; il se mit à tourner autour de lui, aux aguets, attendant une bonne ouverture.

Il se méfiait aussi des ombres dans la lueur des torches, d'où pouvait jaillir brusquement un coup de poing sournois.

Il continua de tourner.

Puis, sans laisser au flic le temps de reprendre un peu confiance, il attaqua. Il encaissa quelques petits directs au menton et à la joue, sans gravité, car l'autre n'avait pas beaucoup de puissance de près; il avait besoin d'élan, mais Roger le travaillait au corps : il frappa le thorax, l'abdomen et lui expédia un direct à la vessie et enfin un uppercut du droit en pleine mâchoire qui le fit presque s'écrouler. Roger lui assena alors une demi-douzaine de coups à la tête – ce type savait encaisser! –, puis à l'estomac – il supportait moins facilement. Il baissa sa garde – ils se regardèrent à la lueur des flammes et surent que la rencontre se terminait –, Roger porta une série de trois directs au menton et son adversaire tomba à terre, visiblement peu pressé de se relever.

Si le combat s'était déroulé dans une ruelle, Roger aurait sauté sur le flic, l'aurait bourré de coups de pied, lui aurait cogné la tête contre le trottoir, écrasé les couilles, bref, se serait arrangé pour qu'il regrettât d'être encore en vie. Il fallait briser l'ardeur d'un homme pour lui ôter l'envie de remettre ça. Mais, dans les conditions présentes, mieux valait éviter ce genre d'attitude; les collègues du géant entreraient dans la mêlée et sa stratégie se solderait par un échec. Roger le laissa donc se tortiller sur le sol et, quand tout le monde eut compris que l'autre était liquidé, il rejoignit Trudeau et récupéra son blouson.

— Un de moins! dit-il.

— Il est lourd, ce blouson, observa Trudeau qui avait remarqué le pistolet.

— On ne sait jamais...

— Apparemment.

Il ôta sa veste et la confia à Roger pour entrer dans l'arène. Les policiers soignaient leur héros abattu, les mineurs leur prodiguant des remarques sarcastiques. Les agents supportaient mal cette ambiance et l'équilibre était précaire. Sur les piquets de grève, ils avaient supporté les injures parce que leurs supérieurs leur avaient interdit toute riposte, mais plus maintenant.

— Quand cet enfant des beaux quartiers sera allé au tapis, on verra alors ce que vous aurez à dire!

Chartrand, très excité, prenait des airs supérieurs, ce qui, songea Roger, n'était pas bon signe : il n'avait qu'une hâte, se faire l'intellectuel. Selon lui, les grèves ne concernaient que les travailleurs, pas les enfants de riches. Roger s'approcha de Trudeau pour lui donner quelques conseils.

— Faites attention quand il sera dans l'ombre, parce que vous ne verrez rien, mais quand vous vous y trouverez, alors allez-y, parce qu'il ne vous verra pas venir.

En quelques secondes, Trudeau se retrouva à genoux. C'était maintenant qu'on allait juger de la qualité de son menton. Chartrand, avançant rapidement, le frappa dans les côtes et Trudeau, sagement, roula sous les coups et profita de cet élan pour retrouver son assise. Chartrand récidiva, mais l'autre, plus mince, l'esquiva, trébucha puis reprit sa danse.

Des deux, il était sans doute le plus en forme et reculer une minute ou deux constituait sans doute une bonne stratégie : cela fatiguait son adversaire.

Mineurs et policiers, assoiffés de sang, repoussaient Trudeau vers Chartrand quand il s'aventurait trop près du bord du cercle. Roger s'apprêtait à le mettre en garde quand il se rendit compte que Trudeau, rusé, le faisait exprès : en effet, dès que cela se reproduisit, il baissa la tête et, décochant des swings, marqua quelques points sur son adversaire, surpris. Chartrand, fou de rage, entama une poursuite désordonnée ; Trudeau, le plus habile des deux, esquivait et le frappait de côté. Le boxeur, de plus en plus furieux, s'arrêta un instant : manifestement – et tout le monde le vit – il avait besoin de reprendre son souffle.

Trudeau changea alors sa manœuvre et se rapprocha en tournant autour de lui ; il réussit à se mettre dans l'ombre et en profita pour décocher à Chartrand deux coups bien appuyés qui firent reculer le robuste boxeur. Pour Roger, la carrière de boxeur de Chartrand relevait surtout du mythe ; il avait gagné des rencontres certes, mais contre des faire-valoir, comme cela se produisait quand une guerre retenait les boxeurs de talent au front. Pourtant, Trudeau se découvrit pour lui décocher deux bons crochets du gauche à l'œil, et encaissa un crochet du droit qui l'envoya au sol.

Il se releva en un clin d'œil, mais Chartrand l'envoya de nouveau au tapis et, cette fois, lui donna un coup de pied. Trudeau parvint à le faire trébucher et les deux hommes se retrouvèrent à terre. Un policier aida le syndicaliste à se relever et Roger en fit autant pour Trudeau.

— Ça va, marmonna le jeune homme.

— Maintenant, oui, lui répondit Roger en lui enfilant son coup de poing américain à la main droite.

Trudeau revint vers son adversaire et s'enfonça une nouvelle fois dans l'ombre. Chartrand avança et Trudeau le frappa, lui rejetant, pour la première fois, la tête en arrière. Les torches permirent de lire l'inquiétude sur le visage du boxeur. Trudeau frappa de nouveau et l'autre fléchit un genou ; puis il fit pleuvoir une grêle de coups sur Chartrand ; un autre coup lui aplatit le nez ; le sang gicla. Le coup suivant le fit reculer sur ses talons à la recherche de son équilibre, et l'« intellectuel » de la ville montra alors qu'il possédait un instinct sûr : il s'approcha encore, redressa d'un crochet du gauche la tête de son adversaire, suivi d'un lourd direct du droit en plein menton, et Chartrand s'écroula tel un pin cassé en deux.

Trudeau secouait son poing, comme s'il s'était blessé en heurtant la mâchoire de son adversaire ; en vérité, il dissimulait le coup de poing américain en le faisant glisser dans la poche de son pantalon. Le vainqueur ne fut félicité que par ses copains de l'hôtel.

— Je compte sur vous tous pour respecter notre accord ! lança Roger Clement d'une voix forte. Finis les combats, ce soir ! Sinon, on les trouvera dans les journaux de demain et les policiers en civil seront virés !

Dans les deux camps, on en doutait un peu, mais aucun des flics n'avait envie de tenter l'expérience. Les groupes se dispersèrent ; à part quelques invectives, ils en avaient fini pour cette nuit-là, en attendant de se retrouver le lendemain matin sur les barricades. Reggie Chartrand avait réussi à se remettre à genoux. Il repoussa un mineur qui essayait de l'aider et braqua un doigt sur Pelletier et ses confrères qui avaient assisté à sa défaite.

— Vous ne pondrez aucun article là-dessus ! Jamais ! On s'était mis d'accord !

— Ne vous en faites pas, Reggie, promit Pelletier. Nous respecterons notre accord.

— Jamais !

— Avec nous, votre réputation ne risque rien.

Une réputation qui en prendrait un vieux coup si on apprenait que le Montréalais, riche avocat et coureur de jupons, l'avait envoyé au tapis.

Trudeau reprit sa veste des mains de Roger.

— Merci, murmura-t-il.

— De quoi ? Vous l'avez battu.

— J'ai triché.

— Dans un combat ? Absolument pas !

— C'est bien ce qui me semblait, acquiesça Trudeau en enfilant sa veste. J'ai quelque chose qui vous appartient, ajouta-t-il, mais ce n'est peut-être pas le meilleur moment pour vous le rendre.

— Je sais de quoi vous parlez, s'amusa Roger en lui donnant une tape sur l'épaule. Il faut le nettoyer. Lavez le sang. Je ne tiens pas à le récupérer sali.

— Qu'est-ce que vous vous racontez ? intervint Pelletier. (Marchand, près de lui, serra son ami dans ses bras.)

Trudeau regarda Roger, lequel se tourna vers Pelletier pour lui préciser :

— Rien. Ne vous occupez pas de ça.

Pas question de raconter à un journaliste l'entorse au règlement faite par son fidèle ami. Oubli qui, dans sa biographie, ne lui causerait aucun préjudice. Il avait maintenant une histoire à raconter : le soir où il avait mis Chartrand à genoux. Personne ne l'aurait cru s'ils n'avaient pas été si nombreux à le constater de leurs propres yeux.

— Croyez-vous que le patron de l'hôtel acceptera de rouvrir le bar ?

— Avec tous ces flics dans les parages ?

— Je connais quelqu'un qui a du whisky dans sa chambre, murmura Roger.

— Qui donc ?

— Un type que vous n'aimez pas beaucoup, mais le whisky c'est le whisky !

— Bernonville ? lança Marchand. Je refuse de trinquer avec lui.

— Qu'est-ce que vous fichez avec ce gars ? s'insurgea Pelletier. Savez-vous de qui il s'agit ?

— On me paie, répondit Roger en hochant les épaules. Houde craignait qu'on ne s'en prît à lui. Cela me paraissait fou, mais, maintenant, je n'en suis plus si sûr.

Ils rirent, joyeux. Ils étaient jeunes, heureux d'être en vie et encore stupéfaits de la tournure prise par la soirée. Bien sûr qu'on allait réveiller le comte et boire son alcool. On parlerait à cette ordure et on lui dirait d'aller se faire voir et, si ça ne lui convenait pas, on lui flanquerait une rouste. Mais avant, on boirait son whisky.

Un journaliste, le plus petit de tous, emboîta le pas à Trudeau.

— Parfois, commença-t-il, tu me surprends, Pierre.

— Je me surprends parfois moi-même, René.

Ils allèrent jusqu'à l'hôtel, réveillèrent Bernonville et s'entassèrent dans sa chambre. Chartrand arriva le dernier, tout ensanglanté et d'excellente humeur. Il avait de la résistance. Il tendit un gobelet de carton et resta ainsi jusqu'à ce que le récipient fût plein à ras bord, puis il l'avala d'un trait et poussa un grand cri.

— Eh bien, mon garçon ! On s'est bien amusés !

Ils riaient, ravis, et ne se calmèrent que quand Pelletier se gratta la nuque avant de s'adresser à Bernonville.

— Dites-moi, comte, il paraît que vous cherchez une nouvelle résidence ? Tuer des Juifs est votre gagne-pain. Qu'est-ce qui vous fait penser qu'on vous laissera faire ça ici ?

Ainsi débuta la soirée.

Les mineurs furent obligés de renoncer. Ils signèrent un nouveau contrat qui ne leur rapportait pas grand-chose mais qui faisait la part du feu. Sous la pression de Maurice Duplessis et de son discours tissé de mensonges, le pape exila monseigneur Charbonneau au fin fond de la Colombie britannique : on n'entendit plus jamais parler de lui. Avant son départ, le prélat reçut du Premier ministre des adieux affectueux. Les intellectuels retournèrent dans leurs villes, sachant que le Chef les avait encore une fois roulés et qu'il redoublerait d'efforts pour provoquer leur perte. Les patrons de la mine chantèrent les louanges du Premier ministre et Duplessis chanta ses propres louanges. Tout redevint normal, triste et sombre. Ottawa décida d'expulser Bernonville pour qu'il fût jugé en France pour crimes de guerre, mais, aidé et encouragé par ses complices du Québec, il parvint à s'enfuir aux Caraïbes d'où il gagna le Brésil. Carole Clement rentra de la grève d'Asbestos amère et furieuse, obsédée par la défaite. Le père François Legault, qui n'avait pas encore trente ans, résolut de livrer à l'avenir de meilleurs combats, mais il devait rester sur ses gardes au sein d'une Eglise que ne dirigeait plus monseigneur Charbonneau ; on l'aurait envoyé évangéliser les Indiens du Nord si une crise cardiaque ne l'avait pas rendu moins redoutable aux yeux de ses ennemis ; on lui offrit la quiétude d'un emploi de bureau. Camillien Houde fit la paix avec Duplessis en jurant qu'il ne travaillerait plus désormais qu'à sa perpétuelle réélection. Assuré enfin de sa fidélité, Duplessis, qui avait commencé par dépouiller le maire de tout véritable pouvoir, lui restitua un minimum de responsabilités.

Roger Clement, quant à lui, gardait en mémoire l'intéressant échange entre Bernonville et les journalistes.

— Hier, leur avait-il expliqué comme pour se justifier, on a offert la Dague de Cartier à Clarence Campbell, le président de la Ligue nationale de Hockey ou quelque chose de ce genre, en mémoire de ses exploits pendant la guerre. Il n'y a même pas participé ! Il est allé en Allemagne, une fois les combats terminés, pour accuser les Allemands d'être allemands. Vous avez votre avis là-dessus et moi, j'ai le mien. Ainsi ce Campbell a-t-il été sacré comme un roi, recevant l'autorisation de conserver jusqu'à la fin de ses jours une antique relique Québécoise. C'est un Anglais qui possède le poignard. Qu'en pensez-vous ? Vous êtes français !

Roger avait perçu l'infatigable volonté de séduire de cet homme et son art de blanchir la pire des noirceurs.

— Alors, messieurs ? poursuivit Bernonville. Vous avez livré le mauvais combat. Pendant que vous piétiniez ici, inquiets de savoir si les mineurs gagneraient ou non deux cents de plus par heure pour gratter la terre, pendant que vous vous demandiez si le comte Jacques Dugé de Bernonville, un homme libre, devait être expulsé ou non – il est pourtant manifeste que je suis venu dans un esprit de paix et sans aucune intention de nuire à quiconque, y compris aux Juifs –, eh bien, pendant ce temps, vous avez laissé échapper votre héritage, qui a été remis à un Anglais ! Ne vous prétendez pas grands défenseurs de vos intérêts nationaux, de l'orgueil de votre peuple, je ne vous croirais pas. J'ai vu la vérité de mes propres yeux. Vous vous êtes laissé accaparer par des causes secondaires : le problème des mineurs est un vrai problème, je vous l'accorde, moi, je ne mérite l'attention de personne, je suis insignifiant. En attendant, messieurs, un symbole du Québec est tombé entre des mains anglaises, sous votre nez, et vous n'en avez pas soufflé mot dans la presse. Vous devriez avoir honte ! Voilà ce que je dis, messieurs ! Honte à votre négligence ! Honte, en vérité !

Il avait cherché à les orienter vers un autre combat pour détourner de lui l'attention du public. Mais, sur ce point, il échoua. Pelletier, même si ses confrères s'étaient enivrés avec Bernonville et passaient une bonne soirée, eut finalement le dernier mot.

— Comte..., commença-t-il.

Il n'était plus question du whisky de Bernonville. Ce dernier avait flairé l'importance des propos que Pelletier s'apprêtait à tenir.

— Oui, mon cher Gérard, répondit-il en souriant.

— Les âmes des morts me tourmentent, en particulier celles des combattants de la Résistance que vous avez torturés.

Le comte prit un air sévère.

— Me condamneriez-vous sans procès, Gérard ?

— Ce procès, vous l'aurez si vous retournez en France pour être jugé comme il se doit, en tant que criminel de guerre.

Bernonville secoua la tête, puis il leva les yeux ; le moment était venu de jouer sa dernière carte. Il aurait pourtant voulu ne pas en arriver là.

— Où étiez-vous, cher Gérard, quand la bataille faisait rage ?

Pelletier le regarda droit dans les yeux. D'eux tous, il était le moins sportif et le moins irascible.

— J'ai fait ce que j'estimais être juste, lança-t-il en soutenant le regard du comte. N'allez pas prétendre, monsieur, qu'il en va de même pour vous.

465

Il ne précisa pas sa menace, mais Bernonville n'ouvrit plus la bouche ce soir-là.

Ce qui impressionna le plus Roger Clement, quand il s'éveilla le lendemain matin, les yeux bouffis, et qu'il se précipita pour retrouver femme et enfant, c'était d'avoir réussi l'impossible. La canaille stupide – ainsi le jugeait-on – avait réussi à manœuvrer trois camps et à contenter tous ses commanditaires.

Il se savait perspicace et manipulateur, mais cette dernière affaire lui donnait de l'assurance, assez pour voler, au nom du peuple de Québec, la Dague de Cartier.

CHAPITRE 22

1970

À BORD D'UN TAXI, ils grimpaient les lacets du mont Royal, bordés d'hôtels particuliers dont ils ignoraient l'existence avant le lancement de cette opération.

Mais nous t'avons repéré. Tu es maintenant dans notre ligne de mire.

Un homme frappa à la porte.

Tes amis t'appellent Jasper.

Ils attendirent sur le perron.

Jacques demanda poliment à la femme de chambre qui leur ouvrit de signer le registre, pour un cadeau d'anniversaire : Yves tenait dans ses bras un carton étroit et long. Quelques jours plus tôt, James « Jasper » Cross venait de fêter son quarante-neuvième anniversaire.

Jacques oublia le reçu qu'il devait lui faire signer.

Ça commence.

Il le brandit brusquement. Il n'avait pas de stylo, cela faisait partie du plan. Il plongea une main dans sa poche pour en chercher un et en sortit un pistolet Beretta 7.65 noir. Enfonçant le canon contre le ventre de la femme, il la poussa à l'intérieur de la maison et entra.

Elle leva les mains et marmonna nerveusement en portugais.

Yves suivit et enfila ses gants, puis sortit du paquet-cadeau son M-1 et jeta le carton par terre.

Marc, qui était resté sur le trottoir, vit qu'ils avaient pénétré à l'intérieur : il les rejoignit, s'efforçant de dissimuler son propre M-1 à canon scié ; il plaqua son fusil contre lui. Puis il entra à son tour.

Soudain, une petite fille apparut dans l'entrée ; surprise par ces visiteurs, elle appela sa mère, qui n'était autre que la femme de chambre. Premier accroc à leur plan, puis le second : les aboiements d'un chien au premier étage.

— Portez-la, ordonna Jacques à la domestique portugaise qui saisit sa fille dans ses bras. Où se trouve Cross ?

Elle leur désigna l'étage. La maison comportait vingt-deux pièces.

A l'étage, il tomba sur une femme petite et corpulente, puis James Richard Cross arriva en pyjama.

— Nous appartenons au FLQ, déclara Jacques, en braquant son pistolet sur l'homme. Allongez-vous par terre. Maîtrisez votre chien, ajouta-t-il à l'adresse de la femme, ou je l'abats !

Terrorisée, elle s'exécuta.

Jacques fit alors signe aux autres de le rejoindre.

Sous la menace de son M-1, Yves poussa dans la pièce la domestique et son enfant.

— Que voulez-vous ? demanda Cross, le visage contre le sol.

— La libération, répondit Jacques.

— Je peux vous donner de l'argent.

— Vous êtes riche, mais, cette fois, vous ne vous en tirerez pas avec du fric ! Debout ! Habillez-vous !

Chacune des deux femmes protégeait un innocent, l'une un chien, l'autre un enfant.

Cross disposait d'un dressing-room, une vraie pièce qui ne lui servait qu'à ranger ses vêtements et à s'habiller, de quoi justifier une révolution. Jacques le regarda s'habiller et les deux hommes sortirent de concert.

— Faites vos adieux.

En pantalon de flanelle grise, chemise, et veste de sport à carreaux verts, Jasper s'avança d'un pas mal assuré vers sa femme pour lui faire ses adieux, puis il caressa la tête du chien.

Yves lui passa alors les menottes, tirant sur les manches de la veste pour les dissimuler.

— Allons-y, lâcha-t-il.

Jacques donna ses dernières instructions :

— N'appelez pas la police avant une heure. Sinon, nous tuerons votre mari.

En sortant, il jeta un imperméable sur les poignets du captif.

Le pistolet enfoncé dans le dos, il se laissa entraîner jusqu'au taxi.

On n'est jamais prêt, le moment venu. Quand un homme aurait besoin de ses bottes et d'une constitution de fer, il est en pantoufles et pris au dépourvu.

Ils roulèrent jusqu'à l'Hôpital Royal Victoria où ils montèrent dans une Chrysler. Faire passer quelqu'un d'un véhicule à un autre devant un hôpital, là où tant de gens ont besoin qu'on les aide à marcher ou à monter en voiture, ne risquait pas d'attirer l'attention. Marc plaqua un masque à gaz sur le visage de Cross, et les yeux de leur prisonnier se fermèrent.

— Merde ! lâcha alors Marc en se redressant brusquement.

— Quoi ? demanda Jacques.

— Nos masques !

Ils s'entre-regardèrent longuement.

— Et alors ? interrogea la conductrice de la Chrysler.

Ils ne répondirent pas tout de suite.

— On a oublié de les mettre, avoua Jacques.

Gaston Fleury avait bien compris la question : il ne savait comment formuler la réponse. Il se souvenait de son trouble, du poids sur sa conscience qu'il avait oublié. Pourquoi ne s'était-il pas intéressé à ces falsifications ?

— C'était il y a longtemps...

— Quinze ans, précisa Cinq-Mars, d'un ton qui sous-entendait toutefois que cela ne faisait pas une éternité. » Il est tout à fait possible de se remémorer des événements importants vieux de quinze ans sans s'énerver. Le policier lui rappela les faits, pour la cinquième fois. « Capitaine, vous vous occupiez des limousines qui appartenaient et servaient aux gouvernements fédéral, provincial et municipal.

— Exact, reconnut Fleury.

Ça, c'était facile. Cinq-Mars était venu le voir pour lui poser d'autres questions. C'était agaçant, après tant d'années. Depuis sa nomination au grade de capitaine, Fleury dirigeait le Service des recherches et du planning stratégique ; il avait cessé de s'intéresser à cette affaire que Touton venait de déléguer à Cinq-Mars.

— Vous avez découvert que les registres pour les trois niveaux de gouvernement ne concordaient pas.

— En effet, c'est vrai.

— Ils ne concordaient pas parce que des élus ou de hauts fonction-naires utilisaient les véhicules pour des déplacements secrets. Des liaisons... des hommes qui allaient retrouver leurs petites amies...

— ... ou leurs petits amis, il y en avait aussi.

Cinq-Mars hocha la tête. Il restait tendu. Il adorait pourtant poser des questions, mais interroger un supérieur avec lequel il travaillait souvent le mettait mal à l'aise.

— Vous vous êtes donc rendu compte que les registres étaient cou-ramment trafiqués. Ce qui était consigné ne correspondait pas à la réalité.

— Les distances parcourues étaient falsifiées sur le registre en plus ou en moins. Personne n'allait vérifier, alors ils ne se gênaient pas. » Fleury avait sauté au plafond quand il avait découvert le pot aux roses. « Et la routine s'était installée. Tous ceux qui avaient le droit à une limousine l'utilisaient en secret pour leurs allées et venues personnelles. Ce qui rendait quasi impossible toute enquête.

— Mais, puisque vous étiez au fait de ces pratiques, commença Cinq-Mars...

Fleury était dans le flou, incapable de deviner la question suivante qu'on lui avait pourtant déjà posée à quatre reprises.

— Capitaine, pourquoi n'avez-vous pas recontrôlé les entrées dans la nuit de l'émeute Richard, la nuit des meurtres, après avoir découvert que les registres étaient fréquemment maquillés ? A partir de ce moment-là, pourquoi avez-vous continué à prendre les entrées figurant sur les registres pour argent comptant ? Capitaine, une question simple appelle une réponse simple : vous avez certainement pris la décision de ne pas enquêter dans ce sens.

— Je ne m'en souviens pas.

— C'est dommage ! Essayez encore : je crois que c'est important.

Ils se trouvaient acculés dans la même impasse.

Fleury baissa un peu la tête et se frotta le menton, l'air perplexe, puis il finit par dire :

— Je ne pensais pas que cela eût une telle importance.

— Pourquoi donc ?

— Bon. Je vais vous dire une chose...

— J'écoute, répondit Cinq-Mars. On allait peut-être avancer.

— J'ai reçu un coup de téléphone.

— Très bien.

— A l'époque.

— Qui vous appelait ?

— Un coup de fil anonyme.

— Que vous a-t-on dit ?

Fleury prit une profonde inspiration avant de poursuivre :

— « La prochaine fois, tu trouveras ton petit garçon dedans. »

Cinq-Mars attendit un complément d'explication, qui ne vint pas.

— Ce qui signifiait ? demanda-t-il. Ils en arrivaient maintenant au nœud de l'affaire, mais il restait intrigué par le sens de cette phrase.

— Ma voiture venait de sauter.

— Ah !

— Je ne pensais pas mon travail aussi important, alors je me suis dit que j'étais surtout un gêneur, que je n'étais qu'un simple comptable, et j'ai cessé d'enquêter sur les voitures ; mais je ne savais pas – et je n'ai jamais su – si c'est ça qui en avait agacé certains. J'avais l'impression que cette enquête ne me mènerait nulle part et même si elle débouchait sur quelque chose, je ne lui aurais pas sacrifié la vie de mon petit garçon.

Cinq-Mars avait compris.

— Ils ont donc commencé par faire sauter votre véhicule, puis ils vous ont conseillé d'arrêter...

Cinq-Mars se leva et s'approcha de la porte, faisant mine de partir.

— Capitaine, je sais que cet échange est confidentiel, que vous êtes mon supérieur et que je suis en tenue, c'est pourquoi je me pose la question, pourquoi m'avouer tout cela ?

Fleury eut un petit rire, comme pour diminuer le poids de ses aveux.

— Vous vous comportez en prêtre, Cinq-Mars, vous souhaitiez d'ailleurs le devenir et vous en avez le tempérament. Disons que je suis un catholique qui vient d'aller à confesse.

— Vous vous moquez de moi. Pourquoi ?

Le capitaine Fleury soupira et se tortilla dans son fauteuil. Il aimait beaucoup son nouveau siège en cuir.

— Pas du tout. Je vous ai dit ce que j'avais sur la conscience. Ma confession à mon prêtre habituel n'a pas soulagé mon remords. Il fallait que je fasse ces aveux à un policier. Réfléchissez, Cinq-Mars. Si je me confesse à quelqu'un, ce ne sera pas à un collègue d'un rang plus élevé. Vous autres, jeunes Turcs, nous taxez de corrompus, de ratés et de *has been*. Peut-être d'ailleurs vous en ai-je donné la preuve... Comprenez-moi, vous n'avez pas la possibilité de me nuire en écartant mon nom de la liste dans une commission de promotion. Le temps que vous arriviez à y siéger, ou bien je planterai des roses devant ma maison, ou bien je les engraisserai à deux mètres sous terre.

Le capitaine s'était trompé sur un point. Malgré les frictions qu'il y avait pu avoir entre eux, il n'avait jamais pensé que Fleury était quelqu'un de corrompu, un ringard ou un raté. Maintenant Emile n'en était plus si sûr.

— Vous m'avez rendu service, reconnut Cinq-Mars, en me permettant de situer les brèches, et donc d'orienter mes recherches.

— Cela ne vous avancera guère, prédit Fleury. Vous croyez que le vieux n'était pas déjà au courant ?

Fleury le défiait, ravi d'avoir une petite longueur d'avance sur son jeune subalterne plein d'ardeur.

— Allons, le vieux connaît la musique ! Peut-être qu'il ne voulait pas non plus que je fasse courir des risques à mon petit garçon. Ensuite, il a continué à enquêter dans ce sens, sans mon concours.

Cinq-Mars acquiesça ; il prenait conscience des inévitables contretemps qu'induisait l'interaction entre les différentes natures d'hommes, leurs points faibles et leurs craintes, leurs défauts et leurs forces, l'envie et la cupidité. La vie n'était pas seulement affaire d'avidité et de pouvoir, mais aussi d'efforts, de déceptions et d'échecs silencieux rencontrés en chemin.

Un inspecteur, son pistolet visible dans son baudrier, apparut soudain dans l'encadrement de la porte ouverte.

— Le FLQ! lança-t-il. (Il avait une grosse moustache noire.) Le Chef nous convoque.

— On dit désormais le Directeur, plus le Chef, lui rappela Fleury.

— Peu importe! Tout le monde au rapport dans son bureau! En vitesse!

— Une bombe? s'enquit Cinq-Mars. Comme il ne participerait pas à la réunion, il essayait de grappiller le plus d'informations possible.

— Un enlèvement. Un diplomate britannique, d'après ce que j'ai entendu.

Cela les fit frissonner.

Ligoté à une chaise, tantôt les yeux bandés, tantôt portant des œillères qui limitaient son champ visuel, James «Jasper» Cross écoutait à la radio les communiqués de ses ravisseurs, qui se faisaient appeler la «cellule de Libération».

Ils demandaient celle d'un certain nombre de prétendus prisonniers politiques et l'adoption de diverses mesures concernant le gouvernement du pays, sinon il serait exécuté. Ils avaient fixé un ultimatum.

Pour ses geôliers, il allait de soi que les autorités allaient négocier.

Leur optimisme laissait Cross abasourdi.

Il avait un jour lu distraitement un pamphlet distribué par le FLQ intitulé : *Le FLQ tuera!* Il regrettait maintenant d'être tombé dessus.

Il risquait de mourir dans cette pièce silencieuse à l'atmosphère étouffante. Il se sentait impuissant, et parfois, aveuglé par le bandeau, il paniquait, cherchait désespérément de la lumière, de l'air, la délivrance. Il souffrait d'imaginer l'épreuve infligée à sa famille. Il pouvait pardonner bien des choses à ses ravisseurs, mais pas la détresse qu'ils imposaient aux siens.

— Je ne vous ai jamais causé aucun mal, lança-t-il à la présence muette qu'il entendait le matin dans sa chambre.

Ce fut la femme, celle qui s'était montrée la plus dure de tous, qui lui répondit :

— Vous êtes anglais, donc notre ennemi.

— A vrai dire, observa-t-il tranquillement, je suis irlandais.

472

Il espérait avoir touché un point sensible. Français et Irlandais entretenaient depuis longtemps de bonnes relations. Des siècles durant, les Français avaient accueilli chez eux les Irlandais abandonnés et adopté des orphelins. La société québécoise comptait beaucoup de noms à consonance irlandaise et considérait les Irlandais, colonisés eux aussi par les Britanniques, comme des alliés.

— Alors vous êtes un collaborateur, déclara la voix féminine. Vous travaillez pour Londres, vous avez donc trahi notre peuple et le vôtre.

Malgré cette attaque destinée à dissiper tout remords éventuel chez ses complices, Jasper Cross se prit à espérer. Ils avaient commis une erreur en enlevant un Irlandais !

La radio, dans l'autre pièce, diffusa le refus du gouvernement de négocier – comme tous les gouvernements, dans de telles circonstances. On annonçait en même temps que l'otage était toujours vivant et que les ravisseurs avaient accordé un nouveau délai.

L'ultimatum expirait dans onze heures.

— Où est Bourassa ?

Haussement d'épaules.

— A New York.

— Toujours ? Qu'est-ce qu'il fiche là-bas ?

Nouveau haussement d'épaules.

— Il glande. On peut le joindre : il a donné un numéro de téléphone.

— Bien aimable à lui !

Le Premier ministre avait rassemblé ses plus fidèles collaborateurs : Lalonde ; Gérard Pelletier, son secrétaire d'Etat et Jean Marchand, son ministre du Travail. Marc Lalonde, son ministre des Finances, qui n'avait encore rien dit, s'adressa au Premier ministre :

— Pierre, nous avons entendu parler d'une réunion spéciale.

— Où ?

— Elle se tiendra à Montréal, dans le bureau de Ryan. Tous les intéressés seront présents. Parizeau y assistera en tant que président du Conseil exécutif du *Parti québécois*.

— Lévesque ? demanda Trudeau.

— Apparemment pas, mais on peut supposer qu'il en est informé.

— Comment sommes-nous au courant ? Je présume qu'on ne nous a pas invités.

— Un des invités m'a prévenu.

Trudeau avait compris et hocha la tête.

— Lévesque a des représentants qui le tiennent au courant, nous

473

avons un espion. Très bien, je suis sensible à cette subtilité. Quel est le sujet de la réunion ?

— Nous n'en avons pas une idée précise. Ryan, en tant que directeur du *Devoir*, animera le débat, mais ce qui m'inquiète, c'est la liste des participants. Il y aura des financiers, des politiques, des universitaires, des journalistes, des hommes de pouvoir, d'affaires. On pense, reprit Lalonde, qu'il veut faire un point sur la situation et établir un plan d'action.

— S'ils concluent à l'incapacité de Bourassa à gouverner, ils choisiront peut-être de gouverner tout seuls. C'est possible. Tout le monde est aujourd'hui convaincu, même les électeurs qui l'ont porté au pouvoir, qu'il n'est pas assez fort pour surmonter cette crise.

— Une crise... ou un enlèvement ?

Trudeau résuma la situation.

— Une révolution de palais ? Déjà le FLQ s'est érigé en gouvernement parallèle prétendant dicter une politique. Est-ce que les participants à cette réunion comptent l'imiter ?

— Ils ne se sont pas encore réunis, remarqua Lalonde.

Trudeau grimaça, puis déclara :

— Peut-être Bourassa se montrera-t-il à la hauteur du défi. Si jamais il rentre...

— Que fait-il à New York ? demanda Pelletier. Un des rares points faibles de Trudeau était d'aimer particulièrement les adversaires inefficaces ; les hommes incapables de briller dans un débat ou devant une meute de journalistes devenaient ses pions favoris, car il maîtrisait l'art de les manipuler. Bourassa n'était ni son adversaire naturel ni son allié mais cette fois, ils devaient travailler main dans la main. Trudeau allait amener Bourassa là où il voulait, et par des encouragements positifs plutôt que par la raillerie ou l'affront.

— Il se cache, continua Pelletier. Il refuse de se rendre à l'évidence.

— Merde !

Mauvaise nouvelle. Si les puissants citoyens québécois envisageaient de renverser leur gouvernement pour combler le vide laissé par un jeune Premier ministre timide, et pour le moment absent, alors l'autorité politique au Québec ne valait plus grand-chose. Cela donnait du pouvoir au FLQ, jusque-là fondé sur les manifestes, les bombes et maintenant, un enlèvement.

— Une politique de république bananière, murmura-t-il, écœuré. Gérard, que faisons-nous ?

Pelletier étira ses longues jambes. On entrait au gouvernement pour décider de faire ce qu'on pensait être le mieux pour la nation. En arrivant à Ottawa, Pierre Elliot Trudeau aurait voulu, avant d'assumer ses responsabilités, apprendre les ficelles du métier. Marchand et Pelletier l'en avaient empêché, lui rappelant qu'ils n'avaient pas livré une bataille électorale pour rester assis sur leurs fesses.

— Quand Bourassa téléphonera, Monsieur le Premier ministre, montrez-vous amical. Il manque de détermination, alors étalez la vôtre. Laissez-le s'appuyer sur vous. Cajolez-le. Apportez-lui du réconfort, même.

— Jean ? lança Trudeau en se tournant vers Marchand.

— L'opinion est contre nous. D'autres manifestations en faveur du FLQ se préparent. L'appui du peuple encourage ces salauds !

— Les manifestations, intervint Pelletier, épuisent la police et la détournent de sa tâche primordiale, retrouver les ravisseurs. Si cela continue, le maire et probablement Bourassa feront de nouveau appel à l'armée.

En période de crise, un homme faible adore l'armée.

Anik Clement était lovée dans les bras de son amant quand le téléphone sonna

Il décrocha.

— Allô ! Bon Dieu ! (Posant une main sur son dos, Anik sentit le déferlement d'adrénaline.) D'accord, j'y serai.

— Que se passe-t-il ? demanda Anik.

— Ils ont pris Laporte !

— Qui ça ?

— Laporte ! Pierre Laporte ! Le ministre du Travail québécois ! Ils l'ont pris !

— Pris... ? Enlevé ?

— Juste sur sa pelouse. Sur la Rive Sud. Maintenant, Bourassa va réquisitionner l'armée. Il faut l'en empêcher.

— Comment ?

— Par la pression politique, publique et privée. Il doit céder. Il faut que je persuade les autres. Il va y avoir une réunion. (Il avait presque franchi la porte quand il réalisa qu'il partait avec l'unique trousseau de l'appartement. Il lui lança les clés.) Garde-les sur toi. On trouvera un moyen de les échanger plus tard.

— Bonne chance ! lança-t-elle.

— Il ne s'agit plus de chance, mais du destin, je le crains.

En arriver à kidnapper un Québécois, après l'enlèvement d'un Rosbif, signifiait qu'on s'attaquait maintenant à l'un des leurs tout ça parce que certains n'étaient pas d'accord avec sa politique. Laporte avait été journaliste, un des rares à avoir le courage de se dresser contre Duplessis.

Au fond, la mère d'Anik avait mené des combats plus nobles : elle avait tenu tête au système et exigé des droits élémentaires et de justes salaires ; elle avait boycotté le système, s'était moquée de lui et avait dressé des barricades, elle s'était opposée à lui n'avait jamais accepté la cupidité ni l'exploitation des travailleurs. Mais elle n'avait jamais mis en péril la vie d'autrui.

Les révolutions portaient les violents au pouvoir. Le FLQ l'emporterait un jour, *nous vaincrons*, disaient-ils. Dans ce cas, ils assumeraient les responsabilités, mais franchement, le leur avait-on jamais demandé ? Et pourquoi n'était-il plus possible d'en discuter ? René avait raison et, sur ce point, Trudeau aussi. Si votre cause est juste, si elle est viable, vous n'avez qu'à convaincre les gens de s'y rallier, qu'à emporter l'adhésion de toute la nation, ou du moins d'une majorité. La victoire ou la défaite, pas d'entre-deux.

Impossible de faire bouger les choses, prétendaient certains. Mais regardez donc ! Les archevêques, autrefois princes du Québec, n'étaient plus aujourd'hui que des bouffons. Jadis, Duplessis muselait la presse ; elle était maintenant incontrôlable. Bien des patrons, exclusivement anglais par le passé, étaient français et les Anglais étaient nombreux à prendre la route de Toronto. Pour changer les choses, il suffisait de croire au changement et de convaincre les gens d'en faire autant.

Mais pour qui se battrait-elle ? Pour Armand Touton qui lui avait demandé d'aider la police ? Pour ses amis du mouvement qui manifestaient ? Pour René Lévesque qui la voulait dans son lit pour être apaisé, écouté quand il énumérait ses ennuis ? De tous côtés, on la réclamait alors qu'elle cherchait en elle le calme, l'authenticité et la sincérité afin de savoir ce qu'elle désirait vraiment.

C'est ainsi que son père avait vécu ses dernières années, lui avait confié sa mère. Tout le monde se le disputait alors qu'il voulait consacrer un peu de temps à sa famille. Elle espérait s'en tirer mieux que lui, non seulement pour elle, mais pour lui rendre hommage.

Anik se leva et s'habilla pour sortir. Une fois dehors, elle comprit que les rues seraient très animées. Où aller ? Pas dans les bars, où elle retrouverait ses amis polémiquant avec exaltation. Pas chez elle, où Armand Touton saurait la trouver en cas de besoin. Elle aurait aimé avoir un endroit où aller. Et elle pensa à Emile, se demandant comment il se débrouillait ; c'était un jeune policier il devait en voir de dures. Heureusement, elle avait évité les manifestations, et, du même coup, un affrontement probable entre eux.

Le capitaine Touton était en retard et ses excuses, bien que fort valables, ne lui épargnaient pas les plaisanteries. Il longea le couloir aussi vite que possible – la réunion se tenait à la direction de la police montée de Montréal. Il frappa et pénétra aussitôt dans la salle qu'on lui avait indiquée. Des regards se levèrent, ceux de vieux amis, d'adversaires et de quelques inconnus qu'il commençait tout juste à identifier. Un homme se dirigea vers la cafetière, comme si découvrir le visage de Touton exigeait qu'il avalât sans plus tarder un café.

Il s'agissait d'une réunion de policiers de seconde zone, de capitaines et de lieutenants de la Province, de la police montée et de la police municipale à laquelle Armand appartenait. Attrapant le dossier d'une chaise pour s'y asseoir, Touton repéra rapidement qu'il ne serait pas le dernier à rejoindre la réunion.

Pendant que les policiers ricanaient en blaguant à propos de son retard, Touton jeta un coup d'œil autour lui et constata qu'il était le seul à ne pas porter de moustache. Ces types se souciaient donc vraiment de leur apparence et prenaient des airs de policiers, ce qui ne les empêchait pas d'être dans un sale état. Epuisés, échevelés, gorgés de caféine, sous-alimentés, manquant de sommeil, bref, pas beaux à voir.

Quelqu'un posa devant lui une tasse ; Touton en but une gorgée sans prendre la peine d'ajouter de la crème ou du sucre. Ils fonctionnaient tous au café maintenant, plus il était fort, mieux cela valait, et les vannes qu'ils se décochaient constituaient aussi une tactique de survie. Quelques bonnes rigolades et ils encaisseraient des journées interminables sans s'endormir ou perdre la boule.

Là-dessus, un homme de la police montée les rappela à l'ordre :

— Les huiles ont dressé des listes, annonça-t-il en lissant sa moustache. Maoïstes, trotskistes, séparatistes radicaux, syndicalistes aimant bien semer la pagaille pendant les manifestations, etc.

— Que signifie « etc. » ? s'enquit Touton.

— Des gens comme ça.

— Des gens comme quoi ?

— Je vous demande pardon ? fit le policier de la GRC, déconcerté par la rapidité de ces questions.

— Vous avez cité les syndicalistes, les politicards, puis des « gens comme ça ». Alors qui sont les « gens comme ça » ?

— Ceux qui font de la politique et des « gens comme ça ». Quel est le problème ?

— J'ignore qui sont les « gens comme ça ». Je pense que pour vous il s'agit de tous les individus que vous avez en tête. Alors, ça m'énerve. Bref, à quoi servent ces listes ?

Un autre policier essaya de venir au secours de son collègue :

— Capitaine Touton, votre maire nous a dit qu'il demandait instamment au Premier ministre de proclamer l'état d'urgence. Bourassa aussi. Si la loi sur les mesures de guerre passe, alors nous pourrons arrêter qui nous voudrons, quand nous voudrons, et le maintenir en détention aussi longtemps qu'il le faut. C'est pourquoi nous dressons des listes, pour être prêts, pour savoir à qui nous nous en prendrons le moment venu. Nous ne voulons pas le chaos, nous souhaitons être efficaces.

Des policiers avec du pouvoir, des hommes politiques avec encore plus de pouvoir, Touton n'appréciait aucun de ces scénarios.

— C'est bien pourquoi je demande, reprit-il, qui vous entendez par des « gens comme ça ». Je ne peux donner l'ordre à mes hommes d'aller arrêter des radicaux et des « gens comme ça ». Qui sait ce qu'ils nous ramèneraient ! Tous les types aux cheveux longs avec une petite barbe ? Des filles avec un joli petit cul ? Cela nécessite des précisions.

— Je suis d'accord avec vous, admit le policier de la GRC. Il faut être précis. Le sergent Leduc va modifier sa déclaration.

Touton n'arrivait pas à discerner si l'autre le traitait poliment de connard ou s'il était vraiment de son côté en conseillant à son collègue de faire mieux. En tout cas, on avait progressé.

— Quand prendra effet cette loi sur les mesures de guerre ? s'enquit Touton. Et que prévoit-elle ?

Le jeune officier de la police montée reprit la parole :

— Nous pouvons procéder à des arrestations sans l'intervention des avocats, des juges, des tribunaux... ou de la loi. En fait, nous deviendrons la loi.

— C'est bien ce que je craignais, murmura Touton.

— Vous savez pourquoi on est mal barrés ? lança un policier. Touton reconnut un homme de son département.

— Pourquoi, André ? l'interrogea Touton.

— Ça sent la guerre, répondit son collègue en secouant la tête, mais on n'est pas l'armée !

Ils restèrent muets quelques instants, puis le policier de la GRC lâcha :

— Ils enverront l'armée nous seconder.

Pour assurer la sécurité des citoyens de Montréal et du Québec, il avait cherché une alternative politique à l'intervention de l'armée. Il avait opté en faveur de cette mesure car c'était la seule solution. La loi exigeait de lui que si le ministère de la Justice d'une province lui demandait un soutien militaire, il l'accordât ; mais la loi sur les mesures de guerre, qui suspendait les libertés civiques et donnait des pouvoirs extraordinaires à la police, c'était une autre affaire, et cette tactique extrême pesait sur sa conscience.

Drapeau, le maire de Montréal, souhaitait qu'il le fît.

Depuis son retour de New York, le Premier ministre de la Province de Québec, à bout, l'en suppliait. Trudeau conversait avec lui au téléphone tous les jours et s'employait de son mieux à le calmer, l'autre cependant insistait. Bourassa voulait la suspension des droits civiques.

Ses conseillers jugeaient le moment venu de prendre une mesure énergique. Un groupe clandestin violent s'était instauré en gouvernement parallèle, que la population soutenait un peu plus chaque jour. Pourtant l'état d'urgence lui semblait trop lourd, trop draconien et risquait de donner l'impression qu'il s'affolait. C'était un peu comme chasser la caille au bazooka. « L'armée, suggérait-il, pourrait patrouiller dans les rues pour donner à la police une chance d'enquêter. »

Pendant ce temps, les manifestations se faisaient plus importantes et mieux organisées.

Devant une enquête qui piétinait, on accusait la police d'impuissance.

Puis, le 15 octobre 1970, quelques personnages importants se réunirent à Montréal et, avant de se séparer, signèrent un document qui fut publié dans *Le Devoir*. Trudeau le lut : la liste des signataires était impressionnante. René Lévesque, le président du Parti québécois ; le président des assurances vie Desjardins ; une demi-douzaine de chefs syndicalistes ; Claude Ryan, le directeur du *Devoir*, le plus prestigieux quotidien en langue française du pays ; Camille Laurin, le secrétaire parlementaire du Parti québécois ; quatre éminents professeurs représentant les principales universités françaises. Ils proclamaient à l'unanimité que, ayant soigneusement considéré « l'atmosphère de rigueur quasi militaire observable à Ottawa » et ayant exprimé la crainte que « dans certains milieux non québécois en particulier, la redoutable tentation d'une politique du pire, c'est-à-dire l'illusion qu'un Québec plongé dans le chaos serait plus facile à contrôler par n'importe quel moyen », ils partageaient le désir de la population d'obliger le gouvernement du Québec à négocier. La fureur de Trudeau, provoquée par le qualificatif « plongé dans le chaos » associé au Québec, fut à son comble quand il arriva au passage où les signataires proposaient « leur appui pour négocier de toute urgence un échange entre otages et prisonniers politiques ».

Voilà ce qu'on pouvait lire dans le journal.

Ecrit noir sur blanc.

Une partie de l'élite de la société québécoise avait assimilé terroristes, voleurs de banque ou poseurs de bombes – tous jugés et condamnés après un procès équitable – à des prisonniers politiques.

Il reconnaissait certains de ces propos. Il identifiait l'auteur qui prétendait « qu'un Québec plongé dans le chaos serait plus facile à contrôler », c'était du Lévesque tout craché, son phrasé et son rythme ainsi que son aigreur ; il n'était pas au mieux de sa forme ni très mordant, estima Trudeau. Ryan l'avait sans doute incité à modérer quelque peu le ton, avant de rédiger lui-même la suite, mais on avait dû verser un sédatif dans son verre pour insérer les mots « prisonniers politiques ». Il devait être drogué ou ivre, il n'y avait pas d'autre explication.

On l'avait intimidé.

La colère que ce texte inspirait à Trudeau se devait d'être de courte durée, même s'il le trouvait plus blessant que les manifestes du FLQ qui l'insultaient plus directement et mettaient en doute l'intelligence de la société. Il téléphona à Bourassa et à Drapeau pour leur demander s'ils étaient prêts à confirmer par écrit qu'ils se sentaient sous la menace d'une insurrection.

Leurs exigences ne tardèrent pas à être couchées sur le papier. Assis près de la fenêtre de son bureau, Trudeau proclama donc l'état d'urgence, cette même loi qui avait envoyé le maire Houde dans un camp d'internement. A l'époque, il avait violemment protesté, et voilà qu'aujourd'hui, il l'avait invoquée. Déjà l'armée, avec ses soldats, ses armes, ses transports de troupes, ses Jeeps et ses chars, déferlait sur le Québec et prenait position au coin des rues de Montréal. Il se sentait bien seul ce soir-là, tandis que l'armée avançait sous le couvert de l'obscurité, sachant bien que, même si d'autres avaient insisté pour lui faire prendre cette décision, ce serait à lui qu'on reprocherait toujours les résultats de cette aventure.

Il s'approcha de son coffre-fort personnel, un banal petit meuble, ouvrit les portes en bois puis la serrure à double combinaison de la porte d'acier ; il en retira la Dague de Cartier, la prit à deux mains et contempla la lame. Avant que la relique entrât en sa possession, la pointe en avait été brisée, mais, depuis lors, seuls quelques poils d'élan s'étaient effilochés. Si la Dague de Cartier était réellement dotée de pouvoirs particuliers, il voulait en bénéficier maintenant. D'accord, il avait remporté des élections, mais la véritable épreuve d'une vie dans le service public tenait à ces choix irrévocables définissant le style d'un dirigeant, lequel, d'une certaine façon, aidait à modeler un pays et une époque.

Il resta immobile. Haletant. Dans l'attente.

Pierre Elliot Trudeau tenait le poignard entre ses mains, tel un homme gardant une prière au fond de son cœur solitaire.

Cross redoutait le pire : non seulement la mort, mais une mort moche et solitaire. Il avait relevé la naïveté dont témoignaient ses ravisseurs en attendant une négociation. Même dans cette province démente, le Québec, personne, ni dirigeant syndical, ni journalistes, ni hommes politiques, ni chefs d'entreprise n'exhortaient le pouvoir en place à céder à des terroristes.

Il crut entendre gronder des moteurs de camions, dans la rue, mais le son venait de la télévision. On avait accordé les pleins pouvoirs aux militaires. Cela allait sans doute lui coûter la vie. L'armée était intervenue et il n'avait plus beaucoup de temps.

— Tu vois ? lança sa geôlière.

La femme tournait autour de lui ; il sentait l'odeur de sa cigarette et il l'entendait aspirer la fumée. Il la méprisait.

— Qu'est-ce que je vois ? répliqua-t-il. Il avait les yeux bandés et ne voyait rien.

— Quand les pauvres du Québec sont malades ou mourants, est-ce qu'on envoie les troupes ? Quand les patrons font matraquer les travailleurs, est-ce qu'on envoie l'armée pour les défendre ? Quand nous croupissons dans notre merde, prisonniers de nos malheurs, est-ce qu'on détache des soldats ? Jamais de la vie ! Pas pour ces sales Français !

Plantée derrière son dos, elle lui parlait à l'oreille en postillonnant.

— Mais si on kidnappe un homme dans sa maison tout en haut de la colline, et si cet homme est un commissaire britannique au Commerce, oh ! alors on envoie l'armée ! Ils veulent nous détruire, nous piétiner, mais ces fascistes vont vivre la révolution ! Mais, avant, monsieur Cross, nous vous tirerons une balle dans la bouche ! Vous pouvez compter sur moi.

Ses gardiens lui donnaient à boire et ne le faisaient pas attendre quand il demandait à uriner et à déféquer. La femme, elle, attendait qu'il gémisse en se tortillant pour le faire lever en le tirant par les cheveux et le pousser vers la porte des toilettes.

Pourvu qu'aujourd'hui ce soit l'un des hommes qui lui apporte son déjeuner et l'accompagne aux toilettes, et non cette horrible femme.

Ils n'étaient pas nombreux à aimer la tâche qu'on leur avait confiée. Emile Cinq-Mars quittait chaque soir la direction de la police avec une équipe de six hommes répartis dans trois véhicules de patrouille. On leur avait donné des noms et des adresses. S'ils procédaient à une arrestation, ils emmenaient le suspect et on leur donnait ensuite une nouvelle liste.

Cinq-Mars tomba sur un type, un artiste, que l'incident ne sembla guère affecter car il était certain d'être ramassé dès la première rafle : il avoua être anarchiste et soutenir les militants.

— Je n'ai enlevé personne, assura-t-il, n'ayant pas de quoi nourrir une bouche supplémentaire. J'ai assez de mal à ramasser de quoi nourrir mes bêtes. (Ayant apparemment cru qu'on le relâcherait après l'avoir interrogé, il s'affola en apprenant qu'il allait être détenu pour une période indéterminée.) Mes perruches ! s'écria-t-il. Mes chats ! Mon poisson rouge ! Mon Dieu ! protesta-t-il, vous les tuez ! Qui nourrira mes animaux ?

Cinq-Mars aurait été prêt à l'aider. Il avait jadis voulu être vétérinaire. Il finit par accepter la clé du prisonnier et promit de trouver quelqu'un qui s'occuperait de la ménagerie.

Peu après, il se trouvait à la direction de la Sûreté quand il aperçut le père François traînant dans le couloir.

— Qu'est-ce qui vous amène ici, mon père ?

— On ne m'a pas encore arrêté, si c'est ce que vous demandez. Cela ne tardera pas, à moins que vous ne le fassiez tout de suite ? Que faites-vous ici, Emile ?

— Je travaille, répondit Cinq-Mars, surpris de cette repartie.

— Arrêter des innocents, vous appelez ça du travail ? C'est un scandale ! Les flics devraient avoir honte !

— Mon père... vous êtes de bien méchante humeur. C'est mon métier, et si vous ne comprenez pas que...

— C'est ce qu'affirmaient les criminels de guerre nazis, n'est-ce pas ? Ils disaient que c'était leur métier, qu'ils ne faisaient qu'obéir aux ordres.

— Ce n'est pas pareil, mon père.

— Vraiment ? (Le prêtre n'avait pas l'intention de le lâcher ainsi, mais Cinq-Mars ne reculait pas non plus. Sa mission ne lui plaisait guère ces temps-ci, mais cela ne signifiait pas non plus qu'il céderait.) En quoi est-ce différent ?

— Je croyais inutile d'expliquer cela au penseur politique que vous êtes, mon père.

Le père François respira profondément et se calma un peu.

— Emile, j'ai entendu quelques récits désespérés ce soir. Cela m'a un peu secoué.

— Je comprends, mon père. Vous visitez les prisonniers ?

— Il faut bien que quelqu'un le fasse, puisqu'ils ne sont pas autorisés à avoir un avocat.

— Je suis étonné qu'on vous laisse les voir.

Le prêtre pinça les lèvres et hocha la tête.

— Je n'y suis même pas autorisé, fit-il d'une voix enfin apaisée mais j'ai tellement culpabilisé tout le monde qu'on m'a laissé entrer.

— Tant mieux pour vous, mon père. J'imagine qu'aujourd'hui vous n'êtes pas trop content de ce que fait votre vieil ami.

— Vous parlez de Trudeau? répliqua-t-il, sur la défensive. C'est vrai, je ne suis pas content de lui, reprit-il en boutonnant son manteau. Il faut que j'y aille, Emile, j'ai des gens à voir.

— Un instant, mon père. Il y a là un homme qui a de nombreux animaux et personne pour s'en occuper pendant sa détention. Il m'a donné sa clé, mais...

— Passez-la-moi, soupira le père François. J'irai lui parler, je prendrai son adresse. Je connais des volontaires pour ce genre de corvées.

— Merci, mon père.

— Si vous rencontrez d'autres problèmes de ce genre, Emile, contactez-moi. Au fond, c'est peut-être une chance que je connaisse un flic... C'est gentil de vous préoccuper de tout ça.

Après la visite du prêtre au prisonnier, Cinq-Mars appela la direction de la police; il resta en ligne plus de dix minutes avant que le capitaine Touton trouvât un moment pour lui parler.

— Que se passe-t-il, mon garçon?

— Je suis à la prison de la Sûreté. Le père François y est arrivé avant moi. On le laisse entrer.

— Ce n'est pas normal, mais quelle importance? Devons-nous observer strictement le règlement, alors que la plupart de nos arrestations sont arbitraires?

— Ce n'est pas ce à quoi je pensais, capitaine. Il connaît depuis toujours tous les radicaux de cette ville, et il pourrait servir de messager entre ceux qui sont bouclés et ceux qui sont dehors. Peut-être voudriez-vous le faire filer. Je pensais à la possibilité d'une piste. Je me rappelle vous avoir entendu dire que vous n'aviez pas confiance en père François.

— C'est vrai, confirma Touton. Ecoutez, pour l'instant, je suis à court d'effectifs mais dès que quelqu'un sera libre, j'essaierai de le mettre sur cette piste. Elle est intéressante.

— Merci, capitaine.

Il raccrocha, furieux. Tous étaient sur les nerfs ces derniers jours, il ne devait pas l'oublier; le vieux travaillait sans doute vingt-quatre heures sur vingt-quatre et il avait certainement affaire à des policiers qui se démenaient pour obtenir une mission plus agréable. Un succès lors d'une crise, cela se remarquait, aussi les policiers cherchaient-ils à

483

décrocher les meilleurs rôles ; pourtant ce n'était pas son cas et il déplorait l'erreur de Touton.

Malgré tout, il avait dit qu'éventuellement il suivrait cette piste. Mais Touton pouvait très bien avoir changé d'avis à la fin de leur conversation. Que ce type pouvait être agaçant !

Son peloton l'attendait dehors avec une nouvelle liste de noms. Cinq-Mars y jeta un coup d'œil puis leur demanda d'attendre encore, un coup de fil à passer. Les hommes buvaient du café bien chaud et n'étaient donc pas pressés.

Il trouva une pièce dans sa poche et composa un numéro.

— Anik, c'est moi. Emile.

— Quelle surprise ! Je suis sur une liste ? demanda-t-elle après être restée quelques instants silencieuse.

— Je n'en sais rien, mais ta mère, oui. Elle figure sur mon bordereau d'arrestations.

— Merde !

— Puis-je lui parler ?

— Ne quitte pas.

Il n'attendit pas longtemps.

— Emile ! C'est bon de vous entendre après tout ce temps !

— Merci, madame Clement, mais j'ai de mauvaises nouvelles ce soir...

— Anik m'a dit que je figurais sur une liste. Je suis très impressionnée ! Je pensais que maintenant on m'avait oubliée.

— Malheureusement non.

— Anik est déçue. Elle aurait souhaité que ce soit elle.

— Je ne peux pas affirmer qu'elle ne se trouve pas sur la liste de quelqu'un d'autre, mais elle ne figure pas sur la mienne.

— C'est ce qui la déçoit le plus, Emile. Que faire ? Nous enfuir comme des lapins affolés ? Je ne cours pas très vite et je n'ai pas de planque.

— Vous devriez partir, madame.

— Facile à dire. Si j'allais chez une amie, je lui ferais courir un danger. D'ailleurs, la plupart de mes copains sont sans doute listés eux aussi.

— Madame, vous pouvez venir chez moi. Vous y êtes les bienvenues, Anik et vous.

Elle marqua un temps puis reprit, d'un ton songeur :

— C'est très généreux, Emile. Ça pourrait marcher. Vous avez de la place ? Il y a aussi Ranger, mon chien.

— Pas de problème pour Ranger. Par les temps qui courent, autant éviter la prison. Croyez-moi, ce ne serait pas une expérience plaisante.

— Attendez un peu, Emile, s'il vous plaît.

Il l'entendit discuter avec Anik qui reprit ensuite l'appareil.

— Merci pour cette bonne idée, Emile. Je ne veux pas que maman aille en taule. Elle n'est pas en état de le supporter. Nous nous serrerons un peu tous les quatre, chez toi, avec toi. On s'arrangera.

Cela lui convenait parfaitement.

— D'accord..., dit-il avant d'ajouter : Le quatrième est bien Ranger, pas René ? Je ne veux pas qu'il dorme chez moi.

Silence.

— Comment tu as su ? finit-elle par demander.

— On *te* surveille et on *le* surveille.

— Je suis désolée, Emile. (Ces mots leur parurent tellement étranges qu'ils restèrent un moment muets.)

Ce fut lui qui brisa le silence :

— Comment te passer mes clés ? Prenez vos affaires et partez tout de suite.

— J'ai toujours une clé, l'informa-t-elle.

Cinq-Mars n'était toujours pas disposé à retourner au travail, malgré un début de nervosité chez ses hommes. Son prestige au sein du groupe lui permettait maintenant d'obtenir ce qu'il voulait et il entra dans les bureaux pour s'adresser au sergent de garde :

— Ce prêtre..., commença-t-il.

Le sergent, épuisé, mais ayant plus de galons que Cinq-Mars, se rebiffa :

— Qu'est-ce qu'il a ?

Cinq-Mars voulait savoir si son intuition était fondée, si le père François visitait la prison pour des raisons qui outrepassaient les limites de son sacerdoce.

Carole et Anik avaient changé les draps et décidèrent de dormir ensemble, le chien entre elles. Elles trouvaient amusante l'idée de la mère et de la fille, bien cachées. Toutefois, quand elles furent installées, Anik se ravisa. La chambre était bien rangée, le lit soigneusement fait les attendait.

Sa mère s'aperçut de quelque chose.

— Qu'est-ce qui ne va pas ?

— Hmm..., grommela-t-elle avec une grimace, rien, vraiment. C'est juste un peu bizarre, voilà tout.

— Un peu bizarre de dormir avec ta mère ?

— *Très* bizarre. J'ai fait des choses sur ce matelas. C'est pour ça que je trouve ça bizarre.

Carole dit alors quelque chose qu'elle regretta à l'instant précis où les mots sortaient de sa bouche :

— Mon enfant, si on faisait le tour de la ville en cherchant un matelas sur lequel tu n'aies pas dormi, on risquerait de passer pas mal de nuits sans sommeil.

Anik avait seize ans quand sa mère avait cessé de régenter sa vie sentimentale.

— Je te demande pardon ?

— Excuse-moi. Oublie ça.

— Tu me considères comme une prostituée ?

— Ai-je dit cela ?

— Tu l'as laissé entendre.

— Désolée, je te demande pardon. Oublie ça, d'accord ?

Difficile d'oublier ! L'une comme l'autre étaient furieuses. Carole se pelotonna sur le lit et tenta de se plonger dans un roman qu'elle avait emporté ; Anik s'installa dans le salon et finit par mettre en marche la télévision en noir et blanc : on avait interrompu les programmes pour montrer les fantassins patrouillant dans les rues de Montréal ; elle regarda un moment, puis éteignit le poste avant d'aller retrouver sa mère.

— Pardon, maman, je ne voulais pas faire une scène.

— Je suis désolée moi aussi, j'ai été méchante.

Anik s'allongea à plat ventre, relevant les pieds, les talons tournés vers le plafond, la tête sur ses mains tandis que sa mère jouait avec ses cheveux. Ce n'était pas désagréable en fait d'être si proches, un peu comme en exil.

— Parle-moi, Anik », finit par dire Carole. Cet environnement différent et leur prise de bec avaient eu pour effet de briser le moule de la routine et de les rapprocher. « Raconte-moi ce qui t'arrive.

Sa fille resta un moment silencieuse, éprouvant peut-être la tentation d'exposer ses problèmes à sa mère, mais elle finit par esquiver.

— Que veux-tu dire ?

— Tu le sais bien. Pourquoi couches-tu avec un homme plus âgé et qui fume comme une locomotive ? L'aimes-tu ? Si c'est le cas, alors explique-moi, s'il te plaît, pourquoi tu es si malheureuse.

— Je ne suis pas malheureuse !

— Tu n'es plus toi-même.

Ah ! les mères ! Impossible de vivre avec elles, mais, juste au moment où l'on souhaiterait qu'elles disparaissent, on réalise qu'il est également impossible de vivre sans elles ! Toutefois, elle ne se sentait pas prête à parler.

— Tu as dit à Emile que tu acceptais de venir chez lui parce que tu ne voulais pas que je me retrouve en taule. Merci beaucoup, mais je connais la prison, et je serais capable de survivre à un nouveau séjour. Ma présence ici est motivée par le fait que je ne veux pas que *toi*, tu ailles en taule. Tu ne figures sur aucune liste pour l'instant, mais tu sais bien que cela ne tardera pas.

— Pour quelle raison? Pour m'interroger et découvrir ce que pense René?

— Moque-toi, mais des gens haut placés aimeraient sans doute te voir arrêtée, par pure méchanceté. Alors, que fera René? Exigera-t-il qu'on relâche sa femme-enfant de petite amie?

— Je suis pas une enfant, merde! (Elle n'était pas en colère, seulement agacée.)

— Je le sais. René aussi, je présume. Mais les journaux? Comment crois-tu qu'on te représenterait? D'ailleurs, René serait obligé de la boucler, et même de faire semblant de ne pas te connaître. Tu n'es pas son unique petite amie, tu es seulement la plus jeune, j'espère. Il ne pourra pas te protéger ouvertement.

Elle releva la tête, repoussant la main maternelle qui lui caressait les cheveux.

— Comment sais-tu qu'il a d'autres petites amies?

Carole soupira et reposa son livre. La nuit semblait propre aux confidences. Des confidences qui auraient dû être faites depuis longtemps.

— Je t'ai entendue expliquer à une amie au téléphone que René dispose de plusieurs nids d'amour en ville; ainsi les médias ne peuvent pas le surveiller, ni te surveiller toi. Très bien, je l'admets. Mais cela évite aussi qu'une de ses maîtresses ne tombe sur lui alors qu'il est au lit avec une autre. Et je parierais que cela ne se limite pas à cette ville!

Furieuse, Anik s'agenouilla.

— Tu n'en sais rien! Tu crois simplement ça, parce que...

— T'a-t-il jamais invitée à Québec?

Anik hésita.

— Bien sûr que non! Là-bas, tu l'encombrerais! Il te donne d'autres raisons, mais tu te fais des illusions, mon enfant...

Elle s'écroula sur le côté, feignant l'angoisse, se tortillant sur le lit, puis se redressa auprès de sa mère, comme une sirène refaisant surface, et la serra contre elle. Celle-ci l'embrassa sur le front et elles se blottirent dans les bras l'une de l'autre.

— Que faire? Que faire? Que faire?

— Tu le sais très bien, Anik. Si tu es capable de quitter un garçon formidable comme Emile...

— Oh! Arrête! Tu ne vas pas te mettre à me choisir des petits amis...

— C'est un conseil strictement désintéressé, tu le sais? Mais je prétends que si tu as le courage de quitter un homme que tu aimes bien et que ta décision blesse, ce ne te sera pas très difficile d'en quitter un qui se contentera de hausser les épaules – à sa manière désormais célèbre – et de sourire de son vilain petit rictus, avant de passer un coup de fil à ta remplaçante.

— Quelle garce ! riposta Anik, un peu mollement cependant.

— Ecoute, ma chérie, ce fut amusant et éducatif, j'en suis sûre, mais, ne te culpabilise pas quand c'est fini. Quitte le navire la première. Rappelle-toi : Les femmes et les enfants d'abord. Ne l'oublie pas. Ne laisse pas un mec coiffé à l'as de pique te faire du mal.

Cela les fit rire toutes les deux : il avait la pire coiffure qu'on puisse imaginer.

— Mais d'abord comment sais-tu que je suis avec lui ? Oh, je vois. Tu écoutes mes conversations téléphoniques.

— Premier indice : tes vêtements qui empestaient la cigarette.

Elles se remirent à rire, puis Anik redevint silencieuse.

— Et le secret, alors ?

— Dans cette ville ? » s'amusa Carole, passant un bras autour de sa fille. Elles passaient un bon moment maintenant. « Apparemment, il n'y en a qu'un, mettons deux. Qui a enlevé James Richard Cross. Et qui a enlevé Pierre Laporte.

Elle perçut un infime tremblement, une crispation du dos de sa fille et relâcha son étreinte.

— Ou peut-être, murmura-t-elle, n'y a-t-il pas de secrets du tout.

En rentrant chez lui, Emile Cinq-Mars découvrit les deux femmes et le chien dans son lit ; il chatouilla le gros orteil d'Anik, qui se leva et le suivit, un peu chancelante, dans le salon, tout habillée mais pieds nus. Ils ne savaient quelle attitude prendre et restèrent plantés face à face ; Emile fit le premier pas et ils se serrèrent l'un contre l'autre, peut-être en souvenir de leur affection d'autrefois, ou pour trouver un équilibre en ces temps incertains qui les affectaient tous deux.

Ils discutèrent et plus tard allèrent dormir chacun dans une chambre séparée. Au petit matin, Cinq-Mars fut réveillé par un coup de téléphone et il alluma la télévision. En entendant du bruit, Anik vint le rejoindre sur le canapé de la salle de séjour. Dans le coffre d'une vieille voiture garée près d'une clôture protégeant un petit aérodrome des environs de Montréal, on avait découvert le corps de Pierre Laporte. A la télévision, ils virent la police arriver.

— Bon, fit Anik.

— Comment : bon ?

— Il est temps de faire quelque chose.

Quand il eut terminé son service ce soir-là, Cinq-Mars entra dans le bureau du capitaine Touton.

— Qu'est-ce que tu fais ici ? Pourquoi n'es-tu pas parti arrêter des types aux cheveux longs ?

— Je fais des heures de service doubles. Pas des triples, capitaine. Allons faire un tour.

Quelque chose dans l'attitude du jeune homme attira l'attention de Touton. Les deux hommes sortirent ensemble dans les premières lueurs du jour et marchèrent un moment sans rien dire. Trop de policiers dans les parages pour que Cinq-Mars commence. Touton lui fit signe d'entrer sur un chantier de construction au bout de la rue où ils trouvèrent un coin parmi les gravats et les tas de matériaux.

— Maintenant que Laporte est mort, j'ai vraiment peur pour Cross, dit Touton.

— Anik pourrait nous aider, suggéra le jeune policier.

— Que sait-elle ?

— Elle nous parlera, à certaines conditions.

— Par exemple ?

— Qu'on supprime le nom de sa mère d'une liste d'arrestations.

— Je ne savais pas qu'elle y figurait.

— Ainsi que celui d'Anik.

— C'est elle qui demande ça, ou toi ? De toute façon, ça peut probablement s'arranger, déclara Touton.

— Dans les circonstances actuelles, le mot « probablement » est de trop.

— Mais si Anik sait quelque chose, elle doit nous le dire, même si pour cela je dois l'attacher à une chaise et lui balancer une décharge d'un millier de volts.

— Ça ne marcherait pas, assura Cinq-Mars. Il n'est pas question d'apprendre ce qu'elle sait ; il s'agit de ce que nous pouvons découvrir ensemble. Après les manifestations, elle passe quelques coups de fil – c'est une habitude chez elle – et demande qui était là, comme si elle recueillait des potins. Ainsi, en procédant par élimination, elle découvre les grands absents.

Touton commençait à comprendre.

— Qui ne sont pas là où on les attendrait... parce qu'ils sont occupés à jouer les gardes-chiourme... ?

— Montrons-lui nos listes, les images filmées pendant les manifestations ; nous verrons qui elle peut identifier, et par là même éliminer, et ainsi de suite...

489

Cette façon d'enquêter plaisait à Touton, car elle offrait au moins une possibilité de résultats, plus, en tout cas, que n'en avaient donné leurs dernières opérations.

— Pour l'instant, elle hésite à choisir son camp. Par-dessus le marché, elle est partie se cacher avec sa mère. Il faudra coopérer, sinon vous ne la retrouverez pas.

— Très bien ! conclut Touton. Que te faut-il ?

— Les listes complètes d'arrestations – d'où l'on aura supprimé le nom de Carole Clement et, éventuellement, celui d'Anik. Les films sur les manifestations. Il me faut aussi la pointe de la Dague de Cartier, le morceau brisé qu'on a retrouvé dans la poitrine de Roger Clement...

— Pourquoi ?

— Elle la veut.

— Pourquoi ?

— Elle la veut.

— C'est une pièce à conviction, que je protège. Elle n'aurait pas été en sûreté dans un quelconque commissariat, alors je l'ai conservée.

— Elle le sait et elle la veut.

— Je ne comprends pas...

Cinq-Mars savait qu'Anik serait inflexible.

— La pointe de la Dague de Cartier se trouvait dans la poitrine de son père.

Touton haussa les épaules. Dans les moments désespérés, on peut formuler des exigences extrêmes et obtenir satisfaction. Il devait accéder au désir de la fille de Roger Clement.

— Très bien ! Quoi d'autre ? lança-t-il, car il savait qu'il devait y avoir autre chose.

— Il faut me nommer, du moins provisoirement, inspecteur pour que je puisse toucher une solde. Et il me faudra vérifier des renseignements avec Anik. Je pourrais faire ça en tenue, mais, pour certaines enquêtes annexes, il faudra que je sois en civil.

— Et pourquoi ? demanda Touton.

— Il faudra peut-être que j'aille sur la colline du Parlement – pas en me pavanant, ni en demandant au Premier ministre d'avouer quoi que ce soit. Mais il est possible qu'il sache quelque chose sans s'en douter, ou encore qu'il ne se doute pas que cela pourrait nous aider...

— C'est une idée d'Anik ?

— Oui, capitaine.

— Que veut-elle d'autre, maintenant ?

— Eh bien, capitaine..., commença Cinq-Mars en soupirant, puis il s'arrêta et prit une profonde inspiration.

— Allons ! Crache le morceau !

— Eh bien, capitaine, elle veut la Dague de Cartier.

— *Quoi ?*

— C'est son prix. Et avec la pointe, elle reconstituera l'arme. Elle n'agit pas par cupidité, en tout cas je ne le crois pas ; pour elle, cela a un rapport avec l'héritage de son père.

— La Dague de Cartier !

— Oui, capitaine.

— Mais je ne l'ai pas !

— Trudeau la détient. C'est une des raisons pour lesquelles il faut que je le rencontre.

Touton le regarda au fond des yeux en essayant d'y lire quelque chose.

— Elle veut faire un échange ?

— Oui, capitaine, reconnut Cinq-Mars.

— Le poignard...

— Oui, capitaine ?

— ... contre les cellules du FLQ ?

— Oui, capitaine. Elle n'est pas sûre d'y arriver, mais, s'il y a une possibilité, elle le fera. Elle a l'impression que la Dague de Cartier a un rapport avec notre peuple et que notre peuple a besoin d'obtenir quelque chose de tout cela, en dehors de la libération de quelques prisonniers. Si elle doit dénoncer des amis qui lui ont fait confiance, elle attend quelque chose en retour : rétablir la vérité sur ce qui s'est passé.

— Oui, et, comme tu dis, elle se cache. Donnera-t-elle le poignard à ce connard de Lévesque ? Comme ça, le Québec devient indépendant, c'est ce qu'elle veut ?

— Est-ce que le poignard a ce genre de pouvoir ? Croyez-vous à cette forme de magie ?

— Oui... Ma foi... Bon, c'est vrai. Si tu crois à ces foutaises !

— Je ne sais pas ce qu'elle en fera, capitaine. La Dague de Cartier vaut des millions. Elle pourrait la vendre. Mais cette fille est compliquée. Elle veut le poignard, et si elle peut se procurer les renseignements qu'il nous faut – elle me dit qu'elle ne les a pas encore –, elle fera l'échange. Donnant-donnant. La dague en échange des meurtriers traînés en justice, peut-être. Nous pourrions retrouver Cross. Il y a une vie en jeu dans cette affaire et nous n'avons pas le temps de nous chamailler.

— Bon, vas-y ! Mais il vaudrait mieux que tu réussisses, sinon tu peux faire une croix sur ta carrière, définitivement. Me suis-je bien fait comprendre ?

— Capitaine, protesta Cinq-Mars, nous n'avons aucune garantie...

— Tu crois ? lui demanda Touton, en s'approchant au point de lui

491

respirer au visage. C'est moi, ta garantie ! C'est ça ou rien ! C'est ton Dieppe à toi. Alors, que choisis-tu, Cinq-Mars ? Dis-moi !

Emile comprit le message. Il écrasa son mégot sous le talon de sa chaussure.

— Trouvez-moi une plaque et je m'y mets !

— Tiens ! aboya Touton en arrachant la sienne de sa poche de poitrine. Prends la mienne ! Et maintenant, tâche de réussir !

Touton tourna les talons et repartit vers le bâtiment de la police. Cinq-Mars resta sur le chantier à regarder d'un air absent le squelette de l'immeuble, en espérant que cela ne serait pas son Dieppe à lui. Le capitaine Touton, l'increvable survivant, paraissait oublier que les gentils avaient perdu cette bataille, que leurs troupes avaient été écrasées.

CHAPITRE 23

1970

Cinq-Mars rentra chez lui après douze heures de service et dormit jusqu'à midi. Dans un demi-sommeil il avait entendu les femmes se lever et prendre leur petit déjeuner. Il se sentait triste et n'avait qu'une envie : se rendormir.

En fin d'après-midi, il reçut un coup de téléphone.

— Alors, petit, comment ça va ? lui demanda son chef de patrouille.

— Bien, et vous ?

— Ecoute. Un sergent de la Sûreté a appelé, en prétendant que c'était toi qui lui avais donné mon numéro. Il a dit que ton type était revenu à la prison. Qu'est-ce que cela veut dire ?

Emile mit quelques secondes à comprendre puis se rappela : le père François rendait visite aux prisonniers.

— Une piste que je suis.

— Ah oui ? Touton m'a dit que tu travaillais pour lui maintenant.

— En mission spéciale, oui, pour quelque temps.

— Fais attention, Emile. Il n'avait pas l'air trop content de toi. Il te traite d'abruti.

Tout cela n'augurait rien de bon.

— On m'a prévenu aussi que tu avais *réquisitionné* pour ton usage une voiture de patrouille. Je préfère utiliser ce terme qui te laisse le bénéfice du doute plutôt que de dire que tu l'as *volée*.

— J'en avais besoin, sergent.

— On a tous besoin de quelque chose, mais toi, pas d'une tire toute neuve ! Ramène cette voiture et prends une vieille bagnole !

Il y avait des moments où la vie dans la police semblait vraiment reposer sur des détails sans importance.

— Je passerai le plus tôt possible, sergent, et je compte sur vous pour que la voiture de remplacement soit prête, n'est-ce pas ? Je n'ai pas de temps à perdre avec cette histoire. (Il avait juste besoin de riposter, de se secouer, mais pour aller où ?)

— Ne prends pas tes grands airs !

— Très bien, sergent, mais j'ai une plaque d'inspecteur dans ma poche.

— Quoi ? (Cinq-Mars entendit le hoquet de surprise de son interlocuteur.) Ne déconne pas avec moi, fiston ! Tu n'es pas encore sergent ! Tu es bien jeune !

— A époques désespérées, mesures désespérées. Je vous la montrerai quand je passerai.

A l'autre bout de la ligne, l'autre resta muet. Difficile à avaler, sans doute.

— Laisse tomber ! Garde la voiture, à moins que tu en souhaites une banalisée.

Il avait changé de ton. Etonnant ce que réussissait à faire cette plaque dorée !

— La bleu et blanc me convient parfaitement », le rassura Cinq-Mars. Puis il décida de remuer un peu le couteau dans la plaie. Il n'avait rien contre son sergent, en dehors de ce qu'il reprochait au service dans son ensemble. Le petit policier romanesque des débuts avait laissé place à un agent expérimenté. Il ajouta : « Pour l'instant.

— Surveille tes arrières, fiston ! conclut le sergent.

Même Cinq-Mars avait conscience qu'il ne se prenait pas pour n'importe qui quand il déclencha la sirène et le gyrophare pour foncer vers le QG de la Sûreté.

A chaque carrefour important, des soldats équipés d'armes automatiques regardaient cette voiture de police passer en trombe. Il sentait sa motivation revenir.

N'étant pas très sûr de ce qu'il ferait une fois dans la prison de la Sûreté, il choisit de se garer le long du trottoir et de rester assis dans la voiture ; personne ainsi ne remarquerait sa présence. La moitié des véhicules stationnant aux alentours appartenaient à la police, et la majorité des voitures banalisées sans doute aussi.

L'immeuble occupé par la direction de la Sûreté rue Parthenais, près de l'extrémité nord du pont Jacques-Cartier, se dressait comme un étroit monolithe noir. De sa place il apercevait les fenêtres munies de barreaux des deux premiers étages où il escortait les prisonniers. Croisant les mains derrière son cou, il soupira, et pour la première fois de sa vie ressentit vraiment la pression, une tension difficile à maîtriser. Son corps avait besoin de se détendre, ses muscles de s'étirer, même si, dans son esprit, il se sentait prêt. C'était pour cela qu'il était entré dans la police.

Il attendait le père François en espérant qu'il surveillait bien la bonne sortie. Il devait prier aussi pour que le prêtre fût, comme tout le monde très occupé et qu'il ne resterait pas indéfiniment à l'intérieur.

Il ne tarda pas à être exaucé : la grande silhouette du père François apparut. Le pas traînant, les mains enfoncées dans les poches de son pantalon, il avançait lentement, à cause de son obésité, mais paraissait déterminé. Il regarda sa montre et Cinq-Mars l'imita : quatre heures quarante-huit. Le prêtre se dirigea vers la station de taxi proche de l'entrée. Cinq-Mars n'avait qu'à le suivre. Avant d'arriver dans le centre, le taxi vira vers le sud, vers le Vieux Montréal. Cinq-Mars profita de la voiture de police pour se garer dans une ruelle donnant sur l'étroite rue Saint-Paul. Dans le quartier, les places étaient rares. Le prêtre devait être pressé, car il débuola du taxi et s'engouffra dans un bar-restaurant.

Cinq-Mars y entra quelques minutes après et s'assit sur un tabouret un peu à l'écart, espérant ne pas se faire repérer.

Il aperçut son crâne chauve qui brillait contre le mur du fond. Les clients étaient très nombreux, une colonne lui bouchait en partie la vue : il mit donc un moment à identifier l'homme assis en face de lui. Il changea de tabouret et le distingua alors clairement ; son sang se glaça dans ses veines.

Le prêtre et son chef, Armand Touton, semblaient lancés dans une conversation animée.

En gagnant la sortie, Cinq-Mars nota qu'il se trouvait tout près du commissariat central.

Il était soufflé.

Cinq-Mars entendait encore Touton lui ordonnant, il y avait quelque temps déjà, de surveiller le père François. Quand Touton avait-il pris contact avec lui ? Avant ou après ? Il avait beau réfléchir, il ne comprenait rien aux alliances, aux trahisons et aux accords qui liaient tant de personnalités diverses. Il se souvint alors d'une réflexion du capitaine Gaston Fleury : il n'était pas impossible qu'il s'attaquât au *peuple*, non pas à telle ou telle personne, à telle autorité ou à telle institution, mais à tout un imbroglio de mythes et d'allégeances qui constituaient le tissu de la population tout entière.

En montant dans sa voiture bleue et blanche, Emile Cinq-Mars se sentait absolument seul au monde : personne à qui faire confiance ou à qui demander un service, personne à avertir. Pour la première fois aussi, sans qu'aucune menace ne se précisât, il ressentait de la peur.

Il démarra et s'arrêta au bout de quelques mètres. Des enfants ou des sympathisants des terroristes, quelqu'un en tout cas avait dégonflé les deux pneus avant.

Heureusement, ils n'avaient pas été tailladés à coups de couteau, et, à petite allure, il put atteindre les bureaux de la police, tout proches.

En fin d'après-midi, Jasper Cross se sentit bizarre et pris de vertiges. Il lui semblait que ses testicules se recroquevillaient comme des petits pois et s'efforçaient de se glisser dans ses entrailles, lui arrachant un cri de douleur. Ses ravisseurs se précipitèrent alors dans la pièce ; un jeune homme lui posa une compresse fraîche sur la nuque, ce qui le fit sursauter comme si on l'avait poignardé. Il avait tellement transpiré que ses vêtements étaient trempés. Il était persuadé que sa vie touchait à sa fin. Il leur avait facilité les choses avec cette crise cardiaque ou cette attaque : il mourrait sans qu'ils aient besoin de lui tirer une balle dans la bouche. Ils s'efforçaient pourtant de le calmer, de lui parler avec douceur ; il s'apaisa enfin et commença à se sentir à peu près normal.

Sa respiration, rapide et désordonnée, ralentit.

Il diagnostiqua ce qu'il venait de traverser : « *Une crise d'angoisse.* » Cela lui fit du bien d'avoir mis un nom sur son malaise, cela le rassurait, mais il se doutait qu'une nouvelle crise était imminente.

Comment l'empêcher ? On avait tué le ministre du Travail du Québec.

Pierre Laporte était mort.

Inutile de faire semblant maintenant.

Ils avaient tué l'autre prisonnier.

Son tour viendrait.

Sa vie se prolongeait dans un équilibre précaire et même ses geôliers, qui auraient pu prétendre le contraire, le savaient désormais.

Ils ne prenaient soin de lui que pour le garder en vie jusqu'au moment où ils décideraient sa mort.

Comme une volaille de basse-cour.

Au cas où il n'aurait pas entendu la nouvelle à la télévision, la femme la lui répéta :

— Ce salaud est mort ! Bon débarras ! Ils l'ont étranglé, à ce qu'on dit. Avec du fil électrique... Ils l'ont fourré dans le coffre d'une voiture. Comment dit-on en Angleterre ? *Merry old England ?* Dans le coffre ! Ils l'ont fourré dans le coffre d'une Chevrolet !

496

— Fous-lui la paix! tonna une voix masculine.

— Ce type s'imagine qu'on va le fourrer dans une Rolls-Royce ou une Jaguar!

— Arrête, j'ai dit! Ça suffit!

C'était un changement : quelqu'un tenait tête à la femme. Le meurtre de Laporte avait changé la donne, enfreint les règles.

Pierre Laporte! Oh! Le pauvre homme! Quel malheur pour sa famille!

Provoquée par l'angoisse, une douleur viscérale montait de son cœur, lui comprimait la poitrine et lui bloquait la trachée. Il se mit à tousser, à suffoquer. *Pauvre homme!*

Une crise d'angoisse. *Qu'elle n'aille pas aussi loin que la précédente!* Elle l'avait laissé dans un tel état... Il lui fallait être plus fort, ne pas s'abandonner au désespoir. Rester jusqu'à la fin un diplomate sans émotions. Si seulement on lui enlevait son bandeau sur les yeux. Si seulement ils desserraient ses liens. Si seulement on le laissait pisser et déféquer tout seul, prendre un bain, savourer le contact de l'eau, se ressaisir. Si seulement il pouvait discuter avec ces gens. Si seulement ils lui donnaient l'occasion de scruter leurs pensées. Si seulement... sans cette horrible *anxiété*, peut-être réussirait-il à y voir clair, à réagir. Si seulement il recouvrait la liberté.

Leurs amis ont tué Laporte et ils songent maintenant à me tuer. Ils se préparent. C'est mal. Eh! C'est mal ce que vous vous apprêtez à faire! Les Écritures vous l'interdisent! Vous avez été catholiques autrefois! Vous avez appris la différence entre le Bien et le Mal. Ça, c'est mal!

Il se balança sur le siège sur lequel il était attaché. Il repoussait de toutes ses forces une nouvelle crise, mais c'était si dur, si difficile de rester calme et impassible. Un diplomate.

Tuer ce pauvre M. Laporte, ça aussi c'était mal! Vous ne savez donc pas? Vous ne savez donc plus rien? Avez-vous perdu l'esprit?

Il répétait ce qui serait peut-être sa dernière supplique.

Souvenez-vous, je suis irlandais!

Dans son imposant bureau, le Premier ministre Pierre Elliot Trudeau pensait à son ami tué par le FLQ. Peut-être était-il mort précisément parce qu'il avait été son ami. Les radicaux déchaînés voulaient attirer l'attention et ils étaient prêts à tuer pour cela. Même si leur politique était maintenant entachée par ce meurtre, on ne pouvait plus ignorer leur détermination à faire le mal.

Ils étaient devenus des tueurs.

Cela changeait tout.

Pourtant, malgré toutes les exigences qui pesaient sur lui, il consacra quelques instants à évoquer le souvenir de son ami. Un brave homme, un père de famille, un journaliste à l'intégrité reconnue, un ministre du gouvernement mais, surtout, un copain. Assassiné. D'abord étranglé, puis abattu. Fourré dans un coffre de voiture. *Les salauds!*

Il répéta tout haut : « Salauds ! »

Il fallait se surveiller. Sa charge exigeait beaucoup de lui en ce moment et il n'avait pas le droit d'oublier ses devoirs pour nourrir et ressasser des griefs personnels. Il ne devait pas non plus assumer l'entière responsabilité de cette mort. Il lui fallait gouverner et tenir bon. Le pays n'allait pas tarder à anticiper ses mouvements. Des experts laisseraient bientôt entendre qu'il avait lui-même resserré ses mains sur la gorge de Laporte, même si les sondages indiquaient que la population soutenait le recours à l'armée et la suspension des droits civiques, et ce aussi bien chez les Anglais que les Français. Savoir le peuple derrière lui le réconfortait bien sûr. Cela dit un homme était mort : il avait cherché à lui sauver la vie en prenant ces mesures : il avait échoué, et tragiquement. Pourtant, il le redit d'une voix étouffée, dans le sanctuaire de son bureau, pour échapper un instant au décorum de son devoir et n'être plus qu'un homme, dans la rue, exprimant une opinion : « Salauds ! »

Puis il se replongea dans l'étude des résultats de la police et de l'armée pendant que ses collaborateurs préparaient les funérailles.

Pour commencer, le ministre des Affaires étrangères, toujours prêt à donner un récital, avait prévu un duo avec l'ambassadeur britannique. Puis le secrétaire d'Etat occuperait la scène pour son assommant numéro de soliste, suivi par un horrible quartette de généraux, un chœur de directeurs de la police, avec la note dissonante du chef de l'opposition, une violente réaction du secrétaire au Travail, puis ce serait le tour de Marc Lalonde, son ministre des Finances, qui avait supplié qu'on lui laissât le temps de préparer son texte.

Il n'avait pas le temps d'éprouver du chagrin, et pourtant le chagrin le rongeait. Il devait se remettre au travail. Il devait gouverner.

Anik croyait pourtant connaître un certain nombre de choses, mais, depuis ces derniers jours, plus rien n'était clair. Certains des amis auxquels elle faisait confiance depuis des années étaient devenus amers ou craintifs. Ils ne voulaient pas croupir en prison pour leurs opinions radicales, plus tout à fait convaincus, d'ailleurs, qu'elles étaient vraiment radicales. Ils n'approuvaient pas que des Français s'entre-tuent au nom de la haine des Anglais pour faire pression sur les hommes politiques français. A quoi cela rimait-il? Quelques-uns étaient perturbés par l'idée que des événements passés leur avaient laissé du sang sur les mains. D'autres, en revanche, s'épanouissaient dans le tumulte de la violence. Mais, pour la plupart, la situation devenait plus confuse. Certes, discuter dans un bar ou une salle de classe de l'avenir du Québec avait été grisant, mais proclamer de tout son être que le véritable avenir du pays consistait à suivre la formule de Mao : « le pouvoir n'existe que dans le canon d'un fusil », était moins fascinant qu'on ne l'avait pensé. Toujours confuse, l'idée aujourd'hui semblait réactionnaire : elle allait *contre la vie*.

Suivre les changements de vent était bien éphémère : un soir, elle entendait en effet un argument qui allait dans ce sens et le lendemain son contraire. Puis elle se rendait compte que la même personne se faisait l'avocat des deux points de vue, changeant simplement d'avis dans la journée, à mesure qu'arrivaient des nouvelles fraîches et qu'on débattait d'autres événements. Et ils étaient nombreux à réagir ainsi. Un homme qu'elle connaissait se moquait depuis longtemps de l'intérêt qu'elle portait à la politique, et voilà, tout d'un coup, que non seulement il suivait les derniers détours de l'actualité mais qu'il émettait des opinions radicales. Il proposait, même si c'était sous l'emprise de l'alcool, de former leur propre cellule terroriste. « Eh, mon vieux, va d'abord en discuter avec ta femme ! » Bien des radicaux s'accrochaient joyeusement à leurs opinions, des socialistes et des séparatistes défendaient gaiement une position ou une autre ; mais le passant, la femme à son bureau, la fillette sur le chemin de l'école, la mère avec sa poussette, les grands-parents qui s'inquiétaient de l'avenir de la société : parmi ceux-là, rares étaient ceux qui se sentaient en sécurité ou fermement convaincus de ce qu'on devrait faire ensuite, si tant est qu'on eût un objectif.

Cela dit, chacun suivait les nouvelles, colportait chaque rumeur et la commentait.

Anik, pour sa part, se sentait traquée.

Elle avait rassemblé ses amis, sous le prétexte de garder le contact, mais en réalité pour savoir ce qu'ils pensaient. Il s'agissait de ceux sur lesquels elle était tombée au milieu de l'émeute de la Saint Jean-Baptiste, deux ans et demi plus tôt. Ce passé semblait aujourd'hui différent, mais seulement parce qu'ils avaient changé. Ils nourrissaient toujours des idéaux et des rêves pour le pays, mais tant d'entre eux, hélas ! n'étaient aujourd'hui que de la poudre aux yeux. Ces temps-ci, elle avait été en contact avec chacun des quatre, et pourtant ils ne formaient pas un groupe. Un garçon déclara qu'à aucun moment, depuis qu'Anik fréquentait René Lévesque, ils n'avaient formé un groupe. Mais elle ne voulait pas entendre ses récriminations. Elle lançait en ce moment des idées qu'elle considérait d'une importance plus vitale que leurs petits problèmes d'amitié.

Quand elle arriva à leur habituel point de ralliement souterrain, rue Saint-Denis, les deux étudiants en littérature, Vincent et Pierre, étaient déjà là et occupaient une niche dans un coin. On leur avait servi des bières, Anik les embrassa sur les deux joues, dans la tradition de la Province, et leva un doigt en direction du serveur pour indiquer qu'elle prendrait la même chose.

— Qu'est-ce que vous devenez? demanda-t-elle. Faisons un marché : pendant deux minutes, on ne parlera pas de Laporte.

Vincent avait décidé de reprendre ses études pour passer une maîtrise. Etant donné les circonstances – au milieu de tant de chaos et d'incertitude –, Anik trouva ce choix politique. Pierre, lui, avait lâché l'Université sans intention d'y revenir ni de rien faire qui pût paraître vaguement adulte. Ses amis estimaient qu'il souffrait d'un étrange orgueil : il n'accepterait qu'une vie qui lui convînt; mais Anik était convaincue qu'il était fondamentalement trop paresseux pour que ça marche.

Ils lui demandèrent ce qu'elle avait fait ces derniers temps.

— Je me suis planquée, leur répondit-elle.

— Anik, riposta Vincent, tu ne t'es jamais ralliée à aucun parti pour ne jamais figurer sur aucune liste. Tu te souviens? Et tu prétends maintenant que ton nom y est inscrit?

— Celui de ma mère. Je me planque avec elle pour lui tenir compagnie.

Ses expériences paraissaient toujours plus excitantes que les leurs.

Puis Jean-Luc arriva. Anik s'aperçut tout de suite que le virus de l'époque, la paranoïa, l'avait atteint : elle devrait prendre un peu ses distances ou du moins rester son amie sans rien lui demander. Il pérorait et prononçait rarement une phrase sans dire « soldats », « vendus », « porcs », « cette pute de Trudeau » ou encore « cette merde de Bourassa ». Il avait complètement adopté le vocabulaire de l'époque, ce qui la surprit car il avait toujours été plongé dans les livres et émettait des idées qui étaient en retard sur la réalité. Désormais, on avait le sentiment que la réalité l'accablait, comme si son univers cérébral avait implosé. La révolution, ou du moins ce qu'on appelait maintenant « la crise d'octobre », l'avait enterré vivant.

Paul arriva en dernier, créant une autre surprise jusqu'au moment où il s'expliqua. Il s'était toujours montré le plus sociable d'entre eux, il invitait des gens à prendre une bière et les persuadait de veiller le plus longtemps possible. Anik se souvenait qu'il n'avait jamais été en retard à une réunion, *jamais*. Mais ces derniers temps, Paul se trouvait dans son élément : il étudiait la photographie et rêvait de créer des œuvres d'art par le truchement de l'objectif. Les kidnappings et l'arrivée de l'armée avaient changé son point de vue et il souhaitait maintenant photographier la vie comme elle se présentait sur le moment, il voulait prendre des instantanés d'actualités.

— D'une manière ou d'une autre, nous allons nous tirer de là, suggéra Anik, alors, tu n'auras plus de grands moments.

— Envoie-moi vers la prochaine crise. Une guerre. Un tremblement de terre. Une famine, une épidémie, peu m'importe ! Je veux des sensations fortes, tu comprends ? J'y ai pris goût, je suis accro.

Ils le croyaient : il avait découvert sa véritable vocation et baignait dans un nouvel enchantement. Anik songea alors qu'il n'y avait qu'à lui, Paul, qu'elle se fierait.

Le message laissé par Touton sur la radio de la voiture de patrouille ordonnait à son jeune protégé de se rendre à toute allure au nord du quartier industriel, près d'une autoroute.

— A toute allure ? se fit-il préciser par la standardiste. (Dans son esprit, il s'agissait d'une question de pure forme. Ces messages personnels par radio étaient inhabituels et il avait réagi un peu bêtement, mais la femme prit sa question au sérieux.)

— Gyrophares allumés, lui répondit-elle en transmettant la réponse de Touton.

Il fonça et rejoignit quelques minutes après son chef devant un entrepôt délabré qui jouxtait un atelier de confection ; chacun freina brutalement pour éviter la collision. D'autres policiers, déjà sur place, traînaient, désœuvrés, dans les parages ; quand ils virent Touton dégainer son pistolet et s'engouffrer dans le bâtiment, ils s'empressèrent de l'imiter. A cause de la bousculade, Cinq-Mars ne rattrapa le chef de la Patrouille de nuit qu'une fois à l'intérieur.

— Vous deux ! lança le capitaine. Gardez l'ascenseur ! Quand les renforts seront là, dites-leur de procéder à l'évacuation totale de l'immeuble. Les autres, prenez l'escalier !

Il atteignit le quatrième étage le souffle court, mais ne ralentit pas pour autant. Au cinquième, deux inspecteurs de la police montée tentèrent de leur barrer l'accès.

— Capitaine, intervint le premier, on ne passe pas ! Ce n'est pas légal !

— Posez-vous des questions. Vous vous trouvez déjà ici et la police montée n'appelle pas la police de Montréal à la rescousse pour mener une opération illégale. Qui donc m'a demandé de venir ici ? Quand vous aurez la réponse, alors demandez-vous pourquoi.

Le policier réfléchit une seconde puis s'écarta, tandis que Touton et ses dix hommes s'élançaient dans le couloir. Ils franchirent en trombe deux larges portes et Cinq-Mars brandit son arme.

— Police ! On ne bouge plus !

Les six types qui se trouvaient là s'attendaient à des ennuis. Ils portaient des armes semi-automatiques nonchalamment accrochées à leur ceinture. L'un d'entre eux prit la parole ; un fort accent espagnol ne l'empêchait pas de bien parler français.

— Nous avons déjà tout expliqué aux policiers de la GRC : cet entrepôt est sous le contrôle de l'ambassade cubaine, vous vous trouvez en territoire cubain. Vous devez partir. En pénétrant ici, vous violez les lois internationales.

De petite taille et arborant un air sarcastique, cet homme parut à Cinq-Mars rusé et expérimenté. Un soldat.

Touton examina la pièce et constata que s'y trouvait ce qu'on lui avait annoncé. Ses collègues ignoraient tout des raisons de cette descente et l'un d'eux, examinant la scène, pâlit visiblement. Cinq-Mars jeta un coup d'œil à son tour et comprit que c'était du sérieux. Il pourrait y laisser la vie.

— Qui êtes-vous ? interrogea Touton.

L'homme haussa les épaules et fit un geste de la main comme s'il inventait :

— Miguel.

— Miguel, il faut que vous compreniez que si les autres policiers sont partis, nous n'avons pas, nous, l'intention de les imiter. Les armes que vous détenez ici, la dynamite, les explosifs, les grenades n'ont aucun motif de se trouver sur le sol canadien...

— Nous sommes officiellement en territoire cubain...

— Je m'en fous ! » hurla le capitaine. Le Cubain se montra soudain moins arrogant ; il avait compris que les usages de la diplomatie pourraient bien ne plus le protéger. « Vous avez introduit des explosifs et du matériel destiné à confectionner des bombes dans un pays qui combat une insurrection. J'ai été jadis soldat et, en cet instant, c'est en soldat que je vous parle, non en policier. On ne vous permettra pas de faire sauter la ville et ses habitants, et je me fous éperdument de votre foutue immunité diplomatique ou de vos lois internationales. Est-ce assez clair ?

— Mes hommes sont mieux armés que les vôtres.

— Alors, chez vous comme chez nous, quelques-uns mourront. Et vous, Miguel, vous inaugurerez la liste. Dès ce moment, vous l'aurez votre incident international ! Mais aucun Cubain, aucun terroriste n'aura accès à ce matériel.

Ils se trouvaient dans une impasse : personne n'avait d'initiative à proposer. Cinq-Mars entendit une porte s'ouvrir derrière lui et se retourna. Une demi-douzaine de policiers de la GRC entrèrent, parmi lesquels ceux qui s'étaient interposés dans le couloir. Ils portaient des fusils semi-automatiques.

— Je l'ai déjà dit à vos hommes, reprit le Cubain, vous n'avez aucun droit ici ! Vous êtes à Cuba !

— Tout à l'heure, on était des flics, répondit l'officier le plus haut en grade, mais on a démissionné, du moins provisoirement. Maintenant, on est des durs à cuir, et armés. Partez tout de suite sinon nous aiderons cet homme à vous faire sauter la cervelle !

Miguel, immobile, regarda les policiers puis ses hommes. Aucune aide de ce côté-là : ils semblaient attendre.

Un téléphone sonna, faisant sursauter tout le monde.

Un des Cubains répondit : c'était pour Miguel.

— Excusez-moi, lâcha ce dernier en s'approchant de l'appareil. *Si*, dit-il, puis il se contenta d'écouter. Au bout d'un moment, il revint se poster devant les policiers.

— Que dit Castro ? s'informa Touton.

Miguel s'éclaircit la voix.

— Si la moindre mention de cet épisode figure dans la presse, nous publierons un démenti qui provoquera un incident international et embarrassera votre gouvernement. Si vous n'êtes pas d'accord, ajouta-t-il en désignant ses hommes, il nous faudra mourir ici. Beaucoup d'entre vous mourront aussi, probablement tous, si quelque chose explose.

Le capitaine de la Patrouille de nuit regarda autour de lui. Aucun de ses hommes ne bougea.

— Bien, fit-il, on reste. Je ne vois pas de journalistes dans les parages, et vous ?

— Ce doit être plus officiel que cela.

— J'ai compris, intervint le policier de la GRC qui leur avait déjà parlé, et il quitta la pièce.

Il s'absenta sept minutes, durant lesquelles les hommes se dévisagèrent, n'osant même pas cligner des yeux, prêts à tirer. Chacun craignait pour sa vie et ne quittait pas des yeux son vis-à-vis qui pourrait bientôt l'abattre.

Le policier de la GRC revint.

— Qu'en dit Trudeau ? l'interrogea Touton.

Le policier de la GRC haussa un sourcil puis répondit :

— C'est réglé.

Ils attendirent, se regardant dans les yeux.

Quand la sonnerie du téléphone retentit de nouveau, personne ne sursauta. Miguel répondit.

— *Si*. (Il écouta, puis il reprit :) *Si*, et raccrocha.

Sans accorder un seul regard aux policiers, Miguel, suivi de ses hommes, se dirigea vers la porte devant laquelle chacun déposa son fusil avant de quitter la pièce.

— Rassemblement! ordonna le policier de la GRC après leur départ.

Les policiers municipaux et ceux de la GRC se groupèrent autour de lui.

— Cette pièce contient assez d'explosifs pour faire sauter un pont; dans une foule, ils feraient des milliers de victimes. De plus, il y en a en quantité suffisante pour répéter à de nombreuses reprises ce genre d'opération. Votre pays n'aura jamais l'occasion de vous remercier, mais je le fais en son nom. Maintenant, le devoir nous impose de garder le secret. Il n'en sera pas fait état dans les journaux, parce que cela provoquerait plus de merde que nous n'avons les moyens d'en endiguer. Le capitaine Touton a raison : cette décision vient de Trudeau lui-même. Si ce qui vient de se passer ici aujourd'hui se sait, vous serez tous virés. Capitaine Touton, merci. (Les deux hommes échangèrent une poignée de main.) Si vous le permettez, nous allons maintenant nous occuper de cela.

— Je ne tiens pas à rester ici.

Personne n'ouvrit la bouche avant d'être dehors; Emile Cinq-Mars, malgré son esprit religieux et le fait qu'il jurait rarement, lança alors calmement :

— Nom de Dieu! Sommes-nous en guerre?

— Si c'est le cas, répondit Touton en cherchant ses cigarettes, nous sommes les seuls à le savoir. Ça y est! Voilà ce dont Trudeau parlait à la télé, *l'appréhension de l'insurrection*, c'est ainsi qu'il s'exprime quand il s'adresse à des gens auxquels il ne peut rien dire. Désormais, il ne peut toujours pas en parler, à moins que Castro ne meure... (Il se tourna lentement vers les autres et lança un dernier ordre :) Tout le monde dehors, avant que quelqu'un ne se demande ce que nous fabriquons ici! Cinq-Mars, venez avec moi un instant.

Ils contournèrent le bâtiment pour se mettre à l'abri du vent.

— Tiens! lâcha Touton en tendant une enveloppe au jeune homme. Les listes d'arrestations que tu voulais. Les deux noms y figuraient, ils ont été supprimés.

— Merci.

— Et ceci. (Une autre enveloppe émergea de la poche de la veste du capitaine.) Ne le perds pas!

Nul besoin de regarder à l'intérieur pour en deviner le contenu, lequel ne pesait pas plus lourd qu'une pièce de dix cents, il se contenta de palper et d'identifier un fragment : un éclat de pierre de la Dague de Cartier.

— Merci encore.

— Merde, cesse de me remercier et fais quelque chose ! rétorqua Touton.

— Monte ! ordonna Anik. Tu n'y arrives pas ?

— Pas avec tout mon barda ! répondit-il.

— Balance-le !

— Comment ça ? J'en ai besoin.

— Tout ce dont tu as besoin, c'est d'un appareil photo.

Paul ne pensait pas comme elle : il lui fallait son trépied et ses cellules, un assortiment de ses objectifs et de ses filtres, son téléobjectif à coup sûr, le zoom, un rouleau de film, les sacs pour les autres appareils, un flash, ses....

— Grimpe sur cet arbre et prends tes foutues photos dès que le premier connard se présentera !

— Où en sommes-nous ?

— Monsieur, l'armée contrôle les rues...

— ... et les ravisseurs me contrôlent.

— Vous ne le pensez pas, Monsieur. Si je puis me permettre, Monsieur le Premier ministre, nous progressons sur bien des fronts. Nous pensons connaître quelques-uns des ravisseurs, simplement, nous n'arrivons pas à les trouver...

— Vous appelez ça progresser ?

— La police resserre le filet.

— Si elle ne sait pas où chercher, comment peut-elle resserrer le filet ?

— Ce n'est plus qu'une question de temps.

— D'où tenez-vous que nous avons le temps ? Un ministre du Québec mort et James Cross introuvable ? Vous resserrez les mailles du filet, mais vous ignorez autour de quoi le lancer. Et si cette cellule, ou une autre, procède à un autre enlèvement ? Et si les meurtriers de Laporte frappent encore ? Nous connaissons leur détermination à tuer et rien que pour cette raison, je ne peux pas tolérer que le commissaire de la police montée m'annonce que l'enquête reste au point mort.

Sa secrétaire lui indiqua par téléphone que quelqu'un demandait à le voir.

— Qui ça ?

— Un inspecteur de police de Montréal.

— Quel est son nom ?

— Emile Cinq-Mars. Il veut vous parler.

— Dites-lui de passer par la voie hiérarchique. Qu'est-ce que cela signifie? Le pays n'est pas encore en plein chaos, alors qu'il suive la voie hiérarchique ou qu'il aille se faire voir!

— Monsieur, il est à côté de moi.

— Je me fiche pas mal qu'il écoute! Notez le nom de son supérieur avant qu'il s'en aille.

Le Premier ministre se retourna vers le commissaire.

— Quels sont vos plans?

— Monsieur le Premier ministre, nous estimons que le trajet de la voiture transportant le corps de Laporte n'a pas été long. Il était très probablement détenu sur la Rive Sud, sans doute très près de l'aéroport.

— Cross est détenu par une cellule différente, à coup sûr dans un lieu différent, lui rappela Trudeau.

— Evidemment, Monsieur, mais la moindre piste concernant une cellule nous aide à retrouver l'autre. Du moins l'espérons-nous. La voiture est un indice. Nous travaillons avec ce dont nous disposons et nous disposons de la voiture.

Le Premier ministre secoua la tête en remarquant que le voyant du téléphone s'allumait de nouveau.

— Monsieur, il insiste, commença la secrétaire.

— Comment est-il entré ici? Il n'est pas accompagné par un policier de la GRC?

— Si, Monsieur.

— Alors dites-lui de le ramener dehors. S'il souhaite un ordre direct du commissaire, précisez-lui qu'il se trouve en ce moment même avec moi.

— Bien, Monsieur. (La voix reprit quelques instants plus tard.) Le policier de la GRC le reconduit à la porte, Monsieur, mais il a dû demander de l'aide pour y parvenir. Ce policier est agressif, Monsieur, et il prétend avoir quelque chose à vous montrer avant que vous ne preniez une décision définitive.

— J'ai pris ma décision.

— Il veut seulement vous montrer quelque chose, Monsieur, pas que vous le receviez, dit-il.

Un flic agressif! Le commissaire en ricanait, tout en déplorant le manque de discipline des services moins évolués.

Le Premier ministre pressa le bouton de contact.

— Ne quittez pas. (Il regarda le commissaire en haussant les épaules.) Allez chercher ce qu'il a à me montrer, voulez-vous?

— Monsieur...

— S'il nous fait perdre notre temps, nous veillerons à ce que cet inspecteur soit puni.

— Bien, Monsieur.

Le plus haut fonctionnaire du pays s'acquitta rapidement de cette tâche plutôt modeste et revint avec une grande enveloppe kraft pliée en trois et cachetée. Ce qu'elle contenait semblait étrangement léger et peu encombrant.

— Qu'est-ce que cela peut bien être ? se demanda Trudeau. (Le commissaire attendait de le découvrir aussi.) Comment avez-vous trouvé ce Cinq-Mars ?

— Jeune..., répondit-il aussitôt, avant d'ajouter : et intelligent, mais je pense que vous devriez savoir qu'il est trop jeune pour avoir une plaque dorée. Il prétend qu'elle lui a été remise par le capitaine Armand Touton, pour lui permettre de s'acquitter d'une mission spéciale dans l'enquête qu'il conduit. Ça reste un policier de Montréal, vous savez ce que cela signifie...

Trudeau ne releva pas l'insinuation.

— Touton ? Nous lui sommes redevables d'avoir réglé l'histoire des Cubains.

— C'est curieux, Monsieur.

— N'est-ce pas ?

— Peu importe le contenu de cette enveloppe, Monsieur, nous devrions commencer par contacter Touton pour nous renseigner sur ce jeune policier.

— Il paraît intelligent, dites-vous ? Drôle de description, commissaire.

— Monsieur ?

Le Premier ministre saisit un coupe-papier fabriqué par des Inuits avec une défense de morse, ouvrit l'enveloppe et regarda l'intérieur, mais sans toucher à l'objet qui s'y trouvait.

— Qu'est-ce que cela peut bien être ? lâcha-t-il, s'adressant plus à lui-même qu'à son interlocuteur. (Il continua à l'examiner, tout d'abord déconcerté par ce contenu qui semblait bien innocent. Il sortit l'objet et l'approcha de la lumière en le tenant entre le pouce et l'index.)

De l'autre côté du bureau, le commissaire examinait lui aussi le fragment gris pâle.

Le Premier ministre rangea l'objet dans l'enveloppe, puis appuya sur le bouton du téléphone intérieur.

— Je vais le recevoir, annonça-t-il à sa secrétaire.

— Monsieur, protesta le commissaire, nous devrions contacter Touton.

— Pas la peine.

— De quoi s'agit-il, Monsieur ?

— Ce sera tout, commissaire. Bonne chance à vous et à vos hommes. Nous comptons sur vous.

— Oui, Monsieur le Premier ministre.

Le commissaire sortit du bureau, vexé.

Il se leva pour accueillir le mystérieux inspecteur qui voulait lui montrer la partie manquante de la pointe du célèbre poignard. La dernière fois qu'il en avait entendu parler, il était fiché dans le cœur d'un pauvre diable.

Les genoux un peu flageolants et le cœur battant, Emile Cinq-Mars entra.

— Inspecteur Cinq-Mars, lâcha Trudeau comme une accusation.

— Monsieur..., commença le jeune homme, se découvrant la bouche sèche. (Il avait parlé anglais, Dieu sait pourquoi, dans l'antichambre et revenait cette fois au français en trébuchant sur les mots.) Merci de me recevoir. (Il se surprit à s'incliner légèrement, ne sachant pas très bien quelle attitude adopter.)

— Je présume que vous savez ce que c'est, déclara le Premier ministre en brandissant l'enveloppe que Cinq-Mars avait présentée en guise de carte de visite.

— Certainement, Monsieur le Premier ministre. » Il avança de quelques pas sur la moquette claire en espérant ne pas laisser derrière lui des traces de boue et parcourut la pièce du regard. « Tout comme vous.

— Ah oui ? Jetez donc un coup d'œil dans mon bureau, inspecteur. De toute évidence, vous en avez envie. » Se retournant, Trudeau passa derrière son bureau pour s'installer dans son grand fauteuil tournant, d'où il observa son visiteur.

Cinq-Mars inspectait en effet la pièce. Cette pause lui permit de remettre de l'ordre dans ses pensées. Il était impressionné par les lambris d'acajou et l'épaisse moquette. Le cadre lui semblait cependant modeste pour un chef d'Etat. Le mur derrière un canapé était orné d'une tapisserie inuit représentant des chasseurs de morses et de loups. *Les igloos constituent la décoration parfaite pour un dirigeant canadien*, songea Cinq-Mars surpris d'apprécier l'odeur qui régnait dans le bureau, comme si boiseries et rayonnages exhalaient le parfum évocateur du temps.

Les volets intérieurs, repliés, laissaient voir les fenêtres en ogive, leurs panneaux se refermant au sommet comme des mains en prière et conférant à la pièce une ambiance de cathédrale.

— Asseyez-vous, je n'ai ni le temps ni la patience de me perdre en digressions. Comme vous devez le savoir, les services de la police de Montréal n'ont pas très bonne presse actuellement.

— Je pensais que, peut-être, après l'incident avec les Cubains... (Il s'arrêta en voyant le Premier ministre le foudroyer du regard.)

— Aucun incident n'a impliqué des Cubains et les services de police de ce pays.

— Autant pour moi, Monsieur.

— Les piètres résultats de la police de Montréal demeurent notre seule référence.

La réputation du service avait été en effet gravement compromise. Après avoir découvert et perquisitionné la maison abandonnée où Laporte avait été retenu prisonnier, les policiers avaient noté une adresse sur le Chemin de la Reine Marie. Ils y étaient tombés sur une jeune étudiante, qui était venue leur ouvrir, et, se cachant derrière un fauteuil, Bernard Lortie, l'un des suspects du meurtre de Laporte. Les policiers de Montréal étaient ravis de leur coup. Lortie était prêt à se mettre à table – on se moquait de lui dans la presse –, et il ne restait plus qu'un appartement à fouiller pour y trouver de nouveaux indices. Les flics, après y avoir passé plus de vingt-quatre heures, laissèrent deux inspecteurs en faction ; ceux-ci allèrent dîner et découvrirent en revenant sur les lieux qu'une fausse cloison avait été éventrée, révélant un réduit avec des bancs, de l'eau et des provisions. Pour se moquer encore davantage de la police, les hommes qui s'étaient terrés là avaient laissé leurs empreintes dans tout l'appartement, qui venait d'être passé au peigne fin. Les flics avaient complètement foiré leur coup : ils n'avaient pas jugé utile de venir avec des chiens et n'avaient pas repéré la fausse cloison. On aurait pu, à la rigueur, leur pardonner ces erreurs grossières s'ils n'avaient pas fait pire encore : dissimuler ces informations à la Police montée et à la Sécurité et les laisser rechercher les criminels à l'autre bout du pays alors qu'ils étaient à Montréal. Personne n'aurait jamais rien su, si un communiqué du FLQ n'avait pas tout dévoilé, allant jusqu'à vanter les mérites de Bernard Lortie pour n'avoir rien dit de la cloison secrète, si bien que désormais ni les policiers de la GRC ni le Premier ministre n'étaient disposés à faire une nouvelle fois confiance à un policier de Montréal.

— Pourquoi m'avoir apporté ceci ?

— Cela a un rapport avec la crise.

Cette réponse parut déconcerter Trudeau, qui posa l'enveloppe sur le bureau et se frotta la lèvre inférieure du pouce et de l'index de sa main droite. Il examina l'homme face à lui et demanda :

— Quel rapport avec un éclat de pierre ? Vous travaillez, m'a-t-on dit, pour Armand Touton. Or j'ai compris depuis longtemps qu'il détenait ce fragment, une pièce à conviction, prétendait-il. Il invoquait cette raison pour éviter qu'on ne la relègue dans un musée ou qu'on

509

ne la vende aux enchères. Comment vous l'êtes-vous procurée ? C'est Touton qui vous envoie ici ?

— Il sait où je suis.

— Ah ! Mais approuve-t-il votre visite ? Je ne peux pas dire, inspecteur, que vous soyez entré dans cette pièce en utilisant les voies habituelles.

— Il ne s'agit pas d'une visite autorisée. Le capitaine Touton a délibérément choisi de ne pas se mettre sur mon chemin, et c'est lui, en effet, qui m'a donné la pointe de la Dague de Cartier...

— Ah, c'est donc cela.

Cinq-Mars marqua une pause, peut-être pour marquer le dégoût que lui inspirait la fourberie du Premier ministre, car ils n'avaient besoin, ni l'un ni l'autre, de confirmer ce détail. Le Premier ministre possédait le poignard et il connaissait parfaitement la forme de la pointe manquante.

— En me donnant ce fragment, il a facilité cette rencontre.

— Je vois, fit Trudeau en hochant la tête. Mais en quoi ce fragment, comme vous dites, a-t-il un rapport avec la crise que nous traversons actuellement ?

— Il pourrait conduire à l'ouverture de négociations entre les terroristes et le gouvernement pour la libération de James Cross. » Silence. Dans le regard du Premier ministre, Cinq-Mars décela un modeste espoir, une sincère volonté de s'accrocher à tout ce qui lui permettrait de sauver la situation.

— Si vous êtes capable d'amorcer des négociations pour mettre un terme à ce gâchis, Cinq-Mars, alors pourquoi n'avez-vous pas déjà commencé ?

— Détrompez-vous. Ça commence ici avec vous et moi.

— Vous représentez des terroristes ?

— Je représente quelqu'un qui est prêt à nous conduire aux terroristes.

Nouveau silence. Puis le Premier ministre reprit lentement :

— Ne devrais-je pas faire revenir le commissaire dans ce bureau ?

— Pour l'instant, Monsieur, ce sera juste entre vous et moi.

— Dans cette pièce, observa Trudeau, je crois que c'est moi qui décide.

Cinq-Mars en convint d'un bref hochement de tête, puis se leva. Dans un geste d'une lenteur délibérée, il tendit la main à travers le bureau et fit glisser l'enveloppe vers lui, il s'assura que le fragment était toujours à l'intérieur, la rangea dans la poche intérieure de sa veste, puis se rassit.

Le Premier ministre ne le quittait pas des yeux.

— Expliquez-moi une chose, poursuivit Trudeau. Par exemple, pourquoi ne vous ai-je pas fait immédiatement arrêter, ou du moins interroger ? Je suis sûr qu'on peut trouver un motif d'accusation.

— M'arrêter ne nous avancerait à rien. La personne qui sait ce que nous voulons savoir se cache, et, si nous nous lançons à sa poursuite, nous retomberons dans l'habituel jeu du chat et de la souris. Ce serait une perte de temps. Nous détruirions la confiance qui s'installe entre la police, représentée par moi-même, et la seule personne qui semble actuellement en mesure de nous aider.

Le téléphone du Premier ministre sonna. Pressant un bouton, il répondit :

— Ne me passez aucun appel et annulez tous mes rendez-vous.

— Le Premier ministre Bourassa est sur la une.

Trudeau appuya un instant sur le bouton de réponse, mais sans dire un mot à sa secrétaire, puis il déclara :

— Je le rappellerai. (Il coupa la communication et se tourna vers Emile. Cinq-Mars comprit qu'il avait maintenant toute l'attention de son interlocuteur.) Quelles sont les conditions ?

— La Dague de Cartier en échange de l'adresse des terroristes. Le gouvernement doit consentir à négocier avec eux.

— Je ne négocie pas avec des terroristes.

Cinq-Mars avait prévu cette réaction.

— Sauf votre respect, Monsieur, si nous les trouvons et si Cross est toujours vivant, vous négocierez les termes de leur arrestation. S'ils demandent un avion pour Alger ou Cuba, il y a des chances pour qu'ils l'obtiennent. Je ne suggère pas qu'ils obtiendront plus. On vous soumet pour l'instant la proposition suivante : le gouvernement doit négocier de bonne foi un vol vers un pays neutre.

— Cinq-Mars, le ministre d'un cabinet provincial a été assassiné !

— Nous ne parlons pas des assassins de Laporte, seulement des ravisseurs de James Cross, qui le gardent en vie.

— Pourquoi est-ce à moi que vous venez parler d'une ancienne relique ?

— Monsieur, elle est en votre possession.

— Qui le dit ? Vous êtes inspecteur de police, Cinq-Mars, pas un colporteur de rumeurs.

— Dans son ultime confession au père François Legault qui, à ce que j'ai cru comprendre, est un de vos amis, l'ancien maire Camillien Houde a déclaré qu'on vous avait vendu le poignard.

Ebranlé, Pierre Elliot Trudeau se rencogna dans son fauteuil. Il reprit la parole, un ton en dessous :

— Qu'en savait-il ? Rien, pour autant que je sache.

511

— Appartenant à ce consortium, il était l'un des vendeurs, Monsieur. » Trudeau recula cette fois son siège de quelques centimètres et croisa les jambes, une cheville posée sur le genou opposé. « Dans la chambre de Houde, près de son lit, se trouvait une penderie dans laquelle se cachait quelqu'un, une jeune fille, au moment de cette ultime confession. Elle était là quand Houde a rendu l'âme. Elle a grandi maintenant, naturellement, et elle se propose de conclure un marché.

— Une terroriste ?

— Non, Monsieur. Mais elle en sait long sur ce milieu. Toute sa vie, elle a évolué parmi des extrémistes.

— Et vous la croyez ? s'étonna Trudeau.

Cinq-Mars comprit qu'il ne pouvait se permettre de céder d'un pouce dans leur discussion sans affaiblir sa position.

— Oui, Monsieur.

Trudeau se leva, les mains enfoncées dans ses poches.

— Pourquoi lui ferais-je confiance ? Et pourquoi lui remettre une aussi précieuse relique ? Quel intérêt tire-t-elle de tout cela, sinon de saper l'autorité du Premier ministre du Canada en pratiquant le chantage ? Compte-t-elle le vendre ?

— La pointe du poignard, Monsieur, continua Cinq-Mars en tapotant la poche qui contenait l'enveloppe, s'est brisée en pénétrant dans le cœur de son père. Elle estime que sa mère et elle ont plus de droit sur le poignard que quiconque, même vous.

— Foutaises, soupira Trudeau. Elle croit aux pouvoirs magiques de cet objet. Certains prétendent que c'est la seule explication de mon accession au pouvoir. Ne comprend-elle donc pas ce qui est en jeu ?

— Je suis persuadé que si. Je ne suis pas certain que ce soit votre cas, Monsieur.

— Inspecteur Cinq-Mars...

— Je ne veux pas me montrer irrespectueux. Pas dans ces circonstances et pas en ce lieu. La vie de Cross dépend peut-être d'un accord que nous pouvons conclure ici même et sans tarder. Le temps est un élément capital.

Trudeau s'approcha d'une des fenêtres et regarda dehors, pendant que Cinq-Mars disposait sur son bureau trois photographies. Le Premier ministre revint pour les examiner.

— Voici le terroriste que nous recherchons, expliqua Cinq-Mars, sous un déguisement, si bien que son identité n'est pas confirmée, mais elle correspond néanmoins au signalement que nous possédons. Il pénètre dans un appartement par l'arrière. L'allée est parfaitement anonyme, nous ne la trouverons jamais à partir de ces clichés. Si nous les publions, les ravisseurs changeront sans doute de planque et nos centraux téléphoniques seront surchargés d'appels. Nous avons besoin de trouver cette adresse. Une seule personne peut nous la donner : la femme dont je suis venu ici vous parler, et elle se cache.

Trudeau examina les photographies puis en prit une.

— Cross se trouverait dans cette maison ?

— Probablement pas. Mais si nous pouvons filer cet homme...

Ils gardèrent le silence, pensifs.

— Elle veut le poignard, murmura Trudeau. Il tenait quelque chose, un espoir de faire sortir convenablement le pays de la crise.

— Si les négociations avec les terroristes tournent court, précisa Cinq-Mars, à cause du gouvernement, alors elle racontera aux médias comment elle s'est procuré le poignard. Elle l'aura en sa possession, ce qui rendra son récit hautement crédible. Je ne fais qu'exposer sa position, Monsieur.

— Comprenez-vous qu'elle en demande beaucoup, votre copine extrémiste ? Des centaines d'organisations et un million d'individus rêvent de posséder ce poignard. A supposer que je le possède, comment accepterais-je de le céder dans de telles conditions ?

— Parce que le destin du pays est en jeu.

— C'est bien pourquoi il faut confier l'affaire à la police, Cinq-Mars. Oh ! je sais, vous en faites partie. Je vais pourtant demander au commissaire de prendre les choses en main.

— Cela ne marchera pas, Monsieur.

— Cinq-Mars, c'est vous qui me demandez de vous faire confiance, vous, un policier que je ne connais pas, issu d'un service qui a multiplié les erreurs !

— Sauf avec les Cubains...

— Ces Cubains n'existent pas !

— Nous sommes d'accord, Monsieur, n'était tout ce matériel, qui s'il était tombé entre de mauvaises mains... La perspective d'une révolution sur le territoire nord-américain séduit aujourd'hui beaucoup de gens.

— Je le sais ! Je suis sensible à votre enthousiasme. Mais vous me demandez de faire confiance à une de vos amies qui, apparemment, a commencé sa carrière politique en me lançant des pierres... Soyez raisonnable ! Que puis-je faire d'autre que de demander aux autorités *compétentes* de poursuivre l'affaire ? Même si je possédais le Poignard de Cartier, il s'agit ni plus ni moins d'une situation classique d'enlèvement ou de chantage. Comment voulez-vous que j'aie la certitude que les termes du marché seront respectés ?

— Vous ne devez pas seulement au pays d'exercer votre jugement

513

dans cette affaire, vous le devez aussi à elle. (Trudeau le dévisagea un moment, puis eut son habituel haussement d'épaules.) L'homme tué par le poignard, son père, vous le connaissiez.

— Vous me l'apprenez, affirma Trudeau en s'étirant. Je me souviens seulement d'avoir entendu parler de sa mort, au cours de l'émeute Richard. Hélas! avec tout ce qui se passait, ce fut presque un détail. Cela n'aurait d'ailleurs pas dépassé ce stade si un poignard ancien n'avait pas été volé dans les bureaux de la Ligue nationale de Hockey. Mais je ne me rappelle pas avoir entendu à l'époque le nom de cet homme.

Ils s'étaient levés, comme si leur joute verbale allait assumer l'allure d'un affrontement physique.

— La ville d'Asbestos, Monsieur. La grève. Votre combat avec Reggie Chartrand.

Trudeau secoua la tête.

— Cette histoire a beaucoup circulé. Et alors?

— Mais pas la véritable histoire, jamais.

— Quelle véritable histoire?

— Les conditions dans lesquelles vous avez battu Chartrand. L'homme qui vous a glissé un coup-de-poing américain dans la main droite, celui qui est mort, le poignard planté dans la poitrine. Il s'appelait Roger Clement. Il n'a raconté l'histoire à personne, sauf à sa fille.

— C'était lui? murmura le Premier ministre.

— La fille de cet homme veut que je vous rappelle que, si son père ne vous avait pas donné un coup de main à ce moment-là, la police et les mineurs se seraient affrontés, ce qui aurait produit un effet désastreux sur notre société – du moins en ce temps-là – ainsi que le sacrifice de nombreuses vies, un moindre mal, peut-être. Elle a insisté pour que je vous amène à vous remémorer ces faits. On peut remédier aussi à la situation difficile dans laquelle nous nous trouvons aujourd'hui en obtenant des renseignements sur le lieu de détention de James Cross. Mais aujourd'hui, tout comme autrefois, il faut un tour de passe-passe. Son père travaillait alors, entre autres, pour l'Eglise; il était déterminé à assurer la paix : il y est parvenu à Asbestos, mais a échoué la nuit de l'émeute Richard. Elle demande la Dague de Cartier en échange de la vie de son père, en quelque sorte pour célébrer son souvenir. Reste à savoir ce qu'elle fera du poignard, c'est son affaire. Tirer le pays du pétrin actuel ne vaudrait-il pas ce prix-là?

Trudeau réfléchit aux différentes solutions.

— J'admirais cet homme et j'ai honte de ne pas avoir retrouvé son nom. Roger... oui, je me souviens de sa mort durant l'émeute. C'est lui qui avait volé le poignard?

514

Cinq-Mars eut un petit hochement de tête.

— C'est ce que la plupart supposent, et je le pense aussi. Je travaille à l'enquête en cours, mais il est encore trop tôt pour parler de véritables certitudes au sujet des événements de cette nuit-là. La fille de Roger Clement, en réclamant le poignard, ne vous demande pas autre chose que de lui passer le coup-de-poing américain, tout comme son père l'a fait pour vous. Elle a besoin de comprendre que son acte produira un effet bénéfique, au regard de l'héritage de son père mais aussi sur l'Histoire qui est en train de se faire.

— L'Histoire, remarqua Trudeau, est sujette à tant d'interprétations et tant de préjugés.

Après avoir poussé un profond soupir, il traversa la pièce et ouvrit le tiroir d'un petit meuble : au fond, il y avait un coffre-fort d'où, après avoir manipulé les cadrans, il sortit le poignard, bien calé dans son étui, pour le tendre à Emile Cinq-Mars.

— Monsieur ?

— Examinez-le. Je vous le montre. Après tout il s'agit de l'arme d'un crime, et je prends des risques. Maintenant que vous l'avez vu, il vous serait facile d'obtenir un mandat pour le récupérer. D'un autre côté, vous pourriez me laisser le temps de me renseigner sur vous, et à votre fidèle amie celui de nous mettre sur la piste des ravisseurs. Si elle le fait et si elle répond à mes autres critères, alors vous avez ma parole, Cinq-Mars, et elle a maintenant ma parole : je vous remettrai la Dague de Cartier. Mais, primo, j'exige d'abord les informations sur les terroristes, et secundo, cette proposition sera la seule et elle n'est pas négociable.

Cinq-Mars opina. Le poignard lui sembla plus lourd qu'il ne l'avait imaginé et pas aussi équilibré qu'un instrument de facture moderne. Les diamants, abîmés, paraissaient clinquants et l'or était d'un jaune terne. Il remit le poignard dans son étui et le tendit à Trudeau.

— Vos autres critères, Monsieur ?

Le Premier ministre réfléchit un instant et posa les mains sur ses hanches.

— Inspecteur, commença-t-il en le regardant, êtes-vous catholique ?

— Je le suis.

— Pratiquant ? Rien ne vous oblige à répondre.

— Je me considère comme quelqu'un qui a la foi.

— Je l'ai remarqué. Les révélations de Houde sur son lit de mort m'intéressent. Je me suis souvent demandé comment ce poignard est arrivé dans mes mains, même si j'ai payé. Quels sont mes ennemis. Si elle peut éclairer ce mystère, j'aimerais l'entendre. C'est une de mes conditions.

Cinq-Mars observa le Premier ministre quelques instants, puis détourna le regard pour le poser sur la tapisserie inuit.

— Je lui transmettrai vos conditions.

Pierre Elliot Trudeau remit le poignard dans son étui, le rangea et referma le coffre-fort.

— Vous le gardez à portée de main, remarqua Cinq-Mars.

Trudeau hocha la tête.

— A cause de ses pouvoirs magiques, lâcha-t-il, et le policier ne réussit pas à savoir s'il parlait sérieusement ou non. Nous n'avons, vous et moi, jamais eu cette conversation.

— Jamais, Monsieur, lui assura Cinq-Mars avant de prendre congé.

CHAPITRE 24

1955

IL S'ÉTAIT FAIT à son second prénom, Mendelssohn. En réalité peu de gens le connaissaient et, de toute façon, pour l'effacer de son état civil, il aurait dû verser aux avocats des honoraires exorbitants.

Cette brillante idée venait de sa mère – qui aurait mieux fait de s'acheter un piano ! – un peu timbrée et vivant dans son monde. Elle avait prénommé son fils aîné, Brahms.

La seule fois où il tira avantage de la lubie de sa mère fut lors de son unique séjour en prison, il avait considéré autrement son second prénom.

— Nom de famille ? lui avait demandé le gardien à son arrivée. L'homme avait sous l'œil droit une tache de naissance en forme de carte du Groenland.

— Vimont.

— Epelez.

Il obtempéra.

— Prénom ?

— Michel.

— Epelez.

Le gardien le toisa d'un regard glacial, jusqu'à ce que Michel obéisse.

— Second prénom ?

— Mendelssohn, déclara-t-il avec fierté pour la première fois. (Il ne risquait guère de rencontrer de nouveau ce gratte-papier et énonça son nom comme s'il s'agissait d'un titre lui conférant une place à part, et certainement pas dans une prison. Il découvrait que sa mère avait fait un choix judicieux en lui épargnant la banalité d'un Michel, ou d'un Jean-Guy, ou d'un Marc, et en le séparant des crapules, des Louis, des Pierre ou des Serge... Il se prénommait Michel et Mendelssohn.

Le gardien l'observait mais Michel Vimont attendait tranquillement l'ordre :

— Epelez.

Il obtempéra très lentement, obligeant le gardien à lever les yeux entre chaque lettre.

— Où en êtes-vous ? lâcha-t-il au beau milieu, s'attirant un regard mauvais.

Vimont continua à dicter en étudiant la carte du Groenland.

Puis il purgea sa peine. Il fit alors la connaissance du père Joe Charbonneau qui, avec d'autres ecclésiastiques, étudiait les conditions de vie dans les prisons fédérales ; ils discutèrent un moment et sympathisèrent. Après sa libération, il apprit par les journaux que le père Joe avait quitté l'Ontario pour devenir le nouvel évêque de Montréal. Il lui écrivit, lui rappela leur conversation et dit qu'il cherchait du travail. La réponse du prélat le stupéfia : il était engagé comme chauffeur. Malheureusement, après la grève d'Asbestos, le père Joe fut expédié dans une obscure paroisse de la Colombie-Britannique. Michel fut un des premiers de l'équipe à être congédié.

— Vous avez un casier judiciaire, avait avec un grand sourire relevé le nouvel évêque de Montréal.

Vimont se contenta de hocher la tête et décampa.

Après trois jours de déprime, il appela Roger Clement.

— Un gaillard comme toi sait sûrement se servir de ses poings ? répondit Roger.

— En prison, je me débrouillais.

— Je connais quelqu'un qui cherche un videur. Ensuite, on te récupérera quand un gros bonnet aura besoin d'un chauffeur. Ça ne devrait pas être trop difficile pour un ex-chauffeur d'évêque ; ça fait de toi une sorte de prêtre.

— Je sais garder un secret, confirma Vimont.

— C'est bien ce que je veux dire : tu as les bonnes références.

Il travailla quelque temps comme videur jusqu'à ce que Roger pût tenir sa parole. Doté des qualités nécessaires à un chauffeur, Michel Mendelssohn Vimont reprit cet emploi auprès de Harry S. Montford, un racketteur propriétaire d'une boîte de nuit. Son nouveau patron vérifia son permis de conduire avant de lui confier les clés de sa Cadillac.

— Mendelssohn ? s'étonna-t-il.

Voyant le visage rembruni de Vimont, il lui montra son propre permis.

— « S » comme « Sylvester ». Tu gardes tout ça pour toi et je ne révélerai à personne ton second prénom. Mais si quelqu'un s'avise de m'appeler « Sylvester », je saurai de qui ça vient et donc qu'on ne peut pas te faire confiance. Je ne raterai pas une occasion de dévoiler ton second prénom ; je le suspendrai, en grosses lettres, au-dessus du bar.

Ils scellèrent leur promesse d'une poignée de main.

— Tu as jadis conduit un ange, un homme de Dieu, lui lança un jour en plaisantant Harry S. Montford, dorénavant tu sers de chauffeur au diable ! Belle carrière, Michel ! On dirait que tu es sur une pente descendante, pas vrai ?

Les gens imaginaient qu'il avait gagné au change ; inutile de surveiller son langage et tant pis pour son haleine de whisky. Il ne confia jamais à personne que, en réalité, il préférait de beaucoup conduire Monseigneur, pour son humour, l'intérêt de sa conversation et la sincérité de ses confidences, ni que parfois, entre deux rendez-vous, il buvait un petit coup avec le père Joe.

Quand il était chauffeur de l'évêque, sa vie lui paraissait utile, alors que travailler pour Montford, en dehors de la paye, ne lui apportait pas grand-chose. Cela dit, il était raisonnable et prenait ce que la vie lui offrait ; il tenait bon. On le trouvait renfermé, mais il préférait sa solitude, sauf lorsque Roger Clement l'invitait à passer une soirée en famille, ce qu'il appréciait toujours beaucoup.

Vimont se préparait des œufs au bacon quand le téléphone sonna.

— Mendelssohn ? s'enquit son employeur. En privé, ils aimaient bien se taquiner avec leurs prénoms.

— Sylvester ! répliqua Vimont.

— L'affaire dont nous avions parlé est pour ce soir.

— Très bien.

— On te rappellera plus tard pour te dire où prendre ce type.

— Comment s'appelle-t-il déjà ? (Vimont connaissait son nom, mais il trouvait préférable de feindre l'ignorance.)

— Comte Jacques Dugé de Bernonville.

— Bien, j'attendrai ici l'appel du comte.

— Ce qu'il te demande, c'est de le conduire. Tu t'en occupes.

— Je lance mon truc, c'est ça ? Rien d'autre. Personne ne sera blessé ?

— Ça puera un peu et il y aura de la fumée, mais personne ne sera blessé. Tu profiteras de la panique pour te tirer et ensuite, conduire le type où il voudra. En attendant, Mendelssohn, prends les choses comme ça : ce coup-là va te plaire !

— Une partie de ce coup-là.

— Le tout, si ça se passe bien.

— D'accord, j'attendrai ici, près du téléphone.

Pendant qu'il parlait, le combiné coincé entre le creux de son cou et son épaule, il termina son petit déjeuner, puis il raccrocha et composa aussitôt un nouveau numéro. Il se sentait léthargique et légèrement soucieux, comme s'il courait un risque.

— Allô ?

— Roger, commença Vimont, c'est moi, Michel.

— Comment ça va ?

— Bien. On m'a prévenu. Ça marche. C'est pour ce soir.

— Le fils de pute ! Merci, Michel. Fais attention à toi.

— Toi aussi.

Vimont avait encore un coup de téléphone à passer.

Son interlocuteur décrocha à la troisième sonnerie.

— Allô ? lança une voix joyeuse et haut perchée.

— Père François ?

— Oui, c'est moi.

— Michel Vimont.

— Michel ! Comment vas-tu, mon fils ?

— Très bien, merci. Mon père, je vous appelle pour vous annoncer que... (Il ne savait pas très bien pourquoi, mais il n'arrivait pas à formuler sa pensée.)

— Dis-moi, mon fils, insista le père François avec douceur.

— Ça marche, déclara Vimont.

— Ce soir ? s'enquit le prêtre.

— Oui, mon père.

— Merci, mon fils. Au fait, j'ai longuement parlé avec le père Joe. Il t'envoie son meilleur souvenir, comme d'habitude.

— Merci, mon père. J'y suis sensible. A bientôt.

— Merci encore et bonne journée, Michel.

Vimont raccrocha. Bonne journée ! Vraiment !

La nuit précédente, le capitaine Armand Touton avait terminé son service à une heure décente, aussi se réveilla-t-il plus tôt. Malgré tout, il ne se sentait pas particulièrement dispos quand il se présenta à la réunion organisée par le maire Jean Drapeau et Pacifique Plante, le préfet de police. La vue de ses deux patrons accentua sa mauvaise humeur.

Très bien, se dit Touton en refermant la porte derrière lui pour recevoir leurs instructions.

— Le propre d'une émeute, c'est que personne n'est capable de prédire ce qu'il va se passer, expliqua Touton aux deux hommes.

— Et à votre avis, demanda Drapeau, est-ce qu'il va se passer quelque chose ? Tout le monde en convenait : le climat était tellement tendu que des troubles étaient inévitables. La question était donc trop naïve ou trop stupide pour qu'on y croie. Mais le maire était connu pour quêter parfois une opinion réconfortante, comme un migraineux tend la main vers un tube d'aspirine.

— Si vous me demandez si la ville s'est transformée en poudrière... Eh bien, monsieur, je vous réponds par l'affirmative.

Plante appréhendait la situation avec plus de réalisme que Drapeau.

— J'ai confié au capitaine Réal Leclerc le commandement des policiers en tenue, je compte sur lui pour maîtriser tout déclenchement de violence. Quant à vous, Armand, en tant que chef de la Patrouille de nuit... (Il marqua une pause, comme pour insister sur ce qui allait suivre)... nous attendons que vous protégiez les biens en prévoyant les cibles des émeutiers.

Il accepterait les ordres qu'on lui donnait, mais après s'être assuré qu'il disposerait des bases nécessaires, soin qu'il ne laisserait ni au maire ni au préfet, et certainement pas à LeClerc.

— Monsieur, commença Touton en s'éclaircissant rapidement la voix, assurez-vous, je vous prie, que LeClerc déploie ses forces de façon...

— Cette décision relève de lui, l'interrompit Plante, soucieux de respecter le protocole de la police.

Touton poursuivit comme si son chef n'était pas intervenu.

— ... à empêcher les manifestants de quitter le Forum pour grimper sur la colline. Une manifestation causera, assurément, pas mal de dégâts dans le centre, mais il ne s'agira que de dégâts matériels ; alors que si un groupe parvient à Westmount, chez les Anglais, les riches sortiront leurs fusils, et les actes de vandalisme se paieront en vies humaines. J'espère que vous me comprenez, monsieur. Ne laissez pas cette décision à Leclerc. *Ordonnez-lui* d'empêcher que les Français ne se déchaînent sur le terrain des Anglais. » Ses supérieurs hochèrent gravement la tête, n'ayant pas encore réellement envisagé cette hypothèse. Ils connaissaient les problèmes que Touton avait avec Leclerc, mais reconnaissaient que sa réflexion était sensée. Dès qu'un groupe de manifestants se formerait, il deviendrait urgent de connaître leur direction. « En outre, je n'envisagerais aucun déploiement de forces tant qu'il ne se passera rien. Les manifestants ne savent jamais exactement comment démarrer, mais ils savent toujours comment se former ; si vous leur désignez un ennemi bien visible, ils se rassembleront. Ne déployez pas des hommes en tenue et ne donnez pas l'impression que vous vous préparez à un affrontement. Il a l'air inévitable, mais dans le cas contraire, montrez bien que vous n'envisagez pas d'en arriver là, et vous y échapperez... Feignez de ne pas être en train de vous préparer au pire.

Les deux hommes acquiescèrent, acceptant son analyse. Les conseils de Touton outrepassaient les limites de son grade, cependant ses interlocuteurs l'écoutaient.

— Je ne convoquerais pas non plus les renforts. Qu'ils restent chez eux. Sinon, les journalistes l'apprendront et l'information circulera sur toutes les radios, incitant d'autres personnes à s'intéresser à la manifestation.

Une fois certain que ses conseils avisés avaient été reçus, Touton revint aux instructions préliminaires données par Pacifique Plante.

— Bien sûr, monsieur, je protégerai les biens de mon mieux, mais franchement, je ne me soucie guère des vitrines ; je m'assurerai pourtant que les pompiers pourront intervenir instantanément. Pendant le match, j'installerai des camions de pompiers dans les rues adjacentes et j'en garerai quelques-uns devant Eaton et Morgan, les magasins qui encourent le plus de risques. L'immeuble de la Sun Life sera fermé : personne n'y entrera ou n'en sortira ; ainsi les assurances Sun Life seront protégées : qui, plus qu'elles, incarne les Anglais ? Du même coup, je protégerai aussi les bureaux de la Ligue nationale de hockey qui occupent ce bâtiment. A côté de cela, je garderai quelques hommes disponibles en cas d'urgence pour traquer les criminels qui, je peux vous l'assurer, ne ratent jamais les occasions que leur offre une manifestation. Voilà les ressources dont je dispose.

Plante et Drapeau occupaient leur poste depuis peu. Autrefois, ils combattaient gangsters et fonctionnaires corrompus, maintenant, ils n'étaient pas en mesure d'identifier l'ennemi, à moins qu'il ne s'agît de ce peuple même qu'ils avaient fait serment de protéger.

— Nous connaîtrons peut-être une nuit paisible, conclut Drapeau.

— Monsieur ? demanda Touton en s'adressant à Plante, son supérieur immédiat.

— Oui, Armand ?

— Clarence Campbell assistera-t-il au match ?

— Pour autant que je sache, oui, répondit le maire à sa place.

— Si vous ne pouvez vous opposer à sa présence, disposez sur place des policiers dont la mission consistera uniquement à l'évacuer rapidement si les choses tournaient mal.

Plante en prit note.

— Merci, Armand.

— Merci, ajouta le maire, et bonne chance pour ce soir.

Il leur serra la main, conscient que ni l'un ni l'autre n'auraient voulu être à sa place.

Touton se dirigea vers l'immeuble de la Sun Life pour surveiller personnellement l'évacuation prévue pour quinze heures et, éventuellement, en organiser la défense. A cause de ses immenses colonnes doriques s'élevant jusqu'aux derniers étages et de sa partie supérieure rétrécie, on le comparait communément à un gâteau de mariage ; tout en ciment et marbre blanc grisé, il semblait inébranlable, prêt à défier l'éternité. Les dirigeants de la Sun Life s'étaient montrés extrêmement coopératifs et prudents.

Toutefois, les employés du service de sécurité interne à la compagnie n'avaient pas facilité les choses ; s'estimant traités en cousins arriérés par la police municipale, ils avaient pris ombrage de toutes les consignes. Touton dut aplanir les problèmes sans vexer les gardiens dont les préoccupations se limitaient habituellement à éloigner voleurs de machines à écrire et rôdeurs.

Le capitaine ne fut pas impressionné par leur prétendue connaissance des lieux. Une fois le bâtiment de la Sun Life vide et les portes fermées à double tour, Touton n'avait qu'à défendre le périmètre, et c'était son territoire.

— C'est vrai, confirma Touton au directeur, tandis que le chef de la sécurité écoutait, l'air pincé, il va falloir inspecter l'immeuble bureau par bureau pour évacuer les retardataires.

— Les retardataires ? s'étonna l'homme de la sécurité.

— Les clandestins. Je fais venir les chiens.

— Des chiens !

— Ecoutez, on m'a confié la responsabilité de la sécurité de ce bâtiment. Je le veux absolument hermétique : personne ne pourra y entrer, et, si jamais quelqu'un passait au travers des mailles du filet et se cachait à l'intérieur, il serait incapable de sortir. Alors, oui, des chiens, et il n'y aura plus personne ici. Vos hommes, qui connaissent l'immeuble, nous seront précieux.

A la fin des négociations, le chef de la sécurité obtint également qu'un petit contingent s'installât au premier étage pour assurer le fonctionnement des téléphones et du système d'alarme, ainsi que pour guider les policiers en cas d'urgence. Touton insista pour que les hommes en question ne se déplacent pas sans l'accord de la police ; dans le cas contraire, ils seraient arrêtés. Le directeur soutint à contrecœur ses exigences, malgré les objections du chef de la sécurité.

Touton reçut alors un impressionnant trousseau de clés qui faisait désormais de lui l'unique responsable.

— L'inspecteur Sloan qui se trouve actuellement au rez-de-chaussée et qui me représentera jusqu'à la fin de la journée se prépare à venir vous saluer.

Le directeur exprima ses remerciements et sa satisfaction devant la précision dont faisait montre le capitaine, tandis que le chef de la sécurité boutonnait sa veste devenue, depuis quelques mois, légèrement étroite.

L'année précédente, il avait été contraint d'abandonner la politique. Ces foutus réformateurs et leur Commission criminelle! Il avait donné sa démission et, du jour au lendemain, il avait quitté le fauteuil de maire de Montréal.

Démission qu'il n'avait pas encore digérée.

Camillien Houde avait donc cédé la place à Jean Drapeau, ce réformateur au menton fuyant et au crâne chauve, plus petit que lui et bien loin d'avoir autant de personnalité. L'ex-maire avait été lâché par le peuple pour avoir, jadis, conseillé aux mères québécoises de ne jamais autoriser leurs filles à vivre dans des appartements. Un homme qui se préoccupait du linge sale des jeunes filles, ironisait Duplessis, et qui légiférait sur le moindre problème dès qu'il en trouvait le moyen... Pouah! Quel foutriquet agaçant ce Drapeau! Houde, qui l'avait surnommé *Crapeau*, avait été contraint de céder sa place à ce type bégueule, puis d'assister à sa victoire à l'élection à laquelle lui-même se représentait : cela avait fendu le cœur de Camillien. Il en était encore déprimé et cette rancœur l'accompagnerait sans doute jusqu'à la tombe. On l'avait traîné dans la boue, tourné en dérision, dénoncé, rabaissé, humilié, marqué à jamais au fer rouge comme un politicien corrompu. Son déclin étant déjà amorcé, il s'était estimé incapable de faire face à cette volée de bois vert. Plus jeune, il aurait avalé ces calomnies et continué à aller de l'avant; mais pas maintenant, plus maintenant.

Crapeau, ce crétin de réformiste, était en train de démolir sa ville chérie, expédiant les danseuses à New York, les prostituées à Las Vegas et les joueurs avec... L'une après l'autre, les maisons de plaisir fermaient. Corruption, corruption, *Crapeau* n'avait que ce mot-là à la bouche. Ignorait-il donc ce qui faisait tourner le monde?

Fallait-il vraiment se formaliser quand un veinard ramassait quelques dollars? La terre n'en tremblait pas pour autant.

En pleine disgrâce politique, Camillien Houde se sentait dépassé par cet austère réformateur ; finie sa belle carrière, finie la grande vie.

Pourtant le temps passait et, depuis quelque temps, son moral s'améliorait. Selon l'un de ses amis, s'il restait préoccupé par sa mort et par l'héritage qu'il laisserait, il y mettait désormais une certaine forme d'humour.

— Bientôt, je pourrai prétendre à une tombe décente, déclara-t-il, avec toute la pompe et le cérémonial qui conviennent ! Une veillée à l'irlandaise, avec whisky et bière, des femmes rieuses dans tous les coins. Je veux des seins plantureux tout autour de la table ! Peu importe que j'aille au paradis ou en enfer, je veux de la gaieté ! Et des discours ! Mon Dieu ! des propos nobles ! Je suis prêt maintenant à ce que l'on chante mes louanges !

— Pourquoi cette belle humeur soudaine ? s'enquit Roger Clement.

— Ça ira de mieux en mieux, répondit-il, sans donner la moindre explication.

Bientôt, il deviendrait le détenteur secret d'une part sur un objet sacré d'une valeur inestimable. Pouvait-il rêver mieux ? *Crapeau* et sa bande de réformateurs seraient précipités en enfer dès l'instant où il posséderait ce maillon magique.

Détenir le Poignard de Cartier lui conférerait en somme les insignes de la royauté : en arrachant ce trésor aux Anglais et à leur diabolique représentant, Clarence Campbell, il gagnerait la vénération de son peuple. Des rumeurs couraient ici et là, il pourrait même en lancer quelques-unes : *Houde nous a sauvés ! Le grand Houde ! Alors que nous pleurions la chute de notre héros le Rocket, Houde – quel homme ! – s'est emparé du symbole sacré sous le nez rougeaud de cet Anglais de Campbell – ce crétin ! – et a rendu leur fierté à tous les vrais patriotes du Québec !* Il entendrait à nouveau de tels hommages, qui seraient décernés à sa grande âme après sa disparition. Malgré sa disgrâce, il remporterait quand même son plus grand triomphe.

Prends ça, Crapeau !

*

Pendant qu'il attendait, un vent âpre fouettait le toit. Des plaques de neige avaient fondu pendant la journée, révélant la surface noire de l'asphalte et des pierres verglacées maintenant, et il marchait en frappant dans ses mains pour se tenir chaud. Il prenait soin de piétiner aussi dans la neige restante pour y laisser des traces qui empêcheraient d'interpréter ses allées et venues. En réalité, il ne faisait qu'attendre, même si ses empreintes diraient le contraire.

Il aurait aimé, tel un pigeon, contempler du haut de son aire les petites taches que formaient les gens tout en bas, mais il n'avait pas le droit de risquer de se faire repérer. Roger Clement attendait un signal, un signal du peuple de Montréal. Quand la foule commencerait à manifester dans les rues, il saisirait son destin à bras-le-corps et se lancerait dans sa redoutable entreprise.

Le match contre les Red Wings de Detroit venait de débuter et, d'après le présentateur – le transistor fonctionnait en sourdine –, la place de Clarence Campbell demeurait vide.

— Allons, Clarence! lança Roger à sa petite radio. Ne fais pas le timide! Montre-toi!

Vimont s'engouffra dans la voiture.

— Bonté divine!

— Que se passe-t-il? s'enquit le comte Jacques Dugé de Bernonville.

— Ils sont devenus dingues! Ils ont commencé la bataille avant moi, en lançant des tomates!

— Pourries?

— Comment voulez-vous que je le sache?

— Qui? interrogea le docteur Camille Laurin, assis à l'arrière avec le comte.

— Des gens!

— Sur qui?

— Sur Campbell! Il y en même une qui l'a touché en pleine poitrine! J'étais assez prêt pour le voir. Là-dessus, j'ai lancé mes bombes fumigènes et je me suis tiré. C'était la panique, les gens devenaient cinglés!

— C'est ce qu'on voulait, déclara Laurin. Allons-y! Démarrez!

— Non, je veux dire qu'ils sont devenus vraiment fous! Ça va être une émeute de dingues!

— C'est ce qu'on veut, insista Laurin. Maintenant, en route!

— Vous l'avez entendu? demanda Bernonville. En route!

Ils partirent en direction de l'immeuble de la Sun Life.

Les années cinquante avaient vu les transistors envahir les rues, mais Roger, quant à lui, n'avait jamais beaucoup apprécié; il n'avait pas besoin que Perry Como ou Connie Francis lui fassent la sérénade pendant qu'il marchait. Ces petites boîtes importées du Japon le firent toutefois changer d'avis en se révélant utiles: de sa position isolée, sur le toit, il avait entendu les voix excitées des reporters relatant les jets de tomates contre Campbell et deviné leur consternation, teintée d'un peu de panique, quand les bombes fumigènes avaient explosé à l'intérieur du Forum. Les cris de la foule, les huées, le vacarme grandissant, l'affolement des femmes qui hurlaient parvenaient jusqu'à lui, et le ton des commentateurs montait. On interrompit bientôt la rencontre, notamment pour assurer la sécurité de l'équipe des visiteurs, et la foule déferla dans les rues créant un chahut formidable, le signal pour Roger de passer à l'action.

A chacune des extrémités de la corde d'escalade achetée pour l'occasion, il avait confectionné une boucle qu'il arrima à ce qui, selon lui, ressemblait à des pierres tombales dressées au bord du toit, mais qui, en fait, imitaient les boucliers des guerriers médiévaux postés au sommet des remparts d'un château fort. Après avoir tiré énergiquement dessus pour vérifier sa solidité, il laissa filer la corde doucement afin de ne pas attirer l'attention, jusqu'à un palier de cinq ou six mètres de large, situé deux étages en dessous. Il passa chaque bras dans un autre rouleau de corde, enfila ses gants et glissa sans encombre.

Quatre secondes plus tard, il atterrissait en douceur sur un balcon que protégeait une balustrade double délimitée par des sortes d'urnes en ciment. Il répéta la même opération avec sa deuxième corde, mais pour une descente bien plus conséquente – pas plus de quinze mètres, espérait-il – avant d'atteindre une corniche assez large. A la faveur de l'obscurité que ne dissipait guère le faible éclairage urbain, et personne ne se trouvant dans l'immeuble, il réussit à dérouler discrètement le rouleau. De là où il se trouvait, il lui paraissait être presque de la bonne longueur : comme il devrait l'utiliser pour remonter, c'était souhaitable. D'une secousse, il s'assura que la corde était bien arrimée, puis il descendit sur la corniche suivante, assez vaste pour y garer une caravane ou accueillir quatre cents invités. Il déroula une nouvelle corde, plus longue cette fois, contre la façade du bâtiment. L'étape suivante lui parut bien loin et il ressentit même un léger vertige ; heureusement, il avait atteint son objectif. Il n'avait jamais voulu habiter même un troisième étage et là, il se trouvait au dix-neuvième. Impensable.

Il préféra utiliser ses forces pour grimper. Levant une main après l'autre et serrant aussi la corde entre ses cuisses, ses jarrets et ses chevilles, il atteignit la corniche au-dessus de lui ; il hissa alors l'autre corde, se dirigea vers la porte par laquelle on accédait au toit et, après avoir jeté un coup d'œil pour s'assurer qu'il n'avait rien oublié, pénétra à l'intérieur. Du coude, il repoussa le loquet et referma le verrou avant de prendre l'escalier. Arrivé au premier vestibule, il regarda autour de lui, tendit l'oreille puis, rassuré, descendit vers les étages inférieurs.

Il progressait aussi discrètement que possible, mais sans perdre trop de temps et gagna enfin le douzième étage, occupé par les bureaux de la Ligue nationale de hockey. Là, il écouta de nouveau, passa la tête dans le corridor et, ne voyant personne, s'avança jusqu'à la porte de la LNH et l'ouvrit avec un passe-partout.

Parfait.

Il tira une torche électrique de la poche de son veston, et en promena brièvement le faisceau autour de lui. Tout avait été prévu et l'opération se déroulait sans problème ; il ne croiserait ni les employés du nettoyage de nuit, ni des bourreaux de travail campant dans leur bureau après la fermeture, ni les patrouilles de la sécurité. Il avait du temps et tout son matériel. Cette manœuvre lui était si familière qu'il pouvait l'exécuter même si la ville était tout d'un coup plongée dans l'obscurité – d'ailleurs, il s'était exercé dans le noir, au cas où cela se produirait. En cas d'émeutes secouant la ville, personne ne pouvait prévoir les conséquences.

Il ferma la porte de la pièce qui abritait le coffre et alluma la lumière : il n'y avait pas de fenêtre, il pouvait travailler sans risques.

Il se mit à l'ouvrage. Trois explosions : deux pour déloger les gonds, la troisième pour faire sauter le mécanisme de la serrure – et le coffre serait ouvert.

Il déposa un peu de mastic sur chaque bâton de dynamite, égalisa les mèches, essuya la lame de son canif sur sa cuisse et ramassa les inévitables petites saletés dans un journal qu'il replia avant de le jeter dans la corbeille à papiers. Qui le remarquerait ? Comment imaginer autant de méticulosité chez un poseur de bombes ?

Il prit ensuite son briquet et le frotta ; il fonctionnait.

Il éteignit alors le plafonnier, prit une profonde inspiration et ouvrit la porte. Eclairé par les lumières de la ville et, de temps à autre, par sa torche, il rassembla ce dont il avait besoin, ainsi qu'un grand rouleau de corde ; il alluma les mèches et repartit en courant jusqu'à l'escalier dont il dévala quatre étages.

Sur le palier, il prit un couloir qui le mena à une fenêtre ; il l'ouvrit et, après avoir noué une extrémité de la corde à un radiateur très solide, il passa sur la corniche – situation qu'il n'appréciait pas beaucoup. Il ne fallait pas qu'il regardât en bas. Déjà lui parvenaient les clameurs d'une foule qui semblait relativement proche ; d'ailleurs, en se retournant, il aperçut la lueur d'un incendie au-dessus d'un bloc de la rue Sainte-Catherine. Venant de partout, le chœur des sirènes des véhicules de la police, des camions de pompiers, des ambulances et ainsi de suite. Il repéra quatre voitures de patrouille fonçant sur Boulevard Dorchester, tous gyrophares allumés. Sa position lui permettait de tout voir ; il espérait seulement que personne ne le verrait, lui.

Résistant à la tentation de le balancer dehors, il fit descendre lentement tout son matériel pour que la corde restât invisible. Il n'était pas mécontent de ne pas avoir à suivre le même itinéraire. Là-dessus, l'explosion arracha de ses gonds la porte du coffre.

Roger leva la tête. Il pria le Ciel que les flics et les gardiens massés au rez-de-chaussée n'eussent pas ressenti la secousse, comme lui, dans la plante des pieds, ou que, dans le cas contraire, ils l'eussent attribuée à l'émeute.

Il remonta en courant dans les bureaux de la LNH.

Plus il s'en approchait, plus se précisait la sonnerie d'une alarme. Bon sang ! une alarme ! Il n'avait pas pensé à ça !

Il y en avait deux en fait, une à l'intérieur et une autre dans le couloir ; toutes deux faisaient un vacarme d'enfer. Il sectionna les fils avec son canif et le silence retomba.

Roger soupira, conscient qu'il lui restait certainement des problèmes à régler. Il avait déjà franchi des systèmes d'alarme et, souvent, on tombait sur un palpeur. Dans ce cas, un assaut des flics et des gens de la sécurité devenait fort probable.

Il se précipita jusqu'au coffre.

La pièce empestait le brûlé. De la fumée et de la poussière flottaient dans l'air. Malgré la porte encore accrochée au chambranle, il parvint à se frayer un passage. Enfin, dans la cavité sombre et enfumée, il braqua le faisceau de sa torche sur le coffret d'acajou, intact, contenant le poignard.

Les diamants du manche apparurent comme des yeux braqués sur lui.

Dans sa trousse, il ne restait plus qu'une pince-monseigneur, qu'il retourna chercher. Roger posa le coffret sur le sol. Pour éviter d'endommager le poignard, il commença par frapper prudemment le bois, puis de plus en plus fort. En vain. Il n'avait donc plus le choix : prenant son élan, il abattit violemment la pince sur la vitre du couvercle qui céda aussitôt. Encore trois coups et il retirait le poignard du coffret.

Enfin, il le tenait dans ses mains.

Tant d'histoires pour ce vieux poignard aux quelques diamants et pépites d'or incrustés dans son manche ! Ancien et pas en très bon état ! Il était stupéfait. Ces petits scintillements, ces reflets fugitifs, à la faible lueur de la lune, les avait-il vraiment vus ou seulement imaginés ? Et ces poils d'élan au tissage serré, et la lame, ébréchée mais à la courbe élégante ?... Roger était étrangement ému et il lui fallut quelque temps pour se remettre. Quand il serra entre ses doigts les formes simples du poignard, il sentit, comme par magie, qu'émanaient de la sombre patine une impression d'éternité, un obscur désir, comme s'il tenait entre ses mains la vision de celui qui avait créé cet instrument.

Il l'aurait volontiers gardé s'il avait pu se le permettre.

Mais il s'empressa d'envelopper le poignard dans le foulard apporté tout exprès, ramassa sa pince et sortit. Il verrouilla la porte du bureau puis l'enfonça comme s'il venait d'arriver. Il jeta la pince par terre. S'assurant qu'il avait bien sa torche, ses gants, le transistor offert par sa fille, la Dague de Cartier, bien sûr, et le dernier rouleau de corde – un petit cette fois – il revint vers l'escalier. Il lui fallait encore éviter la police et la sécurité, mais on avait prévu pour lui un itinéraire de sortie : il adorait travailler avec quelqu'un de l'entreprise et ne marchait que s'il y en avait un dans le coup. Il y avait trois ascenseurs dans l'immeuble : l'un allant du rez-de-chaussée au septième étage, un autre du huitième au quinzième et le dernier du seizième au vingt-troisième étage. Si les flics se lançaient à sa poursuite, ils utiliseraient celui du milieu. Lui prendrait l'escalier.

La descente lui parut interminable : il faisait attention à ne pas tomber et progressait avec une lenteur désespérante. Au bout d'un moment, il ralentit encore pour retrouver son souffle et éviter les crampes.

La moitié du mur nord du bâtiment de la Sun Life s'appuyait sur l'immeuble voisin, une salle de cinéma qui donnait au nord sur Sainte-Catherine. De l'autre côté, une ruelle séparait l'édifice d'un bâtiment moderne sans caractère qui servait essentiellement de garage à une agence de location de voitures. D'en haut, Roger Clement inspecta le passage ; il était entré dans un bureau en se servant de son passe-partout que, conformément au plan prévu, il avait déposé dans un certain tiroir. Les traces qu'il laissait délibérément devraient convaincre les enquêteurs qu'il était passé par le toit pour descendre par étapes le long de la façade de l'immeuble et qu'il en était ressorti grâce à une corde. Les flics verraient les indices étalés sous leurs yeux et l'invisible leur échapperait.

Il ouvrit la fenêtre latérale.

De ce côté, l'immeuble paraissait impénétrable : les seules ouvertures étaient des portes en acier dotées de solides serrures. Aucun policier ne surveillait donc la ruelle. Le plus délicat consistait maintenant à refermer la fenêtre derrière lui ; il devrait s'accrocher par les ongles à la boiserie extérieure pour avoir assez de prise. Il colla un peu de mastic pour que le châssis s'emboîte et que la fenêtre se referme bien.

Il était accroupi sur une petite corniche, trop haute pour qu'il puisse sauter. La base, en marbre, n'offrait aucune prise mais, à ses pieds, courait un motif décoratif en ciment : un ovale un peu aplati, de la taille d'un lavabo, était fixé à chaque extrémité à deux formes incurvées se terminant en une sorte de paraphe. La paire supérieure débordait de l'ovale en représentant vaguement des yeux, tandis que celle du bas évoquait des griffes. L'ensemble rappelait un hibou, très stylisé. Roger lança son dernier bout de corde autour de l'ovale et d'une oreille, descendit d'environ trois mètres puis sauta sur le trottoir, un mètre plus bas.

Il était en bas, il était dehors, il était sauf !

Il libéra alors la corde dont le bout tomba près de lui. Il le ramassa et le jeta dans un coin.

En s'engageant sur le trottoir, Roger remarqua que l'ambiance avait changé. Il sentit la fumée des incendies, il entendit le grondement de manifestants en plein pillage. Dans la rue voisine, de l'autre côté du parc, une bande déchaînée remontant des quartiers pauvres avait envahi la rue Peel et dansait sur la ligne centrale : pas la moindre voiture, pas le moindre policier pour les en empêcher. De petits groupes de jeunes déferlaient dans le parc en hurlant, attirés par le brouhaha de la rue Sainte-Catherine.

Les plaintes des sirènes se répercutaient entre les immeubles. Sur le boulevard Dorchester, des véhicules déboulaient dans les deux sens, klaxonnant éperdument.

Bref, la pagaille.

Roger traversa la rue pour gagner le parc et la statue de Robert Burns.

Ses complices l'attendaient là, alignés comme des croque-morts avant un enterrement.

A gauche, les mains croisées devant lui, le menton levé avec un air supérieur et accusateur – son expression habituelle qui ne signifiait donc rien de particulier – se tenait le comte. Roger ne l'avait pas vu depuis la grève des mineurs d'Asbestos mais il le reconnut aussitôt à sa posture. Il avait un peu empâté au Brésil parmi ses copains nazis. Il avait entendu dire par Michel Vimont, qui le tenait de Harry S. Montford, qui le tenait lui-même du Premier ministre Duplessis en personne, qu'au sein des cohortes allemandes, on traitait le comte français comme un toutou quémandeur. Totalement démuni, il passait son temps pendu à leurs basques à mendier. Roger, que cette rumeur avait laissé sceptique, supposait le comte trop fier pour en convenir. L'idée venait sans doute du *Chef*, estimait-il. On racontait que Bernonville souhaitait quitter l'Amérique du Sud pour passer la fin de sa vie en compagnie de ses amis du Québec et en parlant français plutôt que portugais. L'idée de voler la relique venait de lui. Depuis Asbestos, où il avait parlé du Poignard de Cartier avec l'élite des journalistes présents, il n'avait cessé d'y penser, intrigué par sa valeur et son prestige mythique. Dans sa situation, il pourrait tirer bien des avantages d'un objet aussi précieux.

Il avait contacté Duplessis qui avait tout de suite su à qui s'adresser pour réaliser un projet aussi audacieux. Il avait donc téléphoné à Roger Clément.

Il jouait gros et ne se contenta donc pas d'en parler au seul Roger. Il estimait que le poignard avait une valeur trop tentante pour une canaille agissant seule. Roger aurait besoin qu'on l'aide. Le Premier ministre s'en ouvrit discrètement à Harry S. Montford, un gangster rompu à ce genre de coups compliqués mais lucratifs.

Pour ce type d'expédition, Montford ne s'aventurerait jamais dans un parc : trop risqué. Il se fit représenter par son chauffeur, Michel Mendelssohn Vimont, qui se tenait auprès du comte.

Roger connaissait le point faible de Vimont : ne jamais, à aucun prix, retourner en prison. Du reste, tout lui était égal du moment qu'il ne se retrouvait pas en taule. Pour ce faire, il avait passé un coup de fil à son vieil ami et conseiller, le père Joe. L'ancien prélat, qui vivait alors en Colombie-Britannique, avait contacté le père François à Montréal, pour qu'il se mette en rapport avec Michel Vimont. Et, pour boucler la boucle, afin qu'il apporte son appui aux intérêts de l'Eglise, le père François avait approché Roger.

Roger savait donc que plusieurs complots coexistaient au sein d'une conspiration plus vaste, ce qui l'incitait à se montrer d'autant plus prudent.

Auprès de Bernonville et de Vimont apparut un troisième personnage que Roger ne connaissait pas mais dont il supposa qu'il s'agissait du Dr Camille Laurin, qui représentait son complice à l'intérieur du bâtiment de la Sun Life. Quant au quatrième homme de la rangée, un invité surprise, Roger fut incapable d'imaginer le rôle qu'il jouait dans cette affaire. Car, même dans des circonstances aussi confuses, il était impossible de ne pas reconnaître la robuste silhouette de Camillien Houde.

Les quatre hommes étaient silencieux.

Même s'il ne pouvait pas le voir, Roger supposait que, de l'autre côté de la statue, hors de vue pour l'instant, le père François attendait, comme convenu.

Redoutable assemblée.

— Quelles nouvelles ? interrogea le comte en le voyant approcher.

— Mission accomplie, leur annonça Roger.

— Voyons le poignard, commença Laurin.

— Pas si vite ! lança Roger.

Le comte alors intervint.

— Quel est le problème ? Vous ne l'avez pas ? Montrez-nous le poignard !

— Tout d'abord, expliquez-moi ce qu'il fait ici, s'informa Roger en désignant de la tête son ami et ancien patron, Houde.

Le vieux maire renversa la tête en arrière et éclata de son rire tonitruant.

— Roger ! C'est ma ville ! Et tu t'imagines qu'on me laisserait en dehors d'une occasion pareille ? Allons, montre-nous ce poignard !

— Qui vous a mis dans le coup ? J'ai le droit de le savoir.

Houde haussa les sourcils et posa un doigt sur le bout de son nez.

— *Le Chef*, déclara-t-il. Qui d'autre ? Pour la loyauté dont j'ai toujours fait preuve, et aussi pour avoir ces types à l'œil. Ici, personne n'a confiance en son voisin, mais je suis l'ancien maire, et, s'il doit y avoir tromperie ce soir, je la dénoncerai et on me croira. Maintenant, montre-nous ce poignard !

Roger comprenait : Duplessis ne se serait jamais déplacé en personne, mais il ne pouvait pas non plus faire confiance à ces nazis capables de décamper avec un objet dont la valeur se comptait en millions. Les nazis en Amérique du Sud vivaient grâce au recel d'objets anciens et de toiles de maître, et la Dague de Cartier leur conviendrait parfaitement. Donc, selon Roger, Duplessis disposait d'au moins trois représentants sur le site, quatre en se comptant, et peut-être même cinq, car – qui savait ? – il contrôlait sans doute aussi Laurin.

Il prit dans la poche intérieure de sa veste la Dague de Cartier qu'il débarrassa du foulard qui l'enveloppait.

Peut-être parce que c'était lui qu'il connaissait le mieux, Roger tendit d'abord l'objet à Houde. Une ambulance en passant éclaira son visage ; il rayonnait et arborait le grand sourire qui l'avait rendu célèbre. Lui, qui d'ordinaire n'était jamais à court de mots, se contenta de soupirer :

— Oui... Oui...

Puis il passa le poignard à Laurin, qui ne dit rien, se contentant de l'évaluer en scientifique, pour en assurer l'authenticité.

Il passa la relique à Michel Vimont qui, aussitôt, la tendit à Bernonville, mais le comte refusa de la saisir.

— C'est bon. Je vois bien que nous l'avons.

Roger reprit le poignard des mains de Vimont au moment où des sirènes annonçaient de nouveaux camions de pompiers sur Dorchester se dirigeant vers l'est et suivis d'une ambulance.

Ils attendirent que le vacarme cessât.

Roger vit alors le père François émerger de l'autre côté de la statue de Burns, derrière le petit groupe.

Soudain, un rugissement montant de la foule massée sur Sainte-Catherine se répercuta entre les façades des immeubles noyées dans l'air chargé de fumée.

— Qu'est-ce que c'était ?

Le quatuor, familiarisé avec les clameurs qui s'élevaient depuis le début de la soirée, ne réagit pas. Seul Vimont haussa les épaules.

— Des manifestants qui s'amusent. Roger ! répondit le père François en sortant de l'ombre. Pourrais-je voir, moi aussi, le poignard ?

— Qui est-ce ? interrogea Bernonville.

— Un prêtre, le renseigna Vimont.

— Quel prêtre ?

— Le père François Legault, monsieur, non à votre service mais à celui de la Dague de Cartier et de la Sainte Mère l'Eglise.

— Ce n'est pas un lieu pour un prêtre, mon père ! lui reprocha Houde. Mais il est vrai que vous êtes plus communiste qu'ecclésiastique !

— Ce n'est pas un lieu pour l'ancien maire de Montréal ! riposta le père François. Pas plus que pour l'éminent docteur Camille Laurin ou pour un nazi déjà interdit de séjour dans ce pays !

— Que voulez-vous, mon père ? s'énerva Laurin. Personne ne souhaitait être identifié.

— Eh bien, répondit le prêtre, du ton le plus naturel de monde, le poignard, évidemment ! Pour la plus grande gloire de l'Eglise ! Pourriez-vous me le montrer, Roger ?

— Mon père, je l'ai déjà promis à ces hommes...

Le prêtre sourit. Juché sur la base du monument, il les dominait tous.

— Roger ! Roger, Roger ! soupira-t-il en secouant la tête. Depuis l'époque de Maisonneuve, qui donc, avec Jeanne Mance, a eu la responsabilité de ce poignard ? Depuis Etienne Brûlé, Dollard-Des-Ormeaux et Radisson, cet objet a fait l'honneur de ceux qui ont eu le privilège de le posséder. Ces femmes et ces hommes ont atteint l'impossible. Blackhawks à l'origine, leur cause était spirituelle ; notre devoir est de rendre à la Dague de Cartier sa vraie vocation. C'est la plus grande Eglise, celle qu'il nous faut encore créer, qui devrait en être le prochain détenteur, afin de veiller au bien-être des âmes de ce pays.

— Bien belles paroles pour un prêtre, observa Houde, mais je prétends, moi, que l'Eglise est assez riche ! Cependant, ma prochaine confession sera pour vous, mon père : nous appellerons cela un « opéra ».

— Commençons tout de suite, si vous le souhaitez. Que faites-vous ici, monsieur le maire ?

— Mon père ! s'exclama Houde en riant de nouveau. Je suis sorti pour découvrir ce qui arrive à ma cité bien-aimée. Comme la plupart des gens ce soir. De loin, j'ai aperçu Roger, un homme que je reconnaîtrais entre mille pour avoir passé des années avec lui dans un camp d'internement, et, bien entendu, je me suis approché pour le saluer. Faudra-t-il que je dise un rosaire, mon père, pour avoir eu l'impudence de venir parler à un ami ? Quel genre de prêtre êtes-vous donc pour condamner ainsi la civilité et l'amitié ?

— C'est un communiste ! » intervint Bernonville. Il se rappelait avoir vu le prêtre à Asbestos. « Il sort la nuit pour briser des vitrines !

— Un nazi devrait bien le savoir ! riposta le père François.

— Roger, reprit Bernonville, si vous voulez faire don du poignard à *son* Eglise, autant le remettre directement au parti communiste !

— Vous suggérez donc, répliqua le prêtre, de retourner à cette coalition de *has been* que sont Houde et Duplessis ? L'obscurantisme de Duplessis a noyé ce pays, quant à vous, Houde, vous avez eu votre époque, elle ne reviendra pas.

— De *has been* ? Vous parlez sûrement de l'Eglise, mon père ? lança Houde, furieux. Roger ! Donnez-nous le poignard ! Votre dédommagement est assuré !

— L'Eglise est également capable de dédommager ses serviteurs...

— Pour un objet volé ? attaqua Laurin. De quelle sorte d'Eglise s'agit-il donc, mon père ?

Le père François haussa les épaules.

— La possession, ou l'acquisition, de cet objet exige secret et prudence. Si cette relique est liée au destin spirituel de son peuple, l'Eglise de Rome intercédera pour qu'elle ne soit par ravie par des fanatiques.

— Rome ! siffla Bernonville. Rome maintenant !

— Comme toujours, ironisa le prêtre en haussant ses robustes épaules, les juridictions se chevauchent. Vous ne vous trouvez pas face à un humble prêtre en soutane ; effectivement, je ne porte pas la mienne. Un front bien plus redoutable que vous ne l'imaginez se dresse contre vous : j'en fais partie, et les syndicats aussi. Une alliance, dirons-nous.

535

— Encore des cocos!

— Avec des moyens! Roger, écoutez bien : avec des moyens!

Bernonville fit un pas en avant et, pour la première fois ce soir-là, sourit.

— Prêtre, vous manquez d'imagination. Tout comme nous tous d'ailleurs.

— Comment cela? s'enquit le prêtre, souriant et tout prêt à discuter.

— Roger, montrez-moi le poignard pour étayer mon argument. Je ne l'ai pas encore touché. » Persuadé de le récupérer facilement, Roger laissa l'ancien bourreau prendre l'objet entre ses mains gantées et le manier avec délicatesse. « Prêtre, reprit de Bernonville, regardez! » Le comte contourna le monument et tendit le poignard au père François qui, ôtant un gant, le glissa sous son bras pour mieux sentir la lame et le manche. « Vous voyez, mon père? Pierre, os et pelage, aucune magie. Vous n'avez pas été métamorphosé et vous demeurez un prêtre de bas étage doublé d'un pitoyable communiste.

— Quant à vous, vous demeurez un nazi...

— De la Gestapo, précisa Bernonville en reprenant le poignard dans sa main gantée, ne l'oubliez pas. Et fier de l'être. Au fait, mon père, continua le comte en s'éloignant pour rendre le poignard à Roger, merci d'avoir laissé vos empreintes sur cet objet. » Il pivota soudainement, tel un derviche tourneur, et termina son demi-tour en changeant sa prise sur le manche, puis il recula et, dans son élan, enfonça la lame jusqu'à la garde dans la poitrine de Roger Clement. Pétrifié, la bouche grande ouverte, une main brandissant le foulard en guise de drapeau blanc de paix, Roger fit quelques pas en trébuchant; les autres, horrifiés, s'écartèrent, à l'exception du père François qui se précipita pour le maintenir sur ses pieds, comme si, contre toute logique, cette tentative déjouerait la mort. Roger Clement mourut debout et, en tombant, son corps se retourna légèrement, dans un geste ultime de rédemption. Il s'effondra dans les bras de Michel Vimont qui, sans croire à ce qu'il faisait, reposa le corps de son ami sur le sol, derrière la statue du poète écossais.

— Retire le poignard! ordonna, tout sourires, le comte à Vimont.

Littéralement hypnotisé, le chauffeur obéit et posa à son tour ses mains nues sur le poignard, mais ne parvint pas à le retirer. Soit la lame était coincée dans la chair, soit il s'y était mal pris.

— Je n'y arrive pas..., déclara-t-il.

— Chochotte! cria le comte en l'écartant pour agir à sa place.

— Eh! Que se passe-t-il? cria-t-on au même moment de l'immeuble de la Sun Life.

Tous constatèrent que le curieux rejoignait en courant des policiers massés sur les marches.

— Merde! s'écria Houde, secouant sa paralysie momentanée.

Le père François, lui, marmonnait les derniers sacrements.

— Merde! s'exclama le comte à son tour. La lame est coincée!

— Pourquoi? Ce n'était absolument pas nécessaire... gémit Vimont. Vous l'aviez votre poignard!

— C'était un sale communiste!

— Et alors? intervint Houde. D'ailleurs, qui ne l'est pas? C'était juste une canaille, un de mes amis.

— Je l'ai vu opérer à Asbestos, votre ami. Il nous aurait trahis, j'en suis certain!

— La police! s'écria Laurin. Filez!» Songeant à sa carrière politique, il détala. Vimont, qui n'avait pratiquement joué aucun rôle dans cette affaire mais terrifié par un éventuel emprisonnement, l'imita.

Comme aspiré dans leur sillage, Houde les suivit en clopinant. Cela faisait vingt ans qu'il n'avait pas couru, mais il lui arrivait encore, parfois, de patiner, aussi ses jambes et ses bras finirent-ils par trouver la bonne cadence.

Quant à Bernonville, qui redoutait d'**être** arrêté puis extradé vers la France, où il était accusé de crimes de guerre, il renonça à récupérer le poignard et partit en courant. Arraché à ses prières, le prêtre leva les yeux et vit le policier approcher rapidement pour s'occuper du seul protagoniste encore présent sur les lieux; alors, il se souvint des paroles du comte au sujet des empreintes laissées sur l'arme, et, ne sachant quoi faire d'autre, détala à son tour. Il avait cherché a reprendre à ces quatre individus un objet volé; celui qui l'avait aidé dans cette entreprise l'avait payé de sa vie et gisait désormais sur le sol. Il s'enfuit donc en courant. Le policier sur leurs talons, tous se dirigèrent vers Peel avant de se perdre dans le flot des manifestants s'acharnant sur la ville.

Pour ne pas être capturé, le père François se jeta dans une foule vociférante de mécréants avides de destruction. Les policiers, ne souhaitant pas du tout affronter cette cohue prête à bouffer du flic, se retirèrent prudemment et revinrent s'occuper de l'homme recroquevillé au pied d'une statue.

Un jeune policier constata sa mort, et appela ses collègues à l'aide. Comme ils ne se pressaient guère et que lui ne voulait pas regarder de nouveau le cadavre, son premier, il s'intéressa aux vers anglais gravés sur le monument, sans trop savoir quelle en était la signification:

It's comin' yet and a' that
That men all the word 'ore
Will brithers be and a' that

Dérouté par cette syntaxe ne ressemblant à aucune forme d'anglais qu'il connût, il fut incapable de comprendre.

Tout en lui – ses entrailles, sa poitrine, ses jambes – menaçait d'imploser. Le père François Legault ne pouvait soutenir de tels efforts et il s'appliqua à reprendre une allure qui permettrait à son cœur de se libérer de l'étau qui l'enserrait. Dans ses chaussures trop larges, ses pieds souffraient le martyre. La syncope ne tarderait pas.

Pourtant la crainte d'affronter son créateur dans de telles circonstances le maintint en vie et l'aida même à continuer de courir.

Qu'avait-il fait? *Qu'ai-je donc fait?* Dans quoi s'était-il fourré? *Quel idiot!* Et le père Joe, ex-Monseigneur, également! S'il était pris... on consulterait son dossier! On lirait les lettres adressées au père Joe! Ses notes! L'idée ne l'avait jamais traversé que sa correspondance les compromettait, lui et le père Joe; une enquête, même rapide, à son presbytère révélerait des détails embarrassants de leur projet.

Et ses empreintes? Que faire à propos de ses empreintes? Il avait été si souvent arrêté sur des piquets de grève ou dans des manifestations que les flics les identifieraient immédiatement; comment expliquerait-il alors leur présence sur l'arme du crime? Accusé de meurtre, il allait être accusé de meurtre!

Il dévala la rue Sainte-Catherine au pas de course, mais finit par s'arrêter pour respirer à grandes goulées, ses poumons sur le point d'éclater. Son cœur lui faisait horriblement mal. *Oh! Seigneur, il me faut un alibi...* Premièrement, ne pas être vu en train de courir. Dieu merci! il ne portait pas sa soutane! Sinon quel spectacle! Un prêtre bedonnant prenant la fuite au cœur d'une émeute! Reprenant son souffle, le père François remercia Dieu pour sa bienveillance. Il avait choisi de se rendre dans le parc en civil, non seulement parce qu'il aimait bien ses habits de prolétaire mais aussi parce qu'il s'apprêtait à commettre un acte profane, à prendre possession d'un bien volé. Cette tenue lui permettait maintenant de se fondre dans la foule.

Il observa ce qui se passait autour de lui et tenta brièvement de rassurer les blessés et d'implorer policiers et émeutiers de cesser de se battre entre compatriotes québécois. Attitude stupide, mais dont ils se souviendraient peut-être. En tout cas, ils furent unanimes à lui conseiller d'aller se faire voir. Il fit une nouvelle tentative auprès d'individus qui se pressaient autour d'une voiture incendiée : il essaya de les en écarter au cas où elle exploserait ; il ne voulait pas, bien sûr, qu'ils se fassent tuer, mais surtout si jamais quelqu'un se rappelait ses exhortations, il confirmerait sa présence durant l'émeute.

Son esprit revint à l'horrible réalité de la mort de Roger Clement. Comment l'expliquer à sa veuve ? à sa fille, la pauvre enfant ? Il aurait dû étouffer ce projet dans l'œuf, mais il avait préféré écouter ses foutues opinions politiques, ses ambitions, son désir d'un vrai changement – résultat ? La mort d'une âme vaillante, d'un homme s'efforçant d'accomplir une bonne action pour sa famille, son peuple et son Eglise ! Cette folle aventure avait tué Roger, et la part que lui-même y avait prise faisait de lui un complice du meurtre. Le pire ne s'était cependant pas produit, car ces salauds de fascistes n'avaient pas réussi à s'emparer de la Dague de Cartier. Que l'objet fût resté coincé dans le cœur de Roger témoignait au moins d'une certaine justice spirituelle. Le poignard s'était refusé à ces hommes vils.

Alors oui, cela confirmait ses vertus magiques.

Mais la relique l'accuserait de meurtre ; cette magie-là était terrible.

Il poursuivit son chemin pour se calmer, pour que son cœur retrouve un rythme normal et aussi pour s'éloigner le plus possible de la scène du meurtre de Roger. Il était arrivé dans un petit jardin public : le père François aperçut alors son alibi, assis sur un banc, appuyant son derrière sur le dossier. Il s'approcha, d'abord pour s'assurer que ce n'était pas un mirage, qu'il s'agissait bien de l'ami qu'il avait cru reconnaître, puis pour parler suffisamment longtemps avec lui pour établir sans équivoque qu'il ne se trouvait pas ailleurs ce soir-là. Il lui fallait être calme, paisible, que personne n'allât imaginer qu'il venait de s'enfuir de la scène d'un crime.

— Pierre ? Il me semblait bien que c'était vous.

Agacé d'être dérangé, Pierre Elliot Trudeau se retourna vers l'intrus ; il le reconnut et sa grimace s'effaça.

— Père François ! le salua Trudeau. Comment allez-vous ?

— Bien, Pierre. On veut profiter de la manifestation en faisant sa petite promenade nocturne ?

— Mon père, vous êtes aveugle ! Je suis assis bien tranquille et ne m'occupe de personne.

Le prêtre se posa à l'autre extrémité du banc, sur le siège recouvert de givre, en songeant que les choses se présentaient bien.

— Je décèle en vous un pyromane en puissance, Pierre. Vous êtes d'humeur à incendier un immeuble. Alors, ne me dites pas que vous êtes là en observateur neutre.

— Les observations seraient-elles neutres, et depuis quand ? Nous voyons ce que nous voulons voir, sous l'angle qui nous convient. Et vous, mon père ? On dissimule des pierres dans d'innocentes boules de neige ? On démolit des voitures de police ?

— Il y a vingt-cinq minutes, de même que vous, je ne m'occupais de personne. Je me trouvais près d'une voiture de police quand elle a pris feu. *(Là, il avait laissé entendre qu'il s'était intéressé à l'émeute.)*

— Combustion spontanée ?

— Presque. » Le prêtre se pencha en avant. La nuit n'était pas trop froide pour un mois de mars, mais la lueur des lampadaires révélait le souffle de son haleine. « Ça a roussi ma veste. » Un mois plus tôt, il l'avait accrochée trop près d'un radiateur électrique dans un restaurant. « Mon premier réflexe a été de me demander ce qui se passerait si le réservoir d'essence explosait. J'ai essayé d'écarter la foule, mais un soir pareil, les gens ne se laissent pas facilement convaincre. Ils entouraient la voiture en poussant des cris de joie.

— Vous, incognito ? Sans soutane ? Vous auriez pu dire la messe.

— Je ne m'attendais certes pas à retrouver mes ouailles par une soirée pareille.

— Vraiment ? » ironisa Trudeau en riant. Il enfonça ses mains dans ses poches pour les réchauffer, car il avait oublié ses gants. « Généralement, mon père, vous suivez les rencontres de hockey à la radio.

— A cette époque de l'année, bien sûr ! Pas vous ?

— Aujourd'hui, c'était la première fois. Je m'attendais à ce que ce soit différent, à autre chose qu'un simple match de hockey. (Ils reportèrent un moment leur attention sur la foule grondante qui approchait.) Des fanas de sport ! ricana Trudeau. Leur équipe a marqué un but !

— A moins qu'ils n'aient fait griller une autre voiture de police, suggéra le prêtre.

— Ou fracassé une vitrine anglaise !

Le prêtre observa attentivement son interlocuteur qui parfois, lors de certaines discussions, l'irritait ; mais, ce soir, son attitude lui paraissait plus supportable. Il le connaissait depuis *Cité libre*, mais n'oublierait jamais son combat contre Reggie Chartrand, lors de la grève d'Asbestos.

— Manqueriez-vous de curiosité, Pierre ? Vous n'allez pas plus près ?

— Ils arriveront bien assez tôt !

Le père François jeta un coup d'œil alentour tout en songeant à la possibilité d'une amitié entre eux. Pierre rejetait l'aspect le plus dur de ses opinions politiques, dont lui-même d'ailleurs commençait à envisager d'y renoncer. Il n'aimait pas la violence ; or un vrai révolu-

540

tionnaire devait s'attendre à voir disparaître beaucoup de ses meilleurs amis. Comment n'y avait-il pas pensé plus tôt ?

Cet homme incarnait, selon lui, les jeunes intellectuels de la ville. Peut-être réussirait-il à lui apprendre quelque chose, à orienter différemment sa vie ?

— Pierre, pourquoi êtes-vous si sûr de leur destination ? (*Le poignard a refusé de quitter le cœur de Roger !* Le père François, aux convictions religieuses solides, se sentait au bord d'une conversion plus profonde. Ce poignard et ses prétendus pouvoirs magiques, n'était-ce pas simplement du folklore ?) Cette foule sans but est capable de changer de direction n'importe où et de partir vers une autre destination.

— Pourquoi voulez-vous que je me donne la peine d'aller vers la manifestation, observa Trudeau en désignant du menton les grands magasins Morgan, quand je me trouve ici au premier rang ? Les manifestants me trouveront.

— Donc, selon vous, Pierre, les événements de ce soir n'ont rien à voir avec le hockey ? (Lui, du moins, avait trouvé Dieu, n'est-ce pas ?)

— Au contraire, cette soirée a tout à voir avec le hockey – le point d'ébullition. La suspension de Richard m'énerve autant qu'un autre. Mais il n'y a pas que cela. Cette foule apprendra à choisir ses cibles, et, ce faisant, découvrira sa raison d'être. Regardez ! Nos manifestants apprennent au fur et à mesure qu'ils avancent. Sinon ils n'auraient jamais évité les bureaux de la Ligue nationale de Hockey.

— Quelqu'un m'a bel et bien demandé l'adresse, une brique dans une main et une canette de bière dans l'autre. J'ai failli le renseigner, puis je me suis ravisé et je lui ai offert une cigarette. En fait, je l'ai échangée contre la brique. Difficile de se débarrasser d'une brique un soir pareil ! Je l'ai fourrée dans une boîte aux lettres. (Cette histoire, purement inventée, désignait un homme rompu aux émeutes ; son compagnon la retiendrait.)

Il commença enfin à se détendre, quittant la trahison pour des notions plus sûres, et partageant avec quelqu'un sa dure expérience nocturne ; il en remerciait le Ciel, même si son cœur meurtri par la mort de Roger battait encore la chamade.

Ils galopaient dans le labyrinthe de ces rues secouées par l'émeute, fendaient les groupes de jeunes qui dansaient, frôlaient des voitures en feu ; alors que volaient au-dessus de leur tête des bouteilles de bière et des objets divers lancés contre les vitrines et que des acclamations montaient à chaque panneau de verre brisé. Un scénario cauchemar, se disaient les complices du meurtre, dont le célèbre ex-maire de Montréal, qui courait avec eux.

Ils descendirent la rue Sainte-Catherine, abrités par la foule, en sûreté au cœur de la tempête. Ils quittèrent la grande artère et reprirent haleine, pliés en deux, se tenant le ventre et vérifiant en regardant autour d'eux qu'on ne les poursuivait pas. Personne n'était à leurs trousses, et pourtant chacun se sentait traqué. L'éminent jeune psychiatre, le Dr Camille Laurin, réfléchissait à toute allure. Il ne pouvait absolument pas permettre la moindre insinuation concernant sa participation à cet acte abominable : il y perdrait tout, sa clientèle, sa réussite, ses ambitions politiques et sa brillante situation ; il courait donc comme les autres.

Michel Mendelssohn Vimont galopait lui aussi. Après une jeunesse difficile et un bref séjour en prison, il avait raisonnablement opté pour le droit chemin. Pourtant, travailler pour des hommes puissants impliquait qu'ils le choisiraient s'ils avaient besoin d'un bouc émissaire. L'homme au second prénom bizarre, ce vieil ami de Clement, avec lequel ils avaient certainement eu maille à partir, serait celui qu'ils crucifieraient. Connaissant le fonctionnement du système ainsi que la façon dont les puissants s'alliaient toujours contre les faibles, il courait de toutes ses forces, mais le cœur serré en pensant à Roger.

L'ancien maire courait lui aussi. Au moindre arrêt, on le reconnaîtrait et on saurait qu'il s'était trouvé près de la scène du crime. Il avait agi ainsi pour laisser un beau souvenir de lui et, maintenant, il courait pour ce qui lui restait de vie. Il n'attendait plus rien désormais, ni hommages, ni consolations, ni regrets des électeurs, ni vengeance, il ne désirait rien d'autre qu'être disculpé de ce crime, et que sa réputation ne fût pas souillée. Il courait donc.

De même pour Bernonville. Mais, lui, il était content, fier de ce meurtre. Il avait vu à Asbestos ce Clement qui travaillait pour tout le monde et pour personne. Donc pour lui-même, en avait déduit Bernonville, alors que chacun croyait avoir en lui un laquais, et peu lui importait à lui que sa victime eût projeté ou non quelque chose. Les autres n'étaient que des dilettantes de la politique, bien à l'abri dans leur Québec privilégié et geignant sans cesse à propos de ci ou de ça. Qui profitait d'une vie pareille, qui ? Il leur fallait apprendre que la vie exige l'action, et lui se considérait comme un homme d'action. Qu'ils sachent ce que cela signifie « avoir du sang sur les mains ». Finis désormais leurs grands airs avec lui. Ils comprendraient que quand il disait : « De l'argent », il entendait par là : *Payez ! Maintenant ! Payez-moi !* Ah ! leur précieux poignard ! Ils nourrissaient sans doute en secret l'envie de le conserver, enfermé dans un coffre d'où on le sortirait pour quelque banquet clandestin ; on s'inclinerait en sa présence avant de l'utiliser pour sacrifier un veau... Un coup de génie le meurtre de ce type! Mais comment imaginer que la lame resterait coincée dans sa poitrine?

Il fallait donc dans l'immédiat, échapper à la police et récupérer le poignard. Contrairement aux autres, il était déjà un fuyard, un étranger en situation irrégulière dont on ne voulait pas, et, officiellement, un indésirable. Alors, avant tout, il devait s'échapper, et par conséquent, il courait.

Ils n'avaient prévu aucun rendez-vous, pas de point de ralliement, mais, pourtant, épuisés et désemparés, ils se retrouvèrent à Caddy. Chacun, à sa façon, suivant sa logique particulière, avait décidé qu'ils devaient se rassembler pour résoudre leurs problèmes.

Michel Vimont arriva bon dernier. Peut-être voulait-il seulement récupérer la voiture, et il ne fut pas ravi de voir que les autres avaient réagi comme lui.

— Bon, commença Bernonville, nous disposons d'un jeu de clés. Vimont ouvrit les portes et tous s'engouffrèrent dans la voiture.

— Il faut retourner là-bas, récupérer le poignard, poursuivit Bernonville en résumant aussitôt la situation.

— Vous avez perdu la tête? Cet homme est fou! gémit Houde. L'endroit grouille de flics qui, eux, ont le poignard! Sans vous, nous l'avions! Non seulement vous avez tué mon ami, mais, en plus, vous nous avez fait perdre le poignard! Pauvre merde!

— Tenons-nous-en au plan, déclara Bernonville. Nous avions décidé de prendre possession de la Dague de Cartier ce soir et nous allons le faire.

— Que proposez-vous? demanda Laurin, imperturbable ou en état de choc.

— Nous allons suivre le poignard. Ces gens-là, les flics, sont par définition négligents. Ils ne s'attendent à rien; d'ailleurs, ce soir, ils ne savent plus très bien où ils en sont, ils ont trop de problèmes sur les bras. Vous avez raison, monsieur le maire, les flics sont sur place, mais la foule, qui n'en a pas souvent l'occasion, s'attroupera pour contempler la victime d'un meurtre, et l'un de nous observera lui aussi le spectacle...

— Pas moi! lança Houde, toujours en colère. Bien sûr, vous, ça vous est égal! Dans votre saloperie de jungle brésilienne, vous vous fichez pas mal, avec Eichmann et tous ces nazis, de ce qui se passe ici! Mais moi, je vis ici! On me *connaît*. J'étais le *maire de Montréal, bon Dieu!*

— Calmez-vous!

— Calmez-vous vous-même! Pauvre type! Ce que vous avez fait était complètement inutile! Je ne suis pas un meurtrier, moi, alors que vous...!

543

— Donc, intervint Laurin, nous suivons le poignard...

— Camille, n'écoutez pas ce salaud ! C'est un malade mental, vous l'avez vu comme moi !

— J'ai laissé mes empreintes sur ce poignard !

— Moi aussi, gémit Houde. Moi aussi... » Ils avaient peut-être raison.

— C'est ce que je cherchais : provoquer votre sens des responsabilités, votre engagement à la cause.

Houde frappa le tableau de bord en se balançant sur la banquette avant. Il avait choisi de s'installer à côté de Vimont, ne supportant pas l'idée d'être assis près de Bernonville.

— Ne l'écoutez pas, Camille ! C'est un fou et un connard ! Vous l'avez bien vu !

— Nous suivons le poignard, répéta Laurin.

— Nous verrons bien où cela nous mènera, nous improviserons. J'ai vu travailler les flics de cette ville. Comme partout, ils agissent lentement, ils prennent leur temps. Arrivera l'instant où l'un d'entre eux s'interrogera sur ce qu'il convient de faire de l'arme du crime. Nous serons là pour le voir. Ensuite, nous agirons.

— Nous agirons ? Est-ce que cela signifie qu'on abattra encore quelqu'un ?

— Je suis certain, monsieur le maire, que cela ne sera pas nécessaire. Peut-être faudra-t-il montrer notre force, mais...

Houde se retourna pour s'adresser à Laurin :

— Vous entendez ce que dit ce type ? Vous *comprenez* de quoi il parle ?

— Il dit : pas de nouvelles violences.

— Ce n'est *pas du tout* ce qu'il dit !

— Monsieur le maire, lui fit remarquer Laurin, parlant toujours d'un ton neutre dénué d'émotion, mes empreintes et les vôtres se trouvent sur ce poignard. Donc, si je suis découvert, vous le serez en même temps que moi.

Cette remarque plongea les occupants du véhicule dans le mutisme : c'était l'heure du choix.

— Il y a aussi mes empreintes. Et les flics les ont dans mon dossier, s'affola Vimont en se découvrant également impliqué.

— Vous allez nous vendre, Michel ? murmura Houde en s'éclaircissant la voix.

— Pour éviter la prison ? se contenta-t-il de répondre, les laissant tirer leurs conclusions.

— Bon, céda Houde, faisons ce qu'il suggère et tentons le coup. Je suppose qu'une occasion se présentera, auquel cas nous mettrons la main sur le poignard, mais seulement si une telle occasion se produit. Inutile de nous retrouver tous en prison.

— Si j'y vais, vous venez aussi! déclara tranquillement Laurin.

Une ambulance les dépassa en trombe.

— Cela se passera comme quand nous étions à pied. Les flics s'intéressent à tout. Michel nous conduira vers la liberté. Il a de l'aplomb, je peux vous l'assurer. Il parle peu et j'aime ça. C'est un homme d'action. Je retire ce que j'ai dit tout à l'heure, monsieur, quand vous n'avez pas réussi à retirer le poignard. J'ai essayé moi-même : c'était impossible.

Vimont l'écouta mais ne répondit rien. Il ne tourna même pas la tête, son regard allant du rétroviseur au pare-brise.

— Alors qui y va? Au parc, je veux dire, s'impatienta Laurin.

— Michel, suggéra Houde.

Le chauffeur se contenta de tourner légèrement la tête, rien de plus.

— Nous avons besoin de Michel au volant de la voiture, remarqua Bernonville.

— Alors ce sera vous! lança Houde.

— Si je dois suivre quelqu'un, Michel conduisant, ma présence dans la voiture sera nécessaire, on ne sait jamais. Il faudra peut-être agir vite.

— Je ne peux pas y aller, protesta Houde, craignant d'être désigné. On me reconnaîtrait.

— J'irai, proposa Laurin.

— C'est en effet la meilleure solution, acquiesça Bernonville.

Ils se garèrent près du carré Dominion. Laurin descendit, regarda alentour, puis, serrant plus étroitement son manteau, il s'engouffra dans le parc pour examiner la situation autour de la statue de Burns. Beaucoup de monde se pressait autour du monument qu'éclairaient les phares des voitures de police.

Tout se déroula alors très vite : Laurin donna le signal en se ruant dans la limousine.

— Le poignard! Dans la fourgonnette du médecin légiste! Dans la boîte à gants! Il repart seul!

— Vite! cria Bernonville. En route!

— Qu'est-ce que nous faisons? » interrogea Houde, tandis que la voiture fonçait. Le coup de freins de Vimont barrant la route à la fourgonnette le projeta contre le tableau de bord.

Bernonville se précipita aussitôt sur la chaussée en adressant des signes à l'autre chauffeur, comme pour demander un renseignement urgent à son passager; Claude Racine, le médecin légiste, abaissa sa vitre et Bernonville l'abattit à bout portant; les deux autres occupants se mirent à pousser des cris. Bernonville ordonna au chauffeur de ne pas faire un geste et ouvrit la boîte à gants.

— Je veux juste le poignard ! Ça ne vaut pas la peine de mourir pour ça !

Il s'empara du poignard et, tandis qu'il s'éloignait, le corps du médecin légiste s'affalait sur la chaussée.

La limousine roulait déjà quand de Bernonville y grimpa : Laurin lui avait ouvert la portière et s'était glissé rapidement de l'autre côté pour lui laisser la place ; le comte se cramponna tant bien que mal et Laurin le tira à l'intérieur, tandis que la voiture prenait de la vitesse.

— Allez ! Allez ! ALLEZ ! cria-t-il à Vimont sans lui reprocher de l'avoir malmené.

Vimont écrasa l'accélérateur et fit hurler les pneus. Ils entendirent un coup de feu suivi d'un bruit de verre brisé.

— Oh ! Mon Dieu ! hurla le vieux maire. Sortez-nous d'ici !

Le véhicule plongea dans le chaos de cette terrible nuit.

Restait à décider qui garderait le poignard une fois qu'ils se seraient séparés.

Bernonville se portant volontaire, Houde lui rétorqua qu'il y avait de grandes chances pour que, à l'aube, le poignard se retrouvât au Brésil.

— Alors, prenez-le, proposa le comte.

— Pour que vous veniez me tuer dans mon sommeil ? » En fait, l'idée ne séduisait pas du tout Houde. « Je regrette, mais je vous mets dehors. Je n'invite pas un meurtrier à dormir sur mon canapé !

— Monsieur le maire...

— Non ! Trouvez-vous une chambre d'hôtel ! Je suis certain que Michel peut vous emmener dans un endroit où on ne vous demandera pas de justifier votre identité dès l'instant que vous paierez en liquide. Je vous donnerai des espèces.

— Très bien. Je ne resterai pas là où l'on me considère indésirable. Mais, dans ces conditions, je garderai le poignard !

— Je le prends, suggéra Laurin.

— Dans ce cas, je dors sur votre canapé.

— Je le déposerai dans mon coffre à la banque, dès dix heures, demain matin. Si quelqu'un veut coucher chez moi et m'accompagner à la banque, libre à lui !

— C'est ce que je vais faire, déclara Bernonville.

— Pas vous ! refusa le docteur.

— Pourquoi pas moi ?

Laurin le toisa du regard.

546

— Vous ne me faites pas confiance, et moi, je ne vous fais pas confiance non plus !

— Que le docteur Laurin s'en occupe, intervint Michel Vimont.

— Ah oui ? railla de Bernonville. Pour qui vous prenez-vous, maintenant ? Pour le pape ?

Un déclic retentit, Vimont braquait un pistolet sur le front du comte en s'adressant à tous.

— Allons tous chez vous, docteur. Et demain matin nous vous accompagnerons à la banque. Ainsi, en cas de vol du poignard, nous connaîtrons le coupable, qui ne pourra être que vous, docteur.

Ils acquiescèrent.

— Je comprends, fit Bernonville. Avez-vous assez de lits, docteur ?

— Ne soyez pas stupide ! répondit Vimont, le pistolet toujours braqué sur le comte. Qui songera à dormir ?

Ce plan parut satisfaisant à Houde qui, par ailleurs, réalisait avec surprise que deux au moins des passagers de la voiture étaient armés. N'aurait-il pas dû y penser et s'armer lui aussi ? Roger ne le lui avait jamais suggéré, ce qu'il ne pourrait désormais plus lui reprocher.

— Bon ! lâcha Laurin. Nous sommes d'accord ! Maintenant, Michel, voulez-vous ranger ce pistolet ?

— Que le comte me donne d'abord le sien.

Cela était moins équitable, mais personne ne protesta. Bernonville savait qu'il avait affaire à un homme d'expérience et lui tendit son arme.

— Vous avez l'intention de tous nous tuer dès que nous serons arrivés chez le docteur ? demanda-t-il.

— Vous le feriez, mais pas moi, répondit Michel.

Puis il sortit de la ruelle où ils étaient planqués et s'engagea dans la rue, espérant que les flics sur les dents ne remarqueraient pas une limousine borgne à l'arrière.

CHAPITRE 25

1970

ILS ÉTAIENT EMPÊTRÉS dans leur propre complot.

Des nuits interminables, des journées sans fin, barricadés dans un appartement banal, dans un quartier banal du nord-est de Montréal, dans la banale rue des Récollets, d'une humeur massacrante, les ravisseurs de James Cross redoutaient tout ce qui bougeait, derrière leurs portes piégées. Seules distractions, la rumeur des enfants du voisinage et le téléviseur sur lequel ils zappaient continuellement à la recherche de nouvelles les concernant.

Bientôt, l'hiver empêcherait les gamins de sortir, quant à la télé, depuis quelque temps, elle ne parlait plus d'eux.

Leurs sorties se bornaient aux courses chez l'épicier du coin, qui restait ouvert tard le soir, et à la récolte de l'argent liquide péniblement ramassé par des sympathisants. Les supporters sur lesquels ils comptaient avaient été pris dans des rafles, il leur fallait donc un nouveau contingent de contacts. Un travail risqué. Ils étaient à bout de nerfs et leur volonté collective s'effritait.

Les murs se rapprochaient, le plafond descendait sournoisement pendant leur sommeil.

Les relents de leurs sueurs mêlées imprégnaient l'atmosphère confinée de leurs chambres jamais aérées.

Le soir, dans son lit, l'unique femme du groupe pleurait sans arrêt.

Après leur « grand coup », ils avaient soif de reconnaissance publique. Mais la loi sur les mesures de guerre muselait la presse et, du même coup, réduisait à néant leurs tentatives pour attirer l'attention : lettres écrites par l'otage sous la dictée, ou critiques du gouvernement. Personne – et encore moins ce gouvernement sans âme – ne semblait plus désormais y attacher d'importance.

Le meurtre de Laporte avait provoqué une énorme colère chez l'homme dont la vie de Cross dépendait et que les autres appelaient Jacques, quand ils se relâchaient; le prisonnier en conçut un léger espoir. Les ravisseurs paraissaient avoir perdu leur objectif, leur élan. Ils se préparaient dorénavant à être capturés la police. Seraient-ils arrêtés ? Se battraient-ils jusqu'à la mort ? Ou bien fuiraient-ils en exil ?

D'après les sondages, le gouvernement fédéral et Pierre Trudeau bénéficiaient d'un soutien de plus en plus large. Comment était-ce possible ? En faisant les courses, la femme entendit quelqu'un dire qu'il faudrait aligner ces gens du FLQ le long d'un mur et les fusiller; la caissière aurait préféré qu'on les enterre vivants; dans la file d'attente, la ravisseuse anonyme sourit à cette suggestion, comme si elle approuvait en silence. *Je suis déjà enterrée vivante.* Tous refusaient un second meurtre, à moins qu'il ne s'agît d'un membre du FLQ se balançant au bout d'une corde. Tous souhaitaient une sortie à la crise : plus de soldats dans les rues et plus de FLQ dans leur existence. Quant aux ravisseurs, leur rêve de révolution avait explosé. Leur cher Front de Libération du Québec, malgré cette appellation ronflante, n'était plus, aux yeux du public, qu'un groupuscule de jeunes irresponsables. Après avoir rêvé jadis de renouveler l'expérience d'Alger – celle qu'ils avaient vue au cinéma dans *La Bataille d'Alger* –, ils découvraient que le Québec n'était pas l'Afrique du Nord, que leur révolution ne deviendrait jamais le film qu'ils avaient imaginé.

Dans la solitude de sa chambre, James Cross tendait l'oreille pour entendre ses ravisseurs se plaindre amèrement de la loi sur les mesures de guerre. Eux qui, autrefois, affichaient leurs convictions et leur détermination, passaient maintenant leur temps à se chamailler et à chercher une issue. Le groupe se désagrégeait, ce qui ne présageait rien de bon pour leur prisonnier. Sans doute, indépendamment de leur répugnance à le tuer, ne le gardaient-ils en vie que parce qu'il représentait leur billet pour la liberté. Leur seule issue de secours. A l'arrivée de la police, inévitable, ils échangeraient sa vie contre un aller simple pour Cuba. Ils n'avaient plus que lui pour marchander leur liberté. Plus de rêves, plus d'idéaux, plus de révolution, rien que James Cross, leur captif.

Depuis quelques jours, il n'était question entre eux que de fuite. La Havane ou Tanger ? L'un d'eux revint des courses avec un prospectus glané dans une agence de voyages. Au début, ses camarades le rabrouèrent pour avoir fait un détour : si eux-mêmes ne sortaient pas, ce n'était pas pour qu'il baguenaude en ville. Pourtant, Jasper les entendit évoquer les plages de sable blanc et les haciendas roses de Cuba. Ils rêvaient d'une autre vie ; leurs espoirs se déplaçaient.

Selon Cross, ils avaient perdu la tête. Un gouvernement qui ne négociait pas avec des terroristes en planque ne négocierait pas non plus une fois ceux-ci cernés.

Il s'inquiétait surtout de la manière dont ils lui donneraient la mort ; il redoutait de connaître le sort de Laporte, la strangulation. Il se crispait dans ses liens à l'idée de perdre la vie d'une façon indigne et horrible entre les mains d'une canaille et, quand le désespoir le submergeait, ses larmes – il aurait pensé qu'elles finiraient par se tarir – trempaient le bandeau qui l'aveuglait.

Il préférerait, quand l'heure viendrait, être abattu d'une balle.

Il avait d'ailleurs failli leur suggérer, les en suppliait en pensée mais se retenait de l'exprimer à haute voix ; ce n'était quand même pas interdit de faire appel à leur humanité et de leur demander ce maigre privilège, mais au dernier moment, il parvenait à réfréner son envie. S'il l'exprimait, il donnerait implicitement à ses ravisseurs la permission de le tuer.

Il avait connu le pire après le massacre de Laporte, quand le présentateur de la chaîne nationale de télévision, CDC, prenant connaissance d'une dépêche, avait annoncé la mort de James Cross, puis s'était repris – l'information était inexacte – pour déclarer que oui, il était bel et bien vivant.

Il en avait résulté pour lui un autre moment horrible : en réponse à cette information erronée, ses ravisseurs lui avaient dicté une lettre qui fut analysée en direct à la télévision par les journalistes. Cross avait délibérément fait des fautes d'anglais, orthographiant mal quelques mots afin de piéger ses ravisseurs français ; et les journalistes en avaient déduit publiquement qu'il avait essayé de faire passer un message : le message de Cross indiquait que les mots étaient ceux des ravisseurs.

A qui ces journalistes croyaient-ils avoir à faire ? Ignoraient-ils donc que le FLQ avait des oreilles et surveillait toutes les émissions télévisées ? Le FLQ écoute, crétins ! Ils vous regardent ! Quelle horrible maladresse... Ses ravisseurs l'avaient traîné dans sa chambre et lui avaient refusé désormais de regarder la télévision. Quelques jours durant, plus personne ne lui avait parlé et on avait réduit ses rations. La femme avait même fait irruption dans sa chambre en pleine nuit pour le réveiller d'un grand coup dans la poitrine et l'accabler d'injures ; son mari, heureusement, était intervenu et l'avait ramenée au lit ; il était ensuite revenu s'excuser. « C'est la pression », avait-il expliqué. Une fois seul et réalisant l'odieuse trahison des journalistes, il avait été submergé par un désespoir tel qu'il avait été secoué par des nausées terribles.

Ce monde, décidément, ne lui inspirait que du mépris! Et ces foutus journalistes stupides! Il fut pris alors d'un accès de paranoïa : au fond, les journalistes qui renseignent délibérément les terroristes travaillent probablement pour eux et le pays tout entier conspire contre moi.

Ces conjectures le plongèrent dans une nouvelle angoisse.

Ses ravisseurs sentaient depuis quelque temps le dénouement approcher. Soixante jours qu'il était ligoté, aveuglé par un bandeau ou avec des œillères. Eux aussi souhaitaient certainement la fin, car ils commençaient à se sentir aussi prisonniers que leur otage. On le nourrissait mieux, non pas, estimait Cross, qu'ils eussent obtenu de nouveaux financements – l'argent était entre eux un constant sujet d'irritation –, mais parce qu'ils liquidaient leur argent, en bière notamment, comme s'ils envisageaient une levée prochaine du siège. L'un faisait les courses et deux autres préparaient le petit déjeuner, quand un quatrième, après avoir jeté un coup d'œil derrière le rideau, les alerta : « *Les flics!* »

Cross sentit son sang se glacer.

Ils se ruèrent hors de la cuisine pour vérifier, mais ne virent personne. Pourtant, où étaient passés les enfants qui jouaient d'habitude dans la rue, maintenant silencieuse? Même s'ils ne voyaient pas de policiers, ils commençaient à sentir leur présence. Comme s'ils flairaient leur odeur. Instinct? Des flics les observant à travers le miroir de la salle de bains, l'oreille collée aux récepteurs des micros planqués dans leurs pendules et leur radio? Même s'ils ignoraient que les flics occupaient le troisième étage de leur immeuble ainsi que celui d'en face, ils les sentaient partout, comme des taches sur un mur, comme des grains de poussière qui fuyaient sous leurs pieds, comme si l'on enregistrait et mesurait même le bruit de leurs pas.

Cela se déroula ainsi.

Anik Clement s'installa dans une encoignure au fond d'un restaurant de la rue Jean-Talon, dans le quartier grec. Huit minutes plus tard, Emile Cinq-Mars la rejoignait et, comme peu de temps auparavant ils avaient longuement bavardé, ils restèrent silencieux. Cinq-Mars s'aventura à réconforter son ancienne petite amie en posant ses mains sur les siennes et elle ne protesta pas. Il ne s'écarta qu'à l'arrivée du capitaine Touton qui accrocha son chapeau et son manteau à la patère avant de les rejoindre.

— Saloperie de temps! Et nous ne sommes qu'en décembre! C'est une pénitence de vivre sous ce climat! gémit-il en s'asseyant. Alors? Comment ça va, Anik?

—J'ai deux pistes, répondit-elle en fouillant dans les profondeurs de son sac à main.

— Des pistes? répliqua Touton. J'espérais que tu allais me conduire directement aux ravisseurs. Mes hommes sont prêts.

Gardant les mains au fond de son sac, elle releva la tête, et, pour bien montrer que ce soir elle n'accepterait pas ce genre d'enfantillage, elle expliqua posément :

— Si vous voulez, je suivrai ces pistes moi-même et vous conduirai ensuite en vous tenant par la main jusqu'aux ravisseurs. Sinon, vous pourriez faire votre travail et remonter ces pistes en dix fois moins de temps que moi. A vous de juger. A minuit, sans réponse de vous, je rangerai mes pantoufles de vair et je me pinterai.

— Bon! » acquiesça-t-il. « Aussi entêtée que d'habitude! Explique-moi tes pistes.

— Vous avez négligé les femmes, lui assena-t-elle. Là où il y a des hommes, il y a des femmes, même dans une guerre. Vous avez raison de publier la photo de Jacques Lanctôt, mais je présume que vous n'avez pas repéré l'endroit où se trouvent sa femme et son fils...

— Nous cherchons.

— Elle est enceinte.

—Je vois. » Il enregistra en hochant la tête, même s'il n'y voyait aucun intérêt immédiat.

— Ah oui? Trouvez dans quelle clinique elle est censée accoucher et trouvez le médecin qui la suit. Mais, d'abord, regardez ceci.

Elle posa sur la table la photographie en noir et blanc d'un garçonnet que Touton examinait quand la serveuse arriva.

— C'est le fils? demanda-t-il après avoir commandé trois cafés.

— Oui, Boris. Maintenant, regardez ça.

Le second cliché représentait une femme aux hanches larges, à la poitrine généreuse et au visage lunaire reflétant une certaine timidité. Auprès d'elle se tenait le petit Boris.

— Qui est-ce? Une grand-mère ukrainienne?

— La nounou. Tenez. Elle lui tendit une autre photographie sur laquelle on voyait un homme entrer dans une maison à un étage par la porte de derrière.

— Tu me l'as déjà montrée. Ce n'est pas la planque?

—Je vous ai montré un terroriste entrant dans une maison et vous en avez conclu qu'il s'agissait de la planque. Mais, moi, je n'ai jamais dit ça.

— Alors ?

— C'est le domicile de la nounou de Boris ; il habite avec elle. Elle jouit d'une bonne réputation. J'ai posté un photographe dans un arbre pour surveiller la porte arrière de la maison. Jacques y vient parfois, mais Suzanne, sa femme, leur rend visite plus souvent.

— Quel Jacques ?

— Lanctôt ! Suivez, Armand !

— Il est donc possible d'attendre Jacques à cet endroit ?

— Ce n'est pas certain, le prévint Anik, car, à son arrivée, le jour où a été prise la photo, il a dû discuter avant de pouvoir entrer. A mon avis, il ne s'agissait pas d'une banale visite. Faites donc filer la nourrice lorsqu'elle emmène le gamin se promener, le plus souvent dans le parc du quartier ; de temps en temps, ils sont rejoints par Suzanne. Selon moi, elle a trop d'obligations en ce moment pour s'occuper de son fils à plein temps.

— Trop d'obligations ? Ferait-elle partie de l'équipe des ravisseurs ?

— Je ne pense pas ; mais elle assure probablement le relais. Va-t-elle jusqu'à la planque ? Vraisemblablement. » Les pistes menaient rarement plus loin. « Autre chose : je vous le répète, vous avez négligé les femmes. Vous avez mis la photo de Jacques Lanctôt dans les journaux, mais pas celle de sa sœur Louise.

— Sa sœur ? » Il n'en avait jamais entendu parler.

— Vous voyez ! Moi, je connais les femmes. Louise, la sœur de Jacques Lanctôt, est la petite amie de Jacques Cosette-Trudel. J'ai remarqué que son nom ne figure pas sur les listes de personnes à arrêter qu'Emile m'a données. Ce n'est pas sérieux. Extrémiste vraiment engagée depuis des années, elle mérite au contraire de figurer en tête de n'importe quelle liste, bien plus que certains que vous avez collés derrière les barreaux. Alors, où est Louise ? A vrai dire, je crois qu'elle est mariée, en tout cas elle utilise le nom de Cosette-Trudel. Lui, nous l'appelons « C.T. ».

— Bon sang de bonsoir ! s'exclama Touton, pour qui tout cela changeait pas mal de choses.

— Réagissez enfin, il est temps. Vous connaissez la Taverne Boucheron, capitaine ?

— Evidemment ! » Il n'y allait plus boire quelques chopes qu'en de rares occasions, mais, au bon vieux temps, il y avait suivi nombre de coupables pour découvrir leurs fréquentations.

— Surveillez l'endroit.

— Mais qui ou que dois-je rechercher ?

— C'est le lieu de rendez-vous préféré de C.T. depuis toujours, et, apparemment, encore maintenant. Tenez. (Encore une photographie : Cosette-Trudel sortant de la Taverne Boucheron.)

— Qui rencontre-t-il là ?

— Des sympathisants : médecins, avocats, homos, tous des types bourrés d'oseille que vous n'avez pas encore ramassés, de messagers. » De l'or en barre ! Touton ne put s'empêcher de sourire parce que cela lui rappelait le bon vieux temps, c'est-à-dire l'époque où il travaillait avec les parents d'Anik. Il jugea préférable néanmoins de garder ce commentaire pour lui.

« Merci, Anik, se contenta-t-il de dire.

Elle semblait assez fière d'elle, mais en aucun cas satisfaite : elle détourna en effet son visage pour dissimuler son manque d'enthousiasme pour ce qu'elle venait d'accomplir.

Après avoir terminé leur café, chacun s'apprêtait à partir dans des directions différentes quand Anik croisa le regard du capitaine et le soutint sans broncher ; elle se tourna alors vers Emile qu'elle embrassa sur les deux joues avant de partir.

— Bon travail ! déclara Touton à son protégé.

Cinq-Mars se contenta de secouer la tête : ce qui venait de se passer ne ressemblait en rien au travail de la police.

— Vous êtes sûr qu'elle n'aura pas d'ennuis ? Je le lui ai promis.

Rien n'obligeait Touton à prendre des gants avec un jeune policier, mais il n'avait jamais vécu une époque aussi difficile. Lancés dans la plus vaste chasse à l'homme de l'histoire canadienne et sur le point d'obtenir un résultat, ils n'en tireraient aucun mérite. C'était le prix à payer pour négocier ce marché.

— Il faut communiquer les tuyaux d'Anik à la police montée.

— Pourquoi donc ?

— Pour sa sécurité, parce que aucun de ceux qui résoudront l'affaire ne connaîtra la provenance de l'information décisive. Ça vient des flics de Montréal, prétendront-ils en rigolant, qui sont trop flemmards pour suivre eux-mêmes les pistes, ou peut-être même trop bêtes pour en deviner l'intérêt. Notre service va déguster une fois de plus ! Mais ainsi, Anik ne risque rien, et le travail sera accompli parce qu'il y a des policiers de la GRC capables de faire du bon boulot.

— Mais vous écouteront-ils ? Un tuyau venant d'un flic de Montréal ne vaut pas un clou pour eux.

— Tout d'abord, ça ne viendra pas de moi, car ils me prendraient trop au sérieux et, par la suite, pourraient mentionner mon nom ; je ne veux pas de ça. C'est toi qui les contacteras, comme un crétin qui ne se réalise même pas l'intérêt de son tuyau. Ton nom ne sera jamais mentionné, tu es trop jeune dans le métier. Ensuite, je les relancerai pour m'assurer qu'on en tient compte. Emile, on les aura, ces types !

Hochant la tête, Cinq-Mars enfila son gros manteau. Soixante jours ! Soixante jours de tourmente pour la ville !

Le capitaine posa une main sur l'épaule d'Emile.

— Une telle affaire marquerait ta carrière à vie. Cela ne t'ennuie pas d'en perdre le mérite ?

Emile haussa les épaules puis désigna la porte par laquelle Anik était sortie.

— Veillez sur elle. Vraiment. C'est tout le mérite que je demande.

Yves était sorti et il avait pris du retard. Il marcha à grandes enjambées, comme d'habitude, sans s'occuper de rien et sonna au rez-de-chaussée. A l'intérieur, ses compagnons débranchèrent le piège à dynamite fixé à la porte.

— Ils ne t'ont pas arrêté ?

— Qui ça ?

— Les flics ! Il y en a plein le quartier !

— Vous vous faites des idées !

Plus tard, soudain les lumières s'éteignirent, puis un intrus qui avait traversé leur pelouse essaya de couper l'eau du bâtiment. Yves braqua sur lui son M-1 et lui ordonna de foutre le camp. L'homme regagna l'autre trottoir au pas de charge.

Finies les interrogations : ils étaient bel et bien assiégés. Le téléphone, en sonnant – ils s'y attendaient – le confirma.

La femme répondit, écouta, puis raccrocha.

— Il n'y a pas que les flics », expliqua-t-elle calmement. Ces derniers temps, elle avait pleuré ou s'était mise en colère à l'improviste mais, en cet instant, elle n'aurait pas même pu feindre la surprise ni manifester une émotion. « L'armée est là, elle aussi.

— Qu'est-ce qu'il a dit ?

— « Vous êtes cernés. »

Ils ne vérifièrent même pas et restèrent silencieux, comme s'ils avaient décidé d'observer une minute de silence : en réalité, cela ne dura pas aussi longtemps, mais, pour Cross, il s'était écoulé une éternité. Il perçut un changement dans l'atmosphère, une tension soudaine. Tout d'un coup, il changeait de rang : de personnage le plus faible, il était devenu le protagoniste le plus important. Avant que la présence des policiers ne fût repérée, on lui avait apporté de l'eau et on avait laissé la porte ouverte. Il ne voyait rien mais il écoutait de tout son être. La femme avait-elle vraiment parlé de policiers et de l'armée ? Se passait-il enfin quelque chose ? Rêvait-il ? Puis il entendit le geôlier le plus lourd – ses pas retentissaient sur le carrelage de la cuisine – se diriger vers la fenêtre. Le store vénitien fit un peu de bruit au moment où on l'écarta et quand il le laissa retomber. Cross s'efforçait de visualiser tous les sons qu'il entendait, ainsi que les silences.

— Merde ! lâcha l'homme avec une inquiétude que Cross releva.

Le téléphone sonna de nouveau, les faisant tous sursauter.

— Est-ce qu'on doit répondre ?

Ils hésitèrent un instant puis, cette fois encore, la femme décrocha.

— Nous avons des exigences, annonça-t-elle.

Long silence, et elle raccrocha.

— Qu'est-ce qu'on t'a dit ?

— Ils ne veulent plus de violences, plus de blessés... Ça suffit comme ça, il est temps de nous rendre sans histoires. Les foutaises classiques des flics, quoi ! Ils veulent connaître nos exigences.

— Lis-lui le manifeste ! conseilla un autre homme, mais ses camarades ne l'encouragèrent pas. Lire des manifestes à la radio ne rimait plus à grand-chose désormais.

Le téléphone se remit à sonner.

— Cette fois, c'est moi qui réponds.

— Pourquoi ?

— Pourquoi serait-ce toujours toi ?

Celui qui prit l'appareil était celui qui avait porté de l'eau à Cross.

— Oui ? dit-il. Vous n'avez pas besoin, reprit-il, sarcastique, de connaître l'identité de votre interlocuteur. » Quelques instants plus tard, il répéta : « Vous n'avez pas besoin de la connaître ! » Il donnait l'impression de chercher la bagarre, mais quand il reprit la parole, ce fut avec calme. « Oui, c'est moi et alors ?

— Ne lui dis pas ça ! lança la femme.

— Non, crétin ! cria soudain l'homme dans le combiné. C'est toi qui m'écoutes ! On veut un avion pour Cuba !

— Bonté divine ! souffla un de ses compagnons.

— C'est exact, nous détenons James Cross et nous sommes prêts à tuer ce fils de pute ! Une balle entre les deux yeux ou peut-être une dans chaque œil... Vous ne voulez plus de violence ? Alors trouvez-nous un avion ! (Il attendit une réaction.) Oui, il est en vie ! Vous voulez que je vous le passe ? (Il s'avança vers Cross, mais le fil du téléphone se coinça sous la porte ; la femme tira dessus pour le libérer.) Dis-leur qui tu es ! hurla-t-il en poussant le téléphone sous le nez de son prisonnier.

— Ici, James Cross », annonça-t-il. Il réalisa soudain que c'étaient les premiers mots qu'il prononçait dans sa langue natale depuis deux mois. Il avait envie de crier. « Je vais bien. »

L'homme repartit à grands pas vers la cuisine.

— Trouvez-nous un avion ou cela se terminera en fusillade ! Cross pour commencer, puis quelques flics ! (Il cria soudain à un de ses camarades :) Eloigne-toi de cette fenêtre ! Tu cherches à te faire flinguer ?

— Passe-moi le téléphone », demanda la femme. Apparemment, son collègue acquiesça, car Cross l'entendit parler. « Alors ? Merde, à qui est-ce que je cause ? (Un instant plus tard, elle cracha. « Pas besoin de me faire des remarques sur ma façon de parler ! Je dirai ce qui me plaît, merde ! Non, c'est toi qui vas te calmer ! (Elle écouta la réponse de son interlocuteur et répliqua :) Va te faire foutre ! Je ne parle à personne de cette saloperie de police montée ! Non, je ne te repasserai pas l'autre ! C'est à moi que tu parles, et moi je ne parlerai plus qu'à quelqu'un de la SQ [la Sécurité du Québec] ou à un flic de la ville. Rappelez-moi. Ici, on n'adresse pas la parole à la police montée.

Elle raccrocha.

— La vache ! murmura quelqu'un.

— Et si quelqu'un se prétend de la SQ, comment saurons-nous qu'il dit vrai ? Cela pourrait très bien être un mec de la police montée nous faisant croire qu'il appartient à la SQ !

— Il existe des policiers de la GRC québécois...

— Ne me parle pas de ces salauds de renégats ! Je ne m'adresse pas à un policier de la GRC et c'est comme ça ! Je ne parle pas non plus aux gorilles de Duplessis ! C'est un gouvernement illégitime ! Seul un flic de la ville pourra négocier pour leur camp ! Et si ça ne vous plaît pas, allez vous faire foutre !

— Choisissons un flic qu'on connaît déjà, qu'on a vu à la télé. Comme ça, on saura à qui on a affaire.

— Pourquoi pas Touton ? On sait à quoi il ressemble. C'est probablement de la foutaise, mais il a la réputation d'être un type intègre.

Le téléphone sonna de nouveau ; la femme décrocha et écouta, avant de reprendre la parole d'une voix sourde et menaçante : Nous détenons James Cross, il est vivant mais nous sommes prêts à le supprimer. Maintenant écoutez-moi... NON ! C'est vous qui m'écoutez... Nous ne voulons plus de la SQ – ces types choisis par Duplessis, ses sbires. Nous négocierons avec un flic de la ville : Armand Touton. Ce sera notre homme. Ne nous rappelez que lorsqu'il sera en ligne. Nous voulons le voir à la télé, alors, nom de Dieu, rétablissez-moi ce courant !

Ils étaient plutôt satisfaits, ils avaient remporté un round.

De gros projecteurs balayaient maintenant les murs de l'immeuble.

— Ne vous inquiétez pas, lança quelqu'un, c'est pour les caméras de la télé.

— Tu plaisantes ! répliqua la femme. C'est pour ces saloperies de tireurs embusqués !

Assis sur le carrelage de la cuisine, ils eurent droit à la retransmission commentée de leur échec. Les tireurs de l'armée visaient leur appartement baigné dans la lumière éblouissante des projecteurs. On distinguait au loin un attroupement : des spectateurs, dont pas un seul, constatèrent-ils, ne réclama leur libération. L'atmosphère semblait plutôt à la fête : on s'amusait, échangeait des plaisanteries en attendant – et sans doute en espérant – un bain de sang. De l'action. Personne ne voulait rater le déferlement de tirs et d'explosions qui viendrait à bout des ravisseurs.

Cela pouvait devenir une véritable guerre.

Derrière les barricades, un reporter de la télé interviewait des badauds.

Quelques-uns parlèrent avec tristesse de la capture des « garçons ». « Et moi, alors ? » s'était insurgée Louise, puis elle avait éclaté de rire, d'un rire dans lequel on décelait malgré tout un brin d'amertume. Dans sa chambre, James Cross, amer lui aussi, riait tout seul de sa petite plaisanterie : *Oui ! Et toi ? Personne n'est triste que tu sois prisonnier ?*

Un vieil homme ratatiné réclama qu'on en finisse, que les flics fassent sauter l'immeuble.

« Et James Cross ? » souligna le reporter. Dans l'obscurité de sa chambre, Cross songea : *Merci, monsieur, d'avoir posé cette question. Il reste donc au moins un journaliste un tout petit peu consciencieux.*

Le téléphone sonnait sans cesse et ils décrochaient à chaque fois.

Les flics affirmaient que le capitaine Armand Touton était en route, puisque c'était à lui qu'ils voulaient parler. Mais patience, il fallait lui laisser le temps de traverser la ville. Il ne volait pas, n'est-ce pas ?

Ils connaissaient le temps nécessaire à Touton pour arriver : il aurait déjà dû être là.

— En attendant, déclara la femme, préparez un avion plein de carburant. Sinon, occupez-vous du cercueil de votre cher Mr. Cross ; il vous donnera même ses préférences pour le bois et tout ça... » Elle raccrocha. Sa voix était lasse, ses réponses et ses réactions étaient confuses. Cross la sentait vaincue. Il supposait que les policiers de la GRC le savaient eux aussi. Mais était-ce pour lui un avantage ou non ?

Puis les policiers de la GRC appelèrent une nouvelle fois pour annoncer qu'il leur fallait choisir un intermédiaire de leur côté, quelqu'un qui assurerait la liaison entre eux et Touton.

— Pourquoi ça?

— Parce que nous coupons la ligne téléphonique.

— Ne...

La communication fut coupée.

Plus de tonalité. La mort, en quelque sorte.

— Ils nous punissent, soupira un des hommes. De les avoir exclus des négociations.

— J'ai besoin d'aller aux toilettes! cria Cross.

— L'énervement, marmonna quelqu'un.

— Calmez-vous! lui répondit la femme. Je vais vous y conduire.

Une humiliation de plus avant qu'ils n'en aient fini avec lui.

— Ils ont coupé le téléphone, lui annonça-t-elle. Il nous faut un intermédiaire pour assurer la liaison avec eux. On compte plus d'intermédiaires que d'otages!

Elle continua l'énumération de leurs problèmes pendant qu'il pissait.

— Vous n'avez qu'un seul otage, lui rappela Cross, moi.

— Exactement. Aussi devons-nous dorénavant prendre soin de vous.

Ils lancèrent par la fenêtre un cylindre de carton – un rouleau de papier toilette – contenant un message. Pensant à un bâton de dynamite, les policiers les plus proches s'enfuirent en courant. Cela fit beaucoup rire les assiégés et dissipa un instant leur tension. Les policiers revinrent prudemment ramasser le message et leur hésitation, leur peur déclenchèrent de nouveaux rires.

Le capitaine Armand Touton attendait dans sa voiture et donna un nouveau coup de klaxon qui, cette fois, eut de l'effet. Emile Cinq-Mars surgit hors de son appartement et se précipita dans l'escalier avant de freiner brutalement à mi-parcours. Il monta à la place du passager, surpris de se trouver seul avec le patron.

Touton plaqua sur le toit du véhicule un gyrophare aimanté et démarra en trombe.

Il n'indiqua pas leur destination à Cinq-Mars, qui ne posa pas de questions. En chemin, il se contenta de s'informer de la raison de sa présence aux côtés du capitaine.

— Tu as regardé les infos?

— Comme tout le monde...

— On m'a demandé de conduire les négociations.

— Vous? s'étonna Cinq-Mars, incapable de maîtriser sa surprise. Les policiers de la GRC vous ont demandé ça? Pourquoi?

559

— Pas les policiers de la GRC, répondit sèchement Touton, ça n'aurait pas de sens.

— En effet, admit Cinq-Mars, déconcerté. Alors qui ?

— Les terroristes. Qui veux-tu que ce soit ? » Il parlait comme s'il s'attendait à ce que le jeune homme ne le crût pas.

Cinq-Mars ne comprenait tout simplement pas.

— J'ignorais que vous les connaissiez.

— Moi aussi, ironisa son supérieur en haussant les épaules. Mais ils apprécient mon style, ajouta-t-il en souriant. Un avocat, un certain Bernard Mergler, fait office d'intermédiaire mais je négocie pour notre camp.

Ils roulaient à fond la caisse ; Touton ralentissait aux carrefours, mais reprenait son allure d'enfer dès l'instant où les autres véhicules apercevaient son gyrophare.

— Alors pourquoi souhaitez-vous ma présence ? répéta Cinq-Mars.

— Il faut bien que quelqu'un m'apporte mon café ! (D'un coup de klaxon, il fit se ranger un bus.) Ce qui me rappelle...

— Quoi donc ?

— Rends-moi ma plaque. La prochaine fois que tu voudras m'accompagner sur une mission, mets-toi en tenue.

Emile Cinq-Mars était peut-être rétrogradé, mais il demeurait malin.

— Je sais pourquoi je suis là, riposta-t-il, et pas pour vous apporter le café.

Touton le regarda plusieurs fois, puis hocha la tête, comme pour reconnaître tacitement la chose.

— J'aurai peut-être besoin de toi pour parler à Anik.

Le Premier ministre avait choisi de suivre les opérations depuis sa résidence officielle, 24, Sussex Drive. Gérard Pelletier lui tenait compagnie et intervenait à chaque appel du ministère de la Justice.

— Nous sommes sur le point de boucler cette affaire, assura Pelletier, très soulagé.

Les commentateurs de la télévision demandaient aux policiers comment ils avaient découvert la planque du FLQ ; ils répondaient : leurs lèvres remuaient mais ils n'expliquaient pas grand-chose.

— Comment cela s'est-il vraiment passé ? interrogea Pelletier.

— Tu te souviens de la Dague de Cartier ? répondit Trudeau sans quitter l'écran des yeux.

Pelletier acquiesça.

— C'est le prix que j'ai payé.

Le secrétaire d'Etat encaissa la nouvelle, guettant chez son vieil ami une réaction, de regret ou autre.

— Dois-je te demander... ?

— Tu n'auras pas de réponse, déclara Trudeau en secouant la tête.

Tous deux regardèrent un moment le téléviseur, puis Pelletier observa :

— C'est cher payé, non ?

Le Premier ministre se frotta longuement les reins pour dissiper la tension, puis haussa les épaules.

— Pas si ça marche...

Quelques instants plus tard, Pelletier posa une autre question, plus politique :

— Si tu ne peux pas me donner la véritable raison pour laquelle tu les laisses partir, comment l'expliqueras-tu au peuple ?

Haussement d'épaules.

— Les Britanniques ont fait pression sur moi pour que soit libéré leur type. Au bout du compte, j'ai décidé que sa vie valait beaucoup plus que le plaisir de mettre ses ravisseurs en taule. Si quelqu'un veut savoir si je négocie avec les terroristes, je me contenterai de répondre que les Anglais m'y ont obligé.

Quelques minutes plus tard, évaluant le pour et le contre, Pelletier opina. D'accord. Si la décision lui était revenue, il aurait probablement fait la même chose. Récupérer l'otage, et tant pis pour le reste ! Inutile de donner à des ravisseurs emprisonnés le statut de héros dans leur cellule, et Trudeau avait déjà aboli la peine de mort. Autant se débarrasser d'eux.

— C'est un pays difficile à tenir, déclara-t-il.

Trudeau lui jeta un coup d'œil, puis son regard revint au téléviseur. Pelletier avait toujours su manier la litote.

Touton traversa la rue en se souvenant du jour où, des années plus tôt, il avait forcé un bandit syphilitique à sortir de chez lui en lançant des cailloux, d'abord dans une pièce puis dans la suivante, et ainsi de suite, jusqu'au moment où il s'était montré. S'ils entrebâillaient cette porte pour lui, il leur faudrait commencer par désamorcer la dynamite ; alors il enfoncerait la porte d'un coup d'épaule. Il en avait la force. On pouvait douter de ses réflexes, mais, si ses jambes n'avaient pas trop perdu de leur forme, il déboulerait si vite sur eux qu'ils n'auraient pas le temps de tirer. Les ravisseurs se retrouveraient face contre terre et mains derrière la nuque avant d'avoir eu le temps de souffler. Et s'ils soufflaient, ce serait avec les menottes aux mains en regrettant d'être venus au monde.

Toutefois, il ne fallait pas oublier Cross.

Anik avait téléphoné après que Cinq-Mars l'eut contactée par des voies clandestines. Touton avait fait sortir tous les hommes de son véhicule pour lui parler.

— Les policiers de la GRC risquent d'écouter, je ne peux pas en être sûr.

— Bon, lâcha-t-elle, je comprends.

— Je vais là-bas parler aux ravisseurs.

— Je vous verrai à la télé, lui indiqua-t-elle avec un petit rire, je suis en train de regarder.

— Pourvu que je n'oublie pas d'arranger mon nœud de cravate !

— Ne mettez pas votre chapeau, lui conseilla-t-elle.

— Mon chapeau, c'est ma marque de fabrique !

— C'est vrai. D'accord, gardez le chapeau.

— J'ai besoin de savoir une chose, soupira-t-il.

— Quoi donc ? demanda-t-elle, hésitante.

Elle avait pris quelques décisions difficiles ces derniers temps et elle n'éprouvait pas le besoin d'en ajouter une autre.

— Quelqu'un que tu as connu autrefois – je parle comme ça, parce que les policiers de la GRC écoutent peut-être – voulait que le poignard se trouve en de bonnes mains. Du moins ce qu'il considérait comme de bonnes mains.

— Je le crois, acquiesça-t-elle.

— Pas chez les fascistes, les cocos, les syndicalistes, l'Eglise ou le gouvernement – mais dans ce qu'il considérait comme les mains appropriées. Moi aussi je veux que le poignard soit en de bonnes mains.

— Je tiens surtout à m'assurer que tu surveilleras le poignard. A toi, je peux faire confiance. Mais si tu te laisses manipuler, si on te force la main ou qu'on cherche à t'influencer...

— Je déciderai moi-même, riposta-t-elle sèchement.

— Je ne voulais pas t'insulter.

— Ah non ? C'était pourtant bien imité !

— Je voulais juste savoir... avant de me rendre là-bas.

— Je vais regarder.

— Peut-être que je n'exhiberai pas mon chapeau...

— Vous avez raison, nous sommes déjà dans les années soixante-dix. Personne n'en porte plus. Vous devriez changer de style.

Touton sourit en traversant la rue, sachant que les commentateurs de télévision se demanderaient ce qui l'amusait tant. Les policiers planqués dans les parages semblaient graves ; celui-là souriait. Il ne portait pas son chapeau, si bien que son visage, filmé par les caméras, était facilement reconnaissable.

Il entra dans l'immeuble.

562

Un homme s'adressa à lui derrière la porte de l'appartement du rez-de-chaussée. Comme s'il avait lu ses pensées et qu'il connaissait sa réputation, l'homme l'avertit en entrebâillant la porte :

— Nous braquons un fusil sur Cross. Vous essayez quoi que ce soit et il meurt. Comme ça ! » fit le jeune type en claquant des doigts. Touton renonça à jouer les héros. Sur ses jambes mal assurées, il lui faudrait de meilleures chances que celles dont il disposait actuellement.

« Ne me mets pas des idées en tête ! Nous voulons simplement que cette négociation aboutisse. Je me rends compte que c'est difficile. Mais tu m'as fait venir ici parce que tu estimes que je suis un type réglo avec lequel on peut discuter. Exact ?

— Nous voulons que les policiers de la GRC aillent se faire voir ! Ne les mettez pas dans le coup !

Cette remarque fit rire Touton.

— Tu ne te débrouilles pas mal. Ils sont vexés comme des poux ! Nous, les gars de Montréal, on apprécie. On a eu quelques coups durs au cours de cette chasse à l'homme, on n'a pas toujours eu le beau rôle. Alors c'est agréable d'être pris au sérieux.

L'homme derrière la porte se mit à rire à son tour. Puis il lui demanda :

— Que vouliez-vous me dire que vous ne puissiez pas dire à l'avocat Mergler ?

— Bernie est un type bien. Faites-lui confiance. Mais il existe des secrets qu'il faut garder secrets, tu comprends ce que je veux dire ?

L'homme lui rétorqua qu'il n'avait pas la moindre idée de ce que cela signifiait.

Il ne serait pas facile de l'apaiser.

— Le Premier ministre du Canada m'a donné l'autorisation de vous mettre dans un avion à destination de Cuba. Il a arrangé tout ça avec Castro en personne.

— C'est parfait... si c'est vrai. Comment pourrais-je vous faire confiance ?

L'homme étant assis par terre, Touton s'accroupit à son tour. Cet immeuble comprenait trois appartements, le leur et deux au-dessus. Au dernier étage, chez un surveillant de l'école voisine tout disposé à faire son devoir et à libérer les lieux, étaient installés depuis deux jours un policier et sa prétendue épouse.

— Au cours de cette enquête, nous avons découvert quelque chose à propos de notre M. Trudeau – à propos d'un tas de gens, d'ailleurs. Mais nous avons découvert quelque chose à son sujet qui, si cela s'ébruite, lui fera perdre les prochaines élections.

— Ah oui ? Quoi donc ? (La cerise sur le gâteau !)

— Je ne peux pas te le révéler, reprit Touton. En vérité, je l'ignore. Mais quelqu'un sait, et ce quelqu'un parlera si Mr. Trudeau ne tient pas sa promesse envers vous autres, si le vol à destination de Cuba se trouve annulé. Il est au courant de la situation et sait parfaitement que s'il nous laisse tomber, toute l'histoire sera révélée. Fais-moi confiance, il n'en a aucune envie. » Le capitaine s'assit confortablement pour montrer à son interlocuteur derrière la porte que lui-même en était persuadé. « En tout cas, il faut que tu comprennes ceci : il tient à ce que vous quittiez le pays et n'a nul besoin de faire de vous des martyrs, ou des héros populaires en vous jetant en prison. On ne veut pas que des illuminés écrivent des chansons sur vous. Tu veux savoir pourquoi tu iras à Cuba ? Parce que tu détiens James Cross ? Ne crois pas ça ! Si vous n'étiez que des voleurs de banques qui avaient pris un otage et si cela se passait juste entre toi et moi, il y a longtemps que j'aurais donné l'assaut. J'aurais enfoncé la porte et pris le risque. Merde pour la dynamite ! voilà ce que je penserais. Le tout, c'est de les avoir !

— Essayez un peu ! ricana l'homme, menaçant.

— Hors de question ! répliqua Touton. Tu penses que partir pour Cuba est la meilleure solution ? Eh bien, je vais te dire une chose : c'est la meilleure solution pour tout le monde.

Son interlocuteur garda un moment le silence, mais Touton sentait qu'il réfléchissait. En outre, il n'était pas seul à écouter, et les terroristes communiquaient sans doute par signes. Touton fut de nouveau vaguement tenté de revenir à son plan initial parce qu'ils n'avaient plus le doigt sur la détente. Mais c'était le Touton de jadis qui parlait dans sa tête ; celui d'aujourd'hui, avec ses genoux abîmés, mettrait trente à quarante secondes rien que pour se relever. Bel assaut en perspective !

Là-dessus, le type dit ce qu'il espérait entendre :

— Renvoyez Mergler chez lui et on mettra tout ça au point. D'abord, je n'ai pas envie que nous soyons escortés par les policiers de la GRC, ce serait humiliant. Les flics de la ville, rien qu'eux.

— Ce seront principalement des flics de la ville, promit Touton, qui vous escorteront dans les rues. Un policier de la GRC ou deux et quelques types de la SQ feront partie du cortège. Je t'en prie, ne dis pas que cela n'est pas possible, parce qu'à dire vrai, j'ai assez de casse-tête pour l'instant sans avoir à me lancer dans ce genre de discussion avec eux.

— Encore une chose, ajouta l'homme derrière la porte, sans contester ce qu'il venait d'entendre, comment expliquez-vous la présence dehors de tous ces flics en civil qui se trimbalent avec des brassards rouges ?

— Pour deux raisons, résuma Touton. En cas de fusillade, ils veulent être à même de reconnaître qui est un terroriste et qui est un flic. Si j'étais toi, je me mettrais un brassard rouge : tu serais plus en sûreté.

— Et l'autre raison ?

— Ils cherchent à te faire peur parce qu'en vérité, personne n'a envie d'une fusillade. Jusqu'à présent, ça a marché.

— Je n'ai pas peur ! déclara son interlocuteur – mais qui le croirait ?

— Moi si, avoua Touton.

L'homme referma la porte et Armand Touton se releva, des crampes dans les jambes lui arrachant quelques gémissements, puis il s'éloigna et traversa la rue.

Les commentateurs de la télévision remarquèrent qu'il boitait. L'un d'eux laissa entendre que le légendaire capitaine de la Patrouille de nuit paraissait son âge, et, sur cette mauvaise plaisanterie, son collègue et lui éclatèrent de rire dans leur micro.

De retour dans son véhicule, Touton annonça à l'intermédiaire :

— Bernie, mon brave, allez-y. Faites votre boulot d'avocat. Réglez ça.

Au Canada, seule la reine d'Angleterre en visite officielle bénéficie d'un tel cortège. Marc conduisait son antique Chrysler, celle dans laquelle Cross avait été enlevé, et roulait le pied à fond sur l'accélérateur. Une voiture de remplacement les suivait au cas où la sienne tomberait en panne. Vingt-deux motocyclettes et huit voitures traversèrent en trombe Montréal jusqu'à l'Isle de Sainte-Hélène, îlot baptisé ainsi en souvenir de la jeune épouse de Champlain. On ferma à la circulation toutes les rues donnant sur l'itinéraire. Comme toutes les chaînes de télévision couvraient l'événement, le parcours était jalonné de curieux, comme lors d'une parade ou de la réception d'un monarque étranger. En l'occurrence, ils observaient des ravisseurs quittant le pays. Des dizaines de milliers de spectateurs les regardaient foncer à cent à l'heure vers le consulat cubain improvisé, tandis que le reste du pays suivait l'aventure à la télévision.

Tout cela paraissait très canadien, très poli, sans drame ni fanfare. Dans l'ancien pavillon canadien de l'Expo 67, considéré provisoirement comme territoire cubain, les ravisseurs rendirent leurs armes et Cross fut remis à la garde des Cubains. Il ne leur fit pas ses adieux et refusa de serrer des mains autres que cubaines et britanniques. Les terroristes attendirent d'être rejoints par la femme et la fille de Lanctôt. La femme était prête à accoucher. Un médecin ferait le voyage avec eux.

Ils étaient enchantés, car ils avaient négocié la couverture télévisée de l'événement. Les caméras contribuaient à garantir leur sécurité et aussi, croyaient-ils, à soutenir leur cause dans le monde entier. Un incident gâcha cependant leur satisfaction : ils n'arrivèrent pas à ouvrir le coffre de la Chrysler branlante de Marc qui contenait leurs valises. *Cette foutue serrure s'est coincée!* Plutôt que de se donner en spectacle devant toutes les télés du monde en essayant de forcer la serrure de leur propre voiture sans même peut-être y parvenir, ils abandonnèrent la plupart de leurs affaires. Mais, l'ayant transporté sur leurs genoux, ils débarquèrent à l'ambassade cubaine le gros téléviseur poussif qu'ils avaient regardé si assidûment au cours des soixante jours précédents. Arrivés aux Caraïbes, il leur manquerait bien quelques souvenirs mais pas ce qui restait à leurs yeux le plus important : leur attirail révolutionnaire, quelques livres et leur télé.

Dès l'instant où ils posèrent le pied sur le territoire provisoirement cubain, ils disparurent des ondes. Pour la postérité – et pour les émissions qui seraient diffusées plus tard ce soir-là – on filma leur départ, mais il ne s'agissait plus d'un direct. Un Sikorsky de l'armée les emmena jusqu'à l'aéroport et ils profitèrent de l'attente sur la piste pour faire un peu les clowns. Toutefois, ils embarquèrent en silence dans le Yukon des forces armées aménagé pour transporter des dignitaires.

Une fois à bord, ils se détendirent.

— Dites donc! Ce départ a de la classe!

— On nous traite comme des princes!

— Des présidents!

— Des rois ou des Premiers ministres!

— Des reines!

— Des héros de la révolution!

Ce titre leur convenait-il? Ils l'ignoraient.

Vol militaire 602.

Leur appareil s'éleva au-dessus de Montréal et de la Province du Québec : la terre disparut tandis qu'ils grimpaient vers les nuages clairsemés, contents de n'avoir tué personne et d'avoir sauvé leur peau. Ils s'interrogeaient sur leurs autres compagnons, ceux qui avaient tué Laporte, en se disant qu'ils avaient dû regarder leur départ à la télévision; ils ignoraient que leurs amis se cachaient au fond d'un tunnel creusé sous une grange, aux abords de la ville. On les en ferait sortir quelques jours après Noël pour affronter un procès fracassant et une peine d'emprisonnement. Mais ceux qui n'avaient pas tué continuaient à s'élever dans le ciel en nourrissant l'espoir qu'ils reverraient ces amis, et ceux qui occupaient un siège près d'un hublot remarquèrent qu'au-dessous d'eux l'hiver avait commencé à blanchir les hauteurs.

Ils quittèrent les cieux du Québec, cap au sud, comme des oiseaux migrateurs.

Cuba. L'exil.

A jamais?

Au moment où ils atterrissaient sur la piste de La Havane, entamant une nouvelle et difficile existence, au loin à Montréal, on libérait Cross de la garde des Cubains pour le laisser reprendre le cours de sa vie, mais à un poste peut-être moins risqué qu'au Canada.

CHAPITRE 26

1970 - 1971

DEUX SEMAINES avant Noël, par un paisible dimanche soir, le sergent Emile Cinq-Mars arriva à la résidence du Premier ministre au 24, Sussex Drive à Ottawa. La neige tombait doucement, décorant joliment arbres et buissons ; la lumière des lampadaires étincelait sur les flocons et chaque perspective révélait un enchantement hivernal. Vêtu avec une élégance nonchalante – veste beige clair, chemise bleu sombre et foulard, pantalon de serge bleu –, Pierre Elliot Trudeau l'accueillit aussi chaleureusement que s'ils étaient de vieux amis.

Un feu craquait dans l'âtre.

— Promettez-moi, Emile, demanda-t-il quand ils se furent installés devant la cheminée, que la Dague de Cartier ne tombera pas – directement ou non – entre les mains rapaces de René Lévesque. (Son ton léger laissait penser qu'il essayait d'y voir clair.) Ni de ceux de son espèce, ajouta-t-il.

— A vrai dire..., commença Cinq-Mars, hésitant.

— Ne me dites pas...

— Je ne pense pas que cela arrivera, déclara le policier, tout aussi élégant en uniforme. « Le bruit court pourtant qu'ils sont amants.

— Amants ? Qui donc ?

— La femme à qui la Dague de Cartier sera remise et notre M. Lévesque. Ce qui est regrettable, à bien des égards. » Incapable de se contenir plus longtemps, Cinq-Mars soupira. « Cela dit, elle s'attend à ce que vous vous bagarriez tous les deux, en hommes. Et ni l'un ni l'autre n'aura l'avantage de posséder le poignard.

— Si tant est que ce soit un avantage ! » ricana Trudeau. Il avait offert à son hôte cognac, café et biscuits, et le policier, qui venait de faire deux heures de route depuis Montréal où il comptait retourner après cette conversation, avait accepté. « Je ne suis pas mécontent de me débrouiller tout seul ! J'en ai assez de voir le mérite de ma réussite attribué au poignard, du moins dans certains milieux.

Cinq-Mars apprécia l'humour avec lequel son interlocuteur traitait cette transaction ; cela contribuait certes à le mettre plus à l'aise, mais, quand même, le campagnard arrivé tout droit de Saint-Jacques-le-Majeur-de-Wolfestown se bottait moralement le train pour réaliser qu'il discutait le coup avec le Premier ministre du Canada. Chez lui ! Comme un hôte de marque.

— C'est une lanceuse de pierres, cette fille mystérieuse, lui rappela le Premier ministre. Cela m'a aidé à justifier cette transaction. » Par moments, Emile se sentait un peu idiot devant Trudeau. « Elle me semble hostile à l'Ordre de Jacques Cartier, ces néofascistes.

— Certainement, se fit un plaisir de renchérir Cinq-Mars. Aucun doute là-dessus.

— Très bien, alors, conclut Trudeau, pensif. Nous verrons ce que le destin réserve au poignard.

— En vérité, Monsieur, protesta Cinq-Mars, je doute que nous le voyions. L'avenir nous en dira une partie, mais ce qui se passera ensuite devra rester secret, je présume. Hors de nos compétences.

Trudeau essaya d'adoucir les défenses du jeune homme :

— Vous avez de l'instruction, Emile ? Vous ne vous exprimez pas comme un simple sergent de ville.

— J'ai un diplôme d'élevage.

— Voilà donc pourquoi ! s'amusa Trudeau, riant sous cape.

— Comment, Monsieur ? demanda Cinq-Mars, déconcerté.

— Votre patron, le capitaine Touton, m'a dit de vous questionner sur votre instruction.

— Cela l'amuse de m'embarrasser, Monsieur, il aime ça. Je crois qu'il devra, à l'avenir, s'habituer aux policiers instruits. Mais c'est le sujet que j'ai choisi qui le chiffonne. L'élevage, pour lui, consiste à surveiller la fornication des animaux. Ce qui l'amuse encore plus est qu'à un moment, je me destinais à la prêtrise, ce qui après tout est sans doute pour lui une autre forme de fornication.

Trudeau salua son humour d'un petit rire, tout en ajoutant un léger mouvement méprisant du menton.

— Pourquoi cet embarras ? Vous êtes intelligent, élevé à la campagne sans pourtant être fermier, vous avez suivi la progression la plus logique qu'on puisse trouver au Québec. Vous avez d'abord voulu être prêtre, puis vétérinaire et c'est après que vous avez trouvé votre véritable vocation : la police de Montréal.

— Merci, Monsieur ; je le crois en effet.

Le Premier ministre se frotta le nez d'un air sagace. Il ne réalisait pas que, souvent, les gens se touchaient le nez devant Emile Cinq-Mars, comme si, face à ce nez monstrueux, ils éprouvaient le besoin de remercier le ciel de leur avoir donné un modeste appendice. Trudeau avait un nez important et énergique, mais bien proportionné et certes pas aussi imposant que celui du policier. Cinq-Mars le remarqua, car il avait pour habitude d'observer l'appendice nasal des autres.

— Je suis triste de céder la Dague de Cartier, mais heureux que ce soit vous qui veniez la chercher.

— Pourquoi donc, Monsieur le Premier ministre ? (En croisant ses chevilles, il s'aperçut qu'il imitait ainsi la posture de son hôte et s'empressa de décroiser les jambes.)

— Essentiellement, déclara Trudeau, je suis heureux d'avoir l'occasion de vous remercier pour le travail que vous avez accompli sur le dossier du FLQ. Le pays a envers vous – et vos collègues – une énorme dette. On m'a récemment précisé qu'il ne fallait jamais rendre publique votre contribution, pas plus que celle d'Armand Touton.

— Vous avez parlé à mon capitaine, acquiesça Cinq-Mars en buvant une gorgée de café.

— Nous nous sommes renseignés sur vous, mais je n'ai pas parlé tout de suite avec Armand. Il y a quelques jours seulement, lorsque les choses se sont calmées. Vous êtes d'accord avec lui ?

La question semblait sans rapport, mais le jeune homme n'avait pas besoin de feindre de ne pas avoir fait le rapprochement.

— En effet, Monsieur. Nous sommes en lien avec notre informatrice. Révéler notre rôle dans la solution de cette affaire l'impliquerait. En aucun cas notre intervention ne doit être reconnue ou saluée.

— Excepté en privé. Ce soir. Ici même. Avec mes compliments.

Cinq-Mars baissa la tête, sentant qu'il rougissait.

— Je ne faisais que mon travail, mais je vous remercie.

Le Premier ministre porta la main droite à son oreille et décrivit quelques cercles dans l'air comme pour évoquer un souvenir.

— Emile, lors de notre dernière rencontre, vous étiez inspecteur. » Sa main s'abaissa et il braqua sur lui son index. « Depuis, vous avez contribué à régler un épisode particulièrement pénible de notre histoire. » Cinq-Mars suivit du regard la main qui se reposait sur le bras du fauteuil. « Vous aurait-on rétrogradé ? Expliquez-moi pourquoi vous êtes en tenue !

— Monsieur, commença Cinq-Mars en souriant, cet avancement n'était que provisoire, il était destiné à me faciliter le travail dans cette affaire. Elle est résolue... et je reprends mes rondes.

Le Premier ministre ne voulait pas en démordre :

— Le maire me doit un service. Après tout, c'est à sa demande que j'ai invoqué la loi sur les mesures de guerre.

— Monsieur, je gagnerai mes galons normalement, déclara Cinq-Mars.

— Je suis convaincu que vous avez déjà mérité de l'avancement.

Ils terminèrent leur collation, discutant de la débâcle de la police de Montréal et évoquant l'atmosphère dans les rues et les tavernes, puis le Premier ministre leur servit un second verre de cognac. Peut-être en prélude à l'affaire qui les réunissait, il exhiba quelques trésors de sa collection.

— Je ne les ai ni achetés au marché noir ni volés ! lança-t-il. Dans ma jeunesse, j'ai traîné sur le site de l'antique Ur – dans l'actuel Irak : j'ai ramassé ces carreaux dans le désert. Je les ai fait authentifier : les inscriptions sont en sumérien, ils datent du temps d'Abraham.

Trop impressionné pour les toucher, le jeune homme les inspecta attentivement, tout en buvant son cognac, et se laissa imprégner par l'atmosphère qu'ils dégageaient ; il se figura un contemporain d'Abraham ou le grand patriarche en personne gravant une inscription sur l'un de ces carreaux, sans imaginer qu'il franchirait le temps et l'espace et qu'on le retrouverait, quatre millénaires plus tard, sur un continent dont, à Ur, on ignorait l'existence. Emile en éprouva une sorte de vertige.

Quelques coups de sonnette codés interrompirent sa réflexion.

— La sécurité, expliqua le Premier ministre.

Il s'approcha du hall et Cinq-Mars lui emboîta le pas.

— Monsieur le Premier ministre, quelque chose a déclenché nos alarmes silencieuses, lui annonça un officier couvert de neige et dégoulinant sur la moquette tandis qu'il ôtait son képi. Sans doute, un chien – un colley –, mais nous enquêtons. Tout est en ordre ici, Monsieur ?

— Absolument, je vous remercie. Nous n'avons pas été dérangés. Caressez Lassie de ma part.

L'incident clos, ils revinrent auprès de la cheminée, et Trudeau tisonna une bûche dans l'âtre.

— Le mois dernier, c'était une famille de ratons laveurs ! (Il se redressa et déclara avec une solennité marquée :) Maintenant, Emile, je suis prêt à sortir la Dague de Cartier du coffre. Comme vous vous en souvenez peut-être, j'avais sollicité une ultime faveur...

— Monsieur, répondit Cinq-Mars en s'empressant de reposer sa tasse, j'espère que la condition que vous poserez sera raisonnable. La jeune personne l'acceptera certainement. Elle révélera ce qui s'est dit sur le lit de mort de Houde... dès qu'elle aura reçu le poignard. Elle vous retourne la condition que vous aviez établie la dernière fois en vous priant de le remettre au préalable, c'est du moins ce que je pense.

D'un geste, le Premier ministre le rassura.

— Aucun problème. J'espère que vous me pardonnerez ce moment d'indiscrétion.

— Monsieur ? » Cette fois, ce vieux renard le déconcertait.

Trudeau le ramena à son fauteuil et s'assit face à lui. Les mains jointes, il se pencha en avant et baissa le ton.

— Emile, j'étais très curieux de connaître les propos surpris par la jeune fille cachée dans la penderie au moment de la mort de Houde. Qui ne l'aurait pas été ? Quel personnage, ce Houde ! Quelle vie étonnante ! Avec le recul, je réalise que, entraîné par la curiosité, je demandais à entendre la confession d'un mourant et le viatique de son confesseur. Depuis, je me suis repris. Je ne veux même plus en entendre un seul mot. (Il se frotta les mains comme pour les débarrasser de miettes.) J'ai été suffisamment payé – surpayé même – en voyant résolues nos difficultés. (Il se redressa.) Je veux donc vous remercier, Emile, et je m'apprête à le faire en vous apportant le poignard. Je ne demande rien d'autre. Notre affaire est réglée.

— Merci, Monsieur, vous avez été beau joueur. Vous perdez un objet d'une grande valeur. » Il réalisa soudain qu'il s'adressait au Premier ministre avec beaucoup de familiarité.

— Hmm... » Trudeau porta un doigt à ses lèvres, réfléchissant manifestement à la façon de bien formuler sa pensée. « Cela s'est bien passé. (Il se tapota la lèvre inférieure avant de poursuivre :) Emile, la Dague de Cartier n'a jamais été vraiment en ma possession, je l'avais acheté pour éviter ce que je craignais : qu'il tombe entre les mains des fascistes ou dans celles de collectionneurs étrangers. Mon rôle, semble-t-il, aura consisté à en être le gardien lors d'une phase de transition. La voie noble, légale en tout cas, aurait voulu que le poignard fût restitué à son légitime propriétaire, la Sun Life, et à son héros reconnu, Clarence Campbell. Mais celui-ci n'a jamais été considéré comme le bénéficiaire le plus qualifié et, d'autre part, on peut dire que la Sun Life a volé le poignard, en recourant à une arnaque certes légale (une police d'assurance contre le poignard) mais la valeur de l'objet aurait permis d'assurer une famille entière jusqu'à la millième génération !

Dans ces conditions, peut-on considérer la compagnie comme le véritable propriétaire ? Légalement, peut-être ; moralement, c'est discutable.

Cinq-Mars réfléchit à ces arguments.

— Dans notre société, l'aspect légal, en général, l'emporte.

— L'avocat que je suis devrait le savoir et se garder de le contester. Mais nous sommes catholiques, Emile, et nous savons tous les deux qu'aspect moral et aspect légal, sans être en complète opposition, se trouvent parfois en friction. Je n'essaie pas de me justifier, et je reconnais posséder un bien volé. Quant à vous, malgré votre jeunesse honnête, vous vous apprêtez à me reprendre le poignard pour non pas le rendre à ses propriétaires légaux, mais pour en faire don à une jeune femme qui pleure la mort de son père. Sans le moindre argument juridique valable, n'est-ce pas ?

— C'est exact, Monsieur le Premier ministre.

— Pourtant, cela ne vous empêchera pas de dormir, estimant que vous avez votre conscience pour vous.

Cinq-Mars concéda un sourire.

— Monsieur, je dirais que, pour un moraliste, vous parlez en juriste convaincant.

— Merci, répondit le Premier ministre en riant. Je prends cela comme un compliment, même si telle n'était pas votre intention ! Mais je tiens à vous préciser pourquoi je ne vois pas d'inconvénient à rendre le poignard et pourquoi cette transaction me réconforte. Sir Herbert Holt avait décidé que la Dague de Cartier serait perpétuellement transmise de héros de guerre en héros de guerre. En dehors du fait qu'elle sous-entendait des hostilités permanentes, cette noble conception a tout mon appui. Or, Emile, n'émergeons-nous pas à peine d'un grand conflit ? Pour lequel il a fallu invoquer la loi sur les mesures de guerre ? La fille de Roger Clement ne s'est-elle pas lancée dans une entreprise héroïque incluant une certaine abnégation ? Ses efforts n'ont-ils pas aidé notre pays à résoudre cette crise ?

— C'est vrai, admit Cinq-Mars, remis à sa place par le tour que prenait la conversation et flatté d'être le seul à entendre ce discours.

— Elle a connu l'expérience de voir quelqu'un perdre la vie. Je devrais peut-être faire allusion à Pierre Laporte, après tout, il y a eu cela aussi. Nous léguons donc le poignard à une authentique patriote. En l'occurrence, une héroïne. Le gardien provisoire de la relique n'est pas mécontent qu'on lui retire cette charge et que cet objet précieux soit désormais confié à une véritable héroïne.

— Vous y avez longuement réfléchi, déclara Cinq-Mars en hochant la tête.

Trudeau médita quelques instants puis haussa les épaules.

— C'est en pensant au poignard, à son histoire, que me sont apparus ces problèmes, et que j'ai renoncé à connaître la confession d'un mort. Je ne me préoccuperai donc plus des dernières paroles de Houde et vais chercher la relique.

— Monsieur ? » Comme le Premier ministre se levait, Cinq-Mars l'arrêta dans son élan et leva la main, comme pour le retenir. « Pardonnez-moi, j'ai moi aussi une requête à formuler.

— Certainement. » Trudeau se rassit. « De même que j'ai une dette envers votre maire, j'en ai une envers vous. De quoi s'agit-il ?

— J'ignore si vous on vous a informé que vous avez été cité comme servant d'alibi à un certain personnage. Si vous me le permettez, j'aimerais suivre cette piste. Je continue d'enquêter sur le vol du poignard et, plus particulièrement, sur les meurtres commis ce soir-là. (Croisant les jambes et manifestement intrigué, Trudeau l'invita à poursuivre.) Le soir de l'émeute Richard – inutile de dire que vous vous en souvenez.

— J'étais là. Un seul homme pourrait me citer comme alibi dans le cadre des événements de cette soirée-là.

— Et ce serait... ?

— Le père François Legault. Mais vous n'enquêtez pas sur lui ?

Secouant la tête, Cinq-Mars dissipa l'inquiétude de son interlocuteur.

— Pour débrouiller l'énigme d'un crime commis il y a longtemps et dont la piste s'est refroidie, il faut partir du début, ce qui implique de parler à pas mal de gens et de vérifier leurs déclarations.

— Je vois. » Trudeau pencha un peu la tête, s'humecta rapidement les lèvres, puis déclara : « J'ai en effet rencontré le père François ce soir-là, si c'est ce que vous voulez savoir.

— Dans quelles circonstances ?

Le Premier ministre écarta les mains comme pour assurer qu'il n'avait rien à cacher, puis les croisa de nouveau.

— Pour autant que je me souvienne, il se tenait, comme moi, à l'écart de la manifestation. Supposant que les émeutiers viendraient sur Carré Phillip, je m'y étais rendu pour les attendre. Le père François se trouvait également sur la place, apparemment pour souffler un peu, car il s'était déjà un peu trop excité.

— Comment cela ?

Trudeau parlait toujours avec beaucoup d'animation, agitant les mains et son visage affichant un impressionnant répertoire d'expressions. Son principal atout de politicien résidait dans son talent à communiquer, talent qu'il exerçait merveilleusement à la télévision.

Son humour, émaillé de remarques moqueuses, passait admirablement au micro et évitait soigneusement les clichés qui alourdissaient les discours de ses rivaux. Il utilisait aussi toute une panoplie de gestes : sa bouche, ses yeux, ses sourcils, ses pommettes, son menton et les mouvements de sa tête soulignaient ses propos. Dans le confort de sa résidence officielle du 24, Sussex Drive, il gratifia Cinq-Mars d'un bref échantillon de cette gestuelle en déclarant :

— Une faiblesse cardiaque. Nous connaissons cela, n'est-ce pas ? Une affreuse pensée, je me souviens, me vint ce soir-là, dont je ne devrais peut-être pas faire état. Voyez-vous, sa veste était déboutonnée et je me suis dit : C'est parce qu'il est gros ! Sur quelqu'un de maigre comme moi elle aurait été boutonnée. Après avoir bavardé un moment, il l'a reboutonnée, mais pas tout de suite. Nous avons passé un certain temps ensemble... Je présume que c'est ce que vous souhaitiez savoir ?

Passionné, Cinq-Mars se pencha vers lui.

— L'émeute avait donc commencé avant votre rencontre ?

— Quand je suis descendu dans le centre, cela chauffait déjà. Emile ! Vous ne croyez tout de même pas qu'il était mêlé au vol de la Dague de Cartier ou aux meurtres, n'est-ce pas ?

— Est-ce lui qui vous a incité à acquérir le poignard ?

— Je dirais que oui, toutefois... (Le Premier ministre s'interrompit soudain.)

— Curieux..., lâcha Cinq-Mars. Le jeune homme tira de la poche intérieure de sa veste un bloc-notes pour y griffonner quelques lignes. Levant les yeux, il arborait un sourire penaud. « Pardonnez-moi, Monsieur, participiez-vous tous les deux, ou l'un de vous, à l'émeute ?

Trudeau éclata de rire.

— Le père François aurait pu en avoir envie, je le pense, mais sa santé le retenait. Il s'en est pris verbalement à un officier de police, je m'en souviens. A la réflexion, peut-être même suis-je intervenu dans la discussion. Mais non, nous ne participions pas. Nous étions des observateurs intéressés. Je crains de ne pas vous être d'un grand secours, sinon pour confirmer, si on me le demande, que je suis l'alibi du bon père – et qu'il est le mien, à la réflexion si toutefois l'un de nous en avait besoin d'un.

— L'idée ne vous est-elle jamais venue que vous pouviez en avoir besoin ?

Le Premier ministre le considéra d'un regard curieux.

— Ce qui vous intéresse, Emile, c'est de découvrir qui a commis les meurtres au cours de cette nuit fatale, n'est-ce pas ?

— C'est exact, Monsieur.

Trudeau croisa les bras et posa d'un air dubitatif deux doigts sur sa joue gauche. Cinq-Mars pensa que son interlocuteur devait avoir quelque chose à dire mais qu'il ne trouvait pas les mots. Là-dessus, le Premier ministre lui demanda :

— Comment saviez-vous que le père François m'a poussé à acheter le poignard ?

— Je ne le savais pas avant que vous ne me le disiez.

— Vous sembliez le savoir déjà.

— Je m'en doutais, Monsieur, mais c'était une supposition basée sur la déduction. Mon amie, la jeune femme, m'a affirmé que vous étiez en possession du poignard. J'ai enquêté sur tous les protagonistes possibles, bien sûr, et le seul acteur de cette funeste nuit à avoir un rapport avec vous, c'est le père François. Il vous a cité comme alibi et, en faisant cela, il m'a suggéré sans le vouloir qu'il pourrait être impliqué. Le père François a mentionné votre présence et, lorsqu'on a cherché un acquéreur, on a tout de suite pensé à vous. Il a pensé à vous. En outre, il se trouve mis en cause pour avoir recueilli l'ultime confession de Houde, même si j'ignore tout ce qui s'est dit alors.

Réfléchissant au raisonnement du policier, Trudeau reposa la main droite sur son poignet opposé.

— Très bien. Mais comment en êtes-vous arrivé à considérer que le père François, justement, pouvait être impliqué, comme vous dites ? J'avoue que je trouve cela tout à fait inquiétant.

Cinq-Mars secoua la tête, comme s'il examinait différentes théories.

— Je cherche les rapports. Une autre victime liée à cet épisode était Michel Vimont, un ami de Roger Clement qui servait de chauffeur à un certain Harry S. Montford, un gangster de moyenne envergure. En enquêtant sur la vie de Vimont, j'ai découvert qu'il avait auparavant servi de chauffeur à Monseigneur Charbonneau.

— Cela ne nous rajeunit pas !

— Monseigneur Charbonneau, objet de tant d'injures et de tant de calomnies... Tant d'ennemis m'ont incité à chercher d'éventuels amis. Le seul nom à apparaître sur cette liste a été...

— Le père François Legault... Cela s'explique. Pour ces deux-là, j'entends.

— Le père François était le confesseur de Houde, l'ami de Roger Clement – il est resté en contact avec la famille –, un confrère de Charbonneau...

— Et il me connaissait aussi.

— C'était l'époque de Cité libre. Si le poignard avait été volé par la droite, comment un de leurs clowns aurait-il pu requérir votre aide en vous proposant l'objet ? Cela ne tient pas debout ! Il y avait donc un intermédiaire, quelqu'un d'autre, quelqu'un qui, tout à la fois, avait pensé à vous et pourrait vous approcher. Parmi tous les noms que j'ai énumérés, lequel m'a ramené à vous ?

— Le père François.

Cinq-Mars posa quelques questions pour découvrir ce que Trudeau voulait bien lui révéler sur la façon dont il avait acquis le poignard, et le Premier ministre parut enchanté d'évoquer cet épisode.

— Cette canaille s'appelait Harry ou Larry... ou Barry ! s'écria Trudeau. Cela n'a probablement pas d'importance aujourd'hui, mais il m'avait également donné le nom de son patron.

— Oui ?

— Bernonville.

— Que vous aviez rencontré à Asbestos, Monsieur. Voilà peut-être pourquoi il était disposé à vous le vendre. Non pas qu'il eût beaucoup de scrupules...

Trudeau se leva pour aller chercher le poignard, s'avança un peu, puis revint sur ses pas.

— Emile, savez-vous pourquoi je vous ai reçu quand vous avez pour ainsi dire forcé la porte de mon bureau avec, comme seul sésame, la pointe du poignard ?

Surpris par cette question, le policier rangea son bloc-notes.

— J'ai supposé que le fait de vous montrer la pointe du poignard avait attiré votre attention.

— La veille au soir, j'avais sollicité l'aide du poignard. Peut-être, après l'avoir entendu de ma bouche, reconsidérerez-vous votre vote, si par hasard vous votiez pour moi. Mais c'est la vérité. Je l'ai déjà **fait,** même si je n'éprouve pas un réel penchant pour la magie. Nous **nous** souvenons tous de la folle histoire de Mackenzie King, de son goût pour consulter les esprits... Seigneur ! Je n'aimerais pas que l'on dise cela de moi ! Si vous en parlez à la presse, Emile, bien sûr, je nierai.

— Monsieur, je ne me permettrais pas...

— J'ai donc demandé au poignard de m'aider. Appelez ça une prière, si vous voulez. Le lendemain, j'ai appris qu'un officier de police essayait de forcer la porte de mon bureau, et j'allais le faire éjecter quand – à la suite de ma méditation de la soirée précédente, ou poussé par quelque pouvoir du poignard – j'ai eu le sentiment que je devais vous recevoir. Une intuition... Emile, vous comprenez – et je pense que vous appréciez l'ironie de la situation – que c'est seulement maintenant, alors que je suis sur le point de vous remettre le poignard, que j'en suis arrivé à croire en lui. Autrefois, j'accordais un soupçon de crédit aux rumeurs qui couraient sur les pouvoirs de la relique : ce sentiment n'a fait que se préciser. Raison supplémentaire pour que j'insiste sur la nécessité de votre vigilance.

— Je ferai tout mon possible, Monsieur, pour assurer la sécurité du poignard, tant qu'il se trouvera entre mes mains ; ensuite, cela ne dépendra plus de moi.

Trudeau en convint.

— Faites de votre mieux, Emile, c'est tout ce que je vous demande. J'en suis venu à croire en son pouvoir.

Ce soir-là, entre Ottawa et Montréal, Emile Cinq-Mars disposait de deux heures pour réfléchir à son dilemme. Etait-il capable de faire preuve d'autant de modération que le Premier ministre du Canada ? Anik Clement était prête à lui rapporter ce qu'elle avait surpris des dernières paroles de Houde, pour qu'il les transmette à son tour à Pierre Elliot Trudeau. Aurait-il assez de volonté pour lui révéler que ce dernier ne l'exigeait plus, ou écouterait-il son récit pour être renseigné ?

Après tout, un policier, un futur inspecteur ne faisait-il pas commerce de secrets ? N'avait-il pas un crime à résoudre ?

Il s'arrêta au bord de l'autoroute et alluma son gyrophare pour éviter d'être embouti par l'arrière ; il neigeait encore un peu, mais assez pour réduire la visibilité.

Il alluma le plafonnier, prit le modeste coffret qui abritait la Dague de Cartier et la sortit de son écrin.

Si le Premier ministre lui-même y croyait au point d'avoir demandé au poignard de l'assister lors d'une crise nationale, alors pourquoi ne solliciterait-il pas son aide pour résoudre sa propre affaire ?

Il le serra un moment dans ses mains avant de le ranger soigneusement dans le coffret. Il éteignit le plafonnier et laissa passer une voiture avant de reprendre la route. Le chauffeur ralentit, puis freina, réflexe habituel d'un automobiliste roulant trop vite et apercevant un véhicule de police, mais peut-être en faisait-il un peu trop. Quand la voiture le dépassa, Cinq-Mars remarqua un colley à l'arrière qui tourna la tête pour le regarder. Il resta figé, la voiture continuant avant de disparaître derrière une petite montée. Il déboîta lentement et roula un moment à petite vitesse, glacé jusqu'aux os. Quelques minutes après, il se souvint du gyrophare, l'éteignit, et accéléra, mais ne retrouva pas la voiture.

Anik était seule chez sa mère quand Emile Cinq-Mars arriva, portant un carton à chaussures qui contenait le coffret.

Il ouvrit le carton sur la table de la cuisine, mais Anik refusa de regarder. Pas encore. Elle n'y voyait que la saleté d'arme qui avait tué son père. La curiosité que lui inspirait le poignard, son aspect, l'effet qu'il exerçait sur elle, restaient quelque chose à part dans le tourbillon de ses émotions.

— Je le regarderai, promit-elle, quand j'en aurai le courage. Toute seule.

Récemment Anik avait loué un appartement, mais le vieux lit de son enfance était à sa disposition chez sa mère. Elle cacha le poignard sous le sommier, puis tous deux sortirent pour marcher un peu.

— Personne ne t'a suivi ?

— Si tu es parano, ça ne va pas être facile pour toi de posséder le poignard...

Anik sourit, mais elle avait pris sa remarque au sérieux.

— Je ne le possède pas vraiment, répondit-elle. Il n'appartient à personne. Ne t'inquiète pas, il ne restera pas longtemps sous le lit.

— J'ai pris toutes les précautions qu'on enseigne dans les manuels pour venir ici. Personne ne m'a suivi.

Ils marchèrent en silence un moment.

— Et les autres types ? demanda-t-elle. Ceux qui ont tué Laporte, Paul Rose et les autres ? Aucune nouvelle ?

— Sais-tu où ils se cachent ? Peux-tu m'aider ?

Elle fronça les sourcils, un peu fâchée, lui sembla-t-il.

— Je ne sais pas où ils sont et je ne t'aiderai pas. Je me suis déjà trop mêlée de cette affaire. Mais tu les retrouveras. J'ai bien l'impression que pas mal de leurs amis ne se considèrent plus comme tels.

— C'est aussi mon impression. Ils s'en sont tirés une fois en se cachant derrière une fausse cloison, mais cela ne se reproduira pas. Ils n'auraient pas dû narguer les flics comme ils l'ont fait en se montrant, en laissant leurs empreintes partout. Désormais, chaque policier prend l'affaire personnellement à cœur et s'applique à travailler mieux qu'auparavant.

— J'imagine. » Elle paraissait lointaine, comme à la dérive.

— La prochaine fois, les flics feront sauter le bâtiment au lieu d'y laisser des terroristes bien cachés.

Cela ne lui valut pas le sourire qu'il espérait et ils continuèrent leur promenade en silence jusqu'à un jardin public mal entretenu.

Chaque année, l'herbe repoussait et chaque année les enfants la piétinaient pendant leurs jeux estivaux, tout comme les adultes qui venaient chercher là un peu de tranquillité. Ce jour-là, une couche de neige fraîche lui donnait un air soigné. Les promeneurs avaient déblayé les bancs, sans doute des adolescents en quête d'une place où se bécoter ou d'un endroit pour s'asseoir et fumer, ou encore des célibataires vieillissants arrivant chaque matin avec des sacs de graines pour les pigeons. Quand Cinq-Mars et Anik s'assirent, une volée d'oiseaux se posa pour estimer les possibilités de picorer.

— Je présume que tu te rends compte du risque que tu cours, Anik. Personne ne doit jamais savoir que la Dague de Cartier est en ta possession. Ce genre de renseignement ferait de toi une cible.

— Toi, tu sais, répondit-elle en souriant.

— Moi, je te protégerai, ajouta-t-il. Tu le sais. Mais je ne veux rien savoir du poignard, ce que tu en fais, où il se trouve, rien. Pas avant que tu en aies fait don à un musée.

— Je n'en ai pas l'intention, annonça-t-elle. C'est un objet volé. Mais pourquoi ne veux-tu pas savoir ? Tu n'as pas confiance en toi ?

Bonne question, en vérité. Il emporterait dans la tombe le secret du poignard et ne la trahirait jamais : ce n'était donc pas cela qui l'inquiétait.

— Je veux que tu ne fasses confiance à personne. Pas même à moi. Raconte-moi ce que tu raconteras aux autres, c'est-à-dire rien, absolument rien. Si tu me parles du poignard, je craindrai qu'un jour tu n'en fasses autant avec une autre personne, un futur petit ami, un mari, un enfant. Ce ne serait pas bien, Anik, vraiment pas.

Elle observait un pigeon : il lui faisait penser à un jeune délinquant ; peut-être l'oiseau copiait-il le comportement des enfants du quartier.

— Trudeau sait que je l'ai.

Son inquiétude était juste.

— Je n'ai pas mentionné ton nom, mais il sait qu'il se trouve entre les mains de la fille de Roger Clement. Il sait donc que tu l'as.

— Je cours donc un risque.

— C'est ce que je dis, renchérit Cinq-Mars. En vérité, je veux que tu réfléchisses. Trudeau a accepté l'idée de perdre le poignard parce que cela lui semble une bonne affaire. Il ne te recherchera pas, n'en parlera pas non plus, pas tant qu'il fait de la politique. Il ne criera pas sur les toits qu'il a jadis possédé l'arme d'un crime. En revanche, pas grand-chose ne l'arrête. Un jour, il ne sera plus au pouvoir, c'est pourquoi je veux que tu te méfies de tout le monde.

S'il cherchait à lui faire peur ou du moins à la rendre particulièrement prudente, il avait réussi.

— Armand est au courant. Donc tu lui en as parlé.

— Il gardera ton secret. (Il lui prit le poignet.) Mais, Anik, comprends-moi bien, je suis précisément en train de t'expliquer que je ne lui en ai pas parlé.

— Sûrement que si, Emile ! Il sait ! Il m'a appelée pendant qu'il négociait avec les ravisseurs ! C'est vrai, il savait déjà que j'avais cherché à me le procurer !

Cinq-Mars ne le contesta pas et hocha la tête.

— Il avait quelques indices dès le départ, c'est vrai. Mais je veux que tu comprennes que je ne lui en ai jamais parlé. Il t'a simplement appelée et t'a fait reconnaître que tu avais le poignard, ou que tu t'apprêtais à le récupérer, en feignant de le savoir déjà. Une vieille technique. Mais ce n'est pas moi qui l'en ai informé.

Elle croisa les chevilles pour se réchauffer un peu.

— Ton sermon me touche, Emile ! Armand m'a dit la même chose ! Il avait peur que d'autres gens s'en prennent à moi. Je n'ai pas cru qu'il cherchait simplement à savoir. Ecoute, j'ai l'intention de rester tranquille. Je n'en parlerai à personne, pas même à ma mère.

— Très bien. C'est comme ça qu'il faut faire.

— Oh ! cesse de t'inquiéter ! Je ne suis plus une enfant, Emile !

— Ne te fie tout simplement pas aux autres.

— Tu l'as déjà dit ! Franchement, qui es-tu d'ailleurs ? Emile Cinq-Mars, un campagnard qui débarque dans la grande ville et se méfie de tout le monde ! Qu'est devenu ce campagnard ?

Il haussa les épaules et sourit à sa taquinerie.

— Je crois avoir compris un certain nombre de choses. En tout cas, j'ai encore du travail devant moi !

— Ton rapport à Trudeau, par exemple ? s'enquit-elle.

— Ce que tu as entendu quand tu étais dans la penderie, oui. Le rapport pour notre Premier ministre. (Cinq-Mars hocha la tête, songeur.) Je peux arranger ça.

Elle fit non de la tête. Il s'attendait à ce qu'elle choisît la méthode sur laquelle ils s'étaient mis d'accord.

— Il me jetterait des pierres ! » Cette remarque les fit rire. « Je vais te dire ce que j'ai entendu, ensuite tu pourras le lui répéter.

Cinq-Mars regardait droit devant lui les rares véhicules circulant sur le boulevard voisin. S'entendrait-il dire le plus important, l'empêcherait-il de parler ? Au loin, l'aboiement d'un chien détourna son attention.

— Emile ?

Pendant que le prêtre faisait entrer un ami dans le presbytère, à l'abri du froid mordant, Teilhard, le chat de la paroisse, pointa son museau à l'extérieur puis, avant que la porte se refermât, sortit en trottinant. Il n'alla pas loin. Ce n'était pas un jour à mettre le nez dehors ni pour un être humain ni pour un animal de compagnie. La température avait chuté peu après Noël et n'avait pas encore remonté à la mi-janvier. A peine avait-il aspiré l'air glacé que le chat parut geler sur place ; crispé par le froid, il essaya de détacher ses pattes collées au paillasson en exécutant une petite danse. Le policier qui venait rendre visite au prêtre se pencha en riant et l'attrapa pour le ramener dans l'atmosphère plus tempérée du presbytère.

— Vous savez vous y prendre avec les animaux !

— La pauvre bête est choquée ! Ce chat ne s'imaginait pas qu'il pouvait faire aussi froid dehors !

— Maintenant, il va être déprimé ! Teilhard est furieux d'être confiné à l'intérieur avec des gens comme moi ! Emile, vous vouliez être véto ! Que prescririez-vous pour mon félin mécontent ?

Cinq-Mars reposa l'animal sur le tapis du vestibule en le caressant encore un peu, ce qui lui valut un ronronnement approbateur.

— Une jeune copine pourrait faire l'affaire ! conseilla-t-il. Une petite chatte.

— Ah ! Bonne idée ! Mais ce n'est pas de vous qu'on parle, Emile !

— Mon père, je vous en prie ! répondit-il en rougissant.

Le prêtre rit, son gros ventre secoué de plaisir. Cinq-Mars retira ses bottes, puis laissa le père François l'aider à ôter son manteau.

— Vous prendrez bien une tasse de thé pour vous réchauffer ?

— Volontiers, mon père.

— Bon ! » Il transmit la requête à sa gouvernante et les deux hommes s'installèrent dans les fauteuils du salon. « Maintenant, à quoi dois-je cet immense plaisir ? Je vous écoute ! Je devine que vous ne venez pas me voir sans une bonne, et probablement tortueuse, raison.

Le jeune homme émit un petit rire.

— N'allez-vous pas rendre visite à vos paroissiens, mon père, pour voir comment ils vont ? Pourquoi vous méfiez-vous de moi ?

— Quand je vais m'enquérir du bien-être de mes ouailles, je ne le fais pas investi du pouvoir de les jeter en prison ! Je peux peut-être les envoyer en enfer – encore que ce soit discutable –, mais il leur reste toujours la ressource de demander une audience à saint Pierre, qui est sévère, à ce qu'on prétend, mais juste. D'un autre côté, la loi sur les mesures de guerre, cet instrument puissant qui interdit tout recours, aussi bien devant les tribunaux que devant les saints, est toujours en vigueur. Vous n'auriez qu'à claquer des doigts pour me faire boucler, Emile ! N'est-ce pas ?

— Je n'en suis pas sûr, mon père, mais j'aimerais essayer une fois, rien que pour voir !

La remarque prit le prêtre au dépourvu et il réagit en riant de nouveau. Il était manifestement de bonne humeur et il eut un grand sourire en voyant le chat sauter sur les genoux du policier. Cinq-Mars aida l'animal à s'installer et caressa la tête grise striée de noir.

— Teilhard est persuadé que les prêtres disposent d'une ligne privée avec Dieu pour commander la météo ! J'ai essayé de lui expliquer que mon Dieu laisse le temps se débrouiller tout seul ! Mon Dieu se comporte comme un parent qui croit que l'on doit voir Ses enfants, mais rarement les entendre, et qu'Il n'entendra mes prières que s'Il n'a rien de mieux à faire pour S'occuper et que, de toute façon, Il ne changera jamais le temps pour un chat. (Puis il reprit sa voix habituelle.) Essayez donc d'expliquer ça à Teilhard ! Il ne se laisse pas convaincre. C'est à moi qu'il reproche cette vague de froid !

Le chat le regarda comme s'il acquiesçait.

— La manière dont opère Dieu – et d'ailleurs aussi les hommes – nous confond tous, et pas seulement les chats.

— Touché ! Il y a là une allusion, n'est-ce pas ? Vous êtes ici pour une affaire sérieuse. » Le père François faisait de son mieux pour afficher un air détendu et garder un ton léger mais semblait soucieux.

— Comme vous pouvez le constater, mon père, je ne suis pas en tenue.

— Je vois bien que vous êtes en civil.

— Je ne suis pas de service.

— Ah ! J'aurais dû m'en douter ! Mais il n'est pas trop tard ! Annulons le thé et débouchons la bouteille de porto.

— Ou encore, proposa Emile Cinq-Mars (trouvant un compromis) buvons notre thé, puis nous discuterons sérieusement, et ensuite nous passerons au porto.

— Cela me convient très bien ! Mais je vous préviens : notre bouilloire électrique est en panne, et l'eau mettra plus longtemps que d'habitude à bouillir. Je suis impatient, Emile, qu'est-ce qui vous préoccupe ? Maintenant que les meurtriers de Laporte sont sous les verrous, vous et vos collègues devez vous sentir vengés. Mon vieil ami disait que j'étais un libéral au cœur brisé. Eh bien, Trudeau doit désormais être fier comme un paon ! Vous ne trouvez pas la veine de cet homme insupportable ? Mais je me réjouis, moi aussi, du résultat final.

Son hochement de tête n'était guère convaincant, et Cinq-Mars restait méfiant.

— Bien sûr, mes collègues sont soulagés. Pendant des mois, nous avons dû doubler nos heures de garde.

— Vous feriez mieux de prendre un peu de congé, au lieu de m'interroger.

583

— Le mot est sévère. (Il essaya de ne pas prendre un ton trop grave.) Je viens vérifier, comme depuis quelques mois, quelques-uns des faits relatifs à l'émeute Richard.

— On aurait pu croire, fit le père François en secouant la tête, que cet homme renoncerait une fois pour toutes !

— Le capitaine Touton ? Non, mon père, protesta Cinq-Mars. Je suis ici de mon propre chef. C'est moi maintenant qui suis obsédé par ces événements passés.

— Alors, je vous plains ! Dommage qu'il n'existe pas de comprimés pour soigner ce genre d'affection ! Alors, dites-moi, comment puis-je vous aider à vous débarrasser de cette malédiction ?

— Mon père, répondit doucement Cinq-Mars tout en caressant les oreilles de Teilhard, si vous permettez, je préférerais attendre l'arrivée de notre thé, puis je vous serais reconnaissant de fermer les portes, pour éviter toute indiscrétion.

Le prêtre claqua sa langue.

— Cela ne m'arrange pas : comme je ferme la porte au nez de la gouvernante chaque fois que j'ouvre la bouteille de porto, elle va me regarder de travers pendant quinze jours !

Cinq-Mars, que le chat encombrait, le reposa par terre.

— Alors, ouvrons le porto ! Ainsi vous ne serez pas puni en vain !

Cinq-Mars demanda au prêtre s'il avait quelque chose à révéler à propos de la nuit de l'émeute Richard.

— A révéler ? Vous songiez autrefois à la prêtrise, mais cette vieille envie ne vous élève pas au rang de confesseur.

— Mon père, elle était dans la penderie.

— Je vous demande pardon ? (Il hésita avant de poser la question suivante :) Qui donc ? (Et, après une nouvelle hésitation :) Quelle penderie ?

Cinq-Mars hocha la tête, pour montrer que son hôte avait fini par saisir la question, même s'il ne voulait pas l'admettre.

— Anik, mon père. Elle s'y était réfugiée quand vous avez recueilli la dernière confession de Camillien Houde.

S'étant départi de sa jovialité naturelle, le prêtre chercha un refuge provisoire dans l'observation de sa tasse de thé. Cinq-Mars remarqua que son premier souci, lorsqu'il reprit la parole, fut pour sa fonction.

— Emile, il s'agit là d'une conversation confidentielle. Je n'ai jamais répété ce qui s'est dit alors, mais, ce qui est encore plus important, personne ne devrait le faire, pas même Anik.

— Elle n'est pas plus liée par votre serment que moi.

Le prêtre sursauta comme s'il avait reçu un choc.

584

— Vous êtes tous deux liés par le problème moral qui se pose ici ! La confession du maire s'adressait à Dieu : je n'étais que l'intermédiaire.

— Je comprends, mon père. Néanmoins, des renseignements ont été communiqués.

La deuxième préoccupation du prêtre, observa Cinq-Mars, concernait Anik.

— Cette pauvre enfant ! Houde et moi avons parlé de la mort de son père. C'était grotesque.

— Je sais, murmura Cinq-Mars.

Ils échangèrent un long regard.

Le prêtre révéla alors un troisième sujet d'inquiétude, celui-là le concernant.

— Que doit-elle penser de moi ? (Sans répondre, le policier examina ses mains.) Je crois que c'est largement l'heure du porto.

— Comme vous voudrez.

Le père François débarrassa les tasses et servit le porto.

— Maintenant qu'aimeriez-vous que je vous dise que ne vous ait pas déjà révélé l'oreille indiscrète d'Anik ?

Cinq-Mars formula soigneusement sa question.

— Son témoignage me fournit des informations, mais pas d'explications. Vous avez joué un rôle dans la vente de l'arme du crime, mais pourquoi ? Pourquoi quelqu'un vous aurait-il contacté vous pour agir en tant qu'intermédiaire dans cette transaction ?

L'ecclésiastique haussa les épaules et chercha un instant secours dans son porto.

— Les vendeurs se trouvaient dans une situation désespérée, leur précieux poignard devenait encombrant. Bernonville ne s'intéressait qu'à l'argent. Houde souhaitait valoriser son héritage pour se donner une image de grand héros québécois, mais comment y parvenir avec deux morts ? L'un faisait partie de ses amis, l'autre était fonctionnaire. Le Poignard de Cartier avait non seulement le pouvoir de le renvoyer en prison, mais aussi celui de compromettre son héritage. On se souviendrait peut-être même de sa complicité dans un meurtre.

Le téléphone sonna, mais le père François fit signe que la gouvernante répondrait.

— Et l'autre ? se hasarda à demander Cinq-Mars.

— Quel autre ?

— La politique, à ce qu'on dit, forme parfois d'étranges associations. Il doit en être de même pour le crime.

— Plus encore, selon moi, admit le père François.

On frappa à la porte donnant sur la cuisine et la gouvernante passa la tête.

— Téléphone, mon père.

— J'ai demandé à ne pas être dérangé, madame Caron.

— Du porto ! s'écria-t-elle, prête à se précipiter dans la pièce. A cette heure !

— Madame Caron, nous discutons d'une affaire de la plus haute importance. De la plus *haute* – le père François appuya sur ce mot – importance. (Quand elle eut disparu, il confia à Emile :) C'est notre code pour désigner la mort. Je vous serais donc reconnaissant, quand vous partirez, d'arborer une mine de deuil.

— Bien sûr.

Sans les bouleversements qu'avaient traversés l'Eglise et l'Etat, songeait Cinq-Mars, sa vie aurait pu prendre cette tournure. Il aurait porté la soutane et négocié les détails domestiques avec des gouvernantes et des chats. Mais le père François n'avait pas choisi l'existence tranquille et routinière que menaient la plupart des prêtres : il avait une activité politique et se trouvait peut-être impliqué dans un complot criminel. Cela ne lui avait pourtant pas évité la malédiction de la soutane, et il avait lentement sombré dans la solitude du célibat. Cinq-Mars remercia Dieu d'échapper à pareille destinée.

— Où en étions-nous ? demanda l'ecclésiastique.

Cinq-Mars, ne voulant pas lui donner le sentiment qu'il s'agissait d'autre chose qu'une discussion amicale, leva son petit verre de cristal et lança :

— Je savourais mon porto, mon père. Pardonnez-moi, mais c'est ce qui dans l'instant retient toute mon attention.

Le prêtre lui fit un clin d'œil et, à son tour, leva son verre. Il le vida, s'en versa un autre et tendit la bouteille à Cinq-Mars.

— L'autre compère... commença le père François. « Vous voulez parler de Camille Laurin ? Laurin pensait autant à son avenir politique que Houde tenait à son héritage, et il n'avait pas plus envie de voir son nom associé à l'arme d'un crime que d'attraper la lèpre. Evidemment, il voulait vendre ; tous tenaient désespérément à vendre ! Mais comment ? Aucun d'eux ne savait comment mettre en gage un objet volé, en revanche, ils savaient que, en dehors d'eux, deux hommes étaient impliqués dans le casse...

— Continuez. Mais quand vous parlez de deux autres hommes, vous faites allusion à... ?

— A Duplessis qui avait émis l'idée de subtiliser la Dague de Cartier. Roger ayant été mandaté, dirons-nous, pour la mettre en œuvre. Mais personne ne voulait que la relique échût à Duplessis, et surtout pas Roger : sa femme lui aurait arraché les yeux si cela était arrivé ! On aurait pu penser à vendre le poignard au Premier ministre, mais

586

on le savait pauvre. Même s'il faisait des merveilles, personne ne l'imaginait piochant dans les finances de l'Etat pour acquérir un bien volé – il en était capable en fait –, et ni Houde, à qui cela aurait fait mal au cœur, ni Laurin n'auraient accepté que Duplessis acquière le poignard. Il a donc été éliminé d'emblée.

— Restait alors le second, suggéra Cinq-Mars.

— En l'occurrence moi, représentant l'Eglise catholique. Peu importait que cela ne fût pas vraiment le cas et que Monseigneur Charbonneau, que je représentais, fût plus pauvre que Duplessis, plus pauvre que moi ! Ce qui n'est pas peu dire. Comme *le Chef*, nous étions disposés à accepter gratis le poignard des mains de Roger, mais nous n'avions pas les moyens de l'acquérir nous-mêmes. Toutefois, les vendeurs ne s'en étaient pas rendu compte. Ils s'imaginaient que, puisque j'étais prêtre, je représentais l'Eglise, et me prêtaient les ressources de l'Eglise. C'est pourquoi ils m'ont contacté pour me proposer d'acheter la Dague de Cartier.

— Cela vous mettait dans une situation difficile, observa Cinq-Mars.

— Ô combien ! Il fallait que je me décide rapidement. Si, accédant à leurs désirs, j'en parlais à l'évêque, je permettais aux éléments conservateurs de l'Eglise de mettre la main sur la relique dotée, ne l'oublions pas, de propriétés particulières. A l'époque des libéraux c'était une espèce en voie de disparition. J'ai donc concocté un plan pour inciter Trudeau à l'acquérir. Il avait l'argent, il aimait le risque et l'aventure, et l'aspect illicite de l'affaire ne le découragerait pas. Contrairement à Houde et à Laurin, il n'était nullement disposé à tuer, et je songeais à tirer parti de son romantisme en évoquant les mythes culturels et historiques qui auréolaient le poignard, ainsi que ses prétendues propriétés magiques. Mon intuition se révéla fondée. Comptait aussi beaucoup à mes yeux le fait qu'il fût catholique, mystique même, bien qu'il ne le laissât pas paraître. Une issue se présentait, du moins dans mon esprit; je pouvais imaginer le jour où, l'Eglise étant devenue plus intéressante, plus progressiste, il lui léguerait la Dague de Cartier. Les circonstances ne me permettaient pas de mieux faire.

— Tout à l'heure, remarqua Cinq-Mars, songeur, vous parliez à propos de Houde de ce qui aurait pu lui « faire mal au cœur »... L'ecclésiastique attendit, la tête baissée, le corps bien enfoncé dans son fauteuil, les mains croisées sur son ventre rebondi. Cela a dû vous « faire mal au cœur » de traiter avec Bernonville, sachant que l'argent versé par Trudeau pour acquérir la relique contribuerait à le soutenir.

Le père François acquiesça d'un mouvement de tête, puis soupira comme si cela l'accablait encore.

— Surtout après cette nuit dans le parc : il avait bu au point de poignarder Roger... Qu'il profitât ensuite de tout cela fut très difficile à admettre.

— A votre avis, pourquoi a-t-il agi ainsi ? A-t-il poignardé Roger parce qu'il était à moitié ivre ? J'aimerais comprendre. » Cinq-Mars ne s'attarda pas sur ce point – cela eût été maladroit –, mais il remarqua qu'il mentait désormais avec aisance. Il maîtrisa cependant son enthousiasme : Bernonville a tué Roger Clement ! J'ai résolu l'*énigme !*

Le prêtre leva un instant les mains vers le ciel, comme pour y chercher une explication à ce chaos.

— Parce qu'il est fou. Les gens voyaient en lui un charmeur, un dandy distrayant... un invité convenable pour un barbecue ou un bain dans la piscine ? Un bon vivant, toujours prêt à lancer une plaisanterie entre un verre de whiskey et un cigare ? On lui accordait toutes les excuses ! Si j'avais pu crier à l'oreille de Houde mourant ce que je pensais : Imbécile ! C'est un nazi qui a torturé ses compatriotes ! Qui a envoyé au peloton d'exécution les malheureux qu'il n'a pas lui-même tués ! Des gens bien, hommes et femmes, Juifs français et catholiques, il les a condamnés à mourir en les jetant en camp de concentration ! A quoi vous attendiez-vous d'une canaille pareille ? » En concluant sa diatribe, le gros homme se calma. « Dans ce pays, nous faisons parfois preuve de naïveté, c'est une de nos faiblesses.

— Dans tous les pays, je crois, constata Cinq-Mars.

— Nous avons quand même du génie pour ça... Vous vous demandez pourquoi il a tué Roger. Bonne question, mais hélas ! sans réponse. Soit dit entre nous, les protagonistes de cette affaire ont tenté de sonder son cœur et son esprit. Pourquoi Houde a-t-il fait appel à mon ministère avant de mourir, si ce n'est pour évoquer cette terrible nuit, en tête à tête, sous le sceau du secret ? Moi, l'homme de gauche, j'ai partagé le pain avec Laurin qui, maintenant qu'il est au Parti québécois, se débrouille bien ; en réalité, au fond de son cœur, il siège politiquement à droite du bourreau de Gengis Khan. De quoi ont parlé le prêtre, censé connaître le cœur des hommes, et le psychiatre Camille Laurin, censé connaître leur esprit ? Du cœur et de l'esprit du comte Jacques Dugé de Bernonville.

Le porto lui fournit un prétexte pour marquer une pause, et, cette fois, tous deux se penchèrent pour trinquer.

— Et qu'en avez-vous conclu ?

— Laurin, des notions confuses dans un jargon de psy. Et moi,

Emile, que Bernonville me ressemblait plus que je ne veux bien l'admettre.

— Je ne vous suis pas.

— Dans ma jeunesse, mes opinions politiques m'entraînèrent plus à gauche que je ne le voudrais aujourd'hui. J'allai jusqu'à croire à la révolution, persuadé qu'elle était aussi inévitable que le prochain âge glaciaire, une simple question de temps, même si cela en prenait beaucoup. En réalité, mes opinions politiques d'alors, Emile, étaient surtout « idéalistes ». Je n'éprouvais que dérision pour le statu quo, conscient des lacunes de chacun des régimes ayant assumé le pouvoir – ce qui ne présentait aucune difficulté, ici, au Québec, sous le regard de ce mégalomane. Mais un tyran n'en vaut pas nécessairement un autre...

— Duplessis comparé à Hitler ?

— Nés le même jour, marmonna le prêtre en haussant les épaules, à un an d'intervalle, mais politiquement à des océans l'un de l'autre, malgré leur sympathie mutuelle. Duplessis n'était qu'un potentat vieillissant. Bien sûr, dans les années cinquante, tout ce que nous avons appris au sujet du tyran Staline porta un coup très rude à quelques illusions gauchisantes. Quand je songe à l'opinion des jeunes que nous avons récemment envoyés à Cuba, je sais...

— Vraiment ? » Cela ne l'étonnait pas que le père François les soutînt.

— Un entourage convenable – ou non – aurait pu me persuader d'acquérir le poignard, car je supposais que cela se passerait sans violences. Que cela causerait la mort de deux hommes était pour moi totalement inimaginable. J'étais encore un prêtre naïf, impliqué dans une entreprise illicite ayant viré au cauchemar. L'idéaliste s'aventure souvent sur des terrains dangereux et se fait écraser par la réalité. Est-ce si différent de ce que les jeunes vont découvrir à Cuba ?

— Un policier vous répondra qu'ils ont commis des crimes bien plus atroces, le vôtre se limitant à celui de témoin silencieux. Mais en quoi cela vous fait-il ressembler au comte ? Voulez-vous dire qu'il a jadis été un jeune nazi idéaliste méritant notre sympathie ?

— Il n'a jamais mérité la sympathie de quiconque. Dieu peut se montrer capable d'aimer des gens pareils, mais pas les mortels. » Il eut un petit rire qui secoua son imposante bedaine. « Bon. C'est donc le socialiste en moi qui parle, pas le prêtre, mais la vie est pleine de contradictions...

— Je vous pardonnerai, mon père.

— Merci, mon fils. Pourtant, je vous assure que Bernonville et moi nous ressemblions. Comprenez-moi, le comte a reconnu tout comme moi, tardivement c'est vrai, que ceux qui penchaient vers un mouvement ou un autre, la gauche pour moi et la droite pour Laurin, n'étaient pas responsables de la marche du monde. De grands noms de cette société, l'abbé Lionel Groulx et Henri Bourassa, et toute la clique de disciples et de potentats, dont beaucoup auraient dû faire preuve de plus de clairvoyance, se réjouirent tous de l'arrivée d'un grand dirigeant qui remodèlerait leur existence et redonnerait un sens à leur misérable existence... Puérilités que tout cela! Sur les plans philosophique, social, psychologique, politique... c'était puéril! Le comte, las des discussions sans objet, voulait le faire comprendre. Un soulèvement était-il possible sans action, sans victimes, sans carnage, sans meurtres? Alors, il a assassiné ce pauvre Roger pour nous arracher à notre innocence, pour souiller à jamais nos vies et nos âmes, pour rendre évidente la différence entre nos bavardages vains, nos pitreries pitoyables et ce que signifiait exactement « être un nazi ».

Cinq-Mars éprouvait quelque difficulté à démêler l'écheveau de ses propos.

— Voulez-vous dire, mon père, qu'il aurait mieux valu que nous nous massacrions tous? interrogea-t-il en s'efforçant d'atténuer l'ardeur de son interlocuteur.

L'ecclésiastique, au premier abord, ne parut pas choqué par sa question.

— A en croire Bernonville, oui. (Il s'humecta les lèvres.) Mais la gloire de notre peuple, notre plus grande qualité – qu'un homme comme lui ne comprendrait jamais et ne chercherait qu'à détruire –, c'est que nous sommes restés des gens pacifiques, malgré notre penchant pour les manifestations et les débordements – et, pour un peuple latin, nous n'avons jamais dépassé les limites, vous ne trouvez pas? Surtout quand on songe à nos turbulents aïeux, Emile. Nous ne sommes pas une nation d'horlogers! De prêtres et de religieuses, peut-être, et de fermiers, mais nos ancêtres ont exploré tous les recoins de ce continent, bien avant que les Américains n'aient pris conscience de son existence! Qu'ont découvert Lewis et Clark en allant vers l'est? Des Indiens et des Français! Ils ont demandé : « Où allons-nous? » et c'est un guide français qui leur a répondu : « Suivez le sentier que j'ai tracé. » Alors, non, mon fils, modérez désormais vos propos, ou l'on ne vous servira plus de porto : il n'est pas question que nous nous massacrions les uns les autres. Nous sommes parvenus à l'éviter, à de très rares exceptions près, et nous devons persévérer dans ce sens. Nous nous sommes engagés sur quelque chemin sombre, mais nous avons par miracle évité la grande tyrannie de la guerre. Nous pouvons bâtir là-dessus. Et bientôt, nous saurons que faire de notre rude, froide et étonnante patrie.

Même si le prêtre ne parlait pas du haut de sa chaire, Emile, respectueusement, avait pris une attitude méditative : sentiment du temps écoulé et d'une longue lutte. Il admirait l'attitude de cet homme.

Le jeune policier autodidacte avait appris de son mentor, Touton, à ne perdre ni les objectifs ni le fil d'une conversation. Il se sentit donc obligé de ramener le prêtre à l'essentiel de leur discussion :

— Mon père, en ce qui concerne la mort de Roger Clement, vous êtes tout à la fois un témoin capital et, on peut le dire, un complice. En conviendriez-vous ?

Le prêtre l'admit à regret.

— Bernonville étant mort, du moins le croit-on, votre enquête ne débouchera pas sur un procès, mais, si on devait en arriver là, alors oui, Emile.

Ils restèrent un moment assis dans la pénombre de l'après-midi finissante, buvant leur porto à petites gorgées. En se levant pour prendre congé, Cinq-Mars remercia son hôte, puis ajouta qu'il lui devait quelques excuses.

— Pourquoi donc, Emile ? Nous n'avons énoncé aujourd'hui que des vérités. Quelles excuses auriez-vous à me faire ?

— Nous n'avons échangé que des vérités, mon père, mais je ne vous ai pas tout dit.

— Comment cela ?

Ayant rechaussé ses bottes, Cinq-Mars enfila son manteau et remit en place le col qui s'était retourné. Il tira de sa poche son chapeau et ses gants.

— Anik Clement était dissimulée dans la penderie et elle a entendu votre conversation avec le défunt maire. Mais je lui ai demandé de ne rien me révéler de cet échange afin que tout cela reste entre elle, vous, le maire Houde et Dieu. Elle m'a écouté.

L'ecclésiastique recula d'un pas et détourna les yeux. Quand son regard revint se poser sur le jeune policier, un sourire plissait les commissures de ses lèvres.

— Alors, Emile, vous m'avez bien eu ! Mais je ne comprends pas : comment en êtes-vous arrivé à être convaincu de ma culpabilité ? Vous m'avez dit que j'avais vendu la Dague de Cartier !

— Je le tiens de Trudeau, qui m'a confié également que, lors de votre rencontre durant l'émeute, vous veniez de fournir un effort physique. Votre veste était déboutonnée. J'ai pensé que vous aviez couru. On ne vous connaît aucun talent pour le jogging. Que s'était-il donc passé ce soir-là ? me suis-je demandé.

Le prêtre soupira et sourit de nouveau.

— C'est étrange : cette conversation, au lieu de provoquer ma fureur, m'a grandement soulagé. Je refuserais de l'admettre, bien entendu, devant un tribunal, ajouta-t-il. Cela dit, vous avez fait vos preuves aujourd'hui et vous ne me devrez pas d'excuses.

Cinq-Mars partit, courbant le dos pour résister au vent glacial qui hurlait.

CHAPITRE 27

1971

L E TEMPS AVAIT PASSÉ, et pourtant Emile Cinq-Mars ne se sentait pas encore prêt à affronter le rendez-vous qu'il planifiait. Il se pencha longuement sur ses dossiers et ses notes, répéta son discours et s'employa de son mieux à prévenir tout argument susceptible de lui être opposé. Il revit une fois de plus des témoins qu'il harcela de nouveau avec les mêmes questions anodines. Gaston Fleury, le directeur du service des Recherches et des Etudes stratégiques, le jeta quatre fois à la porte de son bureau; à la cinquième tentative cependant, il consentit à examiner avec lui les détails qui présentaient de l'importance et à rassembler les renseignements nécessaires. A son troisième essai pour obtenir un rendez-vous avec le capitaine Sloan, Cinq-Mars aperçut le policier vieillissant qui quittait le commissariat par la porte de derrière, se glissait dans sa voiture et démarrait précipitamment. Le sergent de garde lui annonça que son supérieur avait été obligé de prendre son après-midi pour soigner des problèmes intestinaux.

— Pouvez-vous me communiquer son adresse personnelle? avait alors demandé Cinq-Mars.

— Il m'a prévenu que vous la demanderiez certainement, lui répondit le sergent en le regardant droit dans les yeux jusqu'à ce que, finalement, Emile renonçât.

Fini de remettre les choses au lendemain. Il se sentait prêt et tant pis pour sa carrière! Que valaient un policier, un homme incapable de s'exprimer franchement ? Le moment était venu, mais il avait besoin de réfléchir encore un peu, de vérifier qu'il avait envisagé toutes les possibilités.

Puis, un beau jour, il se réveilla de bonne heure et comprit que l'heure avait sonné : il devait agir ou... mourir.

Le soir même, il enfila son blouson préféré, un blouson d'aviateur en cuir, et se présenta à son chef, qui avait pris son service depuis quatre-vingt-dix minutes et envoyé ses inspecteurs en mission.

— Sortons d'ici, suggéra-t-il à son mentor.

— Je travaille, grogna le capitaine, les pieds sur le bureau, le visage secoué de tics.

— Vous avez besoin d'un verre. (Touton esquissa un geste vers son tiroir.)

— Je ne bois pas pendant le service, lui rappela Cinq-Mars.

— Tu n'es pas de service.

— Vous, si.

— Donne-moi un peu d'eau, crétin ! Une dispense spéciale. (Son élocution permettait de supposer que Touton avait déjà pas mal picolé ce soir-là.)

— Capitaine, sortons d'ici. Ces murs ont des oreilles d'éléphant...

Il avait décidé de l'emmener boire un whisky ou une bière, mais le capitaine, avouant qu'il mourait de faim, opta pour une pizzéria. Ils passèrent le plus clair de leur temps à discuter hockey. Les Canadiens étaient-ils de taille à remporter la Coupe ? En ville, on n'y croyait guère, mais Touton n'avait pas perdu espoir.

— Ils s'en tireront, mon garçon !

— Cesserez-vous un jour de m'appeler mon garçon ? Et puis, pourquoi parlons-nous anglais ?

— Vas-tu enfin m'expliquer la raison de notre présence ici ?

— Non, pas maintenant, répondit le jeune policier.

— Tu me barbes ! J'imagine que tu veux entrer dans mon équipe... Des types comme toi, j'en vois tous les jours ! Il y en a à la pelle ! Faire ta ronde te blesse les pieds... On est tous passés par là, mon garçon.

— Certains pourtant marchaient moins que d'autres, marmonna Cinq-Mars. Vous, par exemple, avez très vite eu de l'avancement.

— Oui, mais dans un service décimé par la guerre et la corruption ! Mets-toi bien ça dans la tête ! Les temps ont changé.

— De toute façon, ce n'est pas le sujet que je veux aborder.

— J'ai traversé toute la Pologne, jusqu'en Allemagne, par un hiver d'enfer !

— Pardon d'avoir mis ça sur le tapis. D'ailleurs non, c'est vous.

— Je n'avais pas de chaussures !

— Ça, ça a dû être dur. Un hiver sans chaussures...

— Dur ? Dur ? Sais-tu seulement ce que cela signifie ? » Cinq-Mars poussa un soupir ; il n'avait peut-être pas choisi le meilleur soir. « Finissons-en, mon garçon ! ordonna Touton en attaquant une tranche de salami. Il mastiqua longuement et avala enfin sa bouchée. Il reprit alors en grommelant : « J'ai des choses à faire. Tu ne le sais peut-être pas, mais, parmi nous, certains travaillent pour obtenir leur salaire...

— Vous ne travaillez pas que pour ça.

— Ce qui signifie ?

Cinq-Mars le regarda droit dans les yeux mais son cœur commençait à battre la chamade : à la fin de cette conversation, il se retrouverait peut-être sans situation.

— Cela signifie..., commença-t-il. (Il hésita, gêné par l'éclairage, trop fort.) Allons faire un tour.

— Encore marcher ! se plaignit Touton en s'extirpant de la niche.

Au moins son jeune compagnon réglait-il l'addition. Il faisait doux dehors par cette nuit de mars, la première de l'année où l'on prévoyait une température positive jusqu'à l'aube ; le printemps pointait enfin.

Ils descendirent la rue Saint-Jacques, que bordaient les grands immeubles en pierre des banques, aux plafonds voûtés et aux façades ornées de feuilles d'or, ou des bureaux sévères d'une autre époque. Cinq-Mars jetait un coup d'œil par les fenêtres et, remarquant le volume des pièces, se disait en lui-même : Pas facile à chauffer !

— Alors, qu'y a-t-il ? demanda Touton. Il boitait bas ces jours-ci et, bien que l'exercice ne lui fît pas de mal, il marchait d'un pas mesuré.

— J'ai trouvé la solution, vous savez, annonça Cinq-Mars.

— Le meurtre de Roger ? finit-il par avancer.

— Oui, chef.

Il continua d'avancer, secouant la tête comme pour chasser une pensée désagréable ou gênante.

— Bon ! Raconte ! Ensuite, on débouchera le champagne !

Emile Cinq-Mars prit une profonde inspiration avant de lancer son numéro, consciencieusement, méticuleusement, faute de quoi sa théorie tout entière s'effilocherait en l'empêtrant dans une longue série de nœuds gordiens.

— D'abord, que je vous dise les personnes présentes dans le parc.

— On va pouvoir comparer nos données.

— Pourquoi ? Vous pensez savoir ?

— J'ai ma petite idée. Qui donc se trouvait là-bas ?

Emile commença par le plus facile.

— Le père François Legault...

— Tu es dingue ? Bon, cinquième jour de mars, explique-toi et je t'expliquerai alors pourquoi le singe que tu es n'est pas encore descendu de son arbre. Elle est bien bonne, celle-là !

— Il l'a reconnu.

Touton s'arrêta. Cinq-Mars fit une demi-douzaine d'enjambées avant de s'arrêter à son tour et de se retourner.

— Mais ce n'est tout de même pas lui qui a tué Roger ?

— C'est un témoin capital.

— Il a avoué cela ? Il a vu ce qui s'est passé ?

— De ses propres yeux.

— A quelle distance se trouvait-il ?

— Plus près que vous de moi.

— Il a dit ça ? Il te l'a vraiment dit ?

— Oui, capitaine.

Touton reprit sa marche en boitillant, comme si ce bref arrêt avait raidi ses articulations. Cinq-Mars poursuivit alors en citant tous ceux qui se trouvaient dans le parc ce soir-là, en nommant le meurtrier de Roger Clement ainsi que ses motivations ; il termina en disant quelles autres personnes auraient pu avoir des raisons de commettre ce crime.

— Et toi, lui demanda Touton, qu'en penses-tu ?

— Ce qu'avance le père François me paraît plausible, de plus le comte avait peur – il était en fuite. Il craignait Roger, trop costaud pour lui. La femme de Roger le détestait : à Asbestos, elle lui avait passé un savon en public ; mais elle ne saura jamais – en tout cas, je ne lui dirai pas – que sa tirade contre le comte a peut-être coûté la vie à son mari. Ce beau salaud se souvenait si bien de l'incident qu'il a voulu se venger.

— C'est le père François qui t'a raconté tout ça ?

— Reggie Chartrand. Je suis allé le voir pour qu'il me donne sa version du combat.

— Du combat ?

— Peu importe, aujourd'hui ce n'est plus le problème.

— C'est bien ce que je veux savoir : quel est le problème ? Cinq-Mars, dis-moi ce que tu sais ou je te casse la gueule !

— D'abord, laissez-moi finir. En vérité, c'est très simple. Bernonville a tué Roger Clement pour que la Dague de Cartier ne vaille plus rien aux yeux de ses complices. Voilà ce que je crois. Avant le meurtre, il voulait la vendre pour en tirer de l'argent, en vrai mercenaire qu'il était. Mais les autres envisageaient de la garder : Laurin pour des raisons politiques, Houde pour sa réputation, Duplessis pour acquérir davantage de pouvoir, l'Eglise pour renaître. Bernonville, qui voulait du liquide, a compris qu'il devait les faire très vite changer de point de

596

vue. Le problème, c'est qu'on ne peut pas examiner l'immeuble de la Sun Life, ses gros blocs de ciment clair et ses colonnes, sans conclure qu'il est absolument impossible de descendre le long de la façade d'un bâtiment de cette sorte sans se faire repérer et provoquer une vive agitation.

Touton en attendait davantage et, quand il apparut que Cinq-Mars en avait terminé, demanda :

— Comment un type intelligent peut-il débiter de pareilles idioties ?

Cinq-Mars croisa les bras, comme pour rassembler ses forces avant l'assaut.

— L'inspecteur Sloan m'a dit... pardon, maintenant c'est Capitaine Sloan... m'a raconté que vous aviez longuement contemplé l'immeuble de la Sun Life le soir de l'émeute, détail qui l'avait frappé parce que, pendant que vous regardiez, vos hommes, ne sachant que faire, vous ont imité. Vous vous en êtes certainement rendu compte. (Il regardait maintenant bien en face Touton qui ne cillait pas.) Personne ne pouvait descendre la façade de ce bâtiment sans se faire remarquer...

— J'ai vu que c'était possible. Je me souviens m'être dit exactement ça : C'est possible.

— Mais peu probable. Aucun voleur ne se serait risqué à compter là-dessus. Emeute ou pas, c'était trop dangereux. N'importe quel policier aurait écarté cette possibilité...

— Je ne suis pas n'importe quel policier ! J'ai vu que c'était possible. C'est possible !

— ... ou du moins l'aurait considérée comme hautement improbable et aurait envisagé d'autres solutions. Un grand policier, un policier comme vous, aurait su vérifier d'autres possibilités.

Ils restèrent un moment silencieux et immobiles. Cinq-Mars gardait la tête baissée et poussait du pied un morceau de glace probablement tombé d'un toit et qui avait peut-être failli tuer quelqu'un ; puis, relevant la tête, il vit que son capitaine le dévisageait.

— Alors qu'en dis-tu ?

— Vous n'avez pas envisagé un coup monté de l'intérieur.

— Alors, d'après toi, j'aurais merdé ? Je refuse ce point de vue ! J'ai travaillé dur sur cette affaire !

Le jeune policier restait sur ses positions.

— Le garde du service de sécurité de la Sun Life, le type qui a identifié le corps, a tout de suite reconnu Roger. Soi-disant parce que plus de quinze ans auparavant, Roger avait été joueur de hockey. Mais Roger avait changé : il avait vieilli et c'était de plus un cadavre ; il ne ressemblait plus au hockeyeur d'autrefois. Alors comment le gardien a-t-il pu l'identifier si vite ?

Comme mus par un même signal, les deux hommes avaient repris leur marche. A cette heure, il y avait très peu de circulation : ces quartiers anciens perdaient leur prestige de centre des affaires et les sociétés s'installaient sur les hauteurs dans des gratte-ciel récents de verre et d'acier. Les immeubles en pierre étaient passés de mode. On avait beaucoup discuté du moyen de faire renaître cette partie de la vieille ville, mais bien que visitée par les touristes en été, elle poursuivait sa décrépitude. Ils laissèrent derrière eux le Champ-de-Mars, sur lequel se dressaient l'imposante cathédrale Notre-Dame ainsi qu'une statue de Maisonneuve car c'était ici qu'il avait combattu les Indiens et tué un chef Iroquois, bien que blessé lui-même.

— J'ai interrogé ce type. Il avait connu Roger dans un bar, déclara Touton.

— Et vous l'avez cru ?

— Pourquoi pas ? Rien chez lui n'en faisait un complice crédible.

— Tu te mets le doigt dans l'œil.

Ils s'arrêtèrent à un feu rouge. Bien qu'il n'y eût aucune circulation – à Montréal, il est de mise que les piétons traversent sans se soucier des feux quand la voie est libre –, ils attendirent sur le trottoir que le feu passât au vert pour repartir.

Cinq-Mars poussa un soupir.

— Je ne doute pas de l'innocence de votre type. Je sais que vous aviez raison et vous le savez vous-même. Le problème est...

— Nous revenons au problème. Chez toi, un homme n'est pas capable d'escalader un immeuble...

Cinq-Mars sourit brièvement puis reprit son argumentation :

— Le problème est que j'aurais interrogé sans relâche tous ceux qui se trouvaient dans l'immeuble.

— Même les innocents ?

— Surtout les innocents. Pour leur éviter toute enquête à venir, par exemple.

— J'arrive donc plus vite que toi à des conclusions évidentes. C'est ce qu'on appelle l'expérience.

— Vous aviez un avantage, répondit Cinq-Mars en haussant les épaules, visiblement agacé.

— Lequel ?

— Vous saviez que ce garde n'était pas impliqué parce que vous connaissiez déjà le complice à l'intérieur.

— Pardon ? Que racontes-tu là, mon garçon ?

— C'est la seule explication. Tout policier travaillant sur cette affaire aurait passé en revue chacun des employés et éliminé toute hypothèse d'une complicité à l'intérieur. Vous ne l'avez pas fait, capitaine. Pas parce que vous faisiez mal votre travail, mais parce que vous connaissiez le complice.

— Alors, dis-moi qui était ce fameux complice à l'intérieur ?

— Vous, déclara Cinq-Mars.

Il ne s'arrêta pas, il ne le regarda pas. Touton non plus. Il resta à la hauteur de son jeune collègue, lui jeta un coup d'œil, puis regarda droit devant lui.

— Explique-moi donc comment tu es arrivé à une telle conclusion.

— Merci, capitaine.

— De quoi me remercies-tu ?

— De l'honneur que vous me faites en ne niant pas.

— Laisse-moi le temps. Je désire d'abord entendre tes arguments. Pour que les choses soient bien claires, suggères-tu que j'ai tué Roger Clement ?

— Vous avez un alibi en béton ! La moitié du service de police se portera garant de votre emploi du temps.

— Alors raconte-moi ce que tu as sur moi.

— Je commencerai par une question.

— Parce que maintenant je fais partie des suspects ? Oublie la question. Dis-moi juste de quelle manière je suis complice.

— Vous n'en avez pas cherché un avec la diligence nécessaire. Pourquoi ? Parce que vous saviez que c'était vous et personne d'autre.

— Ce que tu prétends ne veut rien dire.

Cinq-Mars poursuivit calmement, sachant qu'était arrivé le moment auquel il se préparait et dont il rêvait depuis des mois.

— Vous aviez les clés, capitaine Touton. Vous avez fait évacuer l'immeuble et, après vous être assuré que tout le monde était sorti, vous vous êtes chargé de la sécurité du bâtiment.

— Cela relevait de mon travail, Votre Honneur. Puis-je faire remarquer ce point à cet avocat trop zélé ?

— Et vous n'avez pas écarté l'hypothèse d'une effraction par l'extérieur. En la soutenant, vous avez incité tout le monde à croire que cela s'était effectivement passé ainsi.

Au feu rouge suivant, ils jetèrent un rapide coup d'œil dans les deux directions et traversèrent rapidement. La voie n'était pas totalement dégagée et un taxi dut ralentir pour les laisser passer.

— Au moins je comprends maintenant comment tu t'es emmêlé les pinceaux ! Je ne te fais pas de reproches, car il s'agit de ta première affaire complexe. Ce que tu me racontes est bien gentil, mais tu ne trouveras pas un seul avocat dans ce pays qui ne relèvera pas qu'il s'agit de preuves indirectes, ni un seul juge sérieux pour prétendre le contraire. Mais continue, j'apprends des choses. Il te reste peut-être encore un soupçon d'espoir, Cinq-Mars.

— Il y a vos relations avec le capitaine Fleury, chef.

— Quoi ? Oh ! voyons ! Qu'est-ce que cela a à voir avec le prix des petits pois ?

Cinq-Mars haussa les sourcils et détourna un instant la tête comme pour esquiver cette ironie.

— Vous appréciez le courage, capitaine. Après la destruction de sa voiture, le capitaine Fleury a renoncé à son enquête sur les limousines ; il n'a plus voulu en entendre parler et a repris son travail de bureaucrate. A l'époque, il était fichtrement proche de Harry Montford. Mais il n'a pas insisté. Je peux comprendre ce qui est arrivé à Fleury et pourquoi il s'est dégonflé. Il a commencé à admettre que la comptabilité, après tout, ça n'était pas si terrible. Mais, pendant longtemps, j'ai eu du mal à comprendre comment vous, vous aviez pu laisser passer ça. Jusqu'au moment où la vérité m'a sauté aux yeux, bien sûr.

— Bon. Je t'écoute.

— Il n'était pas votre ami parce que vous éprouviez beaucoup de respect pour lui, mais parce vous aviez besoin de lui. Pour être précis, vous aviez besoin de quelqu'un dans cette position.

— J'ignorais qu'il avait une position.

— Moi aussi, au début. Jusqu'au jour où je me suis demandé de quoi il pourrait s'agir. (Son expression démontrait clairement que la réponse était évidente.) Pour vous assurer qu'il ne découvrirait pas ce qu'il aurait pu découvrir et pour garantir votre prochain mouvement, voilà qui explique que vous l'ayez gardé près de vous. Mais j'y reviendrai plus tard. Voulez-vous entrer prendre un verre ici ?

Ils s'étaient engagés dans la rue de la Commune et passaient devant un bar. Touton, après avoir constaté que l'endroit était tranquille, accepta. A l'emplacement de la rue coulait jadis – au début de la colonisation de l'île – une petite rivière, et, juste devant, à l'intérieur de ce qui était aujourd'hui un musée, se dressaient les premières fortifications. A l'époque, de Maisonneuve et Jeanne Mance avaient vécu à quelques pas de là. En entrant dans le bar, Cinq-Mars prit conscience de l'écoulement du temps, peut-être parce que leur discussion portait sur la Dague de Cartier qui avait été abritée au Fort Périlleux, non loin de là.

Une jolie fille les servit et son sourire parut remonter le moral des deux hommes qui trinquèrent avant de savourer leur première gorgée.

— Bon, petit. Qu'as-tu d'autre ?

— Vous devez connaître tous les bars du quartier.

— Je découvre celui-ci.

— Du temps de la chasse au FLQ, j'avais fait filer le père François.

Devinez où cela m'a conduit ? Dans un bar près d'ici. Et savez-vous à qui il parlait ?

— J'ai pratiquement inventé cette technique, rétorqua Touton en souriant, et je ne répondrai jamais à une question dont tu prétends déjà connaître la réponse.

— Vous avez tous les deux des relations de travail, lui fit remarquer Cinq-Mars. (En son for intérieur, il était assez content de lui. Même si son chef n'appréciait pas ses déductions, il devait être impressionné.)

— J'ai une relation de travail avec Dieu. Et alors ? Nous parlons du fragile dossier que tu as contre moi.

Cinq-Mars haussa les épaules en homme qui domine la situation.

— Vous avez vos entrées partout, patron, je l'ai... » Il décida de changer de terme... : « remarqué. Même dans les matches de hockey, pourtant vous n'êtes qu'un flic. Vous savez, c'est ce qui m'a orienté. Vous voir, vous, au Forum. Cette ville est votre ville et surtout, vous pouvez pénétrer dans l'immeuble de la Sun Life quand vous êtes le seul à en posséder les clés.

Touton prit une plus longue lampée et, avant de reposer son verre, fit signe à la jolie serveuse de remettre ça.

— C'est toi qui paies, j'imagine.

— Chacun paie son écot, rectifia Cinq-Mars.

— Je ne sais pas ce que cela veut dire, répondit son chef.

— Je vais vous expliquer. Vous confiez à l'inspecteur Sloan la responsabilité de l'immeuble de la Sun Life et de la zone environnante. Je sais que ce flic avait ses bons côtés, mais il n'a jamais été méticuleux, énergique ou travailleur. Aussi, lors de la répartition du travail, confiez-vous à votre subalterne le plus mou l'immeuble qui exigeait le plus d'attention. Suspect, non ?

— Pure coïncidence, non ? Un hasard, non ? Je place mes hommes comme je l'entends. Un jour, tu en auras peut-être sous tes ordres et alors tu verras si tu peux prendre toutes tes décisions en te basant sur celui qui a le plus d'énergie ! Bonté divine, mon garçon !

La sono diffusait du piano-jazz apaisant dans la salle, sombre, étroite et longue, et facilitait les conversations discrètes. Aucun des huit autres clients ne semblait s'amuser particulièrement, l'ambiance était plutôt morose.

Sur leur droite, contre le mur, vacillait une bougie solitaire.

— Bon, je vous concède ce point, mais tout cela fait partie d'un plan d'ensemble : vous avez fait évacuer l'immeuble et vous n'avez pas pris celui qui était – puis-je vous le faire remarquer ? – votre ami ! Il se trouvait seul sur le toit ! Je dis donc que la seule personne capable de l'aider à attendre là que la voie fût libre pour sortir sans danger était le capitaine Armand Touton de la Patrouille de nuit.

— Une coïncidence !

— Je savais que vous diriez ça. Mais j'ai autre chose.

— Ecoutons ça.

Cinq-Mars ôta son blouson d'aviateur et le laissa tomber sur le siège derrière lui.

— Vos relations avec Carole Clement.

— Et alors ?

— Vous vous êtes occupé d'elle comme on s'occupe de l'épouse de son meilleur ami, ce qui était le cas ; vous l'avez fait entrer dans votre service en remplacement de son mari. En fait, vous vous êtes occupé d'elle comme s'en serait occupé un homme se sentant responsable de la mort de son mari.

— Tu ne m'impressionnes pas, déclara Touton. Tu pêches sans hameçon !

— Vos relations avec Anik Clement..., poursuivit Cinq-Mars en ignorant sa remarque. Pardonnez-moi, capitaine, mais vous avez tout de même une fille que vous avez toujours pratiquement ignorée...

— Un fille adoptée, lui rappela Touton.

— Ce qui signifie ?

— Tu as dit : « Vous avez tout de même une fille »...

— Votre seule fille, capitaine, adoptée certes, pourtant il n'est pas difficile de se tromper et de penser que c'est Anik que vous avez adoptée.

— Accélère, Cinq-Mars, ordonna le capitaine avec, pour la première fois de la soirée, de la colère dans sa voix.

— La mort de Michel Vimont : vous avez laissé tomber pour ne pas risquer que l'enquête ramenât à Roger Clement et ensuite à vous. Vous ne vouliez aucune fuite, vous avez donc suivi cette affaire seul et vous en avez soigneusement gardé le contrôle. » Son supérieur semblait prêt à réagir, mais Cinq-Mars décida de passer outre à ses objections. « Les fonds de pension. » Il avait mis au point une technique qu'il tenait à perfectionner : lancer des informations par-ci par-là, au compte-gouttes, et revenir comme par hasard sur certains points, si bien qu'il était impossible pour celui qu'il interrogeait de prévoir les questions et de s'y préparer. « C'est ce qui vous a fait peur à propos de l'inspecteur Fleury.

— Moi, peur de lui ? Tu es cinglé ?

— Le petit bureaucrate finirait par mettre les points sur les « i ». Son travail consistait à fouiner dans des parages dangereux pour vous, dans les chiffres, les statistiques, les contrats, les arrangements, les accords confidentiels, les fonds de pension. Or, le civil pour qui, à force de magouilles dans le service, vous aviez fini par obtenir une bonne retraite, Roger Clement, n'était autre que le type retrouvé gisant au pied d'une statue dans un parc. Et depuis peu, vous tentez la même opération pour Carole : vous voulez qu'elle touche la pension de son mari, pour tout le travail qu'elle a accompli. Un peu difficile à vendre, mais vous avez des gens dans la place : le maire, le directeur de la police et Fleury – désormais administrateur des retraites ou Dieu sait quel titre ronflant –, des gens qui vous écouteront et dont vous obtiendrez ce que vous leur demanderez. D'ailleurs, j'ai vérifié, alors, n'essayez pas de me parler de rumeurs !

— Mais je n'ai commis aucune faute : Carole mérite sa pension tout autant que Roger méritait la sienne !

Cinq-Mars but une gorgée.

— D'accord, mais cela constitue une pièce supplémentaire dans le puzzle.

— Tu t'es complètement embrouillé dans cette affaire ! (Sans le savoir, il venait de toucher le point faible du jeune policier qui, en effet, s'était embrouillé.) Laisse-moi te poser une question : si j'avais tellement tenu à dissimuler ma complicité supposée dans ce cambriolage, pourquoi t'aurais-je transmis un dossier que j'aurais pu clore depuis des années ? Pose-toi cette question dans ta petite tête, Cinq-Mars, puis imagine-la posée devant un jury : ta prétendue affaire tombe alors en miettes. Une petite brise et pouf ! tout s'écroule.

Le sourire qu'Emile afficha indiquait qu'il avait prévu l'argument et que, après s'être beaucoup creusé la cervelle, il avait fini par trouver la réponse.

— Chef, je n'ai jamais prétendu que vous ne vouliez pas résoudre l'affaire, et je ne le prétends toujours pas. En fait, c'est une des raisons qui vous obsèdent. Plus qu'un flic ordinaire suivant une affaire, vous êtes partie prenante et vous vous sentez lésé. Bien sûr que vous tenez à résoudre le meurtre de votre ami et partenaire ainsi que celui de votre vieux collègue, le médecin légiste ! Ce n'était pas le sentiment du devoir qui vous poussait, mais votre désir de justice et de vengeance.

Touton secoua la tête et émit un petit rire.

— Tu m'impressionnes de nouveau, pas à cause de tes preuves, mais par ton entêtement. Mais ne te laisse pas décourager, continue.

— Alors, venons-en à vos rapports avec la Dague de Cartier.

— Quels rapports ?

— Avec ce poignard que vous méritiez pour avoir participé au débarquement de Dieppe et vu vos amis tomber et mourir autour de vous, après une longue agonie. Pour leurs voix et la puanteur de leurs

603

cadavres qui vous tirent de votre sommeil. Pour avoir nagé jusqu'à un destroyer qui a sauté sous votre nez, noyant traîtreusement un nombre considérable d'hommes. Pour avoir, blessé, regagné à la nage le rivage où vous attendaient la mort ou la capture. Clarence Campbell a rempli une mission très importante et accompli un excellent travail, vous en conviendrez avec moi je pense ; mais qui traiter en vrai héros de guerre ? L'avocat arrivé en Europe après le cessez-le-feu ou le soldat qui a connu l'enfer sur une plage, puis, évadé du Stalag, a parcouru des centaines de kilomètres en plein hiver, à marche forcée ?

— Sans chaussures.

— Sans chaussures.

— Je n'avais encore jamais vu les choses sous cet angle, dit Touton. Tu es un type brillant ! Comment peut-on traiter en héros un homme arrivé après la bataille ? Si j'avais pensé ainsi, il y a des années, j'aurais certainement connu un grand sentiment d'amertume.

Cinq-Mars ne se laissa pas abuser.

— Oh ! vous l'avez quand même connu ce sentiment ! Et je ne vous le reproche pas. Vous désiriez ardemment le poignard pour la simple et bonne raison que vous le méritiez par vos extraordinaires états de service pendant la guerre et pour avoir ensuite continué à servir la loi. Ni PDG ni directeur, vous ne répondiez pas à la lettre de la charte révisée par sir Herbert Holt, mais vous correspondiez parfaitement à son esprit. Surtout quand vous avez été nommé capitaine. Quand Roger Clement vous a soumis son plan pour s'emparer du poignard, comment auriez-vous pu résister ? C'est pourquoi il avait choisi de s'adresser à vous, au policier intègre qui ne pouvait pas refuser ce coup-là. De toute façon, Duplessis s'apprêtait à le voler, ce qui aurait été particulièrement exaspérant ! La Dague de Cartier aux mains de cette ordure ! D'autres le convoitaient, vous le saviez, depuis qu'ils avaient appris son existence. Tôt ou tard, il serait piqué, pourquoi pas par vous ? Au nom de tous ceux qui sont morts à côté de vous, durant les combats, en captivité ou pendant votre évasion. Vous avez voulu honorer leur mémoire et rendre hommage à leur fin terrible ; vous le leur deviez et pas seulement à vous-même.

Touton écouta ce discours sans l'interrompre, mais il était manifestement agité. Quand Cinq-Mars eut terminé, il déclara :

— Il y a un problème, Emile.

— Lequel ?

— J'ignorais l'existence de la Dague de Cartier. Tu te souviens ?

— Non, capitaine, répondit Cinq-Mars. Vous inventez, mais ce n'est pas la première fois.

Au moins, remarqua le jeune homme, son supérieur ne s'empressait pas de réfuter son argument. Touton but une gorgée puis demanda :

— Pourquoi ça ?

— Les journaux français ne se sont pas intéressés à l'histoire d'un vieux soldat récompensé par un établissement anglais, la Sun Life. Ils auraient dû penser au poignard, mais on l'avait ignoré tellement longtemps qu'il avait perdu une partie de sa signification. C'est pourquoi, selon moi, vous n'avez pas su qu'un quotidien, le *Montréal Star*, avait relaté la remise à Clarence Campbell d'un objet d'art très spécial pour honorer son héroïsme en temps de guerre.

— Tu as raison, admit Touton en haussant les épaules, je n'étais pas au courant. C'est ce que j'essaie de t'expliquer. Mes compatriotes et moi avions oublié l'existence du poignard. Ironie du sort, nous avons vraiment recommencé à nous y intéresser après qu'il a été volé.

Cinq-Mars reprit son blouson d'aviateur pour sortir de la poche intérieure une enveloppe non cachetée qui contenait la photocopie d'une coupure de presse.

— Cet article, mon capitaine, décrit le déjeuner au cours duquel on a remis la Dague de Cartier à Clarence Campbell, escorté d'une garde d'honneur constituée de membres de la police de Montréal, eux-mêmes anciens combattants. Votre nom est cité, capitaine. Quant à la photo de Campbell... regardez vous-même... à droite, ce beau jeune homme en uniforme de cérémonie... Qui est-ce ?

Touton prit l'article et le parcourut. Enfin, son regard s'attarda sur la photographie.

— Un beau jeune homme, en effet.

— L'inspecteur Sloan – un témoin fiable – m'a répété à plusieurs reprises que, le soir de l'émeute, vous avez nié avoir entendu parler de la Dague de Cartier.

Le chef de la Patrouille de nuit hocha la tête et plissa les lèvres.

— C'est une preuve, admit-il.

— Oui, capitaine.

— Ces événements relevaient du privé. Je demeure un bon flic.

— Je le sais, capitaine.

— Je ne suis pas un sale flic, et je me fiche des racontars.

— Personne ne prétend le contraire, capitaine, et certainement pas moi.

— C'était une affaire personnelle : tous ces hommes morts en quelques minutes sur cette plage, le cœur arraché de leur poitrine, leurs entrailles répandues sur le sable, les yeux crevés, leurs cervelles éclaboussant nos visages – dans ce moment de folie, j'ai probablement avalé des bouts de cerveau, croyant qu'il s'agissait d'insectes.

605

— Oui, capitaine.

Braquant un doigt vers le plateau de la table, Touton tapa dessus pour souligner ses propos.

— Il ne m'était pas destiné, Cinq-Mars, à moi directement. Il devait revenir à un acteur de cette tragédie, en mémoire des garçons morts là-bas. Voilà comment je voyais les choses à ce moment-là, où mes souvenirs étaient encore frais. Ils ne sont d'ailleurs pas si lointains, même aujourd'hui.

— Non, capitaine.

— Et ce pauvre Roger... qui souhaitait toucher une pension pour sa famille... Si les événements nous en avaient laissé le temps, nous nous serions occupés des siens. Mais il est mort trop tôt, et nous avons été pris de court.

— Alors, vous vous êtes occupé vous-même de sa famille.

— Il a sacrifié sa vie. Il ne réclamait pas un million de dollars, juste une retraite de policier, pour montrer qu'il avait mené une vie honorable, qu'il avait agi en honnête homme et pour être certain que sa femme et sa fille ne manqueraient de rien.

— Oui, capitaine.

— Vous vous moquez de moi, non?

— Jamais, capitaine! Mais, à mon avis, vous avez commis une erreur.

— Eh oui! Et le gars de la campagne est content de lui avec sa fourche dans le cul! Vous songiez à la prêtrise et vous auriez dû persévérer. Bon débarras pour moi!

— Oui, capitaine.

Touton continuait à hocher la tête et semblait reprendre des forces.

— Emile, ça valait la peine d'être démasqué par vous. Vous savez pourquoi? (Le jeune homme resta muet.) Parce que, désormais, je connais le meurtrier de Roger et que je vais pouvoir renseigner sa femme au sujet de l'assassin et de ses complices. Cela compte beaucoup pour moi, pour le policier et pour l'ami de son mari.

— Oui, capitaine. Je vais prévenir le père François de quitter la ville quelque temps et de garder profil bas.

— C'est une bonne idée, car elles seraient capables de lui casser la gueule! (Ils restèrent un moment silencieux, puis terminèrent leur verre et se levèrent.) Tu sais une chose?

— Quoi donc?

— Je vais payer cette tournée.

— Ah oui? répondit Cinq-Mars en souriant. Alors, maintenant, je crois aux vertus magiques qu'on prête à la Dague de Cartier!

Touton éclata de rire; son entrain sans la moindre trace d'émotion surprit son compagnon.

606

« — J'ai beaucoup apprécié ton grand discours, Emile, mais maintenant je dois te dire quelque chose.

— Capitaine ? »

Le vieil homme fléchit ses jambes engourdies avec une petite grimace.

« — Tu te trompes.

— Excusez-moi ? » Cette remarque l'embarrassait parce qu'il s'était attendu à ce que Touton, confronté à tant de preuves, cessât d'esquiver.

« J'étais au courant de la tentative de vol de Roger, mais je n'ai pas volé le poignard. Il s'en est fallu d'une minute pour que mon dispositif l'en empêche ; mes hommes ont échoué et le mérite en revient à Roger. Hélas ! cela lui a coûté la vie.

Pour la première fois ce soir-là, Cinq-Mars perdait pied.

— Je ne comprends pas très bien votre position. Vous déclariez qu'il travaillait pour vous, on ne savait pas qu'il travaillait comme escroc.

— J'ai déclaré qu'il travaillait pour moi pour lui faire obtenir une pension, ce à quoi je ne suis pas parvenu.

Touton prit son portefeuille et déposa quelques billets sur la table avant de regarder Cinq-Mars bien en face.

— Allons discuter de ça dehors. » Ils sortirent dans l'air frais de la nuit et le capitaine de la Patrouille de nuit posa une main sur l'épaule de son jeune compagnon. « Par ici », dit-il en le guidant à travers une brèche dans une clôture.

Ils gagnèrent le quai d'où partaient les bateaux à destination des Grands Lacs. Une grande animation régnait sur les navires : le dégel amorcé permettrait bientôt la reprise de la saison et les équipages s'affairaient pour tirer les bateaux de leur hibernation.

Les deux hommes s'accoudèrent à une rambarde et regardèrent l'eau.

— Roger m'a effectivement prévenu de son projet de voler quelque chose ; il a refusé de satisfaire ma curiosité ; cela ne me regardait pas, m'a-t-il répondu. Quand je lui ai demandé pourquoi, il m'a parlé de ses amis puissants. « Dans ces conditions, pourquoi alors me raconter ça ? » Pour que je ne m'en mêle pas et le laisse faire son travail. « Un travail ? Ce n'est pas un travail », lui ai-je répondu. « J'ai des amis haut placés », m'a-t-il répété.

Touton se tut et Cinq-Mars sortit ses cigarettes, en offrit une à son chef puis alluma les deux.

Touton fuma en silence, puis il reprit :

— Il ne s'agissait pas d'une conversation ordinaire, car Roger n'était encore jamais venu me voir pour m'annoncer son intention de commettre un crime. Mais, il faut que tu comprennes qu'ensemble, nous avions nettoyé la ville. A cette époque-là, je voyais vraiment en lui un policier travaillant dans la clandestinité et c'est pourquoi je voulais lui obtenir un fonds de pension. Ensemble, on a démoli des tripots clandestins, fait des descentes dans des bordels tout aussi clandestins qui employaient des mineurs, filles et garçons; bouleversé les braqueurs de banque qui commençaient à être organisés et fait tomber les as du chantage trop durs ou trop gourmands. Roger me secondait dans l'ombre.

— Vous lui étiez donc redevable, conclut Cinq-Mars.

— Pas seulement, précisa Touton, j'avais besoin qu'il reste à sa véritable place, celle d'un voleur. Je lui ai alors demandé ce qu'il attendait de moi. « Empêche-moi de commettre ce vol par tous les moyens dont tu disposes », m'a-t-il répondu.

— Mais pourquoi?

— Réfléchis un peu! répliqua Touton, sans pour autant lui laisser le temps de proposer une réponse. Le cambriolage devait se produire sur mon terrain et sous mon nez. En faisant tout ce qui était en mon pouvoir pour lui barrer le chemin, avait-il pensé, je me protégerais du même coup. « Cette histoire va te causer des emmerdes, a-t-il continué, et il faudra que tu puisses clairement démontrer que tu n'as pas merdé. » Et quand j'ai soulevé la question de ce qui se passerait pour lui s'il échouait, il m'a répondu : « C'est là que tu interviens. »

— Que vous intervenez?

— En cas d'échec, il lui fallait une très bonne excuse, la seule valable étant que j'avais mis le paquet pour le prendre et que, par conséquent, il n'était pas responsable. Tu comprends, il devait pouvoir démontrer à ses amis qu'on ne pouvait rien lui reprocher.

Cinq-Mars hocha la tête et lança dans l'eau sombre sa cigarette dont il n'éprouvait plus le besoin. Ainsi que le lui avait enseigné Touton, il rassembla les fils de la conversation.

— Vous avez dit que vous n'aviez qu'une seule limite.

— Deux, en fait. Il a déclaré qu'il m'expliquerait ce qu'il s'apprêtait à dérober, mais que je ne pouvais pas le savoir.

— Qu'est-ce que cela signifiait?

— Je lui ai bien entendu posé la question. Voici ce que j'ai compris : il pouvait me faire défendre le bâtiment qui abritait l'objet, mais pas l'objet lui-même, car, théoriquement, j'ignorerais de quoi il s'agissait. Il fallait donc que j'invente une bonne raison de défendre l'immeuble, mais ce qu'il visait resterait secret. Je lui ai alors simplement demandé quel était cet immeuble. « Le bâtiment de la Sun Life », m'a-t-il révélé. Tu as donc raison, Emile, j'étais au courant pour le poignard. J'ai dit à Roger : « Je sais ce que tu cherches », mais il a rétorqué qu'il ne voulait pas que je sois présent, même si je supervisais les opérations : ce fameux soir, je ne devrais pas être le policier de service.

— Au cas où quelque chose tournerait mal, observa Cinq-Mars.

— C'est pour cette raison que j'ai accepté. Je lui ai précisé mon intention de boucler le bâtiment de telle manière qu'il serait obligé de renoncer avant même de commencer. Il s'est contenté de sourire en disant : « On verra. »

— Alors, comment s'y est-il pris ?

— Il avait un complice à l'intérieur.

— Savez-vous qui ?

— D'une certaine façon.

— Alors qu'est-ce que je fais sur cette affaire, si vous ne divulguez pas vos renseignements ?

— Ton boulot consistait à prouver ce que je soupçonnais.

— Vous voulez dire que j'ai échoué...

— Cela nous est arrivé à tous ! C'est le métier !

— Selon vous, qui était le complice ?

— Je ne peux pas te le dire.

Cinq-Mars eut soudain besoin d'une autre cigarette, mais Touton refusa celle qu'il lui proposa.

En reprenant la direction de la voiture, ils aperçurent un homme qui se promenait au clair de lune, tenant un colley en laisse.

— Vous le connaissez ? s'enquit Cinq-Mars qui se sentait sans cesse épié.

— Et toi ?

— En tout cas, je devrais ; ça me donne la chair de poule.

— Du calme, mon garçon ! La retraite est encore loin !

Ils passèrent la brèche dans la clôture et s'adossèrent à celle-ci ; c'était plutôt confortable, et Touton se balançait, les mains enfoncées dans ses poches pendant que son protégé patientait.

— La clé, lança soudain le capitaine, c'était Laurin.

— Pourquoi lui ?

— Pourquoi était-il là ? A l'exception de Bernonville, chacun représentait quelqu'un d'autre : Vimont pour Harry Montford, lui-même impliqué pour rendre service à Duplessis ; Houde pour Duplessis, ainsi que pour lui-même – on se souviendrait de sa présence ce soir-là ; le père François pour l'Eglise. Mais pourquoi Laurin ? Pour le complice de Roger.

— Qui était ?

— Je ne peux pas te le dire. Réfléchis.

Le jeune policier regarda dans le vague et soupira, puis il comprit tout d'un coup.

— Le père François le sait ! Voilà pourquoi vous vouliez que je commence par l'interroger après avoir appris la présence d'Anik dans la penderie !

— J'étais au courant, répondit le vieux policier en haussant les épaules. Carole a conseillé à Anik de se taire, en insistant sur le caractère sacré et secret de la confession d'un mourant. Anik n'avait pas le droit de révéler ce qu'elle avait entendu. Chez les catholiques de longue date que nous sommes, certaines traditions ne meurent jamais, même chez les extrémistes. Mais c'est vrai, certain que le prêtre ne divulguerait jamais rien, je ne m'en suis pas pris à lui. Mais je me suis trompé : ce prêtre un peu à part, plus socialiste que mystique, a trouvé un moyen de m'aider sans trahir ses devoirs.

— Maintenant, je comprends. pourquoi vous m'avez fait entrer dans votre équipe, pourquoi vous m'avez aidé.

— Pourquoi ? C'est une question que je me pose tous les jours.

— Vous m'avez rencontré alors que je me trouvais avec Anik...

— Que tu essayais d'arrêter...

— Puis vous avez remarqué que nous nous aimions bien.

Cinq-Mars écrasa son mégot sous sa chaussure.

— Si vous deveniez proches l'un de l'autre, peut-être à l'occasion Anik lâcherait-elle un nom. Laurin représentait la secte ancienne, aujourd'hui éteinte, on l'espère, de l'Ordre de Jacques Cartier. Ce n'était pas un criminel, alors pour quelle raison ce psychiatre et homme politique se trouvait-il là ? Parce qu'une personnalité puissante l'avait envoyé, de même qu'elle avait placé Roger Clement à l'intérieur de la Sun Life.

— Il travaillait à l'intérieur de l'immeuble. Un directeur, alors ?

— J'ai vérifié. Presque tous sont anglais. Mais quand on possède un grand pouvoir, on peut obtenir à peu près tout ce qu'on veut, notamment un jeu de clés et des aides extérieures.

— Alors, ça fait beaucoup de possibilités.

— Il s'agit d'une personnalité tellement connue que la seule mention de son nom a fait pleurer une enfant enfermée dans une penderie.

Sans s'être concertés, ils se dirigèrent d'un même mouvement vers la rue.

— Vous croyez ? s'étonna Cinq-Mars.

— Non, mais, autrefois, oui. Cela explique, en quelque sorte, pourquoi Roger travaillait pour moi. Il voulait une part de ce poignard, et moi je voulais que la relique soit attribuée à un soldat.

— Pas à vous ?

— Pas à moi. C'était un acte criminel que je n'aurais pas pu contourner. Il y avait beaucoup de héros et j'ai cru qu'ensemble nous serions efficaces. Je n'avais pas imaginé que nous serions si nombreux à concevoir exactement la même idée. J'estimais Roger capable de se débrouiller, et il l'était, mais jusqu'à un certain point.

Ils écoutèrent les pas sur le trottoir.

— J'ai presque touché au but, lui révéla Touton, le soir où j'ai reçu un appel d'un de mes vieux amis, Lu Lee, un restaurateur. Dans son établissement, quelqu'un avait chuchoté Dieu sait quoi à propos de la Dague de Cartier ; il avait également ajouté des choses désagréables concernant certaines minorités. J'ai eu beau me précipiter, je suis arrivé trop tard, il était déjà parti, sans laisser de traces ce salaud, il avait réglé en espèces. Plus tard, ce que Lu Lee m'a rapporté de ses propos m'a fait penser que le client devait occuper un poste important au sein de l'Ordre de Jacques Cartier. J'espérais que ce type reviendrait dîner chez Lu Lee mais hélas, il n'est plus de ce monde.

— J'ai failli avoir ce nom. J'aurais pu l'avoir, avoua Cinq-Mars après s'être éclairci la voix.

— Pourquoi ne l'as-tu pas eu ?

— A cause du prêtre qui survit au fond de moi, j'ai choisi de respecter les dernières paroles d'un mourant à son confesseur, et je n'ai donc pas cherché à les connaître. Anik allait me le dire, mais elle ne l'a finalement pas fait.

— Cela fait donc deux occasions manquées ; peut-être aurons-nous plus de chance avec la troisième.

Ils continuèrent à marcher, traversèrent après avoir laissé passer une voiture et s'engagèrent sur le trottoir d'en face.

— Il y a encore chez toi plus du prêtre que du policier, observa Touton. Il posa une main sur l'épaule du jeune homme comme il l'avait fait en quittant le bar. « Cela ne fait rien. On peut quand même en faire quelque chose !

— Je suis désolé, capitaine.

— Il ne le faut pas, tu avais pris une décision. Jeune homme, j'ai fait la guerre et j'ai vécu l'enfer, pourtant je ne renoncerai jamais au soldat qui est en moi. Quant à toi, Emile, ne renie jamais le prêtre qui est en toi, conseilla-t-il. Je vais rentrer à pied au commissariat, ajouta-t-il en retirant sa main. J'ai besoin d'être seul un moment.

Pourtant, ils restèrent plantés sur le trottoir.

— A moins que tu n'envisages de me coffrer ? suggéra Touton.

— Non, capitaine, répondit le sergent en essayant, en vain, de sourire.

— Moi, je le ferais. J'ai quand même détourné les yeux pour laisser commettre ce crime.

— Je ne suis pas vous.

— Tu es un tendre, alors que, parfois, cette vie exige une certaine dureté.

— Puisque nous en parlons, je vais me montrer dur : j'ai rédigé un rapport.

— A qui ? s'informa Touton en se tournant vers lui.

— A personne, puisque vous ne cherchez plus à acquérir la Dague de Cartier. Ne me demandez pas comment je le sais, je le sais. Vous avez découvert qui est l'actuel détenteur, mais vous emporterez cette information dans la tombe.

Le jeune homme n'était pas si tendre après tout, aussi Touton lança-t-il brutalement :

— Fais-moi des excuses, mon garçon, parce que, ce soir, tu m'as insulté et je ne veux pas de ça !

Cinq-Mars songea à ce qu'impliquaient ces paroles et à la réponse qu'elles appelaient.

— Bien, capitaine, je vous demande pardon.

— Très bien », répliqua Armand Touton. Il tourna les talons en direction de son bureau, réfléchit, puis s'arrêta pour demander une cigarette pour le trajet. « Pour ton information : je me suis arrangé pour que Carole Clement touche une pension. Si jamais tu décides de me coffrer, attends d'abord que ce soit réglé.

— N'allez pas m'insulter maintenant ! Vous avez été correct toute la nuit...

— Alors, nous sommes quittes.

— Pour ma part, je veux juste que vous compreniez la situation, répondit Cinq-Mars.

— Je l'ai comprise dès le début. Tu penses que nous avons perdu ? Que nous avons laissé filer le chef de l'Ordre ? N'en sois pas si sûr, mon garçon. Une silhouette sombre continuera de promener son chien le long de la voie ferrée, cet homme te fera encore dresser les cheveux sur la tête. Comme lorsqu'on fait fermer un bordel : on voit apparaître des maquereaux. Si nous avions conservé les bordels, je parie que ma fille n'aurait jamais rencontré un maquereau ni filé pour le retrouver.

— Je suis désolé, compatit Cinq-Mars.

— Moi aussi, mais c'est comme ça. Il y a toujours une silhouette sombre, Emile. Peu importe qui nous coffrons ou comment nous agissons, une silhouette sombre sera toujours campée au bord de la voie.

— Tenant un chien en laisse.

— Qui fait se dresser les cheveux sur ta tête. Mieux vaut donc le garder dans le noir, ne pas le laisser apparaître à la lumière du jour. Et si je travaille dans la Patrouille de nuit, c'est pour que les journées dans ces rues soient claires et ensoleillées. Bonne nuit, Emile! conclut Touton en lui tendant la main.

— Bonne nuit, patron! le salua Cinq-Mars, surpris par son départ soudain.

Les deux hommes se séparèrent, l'un retournant à son travail, l'autre rentrant chez lui en faisant un détour par l'orée de la ville; dans la nuit silencieuse, il sentait la présence du vieux fort en bois, encore robuste, et celles de ses fidèles habitants dont la vie avait oscillé entre la menace des attaques et l'extase que procure une folle aventure. Fort Périlleux, désormais une entreprise cosmopolite, avait reçu récemment des voyageurs venus de loin pour visiter l'Exposition universelle. Depuis cette grande fête, la population avait connu la fièvre d'une rébellion, mais elle était restée debout. Ses ancêtres avaient survécu à tous les massacres et pris la mesure de tous les défis. Certaines choses demeuraient inchangées.

Cinq-Mars était content de rentrer par le chemin le plus long, d'arpenter les rues endormies de sa ville; le vieux quartier, avec ses immeubles silencieux comme des tombes, ressemblait à une ville fantôme. Puis il commença l'ascension de la colline vers l'animation du centre, ses trottoirs encombrés d'amoureux et de flâneurs, avec le printemps qui flottait dans l'air, les bars et le va-et-vient des clients; il songea à entrer dans une taverne, mais ses jambes l'entraînèrent et il regagna son appartement.

Il s'assit sur son canapé, puis par terre, pour réfléchir à l'avenir et ressasser le passé. Après s'être séparé d'Anik, il s'était plongé dans le travail et dans l'enquête sur le meurtre de son père. Il avait alors étudié l'histoire du Poignard de Cartier et de sa ville d'adoption. Il s'agissait, au fond, de prouver son amour à Anik. Hélas! il se retrouvait seul. Il savait ce que signifiait avoir le cœur brisé et il avait eu recours à l'antidote du travail et de la ténacité. Maintenant, il mesurait l'étendue de cette perte et pleurait un amour qui aurait pu exister mais qui ne retrouverait jamais sa place dans l'ordre des choses.

A l'aube, il dormait, recroquevillé par terre; réveillé par les premières lueurs du jour, il trébucha jusqu'à son lit et se blottit tout habillé sous les couvertures. Une immense lassitude s'était emparée de lui, dont seul un long sommeil le guérirait. Il entrouvrit un instant les yeux pour vérifier s'il portait son uniforme, puis, se souvenant qu'il était en congé jusqu'à la nuit, il se débarrassa péniblement de son pantalon et de sa chemise, et sombra dans un sommeil réparateur.

EPILOGUE

EPILOGUE

1971

ELLES PORTAIENT chacune une pelle. Une demi-lune brillait sur les dernières plaques de neige et les pierres tombales. Les dalles de marbre noir, gris ou blanc, sortaient de leur hibernation pour retrouver l'air frais de la montagne. Le dégel favorisait l'intrusion des deux femmes qui, pourtant, veillaient à déranger le sol le moins possible et à ne pas réveiller les fantômes susceptibles de hanter ce domaine.

Leurs coups de pelle acharnés à soulever la boue gluante s'accompagnaient de bruits mous.

Anik Clement se pencha au-dessus pour mesurer la profondeur du trou avec un bâton.

— Encore un coup, déclara la mère.

— Encore un coup, renchérit la fille.

Ranger, le fox-terrier d'Anik, examina la cavité d'un air approbateur, mais Anik l'écarta.

Carole Clement planta sa pelle sur l'un des bords bien réguliers du trou pour détacher un pan de boue. Elle racla les parois, puis déposa la motte sur le petit tas qu'elles avaient formé sur le côté.

— Voilà, murmura-t-elle.

Anik vérifia une nouvelle fois la profondeur.

— Oui, acquiesça-t-elle en se relevant, ça ira. » Son regard scruta l'immensité du ciel. « Il va pleuvoir, pas vrai ?

— C'est ce que dit la météo. Je sens dans l'air que le temps va tourner.

Du haut de la crête sur laquelle elles se trouvaient, elles pouvaient voir toute la ville vers l'ouest et le nord. Au-dessus des collines du Saint-Laurent baignées par le clair de lune, des nuages filant au gré des vents dessinaient des ombres changeantes.

— C'est le moment, murmura doucement Carole.

— Oui.

Le sac à dos d'Anik attendait derrière leur petit tas de boue. Elle ouvrit la poche intérieure et, après avoir à plusieurs reprises écarté le museau fureteur de Ranger, elle en tira le coffret qui protégeait la Dague de Cartier. Elle le posa par terre et s'accroupit pour l'ouvrir et en sortir avec précaution la relique ; elle déposa sur le manche un baiser léger puis se redressa pour donner le poignard à sa mère qui, à son tour, l'embrassa.

Anik porta une nouvelle fois le poignard à ses lèvres puis à sa joue, et s'approcha du trou d'un mètre de profondeur qu'elles avaient creusé dans la terre au-dessus de la tombe de son père.

— Est-ce que je dis quelque chose maintenant ou après ? demanda-t-elle à sa mère.

— Maintenant, parvint à murmurer Carole Clement, les lèvres tremblantes, les yeux humides.

Comme pour confirmer ce choix, Ranger s'assit sur son arrière-train, attendant les mots annoncés.

Anik dut reprendre haleine, ses lèvres frémissaient aussi, sa frêle silhouette tremblait. Carole se rapprocha d'elle et passa un bras autour de sa taille. Les deux femmes ne purent retenir davantage leurs larmes qui tombèrent sur la terre humide qu'elles venaient de creuser.

— Papa, commença Anik, nous t'avons rapporté la Dague de Cartier. Désormais, tu veilleras sur lui. Tu mérites de le conserver auprès de toi.

Anik brandit le poignard et Carole posa ses mains sur celles de sa fille. Et enfin elle prononça les mots qu'elle avait longuement préparés :

— Nous enterrons la Dague de Cartier dans le sol du Québec, de la ville qui s'appela successivement Hochelaga, Fort Périlleux, Ville-Marie et enfin Montréal, afin de faire de ce lieu une terre sacrée pour tous ceux qui y vivent, pour tous ceux qui y arrivent maintenant et pour l'éternité. Nous confions le poignard à tes soins, Roger, mon amour... » Elle s'interrompit pour essuyer ses larmes, puis, plus doucement, comme en aparté avec son mari défunt, elle ajouta : « Tu étais mon héros de guerre, Roger, tu étais mon grand amour.

Effleurant des doigts les cheveux de sa mère, Anik lui fit comprendre qu'elle avait entendu.

— Papa, en temps de guerre, tu es allé en prison par amour. Cela fait de toi mon héros de guerre aussi.

Se relevant, Carole ajouta :

— Tu mérites autant qu'un autre la Dague de Cartier.

618

Lors de l'enterrement de son père, Anik, trop jeune, n'avait pas vraiment mesuré la perte qu'elle subissait. Aussi ce geste commémorait-il solennellement le sacrifice de sa vie ainsi que tout l'amour qu'elle lui portait.

— Retiens Ranger, demanda-t-elle à sa mère, qui le prit dans ses bras. Anik se pencha pour enfoncer le poignard dans la cavité, le plantant droit dans la terre jusqu'à la garde, puis elle se redressa.

Elle retrouva son calme, un instant perdu et prit l'étui dont elle retira la pointe brisée.

— Je garde cela, déclara-t-elle, comme s'il s'agissait du cœur de mon papa.

Son fidèle ami Emile lui avait proposé de sortir à nouveau avec lui et elle avait dû lui assener que ce qui était fait était fait. Il avait compris ; tous les deux en avaient pourtant été très attristés. Il avait alors donné à Anik la pointe de la Dague de Cartier sans qu'elle la demandât et sans dire un mot de plus.

Elle la glissa dans la poche de sa veste qu'elle referma soigneusement.

La mère et la fille tombèrent alors dans les bras l'une de l'autre, s'étreignant avec force.

Enfin, elles s'essuyèrent le nez, les yeux et se laissèrent aller à rire un peu.

Ensuite, elles recouvrirent le poignard de terre, Anik la tassa soigneusement puis combla entièrement le trou. Elles replacèrent précautionneusement le carré d'herbe qu'elles avaient dû ôter et s'appliquèrent à effacer toute trace de leur passage.

— Il va bientôt pleuvoir, assura Carole à sa fille, cela effacera nos empreintes.

— Je reviendrai dès qu'il fera de nouveau beau, je lui apporterai un bouquet et ressèmerai du gazon, je m'assurerai que tout est bien net.

— Ce sera bien, ma chérie.

— Oui. Papa nous regarde, tu sais.

— Je sais.

La mère attendit un instant sa fille. Ce moment lui appartenait : né au plus profond de son cœur, un murmure survola ce sol sacré, traversant le temps et l'espace, imprégnant la terre et l'histoire du monde de ses redoutables vibrations, de son amour sans limites. Elle resta longtemps immobile, jusqu'à ce que sa mère lui prenne le bras en murmurant doucement son nom. Elles ramassèrent le coffret désormais vide, le sac à dos, les outils, et, le souffle court, descendirent dans l'obscurité, guidées par le vieux chien toujours frétillant. Elles n'avaient pas choisi le chemin tracé pour les piétons, mais un autre sentier, repéré lors d'excursions précédentes, dont le parcours accidenté entre arbres et rochers les protégeait d'éventuels regards.

Deux femmes, munies d'une pelle, et un chien, dans la nuit s'éloignaient d'un cimetière couronnant une colline appelée Mont Royal et redescendaient vers la rumeur de leur ville.

REMERCIEMENTS

Les romans puisent leurs informations à bien des sources, mêlant les faits avec la fiction, et il est rare qu'on reconnaisse ce que l'on a glané dans d'autres livres. Dans le cas présent, l'auteur doit beaucoup à certains textes et tient à exprimer sa gratitude. Il tient donc à signaler particulièrement les ouvrages suivants, cités par ordre alphabétique d'auteur, et en précisant dans la mesure du possible la date de publication : *Duplessis*, de Conrad Black, publié par McClelland & Stewart, 1977 ; *Montreal, The Days That Are No More*, d'Edgar A. Collard, publié par Doubleday Canada, 1976 ; *Storied Streets, Montreal in the Literary Imagination*, de Bryan Demchinsky et Elaine Kalman Naves, publié par McFarlane, Walter & Ross, 2000 ; *The Revolution Script*, de Brian Moore, publié par Holt, Rinehart and Winston, 1971 ; *Montreal, From Mission Colony to World City*, de Leslie Roberts, publié par Macmillan of Canada, 1969 ; *Memoirs*, de Pierre Elliot Trudeau, publié par McClelland & Stewart, 1993 ; *City Unique, Montreal Days and Nights in the 1940s and 50s*, de William Weintraub, publié par McClelland & Stewart, 1996. M'ont été d'un grand secours les sites web du Gouvernement du Canada sur les débuts de l'Histoire franco-canadienne. Tous mes remerciements aux éditeurs et lecteurs, SJL, Anne McDermid, Lina Rœssler, Andrew Hood et Iris Tupholme et merci à tous.

Trevor Ferguson

Dans la collection Grand Format

Cet ouvrage a été imprimé par

CPI
Firmin Didot
Mesnil-sur-l'Estrée

pour le compte des Éditions Grasset
en janvier 2009

Imprimé en France
Dépôt légal : janvier 2009
N° d'édition : 15606 – N° d'impression : 93365